HÄNDEL-HANDBUCH

Begründet vom Kuratorium der Georg-Friedrich-Händel-Stiftung
von Dr. Walter Eisen und Dr. Margret Eisen

in fünf Bänden

Gleichzeitig Supplement zu
HALLISCHE HÄNDEL-AUSGABE
(Kritische Gesamtausgabe)

Band 1
Lebens- und Schaffensdaten
Thematisch-systematisches Verzeichnis:
Bühnenwerke

Band 2
Thematisch-systematisches Verzeichnis:
Oratorische Werke
Vokale Kammermusik
Kirchenmusik

Band 3
Thematisch-systematisches Verzeichnis:
Instrumentalmusik

Band 4
Dokumente zu Leben und Schaffen

Band 5
Bibliographie

BÄRENREITER KASSEL · BASEL · LONDON

HÄNDEL-HANDBUCH · BAND 4

Dokumente zu Leben und Schaffen

Auf der Grundlage von
Otto Erich Deutsch
Handel · A Documentary Biography
herausgegeben
von der Editionsleitung
der Hallischen Händel-Ausgabe

BÄRENREITER KASSEL · BASEL · LONDON

214139

© VEB Deutscher Verlag für Musik Leipzig 1985
Gemeinsame Edition: „Bärenreiter-Verlag Kassel,
Basel, London“
und „VEB Deutscher Verlag für Musik Leipzig“
Printed in the German Democratic Republic
Lichtsatz: INTERDRUCK Graphischer Großbetrieb
Leipzig – III/18/97
Druck und buchbinderische Weiterverarbeitung: Offizin
Andersen Nexö III/18/38
Schutzumschlag und Einband: Egon Hunger, Leipzig
ISBN 3-7618-0717-1

Vorwort

Die vorliegende Ausgabe von Händel-Dokumenten, die innerhalb eines fünfbändigen Händel-Handbuchs erscheint, wird von der Georg-Friedrich-Händel-Gesellschaft zum 300. Geburtstag Händels im Jahre 1985 publiziert. Sie beruht auf dem Buch *Handel. A Documentary Biography* von Otto Erich Deutsch, mit dem dieser bedeutende Gelehrte (neben seinen Sammlungen von Mozart- und Schubert-Dokumenten) neue Quellen auch zum Leben und Werk Georg Friedrich Händels erstmalig erschlossen, geordnet und ediert hat. Die von ihm geschaffene neue Form einer musikalischen Dokumentenbiographie hat der Forschung neue Wege gewiesen und zu zahlreichen weiteren Untersuchungen angeregt. Nach dem Erscheinen der ersten Ausgabe (London 1955 – in englischer Sprache) hat O. E. Deutsch selbst begonnen, Ergänzungen und Corrigenda für eine zweite Auflage zusammenzutragen. Den Gedanken einer Neuausgabe in deutscher Sprache hat er noch vor seinem Tode (1967) begrüßt und dazu sein Handexemplar und viele Notizen zur Verfügung gestellt. Noch nicht ausgewertetes Material – vor allem zu den Druckausgaben Händelscher Werke – überließ William C. Smith 1963/1964 der Georg-Friedrich-Händel-Gesellschaft. Weitere Ergänzungen und Korrekturen konnten seinen einschlägigen Publikationen entnommen werden, ebenso den grundlegenden Arbeiten von Winton Dean, besonders seinem Buch *Handel's Dramatic Oratorios and Masques* (London 1959). Wichtige Dokumente zu Händels italienischer Zeit wurden von Ursula Kirkendale erschlossen, in jüngster Zeit durch Hans Joachim Marx um Details vermehrt. Eine große Arbeit bei der Beschaffung von fremdsprachigen Quellen leistete Hellmuth Christian Wolff. Die Durchsicht der halleschen Dokumente und Archivalien besorgte Lieselotte Bense. An der Erweiterung des Materials um Texte aus der einschlägigen deutschsprachigen Literatur der ersten Hälfte des 18. Jahrhunderts hat Christine Fröde Anteil.

Gegenüber der ersten in englischer Sprache veröffentlichten Ausgabe sind die Dokumente nun in ihrem Originaltext wiedergegeben. Die Kommentare beschränken sich auf den sachlichen Kern; auf dokumentarisch nicht zu belegende Interpretationen aus späteren Biographien, Schriften und Briefen wurde verzichtet.

Außer den im Vorwort zur ersten Ausgabe (vgl. S. 546 f.) bereits genannten Personen und Institutionen ist für Hinweise und Hilfe bei der Vorbereitung dieser Neuausgabe zu danken: Heinz Bekker (Bochum), Winton Dean (Godalming/Surrey), Rudolf Elvers (Staatsbibliothek Preußischer Kulturbesitz, Berlin/West), Mario Fabbri (Florenz), Vladimir Fedoroff †, Federico Ghisi (Florenz), A. Hyatt King (London, British Library), Ursula Kirkendale (Durham, North-Carolina), Friedrich Lippmann (Rom, Istituto Storico Germanico), Alfred Loewenberg (London), Alice Mummery (Bornemouth/Hampshire), Pietro Puliatti (Biblioteca Estense Modena), Heinz Ramge (Staatsbibliothek Preußischer Kulturbesitz, Berlin/West), Hans Ferdinand Redlich †, Albi Rosenthal (London), Konrad Sasse †, William C. Smith †, Renata Wagner (München, Bayerische Staatsbibliothek), Johanna Weiser (Merseburg, Zentrales Staats-Archiv), Pamela J. Willetts (London, British Library), Wolfgang Witzenmann (Rom, Istituto Storico Germanico), Emilia Zanetti (Rom, Biblioteca Musicale Santa Cecilia), der Niedersächsischen Landesbibliothek sowie dem Niedersächsischen Hauptstaatsarchiv, Hannover.

In den letzten Jahren hat Bernd Baselt die Editionsleitung der Hallischen Händel-Ausgabe durch wertvolle Einzelhinweise unterstützt. Publikationen, die nach Abschluß des Manuskriptes (Sommer 1983) bekanntgeworden sind, wurden nach Möglichkeit noch während der Korrekturarbeiten ausgewertet. Die Endredaktion lag in den Händen von Siegfried Flesch und Frieder Zschoch in engem Kontakt mit dem Unterzeichneten.

Bei allem Bemühen um größtmögliche Vollständigkeit kann freilich nicht garantiert werden, daß in der vorliegenden Neuausgabe, die mit Händels Todesjahr 1759 endet, alle Dokumente zu Händels Leben, Werk und Wirken erfaßt worden sind. Für Hinweise auf Ergänzungen und Korrekturen sind die Redaktion der Hallischen Händel-Ausgabe und die Verlage jederzeit dankbar.

1. November 1984   Walther Siegmund-Schultze

Zur Edition

1. Für die Auswahl der Dokumente war die Beziehung zu Händels Werk bestimmend. Dabei ergab sich zwangsläufig bei umfangreichen Dokumenten eine Beschränkung auf die händelbezogenen Abschnitte. Ausgelassene Textstellen innerhalb der Dokumente sind durch Punkte (…) gekennzeichnet.
Auf Sachzusammenhänge mit anderen Dokumenten oder Kommentaren wird durch Angabe der entsprechenden Daten verwiesen.

2. Im Hauptteil des Bandes sind drei Textarten zu unterscheiden: Dokumente, redaktionelle Abschnitte zu lebens- oder werkgeschichtlichen Zusammenhängen und Kommentare. Ihre Anordnung erfolgt chronologisch. Nur auf einen Monat bzw. ein Jahr datierbare Materialien werden am Ende des jeweiligen Monats oder Jahres eingeordnet. Mehrere Abschnitte gleicher Datierung sind durch römische Ziffern gekennzeichnet.

3. Bis zum 2. September 1752 galt in England der Julianische Kalender, während in den meisten Ländern des Kontinents zwischen 1582 und 1700 der Gregorianische Kalender eingeführt worden war. Die Differenz von elf Tagen wurde dadurch ausgeglichen, daß auf den 2. September 1752 (Julianischer Kalender) der 14. September (Gregorianischer Kalender) folgte. Zur Unterscheidung von den britischen (julianischen) Daten werden die kontinentalen in kursiver Schrift wiedergegeben. Der Jahresbeginn im Julianischen Kalender mit dem 25. März bleibt unberücksichtigt. Originale Doppeldatierungen in den Dokumenten werden beibehalten.

4. Die Wiedergabe der Quellentexte erfolgt in der Originalsprache unter Beibehaltung ihrer Orthographie und Interpunktion. Auf die Übernahme von Zeilenanordnungen und typografischen Besonderheiten der Vorlagen (z. B. Kursive, Fettdruck, Sperrung, Übergröße) wurde im allgemeinen verzichtet, wenn dadurch nicht die Aussage der Texte beeinträchtigt wird.
Zusätze sind in eckige Klammern ([ ]) gesetzt.

5. Die Kommentare versuchen, durch knappe Erläuterungen und Hinweise die Dokumente inhaltlich verständlich zu machen. Sie sind durch einen waagerechten Strich am Beginn der jeweils ersten Zeile (–) gekennzeichnet.
Werktitel werden in kursiver Schrift, Textanfänge in Anführungsstrichen wiedergegeben.

6. Die Angabe der HWV-Nummern bei den erwähnten Werken Händels erfolgt grundsätzlich im Werkregister (Anhang), im Hauptteil nur dann, wenn es zur eindeutigen Identifizierung notwendig erschien.

Dokumente und Kommentare

1683

9., 15., 22. und 23. April 1683
Aufgebotsregister 1594–1684 der Kirche zu Giebichenstein

Anno 1683
Den 9 Aprilis Wie auch den 15 und 22 ejusdem ist der Edele, WolEhrenVeste, Grosachtbare und Kunstberühmte Herr Georg Händel, Churfürstl. Brandeburgischer Wolbestalter Kammerdiener mit Jungfer Dorotheen Taustin, Meiner Tochter aufgeboten und den 23 Aprilis öffentlich zu Giebichenstein copuliret worden.　　[S.277]
(Francke, 4)

23. April 1683
Actus ministeriales bey der Kirche zu Giebichenstein meo tempore ab anno 1654 et porro… Georg Taust Pf

1. Der Edele WolEhrenVeste, Grosachtbare und Kunstberühmte Herr Georg Hendel, Churfürstl. Brandeburgischer Wolbestalter Kammerdiener Mit Jungfer Dor[o]theen Meiner Tochter den 23 Aprilis Zu Giebichenstein copuliret.
　　　　[S.166, Sp. „Getrauete"]
(Chrysander, I, 5; Opel 1885, 78; Sasse 1958, 15 und 137; Faksimile in: Francke, 4)

– Beide Kirchenbucheintragungen hat Georg Taust, der Vater der Braut, vorgenommen, der als Pfarrer der Kirche zu Giebichenstein bei Halle das Paar selbst traute. Die Ehe, die der 60jährige Wundarzt Georg Händel (geb. 24. September 1622 Halle, gest. 14. Februar 1697 ebd.) mit der 32jährigen Dorothea Taust (geb. 10. Februar 1651 Dieskau bei Halle, gest. 27. Dezember 1730 Halle) einging, war seine zweite. Georg Händels erste Frau, Anna, verwitwete Ettinger, geborene Kate (geb. 1612?), war im Jahr zuvor an der Pest gestorben. Von den sechs Kindern aus erster Ehe waren zur Zeit seiner zweiten Eheschließung noch am Leben: der jüngste Sohn, Carl (1649–1713), die älteste Tochter, Dorothea Elisabeth (1644–1690), und die jüngste Tochter, Sophia Rosina (1652–1728). Carl, Leibchirurg des Herzogs Johann Adolph I. von Sachsen-Weißenfels, lebte mit seiner Familie in Weißenfels, Dorothea Elisabeth, in zweiter Ehe verheiratet mit dem Barbier Zacharias Kleinhem-

pel (1648–1698), wohnte im Städtchen Neumarkt vor Halle, Sophia Rosina, verheiratet mit dem „fürstl.-sächs.-weißenfelsischen Güterverwalter" Philipp Pferstorff (auch Pferß- und Fehrsdorff, 1619–1697), lebte in der Nähe von Weißenfels auf dem Lande. Von Georg Händels drei anderen Kindern war der älteste Sohn, Gottfried (geb. 1645), Stadtphysikus in Barby, wie seine Mutter 1682 an der Pest, die mittlere Tochter, Anna Barbara (geb. 1646), verheiratet mit dem Weißenfelser Amtschirurgen Metzel, 1680 im Kindbett gestorben, der mittlere Sohn, Christoph (geb. 1648), starb als Säugling. Die Familie des Pfarrers Georg Taust hatte im Jahre 1682 viele Todesfälle zu beklagen. Im Juli war die Mutter, Dorothea geborene Cuno (geb. 1618), an einem Schlagfluß gestorben, im Oktober waren die unverheiratete älteste Tochter, Catharina Elisabeth (geb. 1648), der mittlere Sohn, Christoph (geb. 1653), seit 1681 Pastor substitutus an der Giebichensteiner Kirche, und dessen Frau der Pest zum Opfer gefallen. Dem Vater waren nur noch der älteste Sohn, Johann Gottfried (1647–1716), Pfarrer zu Oppin bei Halle, der jüngste Sohn, Georg (geb. 19. Juli 1658 Giebichenstein, gest. 11. Juli 1720 ebd.), der als Pastor substitutus in Giebichenstein die Nachfolge seines verstorbenen Bruders antrat, und die beiden ledigen Töchter Dorothea und Anna geblieben.

Das Prädikat „Churfürstl. Brandeburgischer Cammerdiener" („und Chirurgus von Haus aus") hatte der neue Landesherr, Kurfürst Friedrich Wilhelm von Brandenburg, Georg Händel im Dezember 1680 verliehen, nachdem er ihm im August desselben Jahres bereits die freie Ausübung seiner „Barbierkunst" in Halle zugesichert hatte.

Das Erzstift Magdeburg – Halle gehörte zum magdeburgischen Territorium – war im Juni 1680, nach dem Tode des letzten Administrators, Herzog Augusts von Sachsen (geb. 1614, 1635 vom Kaiser als Administrator des Erzstifts Magdeburg bestätigt), den Bestimmungen des Westfälischen Friedens gemäß als weltliches Herzogtum an das Kurfürstentum Brandenburg gefallen.

„Wolbestalter Cammerdiener" war Georg Händel seit dem 6. September 1682, denn unter diesem Datum wies Kurfürst Friedrich Wilhelm die magdeburgische Amtskammer (die magdeburgische Regierung hatte bis 1713 ihren Sitz in Halle) an, daß „dem Chirurgo George Hendeln … die Zeit seines Lebens jährlich 100 Thlr. gezahlet werden sollen, jedoch mit diesem Bedinge, daß bey der annoch zu Halle anhaltenden contagion er alß Pest-Chirurgus nicht allein durch seine Balbiergesellen die inficir patienten besuchen und Ihnen hülffliche hand bieten laßen, Sondern auch selbst denenselben mitt raht und that beystehen solle." (Friedländer) Die Pest, die damals in ganz Mitteleuropa wütete, grassierte in Halle vom Herbst 1681 bis Frühjahr 1683 und forderte etwa

6 300 Todesopfer (mehr als die Hälfte der Einwohner).
(Förstemann, Tafel II; Friedländer 1866, 756 ff.; Opel 1880, 81 ff.; Opel 1885, 73 ff.)

1685

23. Februar 1685

Wahrscheinlich wurde Georg Friedrich Händel an diesem Tag geboren.
(Walther, 309; Chrysander, I, 9 f.; Francke, 8)

- Ob Georg Friedrich wirklich der erstgeborene Sohn war oder ob ihm ein 1684 geborener, unmittelbar nach der Geburt verstorbener Sohn vorausgegangen ist, wie Johann Georg Francke in seiner *Memoria Defunctae* schreibt, läßt sich nicht nachweisen, da die Kirchenbücher die Totgeborenen oder die gleich nach der Geburt Verstorbenen nicht verzeichnen. (Vgl. 2. Januar 1731)
Geboren wurde Händel im Haus „Zum gelben Hirsch(en)", Nicolaiviertel 528, einem großen, dort gelegenen Eckhaus, wo der Große Schlamm (seit 1891 Nicolai-, seit 1927/28 Große Nicolaistraße) auf die Kreuzung von Kleiner Klaus- und Kleiner Ulrichstraße trifft. Sein Vater hatte dieses Haus, das 1558 erstmals erwähnt wird, am 30. Juni 1666 erworben, am gleichen Tage den Bürgereid der Stadt Halle geleistet und das Bürgerrechtsgeld entrichtet. Der Grund für den Umzug Georg Händels aus der nördlich vor den Toren von Halle liegenden kleinen Amtsstadt Neumarkt, wo er 23 Jahre lang als Barbier ansässig gewesen war, in das der fürstlichen Residenz benachbarte Regierungs- und Hofbeamtenviertel von Halle lag vermutlich darin, daß der Landesherr seinen Leibchirurgen – Herzog August hatte Georg Händel 1660 als Anerkennung für dessen erfolgreiche Behandlung seines komplizierten Armbruchs zum

„Fürstl. sächs. magdeburg. Geheimen Cammerdiener und Leib Chirurgo" ernannt – in unmittelbarer Nähe wissen wollte, damit er im Bedarfsfall rasch zur Hand sein konnte.
Das Haus „Zum gelben Hirsch" hatte ein Weinschankprivileg. Dieses wurde dem neuen Besitzer von der Stadt streitig gemacht, vom Herzog aber im Januar 1668 erneuert. Trotzdem gab es noch langwierige gerichtliche Streitigkeiten zwischen Georg Händel und der Stadt Halle, bis er sein Privileg nachweislich seit 1672 nutzen konnte. Jedoch betrieb er den Weinschank nicht selbst, sondern nahm sich dafür einen Pächter. Nach dem Tode Herzog Augusts fochten die Stadtväter Händels Weinschankprivileg erneut an. Der brandenburgische Landesherr erneuerte es trotz der Fürsprache Herzog Adolphs I. von Sachsen-Weißenfels nicht; 1682 kam es zu einem Vergleich zwischen Händel und der Stadt, die ihm das Privileg abkaufte. Bis zum Ablauf der Pachtfrist (1684) konnte der Pächter noch den Weinschank betreiben.
Das Haus „Zum gelben Hirsch" mußte 1784 schuldenhalber verkauft werden. Ein Teil des an der Kleinen Ulrichstraße gelegenen Traktes, der 1708 für Händels Schwester Dorothea Sophia abgetrennt worden war, ging bereits Mitte des 18. Jahrhunderts in fremde Hände über. Erst 1922 gelang es, das Haus „Zum gelben Hirsch" als Händels Geburtshaus wieder zu identifizieren. 1937 erwarb es die Stadt Halle ohne den abgetrennten nördlichen Teil. Seit 1948 wird es als Museum (Händel-Museum und Musikinstrumentensammlung) genutzt.
(Friedländer 1866, 753 f.; Opel 1885, 69 f.; Opel 1889, 1 ff.; von Schultze-Galléra, 213 f.; Serauky 1935 II; Smith 1953; Weißenborn 1938; Serauky 1949; Rauhe 1953; Neuß; Piechocki 1955, 6; Sasse 1958, 113 ff.; Piechocki 1972, 11 f.; Sasse 1976)

24. Februar 1685

Archiv der Ober-Pfarr-Kirche zu Unser Lieben Frauen in Halle
Taufregister v. J. 1667–1686

Febr. Martius	Väter	1685. Täuffling Die Woche Sexagesima	663. Paten.
			Herr Philipp Fehrsdorff, hochfl. Sächs. Verwalter Zu Langendorff,
			Jungfer Anna, Herrn Georg Taustens,
	H Georg Händel,	Georg Friederich	gewesenen Pfarrers Zum Giebichenstein S. nachgel. Jgfr. Tochter, und
♂ 24.	Cammerdiener und Amts Chirurgus		H. Zacharias Kleinhempel, Amts Barbier aufm Näumarckt alhier.

(Chrysander, I, 9; Faksimile: Flower 1923, nach S. 20; Piechocki 1955, 6; Sasse 1958, 17)
- ♂ ist das astronomische Zeichen für Dienstag.

Georg Händel war 1645 von Herzog August von Sachsen zum Chirurgen des Amtes Giebichenstein ernannt worden. Die männlichen Paten waren die Ehemänner der Halbschwestern des Täuflings (vgl. 23. April 1683), Anna Taust war die jüngste Schwester der Mutter. Sie war jedoch keine „nachgel[assene]" Tochter, da ihr Vater zu diesem Zeitpunkt noch lebte.

8. April 1685

Actus ministeriales bey der Kirche zu Giebichenstein meo tempore ab anno 1654 et porro... Georg Taust Pf

5. Anno 1685 den 8. April war die Mittwoche vor Palmarum zu mittage zwischen 11. und 12. uhr ist Herr George Taust der ältere in die 31. Jahr treufleißiger Pfarrer alhier zum Giebichenstein an einen Stickfluße in dem Herrn sanft und selig entschlaffen, und folgenden Sonntag Palmarum mit einer Leichpredigt christlich zur Erden bestattet worden, seines alters 79. Jahr und etliche Wochen.
[S. 182, Sp. „Verstorbene"]

8. H. George Taust, Sen. hat als Pastor bey hiesiger Gemeinde von ao. 1654. biß ao. 1685 gestanden er starb den 8. April 1685. [S. 330, unter: „Die Pastores zum Giebichenstein alhier ... seit Anno 1533–1818 verzeichnet"]

– Georg Taust sen., Händels Großvater mütterlicherseits, wurde 1606 in Halle als Sohn böhmischer Exulanten geboren. Seit 1627 studierte er in Wittenberg Theologie, war von 1637 bis 1639 Pfarrer in Naundorf bei Halle, von 1639 bis 1654 in Dieskau bei Halle und von 1654 bis zu seinem Tode in Giebichenstein. Sein Nachfolger wurde sein jüngster Sohn Georg Taust.
1900 wurde Giebichenstein in die Stadt Halle eingemeindet.
(Dreyhaupt, II, 901; Serauky 1935 I, 10; Händel 1935; Anhang, Tafel I; Francke, 3 und Ahnentafel)

1687

8. Oktober 1687
Archiv der Ober-Pfarr-Kirche zu Unser Lieben Frauen in Halle
Taufregister v. J. 1687–1710

October	Väter Her	[1687] Täufflinge	Paten
♄ 8.	Georg Händel Churf. Brandenb. Cammerdiener und Ambts Chirurgus	Dorothea Sophia	Ihr. Hochfürstl. Durchl. Princeßin Magdalena Sibylla, Herzogin zu Sachsen Weißenfels/an dero hoher Stelle verrichtet es Frau Regina Justina, Herrn D. Johann Christian Olearij deß hiesigen Pastoris und Scholarchae, Eheliebste: Die Durchl. Prinzeßin Elisabeth, Fürstin zu Anhalt, deren hohe Stelle vertreten vermeldten Herrn D. Olearij Jungfer Tochter Johanna Elisabeth und deren hochbesagter Herr Doctor Johann Christian Olearius [S. 28]

– Geboren wurde Dorothea Sophia Händel vermutlich am 6. Oktober 1687.
Vgl. 2. Januar 1731
♄ ist das astronomische Zeichen für Sonnabend. Prinzessin Magdalena Sibylla war die älteste Tochter Herzog Augusts von Sachsen, Prinzessin Elisabeth vermutlich dessen jüngste Tochter.
Die Wahl der beiden Taufpatinnen ist ein Beweis dafür, daß Georg Händel noch Kontakt zur Familie seines ehemaligen Landesfürsten hatte. D. Johann Christian Olearius (1646–1699) war seit 1683 Pastor primarius an der Kirche Unser Lieben Frauen (Marktkirche) in Halle und wurde 1689 Konsistorialrat und Superintendent des Saalkrei-

ses. Er stammt aus der berühmten Theologenfamilie Olearius und ist durch diese weitläufig mit Dorothea Händel verwandt.
(Dreyhaupt, I, 1097; Dreyhaupt, II, 112 und 684; Francke, 8)

1688

3. Februar 1688
Herzog Johann Adolph I. von Sachsen-Weißenfels ernennt Georg Händel zum Leibchirurgen und Geheimen Kammerdiener.

Von Gottes gnaden Wir Johann Adolph, Herzog zu Sachßen, Jülich, Cleve und Berg – tot: tit:

Hiermit thun kund und bekennen, Daß wir Unsern lieben getreuen, George Händeln zu Unsern Leib-Chirurgo und geheimen Cammer-Diener von Hauß aus, gnädigst bestellet, auf- und angenoṁen haben, Thun das auch hiermit und Krafft dies Brieffs dergestalt und also, daß Unß er getreu, hold, dienstgewärttig und schuldig seyn soll, mit allem Fleiß auf Unsern und Unserer Fürstl. Kinder Leib und Gesundheit acht zu haben und nach höchstem seinem Verstande in fürfallenden Leibes-Beschwehrungen /: welche doch der Allerhöchste gnädiglich verhüten wolle :/ mit der Wund-Arzney und, was nach gelegenheit zu einer iedem Beschwehrung diensam, beyräthig und behülfflich zu seyn und treue Vorsorge zu tragen, auch gute reine Instrumenta Chirurgica und tüchtige Species, wie es die Nothdurfft erfordert, zu adhibiren und zu gebrauchen, die Arzneyen, Pflaster und anders selbst zurichten, auch mit und neben Unseren Leib- und andern Medicis, so wir nach Gelegenheit erfordern möchten, seinem besten Verstande nach, die Cur zu überlegen und Unß dergestalt mit Rath und That beyzuspringen, wie er denn zu solchem Ende wenigstens aller Acht wochen einmahl sich alhier einzufinden, auch sonst iederzeit, wann wir ihn auf erheischenden Nothfall anher verschreiben laßen möchten, sich zu gestellen, und auf dergleichen Begebenheit also zu verhalten, wie einem getreuen Diener und Leib-Chirurgo eignet und gebühret, Welches er zu thun versprochen und zugesagt, auch Unß darüber seinen schrifftlichen Reverß ausgehändiget hatt, Dargegen und, wann er obbesagter maßen sich alhier einfindet, oder von Unß anher erfordert wird, soll er nicht allein iedesmahl mit freyer Fuhre und Kost, auch Unterhalt, sowohl auf der Reyse, als bey Unserer Hoff-Stadt versehen werden, Sondern wir wollen ihm auch vor seine gehabte Mühe-Waltung zur Ergözligkeit ein gewißes honorarium reichen und, was er an Medicamentis hergegeben, oder auch auf Begehren überschicken wird, nach billichem Werth bezahlen laßen, Do wir auch über kurz oder lang, seiner Dienste nicht mehr bedürffen, oder er, darinnen ferner zu verbleiben, nicht gemeinet, uf solchem Fall soll iedem Theile dem andern die Auffkündigung ein halb Jahr vorher zu thun, frey stehen, Treulich sonder gefehrde, Zu Uhrkunde haben wir diese Bestallung eigenhändig unterschrieben und mit Unserm Geheimen Cammer-Canzley-Secret wißendlich besiegeln laßen. So geschehen und gegeben auff Unserm Schloße Neu-Augustusburg zu Weißenfelß
den 3. Februarij, Anno 1688.
Johann Adolph HzS.
L. S.
(Staatsarchiv Dresden, Loc. 12001, Sachsen-Weißenfelsische Bestallungen, Instruktionen, Dekrete, 1688–1744, Bll. 4ʳ–5ʳ. Spitta 1869)

– Johann Adolph war nach dem Ableben seines Vaters, Herzog Augusts von Sachsen (1680), dessen Nachfolger als Herzog von Sachsen-Weißenfels geworden. Da Halle an Brandenburg gefallen war (vgl. 23. April 1683), verlegte er seine Residenz von Halle nach Weißenfels in das von seinem Vater errichtete Schloß Neu-Augustusburg. Welche Veranlassung der Herzog hatte, Georg Händel 1688 zum Leibchirurgen zu ernennen, ist nicht bekannt. Vielleicht war es ein komplizierter Krankheitsfall in der herzoglichen Familie, bei dessen Behandlung Johann Adolph I. den erfahrenen Leibchirurgen seines Vaters zu den eigenen Leibärzten (einer von diesen war Carl Händel, Georg Händels jüngster Sohn aus erster Ehe; vgl. 23. April 1683) noch hinzuzog.
Ob sich bei einer der Reisen Georg Händels nach Weißenfels die von Mainwaring geschilderte Episode mit dem knapp 7jährigen Georg Friedrich Händel ereignete, muß zwar eine offene Frage bleiben, doch ist durchaus denkbar, daß der Vater seinen Sohn, sobald dieser nur etwas älter war, gelegentlich mit nach Weißenfels genommen hat. Nach Robinson war Händel nicht sieben, sondern elf Jahre alt, als er seine Mitnahme in der Kutsche des Vaters erzwang und dann den Weißenfelser Herzog durch sein Orgelspiel in Erstaunen setzte. Es ist anzunehmen, daß der junge Händel nicht nur einmal Gelegenheit hatte, die Weißenfelser Hofkapelle zu hören, und gelegentlich auch Opernaufführungen in dem 1685 eingeweihten Schloßtheater besuchte. In Weißenfels kann er auch Reinhard Keiser, der enge Beziehungen zum Weißenfelser Hof hatte, kennengelernt haben. Vermutlich war es Keiser, der Händel schließlich veranlaßte, nach Hamburg zu gehen.
(Mainwaring/Mattheson, 1ff.; Robinson 1925, 815; Robinson 1939 I, 62; Baselt 1978, 11)

1689

18. und 23. Mai 1689

Georg Händel richtet am 18. Mai 1689 ein „Unterthäniges Memorial" an den „Geheimbten Estats-, Kriegs-, und Lehns Rath" Eberhard von Danckelmann, worin er um die „Confirmatio" seiner Bestallung als „Churfürstlich brandenburgischer Cammerdiener und Ambtschirurg von Giebichenstein" bittet. Das „fiat confirmatio" des neuen Landesherrn erfolgte unter dem 23. Mai 1689.
Kurfürst Friedrich III. von Brandenburg, der nach dem Tode seines Vaters die Regierung übernommen hat, hält sich zu dieser Zeit zur Huldigung in Halle auf.

– Georg Händels Bittschrift zeigt, daß Bestallungen dieser Art selbst bei einem Regierungswechsel innerhalb desselben Hauses hinfällig wurden. Mit der kurfürstlichen Confirmatio hatte die Sache aber keineswegs ihr Bewenden; der Bittsteller mußte erst noch dafür zahlen, und so bestätigt ihm denn die brandenburgische Regierung in „Cölln an der Spree" am 10. Juli 1689, daß er „wegen der erhaltenen confirmation als Chfl. Cammerdiener u. Ambz Chirurgus von Giebichenstein von 131 Thlr. Gehalt die decimam, die verordnete Jura ... entrichtet" habe.

Eberhard Christoph von Danckelmann (1688 geadelt, 1695 in den Freiherrenstand erhoben) befand sich seit 1663 in brandenburgischen Diensten. Er hat es verstanden, in den ersten neun Regierungsjahren Kurfürst Friedrichs III., seines Zöglings, zunächst als Geheimer Staats- und Kriegsrat, seit 1695 als Premierminister die brandenburgisch-preußische Politik zu bestimmen. 1697 fiel er in Ungnade. Er mußte zehn Jahre Festungshaft verbüßen und wurde erst unter König Friedrich Wilhelm I. rehabilitiert.
(Friedländer 1866, 759 f.; Opel 1885, 79 f.)

1690

12. Januar 1690
Archiv der Ober-Pfarr-Kirche zu Unser Lieben Frauen in Halle
Taufregister v. J. 1687–1710

Januarius		1690	Paten
	Väter	Täufflinge	
	Die 1 Woche nach Epiphanias		
☉ 12.	H	Johanna	Frau Johanna Susanna Weckin,
	Cammerdr	Christiana	Herrn Hoff-Rath Johann Friedrich
	Georg Händel.		Reinhardts Eheliebste, Herr Johann
			Friedrich Hörnicke und Frau Anna
			Christiana Krautin, Herrn Hoff-Rath
			Lic. – Christian Heinrich Ellenber-
			gers Sel. Witwe. [S. 103]

– Geboren wurde Johanna Christiana Händel vermutlich am 10. Januar 1690.
Vgl. 2. Januar 1731
☉ ist das astronomische Zeichen für Sonntag. Johann Friedrich Reinhardt war bis 1698, Christian Heinrich Ellenberger bis zu seinem Tode Beamter der kurfürstlich brandenburgisch-magdeburgischen Regierung, die ihren Sitz bis 1713 in Halle hatte. Georg Händel pflegte mit seiner Familie zu deren Familien offensichtlich gesellschaftliche Kontakte. Herrn Ellenbergers Witwe, eine Tochter des Giebichensteiner Amtsmanns Andreas Kraut, war darüber hinaus wohl durch die Giebichensteiner Zeit mit Dorothea Händel bekannt. Johann Friedrich Hörnicke war vermutlich Jurist.
(Dreyhaupt, II, 696, 635, 610 und Anh. zu II, 131, 41; Francke, 8)

1692

2. August 1692
Die Heilung des „hällischen Messer-Schluckers" durch die beiden Ärzte Georg Händel und Dr. Wesener „glücklich vollendet".
(Wesener, bes. Bl. 2ᵛ; Dreyhaupt, I, 646 f. und Anhang, Tabula III, 2 und 3; Opel 1885, 147 f.)

– Der 16jährige Bauernsohn Andreas Rudloff aus Maschwitz bei Halle hatte am 3. Januar 1691 beim Spielen ein großes Messer verschluckt. Den gemeinsamen Bemühungen Georg Händels, zu dessen Giebichensteiner Amtsbereich das Dorf Maschwitz gehörte, und des „Churfürstl. Brandenburg. Land-Physicus" Dr. Wolfgang Christoph Wesener (auch Wiesener, seit 1700 Stadtphysicus von Halle) gelang es, dem Patienten nach einer langwierigen Behandlung das Messer aus dem Magen zu holen. Dr. Wesener berichtete über diesen merkwürdigen Fall „allen curiösen Liebhabern zum besten" ausführlich in einer kleinen Schrift, die er noch im selben Jahr veröffentlichte (Exemplar in der Universitäts- und Landesbibliothek Sachsen-Anhalt, Halle). Darin ist das Messer sowohl in der ursprünglichen Gestalt als auch in der abgebildet, die es im Magen des Burschen angenommen hatte (Dreyhaupt, s. oben, übernimmt diese beiden Abbildungen von Wesener). Dr. Wesener soll auf seine Bitte hin für diese außerordentliche ärztliche Leistung vom Landesherrn ein Geschenk in Höhe von 100 Rthlr. erhalten haben. Georg Händel wandte sich in der gleichen Angelegenheit erst vier Jahre später an die brandenburgische Regierung.
Vgl. 2. und 23. Mai 1696

1696

2. und 23. Mai 1696
Georg Händel an den Oberpräsidenten Eberhard von Danckelmann

Hochwohlgebohrner, Gnädiger Herr,
Es hat von Sr. Churfürstl Durchl. H. Dr. Wiesener auf sein unterthänigstes Ansuchen wegen des Meßerschluckers Andreß Rudeluffs Cur durch ein gnädigstes Rescript hundert Rthlr. von denen Straff Geldern erhalten. Wenn denn bey solcher biß ins zweyte Jahr geführten Cur ich als Chirur-

gus das meiste gethan, und durch Gottes Hülffe und geschickte fürsichtige Handgriffe das Verschluckte Meßer dem Jungen aus dem Magen und Leibe gebracht, und Völlig curiret, auch solch Meßer in Original Ihrer Churfürstl Durchl. in Beyseyn Ihrer Hochwohlgebohrnen Excellenz in einem Futteral unterthänigst übergeben, So habe dieselbe hierdurch unterthänigst anflehen wollen, bey höchstgedachter Ihrer Churfürstl. Durchl. mir als einen unterthänigst alten Diener zu einer Ergötzligkeit, so viel als dero hohe Churfürstl. Gnade mir gönnen wird, Vor solche mühsahme und denckwürdige Cur, als ein hochmögender hoher Patron, aus Gnaden zu verhelffen. Ich werde solches in unterthänigen Dank erkennen und vor dero Gesundheit u. hohes Wohlergehen zu Gott inbrünstig bethen, und lebenslang verbleiben Hochwohlgeb. Gnädiger Herr,
Ihrer Excellenz unterthaniger gehorsamster Diener
Georg Handell m. p.
Halle, den 2. May 1696
(ZSTA Merseburg, Rep. 52, Nr. 159k 1a. 1690–1699. Friedländer 1902, 106 f.)

– Der Kurfürst hat daraufhin „dem Chyrurgo Zu Halle George Händeln in ansehung, daß er einen Jungen ein Verschlucktes Messer, durch geschickte Handgriffe aus dem Leibe zu bringen geholffen und Ihn curirt, Zu einer ergötzlichkeit funffzig Rthlr … geschencket." Von Danckelmann gab unter dem 23. Mai 1696 an die magdeburgische Regierung und Amtskammer den kurfürstlichen Befehl weiter, daß man Georg Händel dieses Geld „aus den dort einkommenden Straffgeldern" zahlen möge.
(Opel 1885, 148 f.; Friedländer 1902, 102 f.)
In Georg Händels Gesuch um einen kurfürstlichen Gnadenbeweis ist nur die Unterschrift von seiner Hand. Wann und wo er dem Kurfürsten das herausgeholte Messer überreicht hat, ist unbekannt. Es soll später im Naturalienkabinett der Franckeschen Stiftungen aufbewahrt worden sein. Warum Georg Händel sich erst vier Jahre nach der Operation um die kurfürstliche Anerkennung seines Erfolges bemühte, ist unbekannt.

1697

14. und 18. Februar 1697
Archiv der Ober-Pfarr-Kirche zu Unser Lieben Frauen in Halle
Todten-Register v. J. 1677 bis 1716

Februarij 1697
      Woche
      Estomihi
♃ 18. huj. Herr George Händel Chfürstl. Brand. Caͤmerdiener und ambts Chirurgg so d. ☉ alß d. 14. huj. früh 3/4 auf 3 Uhr ge-

storben und mit der ganzen Schule begraben, alt 74. Jahr 5 Monat weniger 3 Tage   [S. 378]
– ♃ ist das astronomische Zeichen für Donnerstag, ☉ für Sonntag. Der Vermerk „mit der ganzen Schule begraben" bedeutet vermutlich, daß nicht wie üblich nur die Kurrende des Stadtgymnasiums, sondern der Schulchor oder sogar der Chorus musicus gesungen hat. Die Altersangabe des Verstorbenen ist nicht korrekt, „weniger 10 Tage" müßte es richtig heißen, da Georg Händel am 24. September geboren wurde.
Daß Georg Händel am 14. Februar gestorben ist, war lange Zeit in Vergessenheit geraten, da in dem *Lebens-Lauff* (vgl. 18. Februar 1697) fälschlich der 11. Februar als Sterbetag angegeben ist. Dieses falsche Datum soll auch auf dem Grabstein (vgl. Februar 1697) gestanden haben und wurde in die Leichenpredigt für Dorothea Händel (vgl. 2. Januar 1731) übernommen. Erst Förstemann (1844) ging wieder auf die Kirchenbucheintragung zurück und gibt den 14. Februar als Sterbetag an.
(Förstemann, 12 und Tafel II; Opel 1889, 23; Francke, 8)

18. Februar 1697 (I)
[Johann Christian Olearius,] Die / Gnädige Zulage / Zu dem / Lebens=Ziel / der / Frommen / Welche / Als der Leichnam / Tit. / Herrn / George Händels / … / Den 18. Februarii 1697. in seine Ruhe=Kammer ge=/bracht werden solte / Denen hinterbliebenen Hochbetrübten / zum Trost / in dem / Trauer=Hause / Vorstellete …
Allerseits Hochgeliebte und zum theil Hochbetrübte Anwesende!
Alle Menschen haben ein gewißes Ziel ihres Lebens / oder eine Gott allein eigentlich bewuste / und auf gewisse masse bestimte Zeit / in welcher Sie deß zeitlichen Todes sterben / und der Seelen nach in die Ewigkeit sollen versetzet werden; …
Ein Zeuge ist der Gottselige König Hiskias: sein ordentliches Lebens-Ziel war vorhanden / drumb ließ Gott Ihm durch den Propheten Esaiam sagen: Bestelle dein Hauß / denn du wirst sterben / … Aber da Hiskias / ümb verlängerung seines Lebens Gott mit heissen Thränen bat / … so that Gott Ihm aus Gnaden noch eine schöne zulage zu seiner Lebenszeit / …
Und solch eine gnädige Zulage hat der grosse Gott auch gethan dem Selig Verstorbenen / wie Er selber zum öftern gerühmet / und auch in seinem Lebens-Lauf mit eigener Hand aufgezeichnet hat; Denn als Anno 1689. im Monat September, Ihn ein gefährlich Hitzig Fiber befiel / so gar / daß jedermann an seinem Leben und Aufkunft zweifelte / in dem Er etliche Wochen an allen Kräften enerviret und verzehret war / … siehe / da erhörte Gott nicht nur das öffentliche Gebet in der Kirchen / sondern auch sein eigenes / und das klägli-

che ruffen seiner Lieben Ehgattin, welche sich damals in gesegnetem Zustande befunden / also gnädig / daß das Fiber nachließ / … Gott halff Ihm durch inbrünstig Gebet der Seinigen wieder auf / und machte Ihn völlig gesund / legte Ihm auch also noch sieben Jahr und fast ein halbes zu seinem Leben zu; …

Und / was der beste Trost ist / so bedencken Sie seinen wolbereiteten und seligen Abschied / dazu Er gantz unerschrocken war; denn als ich den Sonnabend früh Ihm das heilige Abendmahl reichte / gab Ihm Gott noch solche Kräfte / daß Er alle meinen Zuspruch und Fragen mit einem vernehmlichen Ja / ingleichen mit Ja / freylich! beantworten konte / …

Ihnen aber / Hochgeliebte Anwesende / sagen die hochbetrübte Frau Witwe und hinterlassene Kinder gebürenden Danck vor die willige erscheinung in diesem Trauer=Hause; Sie versichern Sie dafür ihres Gebets / …

Lebens-Lauff

Anlangende nun die Ehrliche Ankunfft / Christliche Aufferziehung / den löblich geführten Lebens=Wandel / und das selige Ende des nun in Gott ruhenden Herrn Cammer=Dieners / so ist Derselbe an das Licht dieser Welt allhier zu Halle gebohren worden Anno 1622 den 24. Septembr. Sein seliger Vater ist gewesen (Tit.) Herr Valentin Händel / vornehmer Bürger und Rathsverwanter allhier. Seine Mutter Frau Anna / gebohrne Beuchlingen / (Tit.) Herrn Samuel Beuchlings / Bürgers und Rathsverwanten in Eißleben eheleibliche Tochter. … Darauff haben ihn wohlgedachte seine Eltern sorgfältig erzogen / zur Gottesfurcht und allen Christlichen Tugenden angehalten / und bey zunehmenden Jahren in das alhiesige Gymnasium gethan / darin er in Pietate, moribus & literis sich so angelassen / daß seine Herrn Praeceptores eine gute Hoffnung von ihm geschöpffet / wie er denn auch von denenselben biß zur dritten Classe befördert worden. Weil ihm aber darauff sein lieber Vater / bey damaliger Peste mit Tode abgegangen / und es seiner Mutter als einer Witwen zu schwer fallen wollen / ihn Studiren zu laßen / man auch vermercket / daß er mehr Lust zur Chirurgie / als zu denen Studiis trüge / hat er sich im 15ten Jahre seines Alters zu jener gewendet / und solche zu erlernen den damals berühmten Chirurgum Herrn Andreas Begern / zum Lehr=Meister erwehlet / auch bey demselben die Lehr=Jahre ausgestanden. Nach derer verfliessung ist er seiner Kunst nachgefolget / und hat solcher mit allen Fleiß eine zeitlang in Leipzig obgelegen / wo selbst der Herr Obriste Wachtmeister Daume / ihn zum Feldscher angenommen / mit dem er auch fort gezogen / und unter den Chur=Sächsischen Regiment etliche Monat rühmlich gedienet. Nach erlangter Dimission hat er sich entschlos-

sen / frembde Oerter zu besuchen und sich noch weiter in der Welt um zu sehen. Ist demnach zu erst auff Hamburg / und von dar gen Lübeck gereiset / wo selbst er bey Herrn Andreas Königen / wohlerfahrnen Chirurgo / der sein Landsmann war / sich so lange auffgehalten / biß er auff dessen Einrathen / bey vorfallender Occasion als Schiffs=Barbier mit zur See gegangen / und von Lübeck ab / nacher Portugal sich gewendet / woselbst er die vornehmsten Oerter selbiges Königreichs Lisabon / S. Hubes und andere besucht / und derselben Denckwürdigkeiten besehen. Nach glücklich verrichteter Reise / ist er in Lübeck bey vorerwehnten Herrn Königen wiederum in Dienste getreten. Darauff hat Er bey deß Königlichen Schwedischen Herrn General Feld=Marschalles Paniers Leib=Compagnie der Trajoner, so damahls der Herr Capitain Bartenstein Commandiret, wiederum als Feldscher etliche Monat / laut seines Abschiedes gedienet. Nachdem er sich nun also etliche Jahre nach ein ander in der Welt wohl versucht / und mancherley zu seinen grossen Nutzen erfahren / hat er sich / auff inständiges anhalten seiner seligen Mutter Anno 1643. her nach Halle gewendet / und sein liebes Vaterland frisch und gesund begrüsset / doch hat Er sich gleich darauff / von dem Herrn Lieutenant Görlitzen / bereden lassen / wieder mit fort zu ziehen / da Er denn unter der Kayserlichen Armee bey dem Pascheweischen Regiment / abermals als Feldscher / etliche Monat gedienet. Weil aber die seinigen und sonderlich seine liebe selige Mutter ihn gerne alhier in Halle bey sich wissen wolten / haben sie endlich durch vielfältiges schrifftliches anhalten bey Ihm so viel vermocht / daß Er nach erlangten Abschiede sich wieder her begeben / und bey dem damahls wohlerfahrnen und weitberuffenen Chirurgo, und Barbirer allhier / Herrn Adam Albrechten Dienste genommen. … Denn es hat sich noch in selbigen Jahre nicht ohne sonderbahre Schikkung Gottes gefüget / daß Er auff vorhergehendes fleissiges Gebet / und mit einwilligung seiner damahls noch lebenden Mutter / und gantzen Freundschafft sich ehrlich verlobet / mit Frauen Anna Ettingerin / gebohrnen Kätin. (Tit.) Herrn Christoph Ettingers / wohlerfahrnen Chirurgi alhier uffn Neumarckte vor Halle hinterlassenen Witwen / mit welcher Er sich auch / da Er zuvor sein gewöhnliches Prob- oder Meister=Stück abgeleget / gleich am Tage Lichtmesse / durch Priesterliche Copulation öffentlich trauen / und zur Ehe einsegnen lassen. Mit dieser seiner liebwerthen Ehegattin hat Er in die 40. gantzer Jahre eine Christliche und gantz vergnügte Ehe geführet / und durch Gottes Segen 6. Kinder gezeuget / … Doch hat Gott bey solchen Sonnenschein / Seiner mit trüben Wolcken nicht gar verschonet / sondern Anno 1682 den 2. Octobr. seine liebe Ehegattin von dieser Welt abgefo[r]dert / und Ihn also in den betrübten Witwer-Stand gesetzet. Weil aber der Zustand seines Haußwesens nicht wohl verstatten wollen / daß Er die übrige Zeit seines Lebens in der Einsamkeit hätte zugebracht / hat es Gott / dem Er sein Anliegen andächtig durchs Gebet vorgetragen / also geschicket / daß Er nach verflossener Trauer sich anderweit verheyrathet / und zwart mit Jungfer Dorotheen / (Tit.) Herrn Georgii Taustes / Pastoris und Senioris in Giebichenstein und Crölwitz andern Tochter / welche Ihm der Vater selbst Anno 1683. den 23. April gleich an seinen Nahmens-Tage Georgii angetrauet / und mit vielen Wunsch und Segen an heiliger Städte in Gottes Nahmen zu glücklicher und gesegneter Ehe übergeben. Mit solcher hat Er gezeuget 3. Kinder / als nehmlich einen Sohn George Friedrichen / eine Tochter Dorothea Sophia / und wiederum eine Tochter Johannen Christianen / deren Aufferziehung Gott segnen / und die Leid-tragende Frau Witwe kräfftiglich trösten wolle. Daß Er also durch Gottes Gnade 51 Kind-Kindes und Kindes-Kinder / welche nicht alle haben können Nahmhafftig gemachet werden / ohne einige Schande und Unehre erlebt / welches eine sonderbahre hohe Gnade von Gott ist / die der selige Mann mit Danck erkannt und eigenhändig gepriesen hat. Sein Christenthum betreffende / so hat Er sich solches recht lassen angelegen seyn / ... Im gemeinen Leben hat Er sich gegen Jedermann freundlich / dienstfertig und bescheiden / auch gegen die Armen und Nothleidenden milde und gutthätig erzeiget / und vielen nach seiner Kunst und Profession mit Rath und That / ohne entgeld / gedienet / dafür Gott seine Frau Witwe / Kinder und sämtliche Angehörige reichlich segnen wolle. Was endlich seine Kranckheit / und seligen Abschied aus dieser Welt betrifft / so hat sein hohes Alter / welches sonst insgemein an und vor sich selbst Kranckheits genug ist / allerley Beschwerungen mit sich geführet / daher Er auch ein und andermahl in nicht [recht?] gefährliche Kranckheit gerathen / wie Er dann Anno 1689. im Septembr. mit einen gefährlichen hitzigen Fieber befallen worden / so gar / daß alle Menschen an seinen Leben / und Wiederauffkunfft gezweiffelt / weil selbiges etliche Wochen nach einander angehalten / und Ihn fast an allen Kräften enerviret; Doch hat Gott das inbrünstige Gebet der Seinigen in gnaden erhöret / und Ihm diesesmahl noch wieder auffgeholffen / daß Er / nach ausgestandener dieser grossen Kranckheit / den lieben Seinigen / noch einige Jahre vorstehen können / biß Er Anno 1696. um Michaelis von einen abwechselnden hitzigen Fieber / wieder angegriffen worden / welches doch nach der Zeit auch wieder remittiret / daß Er in und ausser Hause daß seine verrichten können. In diesen 1697sten Jahre aber / hat sich dergleichen hitziger Zufall von neuen eingefunden / und Ihm mit aller Macht zugesetzet. Und ob

man wohl an guten Medicamenten / und heilsamen Mitteln nichts ermangeln lassen / deren Er selbsten einen guten Vorath bey der Hand gehabt / man über diss auch berühmte / und hochverständige Medicos / ... consul[t]iret / und gebraucht / haben doch die Medicamenta ihren Effect nicht erreichet / sondern es ist nach Gottes Willen und Wollgefallen mit Ihm dazu kommen / daß Er grossen abgang der Kräffte gespüret / und also wohl gemercket / daß sein Stündlein heran nahe.

Deß wegen Er sich auch dazu geschicket / seinen Herrn Beicht-Vater / (Tit.) Herrn D. Olearium / zu sich erbitten / und sich nach abgelegter Beichte / und angehörter Absolution / mit dem heiligen Abendmahl versorgen lassen / wobey Er sich recht andächtig und im Glauben getrost erzeiget / auch endlich nach dem Er eingesegnet worden seine durch Christum theuer erkauffte Seele / den 11. [sic!] Febr. war gleich Dom: Estomihi früh gegen 3. Uhr / in die Hände deß Himmlischen Vaters befohlen und übergeben / und also unter dem Gebet der Umstehenden sanfft und selig verschieden / seines Alters 74. Jahr und 5. Monat.

Gott verleihe den Ihm geheiligten / und nun beerdigten Cörper / im Schoß der Erden eine sanffte Ruhe / am jüngsten Tage aber eine fröhliche Aufferstehung zum ewigen Leben / sorge Väterlich vor die Hinterlassenen / und lasse Sie allerseits Ihres seeligen resp. Ehe-Herrn / Vater- Gross- und Elter-Vaters Wundsches und hertzlichen Segens würcklich an Leib und Seel geniessen / und dieses alles um Jesu Christi Willen / Amen.

Dieß ist der Lebens-Lauff. So wohl hat Ihn geführet /
Der nunmehr Selige. Nun lebt Er ohne Noth /
Der Seelen nach / bey Gott. Was schadt Ihm /
denn der Todt /
Es wird / wer hie wohl lebt / mit { Leben
{ Ehren
dort gezieret.
Jac. 1. v. 12.
1. Pet. 5. v. 4.
Welches seinen lieben und nun seligen Herrn Gevatter zu letzten Ehren hinzusetzen wolte /
M. Frid. Augustus Janus. Archid.

(Universitäts- und Landesbibliothek Sachsen-Anhalt, Halle, Pon. Zb. 4927; Marien-Bibliothek, Halle, P 1. 68, 629 ff.)
Vgl. 8. Oktober 1687

- Magister Friedrich August Jahn wurde 1683 Adjunctus, 1688 Diaconus, 1692 Archidiaconus an der Kirche zu Unser Lieben Frauen in Halle; er starb 69jährig 1716 in Halle. Georg Händels Vater, Valentin Händel (geb. 1582 Breslau, gest. 20. August 1636 Halle), erwarb 1609 das Bürgerrecht der Stadt Halle und ein Haus in den „Kleinschmieden", Nr. 559 des Nicolaiviertels, wo er sich als Kupferschmied niederließ. 1608 hatte er Anna Beichling, eine Tochter des Eislebener Kupferschmieds Samuel Beichling, geheiratet. Von ihren vier am Leben gebliebenen Kindern war Georg das jüngste. Sein Lehrmeister, Andreas Beger jun., unterhielt eine Barbierstube in der Großen Klausstraße. Daß dieser Meister Beger sich im Jahre 1618 mit Magdalena Brade verheiratete, einer Tochter des englischen Komponisten und Geigers William Brade, ist musikgeschichtlich aufschlußreich, weil durch die Kopulationseintragung ins Kirchenbuch der Marktkirche Brades Tätigkeit in Halle als „Fürstl. Magdeb. verordnet. Capellmeister" für 1618 nachzuweisen ist.

Mit der portugiesischen Stadt S. Hubes ist nach Opel das heutige Setúbal gemeint, eine im Südwesten Portugals gelegene Hafenstadt am Atlantischen Ozean. Der Obrist-Wachtmeister Daume ist nach Opel wahrscheinlich der Oberst Dietrich von Taube. Bartenstein kommandierte die Dragoner-Leibkompanie des schwedischen Generals Banér. Leutnant Görlitz war ein hallischer Bürgerssohn. Das Pascheweische Regiment ließ sich nicht nachweisen. Es ist unwahrscheinlich, daß Georg Händel 1643 noch einige Monate in diesem Regiment gedient hat, da er bereits im Februar 1643 heiratete; vermutlich ist er 1642 nach Halle zurückgekommen und hat noch einmal für kurze Zeit als Feldscher gedient.

Die Ehe mit Anna Ettinger (auch Oettinger), einer Tochter Daniel Kates, ging Georg Händel am 20. Februar 1643 ein. Seine Frau war die Witwe des Neumarkter Barbiers Christoph Ettinger, den sie am 24. September 1634 geheiratet und am 15. April 1639 durch den Tod verloren hatte. Georg Händel - „Meister Görge" - übernahm nach der Eheschließung mit dessen Witwe auch dessen Praxis, erwarb in der Amtsstadt Neumarkt ein Haus (Am Steige, Nr. 1186) und wurde so „Bürger und Barbier auf dem Neumarkt an Halle". Zu den Kindern aus dieser Ehe vgl. 23. April 1683.

Die von Magister Jahn genannte Anzahl von 51 Kindern, Enkeln und Urenkeln Georg Händels ist falsch. Wenn man alle von Jahn vorher im Text erwähnten Kinder, Enkel und Urenkel zusammenzählt, kommt man auf 39, und diese Zahl stimmt mit den Zahlenangaben auf dem Grabstein (vgl. Februar 1697) überein.

(Förstemann, Tafeln I und II; Opel 1885, 66ff.; Opel 1889, 2., 10ff.; Serauky 1935 I, 4ff. und 19; Werner 1935; Francke, Ahnentafel; Serauky 1939, 21; Piechocki 1955, 4f.)

18. Februar 1697 (II)
Unvergeßlicher / Nachruhm / und / Ehren=Gedächtniß / Des Weyland Edlen Hochachtbahren und / Kunsterfahrnen / Herrn / Georg Händels /

Chur Fürstl. Brandenb. auch Fürstl. Sächsi- / schen Cammer=Dieners in Hall / und lange Zeit / wohlbestalten Chyrurgi des Ambts / Giebichenstein / Am Tage dessen Hoch=ansehnlichen / Leichen=Conducts / War der 18. Hornungs dieses 1697. Jahres. Zum Trost der Hochbetrübten Hinterlassenen / Wohlmeinend gestifftet / Von / Einigen Anverwandten und andern / guten Freunden…

Ach Hertzeleid! Mein liebstes Vater Hertze /
  Ist durch den Todt von mir gerissen hin /
Ach Traurigkeit! Ach welcher grosser Schmertze!
  Trifft mich itzund / da ich ein Weyse bin.
Mein alles liegt mein Hoffen ist verschwunden /
  Mein Rath und Schutz / steht mir nicht ferner bey /
Ach! O Verlust! Ach! O der Schmertzens Wunden!
  Sagt ob ein Schmertz / wie der zu finden sey?
Wann sich verhült der Sonnen güldne Kertze /
  Das Licht der Welt; Erschricket Feld und Land /
So wird ein Kind / wann ihm das Vater Hertze /
  So früh entweicht / gesetzt in Trauer=Stand /
Man liebt den Baum / der Schatten uns gegeben /
  Der uns erfrischt / mit seiner grünen Nacht /
Vielmehr ein Kind / den / der es erst ans Leben /
  Und dann mit Sorg' kaum auf die Beine bracht.
Ein Wald erbebt / wann hohe Cedern fallen /
  Die Tanne heult / die schlancke Bürck erblast /
Und solt bey mir kein Angstgeschrey erschallen /
  Weils Vaters Haupt die Todes Sichel fast.
Ob aber gleich ich wolte gantz verderben
  Mein Augen=Licht / durch steten Thränen=Guß /
So könt ich doch nicht wiederum erwerben /
  Ach! den Verlust! den ich empfinden muß.
Gott lebet noch / der itzt mir hat entrissen
  Das Vater=Hertz / durch einen sel'gen Todt /
Der wird hinfort vor mich zu sorgen wissen /
  Und helffen mir aus aller Angst und Noth.

Also bethränte den zwart seeligen / doch Ihm allzu
frühen Hintritt / seines hertzlichgeliebten
Herrn Vaters /
George Friedrich Händel /
Der freyen Künste ergebener.
(Universitäts- und Landesbibliothek Sachsen-Anhalt, Halle, Pon. Zb. 4927)

- Der *Unvergeßliche Nachruhm* enthält sieben Trauergedichte. Als Verfasser sind genannt: der Oberpfarrer und Superintendent Johann Christian Olearius, der Oppiner Pfarrer, kaiserlich gekrön-

ter Poet und Mitglied der Zesenschen Dichterge-
sellschaft, Johann Gottfried Taust, Dorothea Händels ältester Bruder, der Großkugeler Pfarrer
Christoph Andreas Rotth, Dorothea Händels
Schwager, der Giebichensteiner Pfarrer Georg
Taust jun., Dorothea Händels jüngster Bruder,
Georg Friedrich Händel, Johann Georg und Johann Christian Taust, die Urenkel des Verstorbenen, und ein Unbekannter (J. G.).
Johann Gottfried Tausts und Händels Gedicht
druckt Opel 1885, alle anderen Gedichte 1889
ab.
Die Gedichte von Johann Gottfried Taust und
Christoph Andreas Rotth sowie das Sonett der
beiden Urenkel zeigen eine geübtere Hand als die
anderen Gedichte. Die beiden 6- bzw. 4jährigen
Urenkel können nicht die tatsächlichen Verfasser
gewesen sein. Auch bei Händels Trauergedicht,
dem einzigen unter seinem Namen bekannten
Gedicht, ist die Autorschaft ungesichert, wenn es
auch denkbar wäre, daß der nahezu 12jährige im-
stande war, dieses kreuzweis gereimte Gedicht,
das als Versmaß den Vers commun benutzt, mit
fremder Hilfe zustandezubringen. Eine gewisse
Unbeholfenheit und Gespreiztheit des Ausdrucks
sprechen dafür.
(Opel 1885, 154 ff.; Opel 1889, 24 ff.)

1697

Inschrift auf dem Grabstein von Händels Vater
und dessen beiden Ehefrauen

ZUR SICHERN RUHESTÄTTE HAT DER VORMA-
LIGE H. F. S. M. AUCH CHURF. BRANDENBURG. GE-
HEIMDER CAMMERDIENER, AUCH LEIB-MEDI-
CUS, AUCH VIERZIGJAEHRIGER AMTSCHIRUR-
GUS
HERR GEORG HAENDEL
MDCLXXIV. DIESEN HALBEN BOGEN FÜR SICH
UND DIE SEINIGEN ZUM ERBBEGRAEBNISS ER-
KAUFFT UND DIESEN STEIN ZUM ANDENKEN
HIERHER SETZEN LASSEN. IST GEBOREN HIER
IN HALLE VON HRN. VALENTIN HAENDEL,
RATHVERWANDTER, MDCXXII. DEN XXIV. SEPT.
SICH VERHEIRATHET MDCXLIII. MIT FRAU AN-
NEN, GEB. KATTIN, SO AO. MDCLXXXII. DEN
IX. OCT. SELIG VERSTORBEN UND HIER BIS ZUR
FROEHLICHEN AUFERSTEHUNG IN IHRER
GRUFT IN GOTT RUHET. HAT IN VIERZIGJAEHRI-
GER EHE MIT IHR ERZEUGET DREY SOEHNE
UND DREY TOECHTER: ALS DOROTHEA
ELISABETH, GOTTFRIED L. M., CHRI-
STOPH, DER IN DER JUGEND VERSTORBEN,
ANNA BARBARA, KARL H. F. S. WEISSEN-
FELS. KAMMERDIENER, SOPHIEN ROSINEN.
DAVON ERLEBET ALS GROSSVATER XXVIII KIN-
DES-KINDER UND ZWEY KINDES-KINDES-KIN-
DER.

AN. MDCLXXXIII. DEN XXIII. APRIL SICH ZUM
ZWEYTEN MAL VERHEIRATHET MIT JUNG-
FRAU
DOROTHEEN TAUSTIN, HERRN GEORG
TAUST SENIORIS, WOHLVERDIENTEN PREDI-
GERS ZU GIEBICHENSTEIN, EHELEIBLICHE
TOCHTER. IN WELCHER EHE ER ERZEUGET
EINEN SOHN GEORG FRIEDRICH UND [ZWEY
TOECHTER] DOROTHEEN SOPHIEN, JO-
HANNA CHRISTIANA. IST IM WAHREN
GLAUBEN AN [DIE KRAFT] DES THEUEREN VER-
DIENSTES SEINES ERLOESERS JESU CHRISTI
MDCXCVII. DEN XI. FEBRUAR SELIG VERSTOR-
BEN UND RUHET SEIN KOERPER ALLHIER BIS
ZUR FROEHLICHEN AUFERSTEHUNG ALLER
GLAEUBIGEN.
WELCHE AUCH [ERWARTEN] DIE ALLHIER VER-
SCHARRTEN GEBEINE SEINER HINTERLASSE-
NEN WITTWE FRAU DOROTHEA, GEB. TAUST,
ALS WELCHE IHREM EHEHERRN NACH GE-
FUEHRTEM DREYUNDDREYSSIGJAEHRIGEN
WITTWENSTANDE MDCCXXX. DEN XXVII.
DECBR. DER SEELE NACH IN DIE SEELIGE EWIG-
KEIT NACHGEFOLGET.
(Förstemann, 11 f.; Chrysander, II, 228)

– Georg Händel hatte auf dem hallischen Stadtgot-
tesacker eine Hälfte des an der Südostecke des
Friedhofs befindlichen Schwibbogens Nr. 60 als
Erbbegräbnis gekauft. Dieses Grabgewölbe ging
1814 in anderen Besitz über, und vermutlich ist
der Händelsche Grabstein um diese Zeit entfernt
worden. Reste desselben, auf denen noch einzelne
Wörter zu lesen waren, sind nach Förstemann in
der Türschwelle vermauert gewesen, heute ist
nichts mehr davon erhalten.
Die Lesart Förstemanns, der die Abschrift des
Buchdruckers Johann Christian Hendel (vermutlich ein weitläufiger Verwandter der Familie Händel) wiedergibt, scheint in ihrer Schreibweise mit
Großbuchstaben und römischen Zahlen eher dem
Original zu entsprechen als Chrysanders Lesart.
Die drei durch Parenthesen gekennzeichneten
Textlücken versuchen sowohl Förstemann als
auch Chrysander sinngemäß auszufüllen. Chrysander ergänzt nur eine Stelle anders als Förstemann:
„Ist im wahren Glauben an [Gott] und an das
theure Verdienst seines Erlösers …".
Georg Händels erste Frau, Anna, als deren Todestag der 9. Oktober 1682 genannt wird, ist laut Kirchenbuch an diesem Tag begraben worden. Vermutlich ist sie am gleichen Tag gestorben, da die
Pest-Toten möglichst bald begraben werden mußten. Georg Händels Todestag war der 14. Februar
1697.
Vgl. 27. Dezember 1730 und 23. April 1683
(Chrysander, I, 56; Chrysander, II, 228; Runde,
559)

1698

In einem Heft mit seinen Initialen und der Jahreszahl 1698 kopiert Händel u. a. Kompositionen von Zachow, Alberti, Froberger, Krieger, Kerll, Ebner und Strungk.

(Anecdotes, 6, Anm. 1; Schoelcher 1857, 8 f.)

– Existenz und Inhalt dieses Heftes, das Händel zeit seines Lebens aufbewahrt hat, sind durch die 1799 anonym erschienenen *Anecdotes of George Frederick Handel and John Christopher Smith* belegt. Es befand sich im Besitz von Lady Martha Rivers, der Stieftochter von John Christopher Smith, die es mit dessen Nachlaß geerbt hatte. Als Victor Schoelcher diesen Nachlaß 1856 von Thomas Kerslake kaufte, der ihn 1851 auf einer Versteigerung erworben hatte, befand sich das Heft nicht mehr darunter.

In diesem Heft sieht die Forschung einerseits einen Niederschlag der Zachowschen Unterrichtsmethode, die nach Mainwaring unter anderm darin bestand, daß Zachow seinen Schüler „oft rare Sachen abschreiben ließ, damit er ihresgleichen nicht nur spielen, sondern auch setzen lernete" (Mainwaring/Mattheson, 9), andererseits eine Bestätigung für Mainwarings Aussage, daß „Zachau eine ansehnliche Sammlung italienischer und deutscher Musikalien besaß" und „Händel die mannigfältige Schreib- und Setzarten verschiedener Völker, nebst eines jeden besondern Verfassers Vorzügen und Mängeln zeigte". Vermutlich besaß Händel neben diesem Heft, in dem ausschließlich deutsche Musiker vertreten waren, noch ein weiteres mit Abschriften von Kompositionen italienischer Meister. Mit Alberti ist wahrscheinlich der Merseburger Hof- und Kammerorganist Johann Friedrich Alberti gemeint, dessen Orgelkompositionen von den Zeitgenossen zu den bedeutendsten Orgelwerken des 17. Jahrhunderts gerechnet wurden. Bei Krieger kann es sich sowohl um den Weißenfelser Hofkapellmeister Johann Philipp als auch um dessen jüngeren Bruder, den Zittauer Johannisorganisten, Johann Krieger, gehandelt haben. Die Klavierwerke Johann Kriegers schätzte Händel offensichtlich sehr, denn er nahm unter wenigen deutschen Musikalien dessen 1698 gedruckte *Anmuthige Clavier-Übung* mit nach England (vgl. April 1723/II).

Die Jahreszahl 1698 auf dem Heft ist der einzige zeitliche Anhaltspunkt für Händels Unterricht bei Friedrich Wilhelm Zachow, dem Organisten der hallischen Marktkirche und „Director Musices" der Stadt Halle.

(Chrysander, III, 211; Robinson 1925, 815 f.; Thomas, 18 ff.)

1701

Johann Mattheson, Grundlage einer Ehrenpforte, Hamburg 1740

Endlich ward ich [Georg Philipp Telemann] der Manteljahre satt, und sehnte mich nach einer hohen Schule, wozu ich Leipzig erkiesete. … Ein veranstaltetes Examen brachte den Ausspruch zu Wege, daß ich ein Jurist werden, und der Musik gäntzlich absagen sollte. Jenes war ohne dies meine Absicht; und zu diesem bequemte ich mich ohne allen Widerspruch, mit dem festen Vorsatze, auf einen geheimen Rath loß zu studiren: hinterließ auch meine gantze musikalische Haushaltung, und begab mich 1701. nach Leipzig, da ich unterwegens in Halle, durch die Bekanntschafft mit dem damals schon wichtigen Hrn. Georg Fried. Händel,* beynahe wieder Notengifft eingesogen hätte. Allein ich hielt fest, und nahm meine vorige Gedancken wieder mit auf den Weg.
* Dieser war damahls kaum 16. Jahr alt.   [S. 358]
…

Die Orgel in der neuen Kirche wurde fertig, und ich darüber, als Organist, wie auch zum Musikdirectore bestallet. … Die Feder des vortreflichen Hn. Johann Kuhnau diente mir hier zur Nachfolge in Fugen und Contrapuncten; in melodischen Sätzen aber, und deren Untersuchung, hatten Händel und ich, bey öfftern Besuchen auf beiden Seiten, wie auch schrifftlich, eine stete Beschäfftigung.
[S. 359]

– Da Telemann erst im August 1704 das Amt des Organisten und Musikdirektors an der Neuen (Universitäts-) Kirche übernahm und Händel zu dieser Zeit schon seit einem guten Jahr in Hamburg war, müssen Händels und Telemanns gegenseitige Besuche vorher stattgefunden haben, wohingegen ein brieflicher Austausch auch noch zwischen Hamburg und Leipzig erfolgt sein kann. Mattheson schrieb etwa zur gleichen Zeit von Händel (1740, 93): „Er war … stärcker, als Kuhnau, in Fugen und Contrapuncten, absonderlich ex tempore; aber er wuste sehr wenig von der Melodie, ehe er an die hamburgische Oper kam."
In seinem Handexemplar vermerkte er auf S. 359: „Händel war damals u. lange hernach ein Fremdling in der Melodie; wuste hergegen von Fugen und Contrapuncten viel mehr als Kuhnau."
Die in so jungen Jahren geknüpfte Bekanntschaft zwischen den beiden großen Meistern wurde zu einer lebenslänglichen Freundschaft, die von hoher gegenseitiger Wertschätzung getragen war (vgl. 14. Dezember 1750 und 20. September 1754). Wiedergesehen haben sich Händel und Telemann vermutlich im Sommer 1719 in Dresden (vgl. 15. Juli 1719).
(Serauky 1955, 83 ff.; Gress, 139 f.)

1702

10. Februar 1702
Academia illustrissima Fridericiana: Novum Album Inscribendorum Civium

A. M. D. C. C. II.
Mense Februario
10) George Friedrich Händel Hall Magdeburg:
[Bl. 19ᵛ]
(MLU, UA, Rep. 4. Faksimile: Flower 1923, nach 38; MGG V, Sp. 1233 f. u. a.)

– Das von fremder Hand hinzugesetzte „dd." (dedit) besagt, daß Händel die geforderte Gebühr entrichtet hat.
Die 1694 von Kurfürst Friedrich III. von Brandenburg gegründete hallische Universität entwickelte sich in den ersten Jahrzehnten ihres Bestehens zur modernsten, fortschrittlichsten Universität Deutschlands, und die Zahl der Studierenden, die aus dem In- und Ausland nach Halle kamen, überstieg zu dieser Zeit die an anderen deutschen Universitäten. Dank solcher Persönlichkeiten wie Christian Thomasius, der bereits seit dem Sommer des Jahres 1690 in Halle Vorlesungen gehalten hatte, und Christian Wolff, der seit 1706 in Halle lehrte, wurde die hallische Universität zu einem Zentrum der deutschen Frühaufklärung.
Daß Händel keine Fakultät angegeben hat, war keineswegs eine Ausnahme, denn bei fast einem Drittel der Studenten, die von 1694 bis 1730 in Halle immatrikuliert wurden, fehlt die Angabe der Fakultät, und in den seltensten Fällen wurde die Philosophische Fakultät vermerkt. So läßt sich nicht mit Sicherheit sagen, Händel habe Rechtswissenschaften studiert, wie es nach Mainwaring der Wunsch des Vaters gewesen sein soll. Möglicherweise hat sich Händel auf Anraten des Dekans der Philosophischen Fakultät, der verpflichtet war, die Studienanwärter vor der Immatrikulation einer Eignungsprüfung zu unterziehen, an der Philosophischen Fakultät erst auf ein juristisches Studium vorbereitet.
Händel, der nur ein reichliches Jahr studiert und in dieser Zeit nicht öffentlich disputiert hat, galt nicht als Akademiker; als solcher hätte er mindestens zwei Jahre studieren und einmal öffentlich disputieren müssen.
Die studentische Musikpflege war damals in Halle äußerst rege, und es ist wahrscheinlich, daß Händel sich daran aktiv beteiligt hat. Barthold Heinrich Brockes, der von 1700 bis 1702 in Halle studiert hat, berichtet in seiner Autobiographie, daß er in der Regel jede Woche ein kleines Konzert auf seiner „Stube" veranstaltet habe. Bei solchen Gelegenheiten wird Händel nicht nur mitgewirkt, sondern auch Kompositionen beigesteuert haben.
(Dreyhaupt, II, 22; Lappenberg, 177; Opel 1885, 159; Schrader, 395 und 448; Serauky 1939, 402 f.

und 442 f.; Zimmermann, 95 ff.; Braun 1959 II, 851 ff.)

13. März 1702
Bestallung vor den organisten Hendel

Demnach die nothwendigkeit erfo[r]dert, daß bey der alhiesigen Königl. Schloß= und Domkirchen zum Organisten, an des ohnlängst abgegangenen Johann Christoph Leporins stelle, ein geschicktes Subjectum hinwiederumb bestellet werden, undt dann vor andern der Studiosus Georg Friedrich Hendel, welcher vorher bereits verschiedentl. unter abwesenheit ged. Leporins dessen vices vertretten, seiner geschickligkeit halber darzu angerühmet und recomandiret worden;
Alß haben wir zur hiesigen Königl. Schloß und Domkirche auch der Reformirten Gemeinde verordnete Prediger, undt Eltiste denselben, auff Ein Jahr zur probe, zum Organisten bey gemelter Kirche dato dergestalt angenomen, daß Er solch Ihm anvertrautes Ambt mit aller Treue undt fleissigen auffwartsamkeit [sic!] wohl und wie es Einem Rechtschaffenen Organisten eignet undt gebühret, versehen, so wohl zu Sonn= Bett= undt andern Festtagen, alß auch wann es ausser diesen künfftig extraordinarie erfordert wird, bey dem Gottesdienst die Orgel gebührend schlagen, deßhalb vorhero die vorgeschriebenen Psalmen undt Geistliche Lieder richtig anstimmen und was weiter zur erhaltung einer Schönen harmonie nöthig seyn möchte, in obacht nehmen, zu dem ende jedesmahl zeitig und ehe Mann mit dem läuten auffgehöret, in der Kirche seyn, wie nicht weniger auff die Conservation der Orgel und was derselben anhörig gute acht haben, und wo was daran schadhafft gefunden werden solte, solches fordersamst anzeigen undt alßdann bey der angeordneten reparatur mit guten rath beystehen undt nachsehen, auch denen Ihme vorgesetzten Predigern undt Eltisten alle schuldige ehre und gehorsam erweisen mit denen übrigen Kirchenbedienten aber friedlich sich begehen undt im übrigen Ein christliches undt erbauliches Leben führen solle. Dahingegen Ihme vor sein mühe undt Verrichtung zum gehalt dieses Jahrs nemlich von reminiscere c. a. biß dahin 1703 fünffzig Rthlr, welche auß der Königl. Renthei alhier Er gegen seine quittung quartaliter mit 12 thlr. 12 gr. nächstkünfftigen Trinitatis damit anfahende, zu heben nebst dem auff der Moritzburg von I. K. M. den Organisten allergndst. assignirten freyen Logiament, versprochen undt zugesaget worden, Uhrkundlich ist demselben diese Bestallung unter unserer der Prediger, Vorsteher undt Eltisten eigenhändigen unterschrifft außgestellet. So geben Halle den 13.ten Martii Ao. 1702.

V. Achenbach
(Dom-Archiv Halle: Acta die Organisten und Or-

gelbauer bey dem Dom betreffend, Anno 1655 Gemeinde Acta 2. Class. I. 244 Tit. I. Bd. 1 Cap. IV. № 2., Bll. 35ʳ⁻ᵛ und 36ʳ. Chrysander, I, 59f.; Serauky 1939, 400f.; Sasse 1958, 140f.)

– Da das Herzogtum Magdeburg lutherisch war, blieb auch die „alhiesige Königl. Schloß- und Domkirche" in Ermangelung einer reformierten Gemeinde während der ersten Jahre der brandenburgischen Herrschaft – das kurfürstliche Haus war 1613 vom lutherischen zum deutsch-reformierten Bekenntnis übergetreten – noch lutherisch. Erst als die Mitte der achtziger Jahre nach Halle gekommenen französischen und pfälzischen Refugiés einen angemessenen gottesdienstlichen Raum brauchten, wurde im April 1688 der deutsch- und im Mai 1688 außerdem der französisch-reformierten Gemeinde der Dom zur Mitbenutzung zugewiesen. Für einige Jahre hielten dann Lutheraner, Deutsch- und Französisch-Reformierte in genau festgelegtem Wechsel ihre Gottesdienste im Dom ab. Im Oktober 1690 zog die französische Gemeinde, die die wiederausgebaute Maria-Magdalenen-Kapelle der Moritzburg als Kirche erhielt, aus dem Dom aus, die lutherische im Herbst 1692. Seither war der Dom die Kirche der deutsch-reformierten Gemeinde, mit der sich Anfang des 19. Jahrhunderts die französisch-reformierte Gemeinde von Halle vereinigte.

Händels Amtsvorgänger, Johann Christoph Leporin, den man nicht nur wegen des reformierten Bekenntnisses, sondern auch wegen seiner angeblich besonderen Eignung aus Berlin geholt hatte, war erst im April 1698 mit diesem Amt bestallt worden. Obwohl man ihm beträchtlich mehr Gehalt gewährte als seinen Vorgängern, vernachlässigte er seine Dienstpflichten von Anfang an in gröblicher Weise. Als Leporin im Herbst des Jahres 1701 sein Amt ohne Genehmigung verlassen und den Gemeinde-Vorstehern mitgeteilt hatte, daß er nicht zurückzukehren gedenke, sahen sich diese gezwungen, den Orgeldienst „ad interim Einem Evangelisch Lutherischen Subjecte gegen eine gewisse ergötzlichkeit" anzuvertrauen. Dies war Händel, der der Gemeinde vermutlich von seinem Lehrer Zachow empfohlen worden war. In ihrem Schreiben vom 13. Januar 1702 bitten die Gemeinde-Vorsteher den König, Leporin entlassen und den Interimsorganisten so lange mit dem Amt betrauen zu dürfen, bis „sich ein anderes Reformirtes tüchtiges Subjectum hervorgethan". In seinem Antwortschreiben vom 25. Januar billigte der König sowohl das „Verfahren wieder gemelten Leporinum" als auch „das Vorhaben einen andern anzunehmen". Ob Händel dieses Organistenamt wirklich nur das „Probejahr" lang oder noch etwas länger ausgeübt hat, ist unbekannt, denn man weiß nicht genau, wann er nach Hamburg aufgebrochen ist, und die Angabe in der am 12. September

ber 1703 ausgestellten Bestallungsurkunde für seinen Nachfolger, „die durch ... Hendelen ohnlängst erledigte Organisten Stelle", gibt keinen genauen Hinweis.

Händels musikalische Aufgaben im reformierten Gottesdienst, der an den Sonn- und Feiertagen früh um 9 und nachmittags um 14 Uhr stattfand, bestanden fast ausschließlich darin, den Psalmengesang der Gemeinde – benutzt wurde der *Lobwassersche Psalter* – zu begleiten und diese durch ein Vorspiel darauf einzustimmen. (Mit der „erhaltung einer Schönen harmonie" ist wahrscheinlich nichts weiter als das Zusammenhalten des Gemeindegesanges gemeint.) So konnte er die große Orgel, die Christian Förner in den Jahren 1665 bis 1667 erbaut hatte, kaum gebührend nutzen. Möglicherweise hat Händel neben diesen eigentlichen Pflichten musikalisch befähigten Gemeindemitgliedern „privatim in seiner Behausung" Gesangs- und Instrumentalunterricht erteilt, wie sich aus einer Anweisung in der Bestallungsurkunde für seinen Nachfolger (vgl. 12. September 1703) schließen läßt. Dagegen erließ man ihm die Verpflichtung, die die anderen Organisten hatten, an Wochentagen die Schulknaben je eine Stunde zu „informiren".

Daß bei besonderen Anlässen auch im hallischen Dom gelegentlich Figuralmusik erklang, die sonst im reformierten Gottesdienst keinen Platz hatte, zeigen die Beerdigungsfeierlichkeiten für den Geheimen Rat und Kanzler Gottfried von Jena am 1. März 1703. Ob allerdings Händel, in dessen Amtszeit dieses Ereignis noch fiel, die 14strophige Aria „Wie groß ist deine Treu", die dabei „abgesungen" wurde, vertont hat (Braun), ließ sich nicht belegen. Nachweislich wurden „Hn. Zachauen wegen der Music 25 thlr." gezahlt (Akten des Jenaischen Fräulein-Stifts, jetzt im Dom-Archiv: Rechnung über die Begräbniß- und Trauerkosten, d. 6. Mart. 1703). Es ist nicht anzunehmen, daß die „Music" nur aus der erwähnten Aria bestand, die sich weder unter Zachows erhaltenen noch unter seinen nur textlich nachgewiesenen Kompositionen findet; zudem dürfte die Zachow gezahlte Summe für nur eine Aria etwas zu hoch gewesen sein.

Daß man Händel 40 Taler weniger Gehalt als seinem Vorgänger Leporin zahlte, hing wahrscheinlich mit der Anstellung „auf Probe", vielleicht auch mit seinem jugendlichen Alter zusammen. Das „freye Logiament" wird Händel nicht in Anspruch genommen, sondern weiterhin in seinem dem Dom benachbarten Elternhaus gewohnt haben. 1711 war die Organistenwohnung bereits mehrere Jahre lang für 16 Taler jährlich vermietet worden, und es ist anzunehmen, daß Händel mit dem Vermieten angefangen und sein Gehalt dadurch ein wenig aufgebessert hat.

Der Refugié Carl Conrad Achenbach (V. = Vidi),

vormals kurpfälzischer Kirchenrat, war im Juni 1700 vom brandenburgischen Kurfürsten als Hof- und Domprediger und Konsistorialrat nach Halle berufen worden. Schon im Februar 1702 wurde er vom König – der brandenburgische Kurfürst war 1701 zum König in Preußen gekrönt worden – an die Stelle des verstorbenen Hofpredigers Sturm nach Berlin berufen. Daß er im März 1702 noch Händels Bestallungsurkunde unterzeichnete, lag daran, daß sein Nachfolger, Friedrich Wilhelm von Scharden, das Amt erst am 23. Oktober 1702 antreten konnte.

(Dreyhaupt, I, 1094; Dreyhaupt, II, 572, 707f. und Anhang, 143; Serauky 1939, 401f.; Gabriel, 55f.; Braun 1959 II, 855; Thomas, 233ff.)

23. April 1702

Anagraphe Personarum quibus praeviâ peccatorum confessione, S. Eucharistiae Sacramentum in templo B. Mariae Virginis aedibusque privatis fuit exhibitum ... Anni Ecclesiastici, MDCCI

Quasimodogeniti [1702]
H. G. F. Händel
(Opel 1885, 163)

– In diesem Verzeichnis der Beicht- und Abendmahlsteilnehmer läßt sich Händel eindeutig nur dieses eine Mal nachweisen. Bei den beiden anderen Malen, für die Opel noch seine Teilnahme in Anspruch nimmt, bleibt es offen, welches zur Gemeinde der Liebfrauenkirche gehörende männliche Mitglied der Händelschen Familien gemeint ist, ob Händel selbst, ob sein Vetter, der Kupferschmiedemeister Georg Händel, oder dessen Sohn, der spätere Jurist Johann Gottlieb Händel. Unter dem 24. April 1701 lautet die Eintragung „J. F. Händel", unter dem 6. April 1703 (Opel nennt irrtümlich den 5. April) „H. Händel". Im ersten Fall fehlt die Bezeichnung H. [= Herr], die sonst auch bei Johann Gottlieb Händel fehlt, und „J. F." könnte versehentlich für Johann Gottlieb oder Georg Friedrich stehen. Im zweiten Fall fehlt der Vorname, wie stets in diesem Verzeichnis bei dem Kupferschmiedemeister Georg Händel. Damit ist der 6. April 1703 als letztes gesichertes Datum für Händels Anwesenheit in Halle in Frage gestellt.

Händels Teilnahme an Beichte und Abendmahl vor dem Jahre 1701 läßt sich nicht nachweisen, da für diese Zeit Teilnehmerverzeichnisse verloren sind.

2. Oktober 1702

Catalogus Natorum et Renatorum in Trota, Sennewitz und Tornau

247. Den 2. Octobris Nachts gegen 1 Uhr ward Georg Umblauffen von seinem Weibe Anna Maria ein Sohn geboren, den 4ten drauff ge-

taufft, und Georg Friedrich genennet. Die Paten waren Herr Johann Jeremias Lehmann, Herr Georg Friedrich Händel Studiosus aus Halle, und Jgfr. Magdalena Elisabeth des Amts-Müllers Tochter allhier in Trota.
(Piechocki 1955, 8, Fasimile)

– Es ließ sich bisher nicht ermitteln, in welchen Beziehungen Händel zu den in dem einige Kilometer nördlich von Halle gelegenen Dorf Trotha (um 1900 in die Stadt Halle eingemeindet) lebenden Eltern des Täuflings stand und welchen Beruf Georg Umblauff ausübte. Was aus Händels Patensohn geworden ist, ist nicht bekannt. Da Händel ihn – soweit nachweisbar – nie in irgendeiner Weise bedacht hat, könnte er früh gestorben sein (in den Kirchenbüchern von Trotha findet sich keine entsprechende Eintragung).

1703

Frühling/Sommer 1703
Händel geht, vermutlich auf Veranlassung Reinhard Keisers, nach Hamburg. Der Zeitpunkt ist unbekannt, jedoch kann er Halle frühestens nach Ablauf seines Probejahres am Dom (vgl. 13. März 1702) verlassen haben, spätestens aber im Mai oder Juni, da er entweder am 9. Juni oder am 9. Juli 1703 zum erstenmal mit Mattheson zusammentraf.
In Hamburg wurde Händel in der Herbstspielzeit des Jahres 1703 Mitglied des Opernorchesters, zunächst als zweiter Geiger, mit Beginn der neuen Spielzeit im Jahre darauf auch als Cembalist.
(Mattheson 1740, 93 und 191; Mainwaring/Mattheson, 22; Baselt 1978, 11)

9. Juli 1703

Johann Mattheson, Grundlage einer Ehrenpforte, Hamburg 1740

Den neunten Julii 1703. wurde er [Johann Mattheson] mit dem weltberühmten Händel[1] auf der hamburgischen Maria Magdalenen-Orgel bekannt, führte denselben in seines Vaters Hauß, und erwies ihm alle nur ersinnliche Wolthaten, so wohl was den Tisch und Unterhalt, als auch was die Anpreisung seiner Person betraff. Sie reiseten den 17. August mit einander, in höchster Vertraulichkeit, nach Lübeck, und bespielten daselbst die Orgeln: maassen man dem damaligen wackern Organisten und Werckmeistern an dortiger Marien-Kirche, Dieterich Buxtehude, gerne einen tüchtigen Mann zum Beisitzer, der zugleich sein Nachfolger werden könnte, aussuchen wollte. Wie es damit abgelaufen, ist schon oben, in einem andern Artickel, erzehlet worden.
[1] S. den Artickel Händel p. 93. sq.   [S. 191]

- Mattheson datiert die Begegnung in der *Ehrenpforte* auf den 9. Juli, Mainwaring in seiner Lebensbeschreibung auf den 9. Juni 1703. Mattheson, der sonst viele Daten in seiner Übersetzung der Mainwaring-Biographie korrigiert, läßt dieses Datum unverändert.
(Mainwaring/Mattheson, 22)

15. Juli 1703
Händel und Mattheson unternehmen gemeinsam einen Ausflug auf der Elbe in der Nähe von Hamburg.
(Mattheson 1740, 93)

30. Juli 1703
Händel und Mattheson spielen die Orgel in der St.-Maria-Magdalenen-Kirche zu Hamburg.
(Mattheson 1740, 93)

17. August 1703
Händel und Mattheson unternehmen gemeinsam eine Reise zu Dietrich Buxtehude nach Lübeck.
(Mattheson 1740, 94; Mainwaring/Mattheson, 22)

- Magnus von Wedderkopp, Präsident des Schleswig-Holsteinischen Geheimen Rates, hatte Mattheson nach Lübeck eingeladen und ihm in Aussicht gestellt, Buxtehudes Nachfolger als Organist an der Lübecker Marienkirche zu werden. (In Lübeck entsprach die Stellung des Marien-Organisten der eines Director Musices.) Mattheson nahm Händel als weiterer Bewerber um das Amt mit. In der *Ehrenpforte* schreibt er darüber: „Wir bespielten daselbst fast alle Orgeln und Clavicimbel, und fasseten, wegen unsers Spielens, einen besondern Schluß, dessen ich anderswo gedacht habe: daß nehmlich er nur die Orgel, und ich das Clavicimbel spielen wollte. Wir hörten anbey wohlgedachtem Künstler, in seiner Marien≈Kirche, mit würdiger Aufmercksamkeit zu. Weil aber eine Heirats≈Bedingung bey der Sache vorgeschlagen wurde, wozu keiner von uns beiden die geringste Lust bezeigte, schieden wir, nach vielen empfangenen Ehrenerweisungen und genossenen Lustbarkeiten, von dannen. Johann Christian Schieferdecker legte sich hernach näher zum Ziel, führte nach des Vaters, Buxtehuden, Tode, die Braut heim, und erhielt 1707 den schönen Dienst ..." (S. 94).
Buxtehude erwartete von seinem Nachfolger, daß er seine noch ledige vierte Tochter, Anna Margareta, geb. 1675, heiratete, wie er eine der Töchter seines Vorgängers Franz Tunder geheiratet hatte. Bekanntlich verzichtete auch Bach, der den greisen Buxtehude im Herbst 1705 von Arnstadt aus besucht hatte, wegen dieser Bedingung auf das Amt an der Lübecker Marienkirche.

12. September 1703
Bestallung Vor den Organisten bey der Domkirche

Bestallung Vor den Organisten bey der Domkirche	Demnach die Nothdurfft erfo[r]dert, daß bey der alhiesigen Königl. Schloß- undt Domkirchen die durch Johann Georg Hendelen ohnlängst erledigte Organisten Stelle hinwiederumb mit einem guten und geschickten Subjecto besetzet werden müssen, undt aber Vor andern Johann Kohlhardt sowohl seines fromen Wandels alß geschicklkeit halber darzu recoͤmandiret undt angerühmet worden, ... auch diejenige, bey welchen er die dazu nöthige Fähigkeit finden wird privatim in seiner Behausung nicht allein zu einer mehrern perfection in der vocal Music sondern auch zur instrumental music anführen.
50 Thaler Gehalt	Alß haben die ... verordnete Hoffprediger, Vorsteher und Eltiste vermelten Kohlhardten zum Organisten bey besagter Schloßkirche dergestalt bestellet und angenoͤmen, ... So geschehen Halle den 12. Sept. 1703 Vidi. Steinberg.

(Dom-Archiv Halle: Acta die Organisten und Orgelbauer bey dem Dom betreffend, Anno 1655 Gemeinde Acta 2. Class. I. 244 Tit. I. Bd. 1 Cap. IV, №. 2., Bll. 38ʳ–39ʳ. Opel 1885, 160; Chrysander, I, 61)

- In der Bestallungsurkunde für Händels Nachfolger im Amt des hallischen Domorganisten war für die Forschung immer besonders aufschlußreich, daß der Organist befähigte Gemeindemitglieder nicht nur „zu einer mehrern Perfection" in der Vokalmusik, sondern auch in der Instrumentalmusik „anführen" sollte. Man schloß daraus, daß bereits Händel diese Tätigkeit ausgeübt habe, und sah darin den Beweis, daß die Kunstmusik aus dem reformierten Dom nicht völlig verbannt war, sondern bei besonderen Anlässen noch gepflegt wurde (vgl. 13. März 1702).
Da man Johann Kohlhardt, der schon vor seiner Anstellung gelegentlich den Organistendienst am Dom versehen hatte, auch kein höheres Gehalt als Händel zugestand – Händels Amtsvorgänger Leporin (vgl. 13. März 1702) hatte man 40 Taler mehr gezahlt –, ist es verständlich, daß er im Dezember 1703 zusätzlich das frei gewordene Kantorat an der Ulrichskirche übernahm. Die Aufgaben beider Ämter können nicht allzu umfangreich ge-

wesen sein, denn er hat sie fast bis zu seinem Tode gewissenhaft versehen.

Außerdem war er schon seit 1691 als Lehrer am (lutherischen) Stadtgymnasium tätig. (Chrysanders Annahme, daß er Lehrer am reformierten Gymnasium gewesen sei, trifft nicht zu; offensichtlich hatte er nur wie schon seine reformierten Amtsvorgänger die Schulknaben - gemeint sind vermutlich die der 1700 gegründeten reformierten Lateinschule, denn das reformierte Gymnasium wurde erst im Juni 1711 eröffnet - an Wochentagen je eine Stunde zu „informiren", wovon Händel als Lutheraner befreit war.)

Heinrich August Steinberg hatte von 1701 bis 1705 die Stelle des 2. Dompredigers in Halle inne.

(Dreyhaupt, II, 200f.; Chrysander, I, 61f.; Opel 1885, 160; Serauky 1939, 405ff.; Braun 1959 II, 855; Gabriel, 90ff.)

1704

18. März 1704
Händel an Mattheson in Amsterdam

... Ich wünsche vielmahl in Dero höchstangenehmen Conversation zu seyn, welcher Verlust bald wird ersetzet werden, indem die Zeit heran kömt, da man, ohne deren Gegenwart, nichts bey den Opern wird vornehmen können. Bitte also gehorsamst, mir dero Abreise zu notificiren, damit ich Gelegenheit haben möge, meine Schuldigkeit, durch deroselben Einholung, mit Mlle Sbülens, zu erweisen.

(Mattheson 1740, 94)

- Mattheson hatte, weil „die Opern 1704. aus gewissen Ursachen still lagen", eine Reise nach Holland unternommen, um „von dannen weiter nach England, Frankreich und Italien zu gehen". Seine weiteren Reiseziele aufzugeben, bewogen ihn seine „Freunde in Hamburg, vor andern Händel..." (Ehrenpforte, 191f.)

„Mlle Sbülens" ist vermutlich eine Tochter des Hamburger Kaufmanns Johann Wilhelm Sbüelen, mit dem Händel gut bekannt gewesen sein muß (vgl. 10. August 1731 und 28. August 1736). Die Bekanntschaft rührte vielleicht von seinem Vater her, der in jungen Jahren vorübergehend in Hamburg praktiziert hatte.

Der von Mattheson zitierte ist einer der drei bekannten Briefe, die Händel in deutscher Sprache verfaßt hat (vgl. 12. Februar 1731 und 10. August 1733), sonst schrieb er in der Regel französisch.

(Mattheson 1740, 93 und 192; Mueller von Asow, 93f.; Baselt 1978, 11f.)

7. November 1704
Johann Mattheson, Grundlage einer Ehrenpforte, Hamburg 1740

Den siebenden November dieses Jahres 1704. ließ der damahlige Königl. Gros-Britannische Gesandte im niedersächsischen Kreise, Hr. Johann von Wich, unsern Mattheson, zur Unterrichtung seines Sohnes, welcher dem Vater hernach in der Würde gefolget ist, berufen, und, gegen ein ansehnliches Jahrgeld, zur allgemeinen Aufsicht der Erziehung, als Hofemeister, bestellen: welcher Beruf denn auch der wahre Anfang seines dauerhafften Glückes; aber zugleich eine Mitursache zu neuer Misgunst gewesen ist. Denn, es hatte vorhin ein gewisser, und schon genannter Mann [Händel] diesen Posten zur Helffte bekleidet, nehmlich, so viel die Musik oder den Unterricht auf dem Clavier betraff; die Verrichtungen selbst aber einiger maassen versäumet [welches ihm vorgehalten und übel genommen wurde]: daher er denn auf Mattheson einen heimlichen Groll warff, und mit demselben Groll, in der ersten Adventswoche, bey der letzten Vorstellung der Opera, Cleopatra, vor Weihnacht, loßbrach. Obbesagter Virtuose, welcher damahls, unter Matthesons Oberaufsicht, das Clavier schlug, wollte sich nicht allerdings bequemen, von demselben, in musikalischen Dingen, geziemenden Befehl anzunehmen; darüber ihm aber, wie es zum Gefechte kam, bald übel mitgefahren wäre. Die weitern Umstände, samt der Versöhnung, sind bereits oben in einem andern Artickel erzählet worden.

[S. 193 und hs. Nachträge Matthesons in seinem Handexemplar]

- Cyrils Vater, John Wyche (Wich) war seit 1702 Resident, 1709-1713 außerordentlicher Gesandter in Bremen, Hamburg und Lübeck, 1709 ernannte ihn Königin Anna zum außerordentlichen Gesandten an den Höfen von Holstein und Mecklenburg. Mattheson wurde im Januar 1706 Sekretär dieses Residenten und blieb in dieser Stellung auch bei seinem ehemaligen Zögling Cyril Wyche (1729 von Georg II. in den Stand eines Baronet von Großbritannien erhoben), der zuerst Geschäftsträger, seit 1714 Resident, seit 1719 Minister und 1725-1741 außerordentlicher Gesandter in Bremen, Hamburg und Lübeck war. Die Familie Wyche hat möglicherweise dazu beigetragen, daß Händel nach England ging.

(Smith 1948, 18)

5. Dezember 1704
Händel und Mattheson duellieren sich vor dem Hamburger Opernhaus am Gänsemarkt, nachdem sie über Händels Verhalten während der Aufführung von Matthesons Oper Cleopatra in Streit geraten waren. Matthesons Klinge zerspringt jedoch an einem von Händels metallenen Rockknöpfen, so daß niemand zu Schaden kommt.

- Nach Mainwarings Bericht hat „eine freundliche Partitur, die Händel im Busen trug", Matthe-

sons Stoß abgefangen. Durch Vermittlung eines hamburgischen Ratsherrn sowie der beiden Opernpächter Keiser und Drüsicke haben sich die beiden Kontrahenten wieder ausgesöhnt.
(Mattheson 1740, 95 und 193; Mainwaring/Mattheson, 25 ff.)

30. Dezember 1704

Händel und Mattheson essen gemeinsam und besuchen anschließend eine Probe von Händels *Almira*.
(Mattheson 1740, 95)

1705

8. Januar 1705

Händels erste Oper, *Almira*, wird im Hamburger Opernhaus am Gänsemarkt uraufgeführt.
(Mattheson 1740, 95; Mainwaring/Mattheson, 31)

– Den Kompositionsauftrag zu dieser wie zu den drei anderen Hamburger Opern hat Reinhard Keiser, von 1703 bis 1707 künstlerischer Direktor des hamburgischen Opernhauses, dem jungen, in Hamburg um diese Zeit noch unbekannten und als Opernkomponist unerfahrenen Händel verschafft. Nach eigener Aussage (*Critica Musica*, Bd. I, 243) nahm Mattheson auf die Entstehung dieses Werkes entscheidenden Einfluß: „Wie ein gewisser Weltberühmter Mann zum ersten mahl hier in Hamburg kam / wuste er fast nichts / als lauter regel=mäßige Fugen / zu machen / und waren ihm die Imitationes so neu / als eine fremde Sprache / wurden ihm auch eben so saur. Mir ist es am besten bewust / wie er seine allererste Opera / scenen=weiß zu mir brachte / und alle Abend meine Gedanken darüber vernehmen wollte / welche Mühe es ihm gekostet / den Pedanten zu verbergen.* (*Hierüber darff sich niemand wundern. Ich lernte von ihm; so wie er von mir. Docendo enim dicimus.)" Trotzdem war der eigentliche Mentor und musikalische Anreger Reinhard Keiser. Er hielt seine eigene, ursprünglich für die Hamburger Bühne bestimmte *Almira*-Vertonung – Librettist war der Theologe Friedrich Christian Feustking – zugunsten seines Schützlings Händel von einer Aufführung in Hamburg vorerst zurück und ließ sie im Juli 1704 in Weißenfels aufführen. Mit der Abfassung des Librettos für Händels *Almira* hatte Keiser ebenfalls Feustking beauftragt. Dieser stützte sich dabei auf sein für Keiser geschaffenes *Almira*-Libretto, das er nur geringfügig veränderte. Als Grundlage diente ihm das Libretto der 1703 in Braunschweig aufgeführten *Almira* (Musik: Ruggiero Fedeli), deren Textbuch eine deutsche Prosaübertragung beigegeben war. Diese Fassung ging zurück auf ein venezianisches Libretto von Giulio Pancieri (1691, Musik: Giuseppe Boniventi).

Der vollständige Titel der Oper im gedruckten Textbuch (drei Auflagen, alle mit 1704 datiert), das weder den Namen des Textdichters noch den des Komponisten nennt, lautet: *Der in Krohnen erlangte Glücks=Wechsel, Oder: Almira, Königin von Castilien.*
Almira wurde bis zum 25. Februar 1705 etwa zwanzigmal aufgeführt. Im Februar 1732 wurde sie mit einigen Änderungen und Zusätzen von Telemann erneut in den Spielplan der Hamburger Oper aufgenommen, aber wohl mit weit geringerem Erfolg, denn sie erlebte wahrscheinlich nur zwei Aufführungen. Händel verwendete mehrfach Stücke aus *Almira* in späteren Werken, vor allem in Opern und Kantaten.
Reinhard Keiser führte seine *Almira* nun auch in Hamburg auf. Autor des gegenüber der Weißenfelser Fassung veränderten Textbuches war Barthold Feind, Feustkings persönlicher und literarischer Gegner. Der Titel lautete jetzt: *Der durchlauchtigste Secretarius, Oder: Almira, Königin in Castilien.* Ob Händel eine dieser Aufführungen noch miterlebte, oder ob er schon auf dem Wege nach Italien war, ist nicht bekannt. Daß er die Keisersche Musik schon in der Fassung von 1704 gekannt hat, zeigt der Vergleich einiger Stücke aus beiden Opern.
Mattheson sang nach eigener Angabe „unter allgemeinem Beifall" die Hauptperson (Ehrenpforte, 95). Die Besetzung der anderen Partien ist unbekannt.
(Mattheson 1723, Bd. 1, 243; Schoelcher 1857, 12 f.; Chrysander, I, 102 ff.; Chrysander 1880 II, Sp. 35 ff., 37; Robinson 1908, 309 ff.; Streatfeild 1909, 224 f.; Merbach, 364; Schulze, 85 ff.; Loewenberg, Sp. 112; Müller-Blattau 1959, 25 ff.; Siegmund-Schultze 1962, 18 f.; Lang 1966, 35 f.; Wolff 1957 I, 243 ff.; Wolff 1957 II, 72 ff.; Brockpähler, 205; Zelm, 52, 55 und 126 ff.; Strohm 1975/76, 105 f.; Stompor, 33 ff.; Baselt 1978, 11 ff.)

25. Februar 1705

Händels zweite Oper, *Nero*, wird im Hamburger Opernhaus am Gänsemarkt uraufgeführt.
(Mattheson 1740, 95; Mainwaring/Mattheson, 31)

– Den Auftrag zu dieser Oper hat Händel ebenso wie den zu *Almira* von Reinhard Keiser bekommen, der wiederum seine eigene Vertonung zugunsten der von Händel zurückhielt. Händels Musik ist nicht erhalten. Der genaue Titel lautet: *Die durch Blut und Mord erlangete Liebe / Oder: Nero.*
Aufgeführt wurde Händels *Nero* wahrscheinlich nur dreimal. Ende Februar begann die Fastenzeit und damit die Opernpause, die sich 1705 vermutlich bis Ende Juli hinzog. Danach wurde *Nero* nicht wieder in den Spielplan aufgenommen.
Textdichter war wieder Friedrich Christian Feustking (im gedruckten Textbuch werden Librettist und Komponist nicht genannt), der sich nach die-

sem Libretto nicht wieder mit Operndichtungen befaßte (vgl. Februar 1705/I). Daß Händel sich über die mangelhafte poetische Qualität des Librettos beklagt haben soll (vgl. 1706), ist weder glaubwürdig belegt, noch kann daraus geschlossen werden, daß die poetische Qualität des *Nero* schlechter als die der *Almira* gewesen wäre.

Die Besetzung des *Nero* ist unbekannt. Mattheson berichtet in der *Ehrenpforte*, daß er wieder die Hauptrolle übernommen hatte und sich danach als Sänger von der Opernbühne zurückzog.

Am 5. August 1705 führte Keiser seine Vertonung dieses Stoffes unter dem Titel *Die Römische Unruhe / Oder: Die Edelmüthige Octavia* in Hamburg auf, eine Überarbeitung seiner 1704 in Weißenfels konzipierten *Octavia*.

Bereits 1707 hatte Händel eine der beiden Arien von Pantaleon Hebenstreit, die Keiser in seine *Octavia* aufgenommen hatte, das 16taktige Menuett „Hebet und senket den fertigen Fuß", geringfügig modifiziert als Schlußsatz („Di questa selva fra dubie vie") in seiner für den Marchese Ruspoli komponierten *Diana cacciatrice* (HWV 79) verwendet. Das ist das früheste nachgewiesene Beispiel für Händels „borrowings".

(Chrysander, I, 126ff.; Mattheson 1740, 95, 193; Loewenberg, Sp. 116; Wolff 1957 I, 249ff.; Zelm, 53, 129f.; Reprint des Nero-Librettos in: Händel-Jb. 1977, 69ff.; Stompor, 43ff.; Baselt 1978, 14ff.)

Januar/Februar 1705
Johann Mattheson, Hamburger Opernverzeichnis

Anno 1704
109. Almira. Music vom Hn. Capellmeister Händel. Poesie vom Hn. Feustking. Hiebey war ein Epilogus, genannt der Genius von Europa, componirt vom Hn. Keiser.
(Mattheson 1728, 186)

– Mattheson verzeichnete im *Musicalischen Patrioten* Händels *Almira* irrtümlich noch unter 1704, korrigierte aber seinen Fehler in der *Ehrenpforte*. Mattheson unterläuft an dieser Stelle ein weiterer Irrtum. Keisers Epilog bildete nicht den Abschluß der Händelschen *Almira*, sondern war für die Aufführung seiner eigenen *Almira* am 26. Juli 1708 bestimmt, was durch den Titel belegt wird: *Der Genius von Europa, an dem frohen Geburtstage Ihrer Römischen Kayserlichen Majestät Joseph I. zu allerunterthänigster Freuden-Bezeugung, nach der Oper Almira, auf dem Hamburgischen Theatro abgesungen. Im Jahr 1708 den 26. Juli...*
(Chrysander 1877, Sp. 235; Chrysander 1880, Sp. 86f.)

Februar 1705 (I)
[Friedrich Christian Feustking,] Der Wegen der Almira Abgestriegelte Hostilius. Andere Bastonade... Anno 1705

Die Almiram zu tadeln, die doch so wohl wegen der Poesie als auch wegen der kunstreichen Musique des Herrn Hendels honéter Gemüther approbation erlanget, und noch biß auf diese Stunde damit beehret wird, ist ein Zeichen einer malicieusen Unvernunfft oder unvernünfftigen Malice.
(Chrysander, I, 109f.)

– Die Libretti zu *Almira* und *Nero* (Feustking) führten zu einer öffentlichen Auseinandersetzung zwischen Feustking und seinen Gegnern Barthold Feind und Christian Friedrich Hunold (genannt Menantes). Feind und Hunold bekannten sich zu einer andern literarischen Richtung als Feustking. Sie vertraten den Standpunkt, daß man in einem Opernlibretto auf Eigennamen nicht reimen dürfe, wie Feustking es in Anlehnung an ältere italienische und deutsche Praktiken tat. Die Fehde wurde weniger in sachlicher als in persönlich beleidigender Form in Streitschriften ausgetragen. Händel ist von dieser Fehde offenbar kaum berührt worden. Wenn Feustking Händels Musik als „kunstreich" bezeichnet, so macht er sich damit zum Sprachrohr des Hamburger Opernpublikums.
(Chrysander, I, 105ff.; Wolff 1957, I, 244; Stompor, 33f.)

Februar 1705 (II)
Johann Mattheson, Hamburger Opernverzeichnis

Anno 1705
110. Nero. Music vom Hn. Händel. Poesie vom Hn. Feustking.
(Mattheson 1728, 186)

– Handschriftlicher Zusatz in Matthesons Handexemplar: „Dieses ist die letzte Oper gewesen, die Mattheson mitgemacht hat."
(Chrysander 1877, Sp. 235)

27. November 1705
[Christian Friedrich Hunold,] Wolmeinendes / Send-Schreiben / an den / Herrn Pastor / Friederich Christian / Feistking / Nach Tolcke / in Angeln / Über die bißherigen Poetischen und andere Streitigkeiten. Von Menantes. Anno 1705.

Da uns denn die Music so wohl / als Ihre Poetische Arbeit glückte / und sind wir versichert / wenn Sie gegenwärtig gewesen / Sie würden uns vor ihre naturelle composition mehr obligation als Monsieur Händeln gehabt haben.   [Bl. B 2ʳ]

– Vor dem zitierten Abschnitt teilt Hunold mit, daß sein Freund Barthold Feind die beiden Arien „Almire, regiere" und „Vollkommene Hände" aus Feustkings *Almira* im Theater gesungen und ge-

tanzt, und er, Hunold, zu diesen von ihnen für die Texte ausgewählten „Gassenhauern" den Basso continuo gespielt habe. Hunold läßt den geschmähten Feustking also wissen, daß nach seiner und seines Freundes Meinung den Feustkingschen Dichtungen das Gassenhauer-Niveau eher entspreche als das Niveau der Händelschen Musik.
(Chrysander, I, 111)
Vgl. Februar 1705 (I)

1705 bis 1709
Johann Mattheson, Grundlage einer Ehrenpforte, Hamburg 1740

Händel führte darauf, An. 1705. den 8. Jenner,[1] seine besagte erste Oper, Almira, glücklich auf. Den 25. Febr. folgte der Nero. Da nahm ich mit Vergnügen Abschied vom Theatro, nachdem ich, in den beiden letztgenannten schönen Opern, die Hauptperson, unter allgemeinem Beifall, vorgestellet, und dergleichen Arbeit gantzer 15. Jahr, vielleicht schon ein wenig zu lange, getrieben hatte: so daß es zeit für mich war, auf etwas festeres und daurhafteres bedacht zu seyn; welches auch, Gott Lob! wohl von Statten gegangen ist. Händel blieb indessen noch 4. biß 5. Jahr bey den hiesigen Opern, und hatte daneben sehr viel Scholaren.
Er verfertigte 1708. sowohl den Florindo, als die Daphne; welche jedoch der Almira nicht beikommen wollten. An. 1709. hat er nichts gemacht. Darauf eräugete sich die Gelegenheit, mit dem von Binitz eine freie Reise nach Italien anzutreten: da er denn An. 1710 im Winter zu Venedig, auf dem Schauplatze St. Gio. Crisostomo, seine Agrippine hören ließ: in welcher man, als sie 8. Jahr hernach das hamburgische Theater zierte, verschiedene den Originalien gäntzlich ähnliche Nachahmungen aus Porsenna etc. wahrzunehmen nicht unbillig vermeinte.
[1] Nicht 1704. wie irrig im musikalischen Patrioten stehet, welches zu ändern bitte.　　　[S. 95 f.]

– Die Händel-Biographie in der *Ehrenpforte* verfaßte Mattheson selbst, da Händel die erbetene Autobiographie nicht geschrieben hatte. (Ebensowenig tat das Bach, den Mattheson deshalb überhaupt nicht aufnahm.) Die Zeitangabe „darauf" zu Beginn des mitgeteilten Abschnitts bezieht sich auf das Duell zwischen Händel und Mattheson (vgl. 5. Dezember 1704). Die Zeitangabe bezüglich Matthesons „Abschied vom Theater" in seiner eigenen Biographie in der *Ehrenpforte* (17. Februar) ist ein offensichtlicher Druckfehler, denn Händels *Nero* wurde erst am 25. Februar uraufgeführt, und das Theater schloß am 27. Februar wegen der beginnenden Fastenzeit. Mattheson wurde im Januar 1706 Sekretär bei John Wyche, dem englischen Residenten in Hamburg.

Daß Händel noch vier bis fünf Jahre „bey den hiesigen Opern" blieb, ist ein Irrtum, wohingegen die Angabe, daß er „viel Scholaren" gehabt habe, bevor er nach Italien aufbrach, zutrifft. (Über den in diesem Zusammenhang erwähnten Herrn von Binitz ließ sich bisher nichts ermitteln.) Daß Händel „An. 1709 ... nichts gemacht" habe, ist ein weiterer Irrtum, da er außer anderen Werken in den Jahren 1708/09 die Oper *Agrippina* komponierte, die im Dezember 1709 in Venedig uraufgeführt wurde. In Hamburg wurde sie von 1718 bis 1722 mehrfach aufgeführt.
Aus Matthesons Oper *Porsenna* übernahm Händel für *Agrippina* das Thema der Arie „Diese Wangen will ich küssen" für die Arie „Sotto il lauro", aus Matthesons Oper *Cleopatra* entlehnte er das thematische Material für den fugierten Teil der Ouvertüre und für den Schlußchor der Oper (vgl. Juli 1722).
(Chrysander, I, 128 und 191 f.; Wolff 1957 I, 289)
Vgl. Januar und Februar 1708

1706

Spätsommer/Frühherbst 1706
Händel tritt seine erste Italienreise an.

– Auf Einladung des Granprincipe di Toscana, Ferdinando de' Medici, geht Händel zunächst nach Florenz. Er hatte den Granprincipe, der mehrfach Reisen unternahm, um Künstler von Format für seinen Hof zu gewinnen, entweder in den Wintermonaten der Jahre 1704/05 oder 1705/06 während eines Aufenthaltes in Hamburg kennengelernt. (Vermutlich hat er Händels *Almira*-Erfolg miterlebt.) Die Annahme, daß Ferdinandos jüngerer Bruder, Gian Gastone (seit 1723 Granduca di Toscana), Händel eingeladen habe, geht auf eine falsche Übersetzung Matthesons der entsprechenden Stelle bei Mainwaring zurück; zudem hielt sich Gian Gastone bereits 1703/04 in Hamburg auf und nicht 1704/05.
Wahrscheinlich hat Händel eine der Aufführungen von Alessandro Scarlattis Oper *Il gran Tamerlano* (Libretto: Antonio Salvi) erlebt, die im Herbst 1706 in der Villa Medicea in Pratolino stattfanden. Vermutlich hat der musikliebende Granprincipe Händel bereits um diese Zeit den Auftrag erteilt, für Florenz eine Oper zu komponieren. Zu möglicherweise in Florenz komponierten Kantaten Händels stellt Ellen T. Harris auf Grund von Papier- und Schriftbeschaffenheit bestimmter Autographe sowie auf Grund stilistischer Kriterien verschiedene Hypothesen auf.
Spätestens 1706 hielt sich Händel in Rom auf, denn auf einer eigenhändigen Kopie mit Kammerduetten von Steffani und Grua vermerkte er: „G. F. Hendel/Roma 1706".

Mit diesem Dokument ist die Valesio-Notiz vom 14. Januar 1707, die bisher stets als Beweis dafür galt, daß Händel sich Anfang des Jahres 1707 nach Rom begeben habe, überholt.
(Mainwaring, 39; Mainwaring/Mattheson, 35; Robinson 1910, 194; Timms, 374 und 377; Strohm 1974 I, 154ff., 162, 173; Hicks 1976/77, 83; Ellen T. Harris, passim)

1706

[Christian Friedrich Hunold,] Theatralische / Galante Und Geistliche Gedichte / Von Menantes. Hamburg ... 1706

Wie soll ein Musicus was schönes machen / wenn er keine schöne Worte hat? Denn eben die Music ist / wie oben gesagt / schön / welche jedes Wort in der Poesie natürlich ausdrücket. Der Geist eines Poeten hat die Krafft / nicht einem Musico einen Geist zu geben / sondern den seinigen rege und zu guten Inventionen geschickt zu machen. Darum hat man bey Componirung der Opera Nero nicht unbillig geklagt: Es sey kein Geist in der Poesie und man habe einen Verdruß / solche in die Music zu setzen.   [S. 88 f.]

– Hunold spielt hier auf Händel an, der sich über das Libretto zu *Nero* beklagt haben soll (vgl. 25. Februar 1705).

1707

14. Januar 1707
Francesco Valesio, Diario

Venerdì 14
È giunto in questa città un Sassone, eccellente suonatore di cembalo e compositore di musica, il quale oggi ha fatto pompa della sua virtù in sonare l'organo nella Chiesa di S. Giovanni con stupore di tutti.
(Archivio Storico Capitolino di Roma, Diari di Roma dall'Anno 1705–1707, Tomo 15, Cred. XIV, f. 360)

– Wenngleich es merkwürdig ist, daß der junge Lutheraner Händel in San Giovanni in Laterano, der römischen Bischofskirche, Orgel gespielt haben soll, bezieht sich diese Notiz des römischen Chronisten doch mit großer Wahrscheinlichkeit auf Händel, der sich in Rom der Gunst mehrerer Kardinäle erfreute.
(Flower 1923, 62; Hall 1959 I, 197; Zanetti 1959 II, 435; Kirkendale 1967, 224, Anm. 12; Marx 1976, 69f.)

12. Februar 1707
Giustificazioni della Casa Pamphilj

Rechnung des Kopisten Alessandro Ginelli
Conto di copie di musica nella Cantata intitolata Il Delirio amoroso p[er] servitio dell'E[minen]tissi]mo Sig[no]re Cardinal Pamphilij Composta in musica dal S[igno]re Giorgio Hendel, e sono le seguenti copie cioè Per la parte che canta

Per la parte che canta	f[ogli]	5
Per il Concert[i]no de Violini	f[ogli]	5
VV. [= violini] p[ri]mi e 2. di [= secondi] di		
Concerto grosso	f[ogli]	5
Oboe, e violetta	f[ogli]	6
Basso concerto grosso	f[ogli]	2
Partitura della Sinfonia	f[ogli]	2
In tutto	f[ogli]	25

(Archivio Doria-Pamphilj-Landi, Rom. Marx 1983, 113)

– Händel komponierte die weltliche Kantate *Il delirio amoroso*, „Da quel giorno fatale" (HWV 99), auf einen Text von Benedetto Pamphilj vermutlich Ende Januar/Anfang Februar 1707. Die Kopistenrechnung ist der früheste Beleg für Händels Tätigkeit für Kardinal Pamphilj, dessen Palazzo am Corso zu den gesellschaftlichen Mittelpunkten Roms zählte. Ginelli kopierte nur die Stimmen der Kantate und die Partitur der Sinfonia. (In der Abschrift in Münster ist die Sinfonia von Ginelli, die Kantate im wesentlichen von Antonio Angelini geschrieben.)
Die erste Aufführung der Kantate in einer von Pamphiljs Akademien in seinem Palazzo fand wahrscheinlich vor dem 18. Februar 1707 statt. Anhand einer Musikerabrechnung von Pamphiljs „maestro di musica", Carlo Cesarini (ca. 1664–ca. 1730), läßt sich die vermutliche Besetzung der Erstaufführung rekonstruieren.
(Marx 1983, 108f.)
Vgl. 14. Mai 1707

April 1707
Händel beendet in Rom Psalm 109, „Dixit Dominus."
Eintrag in der autographen Partitur (R. M. 20. f. 1.): „S. D. G. / G. F. Hendel / 1707 / [4? 11?] d'aprile / Roma[e]."

– Während Name und Jahr – Händel hatte zwar zuerst 1706 vermerkt, dann die 6 durchgestrichen und eine 7 daneben geschrieben – sowie Monat zweifelsfrei zu lesen sind, lassen Datumsangabe und Schreibweise des Ortes unterschiedliche Deutungen zu. So kann die Ziffer für die Tagesangabe sowohl als „4" wie als „11" gelesen werden; Squire liest dagegen dieses Zeichen nicht als Ziffer, sondern als Artikel „li", wobei er meint, Händel habe zwischen diesem und dem Monat einen Zwischenraum gelassen, möglicherweise um später das genaue Datum zu ergänzen. Bei der Ortsangabe ist nicht zu entscheiden, ob Händel „Roma" oder „Romae" geschrieben hat.
„Dixit Dominus", „Laudate pueri" (vgl. 8. Juli 1707) und „Nisi Dominus" (vgl. 13. Juli 1707) komponierte Händel vermutlich im Auftrag des

Kardinals Carlo Colonna, eines seiner römischen Gönner, für das Fest der Madonna del Carmine (16. Juli). Die Familie Colonna pflegte an diesem Tag eine feierliche Messe in der Kirche der Madonna di Monte Santo zelebrieren zu lassen.
(Schoelcher 1857, 18; Chrysander, I, 162f.; Squire 1927, 61; Smith 1954, 285; Hall 1959 I, 197ff.; Hall 1959 II, 126, 130; Ewerhart 1960 II, 120; Kirkendale 1967, 224, Anm. 12)

14. Mai 1707
Giustificazioni della Casa Pamphilj

Kopistenrechnung von Antonio Giuseppe Angelini

Conto di copia di Musica copiate da me sottoscritto per Servitio dell'Em[inentissim]o Sig[nore] Cardinale Panfilij per l'oratorio Intitolato La Bellezza Raveduta nel trionfo del Tempo e del Disinganno messo in Musica dal Sig[nor]e Giorgio Federico Hendel, che in tutte le parti fanno la somma di fogli 287 compresoni anche l'originaletto della Cantata Intitolata il Delirio Amoroso che in tutto fanno la sudetta somma cioè

Per l'originaletto dell'Delirio amoroso	f[ogli]	19
Per l'originale dell'sudetto Oratorio P[rim]a, 2.a [= seconda] Parte	f[ogli]	89
Per le 4. Parti che cantano	f[ogli]	51
Per il concertino P[rim]a, 2.a Parte	f[ogli]	21
Per 3 p[rimi] 3 2.i [= secondi] Violini del Concerto grosso	f[ogli]	43
Per 2 viole	f[ogli]	16
Per 4. Bassi di Concerto Grosso	f[ogli]	40
Per 2. Oboe	f[ogli]	8
	f[ogli]	287

Io Antonio Giuseppe Angelini Copista sudetto [compositore]. Io Georgio [sic] Frederico Hendel ho revisto sudette foglie che fanno n[umero] 287.
(Archivio Doria-Pamphilj-Landi, Rom. Montalto, 325: Faksimile; Marx 1983, 114f.)
Vgl. 12. Februar 1707

– Der Originaltitel des von Pamphilj verfaßten Librettos zu Händels *Il Trionfo del Tempo e del Disinganno* (HWV 46 a), *La bellezza raveduta nel trionfo del tempo e del disinganno*, steht auch über dem ersten Teil der in Münster aufbewahrten römischen Abschrift, auf die sich Angelinis Abrechnung bezieht.
Aus dem Datum der Kopistenrechnung ist nicht darauf zu schließen, daß die erste Aufführung von Händels Oratorium vor dem 14. Mai stattfand: Es gibt Beispiele dafür, daß Kompositionen erst nach dem Tag, auf den die Kopistenrechnung datiert ist, zum erstenmal aufgeführt wurden. Die erste Aufführung von *Il Trinfo del Tempo e del Disinganno* fand vermutlich im Collegio Clementino statt, dessen Protektor Kardinal Pamphilj seit 1689 war. Für

Pamphilj und auf von ihm verfaßte Texte komponierte Oratorien wurden „nel salone del Collegio" geprobt und wahrscheinlich auf dessen „teatro" aufgeführt.
Üblicherweise wurden Kompositionen im Hause des Auftraggebers aufgeführt, für den sie auch kopiert wurden, so daß Händels Oratorium nicht, wie bisher seit Mainwaring angenommen, im Palazzo della Cancelleria, der Residenz Ottobonis, aufgeführt worden sein dürfte. Belege für die Aufführung von *Il Trionfo del Tempo e del Disinganno*, ihren Ort und Zeitpunkt gibt es bisher nicht. Der Zuhörerkreis war vermutlich klein, da auch Hinweise auf sonst gewöhnlich gedruckte Textbücher fehlen.
Bei den für 1708 und 1709 dokumentarisch belegten Aufführungen des Oratoriums war Carlo Cesarini als Bearbeiter beteiligt: Bereits im März 1708 komponierte er dafür „un principio"; und was nach den im Juli und Dezember 1708 abgerechneten „rappezzi" und „mutationi" noch von Händels Komposition übriggeblieben war, ist nicht abzuschätzen. Das in Angelinis Rechnung genannte, wahrscheinlich für eine erneute Aufführung bestimmte „originaletto dell' Delirio amoroso" ist identisch mit der Hamburger Abschrift der Kantate.
(Marx 1983, 108ff.)
Vgl. 12. Februar 1707 sowie 20. September 1707, 27. März und 10. Dezember 1708 und Februar und 13. August 1709

Kardinal Pamphilj war der erste römische Mäzen, für den Händel in Rom tätig war und bei dem er wahrscheinlich auch wohnte. Durch ihn wurde Händel vermutlich mit Kardinal Ottoboni bekannt.
Ottoboni, einer der bedeutendsten Mäzene seiner Zeit überhaupt, führte eine glanzvolle Hofhaltung und hatte viele berühmte Musiker, Maler und Dichter in seinen Diensten. Erster Musiker an seinem Hof und Leiter der Instrumentalmusik war von 1689 bis zu seinem Tode Arcangelo Corelli. Seit Beginn des Jahres 1706 veranstaltete der Kardinal jeden Mittwoch in der Cancelleria künstlerische Abendunterhaltungen mit musikalischen und literarischen Beiträgen sowie mit Schattenspielen. Diese Akademien waren ein Anziehungspunkt für die vornehme Welt ganz Europas. Monsieur de Blainville, Sekretär der Generalstaaten am spanischen Hof, schreibt am 14. Mai 1707 in sein Reisetagebuch: „Seine Eminenz hat die besten Musiker und Interpreten Roms in seinen Diensten, unter andern den berühmten Arcangelo Corelli sowie den jungen Paolucci, dessen Stimme man zu den schönsten in Europa zählt. Jeden Mittwoch veranstaltet er ein ausgezeichnetes Konzert in seinem Palast, dem wir am heutigen Tage beiwohnten ..."
Für eine dieser ebenfalls im Jahre 1707 veranstal-

teten Akademien Ottobonis hat Händel vermutlich seine Kantate *Ero e Leandro* (HWV 150) komponiert, deren Textdichter wohl der Kardinal selbst war. Zu Händels späteren Umarbeitungen der Serenata, *Il trionfo del tempo e della verità* (HWV 46^b) und *The Triumph of Time and Truth* (HWV 71), vgl. 23. März 1737 und 11. März 1757.

(Chrysander, I, 207 ff.; Streatfeild 1909, 40; Streatfeild 1917, 429; Robinson 1939 I, 62; Montalto, 336, 338 und 508; Zanetti 1959 II, 436; Zanetti 1960, 37 ff.; Ewerhart 1960 II, 111 ff.; Kirkendale 1967, 223 f.; Marx 1968, 105 ff.; Marx 1976, 69 ff.)

16. Mai 1707
Fondo Ruspoli, Libri delle Giustificazioni: Lista delle Spese, Maggio, e Giugno, 1707

Zahlungsvermerk des Maestro di Casa:
A di 16 detto [Maggio] pag.^{0} ad Alias Panstufato per un Conto di Copie di Cantate diverse come per riceuta S. 3.50

Rechnung des Kopisten:

Conto Dell'Ecc:^{mo} Marchese Ruspoli		
Una Cantata della caccia con V.V. e Tromba	fogli	6½
Una Cantata Sei Pur bella e pur vezzosa	fogli	2½
Una Cantata Se per fatal destino	fogli	1½
Una Cantata che dice udite il mio consiglio	fogli	2
Una Cantata che dice Aure soavi e lieti (sic)		1½
E più una Cantata con stromenti con parte cauate [sic] che dice Tù fedel		
E più la Parte che Canta sono	fogli	4½
E più il Concertino	fogli	2
E più l'Originale	fogli	8½
E più la Sinfonia	fogli	2
E più una Cantata Nella stagione	fogli	2
E più una Cantata Poi che giurar Amore	fogli	2
		35

(Kirkendale 1967, 253)

– Weder im Zahlungsgrund noch in der Rechnung des Kopisten („Panstufato" ist der Spitzname für Antonio Giuseppe Angelini) wird der Name des Komponisten genannt, doch lassen sich die Kantaten durch die mitgeteilten Textanfänge als Werke Händels identifizieren. Auftraggeber war der Marchese Francesco Maria Ruspoli, „einer der einflußreichsten Männer Roms" (Kirkendale 1966, 45). Händel war sowohl 1707 als auch 1708 mehrere Monate lang Ruspolis Gast. Dieser bewohnte seit Herbst 1705 den an der Südseite der

Piazza de' Santi Apostoli gelegenen Palazzo Bonelli. Hier und auf Ruspolis Landsitz in Vignanello hat sich Händel mit dem Marchese, dessen Gefolge und Gästen aufgehalten. Unter Ruspolis Angestellten – 1709 waren es etwa 80 – befanden sich so berühmte Männer wie der römische Architekt Giovanni Battista Contini und der Komödiendichter und Literaturwissenschaftler Girolamo Gigli, einer der wichtigsten Vorläufer Goldonis. Zu den „virtuosi di canto e suono" des Hauses Ruspoli gehörten unter anderen: von Januar 1707 bis Oktober 1708 als hochbezahlte Primadonna die Sopranistin Margarita Durastante (Margherita Durastanti); spätestens seit Anfang 1705 die höchstes Ansehen genießenden Geiger Silvestro Rotondi und Pietro Castrucci sowie dessen Vater Domenico, wahrscheinlich als Cembalist (Domenico Castrucci übernahm häufig das Zahlen von Honoraren an „gemietete" Virtuosen, weiterhin hatte er für Notenpapier zu sorgen und an den Sonntagen für Cembalo-Kiele und -Saiten sowie für Spielkarten); von etwa 1708 bis etwa 1716 der Violoncellist Giuseppe Maria Perone und von 1709 bis 1716 Antonio Caldara als Kapellmeister. Margarita Durastante gehörte später Händels Londoner Opernensemble an, Pietro Castrucci wurde Konzertmeister in seinem Opernorchester. Für die größeren Aufführungen halfen sich die Musikmäzene der Stadt untereinander aus, indem sie sich Musiker gegenseitig ausliehen. Ruspoli veranstaltete ebenso wie die anderen römischen Mäzene einmal wöchentlich in seinem Hause eine „conversazione", eine literarisch-musikalische Geselligkeit, die nachmittags begann und bis in den Abend währte. Gewöhnlich wurde während einer conversazione eine Kantate aufgeführt. Ob Instrumentalmusik erklang, ist nicht mit Sicherheit zu sagen; aus Honorarzahlungen an „gemietete" Geiger kann auf die Aufführung von Solo- und Triosonaten geschlossen werden. Die wichtigsten Kunstereignisse im Jahresablauf waren die Aufführungen von Oratorien. Zu Opernaufführungen gab es während Händels Aufenthalt in Rom keine Gelegenheit, da das päpstliche Opernverbot (erlassen 1703 nach den schweren Erdbeben) noch nicht aufgehoben war. Zu Mariä Himmelfahrt wurde in einem der Ruspolischen Gärten und zu Weihnachten in seinem Hause eine größere Kantate oder eine Serenata aufgeführt.

Weitere Anlässe zu musikalischen Aufführungen boten die Zusammenkünfte („adunanze" oder „congressi letterari" oder auch „congressi accademici") der aristokratischen *Accademia degli Arcadi*, einer 1690 gegründeten literarischen Akademie, die in den Jahren 1707 bis 1721 von Mai bis September samstags in Ruspolis Gärten stattfanden. Auch bei Jagdgesellschaften, die Ruspoli auf seinen Landsitzen veranstaltete, durfte Musik nicht fehlen.

Wertvolle Aufschlüsse über Händels Aufenthalte bei Ruspoli, seine für ihn komponierten Werke und deren Aufführungen geben die von Ursula Kirkendale erstmalig vollständig ausgewerteten Ruspoli-Dokumente im Archivio Segreto Vaticano. Bei den Händel betreffenden Dokumenten handelt es sich um Eintragungen des Maestro di Casa, Angelo Valerij, in die „Liste delle Spese" der „Libri delle Giustificationi" und um diesen „Liste delle Spese" beigegebene Rechnungen und Quittungen von Notenschreibern, Buchdruckern und -bindern, „gemieteten" Musikern, Kunstmalern, Handwerkern, Möbelverleihern und Lieferanten.

Diese Dokumente belegen, daß Händel 1707 spätestens von Mitte Mai bis Mitte Oktober, 1708 von Ende Februar bis Ende April oder Anfang Mai und von Mitte Juli bis entweder 12. September oder 28. Oktober oder sogar bis 24. November als Gast bei dem Marchese Ruspoli weilte und einen beträchtlichen Teil seiner italienischen Kantaten, das Oratorium *La Resurrezione* sowie einige geistliche Motetten für diesen Mäzen komponiert und größtenteils mitaufgeführt hat. Entstanden sind diese Werke vermutlich jeweils kurze Zeit vor Anfertigung der Kopien.

Die in der Rechnung als „Cantata della caccia" bezeichnete Komposition konnte Kirkendale als *Diana cacciatrice* identifizieren. Händel schrieb sie für eine Jagd, die Ruspoli im Mai oder Juni 1707 in Vignanello veranstaltete.

(Crescimbeni, VI; Ewerhart 1960 II, 134 ff.; Kirkendale 1966, 44 ff., 69, 83, 350 ff.; Kirkendale 1967, 226 ff., 245 f., 250 ff., 517)

12. Juni 1707
An diesem Pfingstsonntag wird Händels Motette „O qualis de coelo sonus" (HWV 239) in der Klosterkirche San Sebastiano in Vignanello uraufgeführt.

– Händel hat dieses Werk entweder noch in Rom oder schon in Vignanello, wohin sich Ruspoli mit seinem gesamten Hofstaat begeben hatte, komponiert.
(Ewerhart 1960 II, 123 f.; Kirkendale 1967, 230 und 271)
Vgl. 30. Juni 1707

13. Juni 1707
Händels Motette „Coelestis dum spirat aura" (HWV 231) wird in der Klosterkirche San Sebastiano in Vignanello uraufgeführt.

– Nach dem Titelblatt der Angelini-Kopie (vgl. 30. Juni 1707) hat Händel die Motette für das Fest des heiligen Antonius von Padua (13. Juni) komponiert. In Vignanello wurde dieses Fest 1707 mit besonderer Pracht gefeiert, da sich der Tag der Heiligsprechung dieses Schutzpatrons von Vigna-

nello zum 475. Mal jährte. Hierzu hatte Michelangelo Cerruti ein neues Altarbild gemalt, das an diesem Tag geweiht wurde. (Mit dem im zweiten Rezitativ vorkommenden Namen „Julianelle" wird entgegen Ewerharts Vermutung keine Person angesprochen; es ist vielmehr der mittelalterliche Name von Vignanello.)
(Ewerhart 1960 II, 119 f.; Kirkendale 1967, 229 f., 271, 517)

26. Juni 1707
An diesem Sonntag wird in Rom im Palazzo Bonelli während der conversazione eine „Cantata" aufgeführt, für deren Besetzung zu den hauseigenen Musikern noch die Geiger [Carlo] Alfonso [Poli] und [Lorenzo] Bononcini engagiert wurden.
(Kirkendale 1966, 353; Kirkendale 1967, 254)

– Bei der genannten Kantate handelt es sich vermutlich um eine der beiden Kompositionen Händels, von denen Angelini noch in Vignanello Abschriften angefertigt hat (vgl. 30. Juni 1707): „Un'alma innamorata" (HWV 173) oder *Armida abbandonata* (HWV 105).
(Kirkendale 1967, 230)

30. Juni 1707
Fondo Ruspoli, Libri delle Giustificazioni: Lista delle Spese. Maggio, e Giugno, 1707

Zahlungsvermerk des Maestro di Casa:
Pag: ad Ant.º Gios.ᵉ Angelini per una lista di copie di Musica in Vignanello c.ᵉ per ric.ᵗᵃ 3.05

Rechnung des Kopisten:
    Conto dell'Ecc.ᵐᵒ Sig.
    Marchese Ruspoli
Scritti da me Antonio Giuseppe Angelini
    in Vignanello
Per una Cantata che dice Un Alma
    innamorata parte, Originale e V.V.   fogli 9½
Per due Motetti parte con V.V.   fogli 9½
Per una Salve parte e V.V. e Violone   fogli 4
Una Cantata d'Arminda cioè Concertino
    Concerto grosso e la Parte   fogli 7½

            In tutto fogli 30½
Margarita Durastante Affermo questo sopra
(Kirkendale 1967, 254)

– Angelini quittiert den Erhalt des Betrages am 30. Juni 1707. Es wird angenommen, daß Händel während des Mai-Juni-Aufenthaltes des Marchese Ruspoli in Vignanello auch dort geweilt hat, weil man andernfalls Angelini nicht dorthin beordert hätte. Händels Name wird in diesem Dokument weder im Zahlungsvermerk noch in der Rechnung genannt, seine Autorschaft läßt sich für die beiden Kantaten jedoch durch die Textanfänge und Titel ableiten. Ebenso konnten die kirchenmusikalischen Kompositionen als Händelsche Werke identifiziert werden: die Pfingstmotette „O qualis de coelo sonus" (HWV 239; vgl. 12. Juni 1707), die zu Ehren des heiligen Antonius von Padua geschriebene Motette „Coelestis dum spirat aura" (HWV 231; vgl. 13. Juni 1707) und das „Salve Regina" (HWV 241).

Die in dieser Rechnung angeführten fünf Werke müßte Händel kurz zuvor oder während des Aufenthaltes auf Ruspolis Landsitz Vignanello im Mai/Juni 1707 komponiert haben. Das „Salve Regina" erklang wahrscheinlich am Trinitatis-Sonntag (19. Juni 1707).

Das Dokument bezeugt, daß nicht nur Kardinal Colonna, sondern auch Ruspoli Händel mit der Komposition lateinischer Kirchenmusik beauftragte.

Obwohl die drei kirchenmusikalischen Kompositionen für Solo-Sopran bestimmt sind, ist es fraglich, ob Margarita Durastante diese Partien gesungen hat, da es nach einem von Papst Innozenz XI. erlassenen Edikt verboten war, Frauen in öffentlichen Musikaufführungen mitwirken zu lassen. Daß Ruspoli sich nicht in jedem Fall an dieses Verbot gehalten hat, sich aber schließlich doch beugen mußte, bezeugen die *Resurrezione*-Aufführungen zum Osterfest des Jahres 1708 (vgl. 9., 14. und 17. April 1708).

Aus einer am 5. Juni 1707 erfolgten Bezahlung zweier kostbarer Ringe, die nach Vignanello geschickt wurden, schließt Kirkendale, daß der Marchese Händel und Margarita Durastante für ihre künstlerischen Aktivitäten während dieses sommerlichen Landaufenthaltes zusätzlich belohnt hat.

(Maier, 1; Hall 1959 I, 197; Hall 1959 II, 124, 130; Kirkendale 1967, 229 f. und 271; Ewerhart 1960 II, 119 ff.)

6. Juli 1707
Giustificazioni della Casa Pamphilj

Zahlungsvermerk des Maestro di casa
Adi 6. Luglio dato p[er] ordine dell'Em[inentissi]mo Panfilio P[ad]rone scudi ottantaquattro al Sassone [– Giorgio Federico Hendel] compositore di Musica p[er] haver fatto una Cantata di S[ua]E[minenza] P[adrone].
Antonio Liberali
(Archivio Doria-Pamphilj-Landi, Rom. Marx 1983, 115)

– Händel könnte das beachtliche Honorar von 83 Scudi (das Achtfache des Monatsgehaltes von Corelli, der 1688/89 „maestro di musica" bei Pamphilj war) für die Kantate *Delirio amoroso* erhalten haben, dann allerdings erst etwa fünf Monate nach deren erster Aufführung. Wahrscheinlicher ist, daß damit die Kantate *Il Consiglio* (HWV 170), „Tra le fiamme", honoriert wurde, deren Text ebenfalls von Pamphilj stammt. Dafür spricht auch

die für Rom zu Beginn des 18. Jahrhunderts ungewöhnliche Besetzung mit einer Viola da gamba zur üblichen Oboen-Streicher-Kombination, da sich in den Akten des Archivio Doria-Pamphilj-Landi ein Beleg für die Anwesenheit eines Gambisten Ende 1706 fand. Vermutlich wurde die Kantate im Frühjahr 1707 in Pamphiljs Palazzo aufgeführt.
(Marx 1983, 111 f.)

8. Juli 1707
Händel beendet in Rom die D-Dur-Fassung des 112. Psalms, „Laudate pueri Dominum".
Eintrag in der autographen Partitur (R. M. 20. f. 1): „S. D. G. / G. F. H. / 1707 / il 8 Julij / Roma."

– Dieses Werk ist die zweite der drei Psalmkompositionen, die Händel vermutlich im Auftrag des Kardinals Carlo Colonna für das Fest der Madonna del Carmine geschrieben hat. Zusammen mit „Dixit Dominus" (vgl. April 1707) und „Nisi Dominus" (vgl. 13. Juli 1707) wurde es wahrscheinlich am 16. Juli 1707 in der Vesper in der Karmeliter-Kirche Santa Maria di Monte Santo in Rom aufgeführt.
(Hall 1959 I, 198; Hall 1959 II, 126, 130)

13. Juli 1707
Händel beendet in Rom „Nisi Dominus".
Eintrag in der autographen Partitur (verschollen): „S. D. G. G. F. Hendel, 1707, gli 13 di Giulio Roma."

– „Nisi Dominus" ist die dritte der drei Psalmkompositionen, die Händel vermutlich im Auftrag des Kardinals Carlo Colonna für das Fest der Madonna del Carmine geschrieben hat (vgl. 8. Juli 1707).
(Smith 1954, 285; Hall 1959 I, 198; Hall 1959 II, 126 ff.)

16. Juli 1707
An diesem Tag, dem Fest der Madonna del Monte Carmel, ließ die Familie Colonna gewöhnlich in der Kirche Santa Maria di Monte Santo in Rom eine feierliche Messe zelebrieren. 1707 erklang dabei wahrscheinlich Händels eigens für dieses Fest komponierte Motette „Saeviat tellus inter rigores", denn eine aus der Colonna-Bibliothek stammende Kopie trägt folgenden Titel: *Motetto a Canto solo con V. V. e Oboi. Per la Madonna St.ma del Carmine. Del S.ᵉ G. F. Hendel.*

– In der ersten Vesper wurden vermutlich die von Händel für dieses Fest komponierten Antiphonen „Haec est Regina Virginum" (HWV 235) und „Te decus Virginum" (HWV 243), in der zweiten Vesper wahrscheinlich Händels drei Psalmkompositionen „Dixit Dominus" (vgl. April 1707), „Laudate pueri Dominum" (vgl. 8. Juli 1707) und „Nisi Dominus" (vgl. 13. Juli 1707) aufgeführt.
(Smith 1954, 284, 285; Hall 1959 II, 122 ff.)

20. September 1707
Giustificazioni della Casa Pamphilj

Kopistenrechnung (von Alessandro Ginelli?)
Conto di scritture copiate per Servizio dell'E[minentissi]mo e Rev[erendissimo] Sig[no]re Cardinale Pamfilij … 20. d[ett]i [September] oratorio intitolato la Bellezza ravveduta

f[ogli] 45

(Archivio Doria-Pamphilj-Landi, Rom. Marx 1983, 115)
Vgl. 14. Mai 1707

22. September 1707
Fondo Ruspoli, Libri delle Giustificazioni: Lista delle Spese, Luglio, et Agosto, 1707

Zahlungsvermerk des Maestro di Casa:
Pag: per Copie di Musica come per ord:^ne e ric.^ta 2.15

Rechnung des Kopisten:
    Conto
Dell'Ecc.^mo Sig.^re Marchese Ruspoli
di molte Copie di Musiche Copiate
da Me Antonio Giuseppe Angelini
Per l'originale dell'Cant.^ta

dell'Arminda	fogli	5½
Una Cantata francese	Fogli	1½
Qual or legre pupille	fogli	2½
Una Cantata Spagniola	fgli	4½
Sarei troppo felice	fgli	5½
Mensogniere speranze	fgli	1½
Ne tuoi lumi	fgli	4½
		21½ [sic]

(Kirkendale 1967, 255)

– Angelini quittiert den Erhalt des Betrages am 22. September 1707.
Händels Name wird weder im Zahlungsvermerk noch in der Rechnung genannt. Durch Titel und Textanfänge lassen sich die verzeichneten Kompositionen identifizieren. Außer *Armida*, von der Angelini eine Partiturabschrift angefertigt hat (das Honorar für die Abschriften der Gesangsstimme und der Instrumentalstimmen hatte er bereits am 30. Juni 1707 quittiert), handelt es sich bei den übrigen sechs Kantaten um Werke, die vermutlich kurz vorher entstanden. Die *Cantata francese* ist identisch mit „Sans y penser" (HWV 155), einer von Händel ausdrücklich als „Chanson" bezeichneten Komposition, die *Cantata spagniola* mit „Nò se emenderá jamas" (HWV 140). In Angelinis Abschriften dieser beiden Werke hat Händel die Texte selbst eingetragen.
(Ewerhart 1960 II, 132 ff.; Kirkendale 1967, 230, 271 f.; Kniseley, 104 ff.)

24. September 1707
Annibale Merlini an den Granprincipe Ferdinando de' Medici

Roma, 24 Settembre 1707
Serenissima Altezza, – Essendo costume degnissimo di V. A. S., che ha il suo grand'animo ornato di tutte le virtù, di far scelta de' virtuosi più rinomati in tutte le occasioni, che se la apprestano di porre in lodata e dilettevole prova il lor valore: molto è doveroso che sia noto alla medesima S. A. V. un germe novello quale è un giovinetto di anni tredici Romano, che in età si tenera tocca l'arciliuto con fondamento e franchezza tale che postegli innanzi compositioni anche non pria vedute gareggia non senza grande ammiratione e meritato applauso con professori e virtuosi più inveterati e più celebri. Questo interviene alle Musiche e primarie Accademie di Roma, come è dire in quella dell'Em̃o Sig^re. Card^le. Ottoboni, nell'altra che per tutto l'anno quotidianamente continua nell'Ecc^ma. Casa Colonna e nel Collegio Clementino; e si in queste come in altre pubbliche Accademie suona a solo ed in concerto con qualsiasi virtuoso. E tuttociò ben potrebbe testificarsi dal Sassone famoso che lo ha ben inteso in Casa Ottoboni, ed in Casa Colonna ha sonato seco e vi sona di continuo. Il Sig^re. Duca della Mirandola nel tempo di sua dimora in Roma sempre l'ha tenuto appresso di se…
Et in humilità alla S. A. V. le faccio profondiss^a riv^za,
„Anibale Merilini"
(Archivio di Stato di Firenze, Mediceo, Filza 5897. Streatfeild 1909, 339)

– Dieser Brief erbrachte den Beweis für Händels Aufenthalt in Rom zu diesem Zeitpunkt (mit dem „Sassone famoso" ist Händel gemeint). Der Verfasser des Briefes war Sekretär von Ferdinando de' Medici.

14. Oktober 1707
Fondo Ruspoli, Libri delle Giustificazioni: Lista delle Spese, Luglio, et Agosto, 1707

Zahlungsvermerk des Maestro di Casa:
Pag. ad Ant:^o Gius.^e Angelini d' ord: a voce di Sua Ecc:^a a Conto di Copie di Cantate come per riceuta 10.–
Quittung des Kopisten:
Io sotto scritto ho riceuto dall'Ecc.^mo Sig.^r Marchese Ruspoli … scudi dieci moneta quali sono per una Cantata a tre con Violini e parte Cavate… questo di 14 Ottobre 1707 – Scudi 10 – Io Antonio Giuseppe Angelini mano pp.^a
(Kirkendale 1967, 255)

– Kirkendale vermutet, daß es sich bei dieser „Cantata a tre" um *Clori, Tirsi e Fileno*: „Cor fedele" (HWV 96) handelt.
(Ewerhart 1960 II, 128 ff.; Kirkendale 1967, 230 und 272)

Oktober 1707
Händels erste italienische Oper, *Vincer se stesso è la*

maggior vittoria (Rodrigo), wird in Florenz im Teatro Cocomero uraufgeführt.
(Strohm 1974 I, 156ff.; Weaver, 210)

– Auftraggeber des Werkes war der Granprincipe di Toscana, Ferdinando de' Medici, der Händel nach der erfolgreichen Aufführung mit 100 Zechinen und einem Porzellanservice belohnte. Den Auftrag hatte Händel möglicherweise schon während seines Florentiner Aufenthaltes im Herbst 1706 oder später in Rom erhalten. Komponiert hat er die Oper in Rom. Der Text fußt auf Francesco Silvanis Libretto *Il duello d'amore, e di vendetta* (Venedig 1700; Musik: Marc Antonio Ziani). Als Bearbeiter der von Händel vertonten Fassung wird Ferdinandos Hofdichter Antonio Salvi vermutet.
Da die Musik dieser Oper im Autograph nicht völlig erhalten ist (es fehlen Teile des I. und III. Aktes, unter anderm die Titelseite), war sie bis zur Wiederentdeckung des Textbuches durch Reinhard Strohm nur unter dem von Mainwaring überlieferten Titel *Rodrigo* bekannt.
Das Textbuch der Uraufführung nennt weder den Namen des Librettisten noch den des Komponisten.
Besetzung:
Rodrigo – Stefano Frilli, Sopran
Esilena – Anna Maria Cecchi (La Beccarina), Sopran
Florinda – Aurelia Marcello, Sopran
Giuliano – Francesco Guicciardi, Tenor
Evanco – Caterina Azzolina (La Valentina), Sopran
Fernando – Giuseppe Perini, Alt
Die von Mainwaring als Hauptdarstellerin genannte Vittoria [Tarquini], eine der bevorzugten Sängerinnen am Hofe Ferdinandos de' Medici, fehlt in der Besetzungsliste.
(Mainwaring/Mattheson, 44 und 113; Chrysander, I, 181f.; Puliti, 64ff., 128; Ademollo, 283ff.; Streatfeild 1909/10, 4; Lang 1966, 85f.; Dean 1970, 69ff.; Strohm 1974 I, 156ff. und 171; Strohm 1975/76, 106ff.)

November 1707–Februar 1708
Vermutlich Händels erster Aufenthalt in Venedig.

– Da die Ruspoli-Dokumente dieser Monate nichts über einen Aufenthalt Händels in Rom aussagen, auch die Durastante zu dieser Zeit nicht in Rom war und die berühmte Begegnung zwischen Händel und Domenico Scarlatti nur zu Beginn des Jahres 1708 stattgefunden haben kann (Scarlatti war zu diesem Zeitpunkt wahrscheinlich in Venedig, mit Sicherheit aber nicht dort, als Händel während des Karnevals 1710 mit *Agrippina* Triumphe feierte), wird für diesen Zeitraum sein Aufenthalt in Venedig vermutet. Auch der Herzog von Manchester, der Händel (nach Mainwaring)

nach England einlud, kann Händel nur zu dieser Zeit kennengelernt haben, da er vom Juli 1707 bis zum Oktober 1708 außerordentlicher Gesandter in Venedig war.
(Mainwaring/Mattheson, 59; Streatfeild 1909/10, 9; Kirkendale 1967, 231; Strohm 1974 I, 164ff., 174; Strohm 1975/76, 108)

1708

Januar und Februar 1708 (I)
Im Opernhaus am Gänsemarkt in Hamburg wird im Januar 1708 Händels Oper *Der beglückte Florindo*, im folgenden Monat seine Oper *Die verwandelte Daphne*, vermutlich unter Christoph Graupners Leitung, uraufgeführt.

– Den Kompositionsauftrag zu dieser dritten und vierten für Hamburg komponierten Oper verdankte Händel wahrscheinlich Reinhard Keiser und nicht Johann Heinrich Saurbrey, Keisers Nachfolger als Pächter des Hamburger Opernhauses. Beide Werke entstanden vermutlich 1706 in Hamburg und nicht 1708, wie Mattheson in der *Ehrenpforte* schreibt. (Daß sie erst 1708 aufgeführt wurden, lag am Wechsel in der Direktion des Opernhauses und an den politischen Wirren in Hamburg, so daß 1707 statt der sechs vorgesehenen Opern, darunter die von Händel, nur eine aufgeführt werden konnte.) Da die Partituren der beiden Opern nicht erhalten sind, galt deren Musik als verloren, bis David R. B. Kimbell in der Newman Flower Collection der Manchester Central Library die Instrumentalbegleitungen zu fünf Sätzen aus diesen Opern entdeckte. Drei von ihnen tragen die Überschrift „Aria Florindo del Sigr. G. F. Handel", die beiden anderen gehören zur Oper *Daphne*. Zwei Folgen von Tanzsätzen in der Aylesford Collection (British Library) sind offensichtlich eigene Bearbeitungen Händels von Chor- und Ballettsätzen (HWV 352–354) aus *Florindo* und *Daphne* (Baselt 1983).
Die Texte der beiden inhaltlich zusammengehörenden Werke stammen von dem Hamburger Juristen und Literaten Hinrich Hinsch. Sie fußen wohl auf einer bisher unbekannten italienischen Vorlage (beide Opern enthalten eine größere Anzahl italienischer Arien), deren Quelle Ovids Darstellung des Daphne-Mythos im ersten Buch seiner *Metamorphosen* war.
Johann Heinrich Saurbrey, seit Mai 1707 alleiniger Pächter des Hamburger Opernhauses, glaubte, dem Publikum in der Karnevalszeit mit aufheiternden Scherzen entgegenkommen zu müssen, und fügte deshalb in Händels *Verwandelte Daphne* ein Intermezzo in plattdeutscher Mundart aus eigener Feder ein: *Die lustige Hochzeit, Und dabey angestellte Bauern-Masquerade.* In seiner Vorrede zu dieser „Singspielposse" (Chrysander) schreibt er:

„Vielgeehrte Leser! Es sind einige Jahre her viel schöne Opern so wol von vortrefflicher Poesie, als auch fast unverbesserlicher Music, so wol von dem Herrn Capellmeister R. Keyser, als auch von dem anitzo in Italien so hochbeliebten und berühmten Mons. Hendeln, wie auch von dem nicht weniger rühmenswürdigen Mons. Graupnern und andern wackern Leuten gemacht, und alhie auf unserm grossen Hamburgischen Schauplatz aufgeführet worden; allein ich weiß nicht, aus was Ursachen man anfängt einen kleinen Ekel unter denen Liebhabern zu spüren, und wann man hierüber genaue Nachfrage hält, so ist die Antwort: die Materien wären theils, und vornehmlich im Winter, gar zu lang, theils gar zu traurig..., wann aber die Materien noch zu mehrer Melancholey Anlaß geben, suchte man lieber andre Zeitvertreibung. Es ist derohalben vor einem Jahr versuchet worden, ob lustige Sachen denen Herrn Zuschauern besser gefallen würden; da man denn erfahren, daß ein vermischtes Wesen, wie das Stück der *Carneval de Venise* ist, so viel Zuschauer allemahl herein gezogen, daß offt der ziemlich grosse Raum zu enge geworden."
(Chrysander, I, 138 ff.; Kimbell 1968 I, Appendix; Stompor, 53 ff.; Baselt 1978, 16 ff.; Händel-Hdb., I, 63 f., 65; Baselt 1984)

Januar und Februar 1708 (II)
Johann Mattheson, Hamburger Opernverzeichnis

Anno 1708.
121. Florindo. Hr. Händel componirte die vom Hn. Hinsch verfertigte Verse.
122. Daphne. Von vorigen Verfassern.
(Mattheson 1728, 186. Chrysander 1877, Sp. 236)

26. Februar 1708
Der Kopist Angelini erhält Scudi –.20 für die Abschrift einer „Cantata consist.ᵉ in 2. fogli di Monsu Endel".
(Kirkendale 1967, 255 f.)

– Diese Eintragung des Maestro di Casa in die Libri delle Giustificazioni des Hauses Ruspoli ist die erste, in der Händels Name genannt wird. Die erwähnte Kantate wurde vermutlich am Nachmittag in der Conversazione durch Margarita Durastante und Händel aufgeführt. Am Abend des 26. Februar 1708, des ersten Sonntags der Fastenzeit, wurde die Oratorien-Saison mit dem Hauptwerk des Tages, Alessandro Scarlattis Oratorium *Il Giardino di Rose*, eröffnet, das bereits am Ostersonntag 1707 bei Ruspoli – wahrscheinlich zum ersten Mal – aufgeführt worden war.
(Kirkendale 1967, 227, 231)

3. März 1708
Händel beendet die Kantate „Lungi dal mio bel nume" (HWV 127ᵃ).

Eintrag in der autographen Partitur (Add. MSS. 30310): „Roma. A dì 3. di Marzo 1708."

– Die Aufführung dieser Kantate fand möglicherweise in der Conversazione am 4. März 1708 statt.
Die in der Santini-Bibliothek in Münster befindlichen Kopien sind nicht in den Libri delle Giustificazioni des Fondo Ruspoli nachweisbar.
Vgl. 31. August 1709
(Ewerhart 1960 II, 138; Kirkendale 1967, 247 ff., 269)

Mitte März 1708
Fondo Ruspoli, Libri delle Giustificazioni: Lista delle Spese, 18 Marzo a tutto il 8 Maggio, 1708

Zahlungsvermerke des Maestro di Casa:
Pag: per porto del letto, et altro per Monsu Endel S –.10.
Pag: all'Ebreo per nolito d'un mese di d: letto, e cuperte [coperto] di tela S –.60.
(Kirkendale 1967, 256)

– Die für den Transport eines Bettes und anderer für Händel notwendiger Dinge gezahlten Gelder sowie die Höhe der monatlichen Mietgelder – Mietgelder wurden jeweils für den zurückliegenden Monat gezahlt – belegen, daß Händel etwa seit der letzten Februarwoche des Jahres 1708 wieder bei Ruspoli im Palazzo Bonelli wohnte.
(Kirkendale 1967, 231)

27. März 1708
Giustificazioni della Casa Pamphilj

Kopistenrechnung von Alessandro Ginelli
Conto di Copie di Musica ... Per un Principio all'Oratorio Intitolato La Bellezza ravenduta [sic] del S[igno]r Cesarini   f[ogli] 3
(Archivio Doria-Pamphilj-Landi, Rom. Marx 1983, 115)
Vgl. 14. Mai 1707

8. April 1708 (I)
Am Abend dieses Ostersonntags wird im Palazzo Bonelli Händels Oratorium *La Resurrezione* (Text: Carlo Sigismondo Capece) uraufgeführt.
(Kirkendale 1967, 260 f.)

– Händels Eintrag auf der letzten Seite der autographen Partitur (R. M. 20. f. 5.) ist bezüglich des Datums nicht eindeutig: „Roma / la Festa di Pasqua / dal Marchᵉ / Ruspoli / 11 [?] d'Aprile 1708." Anstelle der Ziffer „11" las Squire (1927) „li" (wie bei „Dixit Dominus", vgl. April 1707).
Händels autographer Partitur fehlt eine Titelaufschrift. Der Titel des Textbuches lautet: *Oratorio per la Risurrettione di nostro Signor Giesù Cristo. Poesia del Sig. Carlo Sigismondo Capece, musica del Sig. Giorgio Federico Hendel ...*

Eine weitere Aufführung fand am Ostermontag statt. Vorangegangen waren drei öffentliche Proben: am Palmsonntag, dem 1. April 1708, am 2. April und am Ostersonnabend, dem 7. April 1708. Schon bei der ersten Probe erwies sich der für die Aufführung vorgesehene Stanzione delle Accademie als zu eng, so daß die Aufführungen in den Salone al Piano Nobile verlegt wurden. Die Rechnungen der Künstler und Handwerker belegen die prachtvolle Dekoration zur Aufführung dieses Oratoriums. In den Libri delle Giustificazioni sind nicht nur die Proben und Aufführungen, sondern auch Anzahl und Namen der zusätzlich engagierten Musiker und Sänger verzeichnet. Für die Pracht der Ausstattung, die Größe des Orchesters (insgesamt 45 oder 46 Musiker) gibt es unter Ruspolis musikalischen Aufführungen keine Parallele. Sein Orchester bestand sonst bei besonderen Anlässen aus 25 Musikern, bei gewöhnlichen Oratorien aus 10–12 Musikern (Kirkendale 1966, 52). Man kann diese Aufführung nur mit der von Alessandro Scarlattis *Passione* vergleichen, die in der Karwoche des gleichen Jahres in der Cancelleria des Kardinals Ottoboni ebenfalls unter großer Prachtentfaltung stattfand.

Die künstlerische Ausgestaltung der *Resurrezione*-Aufführung hatte Ruspolis langjähriger Architekt Giovanni Battista Contini übernommen. Trotz der eigens für die Aufführung errichteten Bühne, der phantasievollen Dekoration und der Verwendung eines Vorhangs handelte es sich aber nicht um eine szenische Aufführung. Als Sänger wirkten nach den Angaben in der Lista delle Spese die beiden Soprankastraten Matteo und Filippo (dieser ist wahrscheinlich identisch mit dem berühmten „Pippo Soprano della Regina", das heißt der in Rom Hof haltenden polnischen Königin Maria Casimira), der Altkastrat Pasqualino, der Tenor Vittorio (Chiccheri, er gehörte zum Hof des Kardinals Pamphilj) und der Bassist Christofano mit. Aus der geringen Bezahlung des ersten Sopranisten (die 10 Scudi können nur das Honorar für eine Aufführung gewesen sein) gegenüber dem Altisten kann geschlossen werden, daß in der Aufführung am Ostersonntag Ruspolis Primadonna, Margherita Durastanti, die Partie der Maddalena gesungen, am Ostermontag aber der Soprankastrat Filippo des päpstlichen Verweises wegen diese Partie übernommen hat. So war also die Durastanti die erste Interpretin der von Händel mehrfach in anderen Werken wieder verwendeten Arie „Ho un non so che nel cor", die Händel für sie mit geringfügigen Änderungen auch in seine *Agrippina* übernahm. (Daß das Arienthema dem der Gavotte aus Corellis Violin-Sonate op. 5 Nr. 10 verwandt ist, könnte als eine Huldigungsgeste des jungen deutschen Komponisten gegenüber dem verehrten italienischen Meister angesehen werden.) Aus dem hohen Honorar für den Kopi-

sten Angelini läßt sich ableiten, daß er etwa 2400 Seiten kopiert, also nicht nur die Partitur, sondern auch sämtliche Stimmen geschrieben hat. Die Auflage des Textbuches mit 1500 Exemplaren war, verglichen mit anderen Libretto-Drucken, ungewöhnlich hoch. (Für die Aufführung von Scarlattis *Oratorio per la S^{ma} Annunziata* am 25. März 1708 wurden 300 Textbücher gedruckt.) (Kirkendale 1967, 256 ff. und 233 ff.)

8. April 1708 (II)
Francesco Valesio, Diario

Dom. 8 Pasqua di Resurrezione / Questa sera il marchese Ruspoli fece nel palazzo Bonelli a' SS. Apostoli un beliss.^{mo} Oratorio in musica havendo fatto nel salone un ben'ornato teatro per l'Uditorio, si intervenne molta nobiltà et alcuni porporati.
(Archivio Storico Capitolino di Roma, Diari di Roma degli anni 1708–1711, Tomo 16, Cred. XIV, 36^v–37^r. Zanetti 1959 II, 437 f.; Kirkendale 1967, 236)

– Der Ostersonntag 1708 wird nicht nur durch diese Notiz Valesios, sondern auch durch Rechnungen der Künstler und Handwerker, die für Händels *Resurrezione*-Aufführung tätig gewesen sind, als Aufführungstag belegt.
(Kirkendale 1967, 256 ff.)

9. April 1708
Francesco Valesio, Diario

Lunedì 9 ha fatta S. B. [Sua Beatudine] fare una ammonizione per haver fatto cantare nell'Oratorio della sera precedente una Cantarina.
(Archivio Storico Capitolino di Roma, Diari di Roma degli anni 1708–1711, Tomo 16, Cred. XIV, 37^r. Zanetti, 1960, 9)
Vgl. 17. April 1708

– Clemens XI. hatte – als eine von mehreren Sühnemaßnahmen – im Januar 1703 nach mehreren schweren Erdbeben in Mittelitalien ein Edikt erlassen, das „die Mitwirkung von Frauen bei öffentlichen Musikaufführungen verbot" (Ewerhart 1960 II, 121), und damit ein vormals von Papst Innocenz XI. erlassenes Edikt erneuert.
(Ewerhart 1960 I, 128; Ewerhart 1960 II, 121; Zanetti 1960, 22 f.; Kirkendale 1966, 48 f.; Kirkendale 1967, 236)

17. April 1708
Graf Lambach, Brief an den bayerischen Hof

Dal Marchese Ruspoli si sono sentiti buoni Oratori per lo più la compositione del Virtuoso Sassone. Ultimamente vi fece cantare una sua Canterina che tiene in Casa; fù fatto chiamare dall'Em^{mo} Paolucci; che li rappresentò venir' poco gusto inteso, che facessir cantare in sua casa e con palchi

canterine, e li ordinò il desistere senz'altre repliche; et alle Cantarina non potesse cantare in luoghi pubblica pena la frusta, con L'Esilio.
(Bayerische Staatsbibliothek München, Cod. ital. 198, fol. 127ᵛ. Ewerhart 1960 I, 128)

– Graf Lambach, bayerischer Gesandter in Rom, bestätigt Valesios Notiz vom 9. April 1708 über die Maßregelung des Marchese Ruspoli.

21. April 1708
Fondo Ruspoli, Libri delle Giustificazioni: Lista delle Spese, 18 Marzo a tutto il 8 Maggio, 1708

Zahlungsvermerk des Maestro di Casa:
A di 21 per pag: a Gios.ᵉ Rossi pittore per lavori fatti per l'oratorio tassato dal Sig. Contini S 14.90

– Diesem Zahlungsvermerk ist die Rechnung des Malers Giuseppe Rossi beigefügt, in der seine für die Ausgestaltung des Aufführungsraumes von Händels *Resurrezione* geleisteten Arbeiten genau aufgeführt sind.
Vgl. 8. April 1708 (I)
(Kirkendale 1967, 258, 234f.)

27. April 1708
Fondo Ruspoli, Libri delle Giustificazioni: Lista delle Spese, 18 Marzo a tutto il 8 Maggio, 1708

Zahlungsvermerk des Maestro di Casa:
Pag. al Sig.ʳ Ant.º de Rossi Stampatore per l'oratorij stampati, rame et altro come per Conto S 100.–

– Die dem Zahlungsvermerk beigefügte Rechnung des Druckers Antonio de' Rossi belegt den Druck von 1 500 Exemplaren des Textbuches zu Händels *Resurrezione*. Rossi hat außerdem die Kupfer für die *Resurrezione*-Textbücher angefertigt und in die 1 500 Exemplare eingedruckt.
Vgl. 8. April 1708 (I)
(Kirkendale 1967, 259, 236)

Anfang Mai 1708
Fondo Ruspoli, Libri delle Giustificazioni: Lista delle Spese, 18 Marzo a tutto il 8 Maggio, 1708

Zahlungsvermerk des Maestro di Casa:
riporto del letto delli Ebrei presosi per Monsu Endel S –.10

Pag al sud.º [Francesco Maria Golla Dispensatore] per Cibarie per Monsu Endel e Comp.ᵉ come per lista S 38.75.
(Kirkendale 1967, 259)

– Die Eintragung über die Rückgabe des gemieteten Bettes belegt, daß Händel um diese Zeit nicht mehr im Hause des Marchese Ruspoli weilte. Aus der zweiten Eintragung schließt Kir-

kendale auf Händels außerordentlichen Appetit (spätere in den Liste delle Spese vermerkte Ausgaben für Händels Speisen und Getränkekonsum sind ähnlich hoch) und vergleicht die für seinen Verzehr in zwei Monaten gezahlte Summe von 38.75 Scudi mit den Monatsgehältern einiger Angestellter des Marchese (Margherita Durastanti erhielt 20 Scudi, Caldara anfänglich 10, später 20 Scudi, der 1. Gentilhuomo 15 Scudi). Bei dem genannten Begleiter Händels kann es sich um den von Mattheson in der *Ehrenpforte* (95) erwähnten „von Binitz" handeln, mit dem Händel auf diese erste Italienreise gegangen sein soll. Nach der Abreise des Marchese Ruspoli auf seinen Landsitz Vignanello ging Händel, vermutlich mit Empfehlungen des Kardinals Vincenzo Grimani (vgl. Ende Dezember 1709), nach Neapel. Während seines dortigen Aufenthaltes sind nachweislich die Cantata à tre *Aci, Galatea e Polifemo* (HWV 72; vgl. 16. Juni 1708) und das Terzett „Se tu non lasci amore" (vgl. 12. Juli 1708) entstanden, möglicherweise auch die Solokantate „Nel dolce tempo" (HWV 135ᵃ⁾, da der Vers „Al bel Volturno in riva" auf die ländlichen Besitzungen eines neapolitanischen Adligen anspielt, vielleicht auf die des Conte d'Alvito (Strohm).
Ob Händels Kantate „Stelle, perfide stelle", die er selbst „Partenza di G.B. Cantata di G. F. Hendel" überschrieben hat, anläßlich dieser Abreise aus Rom Anfang Mai 1708 entstand, ist nicht nachweisbar.
(Chrysander, I, 231; Kirkendale 1967, 239; Strohm 1974 I, 168f.; Strohm 1975/76, 108)

8. Mai 1708
Fondo Ruspoli, Libri delle Giustificazioni: Lista delle Spese, 18 Marzo a tutto il 8 Maggio, 1708

Zahlungsvermerk des Maestro di Casa:
Pag. al Sig.ʳ Mich. Angelo Cerruti per saldo di un conto tassato dal Sig. Contini del quadro grande della resuretione per l'oratorio S 27.–
(Kirkendale 1967, 259f.)

– Diesem undatierten Zahlungsvermerk sind die undatierte Rechnung und die datierte Quittung des Malers Michelangelo Cerruti beigefügt. In seinem „Conto di Pittura" führt Cerruti detailliert alle Arbeiten auf, die er für die Aufführung von Händels *Resurrezione* ausgeführt hat. Seine Hauptarbeiten waren das große Ölbild, das die Auferstehung Christi darstellte, das „Frontispiz" sowie das „Motto" des Oratoriums (vgl. 8. April 1708/I). Contini (vgl. 16. Mai 1707) hat Cerrutis Angaben geprüft und seine Honorarforderung von 46.80 Scudi – davon 24 allein für das Ölbild, 12 für das Frontispiz und 3.45 für das Motto – auf 27 Scudi herabgesetzt. (Contini, der einen großen Teil der *Resurrezione*-Rechnungen überprüft hat,

hat solche drastischen Herabsetzungen der geforderten Honorare mehrfach vorgenommen.)
(Kirkendale 1967, 259 f., 234)

Mitte Mai 1708
Fondo Ruspoli, Libri delle Giustificazioni: Lista delle Spese, 10 Maggio a tutto il 7 Luglio 1708

Zahlungsvermerk des Maestro di Casa:
Pag. all'Ebreo per nolito del letto di M: Endel portiere et altro per l'Aprile scorso S –.80.
(Kirkendale 1967, 265)
Vgl. Anfang Mai 1708

16. Juni 1708
Händel beendet in Neapel, wo er als Gast im Hause des Duca d'Alvito weilt, die Cantata à tre *Aci, Galatea e Polifemo* (HWV 72). Eintrag in der autographen Partitur (R. M. 20. a. 1.): „Napoli li 16 di Giugnio. 1708. d'Alvito."

– Bestimmt war diese Cantata für die Hochzeit des Duca d'Alvito mit Donna Beatrice Sanseverino, Tochter des Prinzen von Monte-Miletto, die am 19. Juli 1708 in Neapel stattfand. Händel kann die Aufführung seines Werkes nicht selbst geleitet haben, da er sich ungefähr ab Mitte Juli wieder im Hause des Marchese Ruspoli in Rom aufhielt (vgl. 14., 30. und 31. Juli 1708). Die Bekanntschaft mit dem Duca d'Alvito, der zum österreichisch gesonnenen Adel Neapels gehörte, hatte wahrscheinlich Kardinal Vincenzo Grimani vermittelt.
(Chrysander, I, 241 ff.; Flower 1923, 74 f.; Kirkendale 1967, 239 und 265; Strohm 1974 I, 168 f.; Strohm 1975/76, 108)

12. Juli 1708
Händel komponiert in Neapel das Terzett für 2 Soprane, Baß und Basso continuo „Se tu non lasci amore" (HWV 201).
Eintrag in der autographen Partitur (Privatbesitz): „G. F. Hendel. li 12 di luglio / 1708. / Napoli."
(Chrysander, I, 247)

14. Juli 1708
Fondo Ruspoli, Libri delle Giustificazioni: Lista delle Spese, 10 Luglio a tutto li 19 Sett. 1708

Zahlungsvermerk des Maestro di Casa:
Pag.ª Silvestro per una lista di due Sonat:ⁱ di Violino S 2.–
(Kirkendale 1967, 265)

Zu diesem Zahlungsvermerk gehört die folgende undatierte, von Ruspoli gegengezeichnete Quittung des zum Hause gehörenden Violinisten Silvestro Rotondi:
2 Violini che sonarono nella
Cantata Fiamma bella di Monsù Hendel
Sig.ʳ Gioseppe Valentini   S 1:00
Sig.ʳ Gio. Ciambelli   S 1:00

– Zahlungsvermerk und Quittung belegen die erste Kantatenaufführung „con stromenti" seit Ruspolis Rückkehr aus Vignanello am 17. Juni 1708 und gleichzeitig den 14. Juli 1708 als Aufführungstag, da kleinere Honorare stets am Aufführungstag gezahlt wurden. Mit der Kantate „Fiamma bella" kann Rotondi nur Händels Kantate für 2 Soprane, 2 Violinen und Basso continuo *Aminta e Fillide*: „Arresta il passo" (HWV 83) gemeint haben, deren zweite Arie mit den Worten „Fiamma bella" beginnt.
Ob Händel, der noch zwei Tage zuvor in Neapel das Terzett „Se tu non lasci amore" (HWV 201) komponiert hat (vgl. 12. Juli 1708), bereits in Rom die Aufführung seiner Kantate geleitet hat, ist nicht zu belegen. Daß er sich ab Mitte Juli 1708 erneut als Gast des Marchese Ruspoli in Rom aufhielt, bezeugen Eintragungen vom 30. und 31. Juli 1708 in den Libri delle Giustificazioni. Es war Händels dritter und wahrscheinlich letzter Aufenthalt in Rom, der vermutlich bis zum 12. September, möglicherweise aber auch bis zum 28. Oktober oder sogar bis zum 24. November 1708 dauerte. Die für die Aufführung am 14. Juli 1708 zusätzlich engagierten Geiger Valentini und Ciambelli wurden öfters von Ruspoli zu größeren Aufführungen in seinem Hause herangezogen. Die beiden Sopranpartien wurden von Margherita Durastanti und Anna Maria di Piedz, genannt Mariuccia, gesungen. Anna Maria di Piedz war von Oktober 1711 bis September 1716 bei Ruspoli angestellt, jedoch schon seit Mai 1708 Gesangslehrerin seiner Töchter.
(Ewerhart 1960 II, 127 f.; Kirkendale 1966, 351 ff.; Kirkendale 1967, 227, 239 ff., 250, 256)

30. Juli 1708
Fondo Ruspoli, Libri delle Giustificazioni: Lista delle Spese, 10 Luglio a tutto li 19 Sett. 1708

Zahlungsvermerk des Maestro di Casa:
Pag: per due store grandi usate foderate con Suoi bastoni per le finestre di M: Endel per ord: del Sig.ʳᵉ Cavaliere S 3.90
(Kirkendale 1967, 265)

– Mit diesem datierten Zahlungsvermerk über zwei Vorhänge für Händels Fenster wird dessen Aufenthalt im Palazzo Bonelli zu diesem Zeitpunkt belegt.
(Kirkendale 1967, 239)

31. Juli 1708
Fondo Ruspoli, Libri delle Giustificazioni: Lista delle Spese, 10 Luglio a tutto li 19 Sett. 1708

Zahlungsvermerk des Maestro di Casa:
Pag: al Detto [Francesco Maria de Golla) per Cibarie del Sassone. S 13.37
(Kirkendale 1967, 265)

– Die Höhe des an den Lieferanten der Speisen gezahlten Betrages läßt darauf schließen, daß Händel sich etwa seit Mitte des Monats Juli wieder im Hause Ruspoli aufgehalten hat.
(Kirkendale 1967, 239)

Juli/August 1708
Benedetto Pamphilj, Text einer Kantate

Recitativo

Hendel, non può mia musa
Cantare in un istante
Versi che degni sian della tua lira,
Ma sento che in me spira
Sì soave armonia che a' tuoi concenti
Son costretto cantare in questi accenti:

Aria

Può te Orfeo, con dolce suono
Arrestar d'augelli il volo
E fermar di belva il piè,
Si muoverò a un si bel suono
Tronchi e sassi ancor dal suolo
Ma giammai cantar li fè.

Recitativo

Dunque, maggior d'Orfeo, tu sforzi al canto
Mia musa allor che il plettro appeso aveva
A un tronco annoso, e immobile giaccia.

Aria

Ognun canti e all'armonia
Di novello Orfeo si dia
Alla destra il moto, al canto
Voce tal che mai s'udì.
E in sì grata melodia
Tutta gioia l'alma sia:
Ingannando il tempo intanto
Passi lieto e l'ore e il dì.

– Diese Verse schrieb Kardinal Pamphilj wahrscheinlich nach Händels Rückkehr aus Neapel, als dieser sich wieder im Hause des Marchese Ruspoli aufhielt (vgl. 9. August 1708). Nach dem Oratorium *Il trinfo del tempo* und den Kantaten *Il delirio amoroso* (vgl. 14. Mai 1707) und *Il consiglio* ist diese Huldigungskantate die vierte Dichtung Pamphiljs, die Händel vertont hat. Händels Komposition ist entweder noch im Juli, spätestens aber Anfang August 1708 entstanden, denn am 9. August 1708 rechnet Angelini die Abschrift dieser Kantate ab. Die Aufführung fand vermutlich in einer der sonntäglichen conversazioni oder bei einer der sonnabendlichen adunanze der Arkadier statt.
(Mainwaring/Mattheson, 52 f.; Smith 1954, 297; Ewerhart 1960 II, 137 f.; Smith 1965, 57; Kirkendale 1967, 241 und 248)

– John Mainwaring (62 f.) schreibt: Pamphilj "has some talents for Poetry, and wrote the drama of Il Trionfo del Tempo, besides several other pieces, which Handel set at his desire, some in the compass of a single evening, and others ex tempore. One of these was in honour of Handel himself. He was compared to Orpheus, and exalted above the rank of mortals."

Charles Jennens notierte dazu in seinem Exemplar (63): "Cantata the 19th in my collection; which contains only 51 in all. Handel told me that the words of Il Trionfo &c. were written by Cardinal Pamphilj, & added "an old Fool!" I ask'd "why Fool? because he wrote an Oratorio? perhaps you will call me fool for the same reason!" He answer'd "So I would, if you flatter'd me, as He did".

„Hendel non può mia musa" ist die neunzehnte unter den 50 in zwei Bänden der Newman Flower Collection (Manchester) enthaltenen Kantaten Händels. (Diese sind zwar bis 51 gezählt, doch unter Auslassung von Nr. 38.)
(Dean 1972, mit einem Faksimile von S. 63 aus Jennens' Mainwaring-Exemplar)

9. August 1708
Fondo Ruspoli, Libri delle Giustificazioni: Lista delle Spese, 10 Luglio a tutto li 19 Sett. 1708

Zahlungsvermerk des Maestro di Casa:
Pag. … a Gios. Angelini per copie di Cantate S 2.75.

– Diesem undatierten Zahlungsvermerk sind Angelinis undatierte, von Ruspoli gegengezeichnete Rechnung sowie seine mit dem 9. August 1708 datierte Quittung beigefügt:

Conto
Dell'Ecc.mo Sig.r Marchese Ruspoli

Tù fedel con VV. fgli	8
Aure soavi e liete fgli	2
Hendel fgli	2
Sarei troppo felici [sic] fgli	2½
Manca pur fgli	2
Ditemi ò piante ò fiori fgli	2
Lungi da voi che fgli	2
Lamarciata fgli	1½
Clori vezza Clori fgli	2
Quando sperasti ò core fgli	1½
Stanco di più sospire fgli	2
In tutto	27.½

(Kirkendale 1967, 265)

Von den elf Kantaten, die Angelini im Auftrag Ruspolis kopiert hat, sind zehn als Händelsche Kompositionen bekannt. Die an achter Stelle genannte Kantate „Lamarciata" ließ sich bisher nicht identifizieren. Von den Kantaten „Tu fedel? tu costante?" (HWV 171), „Aure soavi, e liete" (HWV 84) und „Sarei troppo felice" (HWV 157) hat Angelini bereits im Jahr zuvor Abschriften angefertigt (vgl. 16. Mai und 22. September 1707). Die neuen Kopien waren wahrscheinlich zu Geschenkzwecken bestimmt. An dritter Stelle steht die auf einen Text des Kardinals Pamphilj komponierte „Huldigungs"-Kantate, „Hendel, non può

mia musa" (vgl. Juli/August 1708). Im Auftrag Ruspolis wurden im August 1709 und im Mai 1711 zwei weitere Kopien dieses Werkes von Francesco Lanciani angefertigt (vgl. 31. August 1709 und 22. Mai 1711).
(Kirkendale 1967, 241 und 248)

28. August 1708

Fondo Ruspoli, Libri delle Giustificazioni: Lista delle Spese, 10 Luglio a tutto li 19 Sett. 1708

Zahlungsvermerk des Maestro di Casa:
Pag: à Panstufato per una lista di copie di Musica S 4.80

– Diesem undatierten Zahlungsvermerk sind Angelinis von Ruspoli gegengezeichnete Rechnung sowie seine datierte Quittung beigefügt:
Conto
Dell'Ecc.^mo Sig.^r Marchese Ruspoli
di molte Carte di musiche scritte da mè
Antonio Angelini dall'11 Agosto sino
alli 3 di Sett:^re 1808 [sic!]

Due cop.^e della Can.^ta Se pari è la tua fè fgli	4
Dite ò Piante ò fiori fgli	2
Clori vezzosa Clori fgli	2
Lungi lungi n'andò fileno fgli	2
Mentre tutto in furore fgli	2
Una Cantata à voce sola con VV Cavate fgli	11½
Il Duello amoroso Cantata à 2 Con VV Cavate fgli	24½
In tutto	48:0

(Kirkendale 1967, 265 f.)

Der in der Rechnung angegebene Zeitraum vom 11. August bis 3. September 1708 gibt zugleich die ungefähre Entstehungszeit der drei Continuo-Kantaten und der beiden Kantaten mit obligaten Violinen an. Abschriften der beiden anderen hier verzeichneten Continuo-Kantaten, „Ditemi o piante, o fiori" und „Clori, vezzosa Clori", hat Angelini bereits am 9. August 1708 abgerechnet.
Die Kantate „Mentre il tutto è in furore" (HWV 130) hat einen aktuell politischen Bezug auf die Ereignisse im Spanischen Erbfolgekrieg (vgl. 9. September 1708). Die ohne Textanfang aufgeführte „Cantate à voce sola con VV" könnte nach Kirkendale identisch sein mit der Kantate „Ah! crudel, nel pianto mio" (HWV 78). Diese wurde vermutlich am Sonntag, dem 2. September 1708, in der conversatione bei Ruspoli zum erstenmal aufgeführt. Die „Cantata à 2" Il duello amoroso, „Amarilli vezzosa" (HWV 82), wurde wahrscheinlich am Sonntag, dem 28. Oktober 1708, in der conversazione bei Ruspoli zum erstenmal aufgeführt.
(Ewerhart 1960 II, 124 ff.; Kirkendale 1967, 241 ff.)

31. August 1708

Fondo Ruspoli, Libri delle Giustificazioni: Lista delle Spese, 10 Luglio a tutto li 19 Sett. 1708

Zahlungsvermerk des Maestro di Casa:
Pag. al Detto [De Golla] per Spese Cibarie del Sassone 16.89
(Kirkendale 1967, 266)

Die am 31. August 1708 bezahlte Rechnung belegt Händels Anwesenheit im August 1708 im Hause Ruspolis.
(Kirkendale 1967, 241)

2. und 9. September 1708

Fondo Ruspoli, Libri delle Giustificazioni: Lista delle Spese, 24 Sett. a tutto li 9 Nov. 1708

Zahlungsvermerk des Maestro di Casa:
Pag.^a Silvestrino per Violini … S 10.-.
(Kirkendale 1967, 267)

– Diesem undatierten Zahlungsvermerk ist die zweiteilige, von Ruspoli gegengezeichnete Rechnung des mit der Honorarzahlung beauftragten Geigers Silvestro Rotondi (vgl. 16. Mai 1707) beigefügt, aus der die Aufführungsdaten zweier Kantaten Händels hervorgehen:

Prima Cantata Con Stromenti di Monsù Hendel di 2 7bre <u>1708</u>	
Violini	
Carlo Guerra	S 1:00
Gio. Ciambelli	S 1:00
2.^a Cantata Con stromenti di 9 7bre <u>1708</u>	
Violini	
Gio. Ciambelli	S 1:00
Carluccio Ragazzo del Sr Olm Essen dovi stato tutte le due funtioni	S 1:00
Gaetano della Tromba	S 1:00
Alfonso per 10 Funtioni in più Volte	S 5—

(Kirkendale 1967, 267)

Die am 2. September 1708 im Palazzo Bonelli aufgeführte Kantate (die erste Kantate „con stromenti" seit dem 14. Juli) ist wahrscheinlich die von Angelini in der am 28. August quittierten Rechnung ohne Textanfang verzeichnete „Cantata a voce sola con VV" (vgl. 28. August 1708). Die für die erste Aufführung engagierten Violinisten, Carlo Guerra und Giuseppe Ciambelli, haben öfters bei Aufführungen im Hause Ruspolis mitgewirkt.
Daß die am 9. September aufgeführte „Cantata con stromenti" nur die Cantata a tre Il Tebro, „Oh come chiare e belle" (HWV 143), gewesen sein kann, deren Stimmen-Abschriften Angelini am darauffolgenden Tag abgerechnet hat (vgl. 10. September 1708), geht aus Rotondis Rechnung hervor. Sie verzeichnet neben den Violinisten einen Trompeter, und es gibt keine andere Cantata a tre mit obligater Trompete von Händel.
Auch Alfonso Poli hat häufig bei Aufführungen im Hause Ruspolis mitgewirkt. Carluccio (wahr-

scheinlich Carlo Coraschi) ist das erste Mal unter Ruspolis zusätzlichen Musikern verzeichnet. Aus dem Zahlungsvermerk vom 15. September 1708 in der Lista delle Spese für die Reinigung der Zimmer von „Sig.ra Marg:a e Sig:re Ursini" geht hervor, daß der berühmte Altkastrat Gaetano Orsini im Hause Ruspolis wohnte, als Händels Kantate aufgeführt wurde. Demnach sang vermutlich Orsini zusammen mit Margherita Durastanti (vgl. 16. Mai 1707) und Anna Maria Piedz (vgl. 14. Juli 1708) bei der Aufführung der Kantate, die Händel vermutlich selbst geleitet hat, da er bis zum 11. September 1708 als Gast bei Ruspoli weilte.

Nicht nur der Text dieser Kantate, sondern auch ihre Aufführung zu diesem Zeitpunkt hatten aktuelle politische Bedeutung. Wie schon in der Kantate „Mentre il tutto è in furore" (HWV 130) werden auch hier Ruspolis wohlberechnete politische Aktivitäten glorifiziert. Der Marchese hatte im Verlauf des Sommers 1708 auf eigene Kosten ein Regiment von 120 Mann, die „Colonella Ruspoli", aufgestellt, das auf päpstlicher Seite die Kirchenstaat-Enklave Ferrara gegen die habsburgischen Truppen verteidigte. Der Schäfer Olinto (Ruspolis Name in der Arcadia) vertauscht die ländliche Schalmei gegen die kriegerische Trompete, die nun vom Ruhm des Helden kündet. Auch Papst Clemens XI. wird in der Kantate verherrlicht und als „astro clemente" besungen. Der Papst führte in den ersten Septembertagen 1708, als die Lage für Rom besonders prekär geworden war, Geheimverhandlungen, um die fast hoffnungslosen Finanzprobleme bei der Mobilmachung zu lösen. (Der Papst stand im Spanischen Erbfolgekrieg auf französischer Seite.) Da dem Marchese Ruspoli der politisch aktuelle Bezug dieses Werkes äußerst wichtig war, kann es nur diese „Cantata" gewesen sein, von der der Drucker Luca Antonio Chracas für Ruspoli 300 Textbücher druckte und am 15. September 1708 abrechnete.
(Robinson 1908, 173; Kirkendale 1966, 46, 351 und 354; Kirkendale 1967, 240 ff.; 266 f., Strohm 1974 I, 171)

10. September 1708
Fondo Ruspoli, Libri delle Giustificazioni: Lista delle Spese, 10 Luglio a tutto li 19 Sett. 1708

Zahlungsvermerk des Maestro di Casa:
A di 10 d.° [settembre] pag. ad Ant.° Angelini per copie di musica per riceuta S 4. -

Diesem datierten Zahlungsvermerk sind Angelinis undatierte, von Ruspoli gegengezeichnete Rechnung sowie seine mit dem 10. September datierte Quittung beigefügt:
Conto
Dell'Ecc.mo Sg.r Marchese Ruspoli
Per una Cantata con Stromenti
e parti Cavate che dice

A 3. con str:i Il tebro
sono fogli   S 4:0
(Kirkendale 1967, 266)

- Angelinis Rechnung bestätigt die Aufführung der Tebro-Kantate in der conversazione am 9. September 1708.
(Kirkendale 1967, 242 f.)

11./12. September 1708
Die am 30. September 1708 beglichene Rechnung des Lebensmittelhändlers (Zahlungsvermerk des Maestro di Casa: „Pag. al d.° [De Golla] per Cibarie al Sassone per g:ni 11: ... S 6.03"; Kirkendale 1967, 267) läßt darauf schließen, daß Händel am 11. oder 12. September 1708 das Haus Ruspolis verlassen hat.

- Ob Händel zusammen mit Ruspoli aufs Land gegangen und am 28. Oktober zur Aufführung einer weiteren von ihm für den Marchese komponierten „Cantata con stromenti" wieder im Palazzo Bonelli zu Gast gewesen ist und sich dort möglicherweise noch bis November aufgehalten hat (am 24. November 1708 rechnet Angelini die Kopien zweier Continuo-Kantaten von Händel ab), ist aus den Ruspoli-Dokumenten nicht zu belegen. Der letzte Beleg über Händels Aufenthalt im Hause Ruspolis ist die im Oktober 1708 ausgefertigte Rechnung des Eishändlers Giovanni Battista Mattei. Unter verschiedenen Posten erscheinen auch die im September für „Monsu Endel" gelieferten 45 Pfund Eis (Kirkendale 1967, 267). Vermutlich hat sich Händel Mitte September 1708 an den Hof des Granprincipe di Toscana, Ferdinando de' Medici, begeben und dort unter anderem die Aufführung von Pertis Oper Ginevra, principessa di Scozia (Libretto: Antonio Salvi) in Pratolino erlebt, bevor er Ende 1708 nach Rom zurückkehrte.
(Fabbri 1964, 156; Kirkendale 1967, 227, 243; Strohm 1974 I, 162, 173 f.)

26. September 1708
Kirchen Buch mit dem Neuen Seculo 1701 Angefangen. Darinnen Begrabene undt Copulirte. Giebichenstein

10. Vom 26. September Ist / Herr Michael Dietrich / Michaelsen Juris utriusque / Doctor Herrn Christian / Michaelsen Königl.-Preu- / ßischen Raths und Ober/ Ambtmans zu Horren- / burg, Jüngster Herr Sohn, / mit Jungfer Dorotheen Sophie- / en, Herrn Georgii Händels seeligen Curfürstlichen / Brandenburgischen Kammer- / dieners zu Halle ältesten / Jungfer Tochter anderer / Ehe nach dem sie in der / Marcht Kirche zu Halle / Dreymahl ordentlich proclami- / ret, allhier zu Giebichen / stein copuliret worden. /
[S. 405, Anno 1708]

- Die Trauung von Händels Schwester Dorothea
Sophia (get. 8.10.1687) mit dem späteren preußischen Kriegsrat Michael Dietrich Michaelsen (geb.
1680 Hamburg, gest. 20.7.1748 Halle) vollzog Georg Taust jun. (vgl. 23. April 1683 und 8. April
1685). Das Ehepaar Michaelsen bezog den Nord-
trakt von Händels Elternhaus (vgl. 24. Februar
1685).

31. Oktober 1708
Fondo Ruspoli, Libri delle Giustificazioni: Lista
delle Spese, 24 Sett. a tutto li 9 Nov. 1708

Zahlungsvermerk des Maestro di Casa:
A di 31 Ott. per pag. al Sig. Castrucci per una lista
de Sonatori S 6.40.

- Diesem Zahlungsvermerk ist die undatierte und
von Ruspoli gegengezeichnete Rechnung des mit
der Auszahlung der Honorare beauftragten Domenico Castrucci (vgl. 16. Mai 1707) beigefügt, aus
der das Aufführungsdatum und das aufgeführte
Werk abgeleitet werden können:

Il S.ʳ Pasqualino Contralto	S 3. di Argento
Viol. per l'Accadem.ᵃ	
Carlo Guerra	S 1
Giusep.ᵉ Bolognese	S 1
Giusep.ᵉ Valentini	S 1
Somma in tutto	S 6-.-
Per Ascanio mezzo festone	S 16.1.
	S 6.16.1.

(Kirkendale 1967, 267f.)

Aus der Bemerkung „Viol. per l'Accadem.ᵃ" geht
hervor, daß die Aufführung in der conversazione
am Sonntag vor dem 31. Oktober 1708 stattgefunden hat, also am 28. Oktober. Da zusätzlich ein Altist engagiert wurde, kann es sich bei dem aufgeführten Werk nur um die von Angelini bereits im
August 1708 (vgl. 28. August 1708) kopierte „Cantata à 2 Con VV" *Il Duello Amoroso*, „Amarilli vezzosa" (HWV 82), gehandelt haben. Der hochbezahlte Altkastrat Pasqualino - er empfing sein
Honorar als einziger in Silber-Scudi - sang die
Partie des Hirten Daliso, Margherita Durastanti
(vgl. 16. Mai 1707) die der Amarilli. Ob Händel
diese Aufführung selbst geleitet hat, ist ungewiß.
Die Aufführung muß in einem sehr festlichen
Rahmen stattgefunden haben, da der Bote Ascanio
Einladungen dafür ausgetragen hat, was nur bei
besonderen Anlässen üblich war.
(Ewerhart 1960 II, 125ff.; Kirkendale 1967, 243)

24. November 1708
Fondo Ruspoli, Libri delle Giustificazioni: Lista
delle Spese, Dalli 13 Nov.ʳᵉ a tutto li 8 Decembre
1708

Zahlungsvermerk des Maestro di Casa:
A di 24 d.ᵗᵒ [novembre] pag. per due Cantate in sei
fogli d'ord: di Sua Ecc: come per lista S -.50

- Diesem datierten Zahlungsvermerk ist die datierte Rechnung des Kopisten Angelini beigefügt:
   A di 24. Nov.ʳᵉ 1708
Per 2. Cantate di M.ʳ Hendel
consist.ᵉ in 6. fogli S -.50
(Kirkendale 1967, 268)
Da Angelinis Rechnung weder Titel noch Textanfänge enthält, sind die beiden Kantaten nicht zu
identifizieren.
Diese Rechnung ist der letzte Nachweis für von
Angelini angefertigte Kopien Händelscher Werke
sowie das letzte Dokument des Jahres 1708, das
Händels Aktivitäten für Ruspoli belegt. Insgesamt
weisen die Libri delle Giustificazioni 38 Kantaten,
2 Motetten und das „Salve Regina" nach, die Händel für den Marchese Ruspoli komponiert hat.
Vermutlich wurde während Händels Tätigkeit für
Ruspoli jeden Sonntag in der conversazione eine
neue Kantate aufgeführt.
In den Ruspoli-Dokumenten gibt es keinen Hinweis darauf, daß sich Händel zum Zeitpunkt dieser Abrechnung noch im Hause des Marchese aufhielt.
(Kirkendale 1967, 243ff.)

10. Dezember 1708
Giustificazioni della Casa Pamphilj

Kopistenrechnung von Alessandro Ginelli
Per diversi rappezzi e mutationi fatte nell'Oratorio intitolato La Bellazza ravveduta & tanto nell'
originali quanto nell'Concertino

f[ogli] 20

(Archivio Doria-Pamphilj-Landi, Rom. Marx 1983,
115)
Vgl. 14. Mai 1707

Winter 1708/09
Während seines für diesen Zeitraum angenommenen Aufenthalts in Rom hat Händel vermutlich
Rezitativ und Arie für Sopran und Instrumente
„Ah che troppo ineguali" (HWV 230) komponiert - möglicherweise im Auftrag des römischen
Senats -, deren Text unmittelbar auf die politischen und kriegerischen Ereignisse in Rom Bezug
nimmt, gleichsam als Bitte um Frieden, der dann
am 15. Januar 1709 zwischen Papst und Kaiser geschlossen wurde.
(Landau, 422ff.; Strohm 1974 I, 171f.; Mayo 1977,
10f.)

1709

2. Februar 1709
In der Kirche des römischen Senats, Santa Maria

in Ara Coeli, wird vermutlich Händels Kantate „Donna che in ciel" (HWV 233) zum erstenmal aufgeführt.

- Die einzige erhaltene Quelle dieses Werkes, eine von Antonio Giuseppe Angelini angefertigte Kopie, enthält folgenden Hinweis auf seine Bestimmung: „Anniversario della Liberatione di Roma dal / Terremoto nel giorno dell. Purif.ᵉ della Bet.ᵐᵃ V.ᵉ".
Rom war verschont geblieben, als in den Wintermonaten 1702/03 mehrere Erdbeben Mittelitalien erschüttert hatten. Am 2. Februar, dem Tag der schwersten Erschütterung, an dem in Roms Umgebung Tausende ums Leben gekommen waren, wurden in Rom jährlich Dankgottesdienste für die Verschonung der Stadt gefeiert. Vermutlicher Auftraggeber der Kantate war der Senat der Stadt Rom. Belege dafür und zur genauen Entstehungszeit gibt es nicht.
(Ewerhart 1960 II, 120 ff.; Strohm 1974 I, 164 ff., 172; Hicks 1976/77, 87 f.)

28. Februar 1709
Fondo Ruspoli, Libri delle Giustificazioni: Lista delle Spese, Febbraio 1709

Zahlungsvermerk des Maestro di Casa:
A di 28 Febr.° pag. al Sig. Castrucci per Copie di Cantate di musica come per lista S -.90.

- Diesem Zahlungsvermerk ist Pietro Castruccis von Ruspoli gegengezeichnete Aufstellung beigefügt:

Cantata Arminda con Violini Fogli cinque e mezzo	5
Cantata senza stromenti Poi che giuraro Amore fogli due	2
Cantata Ninfe e Pastori Fogli Due	2
Per il Baron Tedesco	9

Die drei Kantaten entstanden im Auftrag Ruspolis, die beiden ersten bereits 1707 (vgl. 16. Mai, 30. Juni und 22. September 1707). Castruccis Kopien sind also Dubletten. „Ninfe e Pastori" (HWV 139ᵃ) wird hier zum erstenmal erwähnt, ist aber wahrscheinlich ebenfalls früher entstanden und vielleicht eine der unbenannten Continuo-Kantaten in Angelinis Abrechnungen. Castrucci hat diese Kopien vermutlich als Geschenk „Per il Baron Tedesco" angefertigt, bei dem es sich möglicherweise um Agostino Steffani handelt, der zu dieser Zeit in Rom weilte.
(Kirkendale 1967, 243, 248 f., 268, 271)

Februar 1709
Giustificazioni della Casa Pamphilj

Kopistenrechnung von Allessandro Ginelli
Conto di diverse copie di musica copiate ... con ordine del Sig. re Carlo Cesarini
Per haver aggiustato li due Originale cioè p[ri]ma e 2.a parte dell'oratorio della Bellezza Ravveduta, e fattoni molti rapezzi p[er] tutte le mutationi fatte in d[ett]o Oratorio, come anche nelle due Parti dei Concertino, et Oboe
f[ogli] 30
(Archivio Doria-Pamphilj-Landi, Rom. Marx 1983, 115)
Vgl. 14. Mai 1707

29. März 1709
In Siena wird die Händel zugeschriebene „Cantata del Sepolcro" Il Pianto di Maria, „Giunta l'ora fatal" (HWV 234), erstmals aufgeführt.

- Auftraggeber war Ferdinando de' Medici (vgl. Spätsommer/Frühherbst 1706). Über den Beginn von Händels Aufenthalt an dessen Hof gibt es keinen Beleg. Er könnte Ende Februar/Anfang März dort eingetroffen sein und die Aufführung am 29. März vorbereitet haben. Daß er sich Anfang November dort aufgehalten hat, beweist das Empfehlungsschreiben des Granprincipe für Händel vom 9. November 1709 an den Pfalzgrafen Carl Philipp in Innsbruck.
(Ewerhart 1960 II, 149 f.; Fabbri 1964, 173 ff.; Strohm 1974 I, 162)

16. und 22. Juli 1709
Archiv der Ober-Pfarr-Kirçhe zu Unser Lieben Frauen in Halle

Todten-Register v.J. 1677 bis 1716
☾.22. Jul.   In der 8. Woche nach Trinit. des Jahres 1709 Jungfer Johanna Christiana H. George Händels weyl.... nachgel. jüngste Tochter anderer Ehe gestorben den 16. hj. hor. ½ 1 pom. und mit d. gantzen Ministerio das Leichbegängnüß gehalten, alt 19 Jahr 6 Monat 4 Tage   [S. 592]

- ☾ ist das astronomische Zeichen für Montag. Die Altersangabe bezieht sich auf den Tauftag der Verstorbenen (vgl. 12. Januar 1690).

13. August 1709
Giustificazioni della Casa Pamphilj

Kopistenrechnung von Alessandro Ginelli
Adi 18. Genn[ai]o 1709 p[er] diverse mutationi fatte nell'Oratorio novo Intitolato La Bellezza Ravveduta & tanto nelli originali, come nel concertino
f[ogli] 24
Adi 28. d[ett]o p[er] altri rappezzi al d[ett]o O[rato]rio in tutte le sud[ett]e parti
f[ogli] 11

Adi. 6. Feb[brai]o p[er] altri rappezzi
alle med[esim]e parti   f[ogli] 9
e piu p[er] haver cavata la parte del-
l'Oboe   f[ogli] 4
Adi 6. Luglio p[er] altri rappezzi all'-
sud[dett]o O[rato]rio e sue parti   f[ogli] 9½
e piu cavate la quattro che cantano
del sud[ett]o oratorio   f[ogli] 39
e piu cavato un violino p[ri]mo et un
2.o con viola, e Basso   f[ogli] 31
(Archivio Doria-Pamphilj-Landi, Rom. Marx 1983,
116)
Vgl. 14. Mai 1707

31. August 1709
Fondo Ruspoli, Libri delle Giustificazioni: Lista
delle Spese, Agosto 1709

Zahlungsvermerk des Maestro di Casa:
Pag. al … Lanciani per Copie … S 4.55

- Diesem Vermerk ist Lancianis am 31. August
1709 quittierte Rechnung beigefügt:
  In Carta Reale
Da sete ardente   2
Se pari è la tua fe   2
Chi rapi la pace   1½
Ninfe e Pastori   1½
Aure soavi e liete   1½
Nella stagione   2
Del bell'Idolo mio   2½
Ne' tuoi lumi ò bella   4
Se per fatal destino   1½
Hendel non può   1
Sei pur bella pur vezzosa   2
Fra tante pene e tante   2
Poiche giuraro Amore   2
Filli Dorata e Cara   2½
Dalla guerra amorosa   2
Sento là che ristretto   3
Lungi da te mio Nume   3½
O Numi eterni   3½
Lungi da me pensier tiranno   2½
Aurette vezzose   1
Sans penser francese   1½
      In tutto   f. 45½
(Kirkendale 1967, 268 und Fig. 4)

Francesco Antonio Lanciani war seit 1709 für Ruspoli tätig. Aus seinen Titelangaben geht hervor,
daß es sich bei den 21 von ihm kopierten Kompositionen um 20 Continuo-Kantaten von Händel
und eine Arie aus einer Kantate handelt. Davon
sind zehn Abschriften nachweislich Zweit-, zum
Teil auch Dritt-Kopien.
Die anderen zehn Kantaten – „Da sete ardente afflitto" (HWV 100), „Chi rapì la pace al cuore"
(HWV 90), „Del bel Idolo mio" (HWV 104), „Fra
tante pene" (HWV 116), „Filli adorata e cara"
(HWV 114), „Dalla guerra amorosa" (HWV 102),

„Sento là che ristretto" (HWV 161ᵃ), „Lungi dal
mio bel Nume" (HWV 127ᵃ, Lanciani kann mit
„Lungi da te mio Nume" nur dieses Werk meinen), „O Numi eterni" (La Lucrezia, HWV 145),
„Lungi da me, pensier tiranno" (HWV 125ᵃ) – sowie die Arie „Aurette vezzose" aus „Zeffiretto, arresta il volo" (HWV 177) – werden zwar in Ruspolis Libri delle Giustificazioni zum erstenmal
erwähnt, doch ist anzunehmen, daß es sich auch
bei ihnen um Zweit-Kopien handelt, deren Vorlagen von Angelini geschriebene Kopien waren,
denn in der Santini-Bibliothek befinden sich von
einem großen Teil dieser Kompositionen Abschriften von der Hand Angelinis.
Wo Händel sich zum Zeitpunkt von Lancianis Abrechnung aufhielt, ist unbekannt, bei Ruspoli mit
Sicherheit nicht. Lanciani hat diese 21 Kompositionen wahrscheinlich nicht für Aufführungen im
Hause Ruspolis kopiert, sondern zu Geschenkzwecken. Zu dieser Zeit wurde jeden Sonntag in
der conversazione eine Kantate Antonio Caldaras
aufgeführt, der seit März 1709 Ruspolis Kapellmeister war.
Die Entstehungszeit der elf hier erstmals erwähnten Werke ist mit Ausnahme der von Händel datierten Kantate „Lungi dal mio bel Nume" (vgl.
3. März 1708) unbekannt, doch muß der 31. August 1709 als Terminus ante quem angesehen werden. Auftraggeber auch für diese Kantaten kann
nur Ruspoli gewesen sein; dafür sprechen die in
der Santini-Bibliothek befindlichen Angelini-Ko-
pien von der Mehrzahl dieser Kompositionen, die
bereits erwähnte Kantate „Lungi dal mio bel
Nume" sowie die Annahme, daß Ruspoli nur Kopien solcher Werke verschenkte, die in seinem
Auftrag entstanden waren. So kann auch Händels
Lucrezia-Kantate in Rom entstanden sein, wie bereits Mainwaring angibt, und nicht in Florenz.
Chrysander hatte diese Kantate mit Lucrezia d'André, einer Sängerin am Hofe des Granduca di Toscana, in Beziehung gebracht. Doch konnte Ademollo nachweisen, daß es am Florentiner Hof
noch zwei andere Sängerinnen mit diesem Vornamen gab, und Kirkendale wies nach, daß Lucrezia
d'André auch am Hofe Ruspolis gesungen hat.
Ellen T. Harris vermutet, daß aus dieser Gruppe
die Kantaten „Chi rapì la pace al cuore" (HWV
90), „Dalla guerra amorosa" (HWV 102) sowie La
Lucrezia: „O Numi eterni" (HWV 145) bereits
1706, „Fra tante pene" (HWV 116) und „Filli adorata e cara" (HWV 114) 1707 in Florenz entstanden sind.
(Mainwaring, 200; Chrysander, I, 160ff.; Ademollo,
283; Ewerhart 1960 II, 11f., 135ff.; Kirkendale
1966, 353, 362; Kirkendale 1967, 244ff. und 271ff.;
Harris 1981)

28. September 1709
In Florenz wird in der Kirche 5 S.ᵐᵃ Annunziata ein

Dankgottesdienst für die Genesung des Granprincipe Ferdinando de' Medici gehalten, zu dem möglicherweise auch Musik von Händel erklang.

- Streatfeild, der sich auf Francesco Settimannis *Memorie Fiorentine* stützt, nennt als Datum für den Dankgottesdienst, bei dem Kompositionen „by the first musicians of Florence and other foreign musicians" aufgeführt wurden, den 30. September, Fabbri den 28. September 1709, weil am 30. September die erste Aufführung von Pertis *Berenice* stattgefunden hat.
(Streatfeild 1909/10, 13; Fabbri 1964, 175)

30. September 1709
Im Theater der Villa Medicea in Pratolino bei Florenz wird Giacomo Antonio Pertis Oper *Berenice Regina d'Egitto* (Libretto: Antonio Salvi) zum erstenmal aufgeführt. Händel war bei dieser Aufführung wahrscheinlich anwesend.
(Fabbri 1964, 175; Strohm 1974 I, 162f. und 174; Strohm 1975/76, 144f.)

9. November 1709
Ferdinando de' Medici an Carl Philipp von Neuburg

Il Ser.mo Sig. Principe Ferdinando / Al Sig. Principe Carlo di Neoburgh, Conte Palatino del Reno, Governatore del Tirolo: Inspruk.

Lì 9 Novembre 1709, dall'Imperiale
Nel tempo che si è qua trattenuto Giorgio Federigo Hendel, nativo di Sassonia, si è fatto conoscere sì dotato di onorati sentimenti, di Civili maniere, di gran pratica delle lingue e di talento più che mediocre nella Musica, che siccome egli ha saputo conciliarsi tutta la mia più cordiale benevolenza, così, nel suo ritorno in Germania, non ho io [potuto] non procurargli tutti gli appoggi più validi, e, specialmente, la più divota, benigna considerazione di V. A., portata dal nobilissimo Genio ad onorare i soggetti di Virtù e di spirito. Io stesso, dunque, ho voluto fargli introduzione presso l' A. V. con questo mio vivissimo ufficio, nel pregio ch'ei si darà d'inchinarla. E, pregando ben di cuore la sua singolare umanità d'ammeterlo al godimento delle sue Grazie – per le quali le professerò una distinta obbligazione – le ricirdo, tutta bramosa dei suoi comandi, la mia piena osservanza, e resto baciando a V. A. affettuosamente le mani.
(Archivio di Stato di Firenze, Mediceo; Filza 5900, Lettera No. 22)

- Dieses Empfehlungsschreiben belegt, daß Händel sich im Jahre 1709 längere Zeit am Hofe des Granprincipe di Toscana aufgehalten hat. Ob er ohne Unterbrechung seit der Aufführung der Kantate *Il Pianto di Maria* (vgl. 29. März 1709) bis zu seinem Aufbruch nach Venedig Anfang November 1709 dort geblieben war, muß offen bleiben. Daß Händel im Frühjahr 1710, auf seiner Rückreise nach Deutschland, am Hofe des Pfalzgrafen Carl Philipp in Innsbruck Station gemacht hat, geht aus dessen Antwortschreiben an den Granprincipe hervor (vgl. 9. März 1710).
Ein weiteres Empfehlungsschreiben für Händel, das der Granprincipe an seinen Schwager, den Kurfürsten Johann Wilhelm von der Pfalz, gerichtet hat, ist nicht erhalten (vgl. dessen Antwort vom 13. September 1710).
(Fabbri 1961, 23f.; Fabbri 1964, 174ff.)

Ende Dezember 1709/Anfang Januar 1710
Agrippina wird als erste Oper des Karnevals im Teatro San Giovanni Grisostomo in Venedig uraufgeführt.

- Das genaue Datum der Uraufführung ist nicht überliefert. Für den von Chrysander angenommenen 26. Dezember gibt es nach Strohm keinen Anhaltspunkt: Die Uraufführung kann in der Zeit vom 26. Dezember 1709 bis Anfang Januar 1710 jeden Tag stattgefunden haben.
Das 1678 erbaute Teatro San Giovanni Grisostomo war das größte der drei Theater, die sich im Besitz der Familie Grimani befanden. Es wurden darin nicht nur Opern, sondern auch Schauspiele aufgeführt.
Das Libretto von Kardinal Vincenzo Grimani (vgl. Anfang Mai 1708) ist möglicherweise die Bearbeitung einer eigenen oder auch fremden Vorlage.
Das Titelblatt des für Venedig gedruckten Textbuches lautet: Agrippina / Drama / Per Musica. / Da Rappresentarsi nel Famosis- / simo Teatro Grimani di / S:Gio:Grisostomo / L' Anno M.DCCIX. / In Venezia, M.DCCIX. / Appresso Marino Rossetti in Merceria, / all'Insegna della Pace. / Con Licenza de' Superiori, e Privilegio.
Im Textbuch werden weder der Name des Dichters noch der des Komponisten genannt.
Den Auftrag zur Vertonung des *Agrippina*-Librettos hat Händel von Grimani vielleicht schon 1707 erhalten, spätestens aber im Frühsommer 1708, denn am 1. Juli 1708 wurde der bis dahin als kaiserlicher Botschafter in Rom tätige Kardinal Vizekönig von Neapel und konnte sich dann bei den politischen und kriegerischen Wirren kaum noch mit eigener künstlerischer Arbeit befassen. Händel, der venezianische Opern schon während seiner Hamburger Zeit kennengelernt hatte, konnte diese wahrscheinlich während seines ersten Aufenthaltes in Venedig in den Wintermonaten 1707/08 unmittelbar erleben. So wurde im Karneval 1708 Caldaras *La Partenope* (Libretto: Silvio Stampiglia) aufgeführt, auf deren Libretto-Version Händel 1730 in seiner *Partenope* zurückgreifen sollte.
Agrippina ist keine typisch venezianische Oper des frühen 18. Jahrhunderts, sondern der venezia-

nischen Oper des 17. Jahrhunderts verpflichtet: Das Libretto ist eine Satire auf die lasterhaften Sitten bei Hofe (gemeint ist der Vatikan), voller Intrigen und Verwicklungen, und gegen Grimanis politischen Gegner, Papst Clemens XI., gerichtet, auf den mit der Figur des schwachen und eitlen Kaisers Claudius angespielt wird.

Teile der *Agrippina*-Musik hat Händel aus anderen eigenen Werken entlehnt, er übernahm aber auch thematisches Material von Cesti, Corelli, Mattheson und Keiser (Händel-Hdb., I, 89ff.).

Besetzung:

Claudio – Antonio Francesco Carli, Baß
Agrippina – Margherita Durastanti (alternierend mit Elena Croce), Sopran
Nero – Valeriano Pellegrini, Sopran
Poppea – Diamante Maria Scarabelli, Sopran
Ottone – Francesca Maria Vanini-Boschi, Alt
Pallante – Giuseppe Maria Boschi, Baß
Narciso – Giuliano Albertini, Alt
Lesbo – D. Niccolò Pasini, Baß

Von den Sängern kannte Händel nicht nur Ruspolis Primadonna Margherita Durastanti (vgl. 16. Mai 1707), sondern wahrscheinlich auch Diamante Maria Scarabelli, Francesca Maria Vanini-Boschi, Giuseppe Maria Boschi und Niccolò Pasini, die während seines ersten Aufenthaltes in Venedig im Winter 1707/08 dort gesungen haben. Für Margherita Durastanti hat Händel in die *Agrippina* die Arie „Ho un non so che nel cor" aus *La Resurrezione* übernommen, die sie schon in der ersten Aufführung des Oratoriums (vgl. 8. April 1708) gesungen hatte. Diese Arie war die erste Komposition Händels, die in England erklang (vgl. 6. Dezember 1710).

Während seines ersten Londoner Aufenthaltes konnte Händel das Ehepaar Boschi für sein *Rinaldo*-Ensemble von 1711 gewinnen, Valeriano Pellegrini für seine im Winter 1712/13 aufgeführten Opern *Il pastor fido* und *Teseo*. Margherita Durastanti und Giuseppe Maria Boschi verpflichtete Händel im Herbst 1719 in Dresden für die erste Londoner Opernakademie (vgl. 26. Juli 1719). Boschi gehörte diesem Ensemble 1720–1728 an, die Durastanti 1720–1724; sie sang noch einmal in der Spielzeit 1733/34 der zweiten Opernakademie.

Händel begründete mit der *Agrippina,* die nach Mainwaring in Venedig während des Karnevals 1710 27mal aufgeführt werden mußte, seinen Ruhm. Das Publikum war „dermaassen bezaubert daß ein Fremder aus der Art, mit welcher die Leute gerührt waren, sie alle miteinander für wahnwitzig gehalten haben würde. So oft eine kleine Pause vorfiel, schryen die Zuschauer: Viva il caro Sassone" (Mainwaring/Mattheson, 46). Später wurde die Oper in Venedig nicht wieder in den Spielplan aufgenommen, aber 1713 in Neapel, 1719 in Wien und 1718–1722 26mal in Hamburg aufgeführt.

(Bonlini, 158; Allacci, 18; Mainwaring/Mattheson, 45f.; Chrysander, I, 189ff.; Wiel 1897, 23; Streatfeild 1909, 226ff.; Flower 1923, 64ff., 76ff.; Merbach, 354; Zobeley, 98ff.; Smith 1935 III, 286ff.; Wolff 1937, 32ff. und 103ff.; Dean 1970, 107ff.; Wolff 1973; Strohm 1974 I, 167ff.; Strohm 1975/76, 108)

Winter 1709/10
[Carlo Bonlini,] Le glorie della poesia, e della musica, Venedig 1730

Anno 1710. D'Inverno.
Agrippina 441.
Teatro S. Gio: Grisostomo 56
Poesia d'Incerto 0
Musica di Giorgio Fed. Hendel 1
Questo Drama, come pure L'Elmiro Re di Corinto, e L'Orazio rappresentati, più di venti anni sono, su l'istesso Teatro, vantano comune l'Originale da una Fonte sublime.   [S. 158]

– *Agrippina* war die 441. Oper, die in Venedig seit 1673 aufgeführt wurde, im Teatro San Giovanni Grisostomo das 56. Opernwerk. Kardinal Grimani wird als Verfasser des Librettos erst in Allaccis *Drammaturgia* (Auflage 1755) genannt. Die 1 hinter dem Namen Händels bedeutet, daß *Agrippina* seine erste in Venedig aufgeführte Oper war. Daß Bonlini die Aufführungen auf 1710 datiert, besagt nicht, daß die Uraufführung nicht schon in den letzten Dezembertagen 1709 stattgefunden haben könnte, denn im venezianischen Kalender begann ein neues Jahr am 25. Dezember. Bonlinis Angabe „più di venti anni sono" bezieht sich nicht auf *Agrippina,* sondern auf *Elmiro, re di Corinto* und *Orazio,* die 1687 bzw. 1688 aufgeführt wurden.

„Vantano comune l'Originale da una Fonte sublime" („... rühmen sich ihres gemeinsamen Ursprungs aus einer erhabenen Quelle") kann möglicherweise als versteckter Hinweis auf Kardinal Grimani als Librettist der drei Opern verstanden werden.

(Allacci, 18; Chrysander, I, 189; Wiel, 293ff.; Galvani, 124f.; Wolff 1943, 32; Strohm 1974 I, 167)

1710

10. Januar 1710
Giorgio Stella aus Venedig an den Kurfürsten Johann Wilhelm von der Pfalz

... Mentre che è Cominciata l'Opera di San Cassanò [Cassiano] mi è parso bene di mandare l'Opera, e 6: Ariette delle più belle, sono intersiate [= intrecciate] con instromenti, mà non mi à Stato possibile di haverli, non mando di San Gio. Grisostomo, che credo che il Valeriano [Pellegrini] le manderà, il quale è molto aplaudito, perché è Virtuoso ...

(Bayerisches Geheimes Staatsarchiv, München: K.bl. 70/19. Einstein 1907/08, 407)

– Der aus Venedig gebürtige Sopranist Giorgio Stella, seit 1678 Kammermusiker Johann Wilhelms, war später außerdem als Hofjuwelier sowie als Agent des Kurfürsten in Amsterdam und in Venedig tätig. In den von seinen Reisen an Johann Wilhelm gerichteten Briefen berichtet er gelegentlich auch über musikalische Ereignisse, so auch 1709/10, als er sich in Venedig aufhielt. Offensichtlich hatte er vom Kurfürsten den Auftrag, ihm das Schönste von den im Karneval gespielten Opern zu übersenden. Vom Teatro Grimani San Giovanni Grisostomo schickte Stella jedoch nichts, sondern überließ dies einem anderen Kammermusiker des Kurfürsten, dem Sopranisten Valeriano Pellegrini, weil dieser während des Karnevals dort auftrat: er sang in Händels *Agrippina* die Partie des Nerone (vgl. Ende Dezember 1709/Anfang Januar 1710).
(Einstein 1907/08, 398 und 403 ff.)

9. März 1710
Carl Philipp von Neuburg an Ferdinando de' Medici

Serenissimo Signor mio, Cugino Oss.^mo,
Fu bensì da me il da V.A. raccomandatomi Giorgio Federigo Hendel, e mi consegnò l'umanissimo di lei Foglio. Ma siccome lo stesso [Händel] non hebbe d'uopo della mia Assistenza, così mi riuscì di sommo Sentimento il non poter far conoscere la Stima che facio [sic] dei di lei Comandi, nella pronta esecuzione de' Medesimi. Devo però [= perciò] attendere l'onore d'essere dall'A. V. impiegato in congiunture più favorevoli, per poterle comprovare il sommo della mia Osservanza, con la quale le bacio affetuosamente le Mani.
Insprugg, 9 Marzo 1710
Affett.^mo Servitore e Cugino
Carlo Filippo Conte Palatino del Reno
(Archivio di Stato di Firenze, Mediceo: Filza 5901, Lettera No. 16. Fabbri 1961, 5 f.; Fabbri 1964, 176 f.)

– Mit diesem Brief dankt Pfalzgraf Carl Philipp von Neuburg (zu dieser Zeit noch Gouverneur von Tirol) dem Granprincipe di Toscana für dessen Empfehlungsschreiben vom 9. November 1709.
Als Händel auf seiner Rückreise von Italien nach Deutschland in Innsbruck Station machte, befand er sich bereits auf dem Weg nach Hannover. Die Einladung an den kurfürstlichen Hof hatte er vermutlich durch Johann Adolf von Kielmannsegg erhalten, der sich zur Zeit der *Agrippina*-Aufführungen in Venedig aufhielt, und nicht durch den jüngsten Bruder des Kurfürsten, Prinz Ernst August, der die Stadt nach einem kürzeren Aufenthalt bereits Ende November 1709 wieder verlassen hatte.
(Mainwaring/Mattheson, 58; Streatfeild 1909/10, 8 f. und 14; Fabbri 1964, 177)

4. Juni 1710
Kurfürstin Sophie von Hannover an ihre Enkelin, die preußische Kronprinzessin Sophie Dorothea

A Herenhausen le 4 de Juin 1710
Jay rescu ma chere fille votre aimable lettre par L'ambasadeur dangleterre ... je va ... tous les jours voir nostre Princesse Electorale cui se porte a present fa bien et ne garde plus le lit elle se [oder: selon?] divertit de la Musique d'un Saxson qui surpasse chaque [? dieses Wort ist kaum zu entziffern] qu'en a jamais entandre sur le Clavecin et dans la Composition on L'a fort admire en Italye il est fort [oder: tres?] propre a estre Maistre de chapelle et le Roy L'avait [oder: aurait?] sa Musique serait bien mieux en ordre qu'elle est a present il va a Dusseldorf pour y composer un opera ...
A S A R
Madame La Princesse Royale de Prusse
(ZSTA Merseburg, HA, Rep. 46, T 18, Bl. 152^{r und v} und Bl. 153^v. Schnath 1927, 187)

– Sophie Dorothea war die Gemahlin des preußischen Kronprinzen, des späteren Königs Friedrich Wilhelm I. Kurprinzessin Wilhelmine Karoline, Tochter des Markgrafen Johann Friedrich von Brandenburg-Ansbach war seit 1705 mit dem hannoverschen Kurprinzen Georg August verheiratet, der 1727 als Georg II. König von England wurde. Für sie schrieb Händel das *Funeral Anthem* (vgl. 12. Dezember 1737). Mit dem „Sachsen" ist Händel gemeint, der „König" ist Friedrich I. in Preußen.
Die Handschrift der achtzigjährigen Kurfürstin ist sehr ausgeschrieben und ihre Orthographie ziemlich eigenwillig; vieles ist daher schwer zu entziffern, manches nur aus dem Kontext zu schlußfolgern.

14. Juni 1710
Kurfürstin Sophie von Hannover an ihre Enkelin, die preußische Kronprinzessin Sophie Dorothea

A Herenhausen le 14 de Juin 1710
Nostre bande Comediens Italiens ou Napolitins a finie, come autre foys ceus du Duc de Zell par des coups ...
autrement ... il ny a pas grand chose a dire si non L'Electeur a mis en maitre de Chapelle qui sapelle Hendel qui joue a mervelle du Clavecin dont le Prince et la Princesse Electorale ont beaucoup de joye, il est alter [oder: altier?] bel come et la medisance dit qu'il a esté amant de la Victoria ...
A S A R

Madame La Princesse
Royale de Prusse
(ZSTA Merseburg, HA, Rep. 46, T 18, Bl 156$^{r und v}$
und 157$^{r und v}$. Schnath 1927, 189)

15. Juni 1710
Kurfürstin Sophie von Hannover an ihre Enkelin,
die preußische Kronprinzessin Sophie Dorothea

A Herenhausen le 15 de Juin 1710
Vous ne me rendes [?] pas ma chere Princesse et
le Roy a garde dans son service la Gomal [? der
Name ist schwer zu entziffern], chanteuse dont
V A R parle, L'Electeur a pris dans son service
Henliny [oder: Henling?] qui joue si bien du Cla-
vecin et qui est |: a ce qu'on dit :| si savant en mu-
sique le P^{ce} et la P^{se} Electorale en sont charme…
A S A R
Madame La Princesse
Royale de Prusse
(ZSTA Merseburg, HA, Rep. 46, T 18, Bl. 158^r und
159^v. Schnath 1978, 509, Anm. 47)

16. Juni 1710
Händel wird zum Kapellmeister des Kurfürsten
von Hannover ernannt.

- Im ersten Jahr (Johannis 1710/11) betrug Händels Gehalt 1000 Taler, im zweiten Jahr mit dem
Invalidenabzug 916 Taler, 24 Groschen (Doebner,
298). Nach Mainwaring erhielt Händel „eine Besoldung von 1500 Rthlr. jährlich".
Über seine Eindrücke in Hannover soll Händel
berichtet haben: "When I first arrived at Hannover
I was a young man. … I was acquainted with the
merits of Steffani, and he had heard of me: I understood somewhat of music, and", putting forth
both his broad hands, and extending his fingers,
"could play pretty well on the organ; he received
me with great kindness, and took an early opportunity to introduce me to the princess Sophia and
the elector's son, giving them to understand, that I
was what he was pleased to call a virtuoso in music; he obliged me with instructions for my conduct and behaviour during my residence at Hannover; and being called from the city to attend to
matters of a public concern, he left me in possession of that favour and patronage which himself
had enjoyed for a series of years." (Hawkins, V,
267)

- „Princess Sophia" war die Mutter des Kurfürsten
(des späteren englischen Königs Georg I.) und -
wie Steffani - mit dem Philosophen Gottfried Wilhelm Leibniz befreundet. Ihre Tochter Sophie
Charlotte (1668-1705), Gemahlin König Friedrichs I. in Preußen, könnte Händel bei seinem
von Mainwaring erwähnten Berliner Aufenthalt
kennengelernt haben.
Über Steffanis wohlwollende Haltung gegenüber
Händel berichtet Mainwaring: „Dieser reichlichen

Besoldung wurde noch bald darauf der Kapellmei-
sterdienst hinzugefüget, welchen Steffani freywillig niederlegte: denn er hielte nicht dafür, daß sich
dieses Amt gänzlich reimen würde mit der hohen
Würde eines Bischofs und Ambassadeurs, womit
er sich nunmehro vom Pabste bekleidet fand.
Auch war ihm diese und eine jede Gelegenheit
lieb, Händeln seine Verbindlichkeit zu erweisen."
1703 berief Kurfürst Johann Wilhelm Steffani als
Geheimen Rat und Kurpfälzischen Regierungs-
präsidenten nach Düsseldorf. 1706/07 erfolgte die
Ernennung zum Bischof von Spiga. Im Auftrag
des Kurfürsten reiste er Ende September 1708 zu
Verhandlungen nach Rom. Von hier kehrte er
Ende April 1709 als Apostolischer Vikar zurück
und residierte fortan in Hannover. Wahrscheinlich ist er Händel in Rom begegnet (vgl. 28. Oktober 1708) und nicht in Venedig, wie Mainwaring
berichtet.
Händels Name findet sich in Steffanis Briefen
nicht, und tatsächlich scheint das Verhältnis zwischen beiden Komponisten nicht besonders herz-
lich gewesen zu sein. Steffani hat zwar vermutlich
Händel mit den Verhältnissen in Hannover vertraut gemacht, jedoch keinerlei Anteil an der Vermittlung der Anstellung oder an Händels Besuch
in Düsseldorf. Wie aus Steffanis Briefen (besonders an Giuseppe Riva) hervorgeht, hat er auch in
dem Streit zwischen Bononcini und Händel Bononcinis Partei ergriffen.
(Mainwaring/Mattheson, 12 ff., 57 ff.)

13. September 1710
Kurfürst Johann Wilhelm von der Pfalz an den
Granprincipe Ferdinando de'Medici

Serenissima Altezza Reale,
Ho trovato nel virtuoso Giorgio Federigo Hendel
tutti quasi singolari talenti, per cui gode un giusto
luogo nella benigna stima di V.A.R., di cui egli mi
ha recato un umanissimo foglio. Mi chiamo però
debitore a V. A. R. della soddisfazione che ho
avuta di trattenerlo qui alcune settimane, e molto
più mi stimerò favorito s'ella si compiacerà tener
esercitata, co'suoi comandi, la mia cordialissima
osservanza, mentre resto baciandole affetuosamente le mani.
Dusseldorff 13 Settembre 1710
(Archivio di Stato di Firenze, Mediceo: Filza
5902, Lettera No. 24. Fabbri 1961, 26)
Vgl. 9. November 1709

Herbst 1710
Händel erhält Urlaub von Hannover. Er reist nach
Halle, um seine Mutter zu besuchen, anschließend nach Düsseldorf an den Hof des Kurfürsten
Johann Wilhelm von der Pfalz und trifft Ende November oder Anfang Dezember 1710 in London
ein.

Im folgenden werden die Daten des Julianischen Kalenders in gerader Schrift, die des Gregorianischen in kursiver Schrift wiedergegeben. In Großbritannien wurde der Julianische Kalender („nach altem Stil") erst 1752 vom Gregorianischen Kalender („nach neuem Stil") abgelöst.

Um das Frühlingsäquinoktium auf den 21. März zurückzuführen, hatte Gregor XIII. 1582 befohlen, 10 Tage auszuschalten. Diese Differenz zwischen Julianischem und Gregorianischem Kalender war 1701 auf 11 Tage angewachsen. Da bis über die Mitte des 18. Jahrhunderts beide Kalender nebeneinanderliefen, war es üblich, die Daten in Form eines Bruches anzugeben, wobei der Nenner das gregorianische Datum enthielt (6./17. Dezember 1710).

Die in Großbritannien übliche Bezeichnung der ersten 12 Wochen eines jeden neuen Jahres mit alter und neuer Jahreszahl (also 13. Februar 1710/11 für 13. Februar 1711) wurde nicht übernommen.

6. Dezember 1710

Francesca Vanini-Boschi singt während einer Aufführung von Alessandro Scarlattis Oper *Pirro e Demetrio* im Londoner Queen's Theatre die Arie „Hò un non so che nel cor" aus Händels *Agrippina*.

– In der Saison 1709/10 hatte sie in Venedig den Part des Ottone in *Agrippina* gesungen (vgl. Ende Dezember 1709/Anfang Januar 1710).

Händel übernahm die Musik der Arie „Hò un non so che nel cor" aus *La Resurrezione*. Es war seine erste Arie, die auf einer englischen Bühne gesungen wurde. Seit 1711 erschien sie mit verschiedenen englischen Texten mehrmals im Druck, zuerst ohne Nennung von Händels Namen: *The Famous Mock Song ...* (vgl. Mai 1711) und *Conjugal Love, made on a Man of Quality and his Lady to an Air in Pyrrhus:* „In Kent so fam'd of old" (Text von Thomas D'Urfey), später mit Zusätzen wie „Sung by Sign[ra] Francesca Boschi in the Opera of Pyrrhus ..." oder „Compos'd by Mr Handell".

Scarlattis Oper *Pirro e Demetrio* (Text: Adriano Morselli, erste Aufführung Neapel 28. Januar 1694) wurde am 14. Dezember 1708 zum erstenmal in London aufgeführt und bis 1717 sechzigmal wiederholt.

(Chrysander, I, 201; Smith 1935 III; Smith 1960, 133 f.)

18. Dezember 1710
The British Apollo

Groves in Nat'ral Forms appear,
While their Inmates charm the Ear;
...
Nay, Machines, they say, will move,
Glorious Regions from above.
...
The Ruler of the Stage[1], we find,
A Youth of vast extended Mind;
No disappointments can controul,

The Emanations of his Soul;
But Through all Lets will boldly run,
Uncurb'd, like th'Horses of the Sun.
[1]Aaron Hill, Esquire.
(Brewster, 91 f.)

– Mit diesen Versen wurde Händels *Rinaldo* in diesem Journal angekündigt, zu dem Hill in enger Beziehung stand.

1710
Christoph Gottlieb Schröter, Letzte Beschäftigung mit Musikalischen Dingen ..., Nordhausen 1782

§ 10. ... Diese kluge Wort-Ausleger und witzige Ton-Forscher finden, wegen ihrer langwierigen Erfahrung, in der obersten Classe [der Komponisten] als ehrwürdige Beysitzer jederzeit die wohlverdienten Ehrenstellen.

§ 11. Wer getrauet sich wohl zu behaupten, daß dieses Jahrhundert von solchen beliebten Männern leer gewesen? Als ich 1710, 11, 12 zu Dreßden anfing, die gute Wirkung der dasigen Musik herzrührend zu empfinden, so erfuhr ich zugleich, daß solche schöne Arbeit theils Händel, theils Kaiser, u. a. m. verfertiget. Telemann kam auch mit verbesserten Kirchenstücken dazu, wobey jedoch gemeldet wurde, daß dessen Ouverturen und andere französische Stücke ihm noch besser gerieten. Bey solchen Umständen rief jedermann: Nun ist die Musik aufs höchste gestiegen!

– Schröter (1699–1782) war 1706–1709 Kapellknabe in Dresden; 1710 erhielt er hier, neben Carl Heinrich Graun, eine der beiden Ratsdiskantistenstellen. 1726 wurde er als Organist nach Minden berufen und wirkte in gleicher Eigenschaft von 1732 bis zu seinem Tode in Nordhausen.

1711

6. Februar 1711
Abel Boyer, The Political State of Great Britain, London 1711

Tuesday, the 6th of February, being the Queen's Birth-day, the same was observed with great Solemnity: the Court was extream numerous and magnificent; the Officers of State, Foreign Ministers, Nobility, and Gentry, and particularly the Ladies, vying with each other, who should most grace the Festival. Between One and Two in the Afternoon, was perform'd a fine Consort, being a Dialogue in Italian, in Her Majesty's Praise, set to excellent Musick by the famous Mr. Hendel, a Retainer to the Court of Hanover, in the Quality of Director of His Electoral Highness's Chapple, and sung by Cavaliero Nicolini Grimaldi, and the

other Celebrated Voices of the Italian Opera: with which Her Majesty was extreamly well pleas'd.
(Boyer, I, 156. Burrows 1981, I, 59f.)

- Händel scheint schon vor dem Erfolg des *Rinaldo* Königin Annas Gunst gewonnen zu haben. Seine Komposition wurde anscheinend anstelle der bisher üblichen Geburtstagsode eines englischen Komponisten aufgeführt. 1712, als Händel nicht in England war, wurde an Königin Annas Geburtstag „an excellent Consort collected out of several Italian Operas, by Signior Cavaliero Nicolini Grimaldi and perform'd by him, and the other best voices" (Boyer, III, 67) aufgeführt.
(Burrows 1981, I, 60)
Vgl. 6. Februar 1714

13. Februar 1711
The Daily Courant

At the Queen's Theatre in the Hay-Market... The new Subscription Opera, call'd Binaldo [sic], is just now printed, and to be sold at Rice's Coffeehouse by the Playhouse in the Hay-Market.

- Diese Anzeige erschien sechsmal, zum letztenmal am 20. Februar. Das Libretto, von Giacomo Rossi nach einer Skizze von Aaron Hill in italienischer Sprache verfaßt und von diesem ins Englische übersetzt (Chrysander, I, 276), geht auf eine Episode in Torquato Tassos *Gerusalemme liberata* zurück. Die erste Ausgabe des Textbuches druckte Thomas Howlatt. Es enthielt auch Hills englische Übersetzung des Operntextes und vermerkt unter dem Verzeichnis der Mitwirkenden: „La Musica è del Signor Georgio Frederico Hendel, Maestro di Capella di S. A. E. d'Hanover."

15. Februar 1711
Francesco Maria Mannucci, Tagebuch

Ricordo che si dettero notizie de'Musici e Virtuosi ch'erano stati al servizio di Sua Altezza. Si parlò così, oltr'agl'altri, di Alessandro e Minichino Scarlatti, di Bernardo Pasquini (di recente Memoria, ma certo imperitura), di Arcangelo e del Sassone Hendle [sic].
Poi si parlò de'progetti per Pratolino, e per la Quaresima e Settimana Santa; il Gran Principe disse che aveva Musica alla Cantata del Sepolcro, detta il Pianto di Maria Vergine la quale aveva già fatto comporre, per il Venerdì di Santo di Siena, al detto Sassone due anni sono [1709], má che il Ser.^mo Principe giudicò bella sì, ma slegata e un po'risentita - come s'usa di dire per Musica non tutto nuova e di Sacco d'altri - e la volle regalare a'Frati di Genova.
Il Sig. Gioacom'Antonio [Perti] disse allora che il Giovine Sassone forse sarà il più Grande di tutti, quando finirà di seguitare gl'altri, onde far presto a comporre; al che Prete Casini continuò: „Ho tro-vato in lui un Miracolo di Talento, ma troppo malizzia [sic], com'anco voi dite. Lo scusa, in parte, la giovin'età, [la] quale è Male veloce a passare."

- Nach dieser Aufzeichnung des Florentiner Komponisten Mannucci schrieb Händel auf Veranlassung von Ferdinando de'Medici eine geistliche Kantate *Il Pianto di Maria Vergine* zur Aufführung in Siena in der Karwoche des Jahres 1709 (vgl. 29. März 1709). Möglicherweise ist sie mit der Händel zugeschriebenen Kantate „Giunta l'ora fatal" für Sopran, Streicher und Basso continuo identisch, die in vier Abschriften überliefert ist.
(Archivio Capitolare della Basilica di S. Lorenzo, Florenz. Kirkendale 1967, 225; Ewerhart 1960 II, 150; Fabbri 1964, 173)
Giacomo Antonio Perti (1661-1756) war Kapellmeister an San Petronio in Bologna, Giovanni Maria Casini (1652-1719) seit 1703 Kathedralorganist in Florenz.

22. Februar 1711
The Daily Courant

By Subscription.
At the Queen's Theatre in the Hay-Market, on Saturday next, being the 24th of February, will be perform'd a new Opera, call'd, Rinaldo. Tickets and Books will be delivered out at Mr. White's Chocolatehouse in St. James's-Street, to Morrow and Saturday next.

- Dies ist die erste Ankündigung der Aufführung eines Werkes von Händel, in der allerdings der Name des Komponisten nicht genannt wird. Die Anzeige wurde an den beiden folgenden Tagen wiederholt.
Opernaufführungen fanden nur mittwochs und sonnabends statt, da an diesen Tagen keine Schauspiele gegeben wurden.

24. Februar 1711 (I)
Aaron Hill, Widmung des Librettos zu *Rinaldo* an Königin Anna

Madam, Among the numerous Arts and Sciences which now distinguish the Best of Nations under the Best of Queens; Musick the most engaging of the Train, appears in Charms we never saw her wear till lately; when the Universal Glory of your Majesty's Illustrious Name drew hither the most celebrated Masters from every part of Europe.
In this Capacity for Flourishing, 'twere a publick Misfortune, shou'd Opera's for want of due Encouragement, grow faint and languish: My little Fortune and my Application stand devoted to a Trial whether such a noble Entertainment, in its due Magnificence, can fail of living, in a City, the most capable of Europe, both to relish and support it.
Madam,
This Opera is a Native of your Majesty's Dominions, and was consequently born your Subject: 'Tis

thence that it presumes to come, a dutiful Entrea-
ter of your Royal Favour and Protection; a Blessing, which having once obtain'd, it cannot miss
the Clemency of every Air it may hereafter
breathe in. Nor shall I then be longer doubtful of
succeeding in my Endeavour, to see the English
Opera more splendid than her Mother, the Italian.

24. Februar 1711 (II)
Aaron Hill, Vorrede zum Libretto des *Rinaldo*

When I ventur'd on an Undertaking so hazardous
as the Direction of Opera's in their present Establishment, I resolv'd to spare no Pains or Cost, that
might be requisite to make those Entertainments
flourish in their proper Grandeur, that so at least
it might not be my Fault, if the Town should hereafter miss so noble a Diversion.
The Deficiencies I found, or thought I found, in
such Italian Opera's as have hitherto been introduc'd among us, were, First, That they had been
compos'd for Tastes and Voices, different from
those who were to sing and hear them on the English Stage; And Secondly, That wanting the Machines and Decorations, which bestow so great a
Beauty on their Appearance, they have been heard
and seen to very considerable Disadvantage.
At once to remedy both these Misfortunes, I resolv'd to frame some Drama, that, by different
Incidents and Passions, might afford the Musick
Scope to vary and display its Excellence, and fill
the Eye with more delightful Prospects, so at once
to give Two Senses equal Pleasure.
I could not chuse a finer Subject than the celebrated Story of Rinaldo and Armida, which has
furnish'd Opera's for every Stage and Tongue in
Europe. I have, however, us'd a Poet's Privilege,
and vary'd from the Scheme of Tasso, as was necessary for the better forming a Theatrical Representation.
It was a very particular Happiness, that I met with
a Gentleman so excellently qualify'd as Signor
Rossi, to fill up the Model I had drawn, with
Words so sounding and so rich in Sense, that if my
Translation is in many Places to deviate, 'tis for
want of Power to reach the Force of his Original.
Mr. Hendel, whom the World so justly celebrates,
has made his Musick speak so finely for its self,
that I am purposely silent on that Subject; and
shall only add, That as when I undertook this Affair, I had no Gain in View, but that of the Acknowledgment and Approbation of the Gentlemen of my Country; so No Loss, the Loss of That
excepted, shall discourage me from a Pursuit of all
Improvements, which can possibly be introduc'd
upon our English Theatre.

- In der Vorrede zu seinem Schauspiel *Elfrid*
(1710) schreibt Hill, er habe eine Übersetzung begonnen von Tassos „Godfrey of Bulloign, and shall
very suddenly publish a specimen". Der englische
Text dès *Rinaldo* wurde 1760 in Hills *Dramatic
Works* gedruckt.

Vgl. 5. Dezember 1732

24. Februar 1711 (III)
Giacomo Rossi, Vorwort im Textbuch zu *Rinaldo*

Il Poeta al Lettore.
Eccoti, benigno lettore, un parto di poche sere,
che se ben nato di notte, non è però aborto di te-
nebre, mà si farà conoscere figlio d'Apollo con
qualche raggio di Parnasso. La fretta di darlo alla
luce provenne da chi cerca sodisfare la nobilità
con cosi non communi; ed in me prevalse una gara
virtuosa, (non già nella perfezzione dell'opera, Mà
solo nella brevitá del tempo) poiche il signor Hendel, Orfeo del nostro secolo, nel porla in musica, a
pena mi diede tempo di scrivere, e viddi, con mio
grande stupore, in due sole settimane armonizata
da quell'ingegno sublime, al maggior grado di perfezzione un opera intiera. Gradisci, ti prego dis-
cretto lettore, questa mia rapida fatica, e se non
merita le tue lodi, almeno non privarla del tuo
compatimento, che dirò più tosto giustizia per un
tempo così ristretto. Se qualche d'uno poi non e
contento, mi spiace; mà che questi tali considerino
bene, ch'll disgusto proverra da loro medesimi, e
non della compositione, che in fine e prodotta da
quella bona volonta con cui rispetta tutti, e puole
sodisfare ogn'uno. Giacomo Rossi.
(Hill 1760, I, 74; Chrysander, I, 279)

24. Februar 1711 (IV)
Händels erste für London komponierte Oper, *Rinaldo,* wird uraufgeführt.

- Wiederholungen: 27. Februar, 3., 6., 10., 13., 17.,
20. und 24. März, 11. und 25. April, 5., 9. und
26. Mai und 2. Juni (der letzte Tag der Saison).
(Nicoll 1925)
Vgl. 2. Juni.
Besetzung:
Goffredo - Francesca Vanini-Boschi, Alt
Almirena - Isabella Girardeau (La Isabella), So-
pran
Rinaldo - Niccolò Grimaldi (Nicolini), Sopran
Eustazio - Valentino Urbani (Valentini), Alt
Argante - Giuseppe Maria Boschi, Baß
Armida - Elisabetta Pilotti-Schiavonetti, Sopran
Mago - Giuseppe Cassani, Alt
Herold - Mr. Lawrence, Tenor
Die Namen der Sänger werden in dem gedruckten
Textbuch (vgl. 13. Februar 1711) und in Walshs
Ausgaben mit den Gesängen der Oper (vgl.
24. April 1711) genannt. Signora Pilotti, die auch
bei den Wiederaufführungen der Oper in den Jah-
ren 1712–1715 und 1717 die Armida sang, stand
wie Händel im Dienst des Kurfürsten von Hanno-

ver. Nicolini sang den Rinaldo auch in den Londoner Wiederaufführungen von 1712, 1715 und 1717 sowie 1718 in Neapel, außerdem vermutlich 1711 auch in Dublin.

6. März 1711
The Spectator

An Opera may be allowed to be extravagantly lavish in its Decorations, as its only Design is to gratify the Senses, and keep up an indolent Attention in the Audience. Common Sense however requires, that there should be nothing in the Scenes and Machines which may appear Childish and Absurd. How would the Wits of King Charles's Time have laughed to have seen Nicolini exposed to a Tempest in Robes of Ermin, and sailing in an open Boat upon a Sea of Paste-Board? ... As I was walking in the Streets about a Fortnight ago, I saw an ordinary Fellow carrying a Cage full of little Birds upon his Shoulder; and, as I was wondering with my self what Use he would put them to, he was met very luckily by an Acquaintance, who had the same Curiosity. Upon his asking him what he had upon his Shoulder, he told him, that he had been buying Sparrows for the Opera. Sparrows for the Opera, says his Friend, licking his Lips, what,? are they to be roasted? No, no, says the other, they are to enter towards the end of the first Act, and to fly about the Stage.
This strange Dialogue awakened my Curiosity so far, that I immediately bought the Opera [das Textbuch], by which means I perceived that the Sparrows were to act the part of Singing Birds in a delightful Grove: though upon a nearer Enquiry I found the Sparrows put the same Trick upon the Audience, that Sir Martin Mar-all practised upon his Mistress; for, though they flew in Sight, the Musick proceeded from a Consort of Flageletts and Birdcalls which was planted behind the Scenes. ... The Opera of Rinaldo is filled with Thunder and Lightning, Illuminations, and Fireworks; which the Audience may look upon without catching Cold, and indeed without much Danger of being burnt; for there are several Engines filled with Water, and ready to play at a Minute's Warning, in case any such Accident should happen. However, as I have a very great Friendship for the Owner of this Theatre, I hope that he has been wise enough to insure his House before he would let this Opera be acted in it.
It is no wonder, that those Scenes should be very surprizing, which were contrived by two Poets of different Nations, and raised by two Magicians of different sexes. Armida (as we are told in the Argument) was an Amazonian Enchantress, and poor Signior Cassani (as we learn from the Persons represented) a Christian Conjurer (Mago Christiano). ...

To consider the Poets after the Conjurers, I shall give you a Taste of the Italian, from the first Lines of his Preface. ... Behold, gentle Reader, the Birth of a few Evenings, which tho' it be the Night, is not the Abortive of Darkness, but will make itself known to be the Son of Apollo, with a certain Ray of Parnassus. He afterwards proceeds to call Seignior Hendel the Orpheus of our Age, and to acquaint us, in the same Sublimity of Stile, that he Composed this Opera in a Fortnight. Such are the Wits, to whose Tastes we so ambitiously conform ourselves. ...
But to return to the Sparrows; there have been so many Flights of them let loose in this Opera, that it is feared the House will never get rid of them; and that in other Plays they may make their Entrance in very wrong and improper Scenes ... besides the Inconveniences which the Heads of the Audience may sometimes suffer from them. I am credibly informed that there was once a design of casting into an opera the story of Whittington and his cat ... but Mr. [Christopher] Rich, the proprietor of the playhouse [Drury Lane] ... would not permit it to be acted in his house.
Before I dismiss this Paper, I must inform my Reader, that I hear there is a Treaty on foot with London and Wise (who will be appointed Gardeners of the Play-House) to furnish the Opera of Rinaldo and Armida with an Orange-Grove; and that the next time it is Acted, the Singing Birds will be Personated by Tom-Tits: The Undertakers being resolved to spare neither Pains nor Money for the Gratification of the Audience.
C. [Joseph Addison]

– Im Register der Buchausgabe ist der Artikel verzeichnet als: *Mynheer Handel the Orpheus of the Age.* Sir Martin Mar-all ist eine Gestalt aus Drydens Stück vom Jahre 1666; er läßt seinen Diener an seiner Stelle unter Millicents Fenster spielen und singen. Sie durchschaut dies, als Sir Martin die Gesten der Serenade noch weiter nachahmt, obwohl die Musik schon zu Ende ist.
Die Gartenbaufirma George London & Henry Wise besaß die größte Pflanzschule in England.

16. März 1711
The Spectator

Sir, The Opera at the Hay-Market, and that undr the little Piazza in Covent-Garden, being at present the two leading Diversions of the Town, and Mr. Powell professing in his Advertisements to set up Whittington and his Cat against Rinaldo and Armida, my Curiosity led me the Beginning of last Week to view both these Performances, and make my Observations upon them.
... the Undertakers of the Hay-Market, having raised too great an Expectation in their printed

Opera, very much disappoint their Audience on the Stage.

The King of Jerusalem is obliged to come from the City on foot, instead of being drawn in a triumphant Chariot by white Horses, as my Opera-Book had promised me; and thus while I expected Armida's Dragons should rush forward towards Argantes, I found the Hero was obliged to go to Armida, and hand her out of her Coach. We had also but a very short Allowance of Thunder and Lightning; th' I cannot in this Place omit doing Justice to the Boy who had the Direction of the Two painted Dragons, and made them spit Fire and Smoke: He flash'd out his Rasin in such just Proportions and in such due Time, that I could not forbear conceiving Hopes of his being one Day a most excellent Player. I saw indeed but Two things wanting to render his whole Action compleat, I mean the keeping his Head a little lower, and hiding his Candle.

... The Sparrows and Chaffinches at the Hay-Market fly as yet very irregularly over the Stage; and instead of perching on the Trees and performing their Parts, these young Actors either get into the Galleries or put out the Candles; whereas Mr. Powell has so well disciplin'd his Pig, that in the first Scene he and Punch dance a Minuet together. I am informed however, that Mr. Powell resolves to excell his Adversaries in their own Way; and introduce Larks in his next Opera of Susanna or Innocence betrayed, which will be exhibited next Week with a Pair of new Elders.

As to the Mechanism and Scenary ... at the Hay-Market the Undertakers forgetting to change their Side-Scenes, we were presented with a Prospect of the Ocean in the midst of a delightful Grove; and th' the Gentlemen on the Stage had very much contributed to the Beauty of the Grove by walking up and down between the Trees, I must own I was not a little astonished to see a well-dressed young Fellow, in a fullbottom'd Wigg, appear in the midst of the Sea, and without any visible Concern taking Snuff.

I shall only observe one thing further, in which both Dramas agree; which is, that by the Squeak of their Voices the Heroes of each are Eunuchs; and as the Wit in both Pieces are equal, I must prefer the Performance of Mr. Powell, because it is in our own Language.

I am, &c.

R. [Sir Richard Steele]

– Martin Powell führte 1710–1713 Puppenspiele und -opern in Punch's Theatre bei den Seven Stars in der Little Piazza, Covent Garden, auf. Mehrere von ihnen kündigte er im *Spectator* an, so etwa *Orpheus and Euridice* (Lewis, 254 ff.). Steele schrieb bereits im *Tatler* von 1709 über ihn, Sir Thomas Burnet in einem Pamphlet 1715.

The History of Whittington, thrice Lord Mayor of London wurde am 1. März 1711 im *Daily Courant* angezeigt: „With Variety of New Scenes in Imitation of the Italian Opera's." 1739 wurde eine Oper *Whittington and his Cat*, Text von Samuel Davey, in Dublin aufgeführt.
(Nicoll 1925, 317)

19. März 1711
The Daily Courant

At the Queen's Theatre in the Hay-Market, to Morrow being Tuesday, the 20th Day of March, will be perform'd an Opera, call'd, Rinaldo. With Dancing by Monsieur du Breil and Mademoiselle le Fevre just arriv'd from Bruxelles.

– Das Haymarket Theatre hatte eine ständige Tanzgruppe, die vermutlich die Tanzszenen im zweiten Akt des *Rinaldo* ausführte. Du Breil (Breuil?) und Mlle. Le Fevre, über die sonst nichts bekannt ist, tanzten auch in der *Rinaldo*-Aufführung am 24. März 1711.

März 1711
Händels *Rinaldo* wird in Dublin von Nicolinis Truppe aufgeführt. (Loewenberg, Sp. 125)

– Nicolini ist mit Niccolò Grimaldi, dem ersten Sänger der Partie, identisch. Händels *Rinaldo* war die erste in Dublin aufgeführte italienische Oper.

11. April 1711
Aufführung des *Rinaldo* als Benefiz-Veranstaltung für den Kastraten Valentini.
– In der Ankündigung dieser Aufführung in *The Daily Courant* wird zum erstenmal der Preis der Billetts, eine halbe Guinee, genannt. Aus späteren Anzeigen geht hervor, daß dieser Preis nur für Parkett und Logen und nur an Benefizabenden galt.

24. April 1711
The Daily Courant

New Musick, just Publish'd. All the Songs set to Musick in the last new Opera call'd, Rinaldo: Together with the Symphonys and Riturnels in a Compleat Manner, as they are Performed at the Queen's Theatre. Compos'd and exactly corrected by Mr. George Friderick Hendell. Printed for J. Walsh ... and J. Hare. ...

– Mit dieser Ausgabe begann Händels Verbindung zu den Musikverlegern John Walsh und John Hare. Sie trug den Titel *Song's in the Opera of Rinaldo Compos'd by Mr Hendel*.
(Smith 1960, 56)
Vgl. 3. Mai (I), 5. Juni und 21. Juni 1711

25. April 1711
Rinaldo, „the last new Opera", wird „At the Desire

of several Ladies of Quality" aufgeführt (*The Daily Courant*).

3. Mai 1711 (I)
The Post-Man; And The Historical Account

New Musick, Just published,
All the Songs set to Musick in the last new Opera call'd Rinaldo: together with the Symphonys and Riturnels in a compleat manner, as they are perform'd at the Queen's Theatre, Compos'd and exactly Corrected by Mr. George Fridrick Hendell. ... Printed for J. Walsh ... and J. Hare. ...

- Diese Anzeige bezieht sich auf die zweite Ausgabe der Arien mit dem Titel *Arie dell'Opera di Rinaldo Composta dal Signor Hendel Maestro di Capella di Sua Altezza Elettorale d'Hannover.*
(Smith 1960, 56)
Vgl. 24. April und 5. und 21. Juni 1711

3. Mai 1711 (II)
Thomas Coke, Anweisung

May ye 3d 1711
Mr Hill & Collier
That Mr Collier pay back whatever he received out of ye subscription money over and above what was due att ye End of ye subscriptions to Mr Van brugh for Rent and the receits of ye gallery &ca over & above the said subscription money and Mr Hill to clear all the charges of ye six nights subscription
ye Receits of ye Gallery &ca
4th night- 18:09:09
5th- 27:02:06
6th- 19:08:03
_____
65:00:06
(Houghton Library, Harvard University. Cummings 1914, 55; Milhous/Hume, 175f.)

- Diese Notiz gehört zu Dokumenten aus dem Besitz des stellvertretenden Oberhofmeisters Sir Thomas Coke (gest. 1727), die sich auf die Theater am Haymarket und in Drury Lane beziehen. 1917 gingen diese Papiere von Cummings an Richard Northcott über, dessen Sammlung nach 1931 aufgelöst wurde.
Sir John Vanbrugh, der Architekt des Haymarket Theatre, bezog noch Miete vom Direktor des Theaters, Owen Swiney, der es zusammen mit Colley Cibber bis zum 18. November 1710 leitete. Danach übernahmen sie das Theater in Drury Lane. Swiney kehrte 1712 noch einmal zum Haymarket zurück. Das Parlamentsmitglied William Colley („Mr. Collier") war ein einflußreicher Teilhaber an Christopher Richs Patent. Colley erhielt von Hill Zahlungen für seinen Anteil am Haymarket Theatre (vgl. 1747).

5. Mai 1711 (I)
John Jacob Heidegger, Notiz

Mr Colliers agreement about ye Lunicons payment for ye Score of Rinaldo May 5th 1711

May the 5th 1711
Mr Collier agrees to pay to Mr Lunecan for the Copy of Rinaldo this day the sum of eight pound and three pound every day Rinaldo is playd till six and twenty pound are payd and he gives him leave to take the sayd Opera in his custody after every day of acting it till the whole six and twenty pound are payd.
(Houghton Library, Harvard University. Cummings 1914, 55; Milhous/Hume, 176f.)

- Lunican ist identisch mit D. Linike (Leneker, Linikey), einem Bratschisten im Theaterorchester am Haymarket, den Winton Dean für die Jahre 1707–1724 in London nachweisen konnte. Wenig später muß er gestorben sein, da im März 1726 ein Benefizkonzert für seine Witwe veranstaltet wurde.
Linike gehörte zu den ersten Kopisten, die in London für Händel arbeiteten, noch früher als John Christopher Smith d. Ä. Von ihm stammen mehrere bisher für Arbeiten John Christopher Smith' gehaltene Abschriften.
Mit seiner Tätigkeit als Kopist Händelscher Werke im Zusammenhang steht vermutlich auch die (nicht autographe) Notiz am Ende einer Lage des Autographs des Chandos Anthems „O be joyful in the Lord" (R. M. 20. d. 8), das von Graydon Beeks auf September 1717 datiert wird: „For Mr Smith to be Left at Mr Linikey's att ye White Hart in ye Hay Market with speed."
Nach der hier wiedergegebenen Notiz erhielt Lunican für jede Aufführung acht Pence.
(Best 1982; Beeks 1977 und 1980; Larsen 1981, 126)

5. Mai 1711 (II)
Rinaldo wird, wieder „At the Desire of several Ladies of Quality", zum Benefiz für Giuseppe und Francesca Boschi aufgeführt (*The Daily Courant*).

9. Mai 1711
Die Vorstellung des *Rinaldo*, noch einmal auf Wunsch von Damen der Gesellschaft, wird als letzte der Saison angekündigt (*The Daily Courant*), doch fanden noch zwei weitere Aufführungen statt.

26. Mai 1711
Bei der Ankündigung der *Rinaldo*-Vorstellung für diesen Tag (*The Daily Courant*) werden folgende Eintrittspreise genannt: Logen 8 Schilling, Parkett 5 Schilling, erste Galerie 2 Schilling 6 Pence, obere Galerie 1 Schilling 6 Pence, Bühnenlogen eine halbe Guinee (10 Schilling 6 Pence).

Mai 1711
The Famous mock Song, to Hò un non sò che nel cor, Sung by Sign^ra Boschi in the Opera of Pyrrhus, Corectly Engrav'd.

Good folks come here, I'll sing,
A song of th' Opera King,
Which is so much admir'd,
Let not your ears be tir'd. Repeat.

Th'Italians boast
This Song's compos'd,
By some prevailing Ghost,
The singer bears a name,
Of most surprizing Fame,
No Master yet can tell,
If this voice came from Hell,
It is suppos'd
Th'infernal host,
Sent here this cunning Ghost,
The Britains to awake,
For some mischievous sake.
His shape was like a man,
The voice just like mad Grann,
Not any graces, tawny, ugly, brown,
Yet not withstanding won'drous pleas'd the towns
And sung so brazen fac'd,
That Monsters were amaz'd,
To hear a Porcupine,
Cou'd charm great wits so fine.

Another King most stout,
Turn'd English Op'ras out,
Which Britains first admired,
But now alas are tired. Repeat.

It was suppos'd,
They were compos'd,
By some poor harmless Ghost,
Rinaldo had the name,
Of most surprising Fame,
He and some other Spark,
Deceive all in the Dark.
Home Hide the Carr,
Swing Slanderer,
Cheat Bite Trick ev'ry where,
Say Op'ras have no need,
Of silly English Breed,

They cry th'Italian men,
Will show you what they can,
Come see this Hero big and Famous here,
Whose name is valiant Sign^r Cavalier,
He kill'd so Brazen faced,
A Lion which amazed,
The mob for whom twas fit,
And scar'd them from their wit.

- Das Spottlied auf Händels *Rinaldo* und den Kastraten Nicolini wurde in *The Monthly Mask of Vo-* *cal Musick* (Walsh und Hare, Mai 1711) veröffentlicht.
(Smith 1935 III; Smith 1960, 133)
Vgl. 6. Dezember 1710

2. Juni 1711
Anstelle der angekündigten Oper *Hydaspes* (*L'Idaspe fedele*) von Francesco Mancini wird „at the Desire of several Persons of Quality" Händels *Rinaldo* zum letztenmal in dieser Saison und zum Benefiz für die Logenschließer aufgeführt (*The Daily Courant*).

- Die geplante Neuaufführung der um einige Arien erweiterten Oper *L'Idaspe* fand am 2. Dezember 1711 statt.

5. Juni 1711
The Daily Courant

New Musick, just publish'd. All the Symphonys or Instrumental Musick in the last new Opera call'd Rinaldo, which together with their Songs makes that Opera Compleat as it was perform'd at the Queen's Theatre.

- Der Titel dieser Ausgabe in drei Stimmen war: *The Symphonys or Instrumental Parts in the Opera Call'd Rinaldo As they are Perform'd at the Queens Theatre, Compos'd by M^r. Hendel, Chapple Master to ye Elector of Hanover.* Sie erschien bei John Walsh, P. Randall und John Hare. Da Randall sich im Dezember 1711 von ihnen trennte, wurde auf einem Teil der Ausgabe sein Name wieder getilgt.
(Smith 1935 II; Smith 1960, 59)
Vgl. 24. April, 3. Mai (I) und 21. Juni 1711

Juni 1711
Händel kehrt nach Hannover zurück und hält sich unterwegs einige Tage in Düsseldorf auf.

17. Juni 1711 (I)
Johann Wilhelm, Kurfürst von der Pfalz, an Georg Ludwig, Kurfürst von Hannover

Durchlauchtigster pp. Ew. Ld. Cappelmeister Händel, welcher die gnad haben wirt, deroselben dises zue überliefern, habe ich einige tage alhier bey mir dahero auffgehalten. Umb ihme einige Instrumenta und andere sachen zu weisen, und dessen meynung hierüber zue Vernehmen. Dannenhero ersuche Ew. Ld. hiermit fr. Vetter- und angelegentlichst, Sie geruhen demselben, diesen seinen gegen dessen willen beschehenen Verzug, in Ungnaden nicht zue Vermercken und auszuedrucken, sondern Vielmehr in dero beständiger Gnade und protection wie bishero, also auch hinkünfftig zue erhalten. Dero Ich hinwiederum pp.
Ddorff den 17 Junij 1711.
(Bayerisches Geheimes Staatsarchiv München. Einstein 1906/07)

17. Juni 1711 (II)
Johann Wilhelm, Kurfürst von der Pfalz, an Sophie, Witwe des Kurfürsten von Hannover

Durchlauchtigste pp. Ew. Ld. wirt Bringer dises
dero geliebtesten H. Sohns deß H. Churfürsten zu
Braunschweig Ld. Cappelmeister Händel Un-
derthst. zue hinderbringen, die gnade haben, daß
ich ihne einige wenige Täge, Umbwillen ich demselben einige Instrumenten gewisen, und seine meynung hierüber Vernohmen, allhier bey mir auffgehalten. Nun setze zue Ew. Ld. mein fr. Söhnl.
Vertrauen, ersuche dieselbe auch zuegleich angelegentlichst hiermit, Sie geruhen mir, zue meiner
höchster und ewiger obligation, den angenehmen
gefallen zue erweisen, und obg. Händel bei ho-
chers dero H. Sohnes Ld. mit dero allgütigstem ho-
hem Vorworth dahin ohnschwer zu statten zu
kommen, daß demselben dieser gegen sein Ver-
schulden beschehene Verzug nicht Ungüetig ge-
deuthet, mithin in dero fürwehrenden Churf. Hul-
den und Gd. noch ferners continuiren und
erhalten werden möge pp. Dero Ich pp. Ddorff
d. 17 Junij 1711.
(Bayerisches Geheimes Staatsarchiv München.
Einstein 1906/07)

- Die Kurfürsten von Hannover waren ursprünglich Herzöge von Braunschweig-Lüneburg.

21. Juni 1711
The Post-Man

New Musick published,
All the Songs set to Musick in the last new Opera
call'd *Rinaldo*, together with its Pieces for the
Harpsicord, as also the Symphonies and Returnels
in a compleat manner, as they were performed at
the Queens Theatre, and exactly corrected by Mr
George Friderich Hendel…
(Smith 1935 II)

- Mit dieser Anzeige kündigen Walsh und Hare
die dritte Ausgabe der Gesänge aus *Rinaldo* an. In
die Arie „Vo' far guerra" wurden Händels Cem-
balo-Improvisationen eingefügt; sie erhielt nun
die Überschrift „Armida Sung by Sign^ra Pilotti in
the Opera of Rinaldo With the Harpsicord Peice
Perform'd by Mr Hendel".
(Smith 1960, 56 f.)
Vgl. 29./31. Januar 1717

24. Juni 1711
Die älteste Tochter von Händels Schwester Dorothea Sophia Michaelsen stirbt im zweiten Lebensjahr in Halle.
(Chrysander, I, 310)

Ende Juli 1711
Händel an Andreas Roner

… Faites bien mes complimens à Mons. Hughes.
Je prendrai la liberté de lui ecrire avec la premiere
occasion. S'il me veut cependant honorer de ses
ordres, et d'y ajouter une de ses charmantes poe-
sies en Anglois, il me fera la plus sensible grace.
J'ai fait, depuis que je suis parti de vous, quelque
progrés dans cette langue…
(John Hughes 1772, I, 48 f.; Gentleman's Magazine,
März 1785, 165 f.; Chrysander, I, 309 f.; Schoelcher
1857, 33 f.)

- Andreas (später Andrew) Roner, ein deutscher
Musiker, lebte in London. 1721 erschienen hier
von ihm *Melopoeia Sacra or a Collection of Psalms and
Hymns*, auf Übersetzungen von Joseph Addison
und Sir John Denham.
John Hughes, Dichter, Maler und Musiker, starb
1720. Unter seinen 1735 postum gedruckten Gedichten sind auch der Kantatentext *Venus and Adonis*, den Händel als ersten englischen Text vertonte, und „Wou'd you gain the tender creature",
das in John Gays Text für Händels Masque *Acis
and Galatea* Aufnahme fand.

31. Juli 1711
Andreas Roner an John Hughes

Ce Mardi, 31st Juillet, 1711
Monsieur, - Ayant reçeu ce matin une lettre de
Mr. Hendel, j'ai crû ne devoir pas manquer à vous
en communiquer aussitôt un extrait qui vous regarde et qui est une réponse au compliment dont
vous m'aviez bien voulu charger. Je lui écrirai
Vendredi prochaine; ainsi, vous n'aurez, si vous
plait, qu'à m'envoyer ce que vous aurez destiné
pour lui; et je puis, Monsieur, vous assurer que si
l'honneur de votre souvenir lui fait un sensible
plaisir, je n'en sens pas moins par le moyen que
j'aurai par la de faciliter votre correspondance et
de vous donner une preuve de la considération ex-
tréme avec laquelle j'ai l'honneur d'etre, Monsieur, votre tres humble et tres obeissant serviteur,
A. Roner.
(John Hughes 1772, I, 47 f.; Gentleman's Magazine,
März 1785, 165; Schoelcher 1857, 33 f.)

8. August 1711
Dienerbesoldungen bei Hofe. Musicanten.

Dem Neu angenommenen Capellmeister Georg
Friedrich Hendell sind Laut Gnädigster assigna-
tion vom 8. August 1711 und einhalts des unterm
16. Junii 1710 enthaltenen Patents jährlich beyge-
leget, auch von Johannis 1710 bis Johannis 1711
zum ersten mahl bezahlet 1000 Thlr.   [S. 393]
(Niedersächsisches Hauptstaatsarchiv, Hannover:
Kammer-Rechnungen, 76 C, Bd. 237. Doebner,
297 f.)

6. September 1711
The Post-Man

New Musick just published,
... The new Flute Master, the 7th Edit. ... with the
newest Aires both of Italian and English, particularly the Favourite Song Tunes in the Opera of Rinaldo, composed by Mr Hendel ... pr. 1s. 6d.
Printed for J. Walsh ... and J. Hare.
(Smith 1935 II)

13. September 1711
The Daily Courant

Just Publish'd. The most Celebrated Aires and Duets in the Operas of Rinaldo, Hydaspes and Almahide, curiously contrived and fitted for two Flutes
and a Bass with their Symphonies, introduced in a
compleat manner in three Collections. As also the
most celebrated Aires and Duets in the Opera of
Rinaldo, for a single Flute. Price 1s. 6d. All fairly
Engraven and Carefully Corrected. Printed for
J. Walsh ... and J. Hare.
(Smith 1935 II)

- Die Ausgaben wurden auch im *Post-Man* vom
9. Oktober 1711 angezeigt. Die Ausgabe für eine
Flöte bestand nur aus der ersten Flötenstimme der
Ausgabe für zwei Flöten und Basso continuo. Der
Komponist der Oper *Almahide*, die wie Mancinis
Hydaspes 1710 aufgeführt worden war, ist nicht be-
kannt; bisher wurde sie Giovanni Bononcini zuge-
schrieben (Loewenberg, Sp. 122 f.).

23. November 1711
Taufregister der Kirche „Zu Unser Lieben Frauen"
in Halle

23. Herr Doct. Jur. Michael Dietrich Michaelsen
1 Tochter Johanna Friderica nat. 20 huj. Pathen:
Frau Johanna Elisabeth gebohrne von Alemannin,
Herrn JohannFriedrich von Hornig Erbherrn auf
Zingst und Reinßdorff, königl. Pr. Cammerraths im
Herzogthum Magdeburg Gemahlin, - Herr Ge-
orge Friedrich Händel, churfl. hannoverscher
Hoff-CapellMeister, - Frau Friderica Amalia,
Herrn Oberambtmann Schwartzens von Oppin
ux. Vor die Frau von Hornigken stehet des Kindes
Frau GroßMutter Cammerdiener Händelin.
(Chrysander, I, 310)

- Händel kam zur Taufe seiner Nichte von Hannover nach Halle und sah bei dieser Gelegenheit
auch seine Mutter wieder. Bei Förstemann wird
das Geburtsdatum mit dem 26. November 1711
angegeben.

26. Dezember 1711
The Spectator

Mr. Spectator,
We whose Names are subscribed, think you the
properest Person to signify what we have to offer
the Town in Behalf of ourselves, and the Art
which we profess, Musick. We conceive Hopes of
your Favour from the Speculations on the Mis-
takes which the Town run into with Regard to
their Pleasure of this Kind. ... Musick ... must always have some Passion or Sentiment to express,
or else Violins, Voices, or any other Organs of
Sound, afford an Entertainment very little above
the Rattles of Children. It was from this Opinion
of the Matter, that when Mr. Clayton had finished
his studies in Italy, and brought over the Opera of
Arsinoe, that Mr. Haym and Mr. Dieupart, who
had the Honour to be well known and received
among the Nobility and Gentry, were zealously inclined to assist, by their Solicitations, in introducing so elegant an Entertainment as the Italian
Musick grafted upon English Poetry. For this End
Mr. Dieupart and Mr. Haym, according to their
several Opportunities, promoted the Introduction
of Arsinoe, and did it to the best Advantage so
great a Novelty would allow. It is not proper to
trouble you with Particulars of the just Complaints
we all of us have to make; but so it is, that without
Regard to our obliging Pains, we are all equally set
aside in the present Opera. Our Application
therefore to you is only to insert this Letter in
your Papers that the Town may know we have all
Three joined together to make Entertainments of
Musick for the future at Mr. Clayton's House in
York-Buildings. ... We aim at establishing some
settled Notion of what is Musick, at recovering
from Neglect and Want very many Families who
depend upon it, at making all Foreigners who pretend to succeed in England to learn the Language
of it as we ourselves have done, and not to be so
insolent as to expect a whole Nation, a refined
and learned Nation, should submit to learn
them.
We are,
Sir,
Your most humble Servants,
Thomas Clayton,
Nicolino Haym,
Charles Dieupart.
T.

- Dieser und ein zweiter, ebenfalls von Clayton,
Haym und Dieupart unterzeichneter Artikel
(vgl. 18. Januar 1712) wurden vermutlich von Richard Steele, dem Herausgeber des *Tatler*, verfaßt,
auf jeden Fall von ihm zum Druck befördert. Am
21. März 1711 hatte Joseph Addison, ausgehend
von *Arsinoe* und *Camilla*, über die italienische
Oper in England geschrieben, am 3. April über nationale Musik. Hier sprach er sich gegen die Verwendung des italienischen Rezitativs für englische
Texte aus (Chrysander, I, 300).
Die 1705 aufgeführte *Arsinoe* war zwar ein Pastic-

cio aus italienischen Arien, wurde aber als erste Oper vollständig in englischer Sprache gesungen. Die Musik zu *Camilla*, einer italienischen Oper von Antonio Maria Bononcini (Neapel 1696), die 1706 in Drury Lane aufgeführt wurde, hatte Haym eingerichtet. Die Oper war ziemlich erfolgreich und erlebte bis 1728 in England 113 Aufführungen (Loewenberg, Sp. 99). Thomas Clayton vertonte 1707 Addisons *Rosamond*, hatte aber keinen Erfolg.

Charles Dieupart war ein französischer Musiker und Komponist; Niccolò Francesco Haym, ein italienischer Librettist und Komponist, richtete später viele Operntexte für Händel ein.

Steele hatte auch Hughes aufgefordert, Drydens *Alexander's Feast*, das zum erstenmal 1697 von Jeremiah Clarke und später auch von Händel vertont wurde, für den englischen Komponisten Clayton zu bearbeiten. Dessen Komposition war am 29. Mai 1711 in den York Buildings in Villiers Street (Strand) aufgeführt worden.

Die folgende Übersicht verzeichnet alle Opern, die vor *Rinaldo* in London mit englischem oder italienisch-englischem Text aufgeführt wurden.

1705: *Arsinoe*, ins Englische übersetzt von Peter Anthony Motteux (Drury Lane Theatre)

1706: *Camilla*, Text von Silvio Stampiglia, ins Englische übersetzt von Owen Mac Swiney, Musik von Antonio Maria Bononcini, bearbeitet von Haym (Drury Lane Theatre)

The Temple of Love, Text von Motteux, Musik von Giuseppe Fedele Saggione

1707: *Rosamond*, Text von Addison, Musik von Thomas Clayton, die erste originale englische Oper (Drury Lane Theatre)

Thomyris, Text von Motteux, Musik von Alessandro Scarlatti, Giovanni Bononcini u.a., bearbeitet von Pepusch, mit italienischem und englischem Text aufgeführt (Drury Lane Theatre)

1708: *Love's Triumph*, Text von Ottoboni, übersetzt von Motteux, Musik von Carlo Francesco Cesarini, Francesco Gasparini u.a.

Pyrrhus and Demetrius, Text von Adriano Morselli, übersetzt von Swiney, Musik von Alessandro Scarlatti, bearbeitet von Haym

1709: *Clotilda*, Text von Giovanni Battista Neri, bearbeitet von Heidegger, Musik von Francesco Conti, Alessandro Scarlatti und Giovanni Bononcini, italienisch und englisch gesungen

1710: *Almahide*, Textdichter und Komponist unbekannt, italienisch gesungen mit Intermezzi in englischer Sprache

L'Idaspe fedele, Text von Giovanni Pietro Candi (?), Musik von Francesco Mancini

1711: *Etearco*, Text von Silvio Stampiglia, Musik von Giovanni Bononcini

Eine Anzeige von Walsh und Hare im *Daily Courant* vom 6. März 1711, die mit den Worten beginnt „There being now 11 Opera's in Italian and English" bezieht sich offenbar auf diese genannten Opern. Eric Walter White nennt in seinem Verzeichnis der wichtigsten von 1590 bis 1951 in England aufgeführten Opern zwei weitere und ein Intermezzo: *The British Enchanters, or, no magic like love*, am 21. Februar 1706 im Haymarket Theatre aufgeführt; Text von George Granville und Lord Lansdowne, der Komponist ist nicht bekannt; *Wonders in the sun, or, the kingdom of the birds*, am 5. April 1706 im Haymarket Theatre aufgeführt, Text von Thomas d'Urfey, Musik von Draghi, Eccles und Lully; *Prunella*, 12. Februar 1708, Text von Richard Estcourt, die Musik von verschiedenen unbekannten Komponisten.
(Loewenberg, Sp. 112 ff.; White 1951, 219)

1712

18. Januar 1712
The Spectator

Mr. Spectator,
You will forgive Us Professors of Musick if we make a second application to You, in Order to promote our Design of exhibiting Entertainments of Musick in York-Buildings. It is industriously insinuated that Our Intention is to destroy Operas in General; but we beg of you to insert this plain Explanation of our selves in your Paper. Our Purpose is only to improve our Circumstances, by improving the Art which we profess. We see it utterly destroyed at present; and as we were the Persons who introduced Operas, we think it a groundless Imputation that we should set up against the Opera it self. What we pretend to assert is, That the Songs of different Authors injudiciously put together and a foreign Tone and Manner which are expected in every Thing now performed amongst us, has put Musick it self to a stand; insomuch that the Ears of the People cannot now be entertained with any Thing but what has an impertinent Gayety, without any just Spirit; or a Languishment of Notes, without any Passion, or common Sense. We hope those Persons of Sense and Quality who have done us the Honour to subscribe, will not be ashamed of their Patronage towards us, and not receive Impressions that patronising us is being for or against the Opera, but truly promoting their own Diversions in a more just and elegant Manner than has been hitherto performed.
We are, Sir,
Your most humble servants,
Thomas Clayton, Nicolino Haym, Charles Dieupart.
There will be no Performances in York-Buildings, until after that of the Subscription.
T.

Vgl. 26. Dezember 1711

21. Januar 1712
The Spectator

At the Queen's Theatre in the Hay-Market, on
Wednesday next, being the 23d of January, will be
performed an Opera call'd Rinaldo. The Part of
Argantes to be perform'd by Mr. [Salomon] Bendler, newly arrived, the Part of Godofredo [sic] by
Signora Margarita de L'Espine, the Part of Eustacio by Mrs. Barbier.

- Rinaldo wurde am `23. Januar wiederaufgenom-
men. Wiederholungen: 26. und 29. Januar, 7., 9.,
13. und 23. Februar sowie 6. März und 1. April
1712.
Bendler trat in keiner späteren Händel-Oper auf.
Francesca Margherita de L'Épine (l'Éspine oder
l'Éspini), genannt La Margherita, sang 1712 und
1713 bei Händel. 1718 heiratete sie den Komponisten Pepusch. Jane Barbier, eine Altistin, die an
die Stelle von Signor Valentini getreten war, sang
ebenfalls 1712 und 1713 bei Händel. Nicolini als
Rinaldo und Signora Pilotti als Armida behielten
ihre Rollen, Almirena wurde jetzt von Signora Manina gesungen. Die Vorstellungen begannen um
sechs Uhr, anscheinend die normale Anfangszeit.
Der Aufenthalt auf der Bühne war nicht gestattet:
„No Person to stand on the Stage", oder „By her
Majesty's Command no Persons are to be admitted
behind the Scenes".
Vor der Wiederaufnahme des Rinaldo wurde am
12. Dezember 1711 die Oper Antioco (Text: Apostolo Zeno, Musik: Francesco Gasparini) im
Haymarket Theatre aufgeführt, deren Libretto
Heidegger der verwitweten Gräfin Burlington
widmete. Am 27. Februar 1712 folgte L'Ambleto
(Text: Apostolo Zeno, Musik: Francesco Gaspa-
rini), am 3. Mai Hercules (Text: Giacomo Rossi,
Komponist unbekannt) und am 25. Mai 1712 die
letzte Neuinszenierung der Saison und für lange
Zeit die letzte englische große Oper, Calypso and
Telemachus (Text: John Hughes, Musik: John Er-
nest Galliard).

Ostern 1712
Dienerbesoldungen bei Hofe [Hannover]. Musicanten.

Von Ostern 1711 biß Ostern 1712 dem Capellmeister Georg Friedrich Hendel gantzjährig von Johannis 1711 biß Johannis 1712 1000 Thlr., wovon
ihm aber der Invaliden Abzug als 83 thlr. 12 mgr.,
welcher im vorigen Jahre hätte decoutiret werden
müßen, gekürtzet und also nur gezahlet 916 Thlr.
24 gr.

[S. 416]
(Niedersächsisches Hauptstaatsarchiv, Hannover:
Kammer-Rechnungen, 76 C, Bd. 237. Doebner,
298 f.)

Spätherbst 1712
Händel kehrt nach London zurück.

„Am Ende des 1712ten Jahres gaben Se. Churfürstl. Durchl. ihm Urlaub, einen zweyten Besuch
in England abzulegen; mit dem Bedinge, sich nach
Verlauff einer geziemenden Zeit wieder einzustel-
len."
(Mainwaring/Mattheson, 68)

- Der Brief von Brandshagen an Leibniz vom
21. Oktober kann wohl als Bestätigung von Burrows' (1981, 60ᵛ) Annahme angesehen werden,
daß Händel Hannover Mitte Oktober verließ, als
sich, wie alljährlich um diese Zeit, der kurfürstliche Hof zur Jagd nach Göhrde begab.
Händel wohnte zuerst bei einem Mr. Andrews aus
Barn-Elms in Surrey, der auch ein Haus in der
City besaß. Einer anderen Einladung folgend, zog
er 1713 oder 1714 in das Haus der Burlingtons in
Piccadilly, wo die verwitwete Gräfin Juliana mit Richard, Earl of Burlington, wohnte. Dort blieb er
mindestens drei Jahre.
Vgl. 25. September 1717

21. Oktober 1712
J. D. Brandshagen aus London an Gottfried Wilhelm Leibniz

Die Signora Pilota ist noch nicht über kommen, u.
weilen mir der Hannoversche Capellmeister
Hr. Händel sagete, daß sie schon auf der reise u.
sehr verlanget, weilen die Opera balt angehen
würden, war ich willens meine antwordt biß auf
dero überkunfft zu verffahren, alleine der Freundt
R. A. davon vorhero eine Schrifft übersendet, hat
mir diesen nachmittag einliegenden Brieff an Ihre
Churfürstl. Durchl. gegeben mit bitten solchen so
balt möglich überzusenden, welches dan auch
nicht versäumen wollen, u. weilen die Zeit zu
kurtz (indem die Post nach Hollandt diesen abent
abgehet), muß ich die andern sachen biß künfftig
wan die Sign. Pilota ist überkommen, anstehen
lassen, zu schreiben.
(Niedersächsische Landesbibliothek, Hannover,
Handschriftenabteilung: L. Br. 97, Bll. 97 f. Burrows
1981, I, 60v und 61)

- Elisabetta Pilotti-Schiavonetti hatte in Händels
Rinaldo gesungen (vgl. 24. Februar 1711) und
wirkte wieder in Händels nächster Oper Il Pastor
fido mit (vgl. 22. November 1712).

24. Oktober 1712
Händel beendet die Oper Il Pastor fido (The Faithful
Shepherd).
Eintrag in der autographen Partitur (R.M.20.b.12.):
„Fine dell'Atto terzo G F H Londres ce 24 d'Oc-
tobr. v. st. 1712".

12. und 15. November 1712
Il Trionfo d'Amore, ein Pasticcio, wird im Opernhaus am Haymarket aufgeführt, offensichtlich, um eine Lücke vor der ersten Aufführung von Händels neuer Oper zu schließen.

20. November 1712
The Spectator

Never Perform'd before.
At the Queen's Theatre in the Hay-Market, on Saturday next, being the 22d Day of November, will be presented a new Opera call'd The Faithful Shepherd. Compos'd by Mr. Hendel. The Parts to be performed by Signior Cavaliero Valeriano Pellegrini, Signor Valentino Urbani, Signiora Pilotti Schiavonetti, Signiora Margaretta de l'Epine, Mrs. Barbier and Mr. Leveridge.

22. November 1712
Erste Aufführung von *Il Pastor fido*.
Besetzung:
Mirtillo - Valeriano Pellegrini, Sopran
Amarilli - Elisabetta Pilotti-Schiavonetti, Sopran
Eurilla - Francesca Margherita l'Epine, Sopran
Silvio - Valentino Urbani, Alt
Dorinda - Mrs. Barbier, Alt
Tirenio - Richard Leveridge, Baß

- Valeriano Pellegrini, „Cavaliere della Croce di San Marco", hatte in Händels *Agrippina* (Venedig 1709/10) den Nerone gesungen. Er blieb bis 1713 in London. Valentino Urbani war nach kurzer Abwesenheit wieder nach London zurückgekehrt. Richard Leveridge, geboren 1670, sang auch 1713 bei Händel.
Wiederholungen: 26. und 29. November, 3., 6. und 27. Dezember 1712 und 21. Februar 1713.
Das Libretto stammte von Rossi (nach Battista Guarinis Schäferdrama *Il Pastor fido*, 1585), der es am 12. November 1712 „Signora Anna Cartwright" widmete.
Anne Cartwright aus Ossington heiratete ihren Vetter William Cartwright aus Marnham, und wurde die Mutter von John Cartwright, dem politischen Reformator, und von Edmund Cartwright, dem Erfinder des mechanischen Webstuhls.
In dem gedruckten Textbuch wird Händel wieder als „Maestro di Capella di S. A. E. d'Hannover" bezeichnet.

26. November 1712
Francis Colman, Opera Register

The Stage & Scenes at ye Opera Theatre in ye Haymarket, having been altered & emended during ye vacant Season. They open'd ye House Novr ye 26th 1712 with a New Pastorall Opera called The Faithful Shepherd. ye musick composed by Mr Hendel. ye parts performed by following Singers Sig^r Cav. Valeriano Pellegrini. ye first time of his performing on this Stage. Sig^r Valentino Urbani. returned again from Italy. Sig^ra Pilotta Schiavonetti. Sig^ra Margarita Del'Epine. Mr^s Barbier. Mr Leveridge. all sung in Italian. This was not by Subscription, but at ye usuall Opera Prices of Boxes 8s Pit. 5s Gallery 2s 6d. The Scene represented only ye Country of Arcadia ye Habits were old. - ye Opera Short.
(Sasse 1959, 200f.)

- Mit dieser Eintragung beginnt das in der British Library aufbewahrte, Francis Colman, dem Schauspieldichter und späteren außerordentlichen Botschafter in Florenz, zugeschriebene *Opera Register*. Die Händel betreffenden Mitteilungen wurden in der Zeitschrift *The Mask* im Juli 1926 und Januar 1927 abgedruckt, berichtigt von Babcock in *Music & Letters*, Juli 1943. Das vollständige Register veröffentlichte Konrad Sasse im Händeljahrbuch 1959, 199ff.

10. Dezember 1712
Francis Colman, Opera Register

Dec. 10th Wensday. was performed a new Pastorall Opera called Dorinda. The musick of this is taken out of Severall Italian opera's by Nic^o Haym. In this Sig^ra Margarita had no part. ye other Singers ye Same as in ye former. ye Same Scene & Habits also & ye Same prices. & was performed 4 times on ye Opera dayes successively.
(Sasse 1959, 201)
- Die „frühere" Oper war *Il Pastor Fido*.

19. Dezember 1712
Händel beendet seine Oper *Teseo*.
Eintrag in der autographen Partitur (R.M.20.c.12.):
„Fine del Drama à Londres G F H ce 19 de Decembr 1712".

1713

10. Januar 1713 (I)
Im *Daily Courant* wird das Libretto von *Teseo* angekündigt.

- Verfasser des Textes war Niccolò Francesco Haym; er widmete das Textbuch Richard Boyle, 3. Earl of Burlington, 4. Earl of Cork (1695–1753), in dessen Haus Händel seit 1713 oder 1714 wohnte. Händel wird wieder als „Maestro di Capella di S. A. E. di Hannover" bezeichnet.

10. Januar 1713 (II)
Teseo wird im Haymarket Theatre zum erstenmal aufgeführt.

- Wiederholungen: 14., 17., 21., 24. und 28. Januar, 4., 11., 14. und 17. Februar, 17. März, 18. April und 16. Mai.

Besetzung:
Teseo - Valeriano Pellegrini, Sopran
Agilea - Margherita de L'Epine, Sopran
Medea - Elisabetta Pilotti-Schiavonetti, Sopran
Egeo - Valentino Urbani, Alt
Clizia - Maria Gallia, Sopran
Arcane - Mrs. Barbier, Alt
Fedra - Maria Manini, Sopran
Minerva - Richard Leveridge, Baß

Maria Gallia - nach Burney die Schwester von Margherita de L'Epine - war Anfang des 18. Jahrhunderts aus Italien gekommen und am 1. Juni 1703 erstmals in London aufgetreten. Seit 1706 war sie mit dem Komponisten Giuseppe Fedele Saggione verheiratet. Chrysander (I, 384) nennt an ihrer Stelle Vittoria Albergatti, die jedoch erst am 26. Februar auftrat.

14. Januar 1713

Händel beendet ein Tedeum, später als *Utrecht Te Deum* bezeichnet, da es zur Feier des Utrechter Friedens am 7. Juli 1713 in der St. Paul's Cathedral zum erstenmal aufgeführt wurde.
Eintrag in der autographen Partitur (R. M. 20. g. 5.): „S. D. G. G. F. H. Londres ce 14 de Janv. v[ieux] st[yle] a 1712".

Januar 1713
Francis Colman, Opera Register

neither of these two Opera's [*Il Pastor fido* und *Dorinda*; vgl. 22. November und 10. Dezember 1712] produced full Houses. Mr O. Swiny ye Manager of ye Theatre was now setting out a new Opera, Heroick. all ye Habits new & richer than ye former with 4 New Scenes, & other Decorations & Machines. Ye Tragick Opera was called Theseus, ye Musick composed by Mr Hendel. Maestro di Capella di S. A. E. D'Hannover.
The Singers.
il Sig^r Valentino.
la Sig^{ra} Margarita, ed la Sua Sorella.
il Sig^r Valeriano.
la Sig^{ra} Pilotta.
Mrs Barbier.
ye Opera being thus prepared Mr Swiny would have got a Subscription for Six times, but could not. - he then did give out Tickets at half a Guinea each, for Two Nights ye Boxes lay'd open to ye Pit. ye House was very full these two Nights.
Jan^{ry} 10th Saturday.   Theseus ye first time$^{1/2}$
          Gui[nea]
     14   Wensday. D^o ye 2nd $^{1/2}$ Guin[ea]
after these Two Nights Mr Swiny Brakes & runs away & leaves ye Singers unpaid ye Scenes & Habits also unpaid for. The Singers were in Some confusion but at last concluded to go on with ye Opera's on their own accounts, & devide ye Gain amongst them.
(Sasse 1959, 201 f.)

- Swiney ging nach Italien; nach ihm übernahm Heidegger die Direktion.

17.-31. Januar 1713
Francis Colman, Opera Register

Jan^{ry} 17th Sat^d They perform'd ye Opera Theseus at ye usuall Opera prices.
Jan^{ry} ye 21th 24th & 28th ye Same again.
ye House was better filled at this than at ye former Two Opera's. having perform'd it now Six times Successively. - for variety on Jan^{ry} 31. Sat. they perform'd Dorinda.
(Sasse 1959, 202)

24. Januar 1713
The Daily Courant

This present Saturday ... the Opera of Theseus composed by Mr. Hendel will be represented in its Perfection, that is so say with all the Scenes, Decorations, Flights, and Machines. The Performers are much concerned that they did not give the Nobility and Gentry all the Satisfaction they could have wished, when they represented it on Wednesday last [21. Januar], having been hindered by some unforseen Accidents at that time insurmountable.

13. Februar 1713
Anweisung an den Schatzmeister des Queen's Theatre

Whereas, there remains in your hands the Sume of One hundred Sixty two pounds Nineteen Shillings being the clear receipt of the Opera Since Mr Swiney left the House I do hereby direct you to pay the said Sume of One hundred Sixty two pounds Nineteen Shillings to the following psons in proportion to their Sev^{ll} contracts made wth Mr Swiney Sin^r Valeriano, Sin^r Valentini Sini^{re} Pilotta and her husband, Sig^{re} Margerita, Mrs Barbier, Mrs Manio, Mr Hendell, Mr Heidegger, wch Method of paym^t You are to Observe in the clear receip^{ts} of the Opera which shall hereafter come into your hands But whereas Sign^r Valentini and Signr^a Pillotta have already receiv'd some Money from Mr Swiney in part of their contract, you are not to pay them out of these receipts till ye rest are paid their contracts in proportion to what they have been paid.
T. Coke [?]
(Public Record Office, L. C. 7/3, No. 52. Nicoll 1925, 285)

- „Mrs. Manio" ist Maria Manini (Manina). Falls die Unterschrift dieser Anweisung tatsächlich „T. Coke" lautet, stammt sie von dem stellvertretenden Oberhofmeister.

15. Februar 1713 (I)
Agrippina wird in Neapel mit Einlagen von Francesco Mancini (Text vermutlich von Andrea del Pò) aufgeführt.
(Loewenberg, Cambridge 1943, S. 62)
Vgl. Ende Dezember 1709/Anfang Januar 1710

15. Februar 1713 (II)
Vorrede im Textbuch zu *Agrippina*, Neapel 1713

Amico Lettore.
In questo Drama, ch'è di ben degno Autore, è convenuto aggiungersi le Scene buffe, e per conseguenza la necessità ha portato, che si avesse ad accorciare, con esservisi ancora aggiunte, e tolte molte arie per accomodarsi al nuovo ordine di sceneggiare, che si è tenuto.
La Musica, secondo si rappresentò in Venezia nell'anno 1709, fù del Sig. Giorgio Enrico Hendel, detto il Sassone; ed ora, che si è variato in qualche parte il Drama, vi si son poste molte arie del Sig. Francesco Mancini, Vice Maestro della Real Cappella di Napoli, le quali si distinguono con questo segno §, ed anche dal medesimo Mancini sono state poste in Musica tutte le Scene buffe; con espressa protesta, che non per altro si son fatte l'arie nuove, e si sono mutate di tuono molte altre, che per accomodarsi al gusto de Signori Cantati, ed anche perche l'ha portato il bisogno per essersi accomodato il Drama nella forma sudetta. Avvertisci similmente, che le parole della prima aria di Zaffira, nella Scene ultima dell'Atto Secondo, e proprio quella, che dice „Ogni Donna è pazza, e stolta", etc., sono d'un degnissimo Autore, e vi son poste per compiacere à chi le canta, vivi felice.
(Conservatorio di Musica di S. Pietro a Majella, Neapel, Lib. V-XI-XXVII)

– Der Titel lautet: *Agrippina / Drama per Musica / Da rappresentarsi nel Teatro di S. Bartolomeo nel presente Carnevale dell' Anno 1713 Consecrato All'Eccellentissima Signora Camilla Barberini Borromeo / Vice Regina in questo Regno.*

25. Februar 1713
The Daily Courant

For the Benefit of Mr. Rogier.
At the Dancing-School, the Two Golden Balls, the upper End of Bow-street, Covent-Garden, …Wednesday, the 25th of February, will be Perform'd an extraordinary Consort of Vocal and Instrumental Musick, by all the Masters belonging to the Opera. To begin at 7 of the Clock. Tickets … 5s. …

– Über Mr. Rogier ist nichts bekannt. Händel war vermutlich einer der „Masters", die bei dem Konzert mitwirkten.

26. Februar 1713
Francis Colman, Opera Register

Mons. John James Heidegger, managed both this [Ernelinda] & ye former Opera [Il Pastor Fido?] for ye Singers …
The Singers were Sig^r Valentino: la Sig^ra Margarita: la Sig^ra Pilotta: Mrs Barbier: Sig^r Valeriano: la Sig^ra Vittoria Albergotti. newly arrived & ye first time of her Singing on this Stage she is a Romana.
(Sasse 1959, 202f.)

– Heidegger widmete das Libretto des Pasticcios *Ernelinda* (Komponist unbekannt) Richard Lowther, 2. Viscount Lonsdale (gest. 1713), und erbat seinen Schutz „at a time when we labour under so many unhappy circumstances … By these means, we may retrieve the reputation of our affairs, and in a short time rival the stage of Italy".
(Kelly, II, 345)

3. März 1713
The Daily Courant

For the Benefit of Signora Celotti.
An extraordinary Consort of Vocal and Instrumental Musick is to be Performed at Stationer's-Hall, to Morrow being Wednesday, the 4th of March, at 6 a Clock, by the best Hands of the Opera. Tickets … at 2s. 6d. each.

– Vermutlich gehörte auch Händel zu den Mitwirkenden. Die Buchhändler-Börse wurde gelegentlich für Konzerte benutzt.

7. März 1713
Dawk's News-Letter

A Te Deum, Composed by Mr. Hendel, which is to be perform'd on the Day of Thanksgiving for the Peace at St. Paul's, was Rehearsed there on Thursday last [5. März], and this Afternoon [7. März], where was present many Persons of Quality of both Sexes; it is much Commended by all that have heard the same, and are competent Judges therein.
(Burrows 1981, I, 102)
Vgl. 14. Januar und 7. Juli 1713

17. März 1713
Hamburger Relations-Courier

London, 24. Februar 1713
Durch Endigung des Kriegs ist der Friede wieder restituiret worden … Überdem hat man eine neue Sort von ein Te Deum mit denen Noten des berühmten Musici Hendel auffgesetzet/welches alsdann gesungen werden soll.
(Becker 1956, 34)
Vgl. 7. Juli 1713

19. März 1713
The Evening Post

This Day the Te Deum (to be sung when the Peace is proclaim'd) was rehearsed at the Banqueting House at Whitehall, where abundance of the Nobility and Gentry were present.

– *Dawk's News-Letter* vom gleichen Tag fügte hinzu, die Musik "gives wonderful Satisfaction, being universally Admired".
(Burrows 1981, I, 101v, 102)

21. und 24. März 1713
Francis Colman, Opera Register

March 21. Sat^d Dorinda, wth ye Addition of a Serenata of 8 Aires composed by Sig^r Albinoni
24.   they gave out in ye printed Bills that they would revive ye Opera of Rinaldo, but by Some accident it was put off, & no Opera perform'd this day.
(Sasse 1959, 203)

– Der Komponist des Pasticcio *Dorinda* ist unbekannt. Die „printed Bills" waren die Anzeigen im *Daily Courant* vom 23. und 24. März. *Rinaldo* wurde erst am 9. Mai 1713 wieder aufgeführt. Der Grund für die Verschiebung könnte eine Erkrankung Valerianos gewesen sein.

3. April 1713
Hamburger Relations-Courier
London, 6. März 1713

Gestern geschahe eine Probe des neulich gedachten von Mr. Händel componirten Lob-Gesanges / welches auff den Tag der Friedens-Verkündigung in der St. Pauls Kirche / und wobey die Königin gegenwärtig seyn wird / abgesungen werden soll.
(Becker 1956, 35)
Vgl. 7. Juli 1713

4. April 1713
The Guardian

New Musick just Published for the Flute, The fourth Book of the Flute-Master improved, containing the most perfect Rules, and easiest Instructions for Learners, with ... Mr. Hendle's choicest Arriets in the last new Opera's, pr. 1s. 6d. ... Printed for L. Pippard at Orpheus next Door to Button's Coffee-house in Russel-street, Covent Garden.

11. April 1713
Hamburger Relations-Courier
London, 20. März 1713

Gestern geschahe in der Capelle zu Withal eine abermalige Repetition des neuen Ambrosianischen Gesangs: Te Deum Laudamus, welches am Danck-Tage vor den Frieden in der Sanct Pauli Haupt-Kirche / soll abgesungen werden: Es war ein großer Zulauff von Menschen / und mußte jeder der darin wolte / eine halbe Guinee vor seine Persohn geben.
(Becker 1956, 35)
Vgl. 7. Juli 1713

15. und 18. April 1713
Francis Colman, Opera Register

April 15th Wensday. Theseus was design'd to be perform'd, but finding they could not get Company sufficient, it was put off untill the
18th Sat^d   Theseus. was perform'd. tho a thin House
(Sasse 1959, 204)

– Die Aufführung wurde auch im *Daily Courant* angezeigt.

6. Mai 1713
The Daily Courant

At the Queen's Theatre in the Hay-Market ... Wednesday, the 6th of May, will be Revived an Opera called, Rinaldo. With all the proper Scenes and Machines. The Part of Godofredo by Signora Margaretta, Argantes by Mr. Leveridge, Rinaldo by Mrs. Barbier, Eustacio by Signor Valentini, Armida by Signora Pilotti, Almirena by Signora Manina.
Vgl. 24. Februar 1711 und 21. Januar 1719

9. Mai 1713
Francis Colman, Opera Register

[May] 9th Rinaldo. was revived for Mrs Barbier's Benefit. She perform'd ye part of Rinaldo.
(Sasse 1959, 205)

– Der Gewinn für Mrs. Barbier betrug nur 15 £ (vgl. Mitte 1713).

11. Mai 1713
The Daily Courant

For the Benefit of Mr. Hendel.
At the Queen's Theatre in the Hay-Market, on Saturday next, being the 16th of May, will be Represented the Opera of Theseus. Not in all its former Perfection, viz. As Scenes, Flights and Decorations; but with an Addition of several New Songs, and particularly an Entertainment for the Harpsichord, Compos'd by Mr. Hendel on purpose for that Day. The Boxes and Pit to be put together, and no Person to be admitted without Tickets, which will be deliver'd ... at Half a Guinea each. Boxes upon the Stage 15s. Gallery 4s.

– Der Druckfehler „Not in" statt „Not only in" wurde am folgenden Tage berichtigt (vgl. 12. Mai 1713).

12. Mai 1713
The Daily Courant

For the Benefit of Mr. Hendel.
At the Queen's Theatre... the 16th of May... Theseus. Composed by Mr. Hendel. Not only in all its
former Perfections, as Scenes, Flights, Machines,
and Decorations. ... N. B. In Yesterday's Courant,
in the Advertisement of this Opera, by the Fault
of the Writer of that Advertisement, it was said
that this Opera would be Represented Not in all
its Perfection, etc. whereas it should have been
said, Not only in all its Perfections, etc. but etc.

15. Mai 1713
Francis Colman, Opera Register
[May] 15 Theseus for ye Benefit of Mr Hendel, ye
Composer. Here ended ye Operas for this Sea-
son.
(Sasse 1959, 205)

- Tatsächlich fand die Aufführung erst am 16. Mai
1713 statt. Händel nahm 73 Pfund 10 Schilling
11 Pence ein (vgl. Mitte 1713).

5. Juni 1713
Schreiben des hannoverschen Residenten Kreyenberg an den kurfürstlichen Hof in Hannover

Londres le $\frac{5}{16}$ Juin 1713

Je vous ay ecrit il y a quelques jours sur le sujet de
Mr. Hendel, que comme S. A. E. etoit resolüe de le
casser, il s'y soumettoit et qu'il ne souhaittoit rien
sinon que l'affaire se fit de bonne grace, et qu'on
luy donnat un peu de tems pour entrer ici au service de la Reyne, aussi me semble-t-il par vos lettres que c'etoit la l'intention genereuse de S. A. E.
mais du depuis Mr de Hattorf a fait scavoir à
Mr Hendel par Mr de Kielmansegge que S. A. E.
l'avoit cassé de son service, et qu'il n'ent qu'à aller
ou il luy plairoit, de sorte qu'il a eu son congé
d'une maniere qui le mortifie beaucoup. Je vous
avoüe franchement, que Mr Hendel n'est rien à
moi, mais il faut que je dise en méme tems, que si
on m'avoit laissé faire pendant quelques semaines,
j'aurois pû mener toute l'affaire à la satisfaction de
S. A. E. et de Hendel et même à l'avancement du
service du maitre, puisque le Medecin confident
de la Reyne [Dr. John Arbuthnot], homme d'importance, étant son grand patron et amy, et l'ayant
jour et nuit chez lui, il auroit pu etre d'une fort
grande utilité, méme il l'a été déja plusieurs fois,
en m'informant des circonstances qui m'ont souvent eclairci sur l'etat de la santé de la Reyne. Ce
n'est pas que ce Medecin luy dise justement, com-
ment cela va, mais e.g. lorsque j'ai scû par quelque
assez bon canal, que la Reyne etoit mal, il a sceu
me dire, par exemple qu'une belle nuit le medecin
avoit couché dans la maison de la Reyne et ces

sortes de circonstances, qui jointes avec d'autres,
dont on est informé d'ailleurs, ne laissent pas de
donner quelque eclaircissement; car il faut que
Vous sachiez que nos Whigs scavent presque jamais rien de la sante de la Reyne. Comme Elle
n'est de rien si avide, que d'entendre des histoires
de Hannover, il peut la satisfaire à cette heure,
puisqu'il scait beaucoup de choses; vous m'enten-
dez bien quelles histoires je voux dire. On les ra-
conte aprés à quelques Ecclesiastiques graves, ce
qui fait un merveilleux effet. Peut-étre que Vous
Vous moquerez de tout cela, mais je le regarde
autrement. J'ai fait en sorte que Hendel ait ecrit
une lettre à Mr de Kielmansegge pour en sortir de
bonne grace, et j'ai laissé tomber quelques paroles
pour Luy faire connoitre, que S. A. E. venant un
jour ici, il pourra rentrer dans son Service. ...
(Niedersächsisches Hauptstaatsarchiv, Hannover:
Dep. 103 I 148, Bll. 135f.; Abschrift von Jean Ro-
bethon)
Vgl. Spätherbst 1712 und 28. September 1714

- Der Brief bestätigt, daß Händel nicht bei Kurfürst Georg Ludwig in Ungnade gefallen war.

9. Juni 1713
Nach dem Ende der Saison wurde im Queen's
Theatre am Haymarket ein Benefiz-Konzert für
Anastasia Robinson gegeben, in dem sie und Va-
lentini verschiedene Opernarien, Duette und Kan-
taten „of the best Masters, never Sung before" san-
gen.
(*Daily Courant*; Burney, II, 690)

- Möglicherweise standen auch Werke Händels
auf dem Programm. Anastasia Robinson
(1695–1755), Tochter eines Malers, heiratete 1722
heimlich Charles Mordaunt, 3. Earl of Peterborough (1658–1735) und verließ 1724 die Bühne
(vgl. 27. November 1723). Ihre Schwester Elisabeth war mit Dr. Arbuthnots Bruder verheiratet.

16. Juni 1713
Zweites Konzert von Anastasia Robinson im
Queen's Theatre „with a new cantata and several
Opera Songs, never Sung by her in Publick" (*Daily
Courant*).

Juni 1713
Silla wird möglicherweise privat im Haus des Earl
of Burlington aufgeführt.

- Chrysander vermutet als Zeit der Aufführung
1714 (I, 416). Da Graf Burlington sich vom November 1714 bis Januar 1715 in Italien aufgehalten
haben soll, vermutet Loewenberg als Aufführ-
ungstermin Frühjahr 1715 (*Music & Letters* 1939,
466f.). Das gedruckte Libretto enthält eine mit
2. Juni 1713 datierte Widmung des Librettisten
Giacomo Rossi an Louis-Marie D'Aumont Roche-

baron, Botschafter Ludwigs XIV. für die Friedens-
verhandlungen in London.
Vermutliche Besetzung:
Silla – Valentino Urbani, Alt
Lepido – Valeriano Pellegrini, Sopran
Claudio – Mrs. Barbier, Alt
Metella – Margherita de L'Epine, Sopran
Flavia – Elisabetta Pilotti-Schiavonetti, Sopran
Celia – Vittoria Albergatti, Sopran
Il Dio – Richard Leveridge, Baß
(Knapp 1969)

Mitte 1713
Aufzeichnungen Heideggers

	£	s.	d.
M. Long	150	0	0
M. Potter	72	0	0
Mr. Hendel	50	0	0
Sig. Nicolini	50	0	0
Pilotti	50	0	0
The Instruments	50	0	0
Sig. Valentini	38	0	0
£ 460	0	0

to Signora Galerati	50	0	0
to Signor Angel	37	0	0
	547	0	0

Galerati 41-12-6
Charges of ye H 100
Potter for S. 73   214 12 6

                              761 12 6

Mr Hendel   50

                              761
                               50
                              ———
In all   811

Signora Margaritta in the first division	£ 80	s. 0	d. 0
In the second	25	0	0
Her benefitt [25. April 1713]	76	5	8
Remains due to her	218	14	4
£ 400	0	0

Mrs. Barbier has received: –

	£	s.	d.
In the first division	60	0	0
In the second	18	15	0
Her benefitt [9. Mai 1713]	15	0	0
Remains due to her	206	5	0
£ 300	0	0

Mr. Hendel has received: –

	£	s.	d.
In the first division	86	0	0
In the second	26	17	0
His benefitt day [16. Mai 1713]	73	10	11
Remains due	243	12	1
£ 430	0	0

Signora Manina received: –

	£	s.	d.
In the first division	20	0	0
In the second	6	5	0
Remains due to her	73	15	0
£ 100	0	0

Signr. Valeriano has received: –

	£	s.	d.
In the first division	129	0	0
In the second	40	6	0
His benefitt day [2. Mai 1713]	73	19	0
Remains due to him	401	15	0
£ 645	0	0

Signora Pilotti has received: –

	£	s.	d.
In the first division	89	5	0
In the second	27	14	0
From Mr. Swiney	53	15	0
Her benefitt day [28. April 1713]	75	7	3
Remains due to her	255	18	9
£ 500	0	0 [sic]

Signr. Valentini has received: –

	£	s.	d.
Of Mr. Swiney	107	10	0
In the first division	86	0	0
In the second	26	17	0
His benefitt day [11. April 1713]	75	8	5
Remains due to him	241	14	7
£ 537	10	0

Remains due to

Valeriano	401	15	0
Pilotti	255	18	9
Valentini	241	14	7
Margarita	218	14	4
Barbier	206	05	0
Hendel	243	12	1
Manina	73	15	0
Total Remaining due	1641	14	9

Received in Money
& Benefit days   1 272   15   3
                                  ─────────────
                                  2 914   10   0
my own 11¹/₂ gsh

Has been paid	in Money	Benefits	Total		
to Valeriano	169 6 0	73 19 0	243 5	0	
Pilotti	170 14 0	75 07 3	246 01	3	
Valentini	220 07 0	75 08 5	295 15	5	
Margarita	105 00 0	76 05 8	181 5	8	
Barbier	78 15 0	15 00 0	93 15	0	
Hendel	112 17 0	73 10 11	186 07	11	
Manina	26 05 0		26 05	0	

883 04 0 389 11 03 1 272 15   3
389 11 3

1 272 15 3

(Houghton Library, Harvard University. Cummings
1914, 56 ff.; Milhous/Hume, 199 ff., 237 f.)

- Cummings datierte dieses Dokument, das sich
unter Thomas Cokes Papieren befand, auf 1711.
Der erste Abschnitt (bis zur Rechnung für Signora
Margherita) bezieht sich wahrscheinlich erst auf
1714/15, weil hier auch Nicolini genannt wird, der
1712 England verlassen hatte, 1715 aber wieder in
London sang.
Die Bedeutung von „division" ist nicht ganz klar.
Smith (1948, 37) versteht darunter mehrere ver-
einbarte Auszahlungen von Einnahmen oder Gewinnen. Cokes Anweisungen scheinen jedoch keinen Zweifel darüber zuzulassen, daß es sich um
Zahlungen oder Gutschriften von vertraglich fest-
gelegten Honoraren oder Gehältern handelte, die
wahrscheinlich in zwei Raten fällig waren.
(Cummings 1914, 56 ff.)

2. Juli 1713
The Post Boy

Her Majesty, accompanied by the Houses of Lords
and Commons, goes the 7th to St. Paul's, being the
day appointed for the thanksgiving.
(Schoelcher 1857, 37)

4. Juli 1713
The Post Boy

Her Majesty does not go to St. Paul's, July the 7th,
as she designed, but comes from Windsor to
St. James's, to return thanks to God for the blessings of peace.
(Schoelcher 1857, 37)

7. Juli 1713 (I)
The Flying Post

Her Majesty has signified Her Pleasure, that She
does not inted to go this Day to St. Paul's, but designs to return Thanks to God for the Peace in
Her own Chappel.

7. Juli 1713 (II)

Aufführung von Händels Utrecht Te Deum (vgl. 14.
Januar 1713) und Jubilate in der St. Paul's Cathedral mit den Sängern Richard Elford (Alt), Francis
Hughes (Tenor), Bernard Gates und Samuel
Wheely (Baß) zur Feier des Utrechter Friedens
zwischen Frankreich, England und den Niederlan-
den.

- Königin Anna konnte aus gesundheitlichen
Gründen der Aufführung nicht beiwohnen.
Richard Elford (gest. 1714) kam Anfang des
18. Jahrhunderts als Theatersänger nach London.
Ab 1702 war er Altist an der Königlichen Kapelle.
Francis Hughes (gest. 1744) gehörte ihr seit September 1708 an, Bernard Gates (um 1685–1773)
seit 1700 als Knabensänger und seit 1708 als Gentleman. Samuel Wheely (Weely; gest. 1743) war
Bassist an der St. Paul's Cathedral und seit 1734
Gentleman der Königlichen Kapelle. Von 1713 bis
1743 wurden Händels Utrecht Te Deum und Jubilate
abwechselnd mit Henry Purcells Te Deum und Jubilate am Cäcilien-Tag und bei anderen Gelegenheiten in der St. Paul's Cathedral aufgeführt; dann
löste Händels Dettingen Te Deum beide ab.

28. Dezember 1713

Königin Anna gewährt Händel eine Pension von
jährlich 200 £.
(Public Record Office: T 52/25, S. 380. Burrows
1981, I, 153)

- Unter Königin Anna erhielt Händel vierteljährlich 50 £, unter Georg I. jährlich 200 £. Die erste
Zahlung unter Georg I. erfolgte am 12. August
1715 (Burrows 1981, I, gegenüber 154)

1713

Johann Mattheson, Das Neu-Eröffnete Orchestre,
Hamburg 1713

Indessen glaubet mir / ihr Meister von großer Suf-
fisance, so viel eurer mir bekannt sind / einen
eintzigen ausgenommen / man kan euch einen
Baß vorlegen / der gar nicht bunt seyn soll; er soll
gantz langsam gehen; aus halben Schlägen / Vier-
teln und Achteln bestehen; dabey auch accuratis-
simè beziefert seyn; und wenn ihr sine haesita-
tione, die 5. ersten / ja die 2. ersten Noten recht
treffet / so will ich euch loben.   [S. 65]

- Die Ausnahme war Händel, wie sich aus Matthesons Das beschützte Orchestre (vgl. 19. Juli 1717/I) ergibt.

1714

Januar 1714
Francis Colman, Opera Register

The Opera Theatre was not open'd this Season untill ye 9th January 1713/14 they began with ye Pas-

torall Opera Dorinda. The Singers were
Sig.ra Caterina Gallerati. newly come from Italy.
Sig.r Barbier.
Sig.r Valentino.
Sig.ra Margarita dell'Epine.
at Common prices.
ye 16th Satt. Dorinda again
   23. Satt. D°
   27. Wensday. a New Opera called Cresus. Sett
         on ye Stage by N. Haym. ye airs
         being collected from Severall
         Operas from abroad. in this Op-
         era all in Italian M.rs Robinson
         made her first appearance on ye
         Stage. ye rest of ye Singers ye
         same as above.

(Sasse 1959, 205)

- Caterina Galerati debütierte am 9. Januar 1714 in
England. *Creso* war ein Pasticcio.

6. Februar 1714
Geburtstag von Königin Anna

- Die erhaltenen zeitgenössischen Berichte sagen
nichts Genaues über die Musik, die an diesem Tag
und am 6. Februar 1713 zu Ehren von Königin
Anna aufgeführt wurde. Die für 1713, in jüngerer
Zeit für 1714 angenommene Aufführung von
Händels *Ode for the Birthday of Queen Anne* ist nicht
dokumentarisch belegt.
1713 hielt sich die Königin an ihrem Geburtstag
zwar im St. James's Palace auf, litt aber so stark an
Gicht, daß sie nicht zur üblichen Huldigung erschien; am Abend war sie für eine Stunde in der
Great Presence Chamber, während es im Neben-
raum „a sort of ball" gab (*The Political State*, V, 89).
1714 war Königin Anna am 6. Februar in Windsor,
wo am Abend ein Ball und ein „splendid entertainment" veranstaltet wurden (*The Political State*,
VII, 184). Die Aufführung einer Huldigungs-Ode
ist für beide Jahre unwahrscheinlich.
Zweifellos komponierte Händel seine Geburts-
tags-Ode für eine Aufführung an einem Geburtstag der Königin. Da dieser im Text als Friedens-
bringerin gehuldigt wird („The day that gave great
Anna birth, who fix'd a lasting peace on earth."),
scheint sie Händel im Januar 1713 komponiert zu
haben und dazu vermutlich die Arbeit am *Utrecht
Jubilate* (das er im Anschluß an das am 14. Januar
1713 vollendete *Utrecht Te Deum* komponierte) un-
terbrochen zu haben.
Möglicherweise bereitete er sowohl 1713 als auch
1714 eine Aufführung der Ode vor.
(Burrows 1981, I, 142 ff.)
Autor des Textes der Ode ist nach dem Zeugnis
von Charles Jennens der Dichter Ambrose Philips
(1674-1749), der auch mit Addison und Steele befreundet war.
In seinem Exemplar von Mainwarings *Memoirs*

trug Jennens an folgender Stelle der Werküber-
sicht zwei Anmerkungen ein: „Serenatas, [most of
them made abroad, and some few at his first coming to England, one of which was for Queen
Anne, and performed at St. James's, but afterwards lost.]" Zu „Anne" ergänzte er: „'s Birthday,
the words by Ambr. Philips", zu „lost" bemerkte
er: „no such matter: for I have it transcrib'd from a
copy which belong's to L.d Radnor".
(Dean 1972, 162)

22. Februar 1714
The Daily Courant

To all Lovers of Musick.
This Day … at Stationer's Hall, for the Benefit of
Mr. Wells and Mr. Kenny, will be an excellent Consort of Vocal and Instrumental Musick, performed
by Eminent Masters, English and Foreign. Among
other choice Compositions, a celebrated Song of
Mr. Hendel's, by a Gentlewoman from Abroad,
who hath never before exposed her Voice publickly in this Kingdom. To which will be added an
uncommon piece of Musick by Bassoons only.

4. März 1714
Francis Colman, Opera Register

The Queen being lately return'd to St James's
from Windsor, & recover'd from her late dangerous illnesse had a withdrawing Room on Tuesday,
& her Majesty play'd at Basst. for wch reason ye
Opera dayes are now alter'd to Thursday. there being no Opera Wensday nor Fridays in Lent.
March. 4. Thursday. a new Italian Opera by Sup-
            scription to Six times at ye
            usuall rate of 10 Guin[eas]
            for 3. Tickets.
            ye Opera was called
      Arminio.
      The Same Singers as in Cresus.
(Sasse 1959, 206)

- *Arminio* war ein Pasticcio, dessen Komponisten
nicht bekannt sind. Die sechs Vorstellungen der
Subskription fanden am 4., 6., 11., 13., 18. und
20. März statt.

16. März 1714
Caterina Galerati, Jane Barbier, Margherita de
l'Epine, Anastasia Robinson und Valentino Urbani unterzeichnen eine Petition wegen einer bes-
seren Regelung der Benefizvorstellungen.

- Das Dokument befand sich um 1880 im Besitz
von Julian Marshall.

1. August 1714 (*12. August 1714*)
Anna, Königin von England, stirbt im Alter von
50(?) Jahren in London.

Georg Ludwig (1660–1727), Kurfürst von Hannover, in dessen Diensten Händel stand, wird noch am selben Tag als George I. zum König ausgerufen.

28. September 1714
The Post Boy

On Sunday Morning last [26. September], His Majesty went to His Royal Chappel at St. James's. ... Te Deum was sung, composed by Mr. Handel, and a very fine Anthem was also sung. ...

- Die gleiche Notiz erschien am 28. September 1714 auch in der *Evening Post*.
König Georg I. war am 31. August von Hannover abgereist, am 18. September abends in Greenwich gelandet und am 20. September zusammen mit dem Prinzen von Wales in den St. James's Palace eingezogen.
Händels Te Deum könnte das *Utrecht Te Deum* gewesen sein; wahrscheinlich aber wurde das Te Deum D-Dur („for the Arrival of Queen Caroline") aufgeführt.
(Chrysander, I, 412 f.; Burrows 1981, I, 154 ff.)
Vgl. 5. Juni 1713

23. Oktober bis 16. November 1714
Francis Colman, Opera Register

October 1714.
The Opera Theatre In ye Haymarket open'd sooner this Season than usual, & began with ye Subscription Opera of last year, called Arminius. Satturday October ye 23th the parts were performed as last Season, except Valentino's part; wch was perform'd by Filippo Balatri. & Mrs Barbiers part, wch was perform'd by Sigra Stradiotti. The Prince and Princesse of Wales were at ye Opera this Night. ye Pitt & Boxes were open at ½ Guinea a Ticket. ye House was very full. Mrs Robinson perform'd her part.
26th Oct. 1714 Arminius again at Common Prices. no Opera untill ye
16th Novr Tuesday. Ernelinda. ye parts much alter'd viz.
    Ricimaro. by Sigra Diana Vico.
    Ernelinda by Sigra Pilotta, return'd again to England.
    Rodoaldo by Sigr Filippo Balatri. a bad Singer
    Eduigge. by Sigra Magta del Epine.
    Vitige by Sigra Caterina Gallerati
    Edelberto by Sigra Stradiotti. a very bad Singer.
    price: ½ Guin[ea]. Pitt & Boxes open.
(Sasse 1959, 208)

- Nach dem Amtsantritt von König Georg I. wurde das Opernhaus am Haymarket „King's Theatre" genannt.
Diana Vico war im Herbst 1714 nach London gekommen und am 16. November erstmals aufgetreten. Nach dem Mai 1716 ist ihre Anwesenheit in London nicht mehr nachweisbar.

9. November 1714
Hamburger Relations-Courier

London, 19. Okt. 1714
Am Sonntag [17. Oktober] aber begleiteten der Printz und die Printzessin [von Wales] den König in die Hof-Capelle zu St. James / allwo damahls / wegen der Printzessin und ihrer kleinen Printzessinnen glücklichen Ankunfft / das Te Deum, nebst einem andern mit einer fürtrefflichen Musique von dem berühmten Musico / Hrn. Händel / componirten Danck-Stück abgesungen ward.
(Becker 1956, 35)

- Die Londoner Zeitungen berichteten nicht über diesen Gottesdienst, in dem wahrscheinlich Händels Te Deum D-Dur und das Chapel Royal Anthem „O sing unto the Lord a new song" (HWV 249a) aufgeführt wurden.
Caroline, Princess of Wales, war am 13. Oktober mit ihren beiden ältesten Töchtern im St. James's Palace eingetroffen. (Ihr Sohn Frederick und die jüngste Tochter, Caroline, waren in Hannover geblieben.)
(Burrows 1981, I, 155 ff.)

30. Dezember 1714 (I)
The Daily Courant

At the King's Theatre in the Hay-Market... Thursday, the 30th of December, will be perform'd an Opera call'd, Rinaldo. With all the proper Decorations as Originally. The Part of Rinaldo by Signora Diana Vico, Armida by Signora Pilotti, Almirena by Mrs. Robinson, Godofredo by Signora Galerati, Argantes by Signor Angelo Zanoni, lately arriv'd from Italy. ... By Command, to begin at half an Hour after Five.

- Wiederholungen: 4., 8., 15., 22., 27. und 29. Januar, 5., 12. und 19. Februar und 25. Juni 1715.
Die erste Aufführung war ursprünglich für Mittwoch, den 29. Dezember, angekündigt worden. Diana Vico und Angelo Zanoni waren neue Mitglieder des Ensembles; Anastasia Robinson, die im November indisponiert war, sang ihre erste Händel-Partie.
Vgl. 24. Februar und 6. Mai 1713

30. Dezember 1714 (II)
Francis Colman, Opera Register

30th Thursday. Rinaldo. revived. Pitt & Boxes open at 8s
Rinaldo perform'd by Sigra Diana Vico.
Almirena, by Mrs Robinson.
Godfredo. by Sigra Galerati
Armida. by Sigra Pilotti.
no Dancing.
(Sasse 1959, 209)

- In früheren Aufführungen des *Rinaldo* war ein Ballett aufgetreten (vgl. 19. März 1711). In den Aufführungen von *Ernelinda* am 4. und 18. Dezember und von *Arminius* am 11. Dezember 1714 tanzte Mrs. Santlow.

1714 (I)

In der Sammlung *Poems and Translations. By Several Hands* (London 1714) erscheint John Hughes' Text zu der von Händel 1711 vertonten Kantate *Venus and Adonis* zum erstenmal im Druck mit dem Vermerk „Set by Mr. Hendel".

- Die Ausgabe enthält insgesamt „Four Cantata's after the Italian Manner" von Hughes.

1714 (II)
John Hawkins, A General History of Music

Mattheson had sent over to England, in order to their being published here, two collections of lessons for the harpsichord, and they were accordingly engraved on copper, and printed for Richard Meares, in St. Pauls's church-yard, and published in the year 1714. Handel was at this time in London, and in the afternoon was used to frequent St. Paul's church for the sake of hearing the service, and of playing on the organ after it was over; from whence he and some of the gentlemen of the choir would frequently adjourn to the Queen's Arms tavern in St. Paul's church-yard, where was a harpsichord; it happened one afternoon, when they were thus met together, Mr. Wheely, a gentleman of the choir, came in and informed them that Mr. Mattheson's lessons were then to be had at Mr. Meares's shop; upon which Mr. Handel ordered them immediately to be sent for, and upon their being brought, played them all over without rising from the instrument.
(Hawkins 1776, 852)

- Die Ausgabe erschien bei J. D. Fletcher.

1715

Januar 1715
Francis Colman, Opera Register

Janry 4th Tuesday Rinaldo. again at Common Prices
8th Sattd   Do
15. Sattd   Do ye King, Prince & Princesse present, & a full House

22.   Do
27.   Do Thursday
29.   Do Sattd a very thin House this night.
(Sasse 1959, 209)

- Nicolini war aus Italien zurückgekehrt und sang wieder die Partie des Rinaldo.

20. Februar 1715
Im Haymarket Theatre wird *Lucio Vero* (Text: Apostolo Zeno, Musik: Carlo Francesco Pollaroli) aufgeführt.
(Sasse 1959, 210)

16. Mai 1715
The Daily Courant

By Subscription.
At the King's Theatre in the Hay-Market, on Saturday next, being the 21st of May, will be perform'd a New Opera call'd, Amadis. By Command, to begin at Six a Clock.
(Theatrical Register; Sammlung Latreille)

- Die Premiere von Händels *Amadigi* fand erst am 25. Mai statt. Am 7., 11., 14. und 21. Mai wurde *L'Idaspe fedele* (Text: vermutlich von Giovanni Pietro Candi, Musik: Francesco Mancini) aufgeführt; „il Sigr Cav. Nicolino Grimaldi, being again come to England, perform'd ye part of Hydaspes."
(Sasse 1959, 210)

25. Mai 1715 (I)
The Daily Courant

By Subscription.
At the King's Theatre in the Hay-Market, the present Wednesday, being the 25th of May, will be perform'd a New Opera call'd Amadis. All the Cloaths and Scenes entirely New. With variety of Dancing... the Tickets and Books will be deliver'd at Mrs. White's Chocolate-house in St. James's-street. ... The Number of Tickets not to exceed 400. Boxes upon the Stage 15s. Gallery 5s. By Command to begin at Six a-clock. And whereas there is a great many Scenes and Machines to be mov'd in this Opera, which cannot be done if Persons should stand upon the Stage (where they could not be without Danger), it is therefore hop'd no Body, even the Subscribers, will take it Ill that they must be deny'd Entrance on the Stage.
(Theatrical Register; Sammlung Latreille)

- Das Parkett und die übrigen Logen wurden zu einer halben Guinee verkauft.
Besetzung:
Amadigi - Niccolò Grimaldi (Nicolini), Mezzosopran
Oriana - Anastasia Robinson, Sopran
Melissa - Elisabetta Pilotti-Schiavonetti, Sopran

Dardano – Diana Vico, Alt
Orgando – ? (Sopran)
Wiederholungen: 11., 15. und 28. Juni, 2. und
9. Juli 1715.

25. Mai 1715 (II)
John James Heidegger, Widmung im gedruckten
Libretto von *Amadigi*

To the Right Honourable Richard Earl of Burling-
ton and Corck, Baron Clifford of Landesbrough,
&c.
My Lord,
My Duty and Gratitude oblige me to give this Pub-
lick Testimony of that Generous Concern Your
Lordship has always shown for the promoting of
Theatrical Musick, but this Opera more immedi-
ately claims Your Protection, as it is compos'd in
Your own Family.

– Das Libretto lehnt sich sehr eng an die französische Oper *Amadis de Grèce* (Text: Antoine Houdar
de la Motte, Musik: André Destouches) an. Der
Verfasser des Librettos von *Amadigi* ist nicht bekannt, möglicherweise war es Giacomo Rossi.
Chrysander (I, 424) erwähnt zwei Parodien auf
Amadigi. John Gays „Pastoral-Farce" *What d'ye Call
it* wurde bereits vor Händels *Amadigi* am 23. Februar 1715 in Drury Lane aufgeführt. Die Burleske *Amadis, or The Loves of Harlequin and Colombine* kam erst am 24. Januar 1718 in Lincoln's Inn
Fields heraus.

25. Mai 1715 (III)
Francis Colman, Opera Register

May. 25. Wensday. Amadis of Gaul, a new Opera
            by Subscription, with Dancing.
            Nic° Grimaldi.
            Mrs Robinson
            Pilotti
            Sig^ra Diana Vico
Satt^d King George's Birthday. ye 28th No
Opera

Mrs Robinson was Sick	One of ye Singers be-
perform'd no more in this	ing indisposed this
Opera.	Opera was not per-
	form'd again untill
	the 11th

(Sasse 1959, 211)

25. Juni 1715
Francis Colman, Opera Register

[June] 25. Satt^d Rinaldo, for ye Benefit of Sig^e Nic°
Grimaldi.
(Sasse 1959, 211)

23. Juli 1715
Francis Colman, Opera Register

[July] 23. D° Hydaspes King George at it. ye last
        Opera for this Season. –
        ye Rebellion in Engl. & Scotland ye se-
        cation

22. August 1715
Erste „Königliche Wasserfahrt" zwischen White-
hall und Limehouse. Auf der Rückfahrt wurde
eine „Wassermusik" gespielt, möglicherweise die
Suite I aus Händels *Water Music* (HWV 348).
(Malcolm 1808; HHA, IV/13, Vorwort)

21. Oktober 1715
Dienerbesoldungen bei Hofe [Hannover]. Musicanten.

Von Ostern 1712 biß Ostern 1713 dem gewesenen
Cappel Meister George Friedrich Händell über
eine bis Johannis 1712 gehabte Besoldung noch
diejenige 6 Monahte, so er mit erlaubniß in Engelland zugebracht, auf Aller Gnädigste ordre sub
dato St. James den 10/21ten Octobr. 1715 bezahlet
mit 500 Thlr.   [S. 393]
(Niedersächsisches Hauptstaatsarchiv, Hannover:
Kammer-Rechnungen, 76 C, Bd. 237. Doebner,
298)

31. Oktober 1715
Francis Colman, Opera Register

October ye 31th 1715.
No Opera performed Since ye 23th July, ye Rebellion of ye Tories & Papists being ye cause – ye
King & Court not liking to go into Such Crowds
these trouble Some times. but it is hoped in a
Short time the rebells will be Confounded. I Shall
keep no further. acc^t of Operas in y^t exactnesse as
before. perhaps a remark on a New Opera now &
then as ye humour takes.
Vanity of Vanity all is Vanity.
(Sasse 1959, 211)

– Die vorzeitig begonnene Opernsaison endete
am 23. Juli. Wegen der Unruhen begann die nächste Saison erst am 1. Februar 1716.

22. November 1715
Hamburger Relations-Courier

Denen Liebhabern und Kenner der Musique /
wird hiemit bekand gemacht daß künfftigen Mitt-
wochen [27. November] eine neue Opera / ge-
nantt: Rinaldo / mit allen behörigen Fleiß und Kosten soll auffgeführt werden / welche man ehmals
in London mit allgemeinem Applause vorgestellet / und von Ihro Königl. Majest. in Gross-Britan-
nien / Weltberühmten Capel-Meister / Mons. Hendel in die Musique gesetzt worden.

November 1715
Johann Mattheson, Hamburger Opernverzeichnis

145. Rinaldo. Music vom Hn. Händel. Uebersetzung vom Hn. Feind.
(Mattheson 1728, 189)

– Es ist nicht bekannt, wie oft *Rinaldo* in dieser Saison aufgeführt wurde. Die nächste Aufführung in Hamburg fand am 16. Mai 1723 statt. 1720 wurde in Hamburg eine Oper gleichen Namens von einem unbekannten Komponisten aufgeführt.

1715 (?)
Bekanntmachung der Direktion des King's Theatre

Whereas by the frequent calling for the songs again the Operas have been too tedious, therefore the singers are forbidden to sing any song above once; and it is hoped nobody will call for 'em or take it ill when not obeyed.
(Cummings 1914, 59)

– Diese undatierte Bekanntmachung, die sich unter den Dokumenten von Thomas Coke befand, war augenscheinlich sowohl für die Künstler als auch für das Publikum bestimmt. Sie erinnert an die Anordnung, die Kaiser Joseph II. in Wien nach der dritten Aufführung von Mozarts Oper *Le Nozze di Figaro* im Jahre 1786 erließ, in der er Dacapo-Rufe nach Ensemble-Nummern verbot.

1715
Barthold Feind, Vorrede zu seiner Übersetzung des *Rinaldo*-Librettos, Hamburg 1715

… Daß aber der Welt-berühmte grosse würckliche Chur-Hannöversche Capell-Meister, Georg Friedrich Hendel, diesem so schönen und angenehmen Kinde, innerhalb 14 Tagen, zur Gebuhrt verholffen, ohne alles Kreischen, solches ist eine Sache, wozu ein so grosser harmonischer Geist, als der Hendelische, gehöret. Der Italiänische Verfasser nennet ihn deshalb auch l'Orfeo del nostro secolo und ein Ingegno sublime (nella Musica zu verstehen), dergleichen Ehre sonst noch wenig, oder wol gar keinen Teutschen von einem Italiäner oder Frantzosen erfahren, welche Herren sich sonst nur über die teutsche Lieder zu moquiren pflegen. En fin, wird ihm wohl niemand den glorieusen Musicalischen Titel, als der Neid selber, disputirlich machen… Die teutsche Poesie betreffend, hat der Uebersetzer des Italiäners Worte, Metro und Verstand gerade nach des Herrn Capellmeisters Hendels Music, wo es nöthig gewesen, fast sclavisch gefolget, damit auch kein eintziger Thon von diesem vortrefflichen Mann verlohren gehen möchte. Wann man mercken solte, daß dergleichen Arbeit einigen unverhoff-

ten plausiblen Ingreß, was die Music betrifft, finden sollte, so kan man damit inskünfftige ferner aufwarten, und sollen, in solchem Fall dieser Opera, alle Sujets dieses unvergleichlichen Componisten bald folgen.
(Chrysander, I, 297)

– Barthold Feind (1678–1721) hatte Jura studiert und sich als Librettist der Hamburger Oper einen Namen gemacht. *Rinaldo* ist die einzige Oper Händels, deren Libretto er übersetzt hat.

1716

Januar 1716
John Gay, Trivia: or, The Art of Walking the Streets of London

Yet Burlington's fair Palace still remains;
Beauty within, without Proportion reigns.
Beneath his Eye declining Art revives,
The Wall with animated Picture lives;
There Hendel strikes the Strings, the melting Strain
Transports the Soul, and thrills through ev'ry Vein;
There oft' I enter (but with cleaner Shoes)
For Burlington's belov'd by ev'ry Muse.
(Buch II, „Walking by Day")
(Chrysander, I, 415)

– John Gays Poem erschien am 26. Januar 1716 bei Lintot in London. Richard Boyle, Earl of Burlington, hatte Gay im Sommer 1715 zur Wiederherstellung seiner Gesundheit nach Devonshire geschickt und nahm ihn auch gastlich in seinem Haus auf, als dieser durch den Zusammenbruch der South Sea Company sein Geld verlor. Hier wird Gay auch Händel kennengelernt haben.

Februar 1716
Francis Colman, Opera Register

The Rebellion in England being quelled by Taking ye Lords & others Prisoners at Preston & that in Scotland much kept under.

Feb^{ry} 1st $\frac{1715}{16}$ began to open ye Theatre with ye
Opera of Lucius Verus. – [sung] by Nic° Grimaldi
ye King pres^{t}

Feb^{ry} 11th Lucius Verus. again. – Nic° Grimaldi. ye only good Singer.

Feb^{ry} ye 16th Amadis. in this Opera Mrs Robinson did Sing also.
(Sasse 1959, 212)

– In dieser Saison wurde *Amadigi* am 21. Februar, am 3. und 6. März, am 20. Mai und am 11. Juli (nach Colman) oder am 12. Juli (Burney, II, 699) wiederholt.

3. März 1716
Francis Colman, Opera Register

March. 3. Amadis. for ye Benefit of Mrs Robinson
(Sasse 1959, 212)

13. März 1716
Händel an den Sekretär (?) der South Sea Company

The 13 March 1715
Pray pay Mr Phillip Cooke my Dividend being Fifteen pounds on Five hundred pounds, wch is all my Stock in the South Sea Company books & for half a Year due at Christmas last & this shall be Your Sufficient Warrant from
S^r
Your very humble Servt
Georg Frideric Handel
(Sammlung Gerald Coke. Coopersmith 1943, 61)

– Das Dokument wurde wahrscheinlich von einem Sachverständigen geschrieben und von Händel nur unterzeichnet. Da Händels nächste Mitteilung an die Gesellschaft vom 29. Juni 1716 datiert ist, darf man annehmen, daß das oben zitierte Datum der 13. März 1716 ist. Anscheinend hatte Händel zu dieser Zeit genug gespart, um 500 Pfund in diesem zweifelhaften Unternehmen anlegen zu können.

20. Juni 1716
The Daily Courant

By Command.
For the Benefit of the Instrumental Musick.
At the King's Theatre in the Hay-Market, this present Wednesday, being the 20th of June, will be perform'd an Opera call'd, Amadis. With all the Scenes and Cloaths, belonging to this Opera: Particularly, the Fountain-Scene. To which will be added, Two New Symphonies.
(Theatrical Register)

– Burney (II, 699) gibt den 13. Juni als Datum der Aufführung an. Schoelcher (42) nennt in Übereinstimmung mit Colman („20. Amadis. for ye Benefit of ye Instrumentallmusick.") und dieser Anzeige den 20. Juni. Chrysander (I, 424) folgt Burneys Datierung.
Burney erwähnt nur das Concerto grosso op. 3 Nr. 4 (Oboenkonzert F-Dur), das auch den Beinamen „Orchestra concerto" erhielt. Das zweite Orchesterwerk war wahrscheinlich der 2. Satz der Ouvertüre zu Teseo.

29. Juni 1716
Händel an den Sekretär (?) der South Sea Company

Sir,
What Ever my Dividend Is on five hundred pounds South Sea Stock that The South Sea Company pays att the opening of their Books next August pray pay Itt To Mr. Thomas Carbonnel or order and you will oblidge.
Sir
Your H Servt.
George Frideric Handel
London this 29 June 1716
(British Library, Add. MSS. 33965, Bl. 204. Faksimile: Flower 1923, nach 312)
Vgl. 13. März 1716

– Über Thomas Carbonnel ist nichts bekannt. Händel, der dieses Dokument nur unterzeichnete, benötigte das Geld wahrscheinlich für seine bevorstehende Reise nach dem Kontinent.

7. Juli 1716
König Georg I. reist nach Hannover und Herrenhausen. Händel soll ihm ein oder zwei Tage später gefolgt sein.

– Ein Beleg für Händels Reise ist nicht nachweisbar. Nach Schoelcher (45) berichtete der Daily Courant nur von der Abreise und Rückkehr des Königs, ohne Händel zu erwähnen.
(Smith 1953, 44)

12. Juli 1716
Die Opernsaison endet mit einer Aufführung des Amadigi.

– Zwischen den Akten der Oper spielt Attilio Ariosti auf der „Viola d'amore a new symphony" (Burney, II, 699, 725).
Attilio Malachia Ariosti (1666–1740), Instrumentalist und Komponist, wirkte von 1697 bis 1703 am preußischen Hof, wo ihn Händel kennenlernte. 1716 kam er nach London, wo seine Anwesenheit bis 1717 nachweisbar ist. 1722 kehrte er – vermutlich aus Italien – nach London zurück, und schrieb für die Royal Academy of Music von 1723 bis 1727 sieben Opern.

17. Juli 1716
Friedrich Bonet an den König in Preußen

Sire ...
Aprés le diné Elle [Sa Majesté] se promenait seule dans le jardin de St. James, où Elle se rendait chez la duchesse de Munster, et le soir au cercle de madame la princesse jusqu' à minuit, ou bien à l'opéra où Elle se rendait dans une chaise de louage uncognito dans une loge particulière; ou chez Madame de Kilmanseck; ou bien Elle soupait avec le grand Marechal, l'Abbé Conti et autres; et il arrivoit très rarement que ses Ministres d'Etat Lui parlassent les après dinées. ...
Sire, de Vôtre Majesté Le très humble, très obéissant, et très fidelle Serviteur

Frid. Bonet

A Londres mardi $\frac{17}{28}$ Juillet 1716

(ZSTA Merseburg, Rep. XI. England, Conv. 40. A 1716. Michael 1921, 864 f.)

– Friedrich Wilhelm I. (1688–1740), seit 1713 König in Preußen, war seit 1706 mit der Tochter Georgs I., Sophia Dorothea, verheiratet. In dem elf Seiten umfassenden Bericht des preußischen Gesandten Bonet, der hinsichtlich des Zerwürfnisses zwischen Georg I. und seinem Sohn, dem Prinzen von Wales, und damit für die Stellung der Oper Händels in London von Interesse ist, wird über persönliche Gepflogenheiten des englischen Königs berichtet.
Die Maitresse Georgs I., Ehrengard Melusine von der Schulenburg (1667–1743), seit 1692 im Dienst der Kurfürstin Sophie von Hannover, war dem König nach England gefolgt. Nach ihrer Naturalisierung im Juni 1716 wurde sie zur Baroneß von Dundale, Gräfin und Markgräfin von Dungannon und zur Herzogin von Munster (irischer Adel) und im März 1719 noch zur Baronin von Glastonbury, Gräfin von Feversham und Herzogin von Kendal ernannt. Sie hatte mit Georg I. zwei Kinder: Petronilla Melusina (1693–1778), seit 1722 Gräfin von Walsingham und seit 1733 verheiratet mit dem Staatsmann und berühmten Briefschreiber Philip Dormer Stanhope, 4. Earl of Chesterfield (1699–1773), und Margaret Gertrude (1703–1773), Gräfin von Lippe.
Zeitweilig machte Sophie Charlotte von Kielmannsegg, geb. Gräfin von Platen-Hallermund, die Frau des Oberstallmeisters Johann Adolf von Kielmannsegg, der Herzogin von Munster ihre Favoritenrolle streitig. Sie war eine Halbschwester König Georgs I., der sie 1721 zur Gräfin Darlington erhob. Ihre Mutter, Clara Elisabeth (1648–1700), war die Maitresse des Kurfürsten Ernst August, des Vaters Georg I.
Prinzessin von Wales war Wilhelmine Caroline, die Tochter des Markgrafen Johann Friedrich von Brandenburg-Ansbach (vgl. 20. Februar 1724/II).

Sommer/Herbst 1716
Händel besucht seine Familie in Halle und seinen Freund Johann Christoph Schmidt (1683–1763) in Ansbach.
Schmidt gibt den Wollhandel in Ansbach auf und folgt Händel 1716 nach England. 1720 kommt seine Familie nach.
(Anecdotes, 37; Händel-Jb. 1957, 123, 127)

– Johann Christoph Schmidt (John Christopher Smith) d. Ä., und sein Sohn, John Christopher Smith d. J., wurden Händels engste Freunde.
Der König kehrte am 18. Januar 1717 nach London zurück.
(Schoelcher 1857, 45; Smith 1953)

8. Dezember 1716
Die neue Saison im King's Theatre beginnt mit der Oper *Clearte,* die dreimal aufgeführt wird.

1716
Francesco Geminiani verlangt bei einem Hofkonzert, von Händel am Cembalo begleitet zu werden.
(Hawkins, V, 239)

– Francesco Saverio Geminiani (1680?–1762) war 1714 nach London gekommen und von Baron von Kielmansegg am Hof eingeführt worden, dem er 1716 zwölf Trios widmete. Percy Robinson (1939 I) nimmt an, daß dieses Konzert 1716 (nach dem Erscheinen der König Georg I. gewidmeten zwölf Sonaten op. 1) stattfand.

1717

5. Januar 1717
The Daily Courant

At the King's Theatre in the Hay-Market, this present Saturday ... will be performed an Opera called Rinaldo; the Part of Goffredo by Signor Antonio Bernacchi; Almirena by Mrs. Robinson; Rinaldo by Signor Cavaliero Nicolino Grimaldi; Argantis by Signor Gaetano Berenstatt, lately arrived; Armida by Signora Elizabeta Pilotti; with all the original Scenes and Machines belonging to this Opera. ... N. B. Servants will be allowed to keep Places in the Boxes. To begin exactly at Six a-Clock.
(Theatrical Register)

– Der Sopranist Antonio Bernacchi (1685–1756) war Anfang 1716 nach England gekommen und übernahm den Part des Goffredo, den vorher Francesca Vanini-Boschi und Caterina Galerati gesungen hatten. Er ging noch im selben Jahr nach Italien zurück. Händel engagierte ihn erneut 1729 anstelle von Senesino. Der Altist Gaetano Berenstadt, von deutschen Eltern in Italien geboren, trat 1717 in London auf, war danach bis zum Herbst 1718 in Dresden und 1722/23 wieder in London.
Rinaldo wurde am 12., 19., 23. und 26. Januar, am 9. Februar, 9. März, 2. und 18. Mai und 5. Juni 1717 wiederholt. Für Berenstadt hatte Händel vier neue Arien komponiert.
(Smith 1937, 313 ff.; Smith 1954, 292)

29./31. Januar 1717
John Walsh und John Hare zeigen im *Post-Man* an: „Suits of the most Celebrated Lessons Collected and Fitted to the Harpsichord or Spinnet by M.ʳ W.ᵐ Babell with Variety of Passages by the Author. Note there are two precedent books for ye Harpsichord by yᵉ same hand."

– Die Sammlung enthält Bearbeitungen der Ouvertüre und von sieben Arien aus *Rinaldo* sowie von je einer Arie aus *Il Pastor fido* und *Teseo*. Die Ausgabe wurde 1718 von Richard Meares nachgedruckt und später von Walsh neu herausgegeben (vgl. 22. Dezember 1718).
1745 wurde die Sammlung bei Boivin in Paris verlegt. William Babell (um 1690–1723), war Cembalist, außerdem Geiger, Organist und Komponist, er war Mitglied des königlichen Orchesters und einige Jahre Organist an der All Hallows Church in Barking. Als *Rinaldo* in London an Popularität gewann, war er der erste, der die beliebtesten Opernarien mit viel Erfolg als „Lessons" für das Cembalo bearbeitete.
(Smith 1935 II, 695; Smith 1960, 278)

16. Februar 1717
The Daily Courant

At the King's Theatre … this present Saturday … will be presented an Opera (not perform'd this Season) call'd, Amadis. The part of Amadis by Signor Cavaliero Nicolino Grimaldi, Dardanus by Signor Antonio Bernacchi, Oriana by Mrs. Robinson, Melisia by Signora Elizabetta Pilotti. Mrs. Robinson will perform all the Songs which was Originally Compos'd for this Opera…. To begin exactly at Six a-Clock.
(Theatrical Register)

– Antonio Bernacchi übernahm die Rolle von Diana Vico, die aus dem Ensemble ausgeschieden war.
Wiederholungen: 23. Februar, 21. März, 11. April und 30. Mai 1717.

23. Februar 1717 (I)
Thomas Tudway an Humfrey Wanley

I did my self ye Hon.ᵣ by Sundays Post to write to our Noble Lord, to beg his influence on Dʳ Arbuthnot to procure me a Copy of Mʳ Hendals famous Te Deums, wᶜʰ he made by yᵉ Queens Order for yᵉ Thanksgiving for yᵉ peace, wᵗʰ some peices of yᵉ Dʳˢ Own, wᶜʰ were perform'd to yᵉ Queen in her Chappel, upon sundry events of her reigne, These peices will serve to illustrate some of those great & glorious events, of wᶜʰ her reigne was full, & I hope, & don't question, but I shall procure all other peices made on these great occasions, wᶜʰ will make yᵉ last volume Historical, and perhapps may equall any of yᵉ other volumes, in valuable peices; I don'd question, but my Lᵈˢ Interest, will procure me what I so ardently desire to obtain.
(British Library: Harley Ms. 3782, Bl. 70)

– Thomas Tudway (etwa 1650–1726) war Komponist und seit 1705 Professor der Musik an der Universität Cambridge. 1714 übernahm er den Auftrag von Lord Harley, als Ergänzung zur Harleian Library eine Anzahl Bände anglikanischer Kirchenmusik zu kopieren. In den sechs Bänden sind 70 Messen und 244 Anthems von 85 Komponisten (19 Anthems und eine Messe von Tudway selbst) enthalten, im letzten Band auch Händels *Utrecht Te Deum* und *Jubilate*.
Mit Humfrey Wanley (1672–1726) hatte Tudway während seiner Arbeit Freundschaft geschlossen.
Robert Harley, 1. Earl of Oxford (1661–1724), war Mitbegründer der South Sea Company und 1711 bis 1714 ihr Governor.

23. Februar 1717 (II)
The Daily Courant

At the King's Theatre … this present Saturday … Amadis … N. B. This Opera will be performed without Scenes. The Stage being in the same magnificent Form as it was in the Ball.
(Theatrical Register)

– Eisenschmidt (II, 102) hebt hervor, daß demnach selbst die Oper *Amadigi*, „die allein schon der vielen Zauberverwandlungen wegen kaum der Dekoration entraten zu können scheint", ohne Szenerie gespielt wurde.
Der „Ball" war höchstwahrscheinlich eine von Heideggers berühmten Masqueraden im King's Theatre, die die ganze Stadt in eine Art Taumel versetzten, so daß sie schließlich durch Parlamentsbeschluß unterdrückt werden sollten. Unter den Bezeichnungen „Ridotto" oder „Ball" wurden sie aber weiterhin veranstaltet.

13. März 1717
Die Oper *Venceslao* (Text: Apostolo Zeno, Komponist unbekannt) wird im King's Theatre aufgeführt und dreimal wiederholt.
(Burney, II, 699 f.)

21. März 1717
The Daily Courant

For the Benefit of Mrs. Robinson.
At the King's Theatre … this present Thursday … Amadis. With the Addition of a New Scene, the Musick compos'd by Mr. Hendel, and perform'd by Signor Cavaliero Nicolino Grimaldi and Mrs. Robinson. And Dancing by Monsieur de Mirail's Scholar, and Mademoiselle Crail, lately arriv'd from Paris.
(Theatrical Register)

– Die Aufführung sollte ursprünglich am 23. März stattfinden. Die hinzugefügte Szene ist nicht nachweisbar. Der Tanzschüler war vermutlich Mr. Glover.
Vgl. 11. April 1717

4. April 1717
Die Oper *Tito Manlio* (Text: Matteo Noris, Musik: wahrscheinlich Attilio Ariosti) wird zum erstenmal im King's Theatre aufgeführt und achtmal wiederholt.
(Burney, II, 700)

11. April 1717
The Daily Courant

At the King's Theatre ... this present Thursday ... Amadis. With all the New Scenes belonging to the New Opera. To which will be added a New Scene, perform'd by ... Grimaldi, and Mrs. Robinson. With several Entertainments of Dancing, by Mr. Glover, and Mademoiselle Crail; particularly, a Spanish Dance.
(Theatrical Register)

– Offensichtlich wurde *Amadigi* mit den Dekorationen von *Tito Manlio* aufgeführt.
Vgl. 21. März 1717

2./18. Mai 1717
Rinaldo wird am 2. Mai zum Benefiz für Elisabetta Pilotti-Schiavonetti, am 18. Mai für Gaetano Berenstadt gegeben.

30. Mai 1717
The Daily Courant

For the Benefit of the Instrumental Musick.
At the King's Theatre ... this present Thursday ... will be perform'd ... Amadis. To which will be added Two Pieces of Musick between the Acts.
Vgl. 20. Juni 1716

5. Juni 1717
The Daily Courant

For the Benefit of the Box-Keepers.
At the King's Theatre ... this present Wednesday ... will be perform'd ... Rinaldo. With Entertainments of Dancing by Mons. Salle, and Mademoiselle Salle, his Sister, the two Children, who never perform'd on this Stage before.

– Die französische Tänzerin Marie Sallé (1707–1756) war mit ihrem zwei Jahre älteren Bruder und ihrem Onkel Francisque Moylin 1716 nach England gekommen und das erstemal am 8. Dezember 1716 in der Oper *Clearte* (vgl. 3. März 1716) im King's Theatre aufgetreten. 1718 kehrte sie nach Paris zurück, trat aber 1725 und 1730 wieder in London auf. 1734/35 tanzte sie in Opern Händels und kehrte im August 1735 wieder nach Paris zurück.
(Theatre Notebook, I, Nr. 2, 19)

29. Juni 1717
Die Opernsaison endet mit einer Aufführung des *Tito Manlio.*

17. Juli 1717
Abel Boyer, The Political State of Great-Britain

On Wednesday the 17th of July, in the Evening, the King, attended by their Royal Highnesses the Prince and Princess of Wales, and a numerous Train of Lords, Gentlemen, and Ladies, went up by Water to Chelsea, and was entertain'd with an excellent Consort of Musick by Count Kilmanseck; after which, His Majesty and their Royal Highnesses supp'd at the Lady Catherine Jones's, at the House of the late Earl of Ranelagh's; and about Three a Clock in the Morning, return'd by Water to Whitehall, and thence to St. James's Palace.   [Bd. XIV, S. 83]
(Chrysander, III, 146)

– Catherine Jones, Tochter von Richard Boyle, 1. Earl of Cork, war die Witwe von Arthur Jones, 2. Viscount of Ranelagh (gest. 1669).
Während dieser Fahrt erklang vermutlich die Suite II D-Dur (HWV 349) aus Händels *Wassermusik.*

19. Juli 1717 (I)
Johann Mattheson, Das beschützte Orchestre

Den ... Herrn Capell-Meistern / Directoribus Musices, Welt- und weit-berühmten teutschen Melothetis:
...
Herrn Georg Friderich Hendel / Königl. Groß-Britannischen und Chur-Braunschweig-Lüneburgischen Capellmeister
...
Meinen sonders Hochgeehrten Herrn und erwehlten Arbitris.   [ohne Seitenzahl]
...

Aus der Frechheit aber / mit welcher der Opponens davon [dem General-Bass] spricht / solte man bald schliessen / er bilde sich ein derjenige eintzige zu seyn / den ich p. 65. des [Neu-Eröffneten] Orchestre ausgenommen habe. Aber ich rede daselbst von solchen Künstlern / die mir bekannt sind; weil ich nun die Ehre nicht habe / den Herrn Organisten und seine Stärcke im Accompagnement oder General-Baß zu kennen / so kan er versichert seyn / daß ich ihn nicht / sondern den Herrn Capellmeister Hendel gemeynet habe.
                          [S. 94]

– Das Buch ist neben Händel zwölf weiteren Musikern gewidmet, unter ihnen Johann Joseph Fux, Reinhard Keiser, Johann Kuhnau und Georg Philipp Telemann.
Der „Opponent" war Johann Heinrich Buttstedt, Organist in Erfurt, der 1716 sein Buch *Ut Mi Sol Re Fa La, Tota Musica et Harmonia Aeterna* veröffentlicht hatte.

19. Juli 1717 (II)
The Daily Courant

On Wednesday [17. Juli] Evening, at about 8, the King took Water at Whitehall in an open Barge, wherein were also the Dutchess of Bolton, the Dutchess of Newcastle, the Countess of Godolphin, Madam Kilmanseck, and the Earl of Orkney. And went up the River towards Chelsea. Many other Barges with Persons of Quality attended, and so great a Number of Boats, that the whole River in a manner was cover'd; a City Company's Barge was employ'd for the Musick, wherein were 50 Instruments of all sorts, who play'd all the Way from Lambeth (while the Barges drove with the Tide without Rowing, as far as Chelsea) the finest Symphonies, compos'd express for this Occasion, by Mr. Hendel; which his Majesty liked so well, that he caus'd it to be plaid over three times in going and returning. At Eleven his Majesty went ashore at Chelsea, where a Supper was prepar'd, and then there was another very fine Consort of Musick, which lasted till 2; after which, his Majesty came again into his Barge, and return'd the same Way, the Musick continuing to play till he landed.

(Malcolm 1808, 145; Chrysander, III, 147)

– Eine deutsche Übersetzung dieses Berichts erschien im *Hamburger Relations-Courier* vom 10. August 1717.

Duchess of Bolton war seit 1697 Henrietta Crofts, die jüngste natürliche Tochter von James Scott, Duke of Monmouth. Sie war 1714–1730 Kammerfrau (Lady of the Bedchamber) der Prinzessin von Wales.

Lady Henrietta, die älteste Tochter von Francis, 2. Earl of Godolphin, war seit dem 2. April 1717 mit Thomas Pelham-Holles, Duke of Newcastle (1693–1768), verheiratet. Francis, 2. Earl of Godolphin (1678–1766), seit 1716 Kammerjunker (Lord of the Bedchamber) Georgs I., war seit 1698 mit Henrietta (1681–1733), der ältesten Tochter von John Churchill, 1. Duke of Marlborough, verheiratet. Der General Lord George Hamilton, Earl of Orkney (1666–1737), war seit 1714 Kammerjunker Georgs I.

19. Juli 1717 (III)
Friedrich Bonet an den König in Preußen

Il y a quelques semaines que le roi témoigna au baron de Kilmanseck le désir qu'il aurait d'avoir un concert de musique sur la rivière, par souscription, comme ont été les mascarades cet hiver, où le roi s'est rendu assidument chaque fois. Ce baron s'adressa pour cela à Heidecker, suisse de nation, mais le plus intelligent agent que la noblesse ait pour ses plaisirs. Celui-ci répondit que quelque envie qu'il eût de complaire à S. M., il devait réser-

ver les souscriptions pour les grands coups, savoir pour les mascarades, dont chacune vaut, tous fraix faits, 3/400 guinées. M. de Kilmanseck, voyant S. M. chagrinée de ces difficultées, se chargea de lui donner ce concert sur la rivière à ses dépens. Et làdessus ayant donné tous les ordres nécessaires, cette fête eut lieu avant hier. Le roi se rendit vers les 8 heures du soir dans sa barge [sic], où furent admises la duchessse de Bolton, la comtesse de Godolphin, Md. de Kilmanseck, Md. Were, et le comte d'Orkney, le gentilhomme da sa Chambre de lit qui était de garde. A côté de la barge du roi était celle des musiciens, au nombre de 50 qui jouèrent de toute sorte d'instruments, savoir des trompettes, des cors de chasse, des haut bois, des bassons, des flutes allemandes, des flutes françaises à bec, des violons et des basses, mais sans voix. Ce concert avait été composé exprès par le fameux Handel, natif de Halle, et premier compositeur de la musique du roi. Elle fut si fort approuvée par S. M., qu'Elle la fit répéter par trois fois, quoique'elle durât une heure [à] chaque reprise, savoir deux fois avant et une fois après le souper. La soirée était à souhait pour cette fête, le nombre des barges et surtout celui des bateaux remplis du monde qui voulurent y participer était sans nombre. Afin de rendre cette fête plus accomplie, Md. de Kilmanseck fut ménager un souper délicat dans la maison de plaisance du feu [–] comte de Ranelagh à Chelsea sur la rivière, où le roi se rendit à une heure après minuit, il en sortit à trois, et dur les quatre heures et demie du matin, S. M. fut de retour à St. James. Ce concert a coûté 150 £ au baron de Kilmanseck pour les musiciens seuls, mais ni le Prince ni la Princesse n'ont eu aucune part à cette fête.

(Michael 1922, 585)

– Der Bericht des preußischen Residenten in London an Friedrich Wilhelm I. befand sich ehemals im Geheimen Preußischen Staatsarchiv, Berlin. Im ZSTA Merseburg, das in Rep. XI. England, Conv. 40. die entsprechenden Bestände bewahrt, ist der Bericht nicht nachweisbar.

Heidegger veranstaltete seine Maskeraden im King's Theatre gewöhnlich zur Karnevalszeit. Die anstelle der Duchess of Newcastle genannte „Mad. Were" könnte Diana de Vere, verwitwete Lady Oxford, oder Baroness Margaret de la Ware gewesen sein.

Der Sohn von Catherine und Arthur Jones, Richard, 3. Viscount und 1. Earl of Ranelagh (geb. um 1636), war 1712 gestorben. Die Erwähnung des Prinzen und der Prinzessin von Wales im *Political State* ist offensichtlich falsch. Im *Daily Courant* wurden sie nicht erwähnt, und Bonet erklärt ausdrücklich, sie seien nicht zugegen gewesen.

September 1717
Johann Mattheson, Hamburger Opern-Verzeichnis

153. *Oriana*. Music vom Hn. Händel. Poesie vom Herrn Beckau.
[Poesie d. h. Uebersetzung. Es war Händel's Oper Amadigi, welche in Hamburg einen weiblichen Titel erhielt, eine Aenderung die man auch fast bei allen seinen folgenden Stücken hier vornahm.]
(Mattheson 1728, 189; Chrysander 1877, Sp. 246; Loewenberg, Sp. 132)

– Das 1717 in Hamburg gedruckte Libretto nennt weder Beccau noch Händel. Keiser komponierte einige italienische Arien hinzu.
Joachim Beccau (um 1690–1755) hatte 1709 in Kiel Theologie studiert, lebte 1719 in Flensburg als Lehrer und ging 1720 als Rektor nach Neumünster, wo er 1736 Archidiakonus wurde.

25. September 1717
James Brydges aus Cannons an John Arbuthnot

Mr Handle has made me two new Anthems very noble ones & most think they far exceed the two first. He is at work for 2 more & some Overtures to be plaied before the first lesson. You had as good take Cannons in your way to London.
(Huntington Library, San Marino. Baker, 125)

– James Brydges (1673–1744), 1. Duke of Chandos, war 1714 zum Viscount Wilton und Earl of Carnarvon, 1719 zum Marquis of Carnarvon und Duke of Chandos ernannt worden. Von 1707 bis 1712 war er Generalzahlmeister in den Marlborough-Kriegen gewesen, ein offenbar lukratives Geschäft, denn er begann 1719 mit dem Bau einer Sommerresidenz in Cannons (in der Nähe von Edgware). Die Kapelle wurde erst im August 1720 fertiggestellt.
Händels erste vier *Chandos Anthems* wurden wahrscheinlich in der St.-Lawrence-Kirche in Whitchurch aufgeführt, die Lord Brydges 1714 erbauen ließ. Händel war nach Cannons eingeladen worden und hielt sich dort nur als Komponist auf. Für die Musik war nach wie vor John Christopher Pepusch verantwortlich..
Dr. John Arbuthnot (1667–1735), Arzt, Schriftsteller und Musiker, war Arzt von Königin Anna, wurde 1710 Mitglied des Royal College of Physicians. Nach dem Tod der Königin ging er für einige Zeit nach Frankreich, kehrte aber 1718 nach England zurück. Er hatte Händel bei Lord Burlington kennengelernt.

1717 (I)
Johann Mattheson, Grundlage einer Ehrenpforte, Hamburg 1740

Ums Jahr 1717. war Händel in Hanover, und wurde, wo mir recht, des damaligen Kron- und Chur-Printzens, itzigen Königs von Englands, Capellmeister. Ich erhielt auch zu der Zeit aus gedachtem Hanover Briefe von ihm, über die Zuschrifft der zwoten Eröffnung meines Orchesters, welches das Beschützte genannt wird, und ihm, nebst andern, gewidmet war.   [S.97]

– Möglicherweise bezieht sich Mattheson auf die Reise Händels nach dem Kontinent im Jahre 1716; Percy Robinson (1939 I) schließt nicht aus, daß Händel 1717 erneut zu einem kurzen Besuch nach Deutschland gereist ist.

1717 (II)
M. Richey, Huldigungsgedicht auf Johann Mattheson

Will Keisers Geist sich ausser Keisern zeigen,
Will Händels Kunst in mehr als Händeln steigen,
    Wann Mattheson nur Wunder componirt;
Muß Ohr und Herz in Lust entzücket stehen,
Muß Orpheus[1] selbst noch in die Schule gehen,
    Wann Mattheson die Saiten zaubern rührt;
So muß auch hier Alypius[2] noch lernen,
Und Aretin[3] sich nur verstummt entfernen,
    Wann Mattheson die weise Feder führt.

    Dem Ruhm würdigsten Herrn Verfasser
        zu schuldigen Ehren
1717.   M. Richey. P.P.

[1] Ein alter griechischer König der Ciconier, Theologus, Poete und Musikus aus Thracien, soll zur Zeit der Richter in Israel, 40. Jahr vor dem Trojanischen Kriege, gelebet, und die Musik erfunden haben, womit er grosse Wunder gethan.
[2] Ein Grieche, von dem man nicht gewiß weiß, wann er gelebet, hat ein Isagogen musicam geschrieben, die Marcus Melbomius am vollständigsten 1652. griechisch und lateinisch herausgegeben.
[3] Guido mit Vornahmen, lebte ums Jahr 1028. und verfertigte unterschiedliche musikalische Bücher.

– Handschriftliche Einlage Matthesons in seinem Handexemplar der *Grundlage einer Ehrenpforte* zu S. 203 mit der Überschrift „Dem beschützten Orchestre wurde folgendes vorgesetzt" (Mattheson/Schneider 1910, Anhang 13 f.)
Vgl. 19. Juli 1717 (I)

1718

16. Mai 1718
The Daily Courant

For the benefit of Mr. Castelman. Drury Lane. Henry IV. Shakespeare. With entertainments of Dancing .... A Concerto upon the little Flute by

Mr. Paisible, and one intirely new, compos'd by Mr. Handel.

– James Paisible (ca. 1656–1721), ein aus Frankreich gebürtiger Flötist, Sänger und Komponist, war gegen 1674 nach London gekommen.

27. Mai 1718
Sir David Dalrymple an Hugh Campbell

My Dear Lord
Since my Last I have been at Canons with E. of Carnarvon who Lives an Prince & to boot is a worthy beneficent man, I heard sermon at his parish church which for painting and ornament exceeds every thing in this Country he has a Chorus of his own, the Musick is made for himself and sung by his own servants, besides which there is a Little opera now a makeing for his diversion whereof the Musick will not be made publick. The words are to be furnished by Mʳˢ Pope & Gay, the musick to be composed by Hendell, It is as good as finished, and I am promised some of the Songs by Dr. Arbuthnot who is one of the club of composers which your Ld shall have as soon as I get it.
(Huntington Library, San Marino)

– Die „Little opera" kann die Masque *Acis and Galatea* gewesen sein oder *Haman and Mordecai*, die erste Fassung von *Esther*; beide Werke komponierte Händel 1718 für den Duke of Chandos.
Sir David Dalrymple, 1. Baronet of Hailes (gest. 1721), war schottischer Politiker und Lord-Advokat Königin Annas und Georgs I. in Schottland. Hugh Campbell, 3. Earl of Loudoun (gest. 1731), war ebenfalls schottischer Politiker.
(Rogers 1972, 792)

8. und 11. August 1718
Archiv der Ober-Pfarr-Kirche zu Unser Lieben Frauen in Halle
Todten-Register v. J. 1717 bis 1740

In der 8. Woche nach Trinit. [1718]
♃ 11. huj.
Frau Dorothea Sophia Herr Michael Dietrich Michaelsens Jur. Utrqs Doctoris Eheliebste gebohrene Händelin, gestorben den 8. huj. hor. ½ 3 pom. gantze Schule begraben, alt 30. Jahr 7. Monat und 8 Tage   [S. 49]

– ♃ ist das astronomische Zeichen für Donnerstag. Dorothea Sophia Michaelsen war die ältere von Händels beiden Schwestern (vgl. 8. Oktober 1687, 26. September 1708, 23. November 1711). Die Angaben über das Alter der Verstorbenen sind ungenau. Sie starb im Alter von 30 Jahren, zehn Monaten und zwei Tagen.

11. August 1718
Johann Michael Heineccius, Des Hertzens-Trost eines am Leibe verschmachtenden Kindes Gottes ... Halle ... den 11. August 1718

Sie machete durch ihr Exempel wahr, was Salomon saget: Der Gerechte ist auch in seinem Tode getrost. Woher kommt aber diese Freudigkeit, da äusserlich keine Freude ist? Warum grünet die Hoffnung, wenn auch der Leib, als eine Blume, verwelcket? Warum verschmachtet der Glaube nicht, wenn auch Leib und Seel verschmachten? Niemand kan uns davon bessere Nachricht geben, als der nunmehro verschlossene Mund der Seeligen Frau Doctorin. Es führete derselbe im Leben öffters die Worte Hiobs: Ich weiß, daß mein Erlöser lebet, und er wird mich hernach aus der Erden auferwecken ...
GOTT hatte ihr einen liebreichen Ehegatten, einen vielfachen Ehe-Seegen, ein gutes Vermögen, viel Freude und Ehre an Ihrem eintzigen Herrn Bruder, dessen gantz besondere und ausnehmende grosse Vertues auch gekrönte Häupter und die Grössesten in der Welt zugleich lieben und bewundern, und sonst viel Vergnügen gegönnet, doch muste alles ihrem Erlöser nachstehen.
(Universitäts- und Landesbibliothek Sachsen-Anhalt, Halle. Chrysander, I, 490 ff.)

– Die Predigt wurde zusammen mit sieben Trauergedichten, die von Verwandten der Verstorbenen geschrieben oder unterzeichnet waren, gedruckt; auch die Widmung des Druckers (Chrysander, I, 490) erwähnt Händel. Ein Exemplar befand sich in der Bibliothek von W. H. Cummings (Versteigerung 1917, Katalog-Nr. 823).

1. Oktober 1718
Aufführung von Händels Oper *Rinaldo* im Palazzo Reale in Neapel mit Ergänzungen von Leonardo Leo (1694–1744) unter dessen Leitung.

– Die Aufführung fand aus Anlaß des Geburtstages von Kaiser Karl VI. statt. Die Widmung des Librettos unterzeichnete Nicola Serina, der möglicherweise einige Szenen hinzufügte. Leo komponierte den Prolog und verschiedene Szenen neu (Sonneck 1914, 937).
Nicolini, der 1717 von England nach Italien zurückgekehrt war, sang die Titelpartie.

3. November 1718 (I)
Wilhelm Willers, Bemerkungen über Theater Vorfälle

Nov. 3. Oper Agrippina.
(Merbach, 355)

– Wilhelm Willers war Gesandter von Preußen (oder Holland?) in Hamburg.
Händels *Agrippina* wurde in italienischer Sprache aufgeführt, als das Hamburger Operntheater unter der Leitung von J. G. Gumprecht neu eröffnet wurde. Das Libretto, dem eine deutsche Übersetzung beigefügt war, erwähnt weder den Namen Händels noch den des Textdichters. Die Oper

wurde am 7. und 24. November wiederholt. (In England ist *Agrippina* nicht aufgeführt worden.)

3. November 1718 (II)
Johann Mattheson, Hamburger Opernverzeichnis

157. Agrippina. Music vom Hn. Händel. In Italiänischer Sprache aufgeführt.
(Mattheson 1728, 189; Chrysander 1877, Sp. 246)

19. November 1718
Wilhelm Willers, Bemerkungen über Theater Vorfälle

Nov. 19. ist Guaffin unhöflich davon gelaufen und drohte nicht wieder zu singen, sang aber noch in Agrippina und ließ sogleich seine Sachen transportiren.
(Merbach, 355)

– Guaffin reiste am 10. Dezémber ab.

30. November 1718
Specification

Derer 276 Musicalischen Kirchen-Stücken, so der seel. Hr. Adamus Meissner, gewesener Organista bey der Kirchen zu St. Ulrich alhier in seinem Testamente gedachter Kirchen zu seinem Andencken vermachet de Anno 1718
(Nb. Diese 276 Stücken sind dem ietzigen Organisten, Hr. Johann Gotthilff Zieglern den 30. Nov. 1718 alle richtig zugestellet worden, welche sich auch sämbtlich bey deren Revidirung den 27. Aug. 1732 in dem auf der Orgel stehenden großen Schrancke befunden)
...

19. Dialogo Dom: 9. et 22. p. Trin: Thue Rechnung von deinem Haußhalten à 13. J. F. Hendel mit der Partitur
...

35. Dom: 14/.19. p. Trin: Dialogo: Das gantze Haupt ist krank ab 8. J. F. Hend.
...

50. Dom: XVI. et XXIV. p. Trin: Dialogo: Es ist der alte Bund, Mensch à 12 cum Partitura [G. F. Händel?]
...

95. Dom: Leatare it: VII. et XV. p. Tr. Dial: Was werden wir essen? à 10/.12. J. F. Hendeln
...

99. Fürwahr Er trug unsere Krankheit à 15. G. F. H.
...

102. Dom: Invoc: Wer ist, der so von Edom kömmt à 12. Hendel
...

144. Fürwahr, Er trug unser à 15. G. F. H.
...

221. F. Pasch: Victoria. D. Tod ist verschlungen à 14. G. F. Hendel
...

Vorher Specificirte 276 Kirchen-Stücke habe alle richtig in Empfang bekommen, welches hiermit bescheinige.
Halle, d. 30. Nov. 1718
Johann Gotthilff Ziegler Org.
(Serauky 1940, 70 ff.)

– Der Bachschüler Johann Gotthilf Ziegler (1688–1747) wurde 1718 als Nachfolger von Adam Meißner (1655–1718) Organist der Ulrichskirche in Halle.

1. Dezember 1718
Wilhelm Willers, Bemerkungen über Theater Vorfälle

Dec. 1. In Altona Agrippina.
(Merbach, 355)

– Altona war damals eine selbständige Stadt in der Nähe Hamburgs, der die Hamburger Oper einschließlich Guaffin einen ihrer regelmäßigen Besuche abstattete.
Auch Händels Masque *Acis and Galatea* wurde dort wahrscheinlich schon 1718 aufgeführt.
(Smith 1948, 203)

22. Dezember 1718
The Daily Courant

To all Lovers of Musick. Whereas there has lately been printed (in Prejudice to my Property) a very Imperfect and Spurious Edition of Mr. Babell's great Book of Harpsicord Lessons; (that the Publick may not be impos'd on) This is to give Notice, The Original one (curiously printed, and corrected by the Author) is now sold for 3s. 6d. by me at the Harp in Catherine-street in the Strand ...
John Walsh.
(Smith 1958, 137)
Vgl. 29./31. Januar 1717

1719

10. Januar 1719
Wilhelm Willers, Bemerkungen über Theater Vorfälle

Januar, 10. Agrippina, nur zehn Personen.
(Merbach, 355)

– Willers notiert weitere Aufführungen der *Agrippina* in Hamburg: 16. und 23. Februar, 27. April, 1., 4., 8., 10. und 25. Mai, 15. und 22. Juni, 10. und 20. Juli, 7., 14. und 23. August, 7. und 27. September, 25. Oktober, 1. und 27. November und 6. Dezember 1719, 22. Januar 1720, 5. und 23. November 1722.

6. Februar 1719
Wilhelm Willers, Bemerkungen über Theater Vorfälle

Februar 6. Oriana.
(Merbach, 355)
Vgl. September 1717

– Wiederholungen des *Amadigi* in deutscher Sprache: 9. und 10. Februar, 14., 21. und 29. Juni, 9., 17. und 24. August und 2. Oktober 1719 sowie am 12., 19. und 28. August und 12. September 1720.

9. Februar 1719
Jonathan Swift an Robert Harley

Dublin, Feb. 9, 1719.
... I have the honour to be Captain of a band of nineteen musicians (including boys), which are I hear about five less then my friend the D. of Chandos. ...
(Historical MSS. Commission, 13th Report, Appendix, Part IV, Loder-Symonds Manuscripts, 1892, 404)

– Der Brief bezieht sich auf einen Sänger namens Lovelace, den Robert Harley für den Chor der St.-Patricks-Kathedrale in Dublin empfohlen hatte. Vermutlich sollte ihn Daniel Roseingraves Sohn Thomas (1690–1766), der seit März 1718 wieder in London war, prüfen. (Ein Aufenthalt des Dubliner Organisten Daniel Roseingrave in London ist nicht nachweisbar.)
Es ist möglich, daß Swift und Händel sich 1718 bei Lord Brydges kennenlernten. Nach Baker (XVII) bestand das „Concert" in Cannons aus etwa 30 Personen, Sängern und Instrumentalisten. Swifts Information ist möglicherweise ungenau (vgl. 15. Mai 1721).

16. Februar 1719
The Daily Courant

For the Benefit of Mr. Leneker, and Mrs. Smith.
At Mr. Hickford's Great Room in James-street near the Hay-market, on Wednesday next, being the 18th Day of February, will be perform'd, a Consort of Vocal and Instrumental Musick, by the best Hands. A new Concerto, Compos'd by Mr. Hendel, and perform'd by Mr. Mathew Dubourg. And a Piece for the Harpsicord by Mr. Cook. A Concerto and a Solo by Mr. Kytch. A Solo for the Bass-Viol, and German Flute by Signor Pietro. Tickets... at 5s. each. To begin exactly at 7 a Clock.
(Chrysander, III, 148)

– Händels Concerto konnte nicht identifiziert werden.
Matthew Dubourg (1703–1767), seit 1714 Schüler Geminianis, trat bereits seit 1715 als Geiger auf. 1728 ging er als Leiter der Königlichen Kapelle

nach Dublin, dirigierte das Orchester auch bei Händels Besuch 1741 und nahm an der ersten *Messias*-Aufführung teil. 1752 übernahm Dubourg als Nachfolger von Michael Festing (1680–1752) die Leitung der Königlichen Kapelle in London.
Jean Christian Kytch (Kytsch, Keitch, Keutsch, Kaeytsch), ein gebürtiger Holländer, war Oboist im Orchester in Cannons und spielte auch Querflöte. Der Anblick seiner beiden notleidenden Kinder, die nach seinem Tode 1738 Milchesel über den Haymarket trieben, führte zur Gründung des „Fund for the Support of Decay'd Musicians", der späteren „Royal Society of Musicians", an der Händel lebhaftes Interesse nahm. Kytchs Neffe war ebenfalls Mitglied des Orchesters in Cannons.
„Signor Pietro" ist wahrscheinlich der Geiger Pietro Castrucci (1679-1751), ein Schüler Corellis, der 1715 mit Lord Burlington nach London gekommen war und Leiter von Händels Opernorchester wurde. Über Cook und Mrs. Smith ist nichts bekannt.
Vgl. 5. Mai 1711 (I)

20. Februar 1719
Händel an seinen Schwager Michael Dietrich Michaelsen

Monsieur
mon tres Honoré Frere,
Ne jugez pas, je Vous supplie, de mon envie de Vous voir par le retardement de mon depart, c'est à mon grand regret que je me vois arreté icy par des affaires indispensables et d'ou, j'ose dire, ma fortune depend, et les quelles ont trainé plus longtems que je n'avois crû. Si Vous scaviez la peine que j'eprouve, de ce que je n'ai pas pu mettre en execution ce que je desire si ardement Vous auriez de l'indulgence pour moy. mais a la fin j'espere d'en venir à bout dans un mois d'icy, et Vous pouvez conter que je ne ferai aucun delay, et que je me mettrai incessamment en chemin, Je Vous supplie, Mon tres Cher Frere d'en assurer la Mama et de mon obeissance, et faites moy surtout part encore une fois de Vôtre Etat, de celuy de la Mama, et de Vôtre Chere Famille, pour diminuer l'inquietude et l'impatience dans la quelle je me trouve, Vous jugez bien, Mon tres Cher Frere, que je serois inconsolable, si je n'avois pas l'esperance de me dedommager bientôt de ce delay, en restant d'autant plus longtems avec Vous.
Je suis etonné de ce que le Marchand a Magdebourg n'a pas encore satisfait à la lettre de Change, je Vous prie de la garder seulement, et à mon arrivée elle sera ajustée. J'ay recus avis que l'Etain serà bientôt achemine pour Vos endroits, je suis honteux de ce retardement aussi bien que de ce que je n'ai pas pu m'acquitter plus tôt de ma promesse, je Vous supplie de l'excuser et de croire

que malgré tous mes effors il m'a été impossible de reussir, Vous en conviendrez Vous même lorsque j'aurai l'honneur de Vous le dire de bouche. Vous ne devez pas douter que je ne haterai mon voyage: je languis plus que Vous ne scauriez Vous imaginer de Vous voir. Je Vous remercie tres humblement des voeux que Vous m'avez adresses à l'occasion du nouvel'an. Je souhaite de mon côté, que le Toutpuissant veuille Vous combler et Vôtre Chere Famille de toutes sortes de Prosperites, et d'addoucir par ses pretieuses benedictions la playe sensible qu'il luy a plu de Vous faire essuyer, et qui m'a frappé egalement. Vous pouvez etre assuré que je conserverai toujours vivement le Souvenir des bontés que Vous avez eues par feue mà Soeur, et que les sentiments de mà reconnoissance dureront aussi longtems que mes jours. Ayez la bonté de faire bien mes Complimens à Mr. Rotth et a tous les bon Amis. Je Vous embrasse avec toute Vôtre Chere Famille, et je suis avec une passion inviolable toute ma vie
Monsieur
et tres Honoré Frere
Vôtre
tres humble et tres obeissant
Serviteur
George Frideric Handel.
à Londres
ce 20 des Fevrier 1719.

A Monsieur,
Monsieur Michael Dietrich Michaëlsen,
Docteur en Droit
à Halle
en Saxe.
(Bibliothèque du Conservatoire, Paris. Chrysander, I, 493 f.)

- Der Anfang des Briefes zeigt, daß Händel seine Reise nach dem Kontinent schon einige Zeit vorher geplant hatte und die Royal Academy of Music vielleicht schon 1718 vorbereitet wurde. Seine Abreise verzögerte sich bis Mai 1719 (vgl. 14. Mai 1719).
Durch den Kaufmann in Magdeburg schickte Händel offenbar Geld an seine Mutter.
Christian August Roth (oder Rotth), Diakon an der Moritzkirche zu Halle, war Händels Vetter.

21. Februar 1719
The Original Weekly Journal

Mr. Hendel, a famous Master of Musick, is gone beyond Sea, by Order of his Majesty, to Collect a Company of the choicest Singers in Europe, for the Opera in the Hay-Market.
(Chrysander, II, 16)

- Händel trat die Reise erst im Mai 1719 an.

24. Februar 1719
Händel an Johann Mattheson

à Londres, Fev. 24, 1719.
Monsieur,
Par la Lettre que je viens de recevoir de votre part, datée du 21 du courant je me vois pressé si obligeamment de vous satisfaire plus particulierement, que je n'ai fait dans mes precedentes, sur les deux points en question, que je ne puis me dispenser de declarer, que mon opinion se trouve generalement conforme à ce que vous avez si bien deduit & prouvé dans votre livre touchant la Solmisation & les Modes Grecs. La question ce me semble reduit a ceci: Si l'on doit preferer une Methode aisée & des plus parfaites à une autre qui est accompagnée de grandes difficultés, capables non seulement de degouter les eleves dans la Musique, mais aussi de leur faire consumer un tems pretieux, qu'on peut employer beaucoup mieux à approfondir cet art & à cultiver son genie? Ce n'est pas que je veuille avancer, qu'on ne peut tirer aucune utilité de la Solmisation: mais comme on peut acquerir les mêmes connoissances en bien moins de tems par la methode dont on se sert à present avec tant de succes, je ne vois pas, pourquoi on ne doive opter le chemin qui conduit plus facilement & en moins de tems au but qu'on se propose? Quant aux Modes Grecs, je trouve, Monsieur, que vous avez dit tout ce qui se peut dire là dessus. Leur connoissance est sans doute necessaire à ceux qui veulent pratiquer & executer la Musique ancienne, qui a été composée suivant ces Modes; mais comme on s'est affranchi des bornes etroites de l'ancienne Musique, je ne vois pas de quelle utilité les Modes Grecs puissant être pour la Musique moderne. Ce cont là, Monsieur, mes sentiments, vous m'obligerez de me faire sçavoir s'ils repondent à ce que vous souhaitez de moi.
Pour ce qui est du second point, vouz pouvez juger vous même, qu'il demande beaucoup de recueillement, dont je ne suis pas le maitre parmi les occupations pressantes, que j'ai par devers moi. Dès que j'en serai un peu débarassé, je repasserai les Epoques principales que j'ai eues dans le cours de ma Profession, pour vous faire voir l'estime & la consideration particuliere avec laquelle j'ai l'honneur d'etre
Monsieur
votre tres humble & tres
obeissant serviteur
G. F. Handel.
(Chrysander, I, 451 ff.)

- Mattheson veröffentlichte Händels Brief mit einer deutschen Übersetzung 1725 in seiner *Critica Musica* (vgl. 1725/IV), der ersten deutschsprachigen Musikzeitschrift.
Händel bezieht sich auf einen früheren, nicht erhalten gebliebenen Brief und auf Matthesons

Buch *Das Beschützte Orchestre* (vgl. 19. Juli 1717/I). Der zweite Teil des Briefes ist eine Antwort auf Matthesons wiederholte Bitte an Händel, eine autobiographische Skizze für ihn zu schreiben (vgl. 18. Juli 1735).

28. Februar 1719
Benefizkonzert für Mrs. Ann Turner-Robinson, „who never sang but once in public". Das Konzert bestand aus drei Teilen, der zweite war „entirely new composed by Signr. Attilio Ariosti purposely in this occasion".
(Sammlung Latreille. Wahrscheinlich Kopie aus dem *Daily Courant*)

– Ann Turner-Robinson (gest. 1741) war die Tochter des Komponisten und Sängers Dr. William Turner (1651–1740) und heiratete 1716 den Organisten John Robinson (1682–1762). Sie gehörte vorübergehend zum Ensemble der Royal Academy of Music. Eine ihrer Töchter wurde Sängerin und wirkte in verschiedenen Oratorien Händels mit.
Ariosti komponierte wohl eine Kantate für dieses Konzert, das anscheinend im King's Theatre stattfand (vgl. 21. März 1719).

Frühjahr 1719
Vorwort zum Textdruck der Passion von Barthold Heinrich Brockes

Es ist nicht zu verwundern, daß die vier großen Musici, Herr Keiser, Herr Händel, Herr Telemann und Herr Mattheson, als welche sich, durch ihre viele und treffliche der musikalischen Welt gelieferte Meisterstücke, einen ewigen Ruhm erworben, solches in die Musik zu bringen, für ihr grössestes Vergnügen geschätzet, in welcher Verrichtung es ihnen denn so ungemein wohl gelungen, daß auch der behutsamste Kenner einer schönen Musik gestehen muß, er wisse nicht, was hier an Anmuth, Kunst und natürlicher Ausdrückung der Gemüths-Neigungen vergessen, und wem der Rang, ohne einem gefährlichen Urtheil sich zu unterwerffen, zu geben sey. Des Herrn Keisers Musik ist ehedessen schon unterschiedne mahl, mit der grössesten Approbation, aufgeführet worden. Des Herrn Matthesons dies Jahr zu zweien mahlen gehörte Musik hat den Zuhörern derselben ein unsterbliches Andenken seiner Virtù überlassen. Nun aber ist man Willens, künfftigen Montag (in der Stillen Woche) des Herrn Händels, und Dienstags des Herrn Telemanns Musik aufzuführen.
(Mattheson 1740, 96; Chrysander, I, 449)

– Der Text der Passion wurde 1712 geschrieben und mit dem Titel *Der für die Sünden der Welt gemarterte und sterbende Jesus aus den vier Evangelisten in gebundener Rede vorgestellet* veröffentlicht. Reinhard Keiser vertonte den Text im gleichen Jahr. Georg

Philipp Telemann komponierte die Passion 1716, Händel wahrscheinlich 1717 und Mattheson 1718. Das Textbuch von 1719 erwähnt nur die vorgesehenen Aufführungen von Händels und Telemanns Kompositionen, wogegen Chrysander sagt, daß alle vier Fassungen in jenem Jahre im Dom aufgeführt worden seien. Händel sandte wahrscheinlich 1717 ein Manuskript von London nach Hamburg (vgl. Februar 1723). Die unvollständige Kopie von Johann Sebastian Bach trägt den Vermerk: „Oratorium Passionale. Poesia di Brocks et Musica di Hendel".
1795 schenkte die englische Königin Charlotte Sophia (1744–1818) eine Abschrift der Passion Joseph Haydn, der später daran dachte, dem Werk einen Schluß-Chor hinzuzufügen. Dieses Manuskript ging von Haydn an Breitkopf & Härtel über, die beabsichtigten, das Werk zu veröffentlichen. Das Autograph ist verloren.
Ca. 1724/26 komponierte Händel neun Arien aus Brockes' *Irdisches Vergnügen in Gott* (HWV 202–210).

21. März 1719
Konzert mit Vokal- und Instrumentalmusik im King's Theatre unter Mitwirkung von Ann Turner-Robinson und Benedetto Baldassari. „The concert will be performed in a magnificent triumphant scene, exceeding 30 feet in length any scene ever seen before. Painted by Signor Roberto Clerici."
(Sammlung Latreille. Wahrscheinlich Kopie aus dem *Daily Courant*)

– Ann Turner-Robinson sang eine Kantate von Ariosti (vgl. 28. Februar 1719). Der Kastrat Benedetto Baldassari (Benedetti), seit etwa 1712 in London, gehörte 1720–1722 zum Ensemble der Royal Academy of Music und trat von Oktober bis November 1725 in Dublin auf. Der Maler Roberto Clerici war „Ingegnero della Reale Accademia" (Fassini, *Rivista musicale,* 38). Er hatte 1716 für *Pirro e Demetrio* eine große perspektivische Ansicht eines Königspalastes gemalt, die 1717 wieder für *Clearte* verwendet wurde (Latreille). Clerici war 1711 in Wien und 1739–1748 in Parma als Theatermaler tätig.

31. März 1719
Hamburger Relations-Courier

Künfftige Woche wird man ein vortreffliches geistliches Oratorium in dem Dom auff dem Reventher Nachmittag um 4 Uhr präcise / und zwar Montags [3. April] des Hn. Capellmeisters Hendels Music / dienstags aber des Capellmeisters Hrn. Telemanns Composition aufführen.

14. Mai 1719
Vollmacht und Instruktionen des Gouverneurs
der Royal Academy of Music für Händel

Warrant to Mr Hendel to procure Singers for the
English Stage, Whereas His Majesty has been graciously Pleas'd to Grant Letters Patents to the
Severall Lords and Gent. mention'd in the Annext
List for the Encouragement of Operas for and during the Space of Twenty one Years, and Likewise
as a further encouragement has been graciously
Pleas'd to Grant a Thousand Pounds p. A. for the
Promotion of this design, And also that the Cham-
berlain of his Ma^ts Household for the time being is
to be always Governor of the said Company. I do
by his Majestys Command Authorize and direct
You forthwith to repair to Italy Germany or such
other Place or Places as you shall think proper,
there to make Contracts with such Singer or Singers as you shall judge fit to perform on the English
Stage. And for so doing this shall be your Warrant
Given under my hand and Seal this 14th day of
May 1719 in the Fifth Year of his Ma^ts Reign.
To Mr Hendel Master
of Musick. ...
Holles Newcastle.

Instructions to Mr Hendel.
That Mr Hendel either by himself or such Corre-
spondenc^s as he shall think fit procure proper
Voices to Sing in the Opera.
The said Mr Hendel is impower'd to contract in
the Name of the Patentees with those Voices to
Sing in the Opera for one Year and no more.
That Mr Hendel engage Senezino as soon as possi-
ble to Serve the said Company and for as many
Years as may be.
That in case Mr Hendel meet with an excellent
Voice of the first rate he is to Acquaint the Govr
and Company forthwith of it and upon what
Terms he or She may be had.
That Mr Hendel from time to time Acquaint the
Governor and Company with his proceedings,
Send Copys of the Agreem^ts which he makes with
these Singers and obey such forther Instructions
as the Governor and Company shall from time to
time transmit unto him.
Holles Newcastle.
(Public Record Office: L. C. 5/157, Copybook,
233 ff., Nicoll, 285 f.)

– Thomas Pelham-Holles, Duke of Newcastle
(1693–1768), 1717–1724 Lord-Oberhofmeister,
war bis 1723 Gouverneur der Royal Academy of
Music.
Das königliche Patent wurde am 8. Mai ausgestellt.
Der König gewährte eine jährliche Unterstützung
von 1 000 £ (Annuity oder Yearly Bounty), die bis
zum Ende der ersten Akademie (1728) regelmäßig
gezahlt wurde. Spätere Zahlungen an die Leiter

der Opernhäuser werden nach den Eintragungen
in den Büchern des Schatzamtes vermerkt.
Händel gelang es bereits in Dresden, alle Sänger
für die Oper zu engagieren. Über seine Ausgaben,
Rückerstattung derselben etc. ist nichts bekannt.
Seine Berichte an den Gouverneur sind nicht erhalten.
Senesino, eigentlich Francesco Bernardi (1680 bis
1750), italienischer Mezzosopranist aus Siena,
sang seit 1717 am Hoftheater in Dresden. In London trat er erstmals im November 1720 in Bononcinis Astarto und dann in der Neuinszenierung
von Händels Radamisto auf.

27. Mai 1719
Harlequin-Hydaspes: or, The Greshamite wird im Lincoln's Inn Fields Theatre aufgeführt.

– Harlequin-Hydaspes ist eine Parodie auf Francesco Mancinis Oper L'Idaspe Fedele, die am
23. März 1710 erstmals im King's Theatre aufgeführt worden war und bis 1716 46 Wiederholungen erlebte. Den Text schrieb Mrs. Aubert, die
meisten Melodien waren aus Mancinis Oper übernommen worden, einige aus Almahide (Bononcini?), Pyrrhus (A. Scarlatti), Rinaldo und Amadigi.
„The part of Harlequin by the Autor – who mimicks the famous Nicolini in his whole action"
(Daily Courant vom 19. Mai 1719; Chrysander, II,
30 f.).
Die Aufführung war ursprünglich für den 22. Mai
geplant, wurde aber „unfortunately prevented ...
by the unexpected Arrest of the Person who was
to have played the Doctor".
Lincoln's Inn Fields Theatre war am 18. Dezember
1714 unter John Rich (1691/92–1761) und dessen
Bruder Christopher Moyse Rich wieder eröffnet
worden. John Rich war ein ausgezeichneter Harlequin und hatte 1717 großen Erfolg mit einer Pantomime Harlequin Executed. Bis 1760 führte er jährlich eine Pantomime auf.

Mai 1719
Verzeichnis der Gründungsaktionäre der Royal
Academy of Music

Henry Duke of Kent, Thomas Holles Duke of
Newcastle (1 000), Charles Duke of Grafton,
Henry Duke of Portland (600), Charles Duke of
Manchester, James Duke of Chandois (1 000),
James Duke of Montrose, Charles Earl of Sunder-
land, Henry Earl of Rochester, James Earl of Ber-
keley, Richard Earl of Burlington (1 000), George
Henry Earl of Litchfield, Henry Earl of Lincoln,
Henry Viscount Lonsdale, Thomas Earl of Straf-
ford, William Earl Cadogan, Talbot Earl of Sussex,
Henry Earl of Thomond, George Earl of Halifax,
David Earl of Portmore, Count Bothmer, Allen
Lord Bathurst, Robert Lord Bingley, George Lord
Lansdowne, John Lord Gower, Henry Lord Carle-

ton, Richard Lord Viscount Castlemayne (400), Charles Marquess of Winchester, James Lord Viscount Limerick, James Craggs, Esq; Walter Lord Viscount Chetwynd, Sir John Jennings, Sir Hunger[d] Hoskins, Sir Matthew Decker, William Evans, Roger Jones, James Bruce, William Pult(e)ney, Thomas Coke, Richard Hampden, Sir John Guise, Thomas Harrison, Benjamin Mildmay, George Harrison, George Wade, Thomas Coke, Esq; Vice Chamberlain, Francis Whitworth, William Chatwynd, Thomas Smith, Martin Bladen, Thomas Gage, Francis Negus, William Yonge, Bryan Fairfax, Kroynberg, Esq; John Arbuthnot, Esq; Sir George Coke, Sir Humphrey Howarth, Sir Wilfred Lawson, Henry Earl of Montroth [recte Mountrath], John Blith, William Lord North-Grey, Samuel Edwin.
(Public Record Office: L. C. 7/3, No. 15)

– Die 62 in diesem Verzeichnis angeführten Aktionäre garantierten 200 £ des Gesamtkapitals, wenn nicht eine andere Summe angegeben ist.
In dem die Royal Academy of Music betreffenden Gesetzentwurf vom 9. Mai (L. C. 5/157, 229) sind folgende der Namen nicht enthalten: George Henry Lee, Earl of Litchfield (gest. 1743), Henry Clinton, Earl of Lincoln (Generalzahlmeister der Armee, Schatzmeister und Constable des Tower), Reichsgraf Hans Kaspar Freiherr von Bothmer (1656–1732), hannoveranischer Regierungsvertreter und dirigierender Minister der deutschen Lande, Kroynberg (Kreyenberg), hannoveranischer Resident in London, John Blith, William North Lord North-Grey (1678–1734) und Samuel Edwin. Nach diesem Verzeichnis war das vorgesehene Kapital von 10 000 £ um 5 600 £ überzeichnet. Der erste Unterzeichner, Henry Grey, Duke of Kent (1664?–1740), bis 1717 Oberhofmeister, war ursprünglich als Gouverneur vorgesehen. Charles Montagu, Earl of Manchester, seit 30. April 1719 Duke of Manchester (1660?–1722), war anscheinend ab November 1719 Vize-Gouverneur. Charles Burney besaß ein Dokument aus dem Jahre 1719 (offensichtlich späteren Datums als das im Public Record Office verwahrte) mit dem Titel „Original deed of incorporation", das Unterschriften und Siegel von 73 (statt 62) Subskribenten für die Akademie enthielt. Das Dokument war nach Burneys Tod als Nr. 1048 seiner Bibliothek am 15. August 1814 verkauft worden. Am 20. Februar 1822 erschien es als Nr. 1409 beim Verkauf der Sammlung von James Bartleman. Später befand es sich in der Sammlung von William Upcott, wurde 1846 wieder verkauft und ist seither verschollen.
Vgl. 27. November 1719, 2. April 1720, Februar 1721 und 17. Dezember 1726

Mai 1719
Händel reist nach Düsseldorf, wo er Benedetto Baldassari für London verpflichtet, und anschließend nach Halle, um seine Familie zu besuchen. Hier soll ihn Johann Sebastian Bach, von Köthen kommend, verfehlt haben (Schoelcher 1857, 317). Im Sommer 1719 reist er nach Dresden, um Sänger für die Royal Academy of Music zu engagieren. König Georg I. ging am 11. Mai 1719 für den Sommer nach Hannover.
Vgl. 26. Juli 1719

13. Juli 1719
Paolo Antonio Rolli an den Abbate Giuseppe Riva

Thistleworth il 13, di luglio 1719
La Denys alias Sciarpina à già cantato due volte dalla Prencipessa: s'ajuta La barca. L'uomo ama e dissimola: ma quousque tandem?
La Zanzara castratina è fermata con i Castrucci e Pippo a servir due volte la settimana, questa ottima Prencipessa per tutta la stagione. Sandoni suona il Cembalo, è molto gradito sara premiato ancor'egli, e godo della sua introduzzione: Farà bene a se stesso per far bene alla creatura. Attilio è ritornato in Città: una lite li à cacciati [sic] dalla casa di campagna la quale sta in pendenza.
(Biblioteca Estense di Modena, Autografoteca Campori)

– Paolo Antonio Rolli (1687–1765), italienischer Dichter und Librettist, lebte von 1715 bis 1744 außerhalb Italiens, zuerst in Paris, seit 1716 in London, und unterrichtete die Töchter von Caroline, Prinzessin von Wales, in Italienisch.
Rollis Briefe an seine Freunde sind voller schwerverständlicher Anspielungen. Über die Sängerin Denys (Dennis)-Sciarpina ist nichts bekannt. Mit „l'uomo" ist in Rollis Briefen gewöhnlich Händel gemeint.
Guiseppe Riva war Regierungsvertreter Modenas in London. „Pippo" ist Filippo Amadei (geb. 1683), ein Violoncellist und Komponist, 1711 im Dienste des Kardinals Ottoboni. Einige Jahre später ging er nach London und gab dort seit Februar 1719 Konzerte (Chrysander, II, 56). Amadei wirkte in Händels Orchester mit und komponierte für die Royal Academy of Music, u. a. den ersten Akt der Oper *Muzio Scevola*. Er ist bis 1723 in England nachweisbar.
Pietro Giuseppe Sandoni (um 1680–1748), Cembalist und Komponist, trat in Wien, München, Frankreich und seit 1719 in London auf. 1722 heiratete er Francesca Cuzzoni, die er für Händel aus Italien holte. 1728 reiste das Ehepaar über Wien nach Venedig, war von 1734 bis 1737 aber wieder in London.

26. Juli 1719
Händel an den Earl of Burlington

My Lord
C'est toujours autant par un vive reconnoissance, que par devoir, que je me donne l'honneur de Vous dire le zele et l'attachement que j'ay pour Votre personne. Je Vous dois de plus un Conte exact de se que j'ay entrepris, et de la reussite du sujet de mon long voyage.
Je suis icy à attendre que les engagements de Sinesino, Berselli, et Guizzardi, soyent finis, et que ces Messieurs d'ailleurs bien disposés, s'engagent avec moy pour la Grand Bretagne. tout sera decidé en quelques jours; j'ai des bonnes esperances, et dés que j'auray conclû quelque chose de réel, je Vous l'ecrirai My Lord, comme a mon bienfaiteur, à mon Protecteur. Conservez moy, My Lord, Vos graces, elles me seront pretieuses, et ce sera toujours avec ardeur et fidelité que je suivray Vôtre service, et Vôs nobles volontés. C'est avec une soumission egalement sincere et profonde que je serai à jamais.
My Lord
Vôtre tres humble tres obeissant, et tres devoue Serviteur
George Frideric Handel
à Dresde ce 26/15 de Juillet 1719
(Archiv des Duke of Devonshire, Chatsworth. Young 1947, 36)

– Der Brief belegt, das Händel sich bereits im Sommer und nicht erst im Herbst des Jahres 1719 während der großen Festlichkeiten in Dresden aufhielt. Er ist zwar nicht adressiert, doch wurde er von William George Cavendish, 6. Duke of Devonshire, registriert als „Mr. Handel to Ld Bn." [Lord Burlington].
Händel hatte sich in den Jahren 1715 bis 1717 wiederholt im neuen Palast Burlingtons in Picadilly aufgehalten.
Der Earl of Burlington war einer der Gründungsinitiatoren der Royal Academy of Music und gehörte deren Direktorium an. Händel erstattet in dem vorliegenden Brief Bericht über seine Bemühungen, geeignete Sänger zu engagieren. Senesino und Matteo Berselli kamen erst Ende 1720 nach London, so daß sie Händel für *Radamisto,* seine erste für die Academy komponierte Oper (vgl. 27. April 1720), noch nicht zur Verfügung standen.
Mit dem Tenor Francesco Guicciardi, der im Herbst 1707 in Florenz die Partie des Giuliano in Händels *Rodrigo* gesungen hatte, kam kein Vertrag für London zustande.
Senesino gehörte dem Ensemble der Royal Academy of Music bis 1728 und von 1731 bis 1733 an, sein Jahresgehalt betrug £ 2 000 (später 1 400 Guineen). Berselli sang nur in der Saison 1720/21.
Händel verpflichtete in Dresden außerdem die beiden Sopranistinnen Margherita Durastanti, die einstige Primadonna des Marchese Ruspoli und erste Interpretin der Titelpartie in *Agrippina* (vgl. 16. Mai 1707 und Ende Dezember 1709/Anfang Januar 1710), und Maddalena Salvai sowie den Bassisten Giuseppe Maria Boschi. 1709/10 sang Boschi in Venedig in *Agrippina* die Partie des Pallante und 1711 in London in *Rinaldo* die Partie des Argante.
Als erste kam die Durastanti nach London und übernahm die Partie des Radamisto. Maddalena Salvai, Boschi, Senesino und Berselli trafen erst im Herbst 1720 in London ein und sangen dann in der für sie umgearbeiteten Fassung des *Radamisto.* Margherita Durastanti gehörte Händels Ensemble – man hatte ihr für 18 Monate ein Gehalt von £ 1 600 geboten (vgl. 27. November 1719) – bis 1724 und noch einmal während der Spielzeit 1733/34 an, Maddalena Salvai, die ein Jahresgehalt von £ 700 gehabt haben soll, blieb nur bis 1722, Boschi bis 1728.
Dresden hatte sich unter Kurfürst Friedrich August I. zu einem bedeutenden europäischen Musikzentrum entwickelt und verfügte seit 1717 über eine unter der Leitung Antonio Lottis stehende italienische Oper. Diese wurde jedoch vom Kurfürsten nach den aufwendigen Festlichkeiten im September 1719 anläßlich der Vermählung des sächsischen Kurprinzen Friedrich August mit Erzherzogin Maria Josepha (im August 1719 in Wien) im Februar 1720 aufgelöst.
Wie lange Händel sich 1719 in Dresden aufgehalten hat, ist nicht bekannt. Aus dem Brief des Grafen Flemming vom 6. November 1719 geht hervor, daß Händel wahrscheinlich erst Anfang November Dresden verlassen hat. Nach England ist er wahrscheinlich im Gefolge Georgs I. zurückgekehrt, der Mitte November von Herrenhausen nach London aufbrach.
Daß Händel in Dresden sowohl Lottis Fest-Oper *Teofane* (Libretto: Stefano Benedetto Pallavicino) als auch dessen *Giove in Argo* (Libretto: Antonio Maria Lucchini) gehört hat, ist gewiß, da seiner Oper *Ottone* (1722) und dem Pasticcio *Jupiter in Argos* (1739) die gleichen Libretti zugrunde liegen. Ob Händel Gelegenheit hatte, während seines Dresdener Aufenthaltes am kurfürstlichen Hof zu musizieren, wie Fürstenau aus einem Reskript des Kurfürsten vom Februar 1720 auf Zahlung von 100 Dukaten an Händel schloß, muß offen bleiben.
(Fürstenau 1860; Chrysander, II, 15 ff.; Fürstenau 1862, 97 ff.; Gress, 136 ff.; Strohm 1975/76, 115 f. und 147)

August 1719
Paolo Antonio Rolli an Giuseppe Riva

Richmond il non so quanti d'Agosto 1719
È stato in Londra D. Filippo Juvara quel bravo Ar-

chitetto siculo che facea le belle scene d'Ottoboni in cancelleria a Roma; egli è ai servizio del Re dell'Alpi e venia da Portugallo dove fu dal suo Re mandato a quell'altro Re per la direzzione d'un Palazzo e d'una Catedrale: fu rubato di molta somma, mentre andava a spasso presso all'alto Barco nel Coppê con l'Inviato portughese. ma che importa: è stato pensionato da quel Re di m[ille] scudi annui, e fatto Cavaliero del su'ordine: oltra la pago, del suo Padrone.

Castrucci seniore sta molto male con febre terzana doppia. mylord Burlington partì per Italia. si da per accertato che La Durastanti verrà per l'opere: oh che mala scelta per l'Inghilterra! non entro nel di Lei cantare, ma è un'Elefante. Si dice ancora che Borosini e non Guicciardi sia il Tenore che viene. L'Eiddeggherone à dormito due notti nel V.ro letto: cantò i duetti dello Stefani dalla Principessa: vinse la sera dugento ghinee a Bannister, e ne perdè co'l medesimo 240.

la mattina.

(Biblioteca Estense, Modena)

– Filippo Juvara (ca. 1676–1736), sizilianischer Architekt und Kupferstecher, war um 1707 für Um- und Neubauten für Privattheater tätig, so im Palazzo della Cancelleria für Kardinal Ottoboni. Seit Dezember 1714 war er Architekt bei König Victor Amadeus II. 1719 folgte er einer Einladung Johanns V. nach Portugal.

Der Tenor Francesco Borosini (geb. um 1690) sang zwischen 1712 und 1731 in Wien, 1720 ist er in Modena und 1723 in Prag nachweisbar. 1724/25 trat er in London auf. Er war mit der Sängerin Rosa d'Ambreville verheiratet. Heidegger sang Duette von Agostino Steffani. John Banister d.J. (gest. 1735) war ein englischer Geiger und Komponist und Mitglied der Königlichen Kapelle.

3. Oktober 1719
The London Gazette

The Lord Chamberlain of His Majesty's household does hereby give Notice, that on Friday the 6th of November, at Ten in the Morning, there will be a General Court of the Patentees of the Royal Academy of Musick, held at the Opera-House in the Hay-Market, to consult about the Affairs of the said Company, at which every Subscriber is desired to take Notice.

(Chrysander, II, 32)

– Die Bekanntmachung erschien noch mehrmals.

6. November 1719
Generalfeldmarschall von Flemming an Petronilla Melusina von der Schulenburg

A Madsl. de Schulenburg
Dresden, le 6⁰. XI: 1719
Mdsl.

... J'ay souhaitté de parler a M. Hendel, et luy ay voulu faire quelques honettetér a votre egard, mais il n'y a pas eu moyen; Je me suis servi de votre nom pour le faire venir chèr [chez?] moy, mais tantot il néstoit pas au logis tantot il étoit malade; Il est un peu fol [ursprüngliche Wendung: Il est fier] a ce qu'il me semble, ce que cependant il ne devroit pas être a mon egard, vu que je suis musicien c. a d. par inclination, et que je fais gloire d'etre un des plus – fideles serviteurs de vous, Madsl., que étes la plus aimable de ses ecolieres; Jay voulu vous dire tout cecy pour quâ votre tour vous puissiez donner les leçons a votre maitre; J'ay l'honneur d'être –

Staatsarchiv Dresden, Loc. 704, Bl. 219. Gress, 145f.)

– Graf Jacob Heinrich von Flemming, kursächsischer Premierminister und Generalfeldmarschall, war ein enger Vertrauter des sächsischen Kurfürsten. Petronilla Melusina von der Schulenburg war eine Tochter des hannoverschen Kurprinzen Georg Ludwig, des nachmaligen englischen Königs Georg I., und seiner Mätresse, Gräfin Ehrengard Melusine von der Schulenburg (vgl. 17.Juli 1716). Als natürliche Tochter des Königs erhielt sie wie die Töchter des Prinzen von Wales Musikunterricht bei Händel. Aus dem Brief geht hervor, daß Händel mit der musikalischen Unterweisung der Prinzessinnen bereits 1719 begonnen hat.
(Fürstenau 1860; Fürstenau 1861, 152; Chrysander, II, 16f.; Opel 1889, 30; Gress, 145ff.)

7. November 1719
The London Gazette

The Lord Chamberlain of His Majesty's Houshold does hereby give Notice, That on Wednesday the 18th Instant, at Twelve a-Clock, will be held a General Court of the Patentees of the Royal Academy of Musick, at the Opera-House in the Hay-Market, to chuse Directors; which every Subscriber is desired to take Notice of; and that Printed Lists of the Subscribers will be delivered at White's Chocolate-House on the 11th Instant.

– Ein Exemplar des Verzeichnisses ist nicht nachweisbar. Das Ergebnis der Wahl ist nicht bekannt, zwölf der neuen Direktoren werden in dem Protokoll vom 27. November 1719, weitere am 30. November 1719 erwähnt.

21. November 1719
The London Gazette

The Lord Chamberlain of His Majesty's Houshold, Governour of the Royal Academy of Musick, does hereby give Notice, That on Wednesday the 25th Instant, at Eleven a-Clock in the Forenoon, will be held a General Court at the Opera-House in the Hay-Market, to chuse a Deputy-Governour, and to consult about the Affairs of the said Company.

– Vermutlich wurde Charles Montague, Duke of Manchester, gewählt.

27. November 1719
Protokolle der Royal Academy of Music

27 Novr 1719
At a Court of the Royal Academy of Musick
Present: Governour, Deputy Governour, Directors: Duke of Montague, Duke of Portland, Lord Bingley, Mr. Bruce, Mr. Mildmay, Mr. Fairfax, Mr. Blathwayte, Mr. [George] Harrison, Mr. Smith, Mr. Whitworth, Doctor Arbuthnot, Mr. Heidegger.

Ordered
That a Letter be writ to Mr Hendell to make an Offer to Durastante of Five hundred pounds Sterling for three months to commence from the first day of March next or Sooner if possible, And that in Case she continues here the remainder of fifteen months, Eleven hundred pounds more, if not, One hundred pounds to bear her expences home. That Mr Hendell be Ord'red to return to England & bring with him Grunswald the Bass upon the terms he proposes – And that he bring with him the proposalls of all the Singers he has treated with, particularly Cajetano Orsini.
(Public Record Office: L. C. 7/3)

– Der Beginn der ersten Saison der neuen Oper war für den 1. März 1720 vorgesehen; sie begann jedoch erst am 2. April. Grunswald ist identisch mit dem Hamburger Sänger Grünewald, der 1719 in Matthesons Oratorium *Chera oder die Leidtragende und getröstete Witwe zu Nain* sang. Der Altkastrat Gaetano Orsini sang 1708 bei dem Marchese Ruspoli in Rom (vgl. 2. und 9. September 1708).
Gouverneur war Thomas Pelham-Holles, Duke of Newcastle, sein Stellvertreter Charles Montague, Duke of Manchester. John Montague, 2. Duke of Montague (ca. 1688–1749), war ein neuer Aktionär.

30. November 1719
Protokolle der Royal Academy of Music

Ord'red
… That Mr Heidegger be also desir'd to speak to Seign^r Riva to write to Seign^r Senezino to engage him to be here in October next, to Stay till the End of May on the most reasonable terms he can get him, And in his Offer to mencon pounds Sterling & not Guineas, & to make his Offer for two Years in case he finds him more reasonable, proporconable for two Years, than One, And that Security shall be given him by any Merchant he desires.
It is the Opinion of the Board of Directors … that Mr Hendell be Ma^r of the Orchestra with a Sallary.

… that Seign^r Bona Cini be writ to, to know his Terms for composing & performing in the Orchestra.
(Public Record Office: L. C. 7/3)

– Händel hatte bei Senesino keinen Erfolg. Riva war ebenso wie Rolli ein persönlicher Freund des Kastraten. Händels Gehalt bei der Königlichen Akademie ist nicht bekannt, es wird auf höchstens 800 Pfund jährlich geschätzt. Giovanni Bononcini (1670–1747), von 1699 bis 1711 Hofkomponist in Wien (1702 und 1705 als Gast der Königin Sophie Charlotte in Berlin), kehrte 1711 nach Italien zurück. 1720 kam er nach London. Seine erste hier aufgeführte Oper war *Astarto*.
Vgl. 19. November 1720
Bei der Versammlung am 30. November 1719 waren außer den am 27. November erwähnten Direktoren Richard Boyle Earl of Burlington und der Dramatiker und Architekt Sir John Vanbrugh oder Vanburgh (1664–1726) anwesend. John Viscount Percival (1683–1748) wurde als Aktionär vorgeschlagen; er trat der Akademie bei und wurde einer der Direktoren.

2. Dezember 1719
Protokolle der Royal Academy of Music

… That Mr Heidegger be desir'd to propose to Seign^r Portou the composing of an Opera.
… That Mr Pope be desir'd to propose a Seal with a Suitable Motto to it, for the Royal Academy of Musick,
And Doctor Arbuthnot be desir'd to acquaint him therewith.
(Public Record Office: L. C. 7/3)

– Der Komponist Giovanni Porta (um 1690–1755) hielt sich von 1718 bis 1720 in London auf. Mit seiner Oper *Numitore* wurde die Royal Academy of Music am 2. April 1720 eröffnet.
Pope erfüllte offensichtlich nicht den Wunsch der Direktoren, der ihm durch Arbuthnot übermittelt werden sollte.

8. Dezember 1719
The London Gazette

The Directors of the Royal Academy of Musick, by virtue of a Power given them under the King's Letters Patents, having thought it necessary to make a Call of 5 l. per Cent from each Subscriber, have authorized the Treasurer to the said Royal Academy, or his Deputy, to receive the same, and to give Receipts from each Sum so paid in; this is therefore to desire the Subscribers to pay, or cause to be paid, the said fife per Cent according to the several Subscriptions, on the 18th or 19th Instant, at the Opera-House in the Hay-Market; Where Attendance will be given by the Deputy Treasurer from Nine till One in the Forenoon, who will give Receipts for every Sum so paid by each Subscriber as aforesaid.

(Chrysander, II, 32)

– Der Termin für die Einzahlung wurde verlängert. Schatzmeister war James Bruce, stellvertretender Schatzmeister John Kipling.
Vgl. 5. April 1720 und 27. Februar 1727

15. Dezember 1719
The London Gazette

The Governour and Court of Directors of the Royal Academy of Musick do hereby give Notice, that there will be a General Court held on Monday the 18th of January next, at Eleven in the Forenoon, at the Opera House in the Hay-Market; of which every Subscriber to the said Royal Academy is desired to take Notice.
Vgl. 12. Januar 1720

Dezember 1719

Vor Händels Rückkehr nach London verhandelt Heidegger im Namen des Direktoriums mit einigen weiteren Sängern für das neue Opernensemble.

(Public Record Office: L. C. 7/3)

– Die Sänger waren: Benedetto Baldassari, genannt Benedetti (Sopran), Caterina Galerati (Alt, vgl. 9. Januar 1714) und Anastasia Robinson (Sopran). Ariosti verhandelte mit Signora Mantilina, die nicht nach London kam.

1719 (I)
Agrippina wird im Kaiserlichen Ballsaal auf dem Tummelplatz in Wien aufgeführt.

– Der Kaiserliche Ballsaal ist der Große Redoutensaal auf dem Josefsplatz. Hier fanden auch Opernaufführungen statt.
(Loewenberg, Sp. 122; Chrysander, II, 20 f.)

1719 (II)
Johann Mattheson, Exemplarische Organistenprobe, Hamburg 1719

Ja, was sage ich vom F mol? so gar der bekandte und tägliche C mol weichet gar offt ins A, als seine Sextam, aus. Zum Beweis dessen kan eine Cantata von Msr. Händeln, die mir eben zur Hand lieget, dienen. Sie ist zwar nicht gedruckt, (wie ich denn nicht weiß, daß von diesem so berühmten Autore was gedrucktes oder gravirtes vorhanden, welches mich wundert) allein sie ist in vieler Leute Händen, und führet den Titul: Lucretia. Die Anfangs-Worte heissen: O Numi eterni etc. und die andere Aria hat gleich beym Anfang des zweyten Theils diesen Satz:

Se il passo move, – – – se il guardo gira, – – –, &c.
Darinnen ist der gantze Ambitus des Modi Gis dur, oder ♭A, enthalten, und wer denselben nicht als einen eigenen Modum kennet, ist auch incapable, diese anderthalb Zeilen recht zu spielen.

[Teil II, S. 167]

– Die Kantate *Lucrezia* entstand 1706/07 in Florenz. Sie wurde in Samuel Arnolds Händel-Ausgabe um 1790 zum erstenmal gedruckt.
Vgl. 1721 (II)

1720

12. Januar 1720
The London Gazette

The Governour and Court of Directors of the Royal Academy of Musick, have appointed a General Court to be held on Monday the 18th Instant at 11 in the Forenoon, at their Office in the Hay-Market; at which Time they design to proceed to the Choice of some new Directors; as also to consult about other special Affairs relating to the Corporation: All Members of the said Corporation are desired to take Notice hereof.

– Dem neuen Direktorium gehörten nach Hawkins (860) und Burney (II, 700) an: Thomas Pelham-Holles, Duke of Newcastle (Governour), Lord Bingley (Deputy Governour), Duke of Portland, Duke of Queensberry (Queensbury), Earl of Stair, Earl of Waldegrave, Lord Chetwynd, Lord Stanhope, (Brigadier-)General Dormer, (Major-)General Wade, (Brigadier-)General Hunter, Colonel Blathwayth, Colonel O'Hara, Conyers D'Arcy, James Bruce, Thomas Coke of Norfolk, Bryan Fairfax, George Harrison, William Pulteney, Sir John Vanbrugh, Francis Whitworth.
Vgl. Mai 1719, 15. Dezember 1719 und 2. April 1720

30. Januar 1720
The London Gazette

The Governour and Court of Directors of the Royal Academy of Musick do hereby give Notice, That a General Court will be held on Wednesday the 3d of February next, pursuant to an Adjourment of the last General Court.
Vgl. 12. Januar 1720

5. Februar 1720
The Daily Post

A Collection of Minuets, Rigadoons or French Dances for the Year 1720. Perform'd at the Balls at Court, the Masquerades, and Publick entertainments. Together with several favourite Minuets and Rigadoons, by Mr. Hendell, Mr. Lature and

Mr. Hill. The tunes proper for the Violin or Hautboy, and many of them within the compass of the
Flute. Price 6d. Printed for and sold by J. Walsh ...
and J. Hare, &c.
(Smith 1960, 271)

Februar 1720
Anweisung an den Zahlmeister am Dresdner
Hof

„...dem Kön. Engl. Capellmeister Händel, welcher
vor Sr. Königl. Majestät und Sr. Hoheit dem Königl. Prinzen sich hören lassen", sind 100 Dukaten
zu zahlen.

– Die Bezahlung könnte durch den sächsischen
Gesandten in London geregelt worden sein und
sich daher verzögert haben.
Vgl. 26. Juli 1719
(Chrysander, II, 16 ff.; Fürstenau 1860; Fürstenau
1862, 152; Gress, 145)

1. März 1720
The Theatre

Yesterday South Sea was 174. Opera Company 83,
and a half. No Transfer.
(Chrysander, II, 30)

– Die Theaterzeitung *The Theatre* erschien von Januar 1720 bis April 1720 unter Richard Steele's
Leitung.
Die Südsee-Gesellschaft war 1711 gegründet worden; ihr angebliches Ziel war die Monopolisierung
des Handels mit den spanischen Kolonien. Im
Sommer 1720 wurde der Schwindel offenkundig,
und zahlreiche Aktionäre gingen bankrott. Die
Gegenüberstellung des Börsenstandes der South
Sea Company und der Academy of Music soll ironisch auf die Ähnlichkeit der beiden Unternehmen hinweisen.

8. März 1720
The Theatre

At the Rehearsal on Friday last, Signior Nihilini
Beneditti rose half a Note above his Pitch formerly known. Opera Stock from 83 and a half,
when he began; at 90 when he ended.
(Chrysander, II, 30)

– Nihilini Beneditti ist wohl eine ironische Wort-
schöpfung aus Nicolini und Benedetti. Benedetto
Baldassari (genannt Benedetti) war von Händel in
Düsseldorf für die Academy of Music engagiert
worden. Er trat bereits am 21. März 1719 im King's
Theatre auf.
Nicolino Grimaldi (genannt Nicolini) sang in Lon-
don von 1708 bis 1712 und von 1714 bis 1717
(Chrysander, I, 272).

12. März 1720 (I)
The Theatre

To Sir John Edgar, Auditor-General of the World,
and the Stage.
Sir,
Your last Paper very rightly, and with great Justice, notify'd to the Town the Rise of the Opera-
Stock, occasion'd by the Elevation of half a Note
above the usual Pitch of Signior Beneditti. I hope,
Sir, you will allow no one hereafter to call him no
Man, when you shall have heard from me, how
much he is a Man of Honour. It happen'd, Sir, in
the casting the Parts for the new Opera, that he
had been, as he conceiv'd greatly injur'd; and, the
other Day apply'd to the Board of Directors, of
which I am an unworthy Member, for Redress. He
set forth, in the recitative Tone, the nearest approaching ordinary Speech, that he had never
acted any thing, in any other Opera, below the
Character of a Sovereign; or, at least, a Prince of
the Blood; and that now he was appointed to be a
Captain of the Guard, and a Pimp ... he found
Friends, and was made a Prince.
Musidorus.
Hay-Market, March 9, 1719–20.
(Chrysander, II, 30)
Vgl. 8. März 1720

– Der Verfasser des Briefes könnte Dr. Arbuthnot
gewesen sein. Er bezieht sich wahrscheinlich auf
Händels Oper *Radamisto,* die als zweite der neuen
Saison aufgeführt wurde. Die Rolle des Tigrane
sollte ursprünglich Benedetto Baldassari überneh-
men, der dann aber den Fraarte sang.
Vgl. 27. April und 28. Dezember 1720

12. März 1720 (II)
Applebee's Original Weekly Journal

On Tuesday Night [8. März] his Majesty went to
the Opera in the Hay-Market, to see the Company
of Comedians, lately arriv'd from France, performing their Tumbling,
...
A Legion of Italian Songsters, Comedians, &c. are
coming hither from Italy, to perform at the Theatre's.
(Kelly, II, 348 f.; Chrysander, II, 33)

– Die französischen Schauspieler traten bis zum
29. März 1720 neunmal im King's Theatre auf.
Nach Eröffnung der Opernsaison spielten sie am
26. April und zwischen dem 29. April und 17. Juni
in jeder Woche an zwei Abenden. Die italienische
Truppe spielte nicht im King's Theatre.

19. März 1720
Hamburger Relations-Courier

Nachdem das bekandte grosse Oratorium von 4
der berühmtesten Componisten musicalisch geset-

zet worden; als dienet den Liebhabern andächtiger Music zur Nachricht; daß man gesonnen / morgen g. G. als den 20 Martii die Composition des Hrn. Capell-Meisters Hendels; und übermorgen / die von dem Hrn. Telemann / auffs vollkommenste besetzt / im Trill-Hause aufzuführen. Der Anfang ist präcise um 4 Uhr.
Vgl. Frühjahr 1719

2. April 1720
Die erste Saison der Royal Academy of Music wird mit Giovanni Portas Oper *Numitore* (Text: Paolo Rolli) eröffnet.
(Burney, II, 700 f.)

– Das gedruckte Textbuch enthält das Verzeichnis der Gouverneure und zwanzig Direktoren der Academy: Duke of Newcastle (Gouverneur), Duke of Manchester (stellvertr. Gouverneur), Duke of Grafton, Duke of Montague, Duke of Kent, Duke of Portland; die Earls of Burlington und Halifax, die Lords Bingley und Percival, Dr. Arbuthnot, Oberst John Blaithwaite, James Bruce, Thomas Coke von Norfolk, Bryan Fairfax, George Harrison, John Jacob Heidegger, Benjamin Mildmay, William Pultney, Thomas Smith, Sir John Vanbrugh und Francis Whitworth.
Vgl. 12. Januar 1720

5. April 1720
The London Gazette

The Directors of the Royal Academy of Musick, by Virtue of a Power given them under the King's Letters Patents, finding it necessary to make a further Call of 5 l. per Cent from each Subscriber, have authorized the Treasurer to the said Royal Academy or his Deputy, to receive the same, and to give Receipts from each Sum paid in; This is therefore to desire the Subscribers to pay, or cause the said 5 l. per Cent to be paid according to the several Subscriptions on the 25th or 26th Instant, at the Opera-House in the Hay-Market; where Attendance will be given by the Deputy Treasurer from Nine in the Morning till Two, who will give Receipts for every Sum so paid by each Subscriber as aforesaid.
Vgl. 8. Dezember 1719

18. April 1720
William Stukeley, Diary

Apr. 18. At the Lincolnsh[r]. Feast, Ship Tavern, Temple barr. pres[t]. Sir Is. Newton. Upon my mentioning to him the rehearsal of the Opera to night (Rhadamisto) he said he never was at more than one Opera. The first Act he heard with pleasure, the 2[d] stretch'd his patience, at the 3[d] he ran away.
(Stukeley, 59; Stukeley/Newton, 14; Streatfeild 1909, 88; Young, 37)

– William Stukeley (1687–1765), Altertumsforscher und Arzt, war mit Isaac Newton befreundet.

26. April 1720
The London Gazette

The Governour and Court of Directors of the Royal Academy of Musick do hereby give Notice, that a General Court will be held on Friday the 6th of May next, at Eleven of the Clock in the Forenoon, whereof each Subscriber is desired to take Notice.

– Die Ankündigung erschien am 27. April auch im *Daily Courant* (Burney, II, 703). Nach 1719 sind keine Protokolle des Direktoriums der Akademie nachweisbar.

27. April 1720 (I)
The Daily Courant

At the King's Theatre in the Hay Market, this present Wedneesday … will be perform'd a New Opera call'd Radamistus. … N.B. When the Tickets are dispos'd of, no Person will be admitted for Money. To begin at Half an Hour after Six.

– Das *Radamisto*-Libretto (Niccolò Francesco Haym) ist eine Bearbeitung nach mehreren italienischen Textquellen, die auf die *Annalen* des Tacitus (XII, 51) zurückgehen (Händel-Hdb., I, 172).
Die Aufführung sollte ursprünglich am 26. April 1720 stattfinden (*Daily Courant*, 25. April), wurde aber ohne Begründung um einen Tag verschoben. Am 26. April traten „at the particular desire of several Ladies of Quality" die französischen Schauspieler im King's Theatre auf.
Besetzung:
Radamisto – Margherita Durastanti, Sopran
Zenobia – Anastasia Robinson, Alt
Farasmane – Lagarde, Baß
Tiridate – Alexander Gordon, Tenor
Polissena – Ann Turner-Robinson, Sopran
Tigrane – Caterina Galerati, Sopran
Fraarte – Benedetto Baldassari, Sopran
Die Oper wurde am 30. April, 4., 7., 11., 14., 18. und 21. Mai sowie am 8. und 22. Juni (in dieser Aufführung sang Margherita de l'Epine die Partie der Polissena) wiederholt.

27. April 1720 (II)
Mary, Countess Cowper, Tagebuch

Wednesday, April 27, 1720.
At Night, Radamistus, a fine opera of Handel's Making. The King there with his Ladies. The Prince in the Stage-box. Great Crowd.

– Mary, Countess Cowper (1685–1724), verheiratet mit William Earl of Cowper (ca. 1665–1723), war Hofdame bei Caroline, Princess of Wales. Mit

Beginn ihres Amtes begann sie ein Tagebuch zu führen. Eine unvollständige Kopie davon verwendete Lord Campbell für seine Biographie von Lord Cowper.

Die Damen des Königs waren offenbar seine Mätresse Melusine von Schulenburg, Herzogin von Kendal, und ihre Tochter Petronilla Melusina von Schulenburg.

Der Andrang bei der Premiere wird auch von Mainwaring (98 f.) und Hawkins (II, 868, bzw. V, 294) geschildert.

13. Mai 1720
The Daily Courant

... To-morrow ... Radamistus. Boxes 8s. Pit 5s. Gallery 2s. 6d. Boxes on the Stage Half a Guinea. NB. The Communication from the Stage to the Side Boxes on Market-Lane Side being taken off, the Admittance to them will be through the Passage that leads to the Pit on the Left Hand. To be admitted on the Stage One Guinea.

– Der Zutritt zur Bühne im King's Theatre war etwas Außergewöhnliches (Chrysander, II, 45).

30. Mai 1720

Als dritte Oper der ersten Saison wird *Narciso* von Domenico Scarlatti im King's Theatre aufgeführt.

– *Narciso* ist eine Bearbeitung der italienischen Oper *Amor d'un Ombra e Gelosia d'un Aura* (Text: Antonio de' Rossi, Musik: Domenico Scarlatti), die 1714 in Rom aufgeführt worden war. Paolo Antonio Rolli bearbeitete den Text für die englische Bühne, und Thomas Roseingrave (1690 bis 1766) komponierte zwei Arien und zwei Duette hinzu. Roseingrave, der mit Scarlatti befreundet war, soll die Oper aus Italien mitgebracht haben (Burney, II, 706). Ein Aufenthalt Scarlattis zur Aufführung in London läßt sich nicht nachweisen. Im Sommer 1719 hatte er seine Anstellung in Rom gekündigt, da er nach England gehen wollte. Er könnte seinen Onkel Francesco besucht haben, der von 1719 bis 1724 in London lebte. (Chrysander, II, 49)

14. Juni 1720
Das erste Händel gewährte Copyright-Privileg

George R.

George, by the Grace of God, King of Great Britain, France and Ireland, Defender of the Faith, &c. To all to whom these Presents shall come, Greeting: Whereas George Frederick Handel, of our City of London, Gent. hath humbly represented unto Us, That he hath with great Labour and Expence composed several Works, consisting of Vocal and Instrumental Musick, in order to be Printed and Published; and hath therefore besought Us to grant him Our Royal Privilege and Licence for the sole Printing and Publishing thereof for the Term of Fourteen Years: We being willing to give all due Encouragement to Works of this Nature, are graciously pleased to condescend to his Request; And we do therefore by these Presents, so far as may be agreeable to the Statute in that behalf made and provided, grant unto him the said George Frederick Handel, his Executors, Administrators and Assigns, Our Licence for the sole Printing and Publishing the said Works for the Term of Fourteen Years, to be computed from the Date hereof, strictly forbidding all our loving Subjects within our Kingdoms and Dominions, to Reprint or Abridge the same, either in the like, or any other Volume or Volumes whatsoever, or to Import, Buy, Vend, Utter or Distribute any Copies thereof Reprinted beyond the Seas, during the aforesaid Term of Fourteen Years, without the Consent or Approbation of the said George Frederick Handel, his Heirs, Executors and Assigns, under their Hands and Seals first had and obtain'd, as they will answer the contrary at their Perils: Whereof the Commissioners and other Officers of Our Customs, the Master, Wardens, and Company of Stationers, are to take Notice, that due Obedience may be rendred to our Pleasure herein declared.

Given at Our Court at S. James's the 14th Day of June, 1720. in the Sixth Year of Our Reign. By His Majesty's Command,

J. Craggs.

– Dieses Privileg wurde erstmals für die *Suites des Pièces pour le Clavecin* angewandt, die seit dem 14. November 1720 durch John Christopher Smith und Richard Meares vertrieben wurden. Weiter erschienen am 15. Dezember 1720 *Radamisto,* am 19. Mai 1722 *Floridante,* am 19. März 1723 *Ottone,* am 21. Juni 1723 *Flavio,* am 24. Juli 1724 *Giulio Cesare* und am 14. November 1724 *Tamerlano* mit diesem Privileg. Privilegien für das Alleinrecht auf Druck und Handel waren 1575 einigen Komponisten in England von Königin Elisabeth I. (1558–1603) für 21 Jahre verliehen worden. 1709 wurde ein Copyrightgesetz („Copyright Act") erlassen, das für 14 Jahre Autorenschutz gewährte; diese Frist konnte verlängert werden.

Der Staatssekretär James Craggs (1686–1721) gehörte zu den ersten Subskribenten der Royal Academy of Music. Er war ein Freund Georgs I. und Popes, der seine Grabinschrift verfaßte. Sein Vater, James Craggs (1657–1721), war in den Schwindel der South Sea Company verwickelt.

16.–18. Juni 1720
The Post-Boy

A Collection of the newest Minuets Rigadoons & French Dances Perform'd at the Ball at Court on

his Majesty's Birth Day 1720 Together with the new Dances & the Minuets and Rigadoons at ye late Masquerades price 6d. N. B. There are lately Publish'd all the Country Dances &c.
London Printed for I: Walsh ... I: Hare at ye Viol. & Flute, &c.

– Die Sammlung enthält acht Händel zugeschriebene Stücke, die durch keine andere Quelle überliefert sind, sowie Kompositionen von Fairbank, Latour und Sunderland.
(Smith 1960, 271)

25. Juni 1720
Ende der ersten Saison der Royal Academy of Music.

12. Juli 1720
The Post-Boy

This is to give Notice to all Gentlemen and Ladies, Lovers of Musick, that the most celebrated new Opera of Radamistus, compos'd by Mr. Handell, is now Engraving finely upon Copper Plates by Richard Meares, Musical Instrument-Maker and Musick-Printer ... NB. To make this Work the more acceptable, the Author has been prevailed with to correct the whole.

– Diese Anzeige, die kurz nach der Verleihung des Privilegs erschien, sollte andere Londoner Musikverleger vom Druck nichtautorisierter Ausgaben von Arien aus *Radamisto* abhalten. Die Ausgabe erschien am 15. Dezember 1720.
(Smith 1960, 53)

23. August 1720 (I)
Verzeichnis der Notensammlung des Duke of Chandos [Auszug]

[Partiturabschriften]

1. Handel Te Deum, in score for 5 voices and 4 instruments [HWV 281]
2. „ „O come let us sing unto the Lord", for 5 voices and 4 instruments [HWV 253]
3. „ „O praise the Lord with one consent", for 5 voices and 4 instruments [HWV 254]
4. „ „The Lord is my light", for 5 voices and 4 instruments [HWV 255]
5. „ „In the Lord put I my trust", for 3 voices and 4 instruments [HWV 247]
6. „ „I will magnify thee O God my king", for 5 voices and 4 instruments [HWV 250a]
7. „ „As pants the hart" [HWV 251b] and

8. „ „O sing unto the Lord" [HWV 249b], both for 3 voices and 4 instruments
9. „ „My song shall be alway" [HWV 252] and
10. „ „Let God arise" [HWV 256a], both for 4 voices and 5 instruments
11. „ „Have mercy on me O God" [HWV 248] and
12. „ „Be joyful" [HWV 279], both for 3 voices and 5 instruments
[19a.] „ „In thee O Lord I put my trust" [HWV 247]
       „ „I will magnify thee" [HWV 250a]
36. „ „Sento la che ristretto", canto p. 13 [HWV 161c]
63. „ The songs in the opera Rinaldo with the symphonies [Walsh 1711]
73. „ „O the pleasure of the plain", a masque for 5 voices and instruments in score [HWV 49a]
87. „ Amadis, an opera, in score [1715, Ms.]

[Stimmenabschriften]
104. Handel A piece of music composed for Queen Anne's birthday, consisting of 1 treble, 1 contralto, 1 tenor, 1 bass, with instruments [HWV 74]
117. „ Sonata for 2 violins, 1 hautboy, 1 bass
121. „ Te Deum for 1 canto, 1 alto, 1 tenor, 1 bass; 2 trumpets, 2 hautboys, 2 violins, 1 tenor, 1 basso continuo [HWV 278]
122. „ Jubilate, for 1 canto, 1 alto, 1 tenor, 1 bass; 2 trumpets, 2 violins, 1 tenor, 1 bass [HWV 279]

All these [127] pieces of music I have in my care
August 23 1720
J. C. Pepusch
(Huntington Library, San Marino: Stow MS. no. 66. Baker, 134 ff.)

– James Brydges, seit 1714 als Nachfolger seines Vaters Earl of Carnarvon, war am 29. April 1719 zum Duke of Chandos ernannt worden. Das Jahr 1720 bezeichnete er als sein „catastrophic year" (Baker, 81); es scheint, daß selbst er unter den Folgen des Südsee-Skandals zu leiden hatte.
Pepusch, sein Kapellmeister, ließ die Noten von einem Mr. Noland katalogisieren, prüfte aber die Liste selbst, bevor sie dem Herzog übergeben wurde. Die (nach Baker) verzeichneten Titel lassen erkennen, welche Werke Händels in Cannons während seines dortigen Aufenthaltes und auch später aufgeführt worden sein könnten oder aufgeführt werden sollten. Den größten Teil der Sammlung machen *Chandos Anthems* aus (vgl.

25. September 1717). Die Anzahl der Stimmen ist im Katalog nicht immer korrekt angegeben: Nr. 2 und Nr. 3 sind in Wirklichkeit für vier Stimmen und Nr. 6 für drei Stimmen bestimmt.

Als die Bibliothek des Duke of Chandos 1747 versteigert wurde, waren keine Noten dabei. Ein Band mit den als Nr. 1 und 5–12 in Nolands Liste verzeichneten Werken Händels kam später in den Besitz von Cummings. Er wurde von Sotheby am 21. Mai 1917 (Nr. 816) verkauft und im Oktober 1919 von Quaritch (Nr. 355) angeboten (Cummings, 1915, 11 f.; Smith 1948, 199 f.). Die Beschreibung von Cummings' Partituren stimmt hinsichtlich der Stimmenzahl nicht mit Nolands Angaben überein.

Die „Sonata for 2 violins, 1 hautboy, 1 bass" ist nicht zu identifizieren. Nicht enthalten ist die Masque *Haman and Mordecai*, die vermutlich am 29. August 1720 (vgl. 3. September 1720) in Cannons aufgeführt wurde, sechs Tage nach der Unterzeichnung des Verzeichnisses der Notensammlung durch Pepusch.

23. August 1720 (II)
Verzeichnis der Musikinstrumente des Duke of Chandos

1. A chamber organ, 3 rows of keys, 18 stops	made by Jordan
2. A four-square harpsichord 3 rows of keys at one end, a spinet on the side; painted on the lid, Minerva and the nine Muses, by A. Tilens, 1625	made by J. Ruckers, Antwerp
3. Harpsichord: 2 rows of keys	made by Hermanus Table, London
4. Spinet	made by Thomas Hitchcock
5. Double Bass, with case	made by Mr. Barrett
6. Violoncello or bass violin	made by Mr. Mears
7. Tenor violin	made by Mr. Mears
8. Violin; and case: an inscription- 'In Absam proper Oeni Pontium 1660'	made by Jacobus Stainer
9. Violin similar inscription, date 1676	made by Jacobus Stainer
10. Violin similar inscription, date 1665	made by Jacobus Stainer
11. Violin similar inscription, date 1678	made by Jacobus Stainer

besides these mention, 2 more made in London.

The following are in Albemarle Street

12. Bass viol	made by Henry Jay, Southwark, 1613
13. Harpsichord, 2 rows of keys	
14. Spinet	
15. Harpsichord with gut strings. This stands at my house in Boswell Court.	made by Mr. Longfellow, of Pembroke Hall, Cambridge

The 2 following were found at Cannons since I made my first catalogue

16. Bass viol.	made by Barrack Norman, 1702
17. A basson	made by H. Wietzfell
18. 2 French hunting horns	made by Johann Licham Schneider, Vienna 1711
Trumpet	made by John Harry, London

All these instruments are under my care
Aug. 23, 1720.
J. C. Pepusch.
(Huntington Library, San Marino: Stow MS no. 66. Baker, 139 f.)

– Die Anmerkung zu Nr. 15 stammt wahrscheinlich vom Herzog selbst.

(1) Abraham Jordan junior (und senior?) baute 1720 die Orgel für die Kapelle in Cannons, von der man annimmt, daß Händel auf ihr gespielt hat. Die Orgel wurde 1747 versteigert und repariert und kam nach Trinity Church, Gosport, Hants (Victor de Pontigny in Groves Dictionary), wo sie noch steht. Die in dem Verzeichnis erwähnte Kammerorgel stand wahrscheinlich im Musikraum im Erdgeschoß neben dem Speisesaal in Cannons.

(2) Lord Wilton, später dritter Duke of Chandos, nennt in seiner handschriftlichen Beschreibung von Cannons (um 1745) dieses Instrument „a very curious peace of musick a harpsicord and virginall both in one". Die Malerei stammte vermutlich von dem Flamen Justus Tilens.

(4) Hitchcock pflegte seine Instrumente zu numerieren und nicht zu datieren.

(6 und 7) Richard Meares (gest. 1722) und sein Sohn Richard Meares (gest. 1743) waren Instrumentenbauer, Drucker und Verleger. Das erste von Richard Meares sen. gebaute Instrument ist mit 1669 datiert.

(8 bis 11) Jakob Stainer (1617?–1683) arbeitete in Absam bei Innsbruck.

(12) Henry Jay gehörte zu den bekanntesten englischen Geigenbauern. Er starb nach 1632.

(13) Dies könnte das Cembalo sein, das Chandos im Juni 1720 für 572 £ von Johann Christoph Bach (1676–?) gekauft hatte (Baker, 131), der als Klavierlehrer in Erfurt, Hamburg, Rotterdam (wo er im Oktober 1720 noch einen Sohn taufen ließ) und England tätig war.

(15) Über Longfellow ist nichts bekannt.

(16) Barak Norman (1688–1740) war ein bekannter englischer Geigenbauer.

(17) Hermann Wietfelt kam aus Burgdorf in Schlesien.

(18) Johannes Leichamschneider stammte aus einer Wiener Familie von Instrumentenbauern.

Das „Concert" in Cannons bestand zu Händels Zeit aus etwa 30 Sängern und Instrumentalisten. Baker (132f.) gibt ein aus verschiedenen Dokumenten zusammengetragenes, alphabetisches Verzeichnis. Als Sänger nennt er: Thomas Bell – Kontratenor, Thomas Gethin (Getting) – Kontratenor, Morphew – Alt, Peirson – Diskant, William Perry – Baß (?), Rigg(s) – Diskant, Amos Rogers – Tenor, Solway (Salway?), Page der Herzogin – Diskant, George Vanbrugh(e) – Baß (?).

Zu den Instrumentalisten gehörten Alessandro Bitti – 1. Violine, Giraldo – 2. Violine, Pietro Chabout – Flöte und Oboe, Nicolino Hayme (Niccolò Francesco Haym oder sein Sohn?) – Violoncello, Jean Christian Kytch – Oboe, Richard de la Maine – Viola („Violino tenore"), George Monroe – Cembalo und Orgel, Thomas Rawling – 2. Violine, Gaetano Scarpetti – 1. Violine, John Tetlow – (1.?) Violine und Kammerdiener.

Francesco Scarlatti, der Bruder Alessandro Scarlattis, der seit 1719 in London lebte (vgl. 30. Mai 1720), wurde dem Herzog durch Dr. Arbuthnot als Violinist empfohlen, trat aber offenbar nicht in seine Dienste.

John Christopher Pepusch, bis 1732 Kapellmeister des Herzogs, erhielt ein Jahresgehalt von 100 Pfund (erstmals erwähnt Michaelis 1719). Über Händels Bezahlung ist nichts bekannt. Daß er für die Masque *Haman and Mordecai* 1 000 Pfund erhalten haben soll, wie E. I. Spence in *How to be rid of a Wife* (1823) behauptet, ist unglaubwürdig.

Die von Chrysander (I, 460) genannten Londoner Kapellmusiker John Beard, Richard Elford, Francis Hughes, Bernard Gates und Samuel Wheely befanden sich nicht unter den Sängern in Cannons.

25. August 1720
Paolo Antonio Rolli an Giuseppe Riva

Londra il 25 d'Ag.° 1720

Portolongone pesca al fondo, e per far paura al' Filarmonico, mandogli un messo indicente taciturnità sotto le pene del bando: e non ricevente risposta. Compatisca la grossezza della pilola. Zitto perch'è secreto. Goldensquare che ceramente è golden non vuol più calzare il coturno canoro-stile della Pallade veneta. L'ornato Conte di Burlington e in York, seco v'è il buon Brúce, e il. Sig. Kent. La Cuzzona è impegnata per quest'anno: e per l'altro non vuol venire a men del prezzo Senese. La Signora Margherita è gravida e v'è di ciò molto disturbo ne' Direttori: alcuni me n'an fatto alto lamento, particolarmente in tempo ch'ella doveva essere il sostegno feminino dell'opera. L'onesto Avelloni n'è afflitto, ed essa n'è infierità: e ne vedrete l'affetto del di lei ritorno in Italia, senza curarsi di 1 000.– lire e più l'anno quì: delle quali la metà risparmiata; fa gran denaro nel paese Ausonio, particolarmente per l'ovara che produce il germe annuale …

Non ò ancor nuove del Bononcini. vorrei che se ne venisse per Germania, giacchè il Contagio Marsigliese dicesi che si dilata: ma la Bug. [?] non vorrei che se ne venisse ad isolarci benchè a mal che non à rimedio è coglioneria pensare [?] va un po là diceva Balam all'asino.

(Biblioteca Modense, Bologna)

– Francesca Cuzzoni (um 1700–1770), italienische Sopranistin aus Parma, debütierte im Herbst 1718 in Venedig. Heidegger engagierte sie für die Royal Academy of Music. Da sich ihre Ankunft verzögerte, wurde ihr Sandoni entgegengesandt, den sie auf der Reise heiratete. Sie traf Ende 1722 in London ein und trat erstmals am 12. Januar 1723 in Händels *Ottone* auf. Sie verließ England 1729, kehrte aber 1734 für zwei Jahre und erneut 1748 zurück.

Casimiro Avelloni war mit Margherita Durastanti verheiratet.

3. September 1720
The Weekly Journal

His Grace the Duke Chandois's Domestick Chappel at his Seat at Cannons near Edgworth, is Curiously adorned with Painting on the Windows and Ceiling, had divine Worship perform'd in it with an Anthem on Monday last [29. August], it being the first time of its being opened.

(Clark 1836, 11)

– Das Anthem war vermutlich eines von Händels *Chandos Anthems*.

Cassandra, die zweite Frau von James Brydges, Duke of Chandos (vgl. 25. September 1717), legte einem Brief von 1720 an Lady Buck zwei Billetts für eine „Masquerade" bei und sprach die Hoffnung aus, daß die Veranstaltung so schön werden würde, wie man es erwarte. Winifred Myers, die diesen Brief unter den in der North London Collegiate School in Cannons aufbewahrten Konzeptbüchern Cassandras fand, vermutet hinter der „Masquerade" Händels Masque *Haman and Mordecai*. Außerdem nimmt sie an, daß am 29. August die St.-Lawrence-Kirche in Whitchurch bei Cannons wiedergeweiht wurde (Dean 1959, 191). Den Text zu *Haman and Mordecai* schrieb Alexander Pope unter Mitarbeit von John Arbuthnot nach *Esther, or Faith Triumphant* von Thomas Brereton (Oxford 1715).

9. September 1720
Paolo Antonio Rolli an Giuseppe Riva

Londra il $\frac{20}{9}$ Settembre 1720.

Amico Caris.^{mo}

Non si concluse poi nulla circa la casa accennatavi nell'altra lettera: Il Sig.^{r} Avelloni offerse 100.– [£], ma il padrone non volle darla a meno di 120.–. Forsechè s'io non diceva esser troppo caro, si sarebbe concluso il contratto: e così al principio d'ottobre vi cominciavano a correre cinque lire di spesa inutile il mese: ... Oggi gli stocchi an cominciato a rialzarsi dalla ruinissima caduta: la nostra sottoscrizzione non trovava 30 per cento di contante. Spero che lo spirito d'Alzamento ritornerà, e per Dio, me ne voglio profittare.

Aspetto con ansietà il Senesino, e non mancherò usar seco tutta l'arte per cattivarlo a tutta l'onestà per rischiarirgli le materie.

Non ò altre nuove di Bononcini, dopo che seppi ch'avea ricevuto il dénaro trasmesso, e s'avea fatto dar credito a Livorno di cento altre doppie da un corrispondente del Sig.^{r} Como. Addio, è tardi, e non ò notizie municipali da darvi per ora.

Vro Rolli

(Biblioteca Estense, Modena)

23. September 1720
Paolo Antonio Rolli an Giuseppe Riva

Londra il 23 di settembre Lpo [1720]

Caro Riva mio,

Lunedì passato arrivò il Sig:^{r} Senesino col Berselli e la Salvai: n'ebbi nuova il martedì in Richmond stando a pranzo, et immediatamente col buono Casimiro venni alla città. Mi consolo infinitamente di trovar questo celebre virtuoso sì ben costumato, amatore delle lettere, gentilissimo e d' onorati sentimento. Caro Riva se dal buon mattino siegue buona giornata, credimi ch'è una grand' eccezzione della Regola. Non passa buona corrispondenza tra lui e la Salvai: di lei non so ancora dirvene alcuna cosa perchè solo una volta, l'ò vista, ma posso dirvi che rumaroso, faccendone, e non inventor di prudenza e polvere l'uomo [Händel] e i vostri occhiali lo squadreranno a prima vista. Ò trovato casa dalli Sig.^{ri} Senesino e Berselli in Leicesterstreet vicino a Leicesterfeel. dove pagan 120 lire annue padroni di tutta la casa, perchè la mia irriconciliabile avversione alle Landledi le fa sbalzar via per prima condizione di contratto. Sono in tre a pagarne la pigione. due della quattro parti ne sborsa il Senesino col suo fratello, una il Berselli, e l'altro un tale Abbe, non ricordo il nome ...

Il Proteo alpino [Händel] s'è spiegato in termini di stima verso di me col nostro Casimiro, il quale nelle occasioni gli à chiaramente dimostrato ch'io devo meritar qualche stima. Caro Riva esercito seco tutti quali atti di dipendenza che l'onestà permette: e vedremo ancora se l'anima spinosa s'ammollirà. Ieri fui chiamato dal Bord dell'Accad.^{a} Reale, mi fu dato ordine d'esaminare ed accorciare il Drama dell'Amore e Maestà: nulla avanzo senza il no^{stro} Senesino, ed ambo non avanziam nulla senza l'Heydegger: or vedete, se si può più. ma quanto godo che il Senesino abbia così buona mente e per Dio che intende la cabalà a meraviglia, ed aspettiamo voi per il Triumvirato.

Ma caro Riva, che ruine son queste del southsee tutta la nobiltà è all'ultimo esterminio: non si vedono che visi malinconici.... Gran Banchieri falliscono; grandi stoccanti spariscono: non v'à conoscente o amico che si veda in total ruina. Questi villani Direttori della compagnia an tradito tutti ed vassicuro che se ne teme tragedia. Presto vi converrà tornare col caro et adorato Re Giorgio, e ne sarete spettatore. Il buon Casimiro non à sicurezza che in voi, senza il di cui consenso non si può alienare il titolo dell 1000.–

(Biblioteca Estense, Modena. Streatfeild 1917, 434 f.)

– Die Oper *Amore e Maestà* (Text: Antonio Salvi, Musik: Giuseppe Maria Orlandini) war im Sommer 1715 in Florenz aufgeführt worden. Filippo Amadei (Mattei) übernahm sie in der Bearbeitung von Rolli unter dem Titel *Arsace* für die Aufführung am 12. Februar 1721 und komponierte 14 Arien hinzu. Mattheson übersetzte die Rezitative ins Deutsche und komponierte sie neu. In dieser Fassung wurde die Oper erstmals am 18. Mai 1722 in Hamburg aufgeführt. (Loewenberg, Sp. 132)

18. Oktober 1720
Paolo Antonio Rolli an Giuseppe Riva

Londra 18 ottobre 1720

... Sappiate poi che Mr Salvai portè seco il Polani da Olanda: Sappiate ancora che Sanda non può nèmeno nominarsi nella corte de'Direttori, perchè l'Amicone s'è dichiarato suo Oste: suppongo ad istanza de'Beneficati che vedrem con alte [?] cresta pettoruti incedere. Sappiate che la Marga di concerto col nostro Senesino proposero l'opera d'Amore e Maestà: La qual'opera non può farsi come a Firenze, perchè così saria d'innumerabile recitativo e di tante poche ariette; che il Sen.^{no} n'avrebbe 4 sole in tutto. ebbi ordine dunque d'acconciarla, e di concerto con amendue, tolsi ed aggiunsi e cangiai il necessario. L'Alpestre Fauno [Händel] per lo sistema antico ch'ei sempre propone per mostrare che quanto si fà è il medesimo ch'era prima: propose il Polani ad accomodare e dirigere l'Opera. Furie dunque nel nostro Sen.^{no} Opera da lui proposta, necessaria nova musica per l'aggiunto e per quello egli ci vuole variato: ne-

mico di far pasticci d'arie uscita con un coglione: sono stati motivi tutti di suo risentimento. Il Fauno [Händel] me gli fece dire ch'ei non contradicesse; ed io parai la silvestie Ambasciata: ma non potendo ritenerlo, lo consigliai d'andare egli stesso a parlargli con dolce risolutezza che dicesse voler'aver tutta la Deferenza a' suoi consigli ma in ciò che riguarda la propria stimazione, pregarlo a ben considerare tutti il sopraccennati motivi: ch'egli non avea privata passione contro alcuno non che contra al Polani; mentre avrebbe sotto di lui recitata ogn'altra Opera che i Sig.ᶦ Direttori medesimi fossero per iscegliere: ma non mai un'opera offerta da lui stesso, e della quale la corte de'Sig.ʳⁱ Direttori aveagli chiesto ragione per lo buon'esito: in somma che non potendosi già recitar quest'Opera come stava; non v'era luogo di recitarla in tal maniera, ch'ei non proponeva alcun'altro, mentre l'Accademia à presso di se bravissimi Maestri. L'Uomo restò, e domandogli se questo era un mio raggiro [unlesbare Stelle] ma n'ebbe assertiva negativa, e notizia ch'avevo già dato l'Esemplare del Drama al Polani, ed esposto solamente i sentimenti della Corte a lui perchè dirigesse il Polani: soggiungendo di più ch'ei non era venuto a dirigere Opere, ma a fare il musico. Credete amico ch'ei parlò a meraviglia, se parlò come ne ripetè il Discorso. E credete pure che la bella prim'Opera undrebbe a terra se quello stupido l'avesse a dirigere; e ciò con piacere del Selvaggio [Händel]. Domani il Sn.ⁿᵒ deve andare alle Corte de'Sig.ʳⁱ Direttori: egli è questa sera a Richmond per le ripetite istanze del Principe Reale che n'è trasportato e penso che verrà seco la Margherita se il Casimiro non sta tanto male; quanto mi si dice essere stato ne'giorni passati. Quei Direttori che n'an già risaputo il Fatto come Arbuthnot e il colend. Blethwait, an detto che saran domani apposta al Bord per fare tutto quello il Sig.ʳᵉ Senesino vorrà perchè a ragione: e siccome il tutto passa con somma dolcezza e modestia così si spera, che l'Uomo farà buon viso al cattivo gioco. Ma rido che sospetta di me, e non si fida della mia civilissima apparenza al suo maestoso Caprino aspetto. Ma sian'inpalati i Direttori del Southsee ch'an ravinato tutti li miei amici. e temo molto, che avran per consequenza ravinato l'Accademia, God dam'em [Hier ist ein Loch im Papier, es fehlt Text.] storta Bolognese! [S. 4 Zeile 22:] Bononcini è già quì. Milord Burlington appena arrivato in città; ch'è andato per 15 giorni alla campagna, e m'a detto che al suo ritorno farà trovare preparata l'abitazione per il med.ᵐᵒ. Vado a poco a poco istruendolo e dichiarandogli la cifra: e lo trovo disposto al Dovere ed il principale mio consiglio è tenerli unito co'l Senesino: del quali egli à già concepito molta stima, perch'è bravissimo.
(Biblioteca Estense, Modena. Streatfeild 1917, 435 f., unvollständig)

– Girolamo Polani, venezianischer Opernkomponist und Sopranist, kam 1720 nach England. Über seine Beziehungen zum King's Theatre ist nichts bekannt.
Rolli scheint den Earl of Burlington in der italienischen Sprache unterrichtet zu haben.

22. Oktober 1720
The Weekly Journal

Next Saturday [23. Oktober] 'the Cathedral at St. Paul's, which has been shut some time, will be opened, when a new Anthem will be sung; there has been such Improvements made to the Organ, that it is now reckoned the best in Europe.

– *The Weekly Journal, or Saturday's Post* wurde von Nathaniel Mist (gest. 1737) von Ende 1716 bis April 1725 herausgegeben. Seit 1717 arbeitete Daniel Defoe an der Zeitschrift mit. Vom 1. Mai 1725 bis 21. September 1728 erschien die Zeitschrift als *Mist's Weekly Journal*.
Die Orgel in der St. Paul's Cathedral war 1695 von Bernhard Schmidt (1629–1709) – „Father Smith" – erbaut und am 2. Dezember 1697 eingeweiht worden. Organist an der St. Paul's Cathedral war nach dem Tod von Richard Brind 1718 Maurice Greene (1695–1755) geworden. Er war mit Händel befreundet und soll diesem die Bälge getreten haben, wenn er nach dem Abendgottesdienst auf dieser Orgel, die er besonders liebte, noch spielte.
Vgl. 1714 (II) und 29. August 1724

2. November 1720
The Daily Courant

This is to give Notice, That Mr. Handel's Harpsichord Lessons neatly Engraven on Copper Plates, will be published on Monday the 14th Instant, and may be had at Christopher Smith's the Sign of the Hand and Musick-Book in Coventry-street the Upper-End of the Hay-Market, and at Mr. Richard Mear's Musick-Shop in St. Paul's Church-Yard.

– Am 9. November erschien die Ankündigung mit dem Zusatz „Note, The Author has been obliged to publish these Pieces to prevent the Publick being imposed upon by some Surreptitious and incorrect Copies of some of them that has got abroad.", der in ähnlicher Form Händels Vorwort einleitet (vgl. 14. November 1720/II). Händel wollte sich vermutlich von Abschriften distanzieren, die ins Ausland gelangt waren. Eine solche kann als Vorlage für die um 1720 in Amsterdam bei Jeanne Roger erschienene Ausgabe *Pieces à un & Deux Clavecins Composées par Mʳ. Hendel. A Amsterdam Chez Jeanne Roger Nᵒ. 490* gedient haben. Diese enthielt zehn Suiten aus dem ersten und zweiten Band sowie drei Sätze, die in keinem der beiden Bände enthalten sind.

(Burney, II, 703; Chrysander, III, 186; Smith 1960, 248, 251)

John Christopher Smith (vgl. Sommer/Herbst 1716) war anfangs als Musikverleger tätig. Zusammen mit John Cluer und Richard Meares verlegte er Händels *Pièces* und *Il Radamisto*.

7. November 1720
The Daily Courant

The Directors of the Royal Academy of Musick, by virtue of a Power given them under the King's Letters Patents, having thought it necessary to make a Call of 5 l. per Cent from each Subscriber, have authorized the Treasurer to the said Royal Academy or his Deputy to receive the same, and to give Receipts for each Sum so paid in. This is therefore to desire the Subscribers to pay, or cause to be paid, the said 5 l. per Cent, according to the several Subscriptions, on the 19th, 21st, and 22d of this Instant November at the Opera House in the Hay-Market, where Attendance will be given by the Deputy Treasurer, from Nine in the Morning till One in the Afternoon, who will give Receipts for every Sum so paid by each Subscriber as aforesaid.

– Ein kürzerer Aufruf erschien auch in *The London Gazette* vom 8. November.

8.–14. November 1720
Johann Mattheson, Grundlage einer Ehrenpforte, Hamburg 1740

Mylord Carteret ... langte den 8. November 1720 von seiner schwedischen Gesandtschafft in Hamburg an, und fand an unsers Matthesons Musik solche Lust, daß er einst zwo gantzer Stunden, ohne von der Stelle zu weichen, bey ihm saß und zuhörte; zuletzt aber, in Gegenwart der hohen Gesellschafft, dieses Urtheil fällete: Händel spiele zwar ein schönes und fertiges Clavier; aber er sänge dabei nicht mit solchem Geschmack und Nachdruck. Dieser grosse Mann [Carteret], der hernach Staats-Secretär, Vice-König in Irland etc. geworden, reisete den 14. Nov., in Gesellschaft des Herrn von Wich, als seines nahen Anverwandten, nach England...   [S. 206 f.]

– John Carteret, Earl of Granville (1690–1763), war seit Januar 1719 außerordentlicher Botschafter und bevollmächtigter Minister bei der Königin von Schweden. Über Hannover kehrte er 1720 nach England zurück. Er wurde später außerordentlicher Botschafter am französischen Hof und war von 1724 bis 1730 Vizekönig von Irland. Vgl. 7. November 1703

14. November 1720 (I)
The Daily Courant

This Day is published. Mr. Handel's Harpsichord Lessons ... Price One Guinea.

– Dies war der erste Band mit Instrumentalmusik, den Händel herausgab. Der Titel lautet: „Suites de Pieces pour le Clavecin Composées par G. F. Handel. Premier Volume I. Cole Sculp. London printed for the Author, And are only to be had at Christopher Smith's in Coventry Street the Sign of yᵉ Hand & Musick book yᵉ upper end of Hay Market and by Richard Mear's Musical Instrument-maker in Sᵗ. Pauls Church Yard." Auf die Titelseite folgen das Privileg vom 14. Juni 1720 und das Vorwort.

Die Ausgabe enthält acht Suiten, von denen die fünfte mit Variationen über die seit dem 19. Jahrhundert „Der harmonische Grobschmied" genannte Melodie schließt. Daß Händel zu dieser durch den Schmied William Powell in Whitchurch inspiriert wurde, ist Legende.
(Smith 1960, 248)

14. November 1720 (II)
Händel, Vorwort zu den „Suites de Pieces pour le Clavecin"

I have been obliged to publish Some of the following lessons because Surrepticious and incorrect copies of them had got abroad. I have added several new ones to make the Worke more usefull which if it meets with a favourable reception: I will Still proceed to publish more reckoning it my duty with my Small talent to Serve a Nation from which I have receiv'd so Generous a protection.
G F. Handel

– Der zweite Band der Suiten erschien erstmals um 1727 anonym und wurde um 1733 von Walsh nachgedruckt, der um 1736 auch den ersten Band wieder herausbrachte.
(Smith 1960, 248)

19. November 1720
Die zweite Saison der Royal Academy of Music am King's Theatre beginnt mit Bononcinis Oper *Astarto* (Text: Paolo Antonio Rolli).

– Rolli widmete das Libretto Richard Boyle, Earl of Burlington. Aus der Widmung ist zu schließen, daß dieser die Oper in der Vertonung von Luc' Antonio Predieri während seines Italienaufenthaltes 1714 im Teatro Capranica in Rom gesehen hat.
(Loewenberg, Sp. 143)

29. November 1720
Mary Pendarves an ihre Schwester Ann Granville

London, 29th Nov. 1720.
The stage was never so well served as it is now, there is not one indifferent voice, they are all Italians. There is one man called Serosini who is beyond Nicolini both in person and voice.
(Delany, I, 57 f.)

– Mary Pendarves geb. Granville (1700–1788) war
die Tochter von Bernard Granville (gest. 1723),
dem jüngeren Bruder des Dichters George Granville Lord Lansdowne. Mary wuchs bei ihrer Tante
Anne und Lord Lansdowne auf. 1718 heiratete sie
Alexander Pendarves (gest. 1725) und 1743 Patrick Delany (ca. 1685–1768). Mary Pendarves gehörte zu Händels aufrichtigen Freunden.
Der neue Sänger war Senesino, der in Bononcinis
Astarto erstmals in London auftrat.

1. Dezember 1720
The Post-Boy

The Lady's Banquet 3.ᵈ Book Being a Choice Collection of the Newest & most Airy Lessons for the
Harpsichord or Spinnet Together with the most
noted Minuets, Jiggs and French Dances, Perform'd at Court the Theatre and Publick Entertainments, all Set by the best Masters. Price 3ˢ. &c.
London. Printed for I. Walsh ... N°. 172

– Die Sammlung umfaßt 54 Stücke, darunter von
Händel „The Royal Guards March" *(Rinaldo)*, „A
Trumpet Minuet" und „A Minuet for the French
Horn", Menuette aus *Rinaldo* und *Radamisto* und
eine Bearbeitung von „Hò un non sò che nel cor"
aus *La Resurrezione* (vgl. 6. Dezember 1710).
(Smith 1960, 269)

6. Dezember 1720
The Post-Boy

On Thursday the 15th instant, will be publish'd,
(with his Majesty's Royal Privilege and Licence)
The Opera of Rhadamistus, composed by Mr. Handel; the Elegancies of which, and the Abilities of
its Author, are too well known by the Musical Part
of the World, to need a Recommendation, unless
it be by informing them, that there hath been such
due Care taken in the Printing of it, (which consists of 124 large Folio Copper-Plates, all corrected
by the Author) that the Printer presumes to assert
that there hath not been in Europe a Piece of Musick so well printed, and upon so good Paper. Publish'd by the Author, and printed by Richard
Meares, Musick-Printer in S Paul's Church-yard.
Sold also by Christopher Smith ... At both which
Places Mr. Handel's Harpsichord Lessons are likewise sold.
(Smith 1960, 53)

13.–15. Dezember 1720
The Daily Post

This Day publish'd ... The most celebrated Opera
of Radamistus, composed by Mr. Handell, curiously engraved upon 123 Copper Plates, and
printed upon fine Dutch Paper, the whole Work
being corrected by the Author. Printed and Sold
by Richard Meares, Musical Instrument Maker and

Musick Printer, at the Golden Viol and Hautboy
in St. Paul's Church-Yard. And whereas Mr. Handell has composed several additional Songs to
make the said work more compleat, they will be
added to the Book, which will be sold at the same
Price as before, and such Gentlemen and Ladies as
have already purchased it, may have the Additions
gratis at the Places above-mention'd. Where also
Mr. Handell's Lessons for the Harpsichord are
Sold.

28. Dezember 1720
The Daily Courant (?)

At the King's Theatre ... this present Wednesday... will be perform'd an Opera, call'd, Radamistus... N.B. Four Hundred Tickets will be deliver'd
out, and after they are disposed of, no Person
whatsoever will be admitted for Money. A proper
Officer will attend at each Door, to deliver every
Subscriber his Ticket, without which he will not
be admitted. No Persons are to be admitted behind the Scenes ... To begin exactly at Six.
(Theatrical Register)

– *Radamisto* wurde in revidierter und erweiterter
Fassung (HWV 12b) aufgeführt und am 31. De-
zember 1720, am 4., 21., 25. Januar 1721 und am
21. und 25. März 1721 wiederholt.
Besetzung:
Radamisto – Senesino, Mezzosopran
Zenobia – Margherita Durastanti, Sopran
Farasmane – Mr. Lagarde, Baß
Tiridate – Giuseppe Maria Boschi, Baß
Polissena – Maddalena Salvai, Sopran
Tigrane – Matteo Berselli, Sopran
Fraarte – Caterina Galerati, Sopran
(Smith 1948, 48)

29. Dezember 1720
Am Haymarket wird das Little Theatre eröffnet.

– Das dem King's Theatre gegenüberliegende
Little Theatre (auch French Theatre) war 1720
von John Potter erbaut worden. Zur Eröffnung
spielte eine französische Schauspielergruppe unter dem Patronat von John, Duke of Montague,
jedoch ohne Lizenz.
1726 traten hier Akrobaten auf, 1729 der Tanzmei-
ster Samuel Johnson, und ab 1730 führte hier Fielding seine Satiren auf. Das Little Theatre stand an
der Stelle des heutigen Haymarket Theatre.

31. Dezember 1720 (I)
Applebee's Original Weekly Journal

On Wednesday Night [28. Dezember] the Royal
Family with a great Number of the Nobility, etc.
were to see the New Opera, call'd Rhadamistus,
but Isabella did not Sing as was expected ...
Signior Nicoleni, the famous Italien Eunuch, is

newly arriv'd here from Venice, and Sang last Wednesday Night at the New Opera with great Applause, 'tis said the Company allows him 2000 Guineas for the Season.
(Chrysander, II, 56)

– Die Rolle des Radamisto sang Senesino. Er wird in dieser wie auch in der folgenden Notiz mit Nicolini verwechselt, der England bereits 1717 verlassen hatte. Isabella Girardeau (La Isabella) sang nur von 1709 bis 1712, u. a. 1711 in *Rinaldo*.

31. Dezember 1720 (II)
The Weekly Journal, Or Saturday's Post

On Wednesday Night his Majesty and the rest of the Royal Family went to see the new Opera, called Rhadamistus, where the famous Nicolini performed with his wonted Applause.

1720 (I)
„Mr. Handel" subskribiert John Gays *Poems on Several Occasions*, 1720.
– Unter den Subskribenten befanden sich auch Burlington und Chandos (je 50 Exemplare) sowie James Craggs jr., Heidegger, Anastasia Robinson und Pope.

1720 (II)
Widmung des Librettos von Il Radamisto

To the King's Most Excellent Majesty.
Sir, The Protection which Your Majesty has been graciously pleased to allow both to the Art of Musick in general, and to one of the lowest, tho' not the least Dutiful of your Majesty's Servants, has embolden'd me to present to Your Majesty, with all due Humility and Respect, this my first Essay to that Design. I have been still the more encouraged to this, by the particular Approbation Your Majesty has been pleased to give to the Musick of this Drama: Which, may I be permitted to say, I value not so much as it is the Judgment of a Great Monarch, as of One of a most Refined Taste in the Art: My Endeavours to improve which, is the only Merit that can be pretended by me, except that of being with the utmost Humility,
Sir,
Your Majesty's Most Devoted, Most Obedient, And most Faithful Subject and Servant,
George-Frederic Handel.
(Chrysander, II, 46; Smith 1948, 48)

– Die Widmung an den König, deren Text vermutlich von Niccolò Haym aufgesetzt worden war, wurde dem für die Wiederaufführung im Dezember 1720 von Thomas Wood gedruckten Libretto vorangestellt.
Bei der ersten Aufführung von *Radamisto* am 27. April 1720 war George I. im King's Theatre an-

wesend gewesen. Eine Folge der „particular Approbation" des Königs war die Gewährung eines Copyright-Privilegs, datiert vom 14. Juni 1720, das zuerst in der Ausgabe der am 14. November 1720 veröffentlichten Cembalo-Suiten abgedruckt wurde.

1721

1. Februar 1721
Arsace, Paolo Antonio Rollis Bearbeitung der Oper *Amore e Maestà* (Text: Antonio Salvi, Musik: Giuseppe Maria Orlandini) wird im King's Theatre mit hinzukomponierter Musik von Filippo Amadei aufgeführt.
Vgl. 23. September 1720

20. und 28. Februar 1721
Eine ursprünglich für den 20. Februar einberufene Generalversammlung der Royal Academy of Music wird auf den 28. Februar 1721 verschoben.
(*The London Gazette*, 14. und 21. Februar 1721)

Februar 1721
Joseph Mitchell, Ode on the Power of Musick

Musick religious Thoughts inspires,
And kindles bright Poetick Fires;
Fires! such as great [1]Hillarius raise
Triumphant, in their blaze!
[1]Aaron Hill, Esq.

…

Others may that Distraction call,
Which Musick raises in the Breast,
To me, 'tis Ecstasy and Triumph all,
The foretastes of the raptures of the blest.
Who knows not this, when Handell plays,
And Senesino Sings?
Our Souls learn Rapture from their Lays,
While rival'd Angels show amaze,
And drop their Golden Wings.

[S. 8]

(Sammlung Gerald Coke)

–Mitchells Gedicht ist dem Edinburgher Mathematiklehrer Alexander Malcolm gewidmet und dessen Buch *A Treatise of Musick, speculative, practical and historical*, Edinburgh 1721, vorangestellt.
Der Dramatiker Joseph Mitchell (1648–1738) war 1720 von Edinburgh nach London gekommen. Eine Sammlung von *Poems on Several Occasions* erschien 1729 in London.
Malcolms *Treatise of Musick* ist den Gouverneuren und Direktoren der Royal Academy of Music gewidmet. Sie sind in der Widmung namentlich aufgeführt (Stand 1720):
Thomas, Duke of Newcastle, Governor; Lord Bingley, Deputy Governor; Dukes of Portland and Queensbury, Earls of Burlington, Stair[s], and Waldeck [Waldegrave]; Lords Chetwind [Chet-

wynd] and Stanhope; James Bruce; Colonel
Blathwayt [John Blaithwaite]; Thomas Coke of
Norfolk; Conyers Darcey [d'Arcy]; Brigadier-Ge-
neral Dormer; Bryan Fairfax; Colonel O'Hara;
George Harrison; Brigadier-General Hunter; Wil-
liam Poultney [Pulteney]; Sir John Vanbrugh; Major-
General Wade; and Francis Whitworth.

Dieses Verzeichnis druckten auch Hawkins (V,
273) und Burney (II, 700) ab, ohne Quelle und
Datum anzugeben.
Malcolms Vorwort ist auf den 19. Dezember 1720
datiert.

7. März 1721
The Evening Post

Last Thursday [2. März] his Majesty was pleased to
stand Godfather, and the Princess and the Lady
Bruce, Godmothers, to a Daughter of Mrs. Durastanti, chief Singer in the Opera-House. The Marquis Visconti [appeared] for the King, and the
Lady Litchfield for the Princess.
(Burney, II, 717)

– Margherita Durastanti und ihrem Gatten Casimiro Avelloni wurde damit eine große Gunst des
Königs und seiner Tochter erwiesen. Wahrscheinlich waren Rolli und Senesino, möglicherweise
auch Händel bei der Taufe anwesend.

11. März 1721
The London Gazette

The Court of Directors of the Royal Academy of
Musick do hereby give Notice that they have ordered a Call of 5l. per Cent. from each Subscriber,
and that the Deputy-Treasurer will attend at the
Office, at the Opera-House in the Haymarket, on
the 25th, 27th, and 28th Instant, from Nine in the
Morning till Two in the Afternoon, in order to receive the same: and all Parties concerned are desired to give Orders for the Payment thereof, at
such Time and Place as aforesaid.

14. März 1721
The Daily Post

The celebrated Opera of Radamistus ... the best
and most correct Piece of Musick extant. ... And
whereas Mr. Handel has composed several Additional Songs to make the said Work more obliging,
they are now finish'd, the Edition containing
41 Copper Plates, engraven by the same Hand,
which renders this Work cheaper than any Thing
of this Nature yet publish'd; which will be sold at
the same Price as before, and such Gentlemen and
Ladies as have already purchased it, may have the
Additions Gratis, at the Place above-mentioned:
Where also Mr. Handel's Lessons for the Harpsicord are sold.

– Der Ergänzungsband, mit dem Titel *Arie Ag-
giunte di Radamisto*, enthält zehn Arien und ein
Duett.
Vgl. 21. März 1721

18. März 1721

An Heidegger, den Leiter der Oper, werden „as a
Present from His Majesty" 500 £ ausgezahlt.
(Public Record Office: L. C. 5/157, 401)

21. März 1721 (I)
The Post-Boy

The ... Opera of Radamistus ... several Additional
Songs ... they are now finish'd, and will be pub-
lish'd this Day ...
Vgl. 14. März 1721

21. März 1721 (II)
Hamburger Relations-Courier

Es wird hiemit notificiret, wie man, auff Anhalten
verschiedener vornehmer Liebhaber, entschlossen, das berühmte, und bisher jährlich auffge-
führte Paßions-Oratorium zukünfftigen Mittwo-
chen geliebtes Gott, als den 26 Martii von neuen
auff dem Reventher im hiesigen Dohm aufzuführen, undzwar diesesmahl nach der vortrefflichen
Composition des Königl. Engl. Capel-Meisters
Herrn Hendels.
Vgl. 7. April 1721

23. März 1721

Händel beendet den dritten Akt der Oper *Muzio
Scevola*.
Eintrag in der autographen Partitur (R. M.
20. b. 7.): „Fine, GFH London March 23. 1721."

– Die Direktoren der Royal Academy of Music
hatten drei Komponisten aufgefordert, jeweils
einen Akt von Rollis Libretto, das er als italienischer Sekretär der Academy geschrieben und dem
König gewidmet hatte, zu vertonen. Den ersten
Akt komponierte Filippo Amadei (nicht Ariosti,
wie Hawkins und Burney annehmen), den zweiten Bononcini, den dritten Händel (Chrysander,
II, 57, Loewenberg, Sp. 144).
In Händels Exemplar des gedruckten Librettos
steht auf der unbedruckten letzten Seite (vermutlich von der Hand eines Dienstboten) eine Wä-
scherechnung: „12 shirts, 3 aprons, 1 hood, 7 comb-
ing clothes, 5 pairs coats 2 have buttons and
2 strings. Mr Handl".
(Cummings 1911, 19; Nr. 773 der Cummings-Auk-
tion, 17.–24. Mai 1917; mit 23 anderen Händel-Li-
bretti zusammengebunden)

28. März 1721
The Daily Courant

At the King's Theatre ... this present Tuesday ...
will be perform'd A Serenata. Compos'd by Sig.

Cavalliero Allessandro Scarlatti, perform'd by Sig. Francisco Bernardi Senesino, Signora Durastanti, Mrs. Anastasia Robinson, Signora Salvai, Sig. Boschi ... The Stage will be illuminated, and put in the same Form as it was in the Balls.

– Frank Walker (The Music Review, August 1951, S. 197) nimmt an, daß das Konzert von oder für Francesco Scarlatti, den Bruder Alessandros, veranstaltet wurde, der sich von 1719 bis etwa 1724 in London aufhielt und dessen Benefizkonzerte gewöhnlich in Hickford's Room (St. James's Street) stattfanden.

7. April 1721
Hamburger Relations-Courier

Es dienet zur Nachricht, daß das berühmte und wegen der Poesie bekandte Paßions-Oratorium, heute Montags Abends präcise um 5 Uhr auff dem Reventher in hiesigem Dohm, und zwar nach der vortrefflichen Composition des Herrn Capellmeisters Hendel, soll aufgeführet werden.
Vgl. 21. März 1721

12. April 1721
The Daily Courant

At the King's Theatre in the Hay-Market, on Saturday next, being the 15th Day of April, will be perform'd a new Opera, call'd Mutius Scaevola. The Pit and Boxes to be put together ... Tickets ... will be deliver'd on Friday, at Mr. White's Chocolate-House in St. James's-street, at Half a Guinea each. N. B. No more than Four Hundred Tickets will be deliver'd out, and are to be had ... at no other Place whatsoever ... Gallery 5s. To begin exactly at Six.

– Die gleiche Anzeige erschien in *The Daily Post.*

15. April 1721 (I)
Muzio Scevola wird im King's Theatre zum erstenmal aufgeführt.
Besetzung:
Larte Porsenna – Giuseppe Maria Boschi, Baß
Muzio Scevola – Senesino, Mezzosopran
Clelia – Margherita Durastanti, Sopran
Orazio – Matteo Berselli, Sopran
Irene – Anastasia Robinson, Alt
Fidalma – Maddalena Salvai, Sopran
Lucio Tarquinio – Caterina Galerati, Sopran

– Lucio Tarquinio tritt in dem von Händel vertonten III. Akt der Oper nicht auf.
Wiederholungen: 19., 22., 26., 29. April, 3., 6., 13. und 17. Mai und 7. Juni 1721.
Nach Weinstock (112) hatte die Stimme Anastasia Robinsons als Folge einer Erkrankung vom Sopran zum Alt mutiert.

15. April 1721 (II)
John Gay, A Motto for the Opera Mutius Scaevola

Who here blames words, or verses, songs, or singers,
Like Mutius Scaevola will burn his fingers.
(Additions to the Works of Alexander Pope, 1776, I, 104)

18. April 1721
Generalversammlung der Royal Academy of Music „on very special Affairs".
(*The London Gazette,* 11. April 1721)

21. April 1721
A. de Fabrice an Graf Flemming

A Londres le 21 de Avril 1721.
Monsieur, ... Vous scaurés sans doute que Md. la Princesse de Galles a heureusement accouché d'un Fils Samedy passe. La nouvelle en fut portée au Roi par milord Herbert à l'opera nommé Mutius Scevola, ou il avoit une grandissime foule à cause de la premiere representation, qui celebra par de grands battements des mains et des Husay, Chaque Acte de cet opera est d'un Compositeur different, le Premier par un nommé Pipo, le second par Bononcini et le troisieme par Hendell, qui l'a emporté haut à la main ...
(Fürstenau 1860; Chrysander, II, 63; Opel 1889, 31)

– A. de Fabrice war Kammerherr des Prince of Wales, den er 1709/10 nach Italien begleitet hatte. Sein Bruder war hannoveranischer Minister. Henry Herbert, 9. Earl of Pembroke und 6. Earl of Montgomery (1693–1751), war Oberkammerherr (Lord of the Bedchamber) des Prince of Wales.

15. Mai 1721
Humfrey Wanley, Notebook

Mr. Kaeyscht (at the Duke of Chandos') has kindly promised to lend me the score of Mr. Handel's Te Deum, being his second, which he composed for the Duke of Chandos, who can likewise procure scores of all his services and anthems.
(Sammlung Strawberry Hill. J. R. Robinson, 84)

– Humfrey Wanley (1672–1726) war 1708 von Robert Harley, 1. Earl of Oxford (vgl. 9. Februar 1719), angestellt worden, um die Manuskripte der Harleian Library zu katalogisieren, und wurde dann Leiter dieser Bibliothek (vgl. 23. Februar 1717/I).
Vgl. 23. August 1720

20. Mai 1721
Ciro, or Odio ed Amore von Bononcini (Textdichter unbekannt) wird am King's Theatre aufgeführt.
(Burney, II, 716; Chrysander, II, 63)

– Burney schreibt diese Oper irrtümlicherweise Ariosti zu.

Mai (?) 1721
Graf Flemming an A. de Fabrice

Je suis bien aise aussi de ce que l'Allemand l'emporte dans la composition sur tous les autres musiciens.
(Fürstenau 1860; Fürstenau 1862, 152 f.; Chrysander, II, 63)
Vgl. 21. April 1721

14. Juni 1721
The Daily Courant

At the King's Theatre in the Hay-Market, this present Wednesday ... will be an Entertainment of Musick: Consisting of above 30 Songs, chosen out of former Opera's, perform'd by Signior Francisco Bernardi Senesino, Signior Boschi, Signora Durastanti, Mrs. Anastasia Robinson, Signora Salvai ...
The Stage will be illuminated, and put in the same Form as it was in the Balls. ...
(Theatrical Register)

5. Juli 1721
The Daily Courant

For the Benefit of Signora Durastanti.
At the King's Theatre in the Hay-Market this present Wednesday, being the 5th of July, will be perform'd a Concert of Vocal and Instrumental Musick, Compos'd by the best Masters: Particularly, Two new Cantata's by Mr. Hendel, and Sig. Sandoni; Four Songs and Six Duetto's by the famous Signor Stefan, performed by Signora Durastanti, and Signor Senesino ... The Concert will not begin till Seven o'Clock.
(Chrysander, II, 64)

– Händels Kantate war vermutlich „Crudel tiranno Amor" (HWV 97), deren drei Arien 1722 in *Floridante* übernommen wurden (vgl. 28. März 1722).
Zu Sandoni vgl. 13. Juli 1719. Mit Stefan ist Agostino Steffani (vgl. Frühjahr 1709) gemeint.
Die Opernsaison schloß am 1. Juli 1721 mit Bononcinis *Ciro*. Nach Burney (II, 717) endete sie erst mit diesem Benefizkonzert.

8. Juli 1721
The London Gazette

The Court of Directors of the Royal Academy of Musick finding several Subscribers in Arrear on the Calls made on them this year, do hereby desire them to pay in the same before Thursday the 20th Instant, otherwise they shall be obliged to return them as Defaulters, at a General Court to be held that Day, for their Instructions how to proceed: And it appearing to the said Court of Directors on examining the Accounts, that when the Calls already made are fully answered, there will still remain such a Deficiency to render it absolutely necessary to make a further Call to clear this Year's Expence; the said Court of Directors have therefore ordered another Call of 4 l. per Cent. (which is the 6th Call) to be made on the several Subscribers, payable on or before the 27th Instant. Attendance will be given on that and the two preceeding Days, at the Office in the Hay-Market, in order to receive the same.

– Die Notiz erschien am 10. Juli auch im *Daily Courant.*
Vgl. 31. Oktober 1721
Die Tatsache, daß die Direktoren der Royal Academy bis Ende der Saison 1720/21 nur 25 % einforderten, läßt es unmöglich erscheinen, daß die Oper zu diesem Zeitpunkt die gesamte Summe von 15 000 Pfund, die 1719 gezeichnet worden war, verbraucht hatte (Schoelcher 1857, 84). Nur vier vorhergehende Aufforderungen zu je 5 % konnten in den Zeitungen nachgewiesen werden (8. Dezember 1719, 5. April und 7./8. November 1720 sowie 11. März 1721).

9. September 1721
Aaron Hill an John Rich

I suppose you know, that the duke of Montague, and I, have agreed, and that I am to have that house [Little Haymarket Theatre] half the week, and his french vermin, the other half: but I would forbear acting at all there, this season, if you will let me your house [Lincoln's Inn Fields Theatre] for two nights a week, in Lent, and three a week, after.
(Hill 1753, II, 46 f.; Schoelcher 1857, 55; Brewster, 101 f.)

– Schoelcher nahm irrtümlicherweise an, daß das erstgenannte Theater das King's Theatre sei.
Das Little Theatre am Haymarket war am 29. Dezember 1720 mit einer französischen Schauspielergruppe eröffnet worden, die schon am 4. Mai 1721 bankrott war. Kurz danach stellte Hill für dieses Theater trotz des Protestes von Rich, dem allein das Privileg erteilt war, eine englische Truppe zusammen, die in dem Theater englische Tragödien aufführen sollte. Die französische Truppe des Duke of Montague kehrte jedoch im November 1721 zurück.
Das Lincoln's Inn Fields Theatre, das auch unter der Bezeichnung Lisle's Tennis-Court oder The Duke's House bekannt ist, war 1656 erbaut und seit 1661 als Theater benutzt worden. Von 1695 bis 1705 hatte es Betterton gepachtet, der dann zu Vanbrughs neuem Theater am Haymarket ging, während Christopher Rich das Lincoln's Inn Fields Theatre übernahm. Nach dessen Tod eröff-

nete sein Sohn John Rich am 18. Dezember 1714 das Theater wieder, das er bis 1732 leitete und mit *The Beggar's Opera* den größten Erfolg hatte. 1733/34 begannn hier eine italienische Operntruppe unter Porpora ein Konkurrenzunternehmen zu Händels King's Theatre.

Während der Fastenzeit fanden Theateraufführungen nur an vier Tagen in der Woche statt, mittwochs und freitags waren sie untersagt.

Vgl. 20./21. und 24. Januar 1722

31. Oktober 1721
The London Gazette

By Order of a General Court of the Royal Academy of Musick, held Oct. 25, 1721.

Whereas some few of the Subscribers to the Operas have neglected (notwithstanding repeated Notice has been given them) to pay the Calls which have been regularly made by the Court of Directors, and according to the Condition of the said Subscription, signed by each of the said Subscribers: These are to give further Notice to every such Defaulter, That unless he pays the said Calls on or before the 22d of November next, his Name shall be printed, and he shall be proceeded against with the utmost Rigour of the Law.

– Diese Notiz erschien auch im *Daily Courant* vom 2. November. Die Drohungen scheinen niemals wahrgemacht worden zu sein.

Vgl. 8. Juli 1721 und 10. November 1722

1. November 1721

Eröffnung der dritten Opernsaison mit einer Aufführung der Oper *Arsace.*

3. November 1721

Im *Daily Courant* erscheint eine Aufforderung an alle Opernabonnenten, 5 % ihres Beitrages bis zum 8. November zu zahlen.

7. November 1721

Muzio Scevola wird im King's Theatre erneut aufgeführt und am 10. und 13. November 1721 wiederholt.

16. November 1721

Für den 22. November wird eine Generalversammlung der Royal Academy „on particular Bussiness" einberufen, um neue Direktoren zu wählen *(The London Gazette).*

(Burney, II, 718; Chrysander, II, 85)

25. November 1721 (I)
The London Gazette

Applications having been made to the Royal Academy of Musick, for Tickets intitling the Bearers to the Liberty of the House for this Season: The Academy agree to give out Tickets to such as shall subscribe on the Conditions following, viz. That each Subscriber, on the Delivery of the Ticket, pay 10 Guineas: That on the 1st of February next ensuing the Date of these presents, each Subscriber pay the further Sum of 5 Guineas: And likewise the Sum of 5 Guineas upon the 1st Day of May following. And whereas the Academy propose the Acting of 50 Operas this Season, they do oblige themselves to allow a Deduction proportionably, in case fewer Operas be performed than that Number. N. B. The Instrument lies open at White's Chocolate House for Subscribers to Sign on the foregoing Terms; as also another at the Opera Office every Opera Night.

(North 1846, 133; Schoelcher 1857, 54; Chrysander, II, 85f.)

– Das Jahres-Subskriptions-System war ein neuer Versuch, die Akademie zu retten.

25. November 1721 (II)

Radamisto wird erneut aufgeführt und am 29. November, 2., 6., 28. und 31. Dezember 1721 wiederholt.

28. November 1721

Händel beendet die Oper *Floridante.*

– Das Datum der Vollendung steht am Ende des Schlußensembles, das in Händels Autograph in der British Library (R. M. 20. b. 2.) fehlt. Dieses Teilautograph wurde am 16. März 1937 bei Sotheby & Co., London, verkauft. Das Datum steht auch am Ende von Jennens' Partiturabschrift (Newman Flower Handel Collection, Manchester) und wurde von diesem außerdem in sein Exemplar von Mainwarings *Memoirs* eingetragen (Dean 1972, 162).

9. Dezember 1721 (I)
The Daily Courant

At the King's Theatre … this present Saturday … will be perform'd a New Opera call'd Floridante. … And in Regard to the increase of the Number of Subscribers, no more than Three Hundred and Fifty Tickets will be delivered out … at Half a Guinea each. NB. No Tickets will be disposed of at the Theatre, nor any Money taken there but for the Gallery … Gallery 5s.

Besetzung:

Floridante – Senesino, Mezzosopran
Oronte – Giuseppe Maria Boschi, Baß
Timante – Benedetto Baldassari, Sopran
Coralbo – (?), Baß
Rossane – Maddalena Salvai, Sopran
Elmira – Anastasia Robinson, Alt

– Für die Partie des Coralbo wird im gedruckten Libretto kein Sänger genannt.

Wiederholungen: 13., 16., 20., 23., 27. und 30. Dezember 1721, 3. und 5. Januar, 13. und 20. Februar, 25. und 28. April sowie 23. und 26. Mai 1722.

9. Dezember 1721 (II)
Paolo Rolli, Widmung des Textbuches zu Floridante an den Prince of Wales

Quindi umilmente le consacro questo mio Drama perchè in esse ambe quelle difficili amabilissime qualità dell'Eroe nell'Amante, e dell'Amante nell' Eroe; ardisco dire che sono da eccellente Musica al più vivo e toccante grado esaltate.
(Chrysander, II, 73)

– Nach J. R. Clemens (Sackbut, 1931) soll die Aufführung von *Floridante* den Hof verärgert haben, weil in dem Stück ein rechtmäßiger Erbe eingekerkert wird, der später über den Unterdrücker triumphiert („there happened to be very great and unreasonable clapping in the presence of the great ones"), was aber nicht belegt werden konnte.

1721 (I)
John Walsh, Cash-Book

1721 Opera Floridan – £ 72 0 0
(Macfarren, 22)

– Dies ist die erste Händel betreffende Eintragung. Wenn Walsh wirklich 72 £ an Händel gezahlt hat, war er sehr großzügig. Von 1723 bis 1738 erhielt Händel laut Kassenbuch nur 26 £ 5s. für jede Partitur. Eine Ausnahme bildete *Alexander's Feast,* für das Walsh 105 £ zahlte, jedoch wurde dieses Werk auf besondere Subskription veröffentlicht.
Vgl. 28. März 1722 und 26. Januar 1723

1721 (II)
Johann Mattheson, Vorbemerkung zu seiner Neuausgabe von „Friedrich Erhard Niedtens Musicalische Handleitung zur Variation des General-Basses", Hamburg 1721

Der hochberühmte Herr Capellmeister Hendel hat vor seinem Rinaldo beyde Arten der Ouvertures und Symphonies mit einander verknüpffet. (Ich habe in der Organ. Prope pag. 167 gesagt, es sey von diesem berühmte Autore nichts gedrucktes vorhanden: solches ist ex incuria geschehen, und habe mich eben auf die Opera Rinaldo nicht besonnen, welche gravirt worden.) Er nennet es auch: The Symphony or Ouverture in Rinaldo. Ich hoffe, weil diese Nachrichten manchem Unwissenden trefflich zu statten kommen können, so werde der gelehrte Leser (si doctior) mir gegenwärtige Deduction gerne nachsehen, und insonderheit der grosse Mann in Engeland es zum besten auslegen, daß hier seiner wiederum gedacht

worden. Es geschieht allemahl, meiner Intention nach, in gehörigem Respect, und weiß ich, in vielen Stücken, kein besser Muster vorzuschlagen.
(Niedt/Mattheson, 107; Chrysander, I, 281f.)

– Die erste Ausgabe des zweiten Teils von Niedts *Musicalischer Handleitung* erschien 1706, die zweite Auflage „... verbessert, vermehret, mit verschiedenen Grund-richtigen Anmerkungen, und einem Anhang von mehr als 60. Orgel-Wercken versehen durch J. Mattheson" 1721.
Vgl. 1719 (II)
Walshs Ausgabe der *Songs in the Opera of Rinaldo* (24. April 1711) beginnt mit der Ouverture; die Bezeichnung „Symphonies" verwendete er beim Druck der Instrumentalstimmen.

1722

10. Januar 1722
Bononcinis Oper *Crispo* (Text: Gaetano Lemer, revidiert von Paolo Antonio Rolli) wird im King's Theatre aufgeführt.
(Burney, II, 719)

– Nach Loewenberg (Sp. 144) fand die erste Londoner Aufführung am 31. Januar 1722 statt.

20. Januar 1722
Aaron Hill an John Duke of Montague

1721–2, Jan. 20, Westminster.
... And the English company being now ready for opening [ihre beabsichtige Saison am Little Theatre], I have warned them [die französischen Schauspieler] that they can have liberty to act at that House no longer than Tuesday next. But they may certainly get permission to act two or three times a week at the Opera House; and if the rent must be greater, the House will hold more company in proportion.
... and a word of yours to recommend 'em to the Opera House will undoubtedly procure 'em admission in a Theatre where they may be every way more advantageously posted.
(Buccleuch, I, 369; Brewster, 102)
Vgl. 29. Dezember 1720 und 9. September 1721

– Die französischen Schauspieler, die im Little Theatre 1720 bis Mai 1721 aufgetreten waren, spielten dort wieder seit November 1721. Der Herzog gehörte zu den Direktoren der Academy.

21. Januar 1722
Aaron Hill an John Duke of Montague

1721–2, Jan. 21.
... Let the French Players agree for the Opera

House, and if their rent is too heavy, I will pay part for them, to make it easier.
(Buccleuch, I, 370)

24. Januar 1722
Aaron Hill an John Duke of Montague

1721–2, Jan. 24.
I will try, in respect of your Grace's hint, what I can do as to the Opera House for my company, though their voices will be no small sufferers by the exchange. But it will take up time, and we were ready for opening. And besides, my scenes for the first Play being made for your Grace's House, will not fit the other; and they are all new, and very expensive, and done after a model perfectly out of the general road of scenery.
Your Grace will be so good to think of these things, and permit at least that my company should act twice a week (during Lent and afterwards) if I fail to get permission in the other House. This can be no disadvantage to the French Players, for they cannot play on Opera nights, and those will be the only nights my company will play on.
(Buccleuch, I, 370 f.)

– Hills Versuche blieben erfolglos. Schließlich führte er seine Tragödie *King Henry the Fifth* (nach Shakespeare) am 5. Dezember 1723 am Drury Lane Theatre auf.
Die Opernabende, an denen er im Little Theatre zu spielen hoffte, waren offenbar die am Mittwoch und am Sonnabend.

28. Januar 1722
Johann Mattheson, Hamburger Opernverzeichnis

170. Zenobia. Vom Hn. Haendel componirt, von Mattheson übersetzet. Die Mahler waren die Her-

16. Februar 1722
Papiere des Schatzamtes

Memorial	Royal Academy of Music	Lords of the Treasury	The King having ordered 1,000l. per ann. for seven years, to be paid out of the Bounty Office, to the Royal Academy, they pray for a warrant for payment of 500l. Opera House in the Hay Market. 16. Feb. 1721–22.

(Redington, 121)
Vgl. 14. Mai 1719 und 16. Juni 1722

– Dies ist die erste nachweisbare Zahlung der Subsidien des Königs.

22. Februar 1722
Bononcinis Oper *Griselda* (Text: Apostolo Zeno, bearbeitet von Rolli) wird im King's Theatre aufgeführt.
(Burney, II, 719 f.)

ren Queerfeld und Rabe. Der Ballet-Meister Herr Thiboust.
(Mattheson 1728, 190; Chrysander 1877, Sp. 247)

– *Radamisto* wurde unter dem Titel *Zenobia, oder Das Muster rechtschaffener ehelichen Liebe* am 28. Januar 1722 zum erstenmal in Hamburg mit deutschen Rezitativen von Mattheson aufgeführt. Die Arien wurden italienisch gesungen (Loewenberg, Sp. 142). Mattheson verzeichnet die Aufführung irrtümlich für das Jahr 1721.
Nach Willers Hamburger Opernnotizen (Merbach, 358) wurde die Oper 1722 siebzehnmal, 1723 sechsmal, 1724 und 1726 je einmal und 1736 dreimal aufgeführt.
Die Maler waren Tobias Querfurt d. Ä. (gest. 1730) und Johann Jürgen Rabe (gest. 1734).
Der Balletmeister Thiboust ist seit 1694 in Hamburg nachweisbar (Wolff 1957 I, 346).

15. Februar 1722
The Daily Courant

At the King's Theatre … this present Thursday … will be a Ridotto. To begin with an Entertainment of Musick, consisting of 24 Songs chosen out of the late Operas, perform'd by Signor Francisco Bernardi Senesino, Signor Benedetto Baldassari, Mrs. Anastasia Robinson, and Signora Salvai. The Remaining Tickets will be deliver'd … at a Guinea each. N. B. There can be no Admittance in the Galleries, they being cover'd as formerly in the Balls. The Doors to be opened at Half an Hour after Seven a Clock at Night.

– Nach Burney (II, 995) waren die Ridotti 1722 neu eingeführt worden. Die Darbietungen dauerten zwei Stunden, anschließend begann der Ball auf der Bühne.
Vgl. 6. März 1722

6. März 1722
The Daily Courant

At the King's Theatre … this present Tuesday … will be a Ridotto. To begin with an Entertainment of Musick, consisting of several Songs chosen out of the last new Opera's, and some new Cantato's, composed by Signor Bononcini, performed by Signor Francisco Bernardi Senesino, Signor Benedetto Baldassari, Mrs. Anastasia Robinson, and Signora Salvai. Tickets will be delivered … at One

Guinea each. N. B. The Pit will be cover'd, and there will be Instruments in two Places. To begin at Half an Hour after Seven a-Clock.
Vgl. 15. Februar und 12. November 1722

28. März 1722
The Daily Post

Floridant. an Opera as it was Perform'd at the Kings Theatre for the Royal Academy Compos'd by M^r. Handel. Publish'd by the Author. London Printed and Sold by J: Walsh ... and In° & Ioseph Hare, &c.

– Dieser Partiturdruck enthielt das Privileg vom 14. Juni 1720.
1722 erschienen auch *Additional Songs in Floridant. an Opera, &c. London Printed and Sold by J: Walsh ... and In° & Ioseph Hare, &c.* Diese Ausgabe enthält die vier Arien „O dolce mia", „O quanto è caro", „Dopo l' ombre" und „O cara spene" sowie die neue Fassung von „Lascio ti o bella", die bei der Wiederholung der Oper am 4. Dezember 1722 gesungen wurde.
(Smith 1960, 27)
Vgl. 5. Juli 1721

17.–19. Mai 1722
The Post-Boy

Floridant for a Flute The Ariets with their Symphonys for a single Flute and the Duets for two Flutes of that Celebrated Opera Compos'd by M:^r Handell price 2^s.
London Printed and Sold by J. Walsh ... and In°: & Joseph Hare, &c.
(Smith 1960, 29)

Mai 1722
Johann Mattheson, Critica Musica

VIII.
Unser Text lautet pag. 15. also:
Folgende intervalla sind durchgehends verworffen: Secunda superflua, Tertia manca, ascendendo, Tritonus, Quinta superflua, Sexta superflua, Octava manca, Octava superflua.
Daß dieses eine falsche Lehre / und besagte intervalla von keinem Menschen / der Ohren und Vernunfft hat / geschweige denn durchgehends / verworffen seyn solten; sondern daß sie / theils in melodia, theils in harmonia, von den allerbesten practicis, cum applausu sensûs offt und vielfältig gebraucht werden / ist jedem erfahrnen Musico mehr als bekannt. Tausend exempla können es den unerfahrnen bezeugen. Zu bewundern ist es / daß unser Apodemicus diese intervalla gar nicht harmonice, und wie sie etwan in der Zusammenstimmung vorkommen; sondern nur bloß quoad melodiam, wie ein Sänger, consecutive ansiehet und verwirfft / da er doch / mit seiner hohen

Schule / Componisten machen will. Das sind lauter Früchte von der Cantor-Classe / von mehr als hundert Jahren. Ollae putridae. Eben wie ich dieses schreibe / liegen mir Sachen zur Hand von Capelli, Orlandini, Amadei, Chelleri, Bononcini, Händel und andern. Ich habe nur einen Augenblick darinn geblättert / so finde ich gleich bey dem ersten dieses Exempel der secundae superfluae in melodia: a) Händel bringt dasselbe intervallum in der melodie so an b) ...
Wenn man auch von den Quintis und Sextis superfluis anderst keine Exempel zu geben wüste / als im Recitativ, (ob es wohl auch sonst daran gar nicht fehlet) so ist doch solches genug / und muß deswegen niemand sagen / es seyen diese intervalla durchgehends verworffen. In Harmonia können sie beyde sehr schön und fremd angebracht werden / wie denn unter andern / im brauchbahren Virtuosen p. 32. eine Quinta superflua, und in Händels Rinaldo, in der Sinfonia, so wohl Secunda, als Sexta superflua anzutreffen sind. Welche beyden Werke ich nur deswegen citire / und nicht excerpire / weil sie publici juris sind.

[Bd. I, S. 14 f.]

7.–9. Juni 1722
The Post-Boy

The Opera of Radamistus transpos'd for Flute and a Bass is now finish'd and will be speedily published.

– Außerdem kündigen Richard Meares sen. und jun. „The Most Favourite Songs in the Opera of Muzio Scaevola Compos'd by Three Famous Masters" als „now engraving" an. In der *Flying Post* vom 23. August 1722 wird diese Ausgabe als „just published" angezeigt. Die Namen der Komponisten sind nicht genannt, als Sänger werden „Sigra. Salvai, Mrs. Robinson, Berselly, Sigra. Durastanti, Senesini" angegeben.
(Smith 1960, 39)

16. Juni 1722 (I)
Mit einer Aufführung von Bononcinis Oper *Crispo* wird die dritte Saison der Royal Academy of Music beendet.

– An diesem Tag stirbt John Duke of Marlborough, und Bononcini erhält den Auftrag, ein Trauer-Anthem zu komponieren.

16. Juni 1722 (II)
Papiere des Schatzamtes

[1722]	Memorial	Royal Academy of Music	Lords of the Treasury	For a warrant für 500 l. for six months bounty due to them.

Minutes: "26th June 1722. Orderd."
(Redington, 128)

– Die nächste nachweisbare Zahlung erfolgte im Juni 1723.

Juni 1722
Johann Mattheson, Critica Musica

Die Quarta – – – wenn es (sie) nicht als eine cambiata, oder durchgehende Note / eingeführet / sondern als eine Ligatura / mit zwey (zwo) Stimmen also bloß gesetzet wird / ist zu leer und unzuläßig etc.
Hier ist abermahl eine unnöthige praecaution und ganz unrichtiges Verbot / weil tausend und abertausend Vorfälle kommen / wo die Quarta nicht als cambiata, auch nicht als durchgehend / sondern als eine ordentliche / starke Bindung / mit zwo Stimmen / also bloß gesetzt wird / und gesetzt werden muß: dabey sie weder zu leer klinget / noch unzuläßig seyn kann. Ja / eben nach den allerbesten Contrapunct-Regeln / mag ich meinen Comitem, auf das schönste / per Quartam einführen / und zwar / wenn noch nicht mehr / als zwo Stimmen vorhanden. Was wolte wohl ein Mensch an diesen Ligaturen a) auszusetzen finden? Doch wir wollen unserm eignen Machwerk nicht trauen / sondern den weltberühmten Handel anführen / der gewiß / mit Ehren / in der Contrapunct-Schulen ersten Classe sitzen kann / und wieder dessen besondere Geschicklichkeit / in diesem Stücke fürnehmlich / niemand hoffentlich das geringste einzuwenden haben wird. Derselbe hat / in einer von seinen neuesten Fugen / folgenden schönen Satz b). Hier ist die Quarta nicht als cambiata, auch nicht / als eine durchgehende Note / eingeführet; sondern als eine Ligatur / mit zwo Stimmen / also bloß hingesetzet. Wo bleiben denn die ohnmächtigen Contrapunct-Regeln / die

mir solches verbieten? Solte etwan dieses Exempel / welches nur aus einem Ms. genommen worden / in Zweifel gestellet werden / so will bey eben demselben Autore bleiben (denn ich kann mich nicht verbessern) und aus seinem vortrefflichen Werke / betitelt: Suites de Pieces pour le Clavecin, par G. F. Handel, welches Ao. 1720. und also noch nicht so gar lange / zu London in Kupfer gestochen worden / 4to obl. nachfolgende merkwürdige Exempel / c, d, e, f, die in Fugen aufstossen, zu mehrerm Lichte des Academici, hieher setzen: denn ein Licht ist doch des andern werth!   [Bd. I, S. 45 f.]
(Notenbeispiel s. unten)

31. Juli–2. August 1722
John Walsh und John und Joseph Hare kündigen im *Post-Boy* „The Favourite Songs in the Opera Call'd Muzio Scaevola" als „now engraving" an, am 23.–25. August als „publish'd this Vacation".
(Smith 1960, 39)

Juli 1722
Johann Mattheson, Critica Musica

Was den andern Punct betrifft / daß alle Dissonanzen sich per Semidiapenten resolviren können / so ist solches / Orch. III. obbesagter massen / von der 2. 4. und 7. bewiesen worden[1]; ...
[1] Eine gar artige resolutionem Septimae, per Quintam diminutam, habe neulich / in einer Aria von Händel angetroffen / da die Ober-Stimme stille beliegen bleibt / und der Baß eine Sextam majorem herunter springet.   [Bd. I, S. 70]

Wie offt / vors dritte / unsere Semidiapente der Quintae plenae Stelle vertritt / das kann kein Mensch zehlen. Nur eines aus tausenden beyzubringen mag dieses i) dienen: allwo Diapente & Semidiapente sich ordentlich / als Consonanzen und Cammeraden einander ablösen.

Daß sie / vors vierte / an unzehlichen Orten weit besser klinge / und fünfftens / gar nicht praeparirt werden dürffte / bezeuget / unter andern / die ausbündig-schöne Aria des Lotti, welche mit den Worten anhebt: Bramo aver, per più goder &c. und hier sehr bekannt ist. Es scheinet das Händel davon ein Model genommen haben mag / in einer von seinen Arien, die so anfängt. k) In der Opera Porsenna, von meiner composition, so wie dieselbe vor 20. Jahren hier aufgeführt / und von Händeln / unter meiner Direction, accompagnirt ward / befindet sich eine Aria, deren Anfangs-Worte heissen: Diese Wangen will ich küssen. Es kann wohl seyn / daß dem Händel die Melodie nicht uneben gefallen haben mag: denn er hat nicht nur in seiner Agrippina, so wie sie in Italien hervorgekommen; sondern auch in einer andern neuen Opera, die jüngst in Engelland gemacht worden / und vom Mutio Scaevola handelt / eben dieselbe modulation, fast Note vor Note / erwehlet. In der Agrippina ist er auch bey eben dem Ton geblieben / nemlich: beym B. Und lauten daselbst die Worte so: Sotto il lauro, che hai su'l crine &c. In der andern aber ist der Ton changirt, und heissen die Worte: A chi vive di speranza &c. Ich will ein Eckgen davon l) hersetzen; nicht zwar / als ob ich den Mann eines plagii beschuldigen wollte: bey Leibe nicht; m) sondern / weil es der Semidiapentes Vorzug und praerogativ darthut. Bey der gleichen Sätzen möchte ich wohl hören / wie unerträglich die volle Quinte klingen würde / wenn man sie / loco Semidiapentes, adhibirte.

m) Es kann wohl bisweilen kommen / daß einer / von ungefehr / auf gewisse Einfälle stösset / die er ehmals gehört haben mag / ohne eben zu wissen / wo? und ohne dieselbe mit Vor-

satz zu appliciren. Doch haben einige darinn eine fast verdächtige / und weit glücklichere reminiscentiam, als andere wünschen möchten; welches ihnen sehr bequem fallen muß. Ausser diesem sind noch 2. Vortheile dabey: 1) Daß dergleichen Sachen / bevorab bey guter elaboration, (die sich gemeiniglich zu leeren Erfindungen gesellet) unausbleiblich allen / auch so gar / deren ersten Erfindern und rechten Eignern / gefallen müssen: weil niemand sein eignes Machwerk zu tadeln pflegt. 2) Daß diesen letzten daraus kein sonderlicher Nachtheil / wohl aber eine ungemeine Ehre zuwächst / wenn ein berühmter Mann ihm dann und wann auf die Spuhr geräth / und gleichsam seiner Gedanken wahren Grund von ihm borget. Soltens auch nur drey wissen / so ist es schon Ehre genug! Die Franzosen / wenn sie etwas recht gefälliges und angenehmes an einem Menschen beschreiben wollen / pflegen diese Redens-Art zu gebrauchen: il a quelque chose qui revient. Eben das kann einer seiner invention beylegen / wenn solche einem andern / nach langer Zeit / wiederum dergestalt in den Sinn kömmt / daß er sein bestes brillant daher entlehnet. Diejenigen Leute aber / so ein plagium daraus machen / und es / qua tale, mit der glücklichen Ausarbeitung entschuldigen wollen / sind auf dem unrechten Wege / und raisonniren falsch: deß es wäre eben so / als wenn mir einer 1000. Rthlr. abzwackte / und begehrte / ich sollte nicht sauer dazu sehen / weil er sie so zu belegen wüste / daß sie ihm etwa ein paar procent mehr trügen / als mir. Alle elaboratio, sie sey so schön wie sie wolle / ist nur mit Zinsen; die inventio aber mit dem Capital selbst zu vergleichen. Dieses habe ich nicht nur mir selbst / sondern hauptsächlich dem weltberühmten Keiser / zum Trost schreiben wollen / als welchen man desto mehr und öffter zugesprochen hat / je reicher er an schönen Erfindungen ist.   [Bd. I, S. 71 f.]

– Dieser Text, in dem erstmals davon gesprochen wird, daß Händel aus Werken anderer Komponisten entlehnte, ist charakteristisch für Matthesons Stolz und seine mitunter kleinliche Eifersucht. Mattheson kam 1740 noch einmal auf die Entlehnungen zurück (*Ehrenpforte,* 96).
Porsenna wurde in Hamburg neben neun anderen Opern in der Saison 1702 zum erstenmal aufgeführt, also vor Händels Ankunft, und es scheint fraglich, ob Matthesons Oper bis 1703/04, als Händel sich in Hamburg aufhielt, im Repertoire blieb.
Über *Muzio Scevola* berichtet Mattheson im Januar 1723 in der *Critica musica* (I, 256)
Semidiapente bedeutet verminderte Quinte.

10. August 1722
Händel beendet die Oper *Ottone*.
Eintrag in der autographen Partitur (R.M.20.b.9.):

„Fine à Londres August, $\frac{21 \text{ n.}}{10 \text{ v.}}$ A. 1722."

– Das Libretto – nach Stefano Benedetto Pallavi-
cinos *Teofane* – bearbeitete Niccolò Haym, der seit
1722 als Nachfolger Rollis italienischer Sekretär
und Librettist der Royal Academy of Music war.
Das Textbuch veröffentlichte Thomas Wood.

23. August 1722
Ankündigung von Richard Meares in der *Flying
Post:* „The Overtures and all the Songs in the
Opera of Rhadamistus have been transposed by a
very great Master for the Flute are now finish'd
and will be speedily publish'd."
(Smith 1960, 54)
Vgl. 2.-4. Oktober 1722

18.–20. September 1722
Ankündigung von John Walsh und John und Jo-
seph Hare im *Post-Boy:* „Radamistus for a Flute
Containing the Overture Songs Symphonys and
Additional Aires Curiously Transpos'd and fitted
to the Flute in a Compleat manner The whole
fairly Engraven and Carefully Corected."
(Smith 1960, 54)

2.–4. Oktober 1722
Ankündigung von Richard Meares in der *Flying
Post:* „Just publish'd Mr. Handel's Great Opera of
Radamistus ... transpos'd for the Flute By Mr. Bol-
ton."
(Smith 1960, 54)

16.–18. Oktober 1722
Ankündigung von John Walsh und John und Joseph Hare im *Post-Boy* als „lately publish'd": „The
favourite Songs in the Opera call'd Acis and Galatea."

– Händels Name ist nicht genannt, die meisten
Arien tragen in der Überschrift den Vermerk „A
song by an Eminent Master" oder „... set by an
Eminent Master". Die Arien „Lo here my Love"
(„Love in her eyes"), „Stay Shepherd, stay" („Shepherd what art thou pursuing"), „Cease to beauty",
„Consider fond Shepherd" und „Would you gain
the tender Creature" hatten Walsh und Hare bereits in *The Monthly Mask of Vocal Musick* veröffentlicht.
(Smith 1960, 81)

27. Oktober 1722 (I)
The London Journal

There is a new Opera now in Rehearsal at the
Theatre in the Hay-Market, a Part of which is re-
serv'd for one Mrs. Cotsona, an extraordinary Italian Lady, who is expected daily from Italy. It is
said, she has a much finer Voice and more accurate Judgment, than any of her Country Women
who have performed on the English Stage.
'Tis reported that the Managers of the Fund subscrib'd to the Opera will make a Dividend of their
Profits some Time this Winter.
(Chrysander, II, 86, 88)
Vgl. 25. August 1720 und 22. Dezember 1722

– Die geprobte Oper war *Ottone*, die ungewöhnlich lange vorbereitet wurde (vgl. 12. Januar
1723).
Der Hinweis auf die Dividende scheint überra-
schend in Anbetracht der Zahlungsaufforderun-
gen und Mahnungen, die die Generalversammlun-
gen der Academy erlassen hatten.
Vgl. 16. Februar 1723

27. Oktober 1722 (II)
Die vierte Saison der Royal Academy beginnt mit
einer Wiederaufführung von *Muzio Scevola*.

– Der *Daily Courant* kündigte die Aufführung für
diesen Tag an, brachte aber nicht die sonst am
eigentlichen Aufführungstag übliche nochmalige
Anzeige. Die Anzeige für den 31. Oktober erwähnt keine Verschiebung. Burney (II, 721) nennt
als Datum der Neuaufführung den 7. November,
Kelly (II, 350) den 31. Oktober, Chrysander (II,
87) den 27. Oktober; Nicoll erwähnt keines dieser
Daten in seinem Verzeichnis der Aufführungen
von *Muzio Scevola*. Eine für den 3. November 1722
vorgesehene Aufführung wurde auf den 10. November verschoben „for reason of the Indisposition of Sig. Senesino". Die letzte Wiederholung
von *Muzio Scevola* fand am 13. November 1722
statt, danach wurde die Oper nicht mehr aufgeführt.

4. November 1722
The London Gazette

The General Court of the Royal Academy of Musick held the 22d of November last, having ordered a further Call of 5 l. per Cent, which is the
9th Call, to be made payable on all the Subscribers
to the said Royal Academy on or before the 13th
Instant.

– Die Angabe „22d of November" ist falsch.
Vgl. 9. November 1723

10. November 1722
The London Gazette

At a General Court of the Royal Academy of Musick held the 8th Instant, it is resolved, that Notice
be given to the several Defaulters in the Payment
of their Calls, that they pay the same on or before
the 22d Instant, when another General Court is to

be held and new Directors chosen for the Year ensuing. And in case any Person shall not make their Payment in that Time, that they be proceeded against in Law, and their Names made publick.
Vgl. 31. Oktober 1721

– Das Ergebnis der Wahl ist nicht bekannt, ebensowenig die Wahlergebnisse der folgenden drei Jahre (vgl. 17. Dezember 1726).

12. November 1722
The Daily Courant (?)

By the Order of several Persons of Quality, At the Long-Room at the Opera-House in the Hay-Market, will be an Assembly every Thursday during the Season, with a very good Set of Musick. The Day being changed from Friday to Thursday. To begin at Six a Clock. Tickets to be had at the said Long-Room, at 2s. 6d. each.
(Theatrical Register)

– Donnerstags fanden keine Opernaufführungen statt.
Wie lange diese „Assemblies" veranstaltet wurden und ob bei ihnen auch Instrumentalmusik von den Mitgliedern des Opernorchesters gespielt wurde, ist unbekannt.
Vgl. 15. Februar und 6. März 1722 sowie 31. Januar 1723

4. Dezember 1722
Wiederaufführung von *Floridante*.

– Wiederholungen: 8., 11., 15., 18., 22. und 26. Dezember 1722.

15. Dezember 1722
Kirchenbuch von St. Dionis Backchurch

[The Church-wardens agree that Mr. Renatus Harris of Bristol should build an organ under certain conditions, e. g. ... the touch to be] ... entirely to the satisfaction and good liking of Mr. Philip Hart ... [and upon completion the organ] to be submitted to the judgment and determination of the following persons: John Loeillet, William Babell, George Frederick Handel, Dr. William Croft, and Mr. R. Courteville, all of them Professors and Masters of Music, or the majority of them.
(Edwards 1904, 437 f.)

– Der genaue Wortlaut der Abschnitte in eckigen Klammern ist nicht bekannt.
Die Kirche lag im Distrikt von Whitechapel. Die Orgel wurde Anfang Juni 1724 eingeweiht, das Gutachten vom 25. Juni 1724 unterzeichneten nur „Wm Croft", „Ra. Courtivill" und „John Loeillet".
Renatus (René) Harris (um 1652–1724) war neben Father Smith der berühmteste Orgelbauer jener Zeit und dessen heftigster Konkurrent. In dem zwischen beiden sich entwickelnden „Battle of the Organs" um 1690 trug Smith den endgültigen Sieg davon. Philip Hart (gest. 1749) war Organist an verschiedenen Londoner Kirchen. 1724 wurde er 1. Organist an St. Dionis Backchurch.
John (Jean Baptiste) Loeillet (1680–1730), flämischer Oboist, Flötist und Komponist, kam 1705 nach London, spielte bis 1710 in den Orchestern im Queen's Theatre und Drury Lane, wirkte dann als Lehrer und veranstaltete in seinem Hause eigene Konzerte. William Croft (1678–1727), Organist und Komponist, war zunächst Organist an St. Anna Church in Soho, wurde 1704 Organist der Chapel Royal, 1708 auch Master of the Children der Chapel Royal und Organist der Westminster Abbey. Ralph Courteville (gest. 1735) war seit 1691 erster Organist an der Kirche von St. James in Westminster.
Zu Babell vgl. 29.–31. Januar 1717

15.–18. Dezember 1722
Ankündigung von John Walsh und John und Joseph Hare im *Post-Boy:* „For the Flute The Newest Minuets Rigadoons & French Dances for the Year 1723 Several of them perform'd at Court on the Prince's Birth Day and also at the most publick Places as Richmond Epsom Tunbridge & Bath of Balls & Assemblies – The Tunes proper for ye Violin & Hoboy ..."
(Smith 1960, 272)

– Die Ausgabe enthält zwei Menuette Händels, davon eines aus *Muzio Scevola*.

22. Dezember 1722
The London Journal

Mrs. Cotsona, the Italian Lady, whom we mentioned some time since to be coming over to England, to sing at the Opera, is married on her journey: She had Two Hundred and Fifty Pounds advanced by Heidecker, Master of the Opera House, before she set out, which if she should refund, and not come at all, would prove a double Disappointment to that Gentleman, not only in losing a Person so well qualified; but he has taken a Sum of Money some Days since of a Person of Quality to pay Half a Guinea per Diem till she comes.
(Smith 1950, 130; Chrysander, II, 88)
Vgl. 27. Oktober 1722, 11. Januar und 22. August 1725

29. Dezember 1722
The British Journal

Seigniora Cutzoni is expected here with much Impatience for the Improvement of our Opera Performances; and as 'tis said, she far excells Seignio-

ra Duristante, already with us, and all those she
leaves in Italy behind her, much Satisfaction may
be expected by those who of later Years have contributed largely to Performances in this Kind, for
the great Advantage of the Publick, and softening
the Manners of a rude British People. The terms
(this Lady does us this extraordinary Favour
upon) are reported with such Uncertainty, and it
is so difficult to get at the Truth, that we shall only say what is controverted by no one, That she is
to receive more Advantage than any one yet has
on the like occasion; tho' 1,500 l. a Season in such
cases is frequent.
(Smith 1950, 130)

– Francesca Cuzzoni traf in der letzten Dezem-
berwoche 1722 in London ein (*London Journal,*
5. Januar 1723). Nach Chrysander (II, 88) betrug
ihr jährliches Honorar 2 000 £, hinzu kam der Er-
trag aus einer Benefizvorstellung.

1722 (I)

An Ode to Mr Handel, On his Playing on the Organ.

By Daniel Prat, M. A. Rector of Harrietsham, Kent.
Formerly Chaplain to His Majesty's Household at
Kensington.

I.
How shall the Muse attempt to teach,
Artist Divine! in fitting Lays,
What Voice with equal Thought can reach
Thine and the sacred organ's Praise?

Oh! might the Numbers flow with Ease,
As Thou our Spirits do'st command,
Which rise and fall by just Degrees,
Each Soul obsequious to thy Hand.

II.
With Joy and Wonder fill'd, we seem
Born on the swelling Sounds on high,
Like Jacob in his blissful Dream,
All Heav'n approaching to descry!

Now in more lengthen'd Notes and slow
We hear, inspiring sacred Dread,
The deep majestic Organ blow,
Symbol of Sounds that rowse the dead!

III.
A pleasing Horror fills the Dome!
The Statues o'er each antique Tomb
Attentive look! while we like them become!
See! All, resembling Statues stand,
Enchanted by thy Magic Hand!

A solemn Pause ensues – – – – – –
All Things are hush'd, and ev'ry Breath
Seems stop'd as in the Arms of Death!

Each restless Passion's softly lull'd to Peace,
And silent Thought seems only not to cease!
How dreadful is this Place! What holy Fear
Thrills thro' our shudd'ring Veins! Hail Heav'nly
                                                    Choir
That round th' eternal sing! for surely here
Jehovah is! far ye Profane retire.

Again we hear! And Silence now is drown'd
In rapt'rous Notes, and Ecstasie of Sound!

I.
Fix'd in one solemn stedfast Gaze,
The rustic Hind, a human Brute,
Devours the Sounds, in deep Amaze,
Entranc'd, immoveable, and mute.

His wakening Soul begins to guess
Some God within that Frame must dwell,
Now full convinc'd that nothing less
Cou'd speak so sweet, so wond'rous well.

II.
What sacred Rage their Breast alarms,
Whose more than barb'rous Zeal exclaims
Against the soft persuasive Charms
Of Musick, which the Savage tames?

Such they that tore the Thracian Bard,
And with their frantic Clamour drown'd,
What Woods and Rocks with Rapture heard,
Both Voice and Harp's melodious Sound!

III.
Ev'n me, untaught my Voice to raise,
Wont still to haunt the silent Bow'r,
Thy Notes provoke to sing their Praise,
And oh! that they inspir'd the Pow'r!

But as th' unheeded Numbers flow,
Thy Skill no sooner they rehearse,
Than (as too groveling all and low)
My heighten'd Fancy scorns the Verse.

Thus the fond Bird whom Shade and Silence
                                                    cheers,
Some great Musician's vary'd Solo hears:
Her little Soul alarm'd his Notes essays,
She sings alternate as the Artist plays:
Warbling she strives, each Modulation tries,
Till tir'd, her weak Wings droop, and griev'd, she
                                                    dies!

In Roman Strains this ¹Strada sweetly sung,
But sweeter ²Philips in our ruder Tongue.

¹ Fidicinis & Philomelae Certamen
² Pastoral 5

I.
While blest with thy Celestial Airs,
How vain we count the Views of Life,
The Miser's Hopes, the Lover's Cares,
Domestic Feuds, and Public Strife!

No more amus'd with gaudy Sights,
The World seems now to disappear,
While Sound alone the Soul delights,
Which ravish'd wou'd for ever hear!

II.
Thy Music, like the sacred Page,
Tempers the Fierce, uplifts the Faint,
Composes Youth, enlivens Age,
Th' obdurate melts, inflames the Saint!

Each now refin'd from low Desires,
Rais'd high by Thee, and nobler grown,
His elevated Thought admires,
And feels a Spirit not his own!

III.
But who can paint the Poet's Fires?
How are Life's feeble Springs oppress'd
With the strong Rage thy Touch inspires,
While glowing Transports swell his Breast?

Rising with thy exalted Strain
His lab'ring Soul now fain wou'd fly,
Fain wou'd shake off this mortal Chain,
And reascend its Native Sky!

Thus led by Maro's Muse to Cuma's Cave,
We hear the inspir'd Maid divinely rave;
Her changing Colour and disordered Hair
Raptures too great to be sustain'd, declare:
With heighten'd Features and wild glaring Eyes,
Panting for Breath, *The God, The God*, She cries:
The Voice not hers, and more than Mortal Sound,
From Vault to Vault like Thunder echo's round!

I.
Hark! Cornet and Cremona join,
Deep Diapason and Bassoon,
With Flute and Voice Humane, divine!
A Choir of Instruments in One!

Now loud all Stops in Consort blow!
By the harmonious Whirlwind driv'n,
Our Souls are ravish'd into Heav'n,
And seem to spurn the World below!

II.
Blest Emblem of Seraphic Joys!
Where various Forms and Pow'rs combine
In Harmony of Thought and Voice,
While All to hymn their Sov'raign join!

But Man, unhappy Man, whose Mind
In the same Heav'n was fram'd for Peace,
Varies discordant (like the Wind)
Whom God nor Sov'raign long can please.

III.
Swol'n Thougths in his tumultuous Soul
Now like the troubled Billows rowl;

Becalm'd, they now to Spleen subside,
Low, languid, as the ebbing Tide!

Yet as thy volant Touch pursues
Thro' all Proportions low and high
The wond'rous Fugue, it Peace renews
Serene as the unsully'd Sky,

Gladsome, as when Aurora's cheerful Beams
Dispell vain Phantoms and delusive Dreams.
Th' attending Graces with thy Fingers move,
And as they interweave the various Notes,
Concord and Ease, Delight and purest Love
Flow where the undulating Music floats!
Base Spirits fly; and All is Holy Ground
Within the Circle of the Sacred Sound!

I.
See! Discord of her Rage disarm'd,
Relenting, calm, and bland as Peace;
Ev'n restless noisy Faction charm'd,
And Envy forc'd Thy Skill to bless!

Here Phrenzy and distracted Care
Pleas'd and compos'd wou'd ever dwell;
While Joys unknown, till now, they share,
And feel a Heav'n possess'd for Hell!

II.
Shou'd Hate with Furies leagu'd combine,
'Till All be into Ruin hurl'd,
Say, wou'd not Harmony like Thine
Quell the wild Uproar of the World?

As when a raging Tempest roars,
Some secret Pow'r the storm restrains
Hush'd are the Waves, gay smile the Shores,
And Peace o'er all the Ocean reigns.

III.
Oh then that they whose Rage and Hate
A Brood of deadly Mischiefs nurse,
Who secret All our Ills create,
And then their own dire Off-spring curse,

That All in one Assembly join'd,
Cou'd hear thy healing soothing Strain!
Soon shou'dst thou calm their troubled Mind,
And Reason shou'd her Seat regain:

Then in sweet Sounds like Thine, so soft a Style,
Hoadly or Fleetwood Silver-tongu'd shou'd shew
How Rage wou'd ravish from our frighted Isle,
The dear-bought Blessings to the Laws we owe:
How from just Laws the World derives Repose,
And Harmony thro' all the glad Creation flows!

Their Voice th' enlighten'd Crowd to Peace shou'd
                                        move,
And fix for ever firm in Loyalty and Love.
(Sammlung Gerald Coke)

– Das ist das erste der Gedichte, die Händel zu

Lebzeiten gewidmet wurden. Es wurde 1722 von Jacob Tonson gedruckt. In der 1780–1782 von John Bowyer Nichols herausgegebenen achtbändigen Ausgabe *A Select Collection of Poems* erschien es in Band 7 (150 ff.). 1791 wurde es einzeln unter dem Titel *An Ode on the late celebrated Handel. on his playing the organ* in Cambridge herausgegeben.

Der hier geschilderte Ort ist wahrscheinlich St. Paul's Cathedral. Famianus Strada (1572–1649) war ein berühmter römischer Jesuit, Rhetor und Schriftsteller.

Die *Pastorals* von Ambrose Philips (1674–1749) erschienen 1709 in Tonsons *Miscellany* und 1710 zusammen mit anderen Gedichten von Philips separat.

1722 (II)
John Walsh, Cash-Book

1722 Opera Otho £ 42 0 0

– Die erste Aufführung von Händels Oper *Ottone* fand am 12. Januar 1723 statt, die Proben liefen aber vermutlich schon seit Oktober 1722 (vgl. 27. Oktober 1722). Walsh scheint um diese Zeit die Veröffentlichungsrechte erworben zu haben (vgl. 19. März 1723).

1722 (III)
John Macky, A Journey through England, in Familiar Letters from A Gentleman Here to His Friend Abroad, London 1722

(Cannons)
The Disposition of the Avenues, Gardens, Statues, Paintings, and the House of Cannons, suits the Genius and Grandeur of its great Master. The Chapel, which is already finished, hath a Choir of Vocal and Instrumental Musick, as the Royal Chapel; and when his Grace goes to Church, he is attended by his Swiss Guards, ranged as the Yeomen of the Guards: his Musick also play when he is at Table, he is served by Gentlemen in the best Order; and I must say, that few German Sovereign Princes, live with that Magnificence, Grandeur and good Order. ...

The Chapel is incomparably neat and pretty, all finely plaistered and gilt by Pargotti, and the Cielings and Niches painted by Paulucci; there is a handsome Altar Piece, and in an Alcove above the Altar a neat Organ; fronting the Altar above the Gate, is a fine Gallery for the Duke and Dutchess, with a Door that comes from the Appartments above, and a Staircase that also descends into the Body of the Chapel, in case of taking the Sacrament, or other Occasion. In the Windows of this Chapel, are also finely painted some Parts of the History of the New Testament.

In that Court, which opens into the Area, is the dining room, very spatious ... and at the End of it,

a Room for his Musick, which performs both Vocal and Instrumental, during the Time he is at Table; and he spares no Expense to have the best. ...

... at the end of each of his chief Avenues, he hath neat Lodgings for Eight old Serjeants of the Army, whom he took out of Chelsea-College, who guard the whole; and go their Rounds at Night, and call the Hours, as the Watchmen do at London, to prevent Disorders; and wait upon the Duke to Chapel on Sundays ... and his Gentleman told me, they are above a Hundred Servants in Family of one Degree or another.   [Bd. II, S. 5 ff.]
(Cummings 1885, 7; Cummings 1904, 57 ff.; Cummings 1915, 12 ff.; Streatfeild 1916, 7 f.)

– Macky nennt Edgware „the town of Edger". John Macky (gest. 1726) war Regierungsagent oder Spion und Schriftsteller. Die erste Ausgabe der *Journey through England* erschien 1714, die zweite (um einen Band vermehrt) 1722, die dritte (mit einem dritten Band) 1723.

„Pargotti" ist der Stukkateur J. (Jacopo?) Bagutti, der um 1720 in England nachweisbar ist. Er arbeitete vor allem zusammen mit Giuseppe Artaria (1697–1769) für den Architekten James Gibbs. Beide wurden als „the best fret-workers in England" bezeichnet. Am Palast in Cannons arbeiteten sie zusammen mit F. Serena.

Mit „Paulucci" ist der venezianische Maler Antonio Ballucci (1654–1727) gemeint, der 1716 von Düsseldorf nach London kam und bis 1722 blieb. Für den Duke of Chandos führte er Decken- und Wandgemälde aus. In dessen Auftrag entstanden auch die Altargemälde in der Kirche in Whitchurch, Edgware.
Vgl. 1725 (III)

1722 (IV)
Ankündigung von John Walsh und John und Joseph Hare: „Minuets, Rigadoons or French Dances for the Year 1722. Perform'd at the Balls at Court ... Together with Several Favourite Minuets by Mᵣ. Handell, Mᵣ. Bononcini, and other Eminent Masters. The Tunes for the Violin or Hoboy and many of them within the Compas of the Flute ..."
(Smith 1960, 271 f.)

– Die Sammlung enthält nur ein Stück von Händel.

1723

7. Januar 1723
Johann Mattheson, Hamburger Opernverzeichnis

Anno 1723.
176. Muzio Scevola, gantz Italiänisch, von Hn Hän-

dels Composition Andere nennen einen: Giovanni. (Mattheson 1728, 191; Chrysander 1877, Sp. 248)

– Giovanni deutet auf Bononcini. Mattheson erfuhr den wahren Sachverhalt offenbar erst, nachdem er die Premiere bereits verzeichnet hatte.

Das Hamburger Libretto von *Muzio Scevola* enthält Keisers Prolog, gibt aber weder den Namen des Übersetzers noch die des Librettisten und des Komponisten an. Ein handschriftliches Exemplar der gesamten Partitur ist anscheinend von London nach Hamburg geschickt worden. Mattheson verwechselt die Komponisten der ersten beiden Akte, gibt aber richtig als den Komponisten des einen Aktes Mattei (Pipo) und nicht Ariosti an.

12. Januar 1723
The Daily Courant

At the King's Theatre ... this present Saturday ... will be presented, A New Opera call'd Otho, King of Germany. Pit and Boxes to be put together and in Regard to the Increase of the Numbers of the Subscribers, no more than Three Hundred and Fifty Tickets will be deliver'd out this Day, at Mrs. White's Chocolate-House in St. James's-street, at Half a Guinea each. N. B. No Tickets will be given out at the Door, nor any Persons whatever admitted for Money. Gallery 5s. By Command, no Directors, Subscribers, or any other Persons will be admitted behind the Scenes. To begin exactly at Six a-Clock.

– Die wachsende Zahl der Subskribenten bezieht sich auf das King's Theatre, nicht auf die Royal Academy (vgl. 25. November 1721). Nach Kelly (II, 350) war während der Saison 1722/23 der Zutritt zu den Opernproben für je 1 Guinee gestattet. *Ottone* wurde während dieser Saison am 15., 19., 22., 26., 29. Januar, am 2., 5., 9., 12. und 16. Februar, am 26. März sowie am 4. und 8. Juni 1723 wiederholt.
Besetzung:
Ottone – Senesino, Mezzosopran
Teofane – Francesca Cuzzoni, Sopran
Emireno – Giuseppe Maria Boschi, Baß
Gismonda – Margherita Durastanti, Sopran
Adelberto – Gaetano Berenstadt, Alt
Matilda – Anastasia Robinson, Alt

In die Zeit zwischen dem ersten Abschluß der Partitur (vgl. 10. August 1722) und der ersten Aufführung des *Ottone* gehören die zwei folgenden undatierten Briefe Anastasia Robinsons an Giuseppe Riva (Biblioteca Estense Modena: Fondo Campori, codice 1644, Signatur j.Z.4.4.).

S^r
Not knowing how to ask you to give your self the trouble of coming here, and necessity obliging me to beg a favour of you, I must do it by writing. I am very sensible the Musick of my Part is exstreamly fine, but am as sure the Caracter causes it to be of that kind, which no way suits my Capacity: those Songs that require fury and passion to exspress them, can never be performed by me according to the intention of the Composer, and consequently must loose their Beauty. Nature design'd me a peaceable Creature, and it is as true as strange, that I am a Woman and can-not Scold. My request is, that if it be possible (as sure it is) the words of my Second Song Pensa spietata Madre should be changed, and instead of reviling Gismonda with her cruelty, to keep on the thought of the Recitative and perswade her to beg her Sons life of Ottone. I have read the Drama and tho I do not pretend to be a judge, yet I fancy doing this would not be an impropriety, but even suposing it one, of two evills it is best to chuse the least; in this manner you might do me the greatest favour immaginable, because then a Short Melancholly Song would be proper. I have some dificultys allso in the last I Sing, but for fear that by asking too much I might be refus'd all, I dare not mention them. And now I beg of you to believe no other motive induces me to give you this trouble, but the just fear I have that it would be impossible for me to perform my Part tollerably. By your granting what I so exstreamly desire, I shall have a double satisfaction, being gratify'd in what I insist on, and the pleasure of knowing you to be a real Friend to she who is S^r your obliged humble servant
Anastasia Robinson

Die Arie „Pensa, spietata madre" (Nr. 15a, Akt II, Szene 3) gehört zu den zehn bereits vor der ersten Aufführung gestrichenen Arien; sie wurde durch „Ah! tu non sai" (Nr. 15b) ersetzt, die auf einem Extrablatt nachträglich eingefügt wurde. Die autographe Fassung von Matildas letzter Arie (Nr. 34, „Nel suo sangue") wurde ebenfalls vermutlich kurz vor der ersten Aufführung durch eine zweite Fassung ersetzt. (Händel-Hdb., I, 201)

S^r
You are naturally to much enclined to laugh at me, therfore to avoid giving you an occasion by writing in Italian I shall in English tell you, I have great hope's Sig^r Bononcini's Demands may be agreed to, tho in another form than that which he propos'd, the difficulty is to get the Benefit Day certain for they would have it to depend on their favour and generosity (a wretched dependance indeed), I took the liberty to say what they designed doing, must be by Contract, for tho Bononcini was a Papist, yet he had been long enough in that Her-

etical unbelieving Country, to loose all his Faith.

You see I have little to accquaint you with; to Morrow it is possible I may know more, and if I do, you shall allso; thus much for our friends business. Now I want your advice for my self, you have hear'd my new Part, and the more I look at it, the more I find it is impossible for me to sing it; I dare not ask Mr Hendell to change the Songs for fear he should suspect (as he is very likely) every other reason but the true one. Do you believe if I was to wait on Lady Darlington to beg her to use that pover over him (which to be sure she must have) to get it done, that she would give her self that trouble, would she have so much compassion on a distressed Damsell that they are endeavouring to make an abbominable Scold of (in spite of her Vertuous inclinations to the contrary) as to hinder the wrong they would do her; you might be my friend and represent, tho the greatest part of my Life has shew'd me to be a Patient Grisell by Nature, how then can I ever pretend to act the Farmegant. But to speak seriously I desire you will tell me whether it would be wrong to beg my Lady Darlington to do me this very great favour, and you think she should do it, for S^r your obliged humble Servant
Anastasia Robinson

– Comtess Darlington war Sophie Charlotte, Frau von Baron Kielmannsegg (vgl. 17. Juli 1716).
Von den elf Briefen Anastasia Robinsons in der Biblioteca Estense ist die Mehrzahl undatiert.

[Januar 1723]
Francis Colman, Opera Register

anno 1722. Dec^r
Sig^{ra} Francesca Cuzzoni first sung at ye Theatre above s^d towards ye end of this year in ye Opera called Ottone – & was extreemly admired & often performed
Sig^{ra} Durastanti ⎫
Sig^r Senesino ⎬ Sung also in ye said
Mrs An^a Robinson ⎭ Opera & pleased much.

(Sasse 1959, 214)

– Die Datierung „anno 1722. Dec." ist unzutreffend.

15. Januar 1723 (I)
A. de Fabrice an Graf Flemming

À Londres le 15. de Janvier (1723).
Monsieur.
...A la fin la fameuse Cozzuna est arrivée non seulement, mais Elle a chanté encore à un nouvel Opera de Hendell, nommé Othon, le meme sujet de Celui à Dresden, avec un tres grand aplaudisse-

ment, et la Maison remplie comme un Oeuff. C'est aujourdhui la seconde representation et il y a une si grande presse pour y aller qu'on vend deja à 2. ou 3. Guinées le Ticquet, dont le pri Courant est une demy-Guinée; de maniere qu'on en fait presque un Mississippi ou une Sudsée. Outre cela il y a deux Factions, les uns pour Hendell et les autres pour Bononcini, les uns pour Cenesino, et les autres pour la Cossuna, qui sont aussy animés que les Whigs et Torys l'un contre l'autre, et qui partagent les Directeurs meme quelque fois.

(Staatsarchiv Dresden. Opel 1889, 32, irrtümlich mit 1722 datiert)

– Fabrice spielt auf Lottis Oper *Teofane* an, die in Dresden aus Anlaß der Vermählung des Kurfürsten am 2. September 1719 aufgeführt worden war (vgl. 15. Juli 1719).
Die Whigs unterstützten Bononcini, die Tories begünstigten Händel.

15. Januar 1723 (II)
Ankündigung von John Walsh und John und Joseph Hare im *Post-Boy:*
„Six Overtures for Violins in 4 parts for Concert. Compos'd by Mr. Handel, Mr. Bononcini, and other eminent Masters."

– Dies war die erste Ausgabe einer Sammlung von Ouvertüren in Stimmen. Sie enthält die Ouvertüren zu *Astarto* (G. Bononcini), *Creso* (Pasticcio), *Camilla* (A. M. Bononcini), *Hydaspes* (F. Mancini), *Thomyris* (Pasticcio) und *Rinaldo* (Händel).
(Smith 1960, 288ff.)
Auch die Londoner Verleger Cluer, Meares und Benjamin Cooke veröffentlichten Ouvertüren-Ausgaben.

19. Januar 1723
The London Journal

His Majesty was at the Theatre in the Hay-Market, when Seigniora Cotzani performed, for the first Time, to the Surprize and Admiration of a numerous Audience, who are ever too fond of Foreign Performers. She is already jump'd into a handsome Chariot, and an Equipage accordingly. The Gentry seem to have so high a Taste of her fine Parts, that she is likely to be a great Gainer by them.
(Chrysander, II, 95; Smith 1950, 131)

22. Januar 1723
The Daily Courant

... Whereas it has been usual to deliver out the Opera Tickets at White's Chocolate-House, the Royal Academy have judged it more Convenient that they for the future be delivered out at their Office in the Hay-Market. ... Upon Complaint to the Royal Academy of Musick, that Disorders have been of late committed in the Footmen's Gallery, to the Interruption of the Performance; This is to give Notice, That the next Time any Disorder is made there, that Gallery will be shut up.

– Das Benehmen der Lakaien in den Galerien der Londoner Theater gab häufig Anlaß zu Klagen in den Zeitungen. Ein Beispiel für eine organisierte Claque berichtet Brewster (133): 1742 machte Henry Fielding seinen Joseph Andrews zum Wortführer aller Lakaien bei einer Opernaufführung, „and they never condemned or applauded a single song contrary to his approbation or dislike".

23. Januar 1723
Generalversammlung der Royal Academy
(*London Gazette,* 15. Januar)

26. Januar 1723
Ankündigung von Richard Meares in der *Daily Post:* „All the Additional Celebrated Aires in the Opera of Floridante."

– Meares hatte bereits 1722 *Celebrated Aires in the Opera of Floridante* veröffentlicht.
(Smith 1960, 28)

31. Januar 1723
Eine Londoner Zeitung

Un Passo Tempo,
At the Long-Room, at the Opera-House in the Hay-Market, this present Thursday ... with agreeable Entertainments for Ladies and Gentlemen. Tickets to be had at the said Long-Room, at 5s. each. To begin at Eight a Clock in the Evening.
(Theatrical Register)

– Kelly (II, 350) zitiert die Anzeige ohne Quellenangabe abweichend.
Vgl. 12. November 1722

Januar 1723
Johann Mattheson, Critica Musica

Ich kennne Leute / und könnte sie bey Nahmen und Zunahmen nennen / die eine rechte / künstliche / richtige Fuge setzen; sind aber nicht dazu angeführet / eine geschickte Imitation, mit solcher Anständigkeit / vorzunehmen / daß nicht der Fugen-Zwang hinten und vorne deutlich hervorrage. Was machts? Sie haben vom unrechten Ende angefangen / und die Kunst der Natur vorgezogen. Wie ein gewisser Weltberühmter Mann zum ersten mahl hier in Hamburg kam / wuste er fast nichts / als lauter regel-mäßige Fugen / zu machen / und waren ihm die Imitationes so neu / als eine fremde Sprache / wurden ihm auch eben so saur. Mir ist es am besten bewust / wie er seine allererste Opera / Scenen-weiß zu mir brachte /

und alle Abend meine Gedanken darüber vernehmen wollte / welche Mühe es ihm gekostet / den Pedanten zu verbergen.[1]
[1] Hierüber darff sich niemand wundern. Ich lernte von ihm; so wie er von mir. Docendo enim dicimus.   [Bd. I, S. 243]

Herr Bokemeyer schreibt ferner so:
XVI.
Die heute zu Tage florirende Maitres, so mehrentheils in der Geschwindigkeit / und fremd-lautenden Sätzen / wie auch ungebundenen Einfällen / ihre grösseste Gloire[1] suchen / nehmen sich zwar die höchste Freyheit / so daß die echte Kunst bey ihnen fast zu exuliren scheinet; allein die verständigsten unter ihnen / wissen sie schon zu rechter Zeit / obgleich etwas verdeckt / an den Mann zu bringen / wie unter andern / mit Herrn Händels Kirchen-Stücken / davon ich einige zu perlustriren das Glück gehabt / zu beweisen stehet. Und also bleibt es / hoffentlich / eine ausgemachte Sache / daß die Canones, als die einem Musico-Poetico höchst-nützlich sind / mehrer Beobachtung gewürdiget zu werden verdienen / und alle Firlefanz-Krämerey / damit mancher ohne Uhrsache prahlet / dagegen einschencken muß.
[1] Pour ce qui est de la gloire, Monsieur, ce n'est pas la peine qu'on a prise, c'est la reiissite qui en decide: c'est la bonté des choses qu'on fait, & non pas l'Art, que l'on a mis à les faire. Hist. de la Mus. Tome, II. p. 36.   [Bd. I, S. 247]

Sonst ist hier am 7den dieses Monaths abermahl eine neue Opera vorgestellet worden / welche den Titel: Muzio Scevola führet. Sie ist zwar an sich selbst ganz Italiänisch gesungen; doch in eine feine prosam übersetzet / und dazu mit einem Teutschen-Vorspiele gezieret worden. So viel Actus darin befindlich sind / eben so viel Componisten haben sich auch dabey signalisiret. Nehmlich drey. Die erste Handlung hat Buononcini gemacht; die andere Mattei (welcher unter dem Nahmen Pipo, i. e. Filippo, in dem Orchestre zu London den Violoncello spielet) und an der dritten Handlung hat Händel seine Kunst bewiesen. Alle diese Meister-Stücke sind uns aus Engelland herüber gesandt worden; ausser dem Prologo, welcher von Kaiser ist. Sollte nun dergleichen musicalische Aristocratie ferner bey den Opern einreissen / so dürffte wohl schwerlich vors erste / unter den Componisten / ein Monarch entstehen; vielweniger hiesiger Orten einer von ihnen sein / daher geflossenes / Capital wohl zu belegen / grosse Sorge tragen.   [Bd. I, S. 256]

3. Februar 1723
John Gay an Jonathan Swift in Dublin

London, February 3, 1722–23.
... As for the reigning amusements of the town, it

is entirely music; real fiddles, base-viols, and haut-boys, not poetical harps, lyres and reeds. There is nobody allowed to say, „I sing", but an eunuch, or an Italian woman. Everybody is grown now as great a judge of music, as they were in your time of poetry, and folks, that could not distinguish one tune from another, now daily dispute about the different styles of Handel, Bononcini, and Attilio. People have now forgot Homer, and Virgil, and Caesar, or at least, they have lost their ranks; for, in London and Westminster, in all polite conversations, Senesino is daily voted to be the greatest man that ever lived.
(Swift, III, 154f.; Chrysander, II, 97)

12. Februar 1723
Petition der Grand Jury der Grafschaft Middlesex an das Unterhaus

Whereas there has been lately publish'd a Proposal for Six Ridotto's or Balls, to be managed by Subscription at the King's Theatre in the Hay-Market, &c. We the Grand Jury of the County of Middlesex, sworn to enquire for our Sovereign Lord the King, and the Body of this County, conceiving the same to be a Wicked and unlawfull Design, for carrying on Gaming, Chances by Way of Lottery, and other Impious and Illegal Practices, and which (if not timely suppressed) may promote Debauchery, Lewdness, and ill Conversation: From a just Abhorrence, therefore, of such Sort of Assemblies, which we apprehend are contrary to Law and good Manners, and give great Offence to his Majesty's good and virtuous Subjects, We do present the same and recommend them to be prosecuted and suppressed as common Nuisances to the Publick, as Nurseries of Lewdness, Extravagance, and Immorality, and also a Reproach and Scandal to Civil Government.
(British Library, Burney Collection, 1728, Bd. II. Malcolm, II, 157; Chrysander, II, 103)

– Diese Petition wurde als Flugblatt gedruckt und durch James Bertie, Geschworenen-Obmann und Mitglied des Parlaments, eingebracht (*St. James's Journal* vom 16. Februar 1723). Die letzten drei Ridotti wurden abgesetzt; jedoch fanden derartige Veranstaltungen 1724 unter der Bezeichnung „Balls" wieder statt.

16. Februar 1723
The London Journal

The Court of Directors of the Royal Academy of Musick in the Hay-market, have lately made a Dividend of Seven per Cent, on their Capital; and, it is thought, that if this Company goes on with the same Success as they have done for some Time past, of which there is no doubt, it will become considerable enough to be engrafted on some of our Corporations in the City, the Taste of the Publick for Musick being so much improv'd lately.
(Chrysander, II, 86)
Vgl. 27. Oktober 1722

19. Februar 1723
Cajo Marzio Coriolano von Attilio Ariosti (Text: Niccolò Francesco Haym) wird am King's Theatre erstmals aufgeführt.

– Das *British Journal* vom 23. Februar berichtet über diese Oper: „... said to exceed any thing of the kind ever seen upon the stage."
(Chrysander, II, 95)

25. Februar 1723
Vollmacht für Händels Einführung als Komponist der Chapel Royal

Mr Geo: Hondall to be sworn Composer of Musick for his Maj:^{ty's} Chapl Roy.^l
These are to require You to Swear and Admit Mr George Hendall into the place and quality of Composer of Musick for his Majesty's Chappel Royal. To have hold Exercise, and Enjoy the said place together with all rights, Profitts, Privileges, and Advantages – thereunto belonging; And for so doing this shall be Your Warrant Given &c.^a this 25th day of Febr.^y 1722/3 in the Ninth Year of his Majesty's Reign.
To His Majesty's Gent Ushers &c.^a.
Holles Newcastle.
(Public Record Office: L. C. 3/63, S. 282. Burrows 1981, I, Faksimile gegenüber 257)

– In den Cheque Books der Chapel Royal ist Händels Ernennung nicht erwähnt. In die Chapel Royal Berufene wurden vom Sub-Dean vereidigt. Die Gentlemen Ushers waren für die Einstellung von Bediensteten des Hofes zuständig. Händel wurde auch nicht aus den Mitteln der Chapel Royal bezahlt. Auch in den Public Records sind keine Zahlungen an Händel als Komponist der Chapel Royal belegt. Doch seit dem 25. März 1723, als eine neue Liste angelegt wurde, erhielt er eine Pension von 400 £ anstelle der bisherigen 200 £, die ihm Königin Anna am 28. Dezember 1713 gewährt hatte.
Verständlicherweise erschien Händel nicht in Chamberlaynes *Magna Britanniae Notitia* von 1723, auch nicht in der nächsten Ausgabe von 1726 (vgl. 1727/I).
(Burrows 1981, I, 257ff.)
Vgl. 28. Dezember 1713 und 25. März 1723

Februar 1723
Johann Mattheson, Critica Musica

Lüneburg. Unser Herr Cantor Dreyer wird am künfftigen Char-Freytage die Passion von Herrn

Capellmeister Händels Composition aufführen und ist anitzo mit Ausschreibung derselben würklich beschäfftiget. Es ist dieses das berühmte Oratorium, welches erstlich von dem Herrn Keiser, hernach von Herrn Händeln, Herrn Telemann, und dem Auctore Criticae, einfolglich von 4. Capellmeistern, in die Music gesetzet worden.

[Bd. I, S. 288]

– Es handelt sich um die *Brockes-Passion* (vgl. Frühjahr 1719). Die Aufführung fand wahrscheinlich in der alten Johanniskirche zu Lüneburg statt.

2. März 1723 (I)
The London Journal

The new Opera Tickets are very high, and like to continue so as long as Mrs. Cotzani is so much admired. They are traded in at the other End of the Town, as much as Lottery Tickets are in Exchange-Alley.

(Chrysander, II, 95)

Vgl. 15. Januar (I) und 19. Januar 1723

– Die offiziellen Eintrittspreise waren nicht erhöht worden.

2. März 1723 (II)
Ankündigung von John Walsh und John und Joseph Hare im *Post-Boy:* „The Masque of Acis and Galatea, and six Overtures for Violins in 4 Parts, for Concert, composed by Mr. Handel, Mr. Bononcini, and other eminent Authors."

Vgl. 15. Januar 1723 (II)

(Smith 1948, 207)

8.–18. März 1723
Im Hamburger Drill-Haus wird die *Brockes-Passion* in den Vertonungen von Händel, Keiser, Mattheson und Telemann aufgeführt.

(Becker, 36)

Vgl. Frühjahr 1719

19. März 1723
Ankündigung von John Walsh und John und Joseph Hare im *Post-Boy:* „Otho an Opera as it was Perform'd at the King's Theatre for the Royal Academy Compos'd by Mr. Handel. Publish'd by the Author."

– Die Ausgabe enthält die Ouvertüre, 31 Vokalnummern und das Concerto im I. Akt. Ihr ist das Privileg vom 14. Juni 1720 vorangestellt.

(Smith 1960, 42)

Vgl. 3. April 1723

25. März 1723
An Establishment of certain Annual Pensions and Bountys, which our Pleasure is shall commence from the 25th Day of March 1723 and be paid and accounted payable Quarterly during our Pleasure, and apon the Death of any of the Persons receiving the same or other determination of our Pleasure therein.

...

	per Annum
[S. 368:] George Frederick Handel	400 – –

(Public Record Office: T 52/32, S. 364 ff. Burrows 1981, I, gegenüber 258)

Vgl. 25. Februar 1723

26. März 1723
The Daily Courant

For the Benefit of Signora Francesca Cuzzoni. At the King's Theatre ... this present Tuesday ... will be perform'd ... Otho, King of Germany. With an Addition of Three new Songs, and an entire new Scene. ... And particular Care will be taken to place Benches on the Stage for the Accommodation of the Company. ... N. B. Whereas this Benefit for Signora Cuzzoni is part of her Contract, the Directors of the Royal Academy of Musick resolve not to make use of the Liberty of the House for this Night.

(Burney, II, 721 f.; Chrysander, II, 95)

– Die neuen Arien („Gode l'alma consolata", „Spera si mi dice il core", „Tra queste care ombre" für Francesca Cuzzoni und „Cara tu nel mio petto" für Gaetano Berenstadt) veröffentlichten Walsh und Hare im April in *The Monthly Mask of Vocal Musick.*

(Smith 1960, 42 ff.)

30. März 1723 (I)
The London Journal

On Tuesday last [26. März] was perform'd the Opera of Otho, King of Germany, for the Benefit of Mrs. Cuzzoni; and a considerable Benefit it was to her indeed, for we hear that some of the Nobility gave her 50 Guineas a Ticket. ... As we delight so much in Italian Songs, we are likely to have enough of them, for as soon as Cuzzoni's Time is out, we are to have another over; for we are well assured Faustina, the fine Songstress at Venice, is invited, whose Voice, they say, exceeds that we have already here; and as the Encouragement is so great, no doubt but she will visit us, and, like others, when she makes her Exit, may carry off Money enough to build some stately Edifice in her own Country, and there perpetuate our Folly.

(Chrysander, II, 95; Smith 1950, 131)

– Faustina kam erst im Frühjahr 1726 nach London.

30. März 1723 (II)
Erminia von Giovanni Bononcini (Text: Gaetano Lemer) wird erstmals im King's Theatre aufgeführt.

(Burney, II, 723)

3. April 1723

Ankündigung von John Walsh und John und Joseph Hare in der *Daily Post*:
„The favourite Songs in the Opera call'd Floridant."
„The favourite Songs in the Opera call'd Otho."

– Die Ausgabe von *Floridante* wurde von den Platten der am 28. März 1722 angezeigten Ausgabe, die von *Otho* von den Platten der 19. März angekündigten Ausgabe gedruckt.

6. April 1723
The Weekly Journal

We are told that the Italian Singers at our Opera, to the Number of five, of whom two are Eunuchs, have obtain'd a Permission from the King of France sign'd by his Majesty, the Duke of Orleans, and one of the Secretaries of State, to go over thither in July next, to perform twelve times, for which 'tis said the King will give them new Habits for the Theatre, and a Gratuity of 35,000 Livres, and that His Majesty intends to give the old Opera 23,000 Livres to make amends for the loss which they may suffer by the new one.

– Nach François Castil-Blaze (*l'Opera Italien de 1548 a 1856*, Paris 1856, 124 ff.) sollte Bononcini mit Francesca Cuzzoni, Margherita Durastanti, Senesino, Gaetano Berenstadt und Giuseppe Maria Boschi in Paris auftreten.
Die 1724 gedruckten Libretti von *Ottone* und *Giulio Cesare* mit französischen Szenenangaben zu dem italienischen Text lassen vermuten, daß für dieses Jahr ein weiteres Gastspiel vorgesehen war.
Die Gastspiele scheinen weder 1723 noch 1724 zustandegekommen zu sein.
(Gerber, ATL, I, 141; Loewenberg, Sp. 146 f., 150)
Vgl. April 1723 (I) und 8. Oktober 1723

8. April 1723
The London Journal

The remaining very few of the subscribers who have neglected to pay the calls of the Royal Academy of Music, pursuant to the late advertisement in several Courants and the Gazette of the 23d of March last; and the court of directors supposing that such neglect may have proceeded from the respective persons either being out of town, or not apprised of the said advertisement, have therefore thought fit to prolong the time till Monday, the 8th inst. (April); and after such time, the tickets of those that have not paid their calls will be absolutely refused, other subscribers taken in their room, and proper measures taken to oblige them to pay what is due.
(Burney, II, 723)

24. April 1723

Ankündigung von John Walsh und John und Joseph Hare im *Daily Courant*: „Otho for a Flute Containing the Overture Songs and Symphonies Curiously Transpos'd and fitted to the Flute in a Compleat manner. The whole fairly Engraven & Carefully Corrected."

– Ähnliche Bearbeitungen waren bereits von Händels Opern *Rinaldo*, *Radamisto* und *Floridante* veröffentlicht worden.

28. April 1723
Johann Mattheson, Hamburger Opernverzeichnis

177. Floridantes. Music vom Hn. Capellmeister Händel. Hr. Beckau hat die Übersetzung gemacht.
(Mattheson 1728, 191; Chrysander 1877, Sp. 248)

– Die Oper erhielt den Titel *Der Thrazische Printz Floridantes* und wurde, nach Willers (Merbach, 360), 1723 elfmal aufgeführt, die Arien mit italienischem, die Rezitative mit deutschem Text.

April 1723 (I)
Le Mercure de France

Quelques Acteurs Italiens de l'Opera de Londres doivent venir à Paris, et donner douze representations dans le cours du mois Juillet prochain, moyennant une somme considerable qui sera prise sur la recette. Le surplus tournera au profit de l'Académie qui cessera ses exercices pendant tout ce mois; elle fournira tout ce qui sera necessaire pour les representations des italiens, les habits, les décorations, les Choeurs, les Balets, les Symphonies, etc. Ceux qui doivent partager la somme promise sont au nombre de cinq personnes; sçavoir, deux femmes, deux haut Contes, et un Concordant. On a dit que le prix des places sera augmenté d'un tiers, et qu'il n'y aura point d'entrées franches …
Vgl. 6. April 1723 und 8. Oktober 1723

April 1723 (II)
Johann Mattheson, Critica Musica

Ich lasse jedem seine Meinung; aber die meine gehet unmaßgeblich dahin / daß / wer eine Doppel-Fuge mit 2. 3. und mehr subjectis, absonderlich vors Clavier / concinne und artig in einander zu flechten weiß / derselbe viel ehe den Nahmen eines vollkommenen / harmonischen Meisters verdiene / als wenn er an jedem Rock-Knopf einen Canonem von andrer Gattung hätte / und noch immer ein Dutzend dazu aus den Ermeln schütteln könnte. Ich habe es mit beyden versucht / und finde die Doppel-Fugen viel schätzbarer / als die Canones: zumahl da sie auch grössren Nutzen / hauptsächlich in der Instrumental-Music haben / und nicht nur den Zuhörer ergetzen / sondern auch den Componisten und Spieler warm halten können. Von alten braven Maitres wüste ich keinen / der den Herrn Capellmeister / Johann Krieger / in Zittau darinn überginge. Und unter den jüngern ist mir noch niemand vorkommen / der eine solche Fertigkeit darinn hätte / als der Herr Capellmeister Händel: nicht nur im Setzen; sondern so gar im extemporisiren / wie ich solches hundertmahl / mit grössester Verwunderung / angehöret habe. Doch machen diese treffliche Leute eben ihren grössesten Staat nicht aus der Doppel-Fuge allein; vielweniger aus dem Canone. Sie haben sich aber weit mehr mit der ersten / als mit dem andern / bey rechten Kennern / in Credit gesetzet: das ist gewiß / und provocire ich deswegen auf ihre eigene Aussage / wenns ihnen beliebt / solche zu thun / ganz kühnlich.   [Bd. I, S. 325 f.]

– Johann Krieger (1652–1735) war von 1682 bis zu seinem Tode in Zittau als Organist und Director Chori Musici tätig.

7. Mai 1723
Händel beendet die Oper *Flavio*.
Eintrag in der autographen Partitur (R. M. 20. b. 1): „Fine dell Opera London May 7. 1723."

14. Mai 1723
The Daily Courant

At the King's Theatre ... this present Tuesday ... will be performed a New Opera call'd, Flavius. ... By reason of the shortness of the Opera, to begin exactly at Eight a-Clock.

– Der Text zu *Flavio, Re de' Longobardi* von Niccolò Francesco Haym, dem teilweise Pierre Corneilles *Le Cid* zugrunde liegt, ist eine Umarbeitung eines früheren italienischen Librettos von Matteo Noris. Die Oper wurde am 18., 21., 25., 27. und 30. Mai sowie am 11. und 15. Juni 1723 wiederholt.
(Loewenberg, Sp. 148)

Juni 1723
Papiere des Schatzamtes

1723	Memorial	Royal Academy of Music	Lords of the Treasury

Minutes: „26th June 1723 1,000 li. order'd."
(Redington, 247)

15. Juli 1723
Ankündigung von John Walsh und John und Joseph Hare im *Daily Courant:* „Flavius for a Flute The Overture, Symphonys, Songs & Ariets for a single Flute and the Duets for two Flutes of that Celebrated opera compos'd by Mr. Handel."
(Smith 1960, 26)

Besetzung:
Flavio – Gaetano Berenstadt, Alt
Guido – Senesino, Mezzosopran
Emilia – Francesca Cuzzoni, Sopran
Teodata – Anastasia Robinson, Alt
Vitige – Margherita Durastanti, Sopran
Ugone – Alexander Gordon, Tenor
Lotario – Giuseppe Maria Boschi, Baß

22. Mai 1723
John Walsh und John und Joseph Hare kündigen im *Daily Courant* an: „There is now engraving, and will be speedily published, that celebrated Opera call'd Flavius." Gleichzeitig zeigen sie *Ottone, Floridante* „and other curious Pieces, by the same Author" an.

27. Mai 1723
Wilhelm Willers, Bemerkungen über Theater Vorfälle

May 27. Zum erstenmahl Rinaldo
(Merbach, 360; Loewenberg, Sp. 126)

– Die Oper war bereits im November 1715 in Hamburg aufgeführt worden. Nach Willers wurde sie 1723 insgesamt elfmal, 1724 zweimal, 1727 und 1730 je einmal aufgeführt.

15. Juni 1723
Die 4. Saison der Akademie schließt mit *Flavio*.

– Während des Sommers wurde das King's Theatre renoviert (vgl. 21. September 1723).

21. Juni 1723
Ankündigung von John Walsh und John und Joseph Hare im *Daily Courant:* „Flavius an Opera as it was Perform'd at the King's Theatre for the Royal Academy; Compos'd by Mr. Handell. Publish'd by the Author."

– Die Ausgabe enthält Händels Privileg vom 14. Juni 1720 (Smith 1960, 25).

For a warrant to pay 1000 l. out of the Bounty Office and for 200 l. to defray the taxes and other expenses attending the receipt of the 1000 l. which his Majesty allowed.

August 1723
Ottone wird in Braunschweig in italienischer Sprache mit dem Intermezzo *Barlafuso e Pipa* aufgeführt.

– Im Februar 1725 wurde die Oper mit hinzukomponierten Arien von Antonio Lotti erneut auf-

geführt. Dabei sang Carl Heinrich Graun (1703/04 bis 1759) die Rolle des Adelberto.
(Chrysander, II, 95; Loewenberg, Sp. 146)

21. September 1723
The British Journal

The House in which the Opera's, &c. are kept in the Hay-Market, is beautifying and new painting by some of the best Masters; Mr. Heidiger the Master having ordered 1000 l. to be expended on that Account, for the better Entertainment of his Audiences in the Winter.

– Anscheinend konnte die Academy den gesamten Betrag der Subvention des Königs (vgl. Juni 1723) für die Renovierung des Theaters verwenden.

8. Oktober 1723
Anastasia Robinson aus London an Giuseppe Riva

… Sigʳ Bononcini is return'd & desires me to tell you that being very much taken up in Composing the first Opera for England calld Farnace, (which by the way was chose by very good judges) he desir'd Sigʳ Lelio to acquaint you with it, & at the same time to lett you know that there was the greatest probability imaginable of Italian Operas being fixt at Paris, they having sent most advantagious offers to Faustina & other Singers in Italy, but it is impossible as yet to have their answers, as to his refusing to Play the Violoncello to the Regent, he says he leaves it to you to judge whether tis possible, since he is neither a Senesino, nor a Cuzzoni; & since I have mention'd that Princess [Francesca Cuzzoni], I must tell you, she has been at the Bath this Season, where they say she gott a good deal of Money, she came from there a week ago, about an affair of very great consequence, some say to see Sandoni, others to buy New Cloaths, but the learned do not pretend to determine, not knowing which was most dear to her; however it was, she returnd again, & is now there. Yesterday arriv'd a New Singer, whose name I think I have heard say is Bigonzi, he tells people that Casimiro sent for him to suply the place of another Performer, which must be Gordon, & consequently an honourable Post he waits for. The Italian Comedians will be in England I am afraid before you …
(Biblioteca Estense Modena: Fondo Campori, codice 1644, Signatur j.Z.4.4.)

– Die Royal Academy eröffnete mit Bononcinis Farnace ihre fünfte Saison (vgl. 27. November 1723). „Casimiro" ist Margherita Durastantis Mann, Casimiro Avelloni.
Vgl. 6. April 1723 und April (I) 1723

9. November 1723
The London Gazette

The Court of Directors of the Royal Academy of Musick have ordered a Call of 5 l. per Cent, which is the 10th Call, to be made payable on all the Subscribers to the said Royal Academy on or before the 23rd Instant. These are to give Notice, That the Deputy-Treasurer will attend at the Office at the Opera House in the Hay-Market on the several Days following, viz. 21st, 22d, and 23d Instant, from Nine in the Morning till Two in the Afternoon, to receive the same. And these are further to give Notice, That a General Court, which is the Annual Court by Charter, for chusing Deputy-Governour and Directors for the Year ensuing, will be held on Friday the 22d Instant, at the Office aforesaid, at Eleven in the Morning.

– Die letzte Zahlungsaufforderung war am 4. November 1722 veröffentlicht worden. Das Ergebnis der Wahl ist nicht bekannt.

27. November 1723
Die fünfte Saison der Academy of Music beginnt mit Giovanni Bononcinis neuer Oper Farnace.

– Bononcini widmete das Werk Charles Mordaunt, 3. Earl of Peterborough (1658–1735), der 1722 in zweiter Ehe Anastasia Robinson geheiratet hatte. Als sie gegen 1724 die Bühne verließ, wurde die Ehe offiziell bekannt gegeben. Erst 1735, kurz vor seinem Tode, führte der Earl sie formell als Countess of Peterborough ein. Nach seinem Tode heiratete sie dessen Neffen Stephen Pointz.

11. Dezember 1723
Wiederaufführung von Ottone.

– Wiederholungen: 14., 18., 21. und 28. Dezember 1723, 1. Januar 1724.

1723 (I)
John Walsh, Cash-book

1723 Opera Flavio … £ 26 5 0
Vgl. 21. Juni 1723

1723 (II)
Richard Meares veröffentlicht The Favourite Aires in the Opera of Flavius.

– Die Ausgabe enthält die Ouvertüre und acht Arien.
(Smith 1960, 26)

1724

6. Januar 1724
The Daily Post

Yesterday being the First Sunday after his Majesty's safe Arrival at St. James's, Te Deum and a fine New Anthem composed by the famous M. Handel, were performed both vocally and instrumentally at the Royal Chapel there by the greatest Masters, before his Majesty and their Royal Highnesses.

– Der König war am 30. Dezember 1723 aus Hannover zurückgekehrt. Händel erhielt £ 3.18.6 für „Writing the Anthem which was perform'd at St. James's before his Majesty"; zusätzlich benötigte Musiker – John Kite (Oboe), George Angels und David Williwald (Kontrabaß), Richard Vincent (Fagott) und Christopher Smith (Viola) – erhielten für drei Proben und die Aufführung am 5. Januar insgesamt £ 25.4.0 (Public Record Office: L. C. 5/158, 247 f.).
(Burrows 1981, I, 246)

11. Januar 1724 (I)
The London Journal

Sunday last [5. Januar], being the first Sunday since his Majesty's Arrival, Te Deum and a new Anthem were performed both Vocally and Instrumentally, at the Royal Chappel at St. James's, his Majesty and their Royal Highnesses being present.

– Georg I. war von einem längeren Aufenthalt in Hannover nach London zurückgekehrt.
Vermutlich wurden Händels Te Deum A-Dur (HWV 282) und das Anthem „Let God arise" (HWV 256 b) aufgeführt.
Die erstmals 1724 erschienene Textsammlung *A Collection of Anthems, performed in his Majesty's Chapels Royals… Published by the Direction of the Reverend the Sub-Dean of his Majesty's said Chapels Royal* enthält u. a. den Text von „As pants the hart" mit dem Vermerk „By Mr. George Frederick Handell, Composer to his Majesty".
Vgl. 25. Februar 1723

11. Januar 1724 (II)
The London Journal

The Lord Bishop of London preached the 6th Instant, the annual Sermon before the Society for the Reformation of Manners at Bow-Church; where was present the Right Honourable the Lord Mayor, Eight or Nine Bishops, and many other Persons of Distinction, who afterwards dined with the Lord Mayor.

– Bischof von London war seit 1720 Edmund Gibson (1669–1748). Mit Übernahme dieses Amtes entfaltete er große literarische Aktivitäten im Kampf gegen verschiedene Mißstände. Gegen Heideggers vom Hof begünstigte Masqueraden wurde er persönlich beim König vorstellig und reichte außerdem eine Petition zur Verdammung dieser Veranstaltungen ein, die von mehreren Bischöfen unterzeichnet war.
Als Antwort auf die Predigt erschien im April ein Brief in Versen unter dem Titel „Heydegger's Letter to the Bishop of L––. To which is added a remarkable Story of Don Ramiro, King of Arragon. Sold by R. Macey, near St. Paul's. pr. 6d.", dessen Verfasser, Macey, Cox und Povey, bald nach Erscheinen des Briefes verhaftet wurden (*London Journal,* 2. Mai 1724).
Macey ist möglicherweise mit John Macky (vgl. 1722/II) identisch und Povey mit Charles Povey (1652?–1743), einem vielseitigen Schriftsteller und Spekulanten.
(Chrysander, II, 104)

14. Januar 1724

Attilio Ariostis Oper *Vespasiano* (Text: Niccolò Francesco Haym) wird am King's Theatre aufgeführt.

18. Januar 1724
Mist's Weekly Journal

We hear there have been strange Commotions in the State of Musick in the Opera-House in the Hay-Market, and that a civil Broil arose among the Subscribers at the Practice of the new Opera of Vespasian, which turn'd all the Harmony into Discord; and if these Dissentions do not cease, it is thought Opera Stock will fall.
(Chrysander, II, 105)

Vgl. 12. Januar 1723
20. Februar 1724 (I)
The Daily Courant

At the King's Theatre … this present Thursday … will be performed, A New Opera, call'd Julius Caesar … at Six a-Clock.

– *Giulio Cesare in Egitto* (Text: Niccolò Francesco Haym nach dem italienischen Libretto von Giacomo Francesco Bussani) war die erfolgreichste Oper Händels bis zur Aufführung von *Rodelinda* 1725.
Wiederholungen: 22., 25., 27. und 29. Februar, 3., 7., 10., 14., 21., 24. und 28. März, 7. und 11. April.
Neuaufführungen: 1725, 1730 und 1732.
Besetzung:
Interlocutori Romani:
Giulio Cesare – Senesino, Mezzosopran
Curio – Mr. Lagarde, Baß
Cornelia – Anastasia Robinson, Alt
Sesto Pompeo – Margherita Durastanti, Sopran
Interlocutori Egizi:

Cleopatra – Francesca Cuzzoni, Sopran
Tolomeo – Gaetano Berenstadt, Alt
Achilla – Giuseppe Maria Boschi, Baß
Níreno – Sigr. Bigonsi, Alt
In einer Mezzotinto-Gravüre aus dem Jahre 1735
wird Senesino mit der Partitur von *Giulio Cesare*
dargestellt.
Von einem um 1725 gedruckten Stich von John
Vanderbank (ca. 1694–1739) wurde irrtümlich angenommen, daß er eine Szene aus *Giulio Cesare*
mit Senesino, Francesca Cuzzoni und wahrscheinlich Berenstadt darstelle. Die drei Sänger traten jedoch nie gleichzeitig in *Giulio Cesare* auf. Harry R.
Beard datiert die Karikatur auf 1723 und vermutet, daß sie eine Szene aus Händels *Flavio* (3. Akt,
4. Szene) wiedergibt.

20. Februar 1724 (II)
Niccolò Francesco Haym, Widmung des Librettos
von Giulio Cesare an Caroline, Princess of Wales

… In esso si rappresentano li famosi fatti di Giulio
Cesare in Egitto, adornati con la Musica del Signor
Giorgio Federico Handel; e se avrà la fortuna d'in-
contrare il genio dell'A.V.R. non saprà che più de-
siderare.

– Caroline (1683–1737) war die Tochter von Johann Friedrich, Markgraf von Brandenburg-Ansbach (gest. 1686) und Eleonore Erdmuthe Louise
von Sachsen-Eisenach. Nach dem Tod ihrer Mutter (1696) blieb sie noch am Hofe ihres Vor-
munds, des Kurfürsten Friedrich III. von Brandenburg (später König Friedrich I. in Preußen). 1705
heiratete sie Georg August, Kronprinz von Hannover, der 1714 Prince of Wales wurde.
Haym erwähnt in der Widmung Pistocchi als Vater des modernen guten Geschmacks, den die
Prinzessin von ihm übernahm. Francesco Antonio
Mamiliano Pistocchi (1659–1726) trat als Sänger
auf den wichtigsten italienischen und deutschen
Bühnen auf. 1686–1695 stand er im Dienst des
Hofes zu Parma, anschließend wurde er Kapellmeister des Markgrafen Georg Friedrich von Brandenburg (seit 1692 von Ansbach) und ging 1696
nach Ansbach. 1697 kam er auf Wunsch der Kurfürstin Sophie Charlotte nach Berlin, kehrte 1698
nach Ansbach zurück, das er 1699 endgültig verließ, um über Wien wieder nach Bologna zu gehen.

3. März 1724
John Byrom an seine Frau Elizabeth

I was engaged to dine at Mrs. de Vlieger's on Saturday [29. Februar], whence they all went to the
opera of Julius Caesar, and I for one. Mr. Leycester sat by me in the front row of the gallery, for we
both were there to get good places betimes; it was
the first entertainment of this nature that I ever

saw, and will I hope be the last, for of all the diversions of the town I least of all enter into this.
(Byrom, Journal, I, 69 f.)

– Der Dichter John Byrom (1692–1763) war seit
1721 mit seiner Cousine Elizabeth Byrom verheiratet. Während der Zeit am College in Cambridge
(1708–1714/15) schrieb er mehrere Beiträge für
den *Spectator:* zwei Aufsätze über Träume (*Spectator,* Nr. 586, 593 und vielleicht auch 597) und
die Idylle *Colin and Phoebe* (*Spectator,* Nr.605, 6.Ok-
tober 1714). In Cambridge hatte er ein neues System der Stenographie erfunden, zu dessen Veröffentlichung er im Jahre 1723 Vorschläge herausbrachte.
Byrom war Anhänger der High Church und der Jakobiten. Er schrieb den Choral „Christians, awake",
den John Wainwright vertonte. Ralph Leycester
war ein Freund und wohl auch Stenographieschüler
Byroms (vgl. Mai 1725).

7. März 1724 (I)
The Post Boy

This day is published An Epistle to Mr. Handel,
upon his Opera's of Flavius and Julius Caesar. …
Printed for J. Roberts near the Oxford Arms in
Warwick Lane. Pr. 4d.

7. März 1724 (II)
An Epistle to Mr. Handel, upon His Operas of
Flavius and Julius Caesar

Orpheus in Sylvis, inter Delphinas Arion.
Virg. Ecl. 8.
Hear how Timotheus' various Lays surprize,
And bid alternate Passions fall and rise.
Pope.

Crown'd by the gen'ral Voice, at last you shew
The utmost Length that Musick's Force can go:
What Pow'r on Earth, but Harmony like Thine,
Cou'd Britain's jarring Sons e'er hope to join?
Like Musick's diff'ring Sounds we all agree,
Form'd by thy skilful Hand to Harmony:
Our Souls so tun'd, that Discord grieves to find
A whole fantastick Audience of a Mind:
The Deaf have found their Ears, – their Eyes
the Blind.

Some little Rebels to thy mighty Name,
Deny the Crown due justly to your Fame;
No Sons of Phoebus, but a spurious Breed,
Who suck bad Air, and on thin Diet feed;
Each puny Stomach loaths, and ill digests
The labour'd Greatness of thy finish'd Feasts:
Notes that the Passions move they can't admire,
But love, – and rage, – and rave, – with sober
Fire;
Supine in downy Indolence they doze,

Whilst Poppy-Strains their drowsy Eye-lids close,
And soothing whispers lull 'em to repose.
Since this lethargick Tribe you've overcome,
Let them beware the stupid Midas' Doom;
Who Pan's shrill Pipe t' Apollo's Lyre prefers,
For Judgment justly wears the Ass's Ears.

To please this vitious Taste, what Arts were try'd?
Our Beaus have scolded, and our Belles have cry'd,
And famous Op'ras reign'd their Day, – and dy'd:
Tho' crowded Theatres your Numbers grac'd,
To sooth the tasteless Fews, you were displac'd;
Pleasure too exquisite 'cause we enjoy'd,
Some eminent old Women they imploy'd;
Whose fine-spun Notes, like Musick of the
                                      Spheres,
Quite out of reach, were lost to mortal Ears.

Amusements less polite the Town will charm,
We want some Crowd, – and Sounds, – to keep
                                      us warm;
In Place of promis'd Heaps of glitt'ring Gold,
The good Academy got nought – but Cold.
Where cou'd they fly for Succour, but to You?
Whose Musick's ever Good, and ever New.
All were o'er-joy'd to see Thee thus restor'd,
And Musick's Empire own its lawful Lord;
In Extacies divine we all were wrapt,
And Foes to Musick wonder'd why they clapt;
Spite of themselves th' Insensibles were charm'd,
And Sounds victorious, Envy's Rage disarm'd.

Thus when the Sun withdraws his golden Rays,
Nor longer o'er the World his Light displays;
The pale-fac'd Moon triumphant rules the Night,
Proud of her Silver Beams, and borrow'd Light;
Pleas'd with her Throne, she faintly mimicks Day,
Whilst each small star darts forth its twinkling Ray:
But when the ruddy Morn reflects the Sun,
Bright in his glorious Blaze his Course to run;
Then Moon and Stars superior Lustre fly,
And dimm'd by brighter Beams, inglorious lie.
(Sammlung Gerald Coke)

10. März 1724
A. de Fabrice an Graf Flemming

A Londres le 10. de Mars 1724.
… L'opera va grand train aussy depuis que le nouveau de Hendell, nommé Jules César, et dans le-
que Cenesino et la Cozzuna brillent au dela des
expressions, est sur le theatre, la Maison ayant été
aussy remplie à la Septieme representation qu'a la
premiere. Outre cela les demelés entre les Directeurs et les party que tout le monde prend entre
les Chanteurs et les Compositeurs donnent souvent des Scenes fort divertissantes au public.
(Staatsarchiv Dresden. Opel 1889, 33)

– Die siebente Aufführung des *Giulio Cesare* fand
am 7. März statt.

27. März 1724
Im *Daily Courant* wird ein Benefizkonzert für den
Geiger „Mr. Johnson" mit „A Concerto for two
French Horns composed by Mr. Hendel" (vermut-
lich HWV 331) angekündigt.

31. März 1724
Mr. Lecoq an Graf Manteuffel in Dresden

à Londres le 31. März 1724.
… La fureur pour l'Opera va icy au delà de l'imagination. Il est vray, que la musique est belle et di-
versifiée. Il y a trois Compositeurs, dont le fameux
Hendel est du nombre, qui composent deux Operas chacun chaque hiver. L'Orquestre, pris en
gros, a bien son mérite et l'on a soin de produire,
de tems à autre, des vois nouvelles au Théatre. La
Durastante, que vous connoissez, a pris congé
pour une cantante, à la louange de la Nation angloise, le jour de son benefit. Elle a dit, qu'elle cé-
doit la partie à de plus jeunes enchanteresses. Ce
jour luy a valu plus de 1000 livres Sterling. Son
benefit de l'année de passée luy a valu presque autant, sans compter les gages de 1200 guinées par
an. Avez vous jamais oui parler, Monseigneur,
d'une pareille prodigalité et faveur d'une femme
vieille et d'une voix mediocre et usée? Voila
comme sont faits les Anglois.
(Staatsarchiv Dresden. Opel 1889, 33 ff.)

– Ernst Christoph Graf von Manteuffel
(1676–1749) war seit 1716 sächsischer Kabinetts-
minister und leitete nach Graf Flemmings Tod
und dem Rücktritt von Fleury die auswärtigen Angelegenheiten. 1730 trat er aus den sächsischen
Diensten aus. Er war Mitglied der Akademien zu
Berlin und London.
Margherita Durastanti nahm mit dem Benefizkonzert Abschied vom Londoner Publikum.
(Chrysander, II, 112)

März/April 1724
Der neue Haushofmeister Charles Fitzroy, 2. Duke
of Grafton (1683–1757), wird Gouverneur der
Royal Academy of Music.

1. April 1724
Warrant Book des Königs

These are &a to Mr. John Kite Hautboi,
Mr. George Angels and David Williwald Double
Bases Richard Vincent Bason and Christopher
Smith Tenor the sum of Twenty Five Pounds Four
Shillings for attending three Practices of the Te
Deum and performing in the same before His Ma-
jesty at St. Jame's. Also to pay them the sum of
Three Pounds two Shillings and Sixpence for Of-
fice Fees Amounting in all to the Sum of Twenty
Eight Pounds Six Shillings and Six Pence. And &a
Given &a, this 1st Day of April 1724 in the Tenth
Year of his Majesty's Reign.

To Charles Stanhope Esq. &a
Holles Newcastle
Randvermerk: „Hautboy and Double Base &a for pforming in ye Te Deum at St. Jame's £ 28.6.6."

These are &c to Mr. George Frederice Handle the sum of Three Pounds Eighteen Shillings and Sixpence for Writing the Anthem which was P'form'd at St. Jame's before His Majty. And &a Given &a this 1st day of April 1724 in the Tenth Year of His Majty's Reign.
To Charles Stanhope Esq. &a
Holles Newcastle
Randvermerk: „Mr. Handle for writing the Anthem which was Pformed before his Maty £ 3.18.6d"
(Public Record Office: L. C. 5/158, 247 f. Burrows 1981, II, 188 f.)
Vgl. 11. Januar 1724

– John Eccles (1668–1735), der seit 1700 Master of the King's Band of Music und für die jährlichen Neujahrs- und Geburtstagsmusiken verantwortlich war, erhielt für „pricking and copying" jeweils elf Pfund.
Charles Stanhope (1673–1760) war seit 1722 Schatzmeister der Kammer des Königs.

5. April 1724
Holsteinischer Correspondent

Im Drill-Hause zu Hamburg wird heute, den 5ten April, das berühmte Paßions-Oratorium von S. T. Hn. Barthold Heinrich Brockes, nach der vortrefflichen Composition des Königl. Groß-Britannischen Capell-Meisters Hn. Hendels, aufgeführet werden.

7. April 1724
Der Herzog von Chandos an den Bischof von London

April, 7th 1724 Cannons.
My Lord. The young man who will have the Honr to deliver yr Lordship this hath lived with me near ten years during which time hè hath behaved himself with an uncommon sobriety & Diligence: He was at first my Page but finding in him an extraordinary Genius for Musick I made him apply himself to the Study & Practice of it & he hath been so successful in his Improvement under Mr Handell & Dr Pepusch, that he is become tho Young a perfect Master both for Composition & performance on the Organ & Harpsichord.
He hears there is a Vacancy of an Organist to the Chappel in the Banquetting House & hath desired me to recommend him to your Ldship's Favour for it, in whose Disposal he understands the Gift of it is.
As I realy take him to be a deserving Young Man

& that he is of a very good Family (the Monroes) in Scotland I should be glad to do him so good an Office & entreat Your Ldp will permit me to ask your Favour in his Behalf that if you have not designed already this Employment for any other Y. L. will have the Goodness to bestow it upon him.
I am with great Respect
My Lord
Your L. &c.
(Huntington Library San Marino, Copybook. Baker, 130)

– Bischof von London war Edmund Gibson (vgl. 11. Januar 1722). George Monroe (Monro, Munro; ca. 1700–1731) war bereits im Januar 1723 von James Brydges ohne Erfolg als Organist an eine andere Kapelle empfohlen worden. Auch im November 1725 mußte er hinter Thomas Roseingrave zurückstehen, als sich beide um das Organistenamt an St. George's Church, Hanover Square, bewarben. Monroe wurde dann Organist an St. Peter's Church, Cornhill, und war von 1729 bis zu seinem Tod auch Cembalist am Theatre in Goodman Fields. Seine musikalische Ausbildung erhielt er in Cannons von Pepusch und Händel.
Das neue Banqueting House in Whitehall, 1619–1622 unter Leitung von Inigo Jones erbaut und innen mit Gemälden von Peter Paul Rubens ausgestattet, war 1694 beim Brand des Schlosses mit der Kapelle erhalten geblieben, die dann als Königliche Kapelle verwendet wurde. Später diente auch das Banqueting House diesem Zweck.

18. April 1724
Giovanni Bononcinis neue Oper *Calfurnia* (Text: Grazio Braccioli, bearbeitet von Niccolò Francesco Haym) wird im King's Theatre erstmals aufgeführt.

2. Mai 1724
The London Journal

This Day is publish'd and will be deliver'd to the Subscribers The Fine Book of Musick, Engrav'd at Cluer's Printing Office in Bow Church-Yard. It contains, A curious collection of the most celebrated Opera Songs and Airs ... This Work ... contains above 160 Copper Plates, and is printed on Paper of 3d a sheet. ... The first Impression being not sufficient to serve the numerous Subscribers, the Second Edition of this Book is now printing... The Proprietors of this Book are now Engraving, and will Publish in a Month's time (in a neat large Octavo Pocket Size) that Celebrated Opera of Julius Caesar, they having a Grant for the sole printing and Publishing the same. To which will be added the Overtures to all Mr. Handel's Opera's; therefore beware of Spurious Editions, stampt on large Folio Pewter Plates.

– Eine erste Ankündigung war bereits am 28. Dezember 1723 im *London Journal* erschienen. Die Anzeige vom 15. Mai 1724 in der *Daily Post* lautet: „This Day is publish'd and deliver'd to the Subscribers, engrav'd on above 160 Copper Plates. A Pocket Companion for Gentlemen and Ladies ... carefully corrected and figured for the Harpsichord; also transpos'd for the Flute by Mr. Richard Neal, Organist of St. James's Garlick-Heth."

John Cluer gab mehrere Werke zusammen mit Bezaleel Creake heraus, der von 1719 bis etwa 1750 als Buch- und Schreibwarenhändler und Verleger in London tätig war. Der John, Marquis of Carnarvon (1703–1727), gewidmete erste Band des „Pocket Companion" enthält 81 Lieder, Arien und Menuette von verschiedenen Komponisten, darunter 20 Arien aus Händels Opern *Radamisto, Floridante, Flavio, Ottone* sowie aus *Teseo*, von dessen Musik bis dahin noch nichts gedruckt worden war. Mit diesem Band führte Cluer Noten im Taschenformat ein, da, wie er im Vorwort schreibt, „all things of this nature that have appear'd in the World have been generally of a Size more adapted to a Library, than to accompany one Abroad".

Die Warnung am Ende der Ankündigung bezieht sich auf John Walsh, der vermutlich seit etwa 1720, mit Sicherheit aber seit 1724 Zinnplatten verwendete. Händel scheint inzwischen die ersten Unstimmigkeiten mit Walsh gehabt zu haben.

Vgl. 24. Juli 1724 und 20. März und 22. Dezember 1725

8. Mai 1724
The Daily Courant

For the Benefit of J. Clegg (from Ireland), a Youth of Ten Years of Age, who play'd at Mrs. Barbier's Benefit. At the New Theatre, over-against the Opera-House in the Hay-Market, this present Friday ... will be perform'd a Consort of Musick, several choice Concerto's by the Youth, never perform'd in Publick; particularly, a Concerto of Vivaldi's, called La Temista [Tempesta] di Mare, a Solo by Mr. Kitch, a Solo Sung out of the Opera of Julius Caesar, the Song Part by Mr. Kitch, the Violin by the Youth, as done by Sig. Castruzzi in the Opera, a Solo of Sig. Geminiani's by the Youth.

– John Clegg (ca. 1714 – ca. 1746) war Schüler von Matthew Dubourg und Giovanni Bononcini. Er trat in London erstmals 1723 auf. Von seinen Zeitgenossen wurde er als bedeutender Geiger gerühmt. Er war später Konzertmeister in Covent Garden (?). 1744 mußte er als Wahnsinniger in das Bedlam Hospital eingeliefert werden.

Jean Christian Kytch spielte auf „Parties" in London die Gesangsstimmen von Opernarien Händels auf der Oboe, während ihn Pietro Castrucci, der Konzertmeister des King's Theatre, auf der Violine begleitete.

21. Mai 1724

Die Oper *Aquilio Consolo* wird am King's Theatre zum erstenmal aufgeführt. Der Librettist ist unbekannt. Nach Burney (II, 729) ist diese Oper ein Pasticcio; Chrysander (II, 110) schreibt sie Attilio Ariosti zu, der zumindest an der Musik beteiligt war.

23. Mai 1724
Mist's Weekly Journal

It is said, that Bononcini not being engaged for the Year ensuing, by the Royal Academy of Musick, was about to return to his own Country; but that a great Duchess hath settled 500l. per annum, upon him, to oblige him to continue here.

– Bononcinis Gönnerin war Henrietta, Duchess of Marlborough (1681–1733), älteste Tochter von John Churchill, 1. Duke of Marlborough (gest. 16. Juni 1722) und Frau von Francis Godolphin, 2. Earl of Godolphin (1678–1766). Die von ihr ausgesetzte Rente war nicht an die Bedingung geknüpft, daß Bononcini keine Opern mehr schreiben sollte, wie Mattheson (*Critica Musica,* II, 96) berichtet.

Vgl. 7. September 1725

25. Mai 1724

Ambrose Philips schreibt ein Abschiedsgedicht „To Signora Cuzzoni", von der man annahm, daß sie nach Italien zurückkehren werde. Das nur aus zwölf Zeilen bestehende Gedicht wurde (wahrscheinlich 1728) von Henry Holcombe vertont und 1731 in *The Musical Miscellany* (V, 116 f.) veröffentlicht.

27. Mai 1724

Die Royal Academy hält eine Generalversammlung ab.

Wahrscheinlich war vor dieser Versammlung die elfte Zahlungsaufforderung an die Subskribenten ergangen.

(Mai) 1724
The Session of Musicians. In Imitation of the Sessions of the Poets

Apollo (the God both of Musick and Wit)
To summon a Court did lately think fit;
No Poets were call'd, the God found, in vain
He hop'd, that a Bard should the Laurel obtain;
Since what was his Right he could not dispose
To one noted for Sense, in Metre or Prose;
The Laureat's Place to the Court he resign'd,
And the Bays for the best Musician design'd;
As o'er these Twin-Arts he's known to preside,
To Sounds he'd allow, what to Wit was deny'd.

The long-expected Day's at last declar'd,
And th'Op'ra House for such a Crowd prepar'd;

Just as when H–gg–r [Heidegger] with pious View,
(Careful of Innocence, to Virtue true)
All Sexes, Ranks, and Int'rests slyly joins,
Whilst the gay Hall with Lights the Day outshines:
Bright in his glorious Rays Apollo came,
And first his Officers of State did name;
Th' Academy-Directors all appear'd,
And equal to their Skill in Sound's preferr'd;
One waits his Nod, his Will another writes,
Some give him Tea, and some do snuff the Lights,
Soon as the God the lovely Swiss survey'd,
Master of Ceremonies he was made;
B–nst–t [Berenstadt] and B–sc–i [Boschi] (who
                               peep'd in for sport)
Were pitch'd upon for Criers to the Court;
In Recitative they roar the God's Commands,
Whilst Count V–n–a as the Porter stands.
No sooner was the God's dread Will made known,
The Time and Place proclaim'd, and fix'd his
                                         Throne,
Composers and Performers all prepar'd
To shew their Skill, and claim the great Reward;
Like Bodies to their Centre swift they ran,
And each, by Merit, hop'd to be the Man.
But e'er my Muse proceeds, let's view the Race,
Whose various Tribes did round the spacious Place,
Like Brother Homer, tell each Hero's name,
Where his Abode, or whence his Parents came,
And what his Rank in the Records of Fame:
Masters of various Instruments flock here,
The Scottish Pipe and British Harp appear;
Lutes and Guitars do form a beauteous Line,
Whilst Dulcimers with Pipe and Tabor join;
From gay Moorfields sweet Singers did attend;
Wapping and Redriff did their Fiddlers send;
Of my Lord Mayor's choice Band there came the
                                           Chief,
Who whet his Lordship's Stomach to his Beef;
The Parish Clerks and Waits form one large Group,
And Organists swell up that bright, psalm-singing
                                           Troop;
Each Dancing-Master held it wond'rous Fit
To flourish thither with his little Kit;
The Play-house Bands in decent Order come,
Conducted thither by a tragick Drum;
Th' Op'ra Orchest them o'erlook'd with Pride,
And shew'd superior Skill in a superior Stride;
Composers next march'd with an Air and Grace,
Some in a light, some in a solemn Pace;
Various they seem to the Beholder's Eye,
These Largo walk – and others – Presto fly.
Above the Clouds they raise their Heads sublime,
They tread on Air, and step in Tune and Time!
None fail'd that e'er set Note, or grave or airy,
From Doctor P–p–ch [Pepusch] down to Master
                                         C–ry [Carey];
From this promiscuous Race such Clamour rise
As stun the God and rend the vaulted Skies;
In Storms tempestuous some did loudly roar,

In sporting Waves some wanton'd to the Shore;
With vast Cascades these thunder'd from on high,
In creeping Murmurs others glided by;
Here blushing Boreas with his train did sound,
There milder Gales did gently sweep the Ground.
Thus Voices, Treble, Bass, and Tenor, join
In glorious Discord! Harmony divine!
With Noise tumultuous into Court they rush,
Scarce could the God himself their Fury hush;
In vain tall B–s–t [Berenstadt], gaping o'er the
                                           Crowd,
With hideous Jaws, bawl'd Silence out aloud!
Till from his Throne the anger'd God arose,
Whose awful Nod the Tempest did compose;
Then the Swiss Count proceeds, with comely
                                           Grace,
To rank each Candidate in 's proper Place.

First P–p–ch [Pepusch] enter'd with majestick
                                           Gait,
Preceded by a Cart in solemn State;
With Pride he view'd the Offspring of his Art,
Songs, Solos, and Sonatas load the Cart;
Whose Wheels and Axletree, with Care dispos'd,
Did prelude to the Musick he compos'd.
The God's soon own'd that if a num'rous Race
Could claim in any Art the highest Place,
His Quantity would never be despis'd,
But Quality alone in Sounds was priz'd,
He should be satisfy'd with his Degrees,
For new Preferment would produce new Fees.

His Fate, soft G–ll–rd [Galliard] with Care attends,
In Sounds and Praise they still prov'd equal
                                           Friends.
Shewing his Hautboy and an Op'ra Air,
He gently whisper'd in his Godship's Ear:
So oft he was distinguish'd by the Town,
That, without Vanity, he claim'd the Crown.
The God replied – your Musick's not to blame,
But far beneath the daring Height of Fame;
Who wins the Prize must all the Rest out-strip,
Indeed you may a Conjurer equip;
I think your Airs are sometimes very pretty,
And give you leave to sing 'em in the City.

Amidst the Crowd gay L–r–dge [Leveridge] did
                                           stand,
Smiles in his Face, and – Claret in his Hand;
The God suppos'd he did not come to ask
The Bays, but rather recommend his Flask;
Old friend, says he, if that your Wine is right,
Let's talk – d'ye hear? I'll sup with you to-night:
The Laurel, if you hope – to do you Justice,
You made – a charming Fiend in Doctor Faustus.

Pleas'd with their Doom, and hopeful of Success,
At–l–o [Attillio] forward to the Bar did press:
The God perceiv'd the Don the Crowd divide,
And, e'er he spoke, stopp'd short his tow'ring
                                           Pride,

Saying – the Bays for him I ne'er design,
Who, 'stead of mounting, always does decline;
Of Ti–s Ma–us [Titus Manlius] you may justly
                                        boast,
But dull Ves–an [Vespasian] all that Honour lost.

C–rb–t [Corbett] next him succeeded to the Bar,
And hop'd to fix his Fame by something rare;
Up to the God, with Confidence he made,
And 's Instrument De Venere display'd.
How! cries the God (and frowning told his Doom),
Am I for such poor Trifles hither come?
Pray tickle off your Venery at home,
Or else to cleanly Edinburgh repair,
And from ten Stories high breathe Northern Air;
With tuneful G–rd–n [Gordon] join, and thus
                                        unite,
Rough Italy with Scotland the polite.

Apollo's piercing Eye just then espy'd
Merry L–i–l–t [Loeillet] stand laughing at one
                                        side;
He gently wav'd him to him with his Hand,
Wond'ring he at that Distance chose to stand.
Smiling, he said, I come not here for Fame,
Nor do I to the Bays pretend a Claim;
Few here deserve so well, the God reply'd,
But modestly does always Merit hide;
A supper for some Friends I've just bespoke,
Pray come – and drink your Glass – and crack
                                        your Joke.

Ill–fated R–ng–ve [Roseingrave] approach'd the
                                        Bar,
With meagre Looks, and thrumming a Guitar.
Quite out of Tune Apollo found his Head,
And, if he gain'd the Bays, he'd run stark mad;
So call'd his Friends, and said – a little Rest,
A darken'd Room and Straw, would fit him best;
Where, to employ him as he lay perdu,
He might new set Roland le Furieux.

Next him Ge–n–ni [Geminiani] did appear,
With Bow in Hand and much a sob'rer Air;
He simper'd at the God, as who would say,
You can't deny me, if you hear me play.
Quickly his meaning Phoebus unterstood,
Allowing what he did was very good;
And since his Fame all Fiddlers else surpasses,
He set him down first Treble at Parnassus.

Gr–n [Green], C–fts [Crofts], and some of the
                                Cathedral Taste,
Their Compliments in Form to Phoebus past;
Whilst the whole Choir sung Anthems in their
                                        Praise,
Thinking to chant the God out of the Bays;
Who, far from being pleas'd, stamp'd, fum'd, and
                                        swore,
Such Musick he had never heard before;

Vowing he'd leave the Laurel in the lurch,
Rather than place it in an English Church.

D–p–rt [Dieupart], well powder'd, gave himself
                                        an Air,
As if he could not fail of Fortune there,
Who always prov'd successful with the Fair.
The God his Passion hardly could contain,
For spoiling Opera-Songs in Drury Lane:
But hop'd his Skill he'd in it's Sphere confine,
His Fire betwixt the Acts would brilliant shine.

As he walk'd off, who stepp'd into his Place,
But Signor P–po [Pippo] with his four-string'd
                                        Bass:
How far his Merit reach'd, the God did know,
And bow'd to him and 's Bass prodigious low;
Vowing to him alone the Bays he'd grant,
Could the Orchestre but his Presence want;
Since that was Time and Reputation losing,
Keep to your playing, and leave off composing.

The God turn'd round and found, just seated by
                                        him,
His old Acquaintance, Nicolino H–ym [Haym];
With a kind Smile he whisper'd in his Ear,
But what – no living Creature then could hear;
Since that we're told, the God of 's special Grace
Confirm'd him in his Secretary's Place.

Had I a thousand Tongues, or equal Hands,
I could not speak, nor write the half of their
                                        Demands;
A Blockhead's indignation it would raise,
When C–ry [Carey], by his Ballads, sought the
                                        Bays;
Claude Jean Jillier, to his immortal glory,
Danc'd thither with his Chansonettes a Boire;
Big with his Hopes small T–p–n [Thompson] too
                                        repairs,
To claim the Crown by thin North British Airs;
A title King Latinus strongly grounds
Upon his nice Anatomy of Sounds;
E'en W–lsh [Walsh] perks up, and crys – the
                                Laurel's mine,
What are your Notes, unless you wisely join
My brighter Name, in Print, to make 'em shine?
Nay, Signor R–lli's [Rolli's] Confidence affords
Some Plea – for finding scoundrel Op'ra Words.

The weary'd God the wretched Crowd surveys,
And met with nothing equal to the Bays;
His radiant Eyes, eclips'd by sullen Care,
In vain look'd round, but H–n–l [Handel] was not
                                        there.
How could he hope to fill the vacant Throne,
In Absence of his fam'd, his darling Son?

Just then grim B–nc–i [Bononcini] in the Rear,
Most fearless of Success, came to the Bar;
Two Philharmonick Damsels grac'd his Train,

Whilst his strong Features redden'd with Disdain;
Dear A–s–a [Anastasia] hung upon his Arm,
Each Lisp and side-long Glance produc'd its
                                        Charm;
Black P–g–y [Peggy] he was forced to hawl along,
Humming a Thorough-Base – and he a Song:
Silent, his rolling Eyes the God survey'd.
Then one Hand soothing Cr–po's [Crispo's] Airs
                                        display'd,
The other held a decent Roman Maid.
But had you seen the vast and suddain Change!
Incredible! to easy Faith most strange!
As Calms succeed a raging wint'ry Flood,
The restless Throng like senseless Statues stood;
From the dull Cell of Sloth such Vapours rise,
As clap their Padlocks on all Ears and Eyes;
Divinity itself could not withstand
Those peaceful Potions from a mortal Hand;
O'er active Life Stupidity did creep,
The wakeful God of Day fell fast asleep. –

Not long they slept – Fame's Trumpet, loud and
                                        vast,
Fill'd the large Dome with one amazing Blast;
Straight were they freed from Sleep's lethargick
                                        Chains,
And captiv'd Life its Liberty regains;
The Goddess, ent'ring, shook the trembling
                                        Ground,
Her breathing Brass from Earth to Heav'n did
                                        sound;
One hand her Trumpet held with beauteous
                                        Grace,
The other led a Hero to his Place;
Whose art, more sure than Cupid's bow gives
                                        Wounds,
And makes the World submit to conqu'ring
                                        Sounds.
When he appeared, – not one but quits his claim,
And owns the Power of his superior Fame:
Since but one Phoenix we can boast, he needs no
                                        Name.
The God he view'd with a becoming Pride,
Determin'd not to beg, and easy if deny'd.
Him Phoebus saw with Joy, and did allow,
The Laurel only ought t' adorn his Brow;
For who so fit for universal Rule,
As he who best all Passions can controul?
So spoke the God – and all approv'd the Choice,
E'en Ignorance and Envy gave their Voice;
Who wisely judg'd, the Sentence did applaud,
And conscious Shame the poor Pretenders aw'd.

Thus when the World in Nature's Lap first lay,
In all the Charms of Youth and Beauty gay;
The joyous Parent o'er her Infant smil'd.
Whilst Satan view'd with Spite the faultless Child;
With hellish Malice frought, he wond'ring stood,
And tho' he curs'd it, – own'd that it was good.
(British Library: 841. m. 26. Chrysander, II, 113 ff.,

467 ff.; Neudruck: Händel Receiving the Laurel
from Apollo, hrsg. von Fr. Chrysander, Leipzig
1859)

– Angezeigt im *Monthly Catalogue* vom 24. Mai
1724. Als Vorbild für dieses anonyme Gedicht
diente *The Session of the Poets* (1697) von John Suck-
ling (1609–1642). Eine weitere Paraphrase, *The
Session of Painters,* wurde 1725 zu Ehren des Malers
Godfrey Kneller (Gottfried Kniller; 1646–1723)
veröffentlicht.
Heidegger (vgl. 5. Mai 1711) war allgemein als
„Schweizer Graf" (Swiss Count) bekannt.
„V–n–a" ergänzt Chrysander (II, 166) zu
„Vienna".
Henry Carey (Cary; gest. 1743) schrieb zahlreiche
Farcen, Burlesquen und Songs für Londoner
Theater.
Pepusch promovierte 1713 in Oxford.
John Ernest Galliard (ca. 1687–1749) kompo-
nierte Musik für Farcen und Pantomimen für Co-
vent Garden und Lincoln's Inn Fields.
Richard Leveridge (vgl. 22. November 1711) war
als Komponist geselliger Lieder bekannt. Er
wurde in der Farce *The Necromancer, or Harlequin
Doctor Faustus* (1723/24 im Drury Lane Theatre
aufgeführt) parodiert.
William Corbett (gest. 1748), Violinist und Komponist aus Schottland, leitete von 1705 bis 1711
das Orchester im Queen's Theatre und war von
1714 bis 1747 Mitglied der Königlichen Kapelle.
Er sammelte Musikalien und Musikinstrumente.
Der schottische Tenor Gordon ist vermutlich
identisch mit dem Antiquitätenhändler Alexander
Gordon (ca. 1692 – ca. 1754), der in Italien Musik
studiert hatte, gelegentlich in London in der Oper
sang und unter dem Namen „Singing Sandie" bekannt war.
Der Sammler schottischer Lieder, William Thomson (Thompson), ließ sich vor 1722 in London als
Sänger und Lehrer nieder. Seine erste Liedersammlung (*Orpheus Caledonicus*) erschien 1725.
Thomas Roseingrave (ca. 1690 – ca. 1755), Organist und Komponist, traf 1720 von Italien aus in
London ein. Von 1725 bis 1737 war er Organist an
der neuen Kirche St. George, Hanover Square.
Maurice Greene (ca. 1696–1755) war 1716 Organist an St. Dunstan's-in-the-West, wurde 1717 Organist an St. Andrew, Holborn, 1718 an St. Paul's
Cathedral. 1727 wurde er Organist und Komponist der Chapel Royal, 1735 Master of the King's
Band of Music.
Charles Dieupart (ca. 1670 – ca. 1740), französischer Violinist, Cembalist und Komponist, hatte
sich gegen 1700 in London niedergelassen und
u. a. die Instrumentalmusik für Motteux' Interlu-
dium *Britain's Happiness,* das 1704 in Drury Lane
aufgeführt worden war, geschrieben.
„Anastasia" ist Mrs. Robinson, „Peggy" vermutlich

Margherita Durastanti. Chrysander nahm an, daß Margherita l'Épine gemeint war.
Vgl. 15. August 1724

Dezember 1723 – Juni 1724
Kirchenbuch von St. Martin-in-the-Fields

Highway Ratings, 20 December 1723 to 11 June 1724
George Frederick Hendell, Rent £ 20. Rate 3s. 4d.
(Westminster Public Libraries, Historical Department. Smith 1950, 125)

– Das von Händel vermutlich um diese Zeit bezogene Haus in der Lower Brook Street gehörte zunächst zum Kirchspiel St. Martin-in-the-Fields. Nach der Fertigstellung der Kirche St. George am Hanover Square im Jahre 1724 kam es zur Gemeinde dieser Kirche.
In späterer Zeit wurde das Haus (das noch zwischen Hanover Square und Grosvenor Square steht) aufgestockt.
Vgl. April 1725 und 1. Mai 1759

6. Juni 1724
Ankündigung von *Julius Caesar* im *London Journal* als „Couriously engrav'd on Copper Plates Corrected and Figur'd by Mr. Handel's own Hands; therefore beware of incorrect pirated Editions done on large Pewter Plates".
Vgl. 24. Juli 1724

13. Juni 1724
Die fünfte Saison der Academy schließt mit *Aquilio.*

– Margherita Durastanti, die durch den Erfolg von Francesca Cuzzoni ihre Favoritenrolle eingebüßt hatte, verließ London. Wo sie sich bis zu ihrer Rückkehr (vgl. 30. Oktober 1733) aufhielt, ist nicht bekannt. Auch Berenstadt verließ London mit unbekanntem Ziel. Anastasia Robinson nahm Abschied von der Bühne; sie hatte am längsten in Opern Händels gesungen (1714–1724).

3. Juli 1724 (I)
The Daily Post

This Day is publish'd, A Collection of Original Poems, viz. … Epistle from S---o to A---a R---n. Epistle to Mr. Handel on his Opera's. The Session of the Musicians. … Printed for J. Roberts … 1724. Price 1s. 6d.
(Chrysander, II, 115f.)

– Ein Exemplar des Briefes an Anastasia Robinson konnte nicht nachgewiesen werden. Die „Session" war zuerst für M. Smith gedruckt und für sechs Pence verkauft worden, der Brief an Händel für vier Pence.
Vgl. März und Mai 1724

3. Juli 1724 (II)
Händel beginnt mit der Komposition seiner neuen Oper *Tamerlano,* die er am 23. Juli beendet.
Eintrag in der autographen Partitur (R. M. 20. c. 11.): „Fine dell'Opera. Cominciata li 3 di Luglio e finita li 23. Anno 1724."

24. Juli 1724
The Daily Journal

This day is publish'd in a large Royal Octavo Pocket Size, by J. Cluer and B. Creake … The Whole Opera of Julius Caesar in Score. Compos'd by Mr. Handel, and Corrected and Figur'd by his own Hand … J. Cluer … and B. Creake … have a Grant for the sole Printing and Publishing the said opera, and if their names are not on the Title Page, it is a spurious incorrect Edition, and not that Corrected and Figur'd by the abovesaid Mr. Handel. Note. This opera will be publish'd for the Flute on Wednesday next.

– Die Partitur erschien mit dem Privileg vom 14. Juni 1720.
Cluers Ausgabe *Julius Caesar for the Flute* erschien am 29. Juli 1724. Walsh und Hare gaben *Julius Caesar for a Flute* ca. 1725 heraus. 1724 erschienen außerdem *The Favourite Songs in the Opera of Julius Caesar, London. Printed and Sold at the Musick Shops,* wahrscheinlich die von Cluer und Creake erwähnten „spurious editions".

25. Juli 1724
Nachdem am 11. Juli 1724 im *Universal Journal* ein Lobgedicht auf Purcell erschienen war, in dessen Begleittext „our Extravagance … in the case of the Italian Singers, whilst our own Masters are despised and forgotten", beklagt wurde, erschien am 25. Juli der Abdruck einer Zuschrift, dessen anonymer Verfasser zwar zugibt, daß Purcells Musik nicht mehr modern sei („The first and chief Reflection they cast on his Musick, that 'tis old Stile: I grant it …"), sie aber ebenso wie Corellis und Byrds Musik verteidigt: „And had every Man the same Value for our Purcell, as the wonderful Handel has, I had never set Pen to Paper."
(Burrows 1981, I, 107)

Juli (?) 1724
Ein Gastspiel der italienischen Sänger des King's Theatre in Paris mit *Ottone* und *Giulio Cesare* kam offensichtlich nicht zustande.
Vgl. 6. April 1723

15. August 1724
Mist's Weekly Journal

An Ode, on receiving a Wreath of Bays from a Lady.

1.

Let him, who, favour'd by the Fair
With Glove, or Ring, or Lock of Hair,
Think he's the happy man. –
The Crown, I wear upon my Head,
Has Energy to wake the dead,
And make a Goose a Swan.

2.

See! how like Horace, I aspire!
I mount! I soar sublimely higher!
And, as I soar, I sing!
Behold, ye Earth-born Mortals all,
I leave you in your kindred Ball,
And Heav'nward sweetly spring.

3.

To humble Trophies dully creep,
And, in your Urns inglorious sleep,
Ye Roman Caesars now. –
Your Eagle's Flight was all in vain,
Since I've more Triumph in my Brain,
And greater on my Brow!

4.

My Laurel, Rival of the Oak,
Malignant Planets, and the Stroke
Of Thunder, cannot shake!
My Thoughts, inspired by Love and Bays,
O'er all your boasted Lands and Seas
Despotic Empire take.

5.

Why did great Alexander grieve?
Because no more he could atchieve!
Had I been living then,
I could have taught the Hero how
He might have made, and conquer'd too,
By Fancy, not with Men.

6.

Encircled with my sacred Wreath,
I ride triumphant over Death,
And, as poetic Wheels,
I draw the Seasons of the Year,
I charm all Heav'n into my Sphere,
And Hell my Fury feels!

7.

Avaunt low Flights – let us create
New Systems, and a new Estate,
For Bards and Lovers fit.
No higher, than Elysium,
Have Homer, Horace, Ovid come,
With all their towring Wit.

8.

To a new World, my Fair, let's fly,
A Venus Thou! Apollo I!
To raise a Race of Gods! –
Attend us, Poets, if you'd have
A Subject, Proof against the Grave,
To eternize your Odes.

9.

Astrologers, your Stars despise, –
All Fate lyes in Ophelia's Eyes!
From them derive your Skill;
Their Influence only can undo,
Amend, restore, confound, renew,
Reanimate, and kill.
(Chrysander, II, 116f., 472ff.)

– Diese Ode bezieht sich auf die *Session of Musicians* (vgl. Mai 1724) und ist so verfaßt, als habe sie Händel selbst an eine ihn bewundernde Dame gerichtet. Chrysander vermutet, daß diese (in der Ode „Ophelia" genannt) Händel ein Exemplar der *Session* zusammen mit einem Lorbeerkranz gesandt habe, und daß die von Händels Gegnern geschriebene Ode seine Antwort sein sollte. *Mist's Weekly Journal* veröffentlichte am 29. August *Midas, a Fable*. Dieses anonyme Gedicht war offensichtlich von Bononcinis Freunden angeregt und vielleicht von Rolli geschrieben worden. Die vermutlich auf Händel zielenden Anspielungen sind unverständlich.

29. August 1724
Applebee's Original Weekly Journal

On Monday last [24. August] the Royal Highnesses, the Princess Anne and Princess Caroline, came to St. Paul's Cathedral, and heard the famous Mr. Hendel, (their Musick Master) perform upon the Organ; the Reverend Dr. Hare Dean of Worcester attending on their Royal Highnesses during their Stay there.
(Bodleian Library, Oxford. Chrysander, II, 121)

– Eine ähnliche Notiz erschien im *British Journal* vom gleichen Tage. Hier wird erstmals Händels Ernennung zum Musiklehrer von Princess Anne (1709–1759) und Princess Carolina Elizabeth (1713–1757) erwähnt.
Vgl. 22. Oktober 1720
Francis Hare (1671–1740) war seit 1715 Dean of Worcester und außerdem 1722 zum „usher to the exchequer" ernannt worden. 1726 wurde er Dean der St. Paul's Cathedral, 1727 Bischof von St. Asaph und 1731 Bischof von Chichester.

September 1724

Das Three Choirs Festival der Chöre von Gloucester, Worcester und Hereford wird zum erstenmal veranstaltet.

– Das Festival wurde von Dr. Thomas Bisse, Kanzler in Hereford, und seinem Bruder Dr. Philip Bisse, Bischof dieser Diözese, begründet. Seine Einnahmen wurden für die Erziehung und den Unterhalt der Waisen der armen Geistlichkeit der drei Diözesen verwendet. In den Kathedralen wurden in jährlichem Wechsel Händels *Utrecht Te*

Deum (später das *Dettingen Te Deum*) und Purcells
Te Deum aufgeführt.

17. Oktober 1724
Mist's Weekly Journal

We hear that there is a new Opera now in Practice
at the Theatre in the Hay-Market, called Tamerlane, the Musick composed by Mynheer Hendel,
and that Signior Borseni, newly arrived from Italy,
is to sing the Part of the Tyrant Bajazet. N. B. It is
commonly reported this Gentleman was never cut
out for a Singer.

– Der Tenor Francesco Borosini (geb. ca. 1690)
war schon 1719 für die Royal Academy of Music
in Betracht gezogen worden (vgl. August 1719).
Tamerlano geht auf das Libretto *Il Tamerlano* von
Agostino Piovene zurück (Musik: Francesco Gasparini; Venedig 1711) und eine überarbeitete anonyme Fassung, *Il Bajazet*, die ebenfalls von Gasparini vertont und 1719 in Reggio aufgeführt
wurde, wo Borosini den Bajazet sang (Smith 1954,
293). Grundlage dieser Libretti bildete das französische Schauspiel *Tamerlan, ou la Mort de Bajazet*
(Paris 1675) von Nicolas Pradon.

31. Oktober 1724 (I)
The Daily Courant

At the King's Theatre ... this present Saturday ...
will be perform'd, a New Opera, call'd Tamerlane.
... And in Regard to the Number of Subscribers no
more than Three Hundred and Forty Tickets will
be deliver'd out. ... To begin at Six a-Clock.

– Mit dieser Aufführung begann die sechste Sai-
son der Academy.
Das Libretto war von Niccolò Francesco Haym
bearbeitet und John Manners, 3. Duke of Rutland
(1696–1779), gewidmet worden, der zu den Di-
rektoren der Academy gehörte.
Die Oper wurde am 3., 7., 10., 14., 17., 21., 24.
und 28. November 1724 wiederholt und 1725
sowie 1731 neu aufgeführt.
Vgl. 1. Mai 1725 und 13. November 1731
Besetzung:
Tamerlano – Andrea Pacini, Alt
Bajazet – Francesco Borosini, Tenor
Asteria – Francesca Cuzzoni, Sopran
Andronico – Senesino, Mezzosopran
Irene – Anna Dotti, Sopran
Leone – Giuseppe Maria Boschi, Baß
Zaide – stumme Rolle
Außer Borosini waren Anna Dotti und Andrea Pa-
cini neu zum Ensemble gekommen. Pacini (ca.
1708 – ca. 1764) sang 1725 in Venedig und 1730
in Lucca und trat auch als Komponist hervor.

31. Oktober 1724 (II)
Lady Bristol an Lord Bristol

London, Oct. 31, 1724.
You know my ear too well for me to pretend to
give you any account of the Opera farther than
that the new man takes extremely, but the woman
is so great a joke that there was more laughing at
her than at a farce, but her opinion of her self gets
the better of that. The Royal family were all there,
and a greater crowd than ever I saw, which has
tired me to death, so that I am come home to go to
bed as soon as I have finished this.
(Bristol, II, 371)

– John Hervey, 1. Earl of Bristol (1665–1751), war
seit 1695 mit Elizabeth, Tochter und einziger Erbin von Sir Thomas Felton, Playford, Suffolk, verheiratet.
Mit „the new man" ist Andrea Pacini, mit „the
woman" Anna Dotti gemeint.

14. November 1724
The London Journal

This Day is published, The whole Opera of Tamerlane in Score. Compos'd by Mr. Handel, Corrected and Figur'd by his own Hand. Engrav'd on
Copper Plates. And to render the Work more acceptable to Gentlemen and Ladies, every Song is
truly translated into English Verse, and the Words
engrav'd to the Musick under the Italian, which
was never before attempted in any Opera. Price
16s. (for the Flute 2s. 6d.) Engrav'd, Printed and
Sold by J. Cluer.

– Mit dieser Ausgabe kam Cluer Walsh zuvor, der
(vermutlich gemeinsam mit John und Joseph
Hare) ca. 1724 *The Favourite Songs in the Opera call'd
Tamerlane* und ca. 1725 *A 2ᵈ Collection of The Favourite Songs in the Opera of Tamerlane* veröffentlichte.
Beide Ausgaben erschienen nicht mit Walshs übli-
chem Impressum, sondern mit dem Vermerk
„Printed and Sold at the Musick Shops".
Gewöhnlich übernahmen die Verleger die Beziffe-
rung des Basses. Cluer konnte die Übersetzung
der Arien aus dem zweisprachigen Libretto benut-
zen, dessen englischer Text von Henry Carey
stammte.
Cluers *Tamerlane: For the Flute* erschien am 21. November 1724. Walsh und Hare gaben ca. 1725 *Tamerlane for a Flute* heraus, und Walsh zeigte ca.
1732 noch einmal eine Ausgabe für Querflöte an,
von der jedoch kein Exemplar nachgewiesen werden konnte (Smith 1960, 74f.; Walsh-Katalog, British Library C. 120. b. 6). Auf Cluers Ausgabe für
Flöte findet sich die Warnung: „If J. Cluer's Name
is not in the Title Pages of those Works, they are
spurious Editions, and not those Corrected and
Figur'd by Mr. Handel." In einer anderen Anzeige
von *Tamerlano* im *London Journal* vom 9. Januar
1725 fügt Cluer hinzu: „also the whole Opera of
Julius Caesar in Score, and for the Flute".

17. November 1724

Im *Daily Courant* wird zu einer Generalversammlung der Royal Academy am 2. Dezember eingeladen, auf der ein neuer stellvertretender Gouverneur und neue Direktoren gewählt werden sollen. Gleichzeitig ergeht der Aufruf zur Zahlung der nächsten Rate von „£5 per cent" bis zum 12. Dezember 1724.
(Burney, II, 730)

1. Dezember 1724

Artaserse von Attilio Ariosti wird im King's Theatre aufgeführt.

– Das Libretto von Apostolo Zeno und Pietro Pariati wurde von Niccolò Francesco Haym bearbeitet und Charles Lennox, 2. Duke of Richmond, Lennox und Aubigny (1701–1750), gewidmet.

2. Dezember 1724

Bei der Wahl des neuen stellvertretenden Gouverneurs der Royal Academy of Music gewinnt der Duke of Manchester vor dem Duke of Queensbury.
(Mattheson 1725, 96; Chrysander, II, 124)

– Der vorhergehende stellvertretende Gouverneur Charles Montague, 1. Duke of Manchester, war am 20. Januar 1722 gestorben (vgl. Mai 1719 und 16. November 1721).
Charles Douglas, 3. Duke of Queensbury und 2. Duke of Dover (1698–1778), war Geheimer Rat und Lord of the Bedchamber unter Georg I. und Vizeadmiral von Schottland unter Georg II.

12. Dezember 1724

Mary Pendarves an ihre Schwester Ann Granville

December 12th, 1724.
Enclosed is a song out of Tamerlane, which is a favourite.
(Delany, I, 101)
Vgl. 29. 11. 1720

– Dies ist der erste Brief von Mary Pendarves, in dem sie ein Werk von Händel erwähnt. Wahrscheinlich spricht sie von einer als Einzeldruck veröffentlichten Arie dieser Oper, vielleicht von Senesinos „Bella Asteria", die in dieser Form gedruckt wurde.

1724

George Vertue, Note Book

Mʳ P. Tillemans & Mʳ Jos. Goupee both joyntly imploy'd to paint a Sett of Sceenes for the Opera house in the Haymarkett, which were much approv'd of.
(British Library: Add. MSS. 23076. Vertue, Note Books, III, 21)

– George Vertue (1684–1756), Graveur und Antiquitätensammler, war 1711 Mitglied der Academy von Godefrey Kneller geworden. Während der letzten 40 Jahre seines Lebens sammelte er Material für eine Geschichte der schönen Künste in England. Horace Walpole kaufte diese Notizen Vertues Witwe ab und verwendete sie für seine *Anecdotes of Painting in England.*
Peter Tillemans (1684–1734) war Maler und Radierer. Er war 1708 von Antwerpen nach England gekommen und gehörte zu den ersten Schülern der 1711 eröffneten Academy von Kneller.
Joseph Goupy (gest. 1768?) war Aquarellmaler und Radierer. Zusammen mit seinem Onkel Lewis Goupy gehörte er 1711 zur Academy von Kneller. Gemeinsam mit Tillemans malte Goupy um 1720 Kulissen für das King's Theatre.
Die Notiz läßt vermuten, daß beide auch die Dekoration für *Rodelinda* (13. Februar 1725) anfertigten. Sie könnte sich jedoch auch auf die Bühnenbilder für *Tamerlano* und *Giulio Cesare* beziehen. Aus Walpoles *Anecdotes* (II, 675) ist bekannt, daß Tillemans und Goupy 1727 die Dekorationen für Händels *Admeto* und *Riccardo I* malten.

1725

2. Januar 1725

Giulio Cesare wird in veränderter Besetzung erneut aufgeführt.
Vgl. 20. Februar 1724
Wiederholungen: 5., 9., 16., 19., 23. und 26. Januar, 2., 6. und 9. Februar.

– Anna Dotti übernahm die Partie der Cornelia, Borosini die des Sesto Pompeo und Pacini die des Tolomeo. Wahrscheinlich wurden bei dieser Neuaufführung zusätzliche Arien eingefügt, von denen Cluer zwei druckte (vgl. 22. Dezember 1725).

11. Januar 1725

The Daily Journal

ToMorrow Signiora Cuzzoni the famous Chauntress, is to be married to San-Antonio Ferre, a very rich Italian, at the Chapel of Count Staremberg, the Imperial Ambassador.
(Smith 1950, 131)
Vgl. 22. Dezember 1722 und 22. August 1725

– Conrad Sigismund Anton Graf Starhemberg war seit 1720 Botschafter in London und wohnte seit 1722 am Hanover Square.
Vgl. 7. September 1741

20. Januar 1725

Händel beendet die Oper *Rodelinda.*
Eintrag in der autographen Partitur (R.M.20. c.4):
„Fine dell Opera li 20 di Genaro 1725."

13. Februar 1725
The Daily Courant

At the King's Theatre ... this present Saturday ... will be perform'd, A New Opera call'd, Rodelinda. ... To begin at Six a-Clock.

– Haym bearbeitete Antonio Salvis Libretto und widmete es dem Earl of Essex. In der englischen Fassung des Personenverzeichnisses im Textbuch („Printed and Sold at the Opera-Office in the Haymarket") wird „Mr. Hendal" als Komponist genannt.
Wiederholungen: 16., 20., 25., 27. Februar, 2., 6., 9., 13., 16., 20. und 30. März, 3. und 6. April. Neuaufführungen im Dezember 1725 und Mai 1731.
Besetzung:
Rodelinda – Francesca Cuzzoni, Sopran
Bertarido – Senesino, Mezzosopran
Grimoaldo – Francesco Borosini, Tenor
Eduige – Anna Dotti, Alt
Unulfo – Andrea Pacini, Alt
Garibaldo – Giuseppe Maria Boschi, Baß

20. Februar 1725
John Byrom, Letter to R. L., Esq.

If Senesino do but rift,
„O caro, caro!" that flat fifth:
I'd hang if e'er an Opera Whitling,
Could tell Cuzzoni from a Kitling.

Dear Peter, if thou can'st descend
From Rodelind to hear a Friend,
And if those Ravished Ears of thine
Can quit the shrill celestial Whine
Of gentle Eunuchs, and sustain
Thy native English without pain,
I would, if t'aint too great a Burden,
Thy ravished Ears intrude a Word in.
(Byrom 1773, I, 346. Streatfeild 1909, 96)

– Der „Brief" ist an Ralph Leycester gerichtet. Die Datierung ergibt sich aus Byroms Tagebucheintragung (Journal, I, 87): „Wrote some verses to Leycester about the Opera".
„Kitling" ist eine kleine Geige.
Vgl. 9. Mai 1725

22. Februar 1725
The Daily Courant

This Day is published. The following Proposals for engraving and printing by subscription, the whole Opera of Rodelinda, compos'd by Mr. Handel and figur'd and corrected by his Hand ... printed at Cluer's Printing-Office ... and also by Mr. Creake ... Care will be taken that not one Song in this Opera shall be printed by any other Persons than the Proprietors.
Vgl. 6. Mai 1725

23. Februar 1725
The Daily Courant

Mr. Senesino who was taken ill last Saturday Night [20. Februar] during the Time of the Opera & not so well recovered to be certain whether he can be able to perform this Night, therefore the Opera that was then intended will not be performed 'till Thursday next.

Februar 1725
Ottone wird in Braunschweig wiederaufgeführt.
Vgl. August 1723

20. März 1725
The London Journal

Proposals for Engraving and Printing by Subscription, A Second Pocket Volume of Opera Songs and Airs, Collected out of all the Opera's Compos'd by Mr. Handel, Bononcini, Attilio, and other Great Masters; many of them never before printed; all of which will be carefully Corrected & Figur'd for the Harpsichord, and Transpos'd for the Flute, with the Symphonies to them. N. B. The Musick in this Volume will be much more legible than the former, the Pages somewhat larger, but may be bound in the same size; and since we have the Assistance of all the Great Masters, and shall be favour'd with Mr. Handel's Songs that were never before printed (which cannot be obtain'd by others), our Subscribers may assure themselves that this will be a far Better Collection than 'tis possible for any other Person to make.
The Undertakers are J. Cluer ... and B. Creake ... where Specimens of Work may be seen, and Proposals at Large had gratis, as also at the Musick Shops: Where likewise Subscriptions are taken for Printing The whole Opera of Rodelinda, in Score with all the Parts. In above 100 Copper Plates. Compos'd by Mr. Handel. The Quality, &c. who design to Subscribe to this Celebrated Opera, are desired to send their Names in 20 Days at farthest, otherwise they can't be Engrav'd in the Book.
Vgl. 2. Mai 1724, 22. Dezember 1725 und 6. Mai 1725

10. April 1725
Dario von Attilio Ariosti wird am Haymarket Theatre aufgeführt.

– *Dario* war Ariostis letzte Oper für die Royal Academy.

27. April 1725
The Daily Post

John Brown, Musical Instrument-maker ... gives notice, that the Pocket Collection of Songs ... is now very nigh finish'd. It consists of the following Particulars, viz. Select Aires in Rodelinda, Julius

Caesar, Tamerlane, Flavius, and other Works by Mr. Handel: Aires in Calphurnia ... several entertaining Songs in English ... The Flute Part will be done with the most Accuracy and judgment: By a Person sufficiently Eminent that way.

– Die Sammlung war im *Daily Journal* vom 23. Januar 1725 zum erstenmal angekündigt worden; sie erschien im Mai 1725 mit folgendem Titel: *The Opera Miscellany. Being a Pocket Collection of Songs, Chiefly Composed for the Royal Academy of Musick. Consisting of Select Airs in Rodelinda, Julius Caesar, and other works of M*: *Handel. Airs in Calphurnia & the Great Subscription Book of M*: *Bononcini. Songs by M*: *Attilio Ariosti. Some fine English Airs of that Great Master Albinoni and other Authors. The whole Transpos'd for the Flute by M*: *Bolton.* ...
Die Ausgabe enthält zwölf Nummern von Händel aus *Rodelinda, Giulio Cesare, Tamerlano, Flavio* und *Ottone*, teilweise mit englischem Text.
(Smith 1960, 184 f.)

30. April 1725

Bei der Neuaufführung von John Gays *Comick Tragick Pastorall Farce, or What d'ye call it* im Drury Lane Theatre wird die Händel zugeschriebene Ballade „Twas when the seas were roaring" gesungen.

– John Gays Stück war 1715 zum erstenmal aufgeführt worden. Das gedruckte Textbuch von 1725 nennt keinen Komponisten für die neue Ballade. Diese wurde wiederholt als Einzeldruck sowie in verschiedenen Liedersammlungen veröffentlicht und auch in die *Beggar's Opera* mit dem Text „How cruel are the Traytors" (Akt II, Arie 9) aufgenommen. 1729 erschien sie erstmals unter Händels Namen als *The Melancholy Nymph/The Faithful Maid* in Band II von *The Musical Miscellany*.
(Smith 1960, 170 und 202)

April 1725

Steuerbücher des Kirchspiels St. George, Hanover Square

George Frederick Handell, Rent £ 35. First Rate 17s. 6d.
(Streatfeild 1909, 88; Smith 1950, 124)

– Entsprechende Eintragungen gibt es bis zu Händels Tod (vgl. 1. Mai 1759).

1. Mai 1725

Tamerlano wird am Haymarket Theatre erneut aufgeführt und am 4. und 8. Mai wiederholt.

6. Mai 1725 (I)
The Daily Post

This Day is publish'd, and deliver'd to the Subscribers,

The whole Opera of Rodelinda in Score: Compos'd by Mr. Handel, and engrav'd on 110 Copper Plates in 4to. Sold by J. Cluer ... and B. Creake ... Where the Opera for the Flute may be speedily had. N. B. They are now going on with the utmost Diligence with their second pocket Volume of Opera Songs in 8vo. in which there will be several of Mr. Handel's Songs that were never before printed, which cannot be obtain'd by others. Proposals may be had Gratis.
Vgl. 20. März und 15. Mai 1725

– Im gleichen Jahr erschienen anonym *The Favourite Songs in the Opera call'd Rodelinda* und *The Overture and Favourite Songs in the Opera of Rodelinda* mit dem Aufdruck „Printed and Sold at the Musick Shops", die wahrscheinlich von Walsh verlegt worden waren.
(Smith 1960, 61 f.)

6. Mai 1725 (II)
Verzeichnis der Subskribenten in der Partitur von Rodelinda (Auswahl)

Dr. [John] Arbuthnot; Theophil Cole; [Henry] Carey, Master of Musick, 6 Books; William Freeman, of Hammels, Hertfordshire; [John Ernest] Galliard; J. G. Gumprecht [Hamburg]; James Graves, Master of Musick; Henry Holcombe; Henry Harrington [senior]; Newburgh Hamilton; John Hare [junior], 12 Books; [Charles] Jennens; [Jean-Baptist] Loeillet; James Miller; Richard Neale, Organist; Philarmonica Club, 3 Books; John Rich; John Robinson; Mr. Rawlins; John Smith; [George?] Vanbrugh, Master of Musick, 6 Books.

– Das ist das erste der zehn Subskribenten-Verzeichnisse Händelscher Werke. Insgesamt wurden zehn Opern, *Alexander's Feast* und die *Concerti grossi op. 6* auf Subskription veröffentlicht; *Radamisto* (15. Februar 1721) und *Serse* (30. Mai 1738) erschienen ohne Abdruck der Subskribentenliste.
Von der *Rodelinda*-Partitur bestellten 120 Subskribenten 162 Exemplare. William Freeman ist der einzige Subskribent, dessen Name in sämtlichen Verzeichnissen vorkommt (vgl. 23. März 1748 und 30. September 1749). Miller, Rawlins und Robinson waren Sänger der Chapel Royal, Neale war Herausgeber des ersten „Pocket Companion" (vgl. 2. Mai 1724). Vanbrugh wirkte um 1720 als Sänger in Cannons. Der Philarmonica Club hatte seinen Versammlungsort in der Castle Tavern.

[Mai 1725?]
John Byrom, Epigram on the Feuds between Handel and Bononcini

Some say, compar'd to Bononcini,
That Mynheer Handel's but a Ninny;
Others aver, that he to Handel
Is scarcely fit to hold a Candle:

Strange all this Difference should be
'Twixt Tweedle-dum and Tweedle-dee!
(Byrom 1773, I, 343f.)
Vgl. 3. März 1724, 9. und 18. Mai, 5. Juni und
19. Juli 1725

– In Byroms Kreis wurde das gelegentlich auch
Swift zugeschriebene Epigramm bald als sein
„Tweedle" bekannt. Um 1780 vertonte es Pieter
Hellendaal d. Ä. als Trinklied.
Vgl. 6. März 1711 und 17. Oktober 1724

Etwa 100 Jahre später schrieb Charles Lamb in
das Album von Vincent Novello:

Free Thoughts on some eminent Composers.

Some cry up Haydn, some Mozart,
Just as the whim bites. For my part,
I do not care a farthing candle
For either of them, nor for Handel.
...
No more I would for Bononcini –
As for Novello, and Rossini ...
(Musical Times, März 1951, 106f.)

9. Mai 1725
John Byrom, Journal

Mr. Leycester left my epigram upon Handel and
Bononcini in shorthand for Jemmy Ord.
(Byrom Journal, I, 130; Streatfeild 1909, 94)

– James Ord, der bei Byrom die Kurzschrift er-
lernte, war ein Bruder Robert Ords, eines Freundes von Byrom.
Vgl. 20. Februar 1725

11. Mai 1725
Die Pasticcio-Oper Elpidia, or Li Rivali generosi
(Text: Apostolo Zeno, Musik: Leonardo Vinci
und andere) wird am Haymarket Theatre aufgeführt.

– Dies war das erste Pasticcio, zu dem Händel
neue Rezitative komponierte.
Vgl. 6. August 1726

15. Mai 1725
The London Journal

... The Engraving of this Opera [Rodelinda] hath
retarded the Publication of their [gemeint sind
Cluer und Creake] Second Pocket Volume of Opera Songs and Airs. ... The whole to be done in
the same Character as the Specimen, which may
be seen at the Places abovesaid [Cluers und
Creakes Adressen] and at the Musick Shops. Subscribers to pay 5s. down and 5s. 6d. on Delivery of
the Book. Note, In this Volume there will be
several of Mr. Handel's Songs that were never before printed, which cannot be obtained by any

other Persons; which Songs alone are worth
double the Money the whole Book is sold for.
Vgl. 6. Mai und 22. Dezember 1725

– Eine ähnliche Anzeige erschien am 12. Juni im
London Journal.

18. Mai 1725
John Byrom, Journal

Mr. Leycester came there [in ein Kaffeehaus] and
Bob Ord, who was come home from Cambridge,
where he said he had made the whole Hall laugh
at Trinity College and got himself honour by my
epigram upon Handel and Bononcini.
(Byrom Journal, I, 136; Chrysander, II, 135)
Vgl. 9. Mai 1725

– Byrom war Mitglied des Trinity College in Cambridge.

5. Juni 1725
John Byrom, Journal

Mr. Hooper ... came over to us to Mill's coffee-
house, 2d., told us of my epigram upon Handel
and Bononcini being in the papers.
(Byrom Journal, I, 150; Chrysander, II, 135)

– Der Reverend Francis Hooper war ein Freund
Byroms.
Zwei Pence war der Preis für eine Tasse Kaffee.
Vgl. 18. Mai 1725

11. Juni 1725
Händel an Michaelsen in Halle

A Londres ce $\frac{22}{11}$ de Juin 1725.

Monsieur et tres Honoré Frere,
Encore que je me trouve tres coupable de n'avoir
pas satisfait depuis si longtems a mon devoir envers Vôus par mes lettres, neantmoins je ne desespere pas d'en obtenir Vôtre genereux pardon lorsque je Vous assurerai que cela n'est pas provenu
de quelque oubli, et que mon Estime et Amitié
pour Vous sont inviolables, comme Vous en aurez
trouvé des marques, mon tres Honoré Frere, dans
les lettres que j'ai ecrit a ma Mere.
Mon Silence donc, a ete plustôt un effêt de crainte
de Vous accabler par une correspondence qui
Vous pourroit causez de l'ennuy, Mais ce qui me
fait passer par dessus ces reflexions, en Vous don-
nant l'incommodité par la presente, est, que je ne
scaurois pas être si ingrat que de passer avec silence les bontés que Vous voulez bien temoigner
a ma Mere par Vôtre assistance et Consolation
dans son Age avancé, sans Vous en marquer au
moins mes treshumble remercimens. Vous n'igno-
rez pas combien me doit toucher ce qui la regarde,
ainsi Vous jugerez bien des Obligations que je
Vous en dois avoir.

Je me conterois heureux, mon tres Cher Frere, si je pouvois Vous engager a me donner de tems en tems de Vous nouvelles, et Vous pourriez etre sur de la part sincere que j'en prenderois, et du retour fidel que Vous trouveriez toujours en moy. J'avois crû de pouvoir Vous renouveller mon Amitié de bouche, et de faire un tour en Vôs quartiers a l'occasion que le Roy s'en va a Hannover, mais mes souhaits ne peuventpas avoir leur effet encore, pour cette fois, et la situation de mes affaires me prive de ce bonheur là malgré que j'en aye. je ne desespere pas pourtant de pouvoir etre un jour si heureux, cependent, il me seroit une consolation bien grande, si j'oserois me flatter, que Vous me vouliez bien accorder quelque place dans Votre Souvenir, et de m'honorer de Vôtre amitié, puisque je ne finiray jamais d'etre avec une passion et attachement inviolable
Monsieur et tres Honoré Frere
Vôtre treshumble et tresobeissant Serviteur
George Frideric Handel.
je fais bien mes treshumbles respects a Madame Votre Epouse. et j'embrasse tendrement ma Chere Fileule et le reste de Votre Chere Famillie.
mes Complimens s'il vous plait a tous les Amis et Amies.
A Monsieur,
Monsieur Michael Dietrich
Michaelsen Docteur en Droit
à Halle en Saxe.
(Historical Society, Philadelphia. Chrysander, II, 137f.)

– Es ist kein Brief Händels an seine Mutter bekannt.
Michaelsens zweite Frau war Christiane Sophia, geborene Dreißig (vgl. 24. September 1725). Händels Lieblingsnichte war Johanna Friederika.

19. Juni 1725
Die sechste Saison der Royal Academy schließt mit *Elpidia*.

19. Juli 1725
John Byrom, Journal

Nourse asked me if I had seen the verses upon Handel and Bononcini, not knowing that they were mine; but Sculler said I was charged with them, and so I said they were mine; they both said that they had been mightily liked.
(Byrom Journal, I, 173; Chrysander, II, 136)
Vgl. 5. Juni 1725

22. August 1725
Mary Pendarves an ihre Schwester Ann Granville

Mrs. Sandoni (who was Cuzzoni) is brought to bed of a daughter: it is a mighty mortification it was not a son. Sons and heirs ought to be out of fashion when such scrubs shall pretend to be dissatisfied at having a daughter: 'tis pity indeed, that the noble name and family of the Sandoni's should be extinct. The minute she was brought to bed, she sang „La Speranza", a song in Otho. ...
(Delany, I, 117; Smith 1950, 130)
Vgl. 22. Dezember 1722 und 11. Januar 1725

31. August 1725
The Daily Journal

We hear that the Royal Academy [of] Musick, in the Hay Market, have contracted with famous Chauntess for 2 500 l. who is coming over from Italy against the Winter.

– Dies bezieht sich auf Faustina Bordoni, die aber erst im Frühjahr 1726 aus Wien nach London kam und jährlich 2 000 £ erhielt.
Vgl. 4. September 1725 und 5. Mai 1726

August 1725
Giulio Cesare wird in Braunschweig in italienischer Sprache mit dem Titel *Giulio Cesare e Cleopatra* aufgeführt.
(Loewenberg, Sp. 150; Schmidt 1929, 16)

4. September 1725
The London Journal

Signiora Faustina, a famous Italian Lady, is coming over this Winter to rival Signiora Cuzzoni; the Royal Academy of Musick has contracted with her for Two Thousand Five Hundred Pound.
Vgl. 31. August 1725

7. September 1725
Giuseppe Riva an Ludovico Antonio Muratori

Le opere che si fanno in Inghilterra, quanto più belle sono per la musica e per le voci, altrettanto sono storpiate per la poesia. Il nostro Rolli che nel principio della formazione della presente Reale Accademia ebbe l'incombenza di comporle, ne fece due assai buone, ma essendosi poi imbrogliato coi Direttori, questi presero al loro servizio un tal Haym Romano suonatore di violoncello, uomo nelle belle lettere affatto idiota, e dall'orchestra passando arditamente in Parnaso, sono già tre anni che egli accomoda o per meglio dire, fa peggiori i libretti vecchi già ordinariamente cattivi, de' quali si servono i maestri di Capella che compongono le opere, alla riserva del nostro buon Bononcini il quale ha fatto venire le sue da Roma, composte da alcuni scolari del Gravina. Se il suo amico vuol mandare, deve avvertire che si vogliono pochi recitativi in Inghilterra, trent'arie ed un duetto almeno, distribuite nei tre atti. Il soggetto dev'essere semplice, tenero, eroico, Romano, Greco o Persiano ancora, non mai Gotico o Longobardo.

Per quest'anno e per gli altri due avvenire, bisogna che nelle opere vi siano due parti eguali per la Cuzzoni e la Faustina. Senesino è il primo personaggio da uomo e la sua parte dev'essere eroica. Le altre tre parti per uomo debbono andare gradatamente tre uno per uno in ciascun'atto. Il duetto dovrebbe essere alla fine del secondo atto e fra le due donne. Se il soggetto portasse tre donne, può servire perchè ve n'è una terza. Se la Duchessa di Marleborough, che dà 500 sterline l'anno al Bononcini, vorrà contentarsi che egli dia una sua opera all'Accademia, questa sarà l'Andromaca, quasi una traduzione della Raciniana, ma senza la morte di Pirro, accomodata per un dramma assai bene. Da questa l'amico suo potrà prendere un' idea delle opere che possono in Inghilterra servire. Intanto se egli vuole mandare un dramma, io procurerò di servirlo e se è di buon gusto, come non ne dubito, si vedrà d'impegnarlo per un pajo. Il pacchetto potrebbe raccomandarsi ai nostri israeliti che hanno corrispondenza in Amsterdamo, affinchè lo pongano in qualche ballotto di seta e mi sia consegnato nel mio passaggio se dovrò di nuovo rivedere gli ultimi divisi.
(Biblioteca Estense, Modena: Archivio Soli Muratori. Sola, 296f.; Degrada 1967, 117; Streatfeild 1917, 433)

– Muratori hatte Riva, der jetzt am Hof in Hannover war, gefragt, ob er einem jungen Freunde zu einem Auftrag verhelfen könne, ein Libretto für die Haymarket-Oper zu schreiben (vgl. 3. Oktober 1726).
Gian Vincenzo Gravina, ein berühmter Dramatiker, starb 1718; sein bekanntester Schüler war Metastasio. Zu *Andromache* (von Bononcini unter dem Titel *Astianatte* vertont) vgl. 6. Mai 1727.

8. September 1725
Parker's Penny Post

The famous Italian Singer, who is hired to come over hither to entertain his Majesty and the Nobility in the Operas, is call'd Signiora Faustina; whose Voice (as it is pretended) has not been yet equall'd in the World.
Vgl. 4. September 1725

24. September 1725
Christiane Sophia, die zweite Frau von Michaelsen, stirbt in Halle.
Vgl. 11. Juni 1725

– In der Sammlung Cummings (Versteigerung am 21. Mai 1917, Katalog Nr. 823) befand sich der Druck der Grabrede von Johann Georg Francke und der Elegien auf die Verstorbene.
Vgl. 11. August 1718 und 2. Januar 1731

[27. September] 1725
Johann Mattheson, Hamburger Opernverzeichnis

194. Tamerlan. Music vom Herrn Händel. Übersetzung vom Hn. Praetorius. Vor dieser Opera wurde ein Prologus, auf die Königl. Frantzösische Vermählung, gemacht. Die Music desselben war vom Hn. Telemann, die Poesie vom Hn. Praetorius.
(Mattheson 1728, 193; Chrysander 1877, Sp. 249)

– Das Hamburger Libretto nennt Händel, Haym und Johann Philipp Praetorius. Die Arien wurden italienisch gesungen. Die Partie des Bajazet erhielt sieben neue Arien, die Cyril Wyche (vgl. 7. November 1703 und 8.–14. November 1720) komponiert hatte. Vermutlich schrieb Telemann die Rezitative und ergänzte zwei Chöre in deutscher Sprache (Schulze, 49). Er wird im Libretto als der Komponist eines „Intermezzo" erwähnt; Loewenberg (Sp. 151) nahm an, daß es sich um *Die ungleiche Heyrath (Pimpinone)* handelte, mit dem Text von Praetorius nach Pietro Pariati. Der Prolog wurde geschrieben aus Anlaß der Heirat Ludwigs XV. mit Maria Leszcynska.
(Merbach, 361)

[September] 1725
Vorrede zum Libretto von Tamerlan (Auszug)

Doch hat eine illustre persohn durch geschickte composition der parthie des Bajazeths eine abermahlige probe ihrer vertu ablegen wollen. Das recitativ hat zwar der music nach bey der uebersetzung durch einen berühmten mann geändert werden müssen, doch sind in dem 10. auftritt der 3ten handlung einige zeilen unverändert in italienis. sprache und nach der Hendelischen composition beybehalten worden, weil worte und music gar zu schön auch dem affect ein grosses abgehen dürffte, im fall die uebersetzung dem original nicht gleich käme.
(Library of Congress, Washington, Sammlung Schatz, 4492)

20. November 1725
Read's Weekly Journal

Friday [19. November] 7-Night came on the Election of an Organist of St. George's, Hanover-Square; and the Salary being settled at 45l. per Annum, there were seven Candidates. ... The Vestry, which consists of above thirty Lords and seventy Gentlemen, having appointed Dr. Crofts, Dr. Pepush, Mr. Bononcini, and Mr. Giminiani, to be Judges which of the Candidates perform'd best; each of them composed a Subject to be carry'd on by the said Candidates in the Way of Fugeing, and one Hour was allowed for every one to play upon the four Subjects so appointed, one not to hear another, unless himself had done before: Only the four first perform'd, and all of them very masterly: In the Conclusion the Judges gave it for the fa-

mous Mr. Rosengrave, who made that Way of Performance his Study a great Part of his Life, and he was accordingly chosen.
(Hawkins, V, 264; Chrysander, II, 139)

– Unter den Kandidaten befanden sich auch George Monroe (vgl. 7. April 1724) und der blinde John Stanley, der damals 13 Jahre alt war. Nach Burney (II, 704f.) sollte auch Händel der Jury angehören, schickte aber nur sein Thema für das Probespiel.

[21. November] 1725
Johann Mattheson, Hamburger Opernverzeichnis

197. Julius Caesar in Egypten. Music vom Hn. Händel. Übersetzung vom Hn. Secretaire Lediard.
(Mattheson 1728, 193; Chrysander, II, 109f.; Chrysander 1877, Sp. 249)

– Die Übersetzung von Thomas Lediard wurde erweitert durch Zusätze von Johann Georg Linike (Konzertmeister im Orchester des Herzogs von Weißenfels), der auch die deutschen Rezitative beisteuerte. Die Arien wurden italienisch gesungen (Loewenberg, Sp. 150). Freund und Reinking (124) schreiben, daß die Musik von „Händel, Linke [sic] und Baptide [Baptiste Anet?]" stammte. Nach Willers' Notizen (Merbach, 361) wurde die Oper bis 1738 36mal aufgeführt.
Thomas Lediard, Sekretär des englischen Gesandten in Hamburg, war einer der bekanntesten Bühnenarchitekten der Hamburger Oper, deren Bühnenbilder aus den Jahren 1724 bis 1728 er in einem großen Tafelwerk veröffentlichte. Von 1727 an war er auch einige Jahre Direktor der Hamburger Oper. Seine deutsche Übersetzung von Händels *Giulio Cesare* (1725) führte zu einem Streit mit einem gewissen Sivers (Chrysander, II, 109f.). Unter dem Pseudonym Hans Sachs wurde in Hamburg ein Pamphlet gedruckt, in dem man den Übersetzer heftig angriff. Ein Freund Lediards oder er selbst antwortete unter dem Pseudonym Demokrit mit einem witzigen Gedicht. In Hans Sachs' Erwiderung wurde die Übersetzung nun in übertriebener Weise gelobt. Demokrit verteidigte sich darauf in einer „Antwort auf Hans Sachsens Schreiben". In den Pamphleten wird *Tamerlan* genannt (vgl. 27. September 1725) und die Ausstattung von *Julius Caesar* gelobt, aber nur Demokrit erwähnt dessen „schöne Music".
(Wolff 1957 I, 353 und 365)

30. November 1725
Die siebente Saison der Academy beginnt mit einer Neuaufführung von *Elpidia*.
(Kelly, II, 351)

– Chrysander (II, 31) erwähnt für diese Saison ein Verzeichnis von 133 Subskribenten.

Am 1. Dezember fand eine Generalversammlung statt, auf der ein neuer stellvertretender Gouverneur und neue Direktoren gewählt wurden. Am 8. Dezember erschien die vierzehnte Aufforderung zur Zahlung des Beitrages in Höhe von 5 £ bis zum 22. Dezember.
(Burney, II, 733)

8. Dezember 1725
In der Aufführung von Gabriel Odingsells Komödie *The Capricious Lovers* im Theater in Lincoln's Inn Fields singen Mrs. Chambers und Mr. Leveridge ein Duett, „Whine not, pine not", nach der Melodie des Menuetts aus Händels Concerto grosso op. 3 Nr. 4 (HHA, IV/11, Satz 4a).

– Händels Opus 3 wurde erst 1734 veröffentlicht, zwei Sätze aus dem vierten Konzert wurden aber anscheinend bereits bei der Aufführung des *Amadigi* am 20. Juni 1716 gespielt und in Walshs Ausgaben von Ouvertüren für Cembalo als *Second Overture in Amadis* gedruckt.
Das Duett erschien als Einzeldruck.
(Smith 1960, 203)

13. Dezember 1725
The Suffolk Mercury; or, St. Edmunds-Bury Post

Notice is hereby given, That on Friday the 17th of this Instant December, Cluer and Creake's Second Pocket Volume of Opera Songs, will be published and delivered to Subscribers. It is in a larger Size than the first, the Musick is legible as any Halfsheet Song, and the Collection is the best that ever was made, for there is not one Song in the Book but what is approved of by Mr. Handel.

17. Dezember 1725
Verzeichnis der Noten, die der „Philo Musicae et Architecturae Societas" von ihrem Präsidenten William Gulston überreicht wurden

One Large Book bound in red Calves Leather and Gilt Containing The Opera's Rinaldo Etearco Hydaspes et Almahide.
Three Books bound in Sky Marbled Paper Containing the Symphony to S^d Opera's.
The Opera's of Camilla Thomyris – Clotilda Stiched.
The Symphonys to Said Opera's also Stiched.
(British Library: Add. MSS. 23 202. Rylands, 90)

– Diese Vereinigung war eine Freimaurergesellschaft, mit Geminani als musikalischem Leiter. Die Mitglieder versammelten sich in den Jahren 1724–1727 in der Queen's Head Tavern, in der Nähe von Temple Bar; der Versammlungsraum wurde „Apollo" genannt. In dem gleichen Gasthaus traf der Philarmonica Club zusammen, bis er seinen Versammlungsort nach der Castle Tavern verlegte. Von den Konzerten der Philo Musicae Societas ist kein Programm erhalten.

18. Dezember 1725
Neuaufführung von *Rodelinda* am Haymarket Theatre.

– Wiederholungen: 21., 23., 28. Dezember 1725, 1., 4., 8. und 11. Januar 1726.
Colmans Opera Register (Sasse 1959, 216) vermerkt nicht die Aufführung am 23. Dezember.
Die von Walsh später gedruckten „Additional Songs" waren für diese Neuaufführung bestimmt (vgl. 15. Januar 1726).

22. Dezember 1725
Cluer und Creake veröffentlichen *A Pocket Companion For Gentlemen and Ladies. Being a Collection of Favourite Songs, out of the most Celebrated Opera's Compos'd by Mr Handel, Bononcini, Attilio &c. ... Vol. II. Carefully Corrected and Figur'd for the Harpsichord. The whole Transpos'd for the Flute in the most proper Keys. ...*
Vgl. 2. Mai 1724

– *The London Journal* vom 18. Dezember kündigte die Auslieferung für den 22. Dezember an. *The Daily Post* vom 23. Dezember verzeichnete den Titel als „This Day is publish'd". Der *Suffolk Mercury* vom 27. Dezember (vgl. 13. Dezember 1725) nennt den 17. Dezember als Erscheinungstag.
Dieser zweite Band des *Pocket Companion* enthält 36 Arien, davon 27 aus Händels Opern *Flavio, Muzio Scevola, Giulio Cesare, Tamerlano, Rodelinda, Teseo, Pastor fido* und *Amadigi*.
Einigen Arien sind englische Übersetzungen der Texte von Henry Carey beigefügt.
Der Band wurde Alexander Chocke vom Schatzamt gewidmet, der auf 28 Exemplare von Band I und 48 Exemplare von Band II subskribiert hatte.
Das Verzeichnis der Subskribenten („Persons of Quality, Gentry and others, who are Subscribers to and Encouragers of this New Method of Engraving and Printing Musick in Pocket Volumes") nennt 390 Namen für 950 Exemplare, darunter Dr. Arbuthnot, Johann Sigismund Cousser (Dublin), Henry Carey, William Freeman, John Ernest Galliard, Henry Harrington sen., John Hare jun., Charles Jennens, Mrs. Elizabeth Legh (Adlington Hall, Cheshire), James Miller, der Music Club in Cambridge, Walter Powell (Oxford), John Rich, der Herzog und die Herzogin von Richmond.

1725 (I)
John Walsh und John und Joseph Hare veröffentlichen *Six Overtures for Violins in all their Parts as they were perform'd at the Kings Theatre in the Operas of Floridant Flavius Otho Radamistus Muzio Scaevola Acis*

& Galatea the 2^d Collection. ... sowie *Six Overtures for Violins in all their Parts as they were perform'd at the Kings Theatre in the Operas of Theseus Amadis Pastor Fido The Pastoral The Water Musick Julius Caesar the 3^d Collection. ...*

– In die nächste Auflage der dritten Sammlung (1727) wurde *Admetus* anstelle von *Acis and Galatea* aufgenommen.
(Smith 1960, 289 f.)

1725 (II)
John Walsh und Joseph Hare veröffentlichen unter dem Titel *Solos for a German Flute a Hoboy or Violin with a Thorough Bass for the Harpsicord or Bass Violin Being all Choice pieces Compos'd by Mr Handel Curiously fitted to the German Flute. Part ye 3^d* Stücke aus den Opern *Ottone, Flavio, Radamisto, Giulio Cesare* und *Rodelinda*. Nach den anonym erschienenen Teilen I und II wird Händels Name vom dritten Teil an genannt. Spätere Ausgaben erschienen auch unter anderen Titeln (*Sonatas or Chamber Aires for a Violin and Bass...* oder *Sonatas or Chamber Aires for a German Flute Violin or Harpsicord...*).
(Smith 1960, 305 ff.)

1725 (III)
[Daniel Defoe], Tour thro' the whole Island of Great Britain ... by a Gentleman, London 1725

... Near this Town [Edgware] ... the present Duke of Chandos has built a most Magnificent Palace or Mansion House, I might say, the most Magnificent in England. ...
This Palace is so Beautiful in its Situation, so Lofty, so Majestick the Appearance of it, that a Pen can but ill describe it, the Pencil not much better. ...
... The Plaistering and Guilding is done by the Famous Pargotti an Italian. ... The great Salon or Hall, is painted by Paolucci. ... Nor is the Splendor which the present Duke lives in at this Place, at all beneath what such a Building calls for. ...
It is vain to attempt to describe the Beauties of this Building at Cannons. ...
... Cannons had not been three Years in the Duke's Possession, before we saw this Prodigy rise out of the Ground. ...
The inside of this House is as Glorious, as the outside is Fine ... the Chapel is a Singularity, not only in its Building, and the Beauty of its Workmanship, but in this also, that the Duke maintains there a full Choir, and has the Worship perform'd there with the Best Musick, after the manner of the Chappel Royal, which is not done in any other Noble Man's Chappel in Britain; no not the Prince of Wales's, though Heir Apparent to the Crown.
Nor is the Chapel only Furnish'd with such excellent Musick, but the Duke has a Set of them to entertain him every Day at Dinner. ... Two things

extreamly add to the Beauty of this House, namely, the Chapel, and the Library. ...
Here are continually maintained ... not less than One Hundred and Twenty in Family... every Servant in the House is made easy, and his Life comfortable.   [Bd. II, S. 8 ff.]

– Defoe geht auf John Macky, *A Journey through England* (London 1722), zurück. Er besuchte Cannons zur Zeit der Heirat des ältesten Sohnes, des Marquis von Carnarvon (1703–1727), die am 1. September 1724 gefeiert wurde.

1725 (IV)
Johann Mattheson, Critica Musica, Hamburg 1725

1.
Was treibet mich zu tichten an?
    Und was erreget meine Sinnen?
Bist du es / Weltberühmter Mann?
    Bist du es / Preiß der Pierinnen?
Des Kunst und seltne Trefflichkeit
    Aus diesem Winckel Teutscher Erden /
    Damit du mögst bewundert werden /
Mich reitzet so viel Meilen weit /
    Nach deinem Hamburg hinzuschwingen /
    Und dich auch einmahl zu besingen.

2.
So weit geht der Gedancken Flug:
    Was aber gleichet deinen Schrifften?
Die gantze Welt spricht: daß ihr Druck
    Dir muß ein ewig Denckmahl stifften.
Der Teutschen und der Britten Land /
    Der Dähnen Reich / der kalte Norden
Sind voll von deinem Lobe worden /
Wem ist nicht Mattheson bekannt /
    Durch den zu jedermanns Vergnügen
    Der Musen Thon-Kunst ist gestiegen.
...

4.
Was Kayser und ein Händel setzt
    In so viel hundert Meister-Stücken /
Wodurch uns Telemann ergötzt
    Wenn Er will das Gehör entzücken /
Das legest du / zum Unterricht /
    In wohlgegründten Sätz und Schlüssen /
    So dir aus deiner Feder fliessen /
Vollkomner Mann / ans Tagelicht:
    Das weißt du aber auch zu lehren
    Die / welche dich selbst können hören.
...

Dieses setzte aus schuldigstem Respect
Seinem Freunde zu Ehren
Gottfried Ephraim Scheibel. Wr.Sil.
                                    [ohne Seitenzahl]

Ich will dir den Mutium Scaevolam vorhalten: du weist wer ihn componirt hat. Da findest du eine schöne Melodie / vieleicht von einer fremden Fe-

der / auf welcher die damals unter Händen gewesene Worte sich etwa nicht anders haben passen wollen / als daß man das adjectivum von seinem Substantivo, mittelst einer merklichen Pause / und mit Zuthuung einer förmlichen Cadenz / hat absondern müssen. Care gioie sind die Wörter / welchen dieses Unrecht wiederfahren / in einer Aria / die mit dem Worte Spero anfängt. Denke weiter nach. Ich schone / wie gesagt / der Personen; sonst sollte es an keinen Exempeln bey allen fehlen.
                                    [Bd. II, S. 21]

Vgl. 23. März 1721

Ein anders aus London / vom 29 Oct. A. St. 1724. Die allerneuste / von dem Weltberühmten Herrn Capellmeister Händel verfertigte Opera heisset: Tamerlanes, und soll den 11 Nov. auf dem hiesigen Heumarktischen Schau-Platz zum ersten mal vorgestellet werden.   [Bd. II, S. 29]
Vgl. 17. Oktober 1724 und 27. September 1725

Unnöthig ist es / die practicos von der Bibliothek auszuschliessen / weil sie den theoreticis gar keinen Schaden / sondern vielmehr die Ehre bringen / daß jene derselben Vorschrifften gefolget sind. Unbillig aber ist es / so viele vortreffliche Leute / samt ihren Namen und öffentlich-gedruckten Werken / der ewigen Vergessenheit zu übergeben / aus Ursachen / weil ihre Arbeit nun nicht mehr Mode ist: denn eben diese Ursache kann ich auch von den alten theoreticis in den meisten Stücken / geben / ja / es ist aus manchem practico antiquo mehr zu fassen / als aus dem besten theoretico contemporaneo. Wenigstens verdienet die verschiedene Art und Weise zu componiren eine genauere Aufmerksamkeit / gibt auch mehr Licht in der Historie / als alle mangelhaffte Beschreibungen / praecepta trivialia, millies recocta. Die berühmtesten Musici in der Welt sind practici gewesen: in den Bibliothecis, Hispana, Sicula &c. machen sie auch wahrlich den grössesten numerum aus / wenn man sie recht einsiehet: ey warum solten sie denn nicht ihren Platz in einer Bibliotheca musica behaupten? der den Correlli einer Ehren-Säule würdig schätzt / wird ihm auch leicht ein Räumlein auf seinem Bücher-Borte gönnen. Keiser / Händel / Teleman etc. haben noch bisher für unnöthig erachtet / speculationes drukken zu lassen / und ich setze den Fall / sie erachteten es noch ferner für unnöthig / weil ihnen die reiche praxis besser anstehet: wer wolte diese grosse Männer deswegen nicht mit in seine Bibliotheck setzen / da sie doch mit öffentlichen / ansehnlichen / Zeugnissen ihrer virtù prangen / und ihre Namen dadurch würcklich verewiget haben? Ich versichere inzwischen von jedem derselben / ja von den meisten obangeführten / wo nicht mehr / doch wenigstens so viel zu melden / als z. E. in der Bibliotheca Barberina von dem besten darin genannten Auctore zu finden ist. Und das kann genug seyn.   [Bd. II, S. 115 f.]

Nebst dieser Grabschrifft führet unser voyageur noch eine andre an / von dem Doctore Blow, als dem Lehrmeister des Purcels, und sagt ausdrücklich: er habe damit beweisen wollen / daß Purcel kein Franzose; sondern ein Engländer gewesen. Dieses Argument schliesset eben so / als wenn ich sagte: Hurlebusch hat in Italien die Composition gelernet; derohalben ist er kein Braunschweiger. Oder / Händel hat ein Te Deum in Engländischer Sprache verfertiget; ergo ist er kein Häller. Oder / der Admiral Tordenschild ist zu Hannover begraben / darum kan er kein Däne seyn. Argumenta, a Schola & a Sepultura desumta, non probant veram Patriam.   [Bd. II, S. 148 f.]

Wir Teutschen nur haben solchen närrischen Ekel vor unserm Vaterlande / daß es gleich / als ein besondrer Ehrentitel / da stehen muß / wenn etwa einer von unsern Landsleuten das Glück oder Unglück gehabt hat / wieder Wissen und Willen / zu Rom in der Wiegen zu liegen. Andre Völcker erweisen ihrem Vaterlande mehr Ehre. Pourcel, (so schreibt ihn mein Gegner / und ich glaube es sey recht) ist ein Französischer / oder Niederländischer / Name. Ein Engländer kan ihn so nicht aussprechen / er sage denn Paurcel: darum haben sie auch Purcel daraus gemacht / so wie aus Hendel Händel.   [Bd. II, S. 149]

Was sonsten noch für Anmerkungen vorkommen / als daß auf der St. Magnus-Orgel in London so genannte schwellende Register zu finden / deren Ton immer stärker wird / je länger man ihn aushält; daß Herr Robinson / der Organist besagter Magnus-Kirche / für den besten durch ganz England gehalten wird; daß Händel / beym Abgang des Pedals / mit einem Stück Bley die tiefen Claves im Manual beleget &c. ist mitzunehmen / und theils sehr bekannt.   [Bd. II, S. 150]

XVIII.
Im vorigen Stücke hat man nun des Herrn Fuxens endliche Meynung gesehen: denn weiter ist nichts erfolget. Der Herr Capellmeister Händel aber singt aus einem ganz andern Ton, in folgendem galanten Briefe:
Hochgeehrter Herr,
Sie haben mich, durch ihr Schreiben vom 21. dieses, so verbindlich genöthiget, ihnen, auf die beyden angetragenen Stücke, ein völligers Genügen zu leisten, als in meinen vorigen geschehen, daß ich nicht umhin kan hiemit zu erklären, wie sich meine Meinung überhaupt mit der ihrigen vergleiche in demjenigen, was Sie, wegen der Solmisation und Griechischen Modorum, in ihrem Buche so wohl ausgeführet und bewiesen haben. Die Frage kömt, wo mir recht ist, hauptsächlich hierauf an: ob man eine leichtere und vollkommenere Lehr-Art einer andern vorziehen soll, die mit vielen Schwürigkeiten vergesellschafftet und so beschaffen ist, daß sie nicht nur die musicalischen Scholaren sehr abschreckt; sondern eine Verschwendung der kostbaren Zeit verursachet, welche man viel besser anwenden kan, diese Kunst zu ergründen, und seine natürliche Gaben, mit allem Fleiß, auszuüben? Ich will nun zwar nicht sagen, daß man gar keinen Nutzen aus der so genannten Solmisation haben könne; weil wir aber eben denselben Vortheil, in viel kürzerer Zeit, durch diejenige bequeme Lehr-Art, der man sich itzo mit so vielem Fortgange bedienet, erhalten mögen, so kan ich nicht absehen, warum man nicht einen Weg wehlen sollte, der uns viel leichter und geschwinder, als ein andrer, zum vorgesetzten Ziele führet? Was die Griechischen Modos betrifft, so finde ich, daß M H Hr. davon alles gesagt hat, was nur zu sagen ist. Ihre Erkäntniß ist ohne Zweifel denen nöthig, welche die alte Music treiben und aufführen wollen, die ehmals nach solchen Modis gesetzet worden ist; weil man sich aber von den engen Schrancken der alten Music nunmehro befreyet hat, so kan ich nicht absehen, welchen Nutzen die Griechischen Modi in der heutigen Music haben. Das sind so meine Gedancken hierüber, und wird mir M Hr. einen Gefallen thun, wenn er mir meldet, ob sie mit demjenigen überein stimmen, so von mir verlanget worden.
Anlangend das andre Stück, so können Sie selber leicht urtheilen, daß viel Sammlens dazu erfordert werde, wozu ich itzo, bey vorhabenden dringenden Geschäfften, unmöglich Rath zu schaffen weiß. So bald ich mich aber ein wenig heraus gewickelt habe, will ich mich auf die merckwürdigsten Zeiten und Vorfälle, so ich in meiner Profession erlebet habe, wiederum besinnen, um Ihnen dadurch zu zeigen, daß ich die Ehre habe mit sonderbarer Hochachtung zu seyn
Meines Hochgeehrten Herrn
gehorsamst-ergebner Diener.
Georg Friederich Händel.
London den 24. Febr. 1709.

XIX.
Dieses werthe Schreiben, darin so viel Wahrheit, als Vernunfft, zu finden, erhielt ich den 14. Merz 1719. und beantwortete es mit grossem Vergnügen noch eben denselben Post-Abend. Wir sehen hieraus den ungezwungenen Beyfall eines der grössesten Capellmeister in der Welt, der, nebst seiner ungemeinen musicalischen Wissenschafft, gar feine andre Studia hat, verschiedene Sprachen in höchster Vollenkommenheit besitzet, die Welt, und absonderlich die musicalische in Italien, trefflich kennet, und also gar wohl weiß, wie die Schlacken vom Golde zu unterscheiden sind. Wir sehen ferner hieraus, daß sich derselbe so günstig

erbietet, seinen Antheil zur Ehren-Pforte beyzutragen, und verspricht, so bald er nur, von damaliger Einrichtung der Music-Academie, ein wenig Zeit gewinnet, an der Beschreibung seines Lebens (welches gewiß voller Ehre und Belohnung, und eines der rühmlichsten seyn muß,) zu arbeiten; ungeachtet uns diese Hoffnung nun schon über 6. Jahr vergebens geschmeichelt hat: wiewohl endlich zu vermuthen stehet, daß der vortreffliche Mann sich, bey Erblickung dieser Arbeit, vielleicht seiner Zusage erinnern, und durch deren Erfüllung andere anfrischen, werde.

[Bd. II, S. 209 ff.]

– Mattheson gibt Händels Brief im französischen Original (vgl. 24. Februar 1719) neben seiner deutschen Übersetzung wieder.

Johann Joseph Fux lehnt es in seinem Brief vom 4. Dezember 1717 (Bd. II, S. 185 ff.) ab, eine Autobiographie für die *Ehrenpforte* zu schreiben.

Im zweiten Band der *Critica Musica* (S. 1 ff. und 33 ff.) veröffentlichte Mattheson kritische Bemerkungen über die (Händel zugeschriebene) Johannes-Passion.

(Chrysander, I, 90 ff.)

1726

8. Januar 1726
Mist's Weekly Journal

This Day is published the Pocket Volume of Opera Songs. By Peter Frazer.

– Der Titel dieser Ausgabe lautet: *The Delightfull Musical Companion for Gentlemen and Ladies Being a Choice Collection out of All the latest Operas Composed by Mr. Handel, Sig. Bononcini, Sig. Attilio, &c. Vol. I. Curiously engraven for ye Publisher Peter Frazer.* ... Möglicherweise kam das Werk erst später heraus, denn im *Daily Journal* vom 26. Februar und 2. März heißt es noch: „This Day is published ...". Gleichzeitig wird Band II angekündigt: „The Second Volume, which will contain all the remaining Favourite Songs out of Rodelinda, Julius Caesar, &c. with what may be Favourite Songs this Season, Faustinas (when she comes over), some never in opera's and particularly new ...".

Band I enthält 21 Nummern aus Händels Opern *Ottone, Giulio Cesare, Tamerlano, Flavio, Muzio Scevola, Rodelinda, Radamisto* und *Floridante.* Band II ist offensichtlich nicht erschienen.

(Smith 1960, 173)

15. Januar 1726
Elisa (Text: Niccolò Francesco Haym, Musik: wahrscheinlich Nicola Porpora) wird am Haymarket Theatre aufgeführt.

– John Walsh und Joseph Hare veröffentlichten eine Auswahl von sechs Arien aus *Elisa* (darunter keine von Händel) zusammen mit vier Arien und einem Duett aus *Rodelinda.*

(Smith 1960, 62 f.)

16. Januar 1726
In der Royal Chapel, St. James's, findet ein Dankgottesdienst in Anwesenheit des Königs statt anläßlich dessen Rückkehr aus Hannover am 9. Januar.

– Keiner der Berichte in den Tageszeitungen enthält Hinweise auf Musik, doch wurde vermutlich ein Te Deum von Händel aufgeführt: Zusätzlich mitwirkende Instrumentalisten erhielten £ 18.18.0 für zwei Proben und die Aufführung, Mr. Smith erhielt £ 8.13.0 für Partitur und Stimmen des Te Deum (Public Record Office: L. C. 5/158, 426, 435).

(Burrows 1981, I, 247)

8. Februar 1726
Ottone wird im Haymarket Theatre neu aufgeführt.

– Offensichtlich war die erste Aufführung für den 5. Februar vorgesehen. Colman notierte: „Feb. 5. Ottone. revived Do ye 8th & so on untill Mar. 12th", fügte aber hinzu: „given out but not performed till the 8th" (Sasse 1959, 216).

Wiederholungen: 12., 15., 19., 22., 26. und 28. Februar, 5. und 8. März.

Die am 1. März fällige Aufführung wurde wegen des Geburtstages des Prinzen von Wales (29. Februar) auf den 28. Februar vorverlegt.

Für die Partien von Gismonda, Adelberto und Matilda gab es neue Sänger; es ist nicht bekannt, wie diese Partien auf Antonio Baldi (Alt), Anna Dotti (Alt) und Livia Costantini (Mezzosopran) verteilt waren.

(Burney, II, 733)

Vgl. 12. Januar 1723

2. März 1726
Händel beendet die Oper *Scipione.*

Eintrag in der autographen Partitur (R. M. 20. c. 6.): „Fine dell' Opera G F H March 2 1726."

12. März 1726
Scipione wird im Haymarket Theatre zum erstenmal aufgeführt.

– Eine Ankündigung in den Londoner Zeitungen ist nicht nachweisbar. Im *Colman-Register* ist vermerkt: „Mar. 12th Scipio. a new Opera Do ye 15th to Apr. 30th". Burney (II, 734) nennt ebenfalls dieses Datum, „according to the newspapers, the most indisputable authority in such matters".

Rollis Text basiert auf Apostolo Zenos *Scipione nelle Spagne* (Loewenberg, Sp. 154). Das Exemplar des gedruckten Textbuchs in der Library of Congress war das Handexemplar Georgs I.

Wiederholungen: 15., 19., 22., 26. und 29. März, 2., 12., 16., 19., 23., 26. und 30. April.
Besetzung:
P. C. Scipione – Antonio Baldi, Alt
Lucejo – Senesino, Mezzosopran
C. Lelio – Luigi Antinori, Tenor
Ernando – Giuseppe Maria Boschi, Baß
Berenice – Francesca Cuzzoni, Sopran
Armira – Livia Costantini, Mezzosopran
Neu im Ensemble war Luigi Antinori. Baldi blieb nur bis 1728.
(Händel-Hdb., I, 261)

(März) 1726
John Walsh und Joseph Hare veröffentlichen *The Quarterly Collection of Vocal Musick, Containing The Choicest Songs for the last Three Months, namely January, February & March, being the 'Additional Songs' in Otho.*
(Smith 1960, 44)
Vgl. 8. Februar 1726

11. April 1726
Händel beendet die Oper *Alessandro.*
Eintrag in der autographen Partitur (R. M. 20. a. 5.): „Fine dell'Opera li 11 d'aprile 1726."

29. April 1726
Wilhelm Willers, Bemerkungen über Theater Vorfälle

April, 29. fing Gumbrecht mit der Oper Julius Cesar an.
(Merbach, 362)
Vgl. 21. November 1725

– Gumprecht war seit 1718 Direktor der Hamburger Oper.

5. Mai 1726
Händels *Alessandro* wird am Haymarket Theatre zum erstenmal aufgeführt.

– Eine Anzeige in den Londoner Zeitungen ist nicht nachweisbar. Das Libretto von Paolo Antonio Rolli ist eine Bearbeitung von *La Superbia d'Alessandro* von Ortensio Mauro. Im gedruckten Textbuch („Printed and sold at the King's Theatre") wird Händel als Komponist genannt.
Wiederholungen: 7., 10., 12., 14., 17., 19., 21., 24., 26. und 31. Mai, 4. und 7. Juni.
Elf Aufführungen einer Oper innerhalb eines Monats waren außergewöhnlich.
Vgl. 8. Februar 1753
Besetzung:
Alessandro – Senesino, Mezzosopran
Rossana – Faustina Bordoni, Mezzosopran
Lisaura – Francesca Cuzzoni, Sopran
Tassile – Antonio Baldi, Alt
Clito – Giuseppe Maria Boschi, Baß

Leonato – Luigi Antinori, Tenor
Cleone – Anna Dotti, Alt
Zum erstenmal sangen Senesino, Faustina Bordoni und Francesca Cuzzoni auf der Londoner Bühne gemeinsam. Faustina Bordoni, etwa im gleichen Alter wie die Cuzzoni, aber viel attraktiver, kam aus Wien und erhielt wie die Cuzzoni und Senesino 2 000 £ jährlich. Die Bemühungen der Akademie, sie zu engagieren (vgl. 30. März 1723), hatten im Sommer 1725 Erfolg, Faustina, die zunächst 2 500 £ jährlich gefordert hatte (vgl. 31. August 1725), traf aber erst im Frühjahr 1726 in London ein. Das satirische Gedicht *Faustina: or the Roman Songstress, a satyr, on the luxury and effeminacy of the Age* von Henry Carey (Chrysander, II, 151), spricht von „hundreds twenty five a year".
Über Händels Bemühen, die besonderen Fähigkeiten der beiden Sängerinnen möglichst vorteilhaft einzusetzen, berichtet Hawkins (1776): „So wie Händel bemüht war, die Geschicklichkeiten der Cuzzoni durch die Arien, welche er für sie verfertigte, in das vortheilhafteste Licht zu setzen, so machte er es nun mit den Geschicklichkeiten der Faustina. Da diese beyden Sängerinnen nun so verschiedene Talente hatten, so glaubten die Direktoren der Oper, es würde einen angenehmen Contrast machen, sie beyde auf dem nämlichen Theater zu behalten. Händels Absicht aber war, sich der Cuzzoni zu entledigen. Die Stadt aber fieng kaum an, einen Geschmack an ihren beyderseitigen und von einander so verschiedenen Talenten zu bekommen, als sie sie zu vergleichen, und zu entscheiden suchte, welcher von beyden der größte theatralische Beyfall gebühre."
(Forkel 1778, II, 214)

15. Mai 1726 (I)
Wilhelm Willers, Bemerkungen über Theater Vorfälle

May 15. zum erstenmahl Otto.
(Merbach, 362)

15. Mai 1726 (II)
Johann Mattheson, Hamburger Opernverzeichnis

204. Otto, König in Teutschland. Music vom Hn. Händel. Übersetzung vom Hn. Glauche, Rev. Min. Cand.
(Mattheson 1728, 194. Chrysander 1877, Sp. 250)

– Hayms Text war von Johann Georg Glauche übersetzt und die Musik von Telemann bearbeitet worden. Die Arien wurden italienisch gesungen, zehn hatte Telemann neu komponiert. Die Oper wurde viermal im Jahre 1726 und je einmal 1727 und 1729 aufgeführt.
(Lynch)

27. Mai 1726 (I)
The Daily Post

This Day is publish'd, and delivered to the Subscribers. The whole Opera of Scipio in Score,
Composed by Mr. Handel. Price 18 s. Those
Gentlemen and Ladies who are willing to subscribe to the opera of Alexander are desired to be
speedy in sending in their Names and first pay-
ments to J. Cluer in Bow Church-yard, B. Creake at
the Bible in Jermyn-street, St. James, or Christopher Smith in Meard's Court, Soho.

27. Mai 1726 (II)
**Verzeichnis der Subskribenten in der Partitur von
Scipione (Auswahl)**

Dr. Arbuthnot, Mr. Cook at New York, J. S. Cousser
at Dublin, Henry Carey, William Freeman of Hamels, J. G. Gumprecht at Hamburg, Henry Harrington, Nuburgh Hamilton, Mr. Hare 6 Books, Mr. Jennens, Mrs. Eliz. Legh of Adlington, James Miller,
Philarmonica Club, John Rich, Mr. Robinson (Organist), Sgr. Sandoni 6 Books, Mrs. Wiedeman, and
Mr. Zollman of Stockholm.
Vgl. 6. Mai 1725 (II)

– Insgesamt bestellten 58 Subskribenten 80 Exemplare. Mrs. Wiedeman ist wahrscheinlich die Frau
des Flötisten Carl Friedrich Weidemann, der später
selbst auf sechs Werke Händels subskribierte.

13. Juni 1726
The Daily Courant

The Indisposition of Signior Senessino having
hindered the Performance of the Opera [*Alessandro*] last Saturday Night [11. Juni], any Person that
had Tickets for that Night, will have their Money
returned at the Office on the Delivery of their
Tickets.
(Theatrical Register)

– Mit der Aufführung am 11. Juni sollte die Saison
ursprünglich beendet werden.
Senesino verließ England (Sasse 1959, 216) und
trat erst am 7. Januar 1727 wieder im Haymarket
Theatre auf.

6. August 1726 (I)
John Cluer und Bezaleel Creake kündigen im *Lon-
don Journal* „The whole opera of Alexander in
Score" an.

– Nach *Giulio Cesare, Tamerlano, Rodelinda* und
Scipione war dies die fünfte der von Cluer
gestochenen und verkauften Händel-Partituren.
Seit dem 4. August 1726 erschienen bei Benjamin
Cooke und John Walsh Ausgaben mit Arien aus
Alessandro, meist mit dem Vermerk „Sold at the
Music-Shops".
(Smith 1960, 13 f.)

6. August 1726 (II)
**Verzeichnis der Subskribenten in der Partitur von
Alessandro (Auswahl)**

Dr. Arbuthnot, Francis Brerewood, Mr. Cousser at
Dublin, Mr. Cook at New York, Henry Carey, Wil-
liam Freeman, Mr. Gumprecht at Hamburg, Henry
Harrington, Mr. Hare 18 Books, Mr. Jennens,
Mr. Loeillet, Mrs. Elizabeth Legh of Adlington,
James Miller, Philarmonica Club, John Rich,
Mr. Robinson (Organist), Mr. Sandoni, Mr. Wiede-
man, Mr. Zollman (of Stockholm).
Vgl. 27. Mai 1726 (II)

– Insgesamt bestellten 80 Subskribenten 106 Exemplare. Burney (II, 739) bemerkt: „It is remarkable that the subscribers to this excellent opera,
finely engraved and published by the author, did
not amount to a hundred and twenty; and that
among these not above two or three of the directors of the Royal Academy, or hardly any other
great personages appear in the list, though the
publication preceded the quarrell with the nobility, a considerable time!"
Vgl. 15. März 1748
Zwei Arien aus *Alessandro*, „Pupille amate" und
„Dica il falso", enthält auch *The Quarterly Collection
of Vocal Musick, Containing The Choicest Songs for the
last Three Months October November & December being
the Additional Songs in Elpidia Compos'd by several of
the most Eminent Authors*, John Walsh und Joseph
Hare, 1726.
(Smith 1960, 15)

28. September 1726
Das Haymarket Theatre eröffnet die neue Spielzeit mit Gastspielen einer italienischen Schauspieltruppe.

– Die Truppe spielte an zwölf Abenden im September und Oktober. Sie stand unter dem Schutz
der Herzöge von Montague (vgl. 29. Dezember
1720) und Richmond. Zum erstenmal seit Bestehen der Royal Academy gastierte ein fremdes Ensemble in diesem Haus.
Der Herzog von Richmond wurde in diesem Jahr
stellvertretender Gouverneur (vgl. 17. Dezember
1726).
(Kelly, II, 351; Chrysander, II, 149 f.)

3. Oktober 1726
Giuseppe Riva an Ludovico Antonio Muratori

Kensington, 3. Ottobre 1726
Sarà inutile ogni mio desiderio di ubbidirla sull'af-
fare dell' opera che V. S. Ill.ª mi dice dover misi
spedire per la posta, perchè i maestri di musica
hanno già scelti i libretti per la prossima stagione e
già son applicati al lavoro. Per un altr'anno sarà
pure difficile di farla accettare perchè l'Accademia
ha il proprio poeta e le opere che vengono d'Italia

non possono servire per questo teatro. Bisogna riformarle o per meglio dire difformarle per renderle in istato da incontrar favore. Pochi versi di recitativo e molte arie qui vogliono e questa è la ragione che alcune delle migliori opere del Sig.ʳ Apostolo [Zeno] non si sono mai potuto fare e che le due bellissime del Metastasio, cioè la Didone ed il Siroe, hanno dovuto correre la medesima sorte. Qui per altro vi sono più poeti che non bisogna. Oltre quello dell'Accademia vi è il Rolli ed un tal Brillanti Pistoiese che fa assai bene e tutti gli altri restano oziosi, onde il viaggio dell'amico suo sarebbe dispendioso ed inutile.
(Biblioteca Estense, Modena: Archivio Soli Muratori. Sola, 297 f.; Streatfeild 1917, 433 ff.)
Vgl. 7. September 1725

– Metastasios *Didone abbandonata* wurde 1724 von Domenico Sarri für Neapel und 1726 von Leonardo Vinci für Rom vertont, sein *Siroe, rè di Persia* 1726 von Vinci für Venedig. Händel führte *Didone abbadonata* 1737 als Pasticcio auf; die Partiturabschrift Add. MSS. 31607 in der British Library enthält die von ihm neu komponierten Recitative.
Vgl. 17. Februar 1728 und 13. April 1737
„Brillanti" konnte nicht identifiziert werden; es könnte ein Spottname sein.

21. Oktober 1726
John Walsh und Joseph Hare kündigen in der *Daily Post* „Alexander for a Flute The Ariets with their Symphonys for a single Flute and the Duet for two Flutes ..." an.

– Auf der Titelseite dieser nicht autorisierten Ausgabe wird *Scipio for a Flute* angezeigt.
(Smith 1960, 15)

10. November 1726
Händel vollendet die Oper *Admeto*.

– Von Admeto ist keine autographe Partitur erhalten. Das Vollendungsdatum steht in Jennens' Partiturabschrift (Newman Flower Handel Collection, Manchester) und wurde von diesem auch in sein Exemplar von Mainwarings Händelbiographie eingetragen (Dean 1972, 162).

11. November 1726
Ankündigung von John Walsh und Joseph Hare in der *Daily Post*: „Apollo's Feast or The Harmony of yᵉ Opera Stage being a well-chosen Collection of the Favourite & most Celebrated Songs out of the latest Opera's Compos'd by Mʳ Handel ... Containing 231 Plates."

– Dies war der erste einer Serie von fünf Bänden, die (in verschiedenen Auflagen) 1726 bis ca. 1762 veröffentlicht wurden. Für die Reihe fanden Stichplatten Verwendung, die zuvor für die Einzelausgaben der Opern benutzt worden waren.

Am gleichen Tag zeigten Walsh und Hare in der *Daily Post* an: „2ᵈ Book Apollo's Feast or The Harmony of the Opera Stage being a well-chosen Collection of the Favourite & most Celebrated Songs out of the latest Operas Compos'd by Bononcini, Attilio & other Authors ... Book the Second." Dieser Band enthält kein Werk Händels und wurde ca. 1734 von Walsh durch eine andere Ausgabe ersetzt, die ausschließlich Kompositionen von Händel enthielt.
(Smith 1960, 161 ff.)

[18. November] 1726
Johann Mattheson, Hamburger Opernverzeichnis

Alexander, etwas von dem No. 64 befindlichen durch Hn. Wend verändert und mit neuen Italiänischen Arien versehen vom Hn. Händel.
(Mattheson 1728, 194; Chrysander 1877, Sp. 250; Chrysander, II, 148)

– Unter Nr. 64 verzeichnete Mattheson Agostino Steffanis *La Superbia d'Alessandro*, zum erstenmal 1695 in Hamburg in der deutschen Übersetzung Gottlieb Fiedlers als *Der hochmüthige Alexander* aufgeführt. Das Libretto von 1726 vermerkt: „Die Music ist von dem berühmten Hn. Capell-Meister Hendel." Willers notierte nur „Nov. 18. zum erstenmahl Alexander (Steffani)" (Merbach, 362). Die Oper wurde teils deutsch, teils italienisch gesungen.
Gumprecht, der Leiter der Hamburger Oper, zählte zu den Subskribenten auf die am 6. August 1726 erschienene Ausgabe von Händels *Alessandro*.

19. November 1726
John Cluer und Bezaleel Creake zeigen im *London Journal* „Handel's Operas of Julius Caesar, Tamerlane, Rodelinda, Scipio and Alexander in Score and for the Flute" an.

– Von den Ausgaben von *Alessandro, Rodelinda* und *Scipio* für Flöte sind keine Exemplare bekannt; vielleicht sind die angekündigten Ausgaben nicht erschienen. Am 8. Januar 1734 zeigt Cluers Nachfolger Thomas Cobb in der *St. James's Evening Post* „Alexander and other Handel Operas in Score and for the Flute" an.

19. November 1726
Prolog, vorgetragen von Mrs. Younger zur Aufführung der Oper *Camilla* im Theatre in Lincoln's Inn Fields

... Ye British Fair, vouchsafe us your Applause,
And smile, propitious, on our English Cause;
While Senesino you expect in vain,
And see your Favours treated with Disdain:
While, 'twixt his Rival Queens, such mutual Hate

Threats hourly Ruin to yon tuneful State.
Permit your Country's Voices to repair,
In some Degree, your Disappointment there:
Here, may that charming Circle Nightly shine;
'Tis Time, when That deserts us, to resign.
(*The London Journal*, 26. November 1726. Burney, II, 741; Chrysander, II, 152)

– Da infolge der Abwesenheit Senesinos und der wachsenden Rivalität der beiden Primadonnen im Haymarket Theatre keine Opernaufführungen der Akademie stattfanden, brachte Rich im Theater in Lincoln's Inn Fields eine Neuaufführung der Oper *Il Trionfo di Camilla* von Antonio Maria Bononcini in der englischen Fassung heraus, die zum erstenmal 1706 in Drury Lane gespielt worden war. Unter den Mitwirkenden waren Mrs. Barbier und Richard Leveridge.
Vgl. Juli 1727

27. November 1726
Mary Pendarves an ihre Schwester Ann Granville

Somerset House, November 27th, 1726.
Last Saturday [26. November] I was at Camilla. … That morning I was entertained with Cuzzoni. Oh how charming! how did I wish for all I love and like to be with me at that instant of time! my senses were ravished with harmony. They say we shall have operas in a fortnight, but I think Madam Sandoni and the Faustina are not perfectly agreed about their parts.
(Delany, I, 125)

– „Madam Sandoni" ist Francesca Cuzzoni.

3. Dezember 1726
Wilhelm Willers, Bemerkungen über Theater Vorfälle

Dec. 3., Julius Cesar waren 3 Leute da, die Comedianten zum letzten mahle gespielt. (Merbach, 362)
Vgl. 29. April 1726

5. Dezember 1726
The Daily Courant

The Governour and Court of Directors of the Royal Academy of Musick do hereby give Notice, That a General Court will be held this Day … in order to Elect a Deputy-Governour and Directors for the Year ensuing.

17. Dezember 1726
List of the Deputy-Governour and Directors of the Royal Academy of Music, chosen last Week:

Duke of Richmond, Deputy-Governour. Earl of Albermale; Earl of Burlington; Hon. James Bruce, Esq.; Hon. Patee Byng, Esq.; Sir John Buckworth, Bart.; Hon. James Brudenell, Esq.; Marquis of Car-

narvon; Earl of Chesterfield; Henry Davenant, Esq.; Charles Edwin, Esq.; Monsieur Fabrice; Sir John Eyles, Bart.; Lord Mayor of London; Lord Viscount Limerick; Duke of Manchester; Earl of Mountrath; Sir Thomas Pendergrass, Bart.; Sir John Rushout, Bart.; James Sandys, Esq.; Major General Wade; Sir William Yonge; Directors.

– Nach Burney (II, 742) wurde das Verzeichnis am 17. Dezember im *Daily Courant* veröffentlicht; es findet sich jedoch weder dort noch in der *Daily Post* oder im *London Journal*. Unter den Namen sind sieben aus dem Verzeichnis der ersten Subskribenten vom Jahre 1719: Burlington, Bruce, Limerick, Manchester, Mountrath, Wade und Yonge. Die Verzeichnisse der Direktoren vom Herbst 1721 bis Herbst 1725 sind nicht bekannt.

1726 (I)
John Walsh und Joseph Hare veröffentlichen *Six Overtures fitted to the Harpsicord or Spinnet viz Rodelinda Otho Floridant Amadis Radamistus Muzio Scaevola being proper pieces for the Improvement of ye hand on the Harpsicord or Spinnet. London M.DCC.XXVI.*

– Das war die erste Ausgabe einer Serie mit 65 Ouvertüren Händels für Cembalo, die von Walsh und Hare, später von Walsh allein in elf Sammlungen 1726–1760 veröffentlicht wurden.
(Smith 1960, 280 ff.)

1726 (II)
Daniel Wright veröffentlicht *Six Overtures fitted to the Harpsicord or Spinnet. viz Rodelinda Otho Floridant Amadis Radamistus Muzio Scaevola being proper pieces to improve the hand.*

– Zwei Jahre später folgten *Six Overtures fitted to the Harpsicord or Spinnet. Viz Julius Caesar. Alexander. Tamerlane. Scipio. Flavius. Theseus. being Proper Pieces to improve the hand. ye 2^d Collection.*
Beides waren Raubdrucke.
(Smith 1960, 287 f.)

1726 (III)
Bei John und William Neale erscheint *A second collection of English aires & minuets, with severall favorite airs out of the late Operas of Otho, Julius Caesar, Vespasian, & Rodelinda; all sett with a bass, being proper for the violin, German flute, harpsicord or spinnet.*
(Smith 1960, 264)

1727

3. Januar 1727
The London Gazette

The Court of Directors of the Royal Academy of Musick have appointed a Call of 5 l. per Cent. which is the 16th Call, to be made payable on all the Subscribers to the said Royal Academy on or

before the 18th Instant: Notice is hereby given, that the Deputy-Treasurer will attend on Monday, Tuesday, and Wednesday, the 16th, 17th, and 18th Instant, at the Office in the Hay-Market, from Nine a-Clock in the Morning till Two in the Afternoon, in order to receive the same.
(Burney, II, 742)

7. Januar 1727
Francis Colman, Opera Register

Senesino being return'd to England – Faustina & Cuzzoni, here Jan^ry 7th Satt^d Lucius Verus by Attilio Ariosti – words & Musick new Op^ra – begins –
(Sasse 1959, 217)

– Mit Ariostis neuer Oper *Lucio Vero* (Text: Apostolo Zeno) wurde die neue Saison eröffnet. Wiederholungen: 10., 14., 17., 21., 24. und 28. Januar.

9. Januar 1727
The Daily Journal

Next Week will be publish'd Twelve Overtures in the Opera's of Camilla, Rinaldo, Thomyris, Hydaspes, Clotilda, Croesus, Rodelinda, Radamistus, Julius Caesar, Mutius Scaevola, Otho and Scipio. This Work is Engraved on Copper Plates, in a much neater Character than that publish'd last Saturday.

– Eine ähnliche Anzeige John Cluers erschien in der *Daily Post* vom 11. Januar mit dem Zusatz „In four Parts for the Use of Consorts" und dem Hinweis „Sold at the Musick Shops in London and Westminster".
(Smith 1960, 303)

17. Januar 1727
The Daily Post

This Day is publish'd ... Four Overtures in Seven Parts ... out of the latest operas, viz. Elpidia, Tamerlane, Scipio and Alexander ... Printed for and sold by Benj. Cooke at the Golden Harp in New Street, Covent Garden.
(Smith 1960, 303f.)

26. Januar 1727
Mary Pendarves an ihre Schwester Ann Granville

January 26th, 1726–7.
Mrs. Legh is transported with joy at living once more in „dear London", and hearing Mr. Handel's opera performed by Faustina, Cuzzoni & Senesino (which was rehearsed yesterday for the first time) that she is out of her senses. ... Miss Legh is fallen in love with the Basilisk, and says he is the most charming man of the world; he happened to commend Handel, and won her heart at once.
(Delany, I, 129)

– Händels neue Oper war *Admeto*. Den Spitznamen „Basilisk" trug Lord Baltimore, ein Verehrer der verwitweten Mrs. Pendarves. Elizabeth Legh, von Adlington Hall bei Macclesfield in Cheshire, galt als eine eifrige Dilettantin und subskribierte auf viele Musikalien. Ihr Bruder, Charles Legh, trat später in freundschaftliche Beziehungen zu Händel (vgl. Januar 1747). Sie starb unverheiratet 1734 und wurde in der Westminster Abbey begraben.
Vgl. 4. Januar 1740

31. Januar 1727 (I)
The Flying Post

On Saturday last [21. Januar], the Directors of the Royal Accademy of Musick had a Meeting, in which it was proposed to desire Signior Bononcini to compose an Opera, the Animosities against that Great Master being worn off; the Minority is like to become the Majority, and at the next Meeting the Directors will resolve, whether they will entertain the Publick with the Compositions of only one, or of several Masters.
Vgl. 23. Mai 1724 und 4. Februar 1727

31. Januar 1727 (II)
The Daily Courant

At the King's Theatre ... this present Tuesday ... will be perform'd a New Opera call'd, Admetus. ... No Subscriber, or any other Person with a Subscriber's Ticket, will be admitted without producing it at the first Bar. ... To begin at Six a-Clock.

– Wiederholungen: 4., 7., 11., 14., 18., 21., 25. und 28. Februar, 4., 7., 11., 14., 18., 21. und 25. März, 4., 15. und 18. April.
Der Text von *Admeto, Re di Tessaglia* wurde wahrscheinlich von Haym nach Aurelio Aurelis *L'Antigona delusa da Alceste* (Venedig 1660, Musik: Pietro Andrea Ziani) bearbeitet. Im Libretto („Printed and sold at the King's Theatre") sind Händel als Komponist und Goupy als Bühnenmaler genannt (vgl. 1724).
Besetzung:
Admeto – Senesino, Mezzosopran
Alceste – Faustina Bordoni, Mezzosopran
Ercole – Giuseppe Maria Boschi, Baß
Orindo – Anna Dotti, Alt
Trasimede – Antonio Baldi, Alt
Antigona – Francesca Cuzzoni, Sopran
Meraspe – Giovanni Battista Palmerini, Baß
Lady Cowper, wie Gräfin Burlington und Robert Walpole eine Verehrerin der Faustina, schrieb in ihr Exemplar des Librettos neben deren Namen „she is the devil of a singer" (Grove, Dictionary, I, 1878, 696). Antonio Baldi trat 1725–1728 in London auf und sang 1726 erstmals in einer Händel-Oper. Palmerini galt als einer der größten Bassi-

sten Italiens. Er war zu Beginn der neuen Spielzeit nach London gekommen und blieb zwei Jahre.

31. Januar 1727 (III)
Francis Colman, Opera Register

Jan^ry 31th Tuesday Admetus. Hendel a new Opera
(Sasse 1959, 217)

4. Februar 1727
The Flying Post

The Directors of the Royal Academy of Musick have resolved, that after the Excellent Opera composed by Mr. Hendel, which is now performing; Signior Attilia shall compose one: And Signior Bononcini is to compose the next after that. Thus, as this Theatre can boast of the three best Voices in Europe, and the best Instruments; so the Town will have the Pleasure of having these three different Stiles of composing: And, as Musick is a part of Mathematicks, and was always both by the Ancient Jews, and the Heathens, in the most Polite Courts, &c. esteemed a very rational and noble Entertainment; this Polite and Rich Nation will by Collecting what is perfect out of various Countries, become the Place where all Travellers will stay to be diverted and instructed in this Science, as well as in all others.
(Malcolm 1808, 342)

– Bononcinis *Astianatte* wurde am 6. Mai, Ariostis *Teuzzone* am 21. Oktober zum erstenmal aufgeführt. Es waren die letzten Opern dieser Komponisten für London.
Vgl. 31. Januar 1727 (I)

13. Februar 1727 (I)
The Raree Show

... And for de Diversions, dat make a de Pleasure,
  For dis Great Town,
Dey be so many, so fine, so pleasant, so cheap
  As never was known;
Here be de Hay-Market, vere de Italien Opera
  Do sweetly sound,
Dat cost a de brave Gentry no more as
  Two hundred thousand Pound.
(Chorus)
A very pretty Fancy, a brave gallante Show;
Juste come from France toute Noveau.
(The British Library, G. 306. (10.); Einzeldruck, 1727 in London ohne Angabe des Verlegers gedruckt)

– Das im Stil eines savoyardischen Guckkastenliedes geschriebene Stück wurde am 13. Februar 1727 von Mr. Salway im Theatre in Lincoln's Inn Fields bei einer Aufführung von *The Rape of Proser-* *pine* (Text: Lewis Theobald, Musik: John Ernest Galliard) gesungen. *The Rape of Proserpine* war eine Mischung von Oper und Pantomime.
Galliard (1680–1749), Oboist und Komponist, Schüler von Farinelli und Steffani, lebte seit ca. 1706 in London, war Kammermusiker des Prinzen Georg von Dänemark, des Gemahls von Königin Anna, und wurde nach Giovanni Battista Draghis Tod dessen Nachfolger als Kapellmeister von Königin Anna in Somerset House. Seit 1717 schrieb er die Musik zu Richs Pantomimen.

13. Februar 1727 (II)
Händel beantragt die Naturalisation als englischer Staatsbürger.

To the Right Honourable The Lords Spiritual and Temporal
in Parliament assembled,
The Humble Petition of George Frideric Handel
Sheweth, –
That your petitioner was born at Hall in Saxony, out of His Majestie's Allegiance, but hath constantly professed the Protestant Religion, and hath given Testimony of his Loyalty and Fidelity to His Majesty and the good of this Kingdom,
Therefore the Petitioner humbly prays, That he may be added to the Bill now pending, entituled 'An Act for Naturalisating Louis Sechehaye'
And your petitioner will ever pray, &c.,
George Frideric Handel.
(Cummings 1914, 64)

– Das Original ist im Record Office des Oberhauses nicht erhalten. Vermutlich wurde es im 19. Jahrhundert entwendet.
Es war üblich, solche Bittschriften einer Bill anzufügen, die bereits für einen anderen Antragsteller eingebracht worden war.
Infolge der falschen Interpretation des britischen Kalenders wurde als Jahr von Händels Naturalisation oft 1726 angegeben.

13. Februar 1727 (III)
Journals of the House of Lords

Hodie I^a vice lecta est Billa, intituled, "An Act for naturalizing Louis Sechehaye.
A Petition of George Frideric Handel, was presented to the House, and read; praying to be added to the Bill, intituled, 'An Act for naturalizing Louis Sechehaye."
It is ordered, That the said Petition do lie on the Table, till the said Bill be read a Second Time.

14. Februar 1727
Journals of the House of Lords

George Frideric Handel took the Oath of Allegiance and Supremacy, in order to his Naturalization.

Ordered, That the Petition of George Frideric Handel, praying to be added to the above-mentioned Bill, which was Yesterday ordered to lie on the Table till the Second Reading thereof, be referred to the said Committee.
(Musical Times, 1. Mai 1901, 313)

17. Februar 1727
Journals of the House of Lords

The Lord Waldegrave reported from the Lords Committee to whom the Bill, intituled, "An Act for naturalizing Louis Sechehay", was committed: "That they had considered the said Bill, and also the Petitions to them referred; and had gone through the Bill, and made some Amendments thereunto."
Which, being read Twice by the Clerk, were agreed to by the House.
(Musical Times, 1. Mai 1901, 313)

– Lord Waldegrave war 1720/21 einer der Akademiedirektoren.

20. Februar 1727 (I)
Journals of the House of Lords

Hodie 3ª vice lecta est Billa, intituled, "An Act for naturalizing Louis Sechehaye."
The Question was put, "Whether this Bill, with the Amendments, shall pass?"
It was Resolved in the Affirmative.
A Message was sent to the House of Commons, by Mr. Kinaston and Mr. Thomas Bennett:
To carry down the said Bill; and acquaint them, that the Lords have agreed, to the same, with some Amendments, whereunto their Lordships desire their Concurrence.
(Musical Times, 1. Mai 1901)

20. Februar 1727 (II)
Journal of the House of Commons

A Message from the Lords, by Mr. Kinaston and Mr. Thomas Bennett.
Mr. Speaker,
The Lords have agreed to the Bill, intituled, An Act for naturalizing Louis Sechehaye, with some Amendments: To which the Lords desire the Concurrence of this House.
And then the Messengers withdrew.
...
The House proceeded to take into Consideration the Amendments, made by the Lords, to the Bill, intituled, An Act for naturalizing Louis Sechehaye:
And the said Amendments were read; and are as follows; viz.
Press 1, Line ... 6. After "Verdun", insert "George Frideric Handel, Son of George Handel, by Dorothy his Wife, born at Hall, in Saxony." ...

L. 17. After "Sechehay", insert "George Frideric Handel, Anthony Fursteneau, and Michael Schlegel" ...
L. 28. [desgl.]
Pr. 2 ... L. 21. [desgl.]
At the End of the Title, add "George Frideric Handel, and others."
The said Amendments, being severally read a Second time, were, upon the Question severally put thereupon, agreed unto the House.
Ordered, That Sir George Caswell do carry the Bill to the Lords, and acquaint them, That this House hath agreed to the Amendments made by their Lordships.

20. Februar 1727 (III)
Journals of the House of Lords

... A Message was brought from the House of Commons, by Sir George Caswell and others:
To return the Bill, intituled, "An Act for naturalizing Louis Sechehaye; and to acquaint this House, that they have agreed to their Lordships Amendments made to the said Bill.
The House was adjourned during Pleasure, to robe.
The House was resumed.
His Majesty, being seated on His Royal Throne ... commanded ... to signify to the Commons, "It is His Majesty's Pleasure, they attend Him immediately, in this House."
... The Clerk of the Crown read the ... Titles of the ... Bills to be passed. ...
"3. An Act for naturalizing Louis Sechehaye, George Frideric Handel, and others."
To these Bills the Royal Assent was severally pronounced, in these Words; (videlicet,)
"Soit fait comme il est desire."
... Mr. Speaker reported, That the House had attended his Majesty in the House of Peers; and that his Majesty had been pleased to give the Royal Assent to One publick and Two private Bills, following; viz.
An Act for naturalizing Louis Sechehaye, George Frideric Handel, and others.

– Die Anordnung des Königs wurde dem Unterhaus durch Mr. Sanderson, Deputy Gentleman Usher of the Black Rod, überbracht. Die Zustimmung zu dieser Bill war eine der letzten Amtshandlungen König Georgs I.

27. Februar 1727
The Craftsman

He is, in short, a Man of undoubted Integrity, of consummate Wisdom, and of exemplary Gravity. He is compos'd and sedate in his Conduct, rigid in his Morals, and tall in his Person; slow in his Speech, yet using many words; and, to conclude all, a Treasurer with clean and empty Hands!

I am persuaded, that every Reader must, by this Time, perceive that I can mean no body, in my Description of the fore-going character, but that very worthy and excellent man Mr. Kiplin, Treasurer to that Honourable Corporation, the Royal Academy of Musick.

– Aus einem Artikel über John Kipling, den Schatzmeister der Royal Academy of Music.

7. März 1727
Händels *Admeto* wird zum Benefiz für Signora Faustina aufgeführt.
(Burney, II, 742)

18. März 1727
The London Gazette

The Court of Directors of the Royal Academy of Musick having ordered a Call of Five per Cent. which is the 17th Call, to be made payable on all the Subscribers to the said Academy on or before the 30th Instant. These are to give Notice, that the Deputy-Treasurer will attend at the Opera-Office in the Hay-Market, on the several Days following, viz. the 28th, 29th, and 30th Instant, from Nine a-Clock in the Morning till Two in the Afternoon, in order to receive the same.

– Nach Burney (II, 747) wurde außerdem eine Generalversammlung für den 17. April einberufen.

18.–25. März 1727
Francis Colman, Opera Register

Mar. 18th [Admeto] perform'd 13 times more wth this day –
    21. Do 25 Do – Sattday, – Settimana Santa
(Sasse 1959, 217)

– Bis zum 4. April wurde wegen der Karwoche keine Oper aufgeführt.

25. März 1727 (I)
The British Journal

To Mr. Handel, on his Admetus.

Hail unexhausted Source of Harmony!
Thou Chief of all Apollo's tuneful Sons,
 In whom the Knowledge of all Magick Numbers,
Or Sound melodious, is concentred!
The Envy, or the Wonder, of Mankind
May terminate, but never can thy Lays:
For, when absorb'd in Elemental Flame,
This World shall vanish, Music will exist;
Then Thine, first of the Rest, shall mount the
                                            Skies,
Where, with its Heav'n born Parent soon commix-
                                            ing,

It breaks through Trumps of Seraphims and An-
                                            gels;
And fills the Heav'n with endless Harmony.

– Dieses Gedicht wurde zuerst anonym veröffentlicht und 1729 leicht verändert in der dritten Ausgabe von Henry Careys *Poems* abgedruckt (vgl. 1729).

25. März 1727 (II)
The British Journal

The Discontented Virgin.
...
VII.
At Leicester Fields I give my Vote
For the fine-piped Cuzzoni;
At Burlington's I change my Note,
Faustina for my Money.
VIII.
Attilio's Musick I despise,
For none can please but Handel;
But the Disputes that hence arise,
I wish and hope may end well.
(Chrysander, II, 161; Ketton, 188; Streatfeild 1909, 99 f.; Clemens, 156)

– Das Gedicht besteht aus zehn Strophen und bezieht sich auf den Streit zwischen den Anhängern der Sängerinnen Faustina und Cuzzoni. Leicester Fields ist wahrscheinlich der Wohnsitz der Gräfin Pembroke, einer Patronin der Cuzzoni. Gräfin Burlington stand auf der Seite von Faustina.

4.–8. April 1727
Francis Colman, Opera Register

Apr. 4. Easter Tuesday, Admetus again, & was declared for Satturday, but Sigra Faustina being taken very ill – no Opera was perform'd.
during all this time the House filled every night fuller than ever was known at any Opera for so long together 16 times
Cuzzoni ill
(Sasse 1959, 217)

– Am 4. April fand die 16. Wiederholung statt. Am 8. und 11. April fielen die Aufführungen aus; die Aufführungen vom 15. und 18. April werden von Colman nicht erwähnt.
Vgl. 1755 (V)

11. und 13. April 1727
Ottone wird wiederaufgeführt.
Vgl. 8. Februar 1726

22. April 1727
John Walsh und Joseph Hare zeigen im *London Journal* an: „Musick, just published, The Overtures in Admetus, Alexander, Scipio, Rodelinda, Tamer-

lane, and Agrippina ... in all their Parts ... The
Fourth Collection."
(Smith 1960, 290f.)

29. April und 2. Mai 1727
Floridante wird wiederaufgeführt.
Vgl. 9. Dezember 1721

Frühjahr 1727
Mary, Countess Pembroke, an Charlotte Clayton

I hope you will forgive the trouble I am going to
give you having always found you on every occasion most obliging. What I have to desire is, that if
you find a convenient opportunity, I wish you
would be so good as to tell her Royal Highness,
that every one who wishes well to Cuzzoni is in
the utmost concern for what happened last Tuesday at the Opera, in the Princess Amelia's presence; but to show their innocence of the disre-
spect which was shown to her Highness, I beg you
will do them the justice to say, that the Cuzzoni
had been publicly told, to complete her disgrace,
she was to be hissed off the stage on Tuesday; she
was in such concern at this, that she had a great
mind not to sing, but I, without knowing anything
that the Princess Amelia would honour the Opera
with her presence, positively ordered her not to
quit the stage, but let them do what they would:
though not heard, to sing on, and not to go off till
it was proper; and she owns now that if she had
not that order she would have quitted the stage
when they cat-called her to such a degree in one
song, that she was not heard one note, which pro-
voked the people that like her so much, that they
were not able to get the better of their resentment,
but would not suffer the Faustina to speak afterwards. I hope her Royal Highness would not dis-
approve of any one preventing the Cuzzoni's being hissed off the stage; but I am in great concern
they did not suffer anything to have happened to
her, rather than to have failed in the high respect
every one ought to pay to a Princess of her Royal
Highness's family; but as they were not the aggres-
sors, I hope that may in some measure excuse
them.
Another thing I beg you would say is, that I, having happened to say that the Directors would have
a message from the King, and that her Royal Highness had told me that his Majesty had said to her,
that if they dismissed Cuzzoni they should not
have the honour of his presence, or what he was
pleased to allow them, some of the Directors have
thought fit to say that they neither should have a
message from the King, and that he did not say
what her Royal Highness did me the honour to
tell me he did. I most humbly ask her Royal Highness's pardon for desiring the Duke of Rutland
(who is one of the chief amongst them for Cuz-

zoni) to do himself the honour to speak of it to
her Royal Highness, and hear what she would be
so gracious to tell him. They have had also a message from the King, in a letter from Mr. Fabrice,
which they have the insolence to dispute, except
the Duke of Rutland, Lord Albemarle, and Sir
Thomas Pendergrass. Lady Walsingham having desired me to let her know how this affair went, I
have written to her this morning, and, at the Duke
of Rutland's desire, have sent an account of what
was done at the Board, for her to give his Majesty.
As I have interested myself for this poor woman,
so I will not leave anything undone that may justify her; and if you will have the goodness to state
this affair to her Royal Highness, whom I hope
will still continue her most gracious protection to
her, I shall be most extremely obliged to you.
(Chrysander, II, 158ff.; Sundon, I, 229ff.)

– Der Brief ist undatiert. Chrysander nimmt an,
daß er im April oder Mai 1727 geschrieben
wurde.
Mary Howe, Gräfin Pembroke, war die dritte Frau
von Thomas, Earl of Pembroke (vgl. 25. März
1727).
Charlotte Clayton, die spätere Viscountess Sundon, war Kammerfrau bei Caroline, der Prinzessin
von Wales, und wurde deren Oberkammerfrau, als
der Prinz von Wales seinem Vater als Georg II. auf
den englischen Thron gefolgt war.
Georg I. und Lady Walsingham, seine illegitime
Tochter, hielten sich zur Zeit wahrscheinlich in
Hannover auf.
Graf Albemarle, Monsieur Fabrice und Sir Thomas Pendergrass gehörten zu den 20 Direktoren
der Royal Academy, die am 5. Dezember 1726 gewählt worden waren; der Herzog von Rutland war
nicht darunter.
Vgl. 6. Juni 1727

6. Mai 1727
Astianatte von Giovanni Bononcini wird im King's
Theatre aufgeführt.

– Den Text schrieb Niccolò Francesco Haym nach
dem Libretto von Antonio Salvi, das 1701 Bononcinis Bruder Antonio Maria vertont hatte. Faustina Bordoni sang die Ermione, Francesca Cuzzoni die Andromaca, Senesino den Pirro. Das
Libretto dieser letzten Londoner Oper von Bononcini war seiner Gönnerin, der Herzogin von
Marlborough, gewidmet.

16. Mai 1727
Händel beendet die Oper *Riccardo Primo*.
Eintrag in der autographen Partitur (R. M. 20.
c. 2.): „Fine dell'Opera G. F. H. May 16. 1727".

20. Mai 1727
The Daily Post

New Music.
Mr. Handel's Opera of Admetus, transposed for
the Flute; the Songs, Symphonies and Overture
connected and fitted for that Instrument in a
proper Manner by the same Hand that transposed
Radamistus.
Also Six Overtures, viz. in Otho, Rodelinda, Elpidia, Tamerlane, Scipio, and Alexander; being Concerto's in 7 Parts for Bases, Violins and Hautboys;
the favourite Songs in those Operas. ...
All printed for and sold by Benjamin Cooke.

– Benjamin Cooke, 1726–1743 Musikverleger „at
the Golden Harp in New Street, Covent Garden",
veröffentlichte das Flötenarrangement von *Admeto*
„by the Authority of the Patentee", d.h. von Cluer,
dessen Partitur-Ausgabe am 24. Juni 1727 heraus-
kam, als Cooke bereits eine zweite Auflage gedruckt hatte (*The Daily Post*, 10. Juni). *Radamisto*
war von einem Mr. Bolton für Flöte bearbeitet
worden (vgl. 2. Oktober 1722).
Von Cookes Ausgabe der sechs Ouvertüren ist
kein Exemplar nachweisbar. Eine Ausgabe mit
vier dieser Ouvertüren war am 17. Januar 1727 von
Cooke angekündigt worden. Die „Most Celebrated
Songs" aus diesen Opern erschienen ohne Verle-
gerangabe mit dem Aufdruck „Sold at the Music-
Shops", der Formel, die Walsh für seine Raubdrucke verwendete.

3. Juni 1727
The London Journal

New Musick just published, Admetus for a
Flute... compos'd by Mr. Handell; 18 Overtures by
the same Author, being Concertos for Violins in
all their Parts, as they are performed at the King's
Theatre in their respective Opera's; also several of
them curiously done for the Harpsicord. ...
Printed and sold by J. Walsh... and J. Hare.

– „Just published" bezieht sich nur auf die Bearbeitung von *Admeto*, die als Konkurrenzausgabe
veröffentlicht wurde (vgl. 20. Mai 1727). Die Ouvertüren zu *Rinaldo, Floridante, Flavio, Ottone, Radamisto, Muzio Scevola, Acis & Galatea, Teseo, Amadigi,
Pastor Fido, Admeto, The Water Music, Giulio Cesare,
Admeto* (2. Ouvertüre), *Alessandro, Scipione, Rodelinda, Tamerlano* und *Agrippina* waren bereits früher erschienen.
(Smith 1960, 6f. und 289f.)
Für Cembalo waren bisher sechs Ouvertüren bearbeitet worden.
(Smith 1960, 280)

6. Juni 1727
Die achte Saison der Akademie endet mit einer
Aufführung von Bononcinis *Astianatte* (vgl. 6. Mai
1727).

– In dieser Aufführung kam es – in Gegenwart
der Prinzessin von Wales – zu dem großen Skan-
dal im Streit zwischen den Anhängern der Cuzzoni und der Faustina und einem Handgemenge
der beiden Sängerinnen. Der offene Konflikt war
durch eine Reihe von Pamphleten vorbereitet
worden, die seit März in London kursierten, u. a.
An Epistle from Signor Senesino to Signora Faustina
(8. März), *Faustina's Answer to Senesino's Epistle*,
Pope zugeschrieben (17. März), *A Letter from a
Gentleman in the Town, to a friend in the Country; containing... a very imperfect Judgment on our most famous
Performers in Musick...* (April) und *An Epistle from
Signora Faustina to a Lady*, anscheinend an die Her-
zogin von Marlborough gerichtet (10. Juni).
(Chrysander, II, 161ff.)

9. Juni 1727
Wilhelm Willers. Bemerkungen über Theater Vorfälle

Juny 9. Julius Cesar mit großer Illumination,
Feuerwerk u. Prolog, welches am 12. und
16. wiederholt wurde.
(Merbach, 362)

– Anlaß für die Aufführungen war der Geburtstag
Georgs I. am 8. Juni. Thomas Lediards Kupferstich
von dem Feuerwerk ist noch erhalten.
(Wolff 1957 I, 411; Wolff 1963)

10. Juni 1727
The British Journal

On Tuesday-night last [6. Juni], a great Disturbance happened at the Opera, occasioned by the
Partisans of the Two Celebrated Rival Ladies, Cuzzoni and Faustina. The Contention at first was
only carried on by Hissing on one Side, and Clapping on the other; but proceeded at length to Cat-
calls, and other great Indecencies: And notwithstanding the Princess Caroline was present, no Regards were of Force to restrain the Rudenesses of
the Opponents.

– Das *London Journal* vom gleichen Tag brachte
den Bericht mit geringfügigen Abweichungen.
The Craftsman vom selben Tag veröffentlichte
einen Brief von „Phil-Harmonicus" an den Herausgeber „Caleb d'Anvers" (Nicholas Armhurst),
in dem ein Schiedsgericht für die beiden Primadonnen vorgeschlagen wurde.

22. Juni 1727 (11. Juni 1727)
König Georg I. von England stirbt in Osnabrück
während eines Besuches in seinem Kurfürstentum
Hannover.

– Am 15. Juni (britischer Kalender) wird Georg II.
in London zum englischen König proklamiert.
Die Krönung findet am 11. Oktober statt.

24. Juni 1727 (I)
The London Journal

This Day is published, The whole Opera of Admetus in Score. Composed by Mr. Handell. Engraved,
Printed and Sold in Cluer's Printing Office ... and
by Christopher Smith.

– Auf der Titelseite erscheint der Name John
Cluer. Er starb im Oktober 1728. Seine Witwe
führte das Geschäft weiter und heiratete Thomas
Cobb, den Werkmeister ihres verstorbenen Mannes. 1736 erwarb dessen Schwager William Dicey
die Firma.
(Humphries/Smith, 109)

24. Juni 1727 (II)
Subskribenten-Verzeichnis für Admeto (Auszug)

Thomas Brerewood; Mr. Cook, at Newyork;
J. S. Cousser; Henry Carey; William Freeman; Michael Festing; Henry Harrington; Mr. Hare,
12 Books; Mr. Jennens; Mrs. Legh of Adlington in
Cheshire; William Neale, at Dublin, 6 Books; Philarmonica Club; Mr. Quantz; Mr. Rich; Mr. Robinson, Organist; Sgr. Sandoni, 6 Books; Mr. Zollman.

– 57 Subskribenten erwarben 93 Exemplare. Johann Joachim Quantz hielt sich von März bis Juni
dieses Jahres in London auf. Neale war Musikalienhändler und Verleger. Thomas Brerewood
(nicht verwandt mit Francis Brerewood, vgl. 6. August 1726) verfaßte den englischen Text für zwei
Arien aus *Poro* (Smith 1948, 210).
(Smith 1960, 5)

[Juni] 1727
The Devil to pay at St. James's: or, A full and true
Account of a most horrible and bloody Battle be-
tween Madam Faustina and Madam Cuzzoni, etc.,
London 1727

... it is not now (as formerly), i. e. are you High
Church or Low, Whig or Tory; are you for Court
or Country, King George, or the Pretender: but
are you for Faustina or Cuzzoni, Handel or Bononcini. There's the Question. This engages all
the Polite World in warm Disputes; and but for
the soft Strains of the Opera, which have in some
Measure qualified and allay'd the native Ferocity
of the English, Blood and Slaughter would consequently ensue.
(Chrysander, II, 165)

– Das Pamphlet wurde im *Monthly Catalogue* für
Juni 1727 (Nr. 50, 69) verzeichnet, in *Mist's Weekly
Journal* jedoch erst im Juli angezeigt. Es wurde in
Dr. Arbuthnots postum veröffentlichten *Miscellane-
ous Works* (1751, I, 213ff.) abgedruckt, obwohl es
nicht von diesem stammt.

Der alte und der junge Thronprätendent waren
Sohn und Enkel von James II. aus dem Hause Stu-
art und erhoben Anspruch gegenüber dem Hause
Hannover auf den englischen Thron.

13. Juli 1727
The Daily Courant

Whereas several Persons stand indebted to the
Royal Academy for Calls and otherwise, the Court
of Directors do hereby order Notice to be given,
That they will pay or cause to be paid, at the Office in Hay-Market, or to the Person attending
them in that Behalf, such Sum or Sums as they are
owing, on or before Wednesday the 19th Instant,
otherwise they shall be obliged to cause Process to
be made at Law against them, in order to recover
the same.
(Burney, II, 751)

[Juli] 1727
The Contre Temps; or, Rival Queans: A small
Farce. As it was lately Acted ... at H–d–r's private
The–re, near the H–M–, London 1727

Dramatis Personae.
F–s–na, Queen of Bologna.
C–z–ni, Princess of Modena.
H–d–r, High-Priest to the Academy of Discord.
H–d–l, Professor of Harmony to the Academy.
S–s–no, Chief of the Choir.
M–u–o, Violino Primo to the Queen of Bologna,
   to keep her Majesty's Body in Tune.
S–d–ni, Basso Continuo, and Treasurer to the
   Princess of Modena.
A Chorus of P–rs and Tupees, with Cat-calls.
Scene the Temple of Discord, near the H–y
   M–t.
Time equal to the Representation.

H–d–r.
Dread Queen and Princess, hail! we thus are
   met,
To settle Matters of the greatest Weight: ...
With bright F–s–na, we lose all our Beaus;
And D–k–s must die, when sweet C–z–ni goes:
H–d–l.
– Nor shall the Saxon ever more compose.

(C–z–ni lays hold of Fau–na's Head-Cloaths.
... F–s–na lays Hand on C–z–ni's Head
Dress.) ...

H–d–l.
I think 'tis best – to let 'em fight it out:
Oil to the Flames you add, to stop their Rage;
When tir'd, of Course, their Fury will asswage.
...
(... H–l desirous to see an End of the Battle, ani-
mates them with a Kettle-Drum. ...)

S–s–no.
So have I seen two surly Bull-Dogs tare
Firm Limb from Limb, and strip the Flesh of
    Hair. ...
(Chrysander, II, 163 f.)

– Verzeichnet im *Monthly Catalogue* für Juli 1727
(Nr. 51, 81).
Die Farce wurde Colley Cibber zugeschrieben
und in dessen *Dramatic Works* (1777, IV, 370 ff.)
abgedruckt. Cibber scheint jedoch nicht der Autor
zu sein, obwohl die italienischen Sänger sowohl in
diesem Pamphlet wie auch in seiner berühmten
Apology vom Jahre 1740 (343 ff.) „canary birds"
(Kanarienvögel) genannt werden.
M–u–o steht für Munro, der anscheinend Faustinas Claque anführte. Die Mitglieder des Chores
sind Peers und Gimpel. Mit dem Herzog könnte
Francesco von Parma gemeint sein, der 1727 starb
(Mainwaring, 109), oder der Herzog von Rutland,
der Protektor der Cuzzoni.

16. September 1727 (I)
The Norwich Mercury

[London] September 9. Mr. Hendel, the famous
Composer to the Opera, is appointed by the King
to compose the Anthem at the Coronation which
is to be sung in Westminster-Abbey at the Grand
Ceremony.

– Nachrichten über die Erteilung des Komposi-
tionsauftrags an Händel sind in Londoner Zeitungen nur im *Post-Man* vom 12.–14. September und
im *London Journal* vom 16. September nachweisbar.

16. September 1727 (II)
The London Journal

Circular letters have been sent by the Lord Great
Chamberlain, to all the Peers and Peeresses, to
provide themselves with suitable Habits and Equi-
pages to attend the Coronation; and the famous
Mr. Handel is appointed to compose the Anthem
to be sung at that Solemnity.

– Eine fast gleichlautende Notiz erschien im *Post-
Man* vom 12.–14. September 1727 (Burrows 1977,
469).

[30. September] 1727 (I)
Treasury Papers

State of what is due to the Countess of Portland
for the expense of their Royal Highnesses officers
and servants under her government from Mich.
1726 to Mich. 1727 when the new establishment
commenced. ...
To Mr. Handell 195 [pounds].
(Redington, 468)

– Dies ist die erste amtliche Eintragung über Händel als Lehrer der Prinzessinnen Anne, Amelia
und Caroline, der Töchter Georgs II. Prinzessin
Anne scheint er seit etwa 1720 unterrichtet zu haben. 1728 wurde den drei Prinzessinnen ein eigener Haushalt bewilligt. Elisabeth, Gräfin Portland,
war die Gattin Henrys, des ersten Herzogs von
Portland.

30. September 1727 (II)

Die neunte Saison der Akademie beginnt mit
einer Neuinszenierung von *Admeto*.

– Wiederholungen: 3., 7., 14. und 17. Oktober,
4. November.
Entweder schon jetzt, sicher aber im Frühjahr
1728 (vgl. 25. Mai 1728) übernahm Mrs. Wright anstelle von Anna Dotti die Partie des Orindo.

2. Oktober 1727
The Daily Courant

My Lord Chamberlain, at the Request of the Directors of the Royal Academy of Musick, has ordered a General Court of the said Academy on the
6th Inst. upon extraordinary Business.
(Burney, II, 751)

4. Oktober 1727
Parker's Penny Post

Mr. Hendle has composed the Musick for the Abbey at the Coronation, and the Italian Voices, with
above a Hundred of the best Musicians will perform; and the Whole is allowed by those Judges in
Musick who have already heard it, to exceed any
Thing heretofore of the same Kind: It will be rehearsed this Week, but the Time will be kept private, lest the Crowd of People should be an Obstruction to the Performers.
(Edwards 1902 I)

– Die gleiche Notiz erschien am 6. Oktober in
Norris's Taunton Journal, eine ähnliche am 7. Oktober in der *Norwich Gazette*.

7. Oktober 1727 (I)
The British Journal

Yesterday the fine Anthem composed by Mr. Handel, for their Majesties Coronation, was rehearsed
in Westminster-Abbey.

7. Oktober 1727 (II)
Read's Weekly Journal

Yesterday there was a Rehearsal of the Musick
that is to be perform'd at their Majesties Coronation in Westminster Abbey, where was present the
greatest Concourse of People that has been
known.
(Edwards 1902 I)

7. Oktober 1727 (III)
The Craftsman

The Musick composed for the Coronation by Mr. Hendel is to be performed by Italian Voices and above 100 of the best Musicians, the Rehearsal was this Week and is allowed to be the best performance of that kind that ever was.

11. Oktober 1727
Krönung von König Georg II. und Königin Caroline in Westminster Abbey.

– Während der Krönungsfeierlichkeiten wurden Händels vier *Coronation Anthems* aufgeführt: „Zadok the Priest", „Let thy hand be strengthened", „The King shall rejoice", „My Heart is inditing".
In der autographen Partitur (R. M. 20. h. 5.) trug Händel die Namen der Sänger ein: Thomas Bell, John Church, John Freeman, Bernard Gates, Francis Hughes, Mr. Leigh (Lee) und Samuel Wheely. Seine Eintragungen am Beginn von „The King shall rejoice" belegen die Besetzung des Soprans mit zwölf Sängern, von Alto I, II, Tenor, Basso I, II mit jeweils sieben. Die genaue Zahl der Sänger der Chapel Royal zu dieser Zeit ist nicht bekannt. Livreen standen für den Master of the Musick und 33 Musiker zur Verfügung.
Weitere Informationen bieten die Rechnungsbücher des Amtes des Lordkanzlers. Bernard Gates erhielt 42 Guineen für zusätzliche Sänger, über John Christopher Smith wurden je drei Guineen an 57 „supernumerary" Instrumentalisten gezahlt. Falls die Sänger auch drei Guineen erhielten, müßten 14 zusätzliche engagiert worden sein. Mit diesen hätten tatsächlich etwa 40 erwachsene Sänger mitgewirkt, wie es in dem Bericht von der Probe heißt, die Zahl von 160 Instrumentalisten wurde aber wohl kaum erreicht (vgl. 14. Oktober 1727). Die Sänger wurden für zwei Proben bezahlt, belegt ist aber nur die eine am 6. Oktober.
Daß Solisten von der italienischen Oper mitwirkten (vgl. 4. Oktober 1727) ist unwahrscheinlich, da diese kaum bereit gewesen wären, als Choristen zu singen.
John Christopher Smith wurde für das Kopieren der Anthems bezahlt; Christopher Shrider erhielt 130£ für „putting up a large Organ in Westminster Abbey for the performance of Mr. Handel's Vocal and Instrumental Musick at the Coronation of His Majesty and the Queen" (vgl. 10. Februar 1728). Das nach Burney anläßlich der Krönung in Auftrag gegebene Kontrafagott wurde nicht eingesetzt: „The Double Bassoon ... was made with the approbation of Mr. Handel, by Stainsby, the Flutemaker, for the coronation of his late majesty, George the Second. The late ingenious Mr. Lampe ... was the person intended to perform on it; but, for want of a proper reed, or for some

other cause, at present unknown, no use was made of it ..." (Burney 1785, 7).
Chrysander (II, 174) schreibt: „Die Plätze der Musiker senkten sich amphitheatralisch von der Orgel ab, und die ganze musicirende Versammlung bot dem Auge einen nie gesehenen Anblick dar."
Die Aufstellung in getrennten Galerien muß aber zu Verständigungsschwierigkeiten geführt haben, denn als William Boyce bei der nächsten Krönung den oberen Teil des Altars entfernt haben wollte, begründete er dies so: „The First Grand Musical Performance in the Abbey, was at the Coronation of King George the Second, and the Late Mr. Handel, who composed the Music, often lamented his not having that part of the Altar taken away, as He, and all the Musicians concerned, experienced the bad effect it had by that obstruction." (Public Record Office, L. C. 2/32)
Anläßlich der Krönung erschien in London *The Ceremonial of the Coronation of His Most Sacred Majesty, King George the Second, and of his Royal Consort, Queen Caroline* (nachgedruckt in Dublin 1727), in Hannover 1728 die *Vollständige Beschreibung der Ceremonien, welche sowohl bey den Englischen Crönungen überhaupt vorgehen, besonders aber bey dem höchst-beglückten Crönungs-Fest Ihrer K. K. M. M. Georgii des II. und Wilhelminae Carolinae ... am 11/22. Octob. dieses 1727. Jahres feyerlichst beobachtet sind.* Beide Drucke beschreiben das Zeremoniell als solches und beziehen sich nur gelegentlich auf die Krönung von 1727; vermutlich wurden sie schon vor dieser geschrieben.
Wichtiger sind die vollständige Beschreibung der Zeremonie in der Handschrift des damaligen Erzbischofs von Canterbury, William Wake (Lambeth Palace Library, London, Cod. Misc. 1079 A) und die danach gedruckte Schrift *The Form and Order of the Service that is to be Performed, and of the Ceremonies that are to be Observed, in the Coronation of Their Majesties, King George II. and Queen Caroline, in the Abbey Church of St. Peter, Westminster, on Wednesday the 11th of October, 1727*, London 1727. Das Exemplar Cod. Misc. 1079 B enthält nach der Krönung vorgenommene Eintragungen von Wake, deren Aussage zu Funktion und Stellung von Händels Anthems innerhalb der Krönungszeremonie nicht mit dem offiziellen Bericht der Chapel Royal *(The Order of Performing the Several Anthems at the Coronation of their Majesties King George the Second and Queen Carolina)* übereinstimmt, den deren Schreiber Jonathan Smith in das New Cheque Book der Chapel Royal eintrug. Dieser spiegelt, obwohl danach geschrieben, den geplanten Verlauf wider, während Wakes Eintragungen den tatsächlichen Hergang schildern. Die Angaben zu „Zadok the Priest" und „My heart is inditing" stimmen überein: das erste wurde zur Salbung, das zweite (als letztes der vier) während der Krönung der Königin gesungen. Zu „The King shall rejoice" (im

Druck an zweiter Stelle) vermerkte Wake: „The Anthem in Confusion: All irregular in the Music". Im Cheque Book steht hier „Let thy hand be strengthened", dessen Text im Druck nicht enthalten ist und von Wake vollständig zur Inthronisation nachgetragen wurde. „The King shall rejoice" wurde nach dem Cheque Book während der Krönung des Königs gesungen.

William Wakes Entwurf der Zeremonie wurde am 20. September vom Staatsrat gebilligt, gleichzeitig der Druck von 100 Exemplaren von *The Form and Order ...* angeordnet und die Krönung mit Rücksicht auf die eventuelle Gefährdung der Westminster Hall durch eine vorausgesagte Springflut vom ursprünglich vorgesehenen 4. Oktober auf den 11. Oktober verlegt.

Händels Textfassungen der vier Anthems stimmen mit keiner der gedruckten Fassungen überein. Burneys Anekdote könnte sich auf die Zeit nach dem 20. September beziehen, als Händel die endgültige Textfassung erhielt, aber vermutlich bereits mit der Komposition begonnen hatte.

Burney (1785, 34) schreibt: „At the coronation of his late majesty, George the Second, in 1727, Handel had words sent to him, by the bishops, for the anthems; at which he murmured, and took offence, as he thought, it implied his ignorance of the Holy Scriptures: 'I have read my Bible very well, and shall chuse for myself.'"
(Burrows 1977, 469ff.)

14. Oktober 1727
The Norwich Gazette

[London] October 7. Yesterday there was a Rehearsal of the Coronation Anthem in Westminster-Abbey, set to Musick by the famous Mr. Hendall: There being 40 Voices, and about 160 Violins, Trumpets, Hautboys, Kettle-Drums, and Bass's proportionable; besides an Organ, which was erected behind the Altar: And both the Musick and the Performers, were the Admiration of all the Audience.

21. Oktober 1727 (I)
Ariostis Oper *Teuzzone* (Text: Apostolo Zeno) wird am Haymarket Theatre aufgeführt.

– Dies war Ariostis letzte Oper. Sie wurde dreimal aufgeführt. Das Libretto widmete er Friedrich Wilhelm I., König in Preußen, im Gedenken an seinen Aufenthalt in Berlin 1698–1703, wo er Hofkomponist von Königin Sophie Charlotte, der Tante Georgs II. und Mutter Friedrich Wilhelms I., gewesen war.

21. Oktober 1727 (II)
The Daily Courant

Ankündigung des *Teuzzone*
Tickets will be delivered at the Office at the Hay-

market, this Day: And having no Annual Subscribers admitted this Season, Four Hundred Tickets and no more will be given out. At Half a Guinea each. No Persons whatsoever will be admitted for Money nor any Tickets sold at the Bar, but in the proper Offices. The Gallery 5s. By His Majesty's Command, no persons whatsoever to be admitted behind the scenes. To begin exactly at Six o'Clock. Vivant Rex, & Regina. N. B. The Directors have caused the Tickets and Method of receiving them to be altered for the future, the better to prevent Frauds, – therefore will be placed at the fore and back Door leading into the Stone Passage, a Box into which the Gentlemen & Ladies are desired to drop their Tickets as they go into the House. The Subscribers will be admitted on producing their Silver Tickets only & not otherwise. The Gentlemen and others going into the Gallery are likewise desired to deliver their Tickets into the Box, to be placed at the Gallery Door for that Purpose.
(Sammlung Latreille)

– Im Herbst 1727 endeten alle Opern-Ankündigungen im *Daily Courant* mit „Vivant Rex, & Regina".

30. Oktober 1727
Während des Hofballs zu Ehren des ersten Geburtstages, den Georg II. als englischer König beging, wurden auch einige Menuette gespielt, die Händel für diesen Zweck komponiert hatte.
Vgl. 18. November 1727

11. November 1727 (I)
Mary Pendarves an ihre Schwester Ann Granville

Somerset House, 11th Novr. 1727.
I was yesterday at the rehearsal of Mr. Handel's new opera called King Richard the First – 'tis delightful.
... Masquerades are not to be forbid, but there is to be another entertainment barefaced, which are balls. ... There is to be a handsome collation, and they will hire Heidegger's rooms to perform in.
(Delany, I, 144ff.)

– Für den Karneval waren zwölf Bälle zur Subskription ausgeschrieben, mit jeweils 24 Paaren an jedem Abend.

11. November 1727 (II)
The Daily Courant

At the King's Theatre ... this present Saturday ... will be perform'd a new Opera called, Richard the First, King of England ... exactly at 6.

– *Riccardo I., Re d'Inghilterra*, Text zum großen Teil von Paolo Rolli, Dekorationen von Goupy und Tillemans, wurde am 11., 14., 18., 21., 25. und 28. November sowie am 2., 5., 9., 12. und 16. De-

zember aufgeführt, vielleicht auch noch im Januar
1728. In London wurde die Oper danach nicht
wieder gespielt. Das Libretto („Printed and sold at
the King's Theatre."), das die Namen von Händel,
Rolli und Goupy sowie die Besetzung der
Gesangspartien angibt, enthält auch ein italieni-
sches Sonett von Rolli an Georg II.
Besetzung:
Riccardo I° – Senesino, Mezzosopran
Costanza – Francesca Cuzzoni, Sopran
Berardo – Giovanni Battista Palmerini, Baß
Isacio – Giuseppe Maria Boschi, Baß
Pulcheria – Faustina Bordoni, Mezzosopran
Oronte – Antonio Baldi, Alt

17. November 1727
César de Saussure aus London an seine Familie in
Lausanne

Pendant toutes ces cérémonies, une bande des
plus habiles musiciens et des plus belles voix
d'Angleterre, exécutoient une symphonie admirable; ils avoient à leur tête, le célèbre M. Haendel,
qui avoit composé l'Antienne, chantée au service
divin.
(Saussure, 260; Saussure/van Muyden, 259)

– Der Abschnitt, der sich auf die Krönung am
11. Oktober bezieht, stammt aus Brief X. Das Buch
wurde schon 1765 für die Veröffentlichung vorbereitet, aber erst 1902 in englischer Übersetzung
und 1903 in der Originalfassung gedruckt.

18. November 1727 (I)
The London Journal

New Musick just published.
Minueets for his Majesty King George II's Birth-
day 1727, as they were performed at the Ball at
Court. Composed by Mr. Handell. To which is
added, variety of Minuets, Rigadoons, and French
Dances, performed at Court and publick Enter-
tainments. ... The Tunes proper for a Violin or
Hoboy, and several of them within the Compass
of the Flute. price 6d. ... Printed for, and sold by
J. Walsh ... and J. Hare.
(Chrysander, II, 175)
Vgl. 30. Oktober 1727 und 3. Mai 1729

– Die „Minuets for his Majesty K. George IId's
Birthday ..." wurden bereits am 11. November
1727 in *Mist's Weekly Journal* angezeigt.
(Smith 1954, 302; Smith 1960, 272)

18. November 1727 (II)
Farley's Bristol Journal

There is to be a fine Te Deum Jubilate, and an Anthem perform'd at our Cathedral on Wednesday
next [22. November], being S. Cecilia, in the morning, compos'd by the great Mr. Handell, in which
above 30 voices and instruments are to be concerned.

For the benefit of Mr. Preist ... will be perform'd at
the Theatre on St. Augustin's Back, a consort of
vocal and instrumental musick. ... Besides a great
variety of overtures and concerto's, compos'd by
the great Mr. Handell, and other judicious authors,
several favorite songs in the opera's of Scipio, in
the Pastorals of Acis and Galatea, and in an Oratoria of Mr. Handell's, will be perform'd.
(Latimer, 161)

– Dies ist der erste Nachweis einer Händel-Auf-
führung außerhalb Londons. Bei dem *Te Deum*
und *Jubilate* handelte es sich um das *Utrecht Te-
deum* und *Jubilate*, bei dem Anthem wahrscheinlich um eines der *Chandos Anthems*.
Nathaniel Priest war Organist in Bristol. Das Konzert, das um sechs Uhr begann (gleichzeitig mit
einem von der Music Society in der Merchant's
Hall veranstalteten Konzert), wurde von den gleichen Musikern ausgeführt, die als Gäste aus London, Bath, Wells und anderen Orten gekommen
waren.

25. November 1727
Mary Pendarves an ihre Schwester Ann Granville

[Somerset House,] 25th November 1727.

Last Wednesday [22. November] was performed
the musick in honour of St. Cecilia at the Crown
Tavern. Dubourg was the first fiddle, and everybody says he exceeds all the Italians, even his master Geminiani. Senesino, Cuzzoni and Faustina
sang there some of the best songs out of several
operas, and the whole performance was far beyond any opera. I was very unlucky in not speaking to Dubourg about it, for he told me this morning he could have got me in with all the ease in
the world. ...
I doubt operas will not survive longer than this
winter, they are now at their last gasp; the subscription is expired and nobody will renew it. The
directors are always squabbling, and they have so
many divisions among themselves that I wonder
they have not broke up before; Senesino goes
away next winter, and I believe Faustina, so you
see harmony is almost out of fashion.
(Delany, I, 148f.)

– Der von einer Gesellschaft vornehmer Herren
gegründete Musikklub traf sich montags in der
Crown and Anchor Tavern in the Strand. Zu den
Zusammenkünften am Cäcilien-Tag waren auch
Damen und Berufsmusiker zugelassen. Im *London
Journal* vom 30. November 1723 wird über das
Konzert vom 22. November berichtet, in dem Se-
nesino und der Geiger Stefano Carbonelli in An-
wesenheit von 200 Damen auftraten.
1728 ging Matthew Dubourg als „Master and Com-

poser of the State Music in Ireland" nach Dublin.
(Chrysander, II, 123)

28. November 1727
The London Gazette

The Governour and Court of Directors of the Royal Academy of Musick do hereby give Notice, that a General Court will be held on Monday the 4th of December next, in order to elect a Deputy-Governour and Directors for the Year ensuing. N. B. It was ordered at a General Court held the 27th of May, 1724, that no Member of this Corporation should have a Vote in the Choice of a Deputy Governour or Directors, who have not paid the several Calls made by the Royal Academy at the Time of such Election.
(Burney, II, 753)

26. Dezember 1727

Händels *Alessandro* wird im Haymarket Theatre erneut aufgeführt und am 30. Dezember wiederholt.

– Colman nennt als Tag der ersten Aufführung den 29. Dezember und Wiederholungen am 2. und 6. Januar, für die es aber sonst keine Belege gibt.
(Sasse 1959, 218)
Vgl. 5. Mai 1726

1727 (I)
John Chamberlayne, Magnae Britanniae Notitia

The King's Officers and Servants in ordinary above Stairs, under the Lord Chamberlain:
...
Composer of Musick for the Chapel Royal,
Mr. George Handel.   (Teil II, 59)

– 1727 war Maurice Greene (1695–1755) als Nachfolger von Croft zum Komponisten und Organisten der Chapel Royal berufen worden. Nach Chrysander wurde Händel nur der Titel, aber nicht das Amt verliehen. Wahrscheinlich stand seine Ernennung im Zusammenhang mit dem Kompositionsauftrag für die Krönungsanthems.
(Chrysander, II, 175f.; Smith 1948, 51ff.)
Vgl. 25. Februar 1723

1727 (II)
Ernst Gottlieb Baron, Historisch-Theoretisch und Practische Untersuchung des Instruments der Lauten, Nürnberg 1727

Wenn ich nun auch argumentiren wolte: Herr Hendel in Engelland und der berühmte Herr Capell-Meister Bach in Leipzig spielen das Clavir, Clavicin und Orgel weit besser als Herr Matheson, componiren auch gelehrtere Sachen, die bey Music-Verständigen weit mehr Aprobation finden als

seine: Ergo taugt weder des Herrn Mathesons Clavir-Spielen noch sein herausgegebener brauchbarer Virtuose nicht das allergeringste. Wäre das nicht wunderlich geschlossen? ich halte billich davor: drum muß man ihm seine Meriten lassen, weil er auch so großmüthig ist, und sie andern läst.   [S. 109f.]

– Aus einer vermutlich bereits um 1720 verfaßten Streitschrift gegen Matthesons abfällige Äußerungen über Laute und Lautenspiel (*Das Beschützte Orchestre*, Hamburg 1717).
(Bach-Dok., II, 179)

1728

Januar/Februar 1728 (I)

Aufführungen von Händels *Radamisto* im King's Theatre am Haymarket. (?)

– Diese Aufführungen werden allein aus Burneys Erwähnung (II, 701: „This drama, which had a run of ten nights when it first came out, was not only resumed the next season, but revived in 1728, with additional songs: *Arie aggiunte di Radamisto*, when it had likewise a long run.") und dem auf 1727 datierten gedruckten Textbuch abgeleitet. Auch Änderungen Händels in der autographen Partitur (vgl. Händel-Hdb., I, 173) deuten auf eine geplante Neuaufführung. Die *Arie aggiunte* waren allerdings für die Neufassung der Oper im Dezember 1720 bestimmt und auch in diesem Monat bereits im Druck erschienen (vgl. 28. und 13. bis 15. Dezember 1720).
Aus den beiden ersten Monaten des Jahres 1728 ist kein Exemplar des *Daily Courant* erhalten, der zu dieser Zeit die einzige Londoner Zeitung war, in der die Opernaufführungen angekündigt wurden. Es muß also offen bleiben, ob diese Aufführungen überhaupt stattgefunden haben.
Nach dem gedruckten Textbuch war folgende Besetzung vorgesehen:
Radamisto – Senesino, Mezzosopran
Zenobia – Faustina Bordoni, Mezzosopran
Farasmane – Giovanni Battista Palmerini, Baß
Tiridate – Giuseppe Maria Boschi, Baß
Polissena – Francesca Cuzzoni, Sopran
Tigrane – Antonio Baldi, Alt

Januar/Februar 1728 (II)
Mary Pendarves an ihre Schwester Ann Granville

Somerset House, 19th Jan. 1727–8.
Yesterday I was at the rehearsal of the new opera composed by Handel: I like it extremely, but the taste of the town is so depraved, that nothing will be approved of but the burlesque. The Beggars' Opera entirely triumphs over the Italian one.
(Delany, I, 158)

– Die Datierung auf den 19. Januar kann nicht zutreffen. Falls es von der neuen Oper *Siroe*, die am 5. Februar vollendet wurde, wirklich schon im Januar eine Probe gegeben haben sollte, dann wohl nur gegen Ende des Monats, also vielleicht am 29. Januar. Die *Beggar's Opera* wurde am 29. Januar in Lincoln's Inn Fields zum erstenmal aufgeführt. Der Text dieser besonders erfolgreichen balladopera stammte von John Gay, die Musik von Johann Christoph Pepusch. Unter den Übernahmen aus Werken anderer Komponisten waren auch Händels Marsch aus *Rinaldo* mit dem Text „Let us take the road" und das Händel zugeschriebene „'Twas when the seas were roaring" (vgl. 30. April 1725) mit dem Text „How cruel are the traytors". Der Erfolg der *Beggar's Opera* veranlaßte die Autoren zu einer Fortsetzung der Geschichte, die den Titel *Polly* erhielt. Das Stück wurde aber verboten und erst 1777 zur Aufführung am Haymarket Theatre freigegeben (Chrysander, II, 205). Das 1729 gedruckte Textbuch enthielt ebenso wie das zur *Bettleroper* auch die Melodien der Gesänge. Für Polly wurden drei Stücke von Händel übernommen: „Abroad after misses most husbands will roam" („Trumpet Minuet" aus der *Wassermusik*), „Brave boys, prepare" (Marsch aus *Scipione*), „Cheerup, my lads" (Menuett aus der *Wassermusik*).

5. Februar 1728
Händel beendet die Oper *Siroe*.
Eintrag in der autographen Partitur (R. M. 20. c. 9.): „Fine dell'Opera, G. F. Handel. London. February. 5. 1728."

9. Februar 1728
Anonymer Brief an Fa–na Bo–ni [Faustina Bordoni]

Fui pochi giorni sono in un famoso Caffe e secondo il mio costume salendo le scale per entrare in una delle Camere di sopra, che sono frequentate da persone di merito, e di talento, mi trattenne a mezzo il cammino la declamazione di un uomo, che leggeva una stampa in Italiano e perche intesi, che si trattava di Musica. Arte Divina, che tanto amo, discesi le scale e mi misi ad ascoltare con gli altri; ma essendo il lettore quasi alla fine, possibile non fu, che io potessi ben intendere i ragionamenti, che dopo si fecero secondo il gusto, o la passione di quelli ch'erano presenti alla lettura; solamente potei capire, ch'era quella stampa una Risposta ad un libretto poco fa uscito col titolo: avviso a Compositori ed a esaminare questa riposta tanto piu ch'altra ne aveva presso di me in lingua inglese ...
Intanto debbo avvertirsi, ch'essendo io stato curioso di sapere come l'autore dell Avviso prendeva i due vostri libelletti, se pensava di replicare, e se

mi permetteva che io facessi loro una Riposta, che sarebbe stata concepita ne termini, che si usano fra Galantuomini, i quali publicano le loro opinioni sopra materie di Scienze e belle Arti, ho trovato, che egli non faceva conto veruno di quelle ch'egli con ragione chiamata satire inscipide egualmente ed impertinenti, che mi pregava a non prendermi la pena di far Riposta alcuna che i suoi amici i quali i vostri due autori han pensato di offendere, sono per i loro straordinarii Talenti tanto al disopra di tutto quello, che dite, e che avete fatto dire, e soci celebri al mondo che non hanno bisogna di alcuna Apologia; ma che una sola cosa gli faceva qualche pena, ed e che avendo voi avutata malizia di soler far causa comune con Mr. Händel, avevata pubblicato, che l'avviso era stato composto egualmente contro d'amendue, e che cio restava scoperto in quell'articolo, che parla dell abuso di caricar troppo la Compositione di strumenti. Egli non ha composto l'avviso contro di voi e meno poi contro un uomo di tanto merito, anzi di egli, che chi leggera quell articulo senza o passione o con parzialita per Mr. Händel, trovera che dov'egli si spiega; che non v'e dubbio che l'intreccio degli strumenti non cagioni un ottimo effetto particolamente se il compositore conosce la natura di quelli, e s'e un valente Contrapuntista si puo a lui molto bene applica ed i vostri Autori gli hanno fatto il torto di credere che altri possa pensarlo meritevole di correzione in questo particolare. Ha il mio amico troppo amore per la buona musica in generale per non stimare un tanto abile Maestro come in fatti e Mr. Händel, quello che ama piu il Tasso che l'Ariosto quello che stima piu Rafaelo che Rubens ...
Io sono il vostro cordialissimo Servitore. Londra il 9. Febbraio 1728. A. C.
(Conservatorio di Musica G. B. Martini, Bologna: F. 44. Högg, 58 f.)

– Dieser 1728 in London gedruckte anonyme Brief ist wahrscheinlich nur in einem Exemplar erhalten. Bei dem darin erwähnten „articulo" handelt es sich um die Schrift *Advice to the Composers and Performers of Vocal Musick. Translated from the Italian*, die 1727 ohne Verfasserangabe von Thomas Edlin gedruckt wurde, der 1728 auch die italienische Fassung herausbrachte *(Avviso ai compositori ed ai cantanti)*.
Von der Entgegnung, die nach dem *Monthly Catalogue* (Nr. 57, S. 7) im Januar 1728 veröffentlicht worden sein soll *(Remarks on a Pamphlet lately imported from Modena call'd ... which is given gratis up one pair of stairs in Suffolkstreet)*, ist kein Exemplar bekannt. Chrysander verweist darauf, daß Bononcini, den er für den Verfasser der anonymen Schrift hielt, in der Suffolkstreet wohnte, und vermutet, daß die italienischsprachige Broschüre zuerst in Modena gedruckt wurde. Der Titel der „Remarks"

soll aber vermutlich nur andeuten, daß der Verfasser aus Modena kam. Inzwischen ist Giuseppe Riva, der Resident Modenas in London, als Autor nachgewiesen. Seine Schrift wurde von Lorenz Christoph Mizler ins Deutsche übertragen und mit dem Titel *Nachricht vor die Componisten und Sänger* als Anhang zu seinem *Musikalischen Starstecher* (Leipzig 1740) gedruckt. Händel wird von Riva nicht namentlich erwähnt, seine Schrift enthält jedoch kritische Anspielungen auf Händels Kompositionen, etwa auf zu stark hervortretende Instrumente in den Arien.

Aus dem anonymen Brief scheint hervorzugehen, daß Faustina die „Remarks" sowie eine zweite (nicht erhaltene) Druckschrift gegen Rivas „Avviso" veranlaßt hatte.

10. Februar 1728
The British Journal, or: The Censor

The fine Organ made by Mr. Schrieder, which was set up in Westminster Abbey, and used on the Day of the Coronation, has been presented to the said Abbey by his Majesty. It is accounted one of the best Performances of that Maker.
(Chrysander, II, 174)
Vgl. 11. Oktober 1727, 15. August 1730 und 17. Dezember 1737

17. Februar 1728 (I)
Mist's Weekly Journal

This Day is published, King Richard I. An Opera. Compos'd by Mr. Handel. Engrav'd, printed and sold at Cluer's Printing Office. ... Sold also by Christopher Smith ...; at both Places may be had Mr. Handell's Operas of Julius Caesar, Tamerlane, Rodelinda, Scipio, Alexander, Admetus, &c. ... The abovesaid J. Cluer hath also this Day published Handel's Opera of King Richard I.

17. Februar 1728 (II)

Die Oper *Siroe, Re di Persia* wird im King's Theatre zum erstenmal aufgeführt.

– Der Text von Niccolò Francesco Haym beruht auf Metastasios 1726 von Leonardo Vinci für Venedig vertontem Libretto. Haym widmete das Londoner Libretto („Sold at the King's Theatre in the Haymarket") „Alli Eccelent^{mi} ed Illustr^{mi} Signori Direttori, e Sottoscritti della Accademia Reale di Musica".
Wiederholungen: 20., 24. und 27. Februar, 2., 9., 12., 16., 19., 23., 26. und 30. März, 2., 6., 9., 13., 23. und 27. April.
Eine für den 5. März angekündigte Aufführung wurde wieder abgesetzt.
Besetzung:
Cosroe – Giuseppe Maria Boschi, Baß
Siroe – Senesino, Mezzosopran
Medarse – Antonio Baldi, Alt
Emira – Faustina Bordoni, Mezzosopran
Laodice – Francesca Cuzzoni, Sopran
Arasse – Giovanni Battista Palmerini, Baß

19. Februar 1728
The Daily Journal

On Saturday last [17. Februar] the King, Queen and Princess Royal, and the Princesses Amelia and Carolina, went to the Opera House in the Hay-Market, and saw perform'd the New Opera call'd Siroe.
(Burney, II, 756; Schoelcher 1857, 80)

– Wie sein Vater brachte auch Georg II. der Oper lebhaftes Interesse entgegen, insbesondere den Opern Händels. Die Prinzessinnen, vor allem Anne, besuchten häufig deren Aufführungen.

23. Februar 1728
César de Saussure an seine Verwandten in Lausanne

Il y a à Londres un opéra italien; quelques-uns des premiers seigneurs de la Cour en sont les entrepreneurs; la symphonie est composée d' excellens musiciens, tant anglois qu'étrangers; les acteurs sont tous italiens. Parmi eux mentionnons les fameuses Faustina et Cozzoni et l'un des frères Senezini, qui passent pour avoir les plus belles voix de l'Europe; les deux premières touchent chacune 1 500 livres sterling et Senezini 1 200 pour une saison de quatre mois, à raison de trois représentations par semaine, plus un jour de bénéfice qu'ils ont chacun, ce qui leur vaut ordinairement de 250 à 300 pièces. La Cour, et la ville, tant hommes que femmes sont divisées en deux partis à leur sujet; l'un pour la Faustina et l' autre pour la Cozzoni; l'un et l'autre de ces partis, fait tout ce qu'il peut pour soutenir celle qu'il protège, il la comble de présens, et l'accable d'honneurs et de caresses. Il faut avouer qu'elles sont l'une et l'autre d'admirables chanteuses. Elles font tout ce qu'elles veulent de leur gosier. On convient assez généralement qu'on n'a jamais rien vu ici de pareil. Comme je ne suis pas trop bon juge en musique, je n'ai pas pris parti, et je ne vous dirai point quelle est celle qui doit etre préférée à l'autre.
(Saussure, 271)

9. März 1728

John Walsh und Joseph Hare zeigen in *The Country Journal; or The Craftsman* ihre Ausgabe von *The Opera of Richard I for the Flute* an.

23. März 1728
The London Journal

... As there is nothing which surprizes all true Lovers of Music more, than the Neglect into which the Italian Operas are at present fallen; so I cannot but think it a very extraordinary Instance of the fickle and inconstant Temper of the English Nation: A Failing which They have always been endeavouring to cast upon their Neighbours in France, but to which They themselves have at least a good Title to; as any one may be satisfied of, who will take the pains to consult our Historians. ...

The Beggar's Opera, I take to be a touch-stone to try British taste on; and it has accordingly proved effectual in discovering our true inclinations; which, how artfully soever they may have been disguised for a while, will one time or other start up and disclose themselves. Aesop's story of the cat, who at the petition of her lover was changed into a fine woman, is pretty well known: notwithstanding which alteration, we find, that upon the appearance of a mouse, she could not resist the temptation of springing out of her husband's arms to pursue it; though it was on the very wedding night. Our English audience have been for some time returning to their cattish nature; of which some particular sounds from the gallery have given us sufficient warning. And since they have so openly declared themselves, I must only desire they will not think they can put on the fine woman again, just when they please, but content themselves with their skill in catterwauling.

For my own part, I cannot think it would be any loss to real lovers of Music, if all those false friends, who have made pretensions to it only in compliance with the fashion, would separate themselves from them; provided our Italian opera could be brought under such regulations as to go on without them. We might then be able to sit and enjoy an entertainment of this sort, free from those disturbances which are frequent in English theatres, without any regard, not only to performers, but even to the presence of Majesty itself. In short, my comfort is, that though so great a desertion may force us to contract the expences of our operas, as would put an end to our having them in as great perfection as at present, yet we shall be able, at least, to hear them without interruption.
(Burney, II, 756 f.; Schoelcher 1857, 86; Chrysander, II, 219 f., in deutscher Übersetzung)

– Dieser anonyme Brief wird seit Burney John Arbuthnot zugeschrieben, doch gibt es dafür keinen Beweis (vgl. Aitken, 113 f.). Vielleicht war Haym der Verfasser (vgl. 29. April 1728). Im Januar 1728 war ein anderes, ebenfalls Arbuthnot zugeschriebenes Pamphlet gegen Heidegger veröffentlicht worden: *The Masquerade. A Poem, inscrib'd to C–t H–d–g–r. By Lemuel Gulliver, Poet Laureat to the King of Lilliput* (abgedruckt in Arbuthnots *Miscellaneous Works*, II, 5 ff.).
Chrysander (II, 223 f.) zitiert in diesem Zusammenhang auch aus *Harlequin-Horace, or the art of modern Poetry* (28 ff. und 36):
„In days of old when Englishmen were Men,
Their Musick like themselves, was grave, and
                                        plain; ...
In Tunes from Sire to Son delivered down.
But now, since Britains are become polite, ...
Since Masquerades and Opera's made their entry,
And Heidegger and Handell rul'd our Gentry;
A hundred different Instruments combine,
And foreign Songsters in the Concert join, ...
And give us Sound, and Show, instead of
                                        Sense."
Wahre, d. h. poetische Kunst könne nicht mehr verstanden werden,
„When smooth Stupidity 's the way to please;
When gentle H[andel]'s Singsongs more delight,
Than all a Dryden or a Pope can write."

März 1728
In Edinburgh wird die Musical Society gegründet.

„Before that time [1728] several gentlemen, performers on the harpsichord and violin, had formed a weekly club at the Cross Keys Tavern, where the common entertainment consisted of playing the concertos and sonatas of Correlli, then just published; and the overtures of Handel. That meeting becoming numerous, they instituted, in March 1728, a society of seventy members, for the purpose of holding a weekly concert ...
The band consists of a Maestro di Capella, an organist, two violins, two tenors, six or eight ripienos, a double, or contra-bass, and harpsichord; and occasionally two French horns, besides kettledrums, flutes and clarinets. There is always one good singer, and there are sometimes two, upon the establishment. A few years ago, the celebrated Tenducci was at the head of this company. The principal foreign masters at present in the service of the musical society are, first violin, Signor Puppo; second, Signor Corri; violoncello, Signor Schetky; singers, Signor and Signora Corri ...
Besides an extraordinary concert, in honour of St Cecilia, the patroness of music, there are usually performed, in the course of the year, two or three of Handel's oratorios. That great master gave the society the privilege of having full copies made for them, of all his manuscript oratorios. An occasional concert is sometimes given upon the death of a governor or director. This is conducted in the manner of concerto spirituale. The pieces are of sacred music; the symphonies accompanied with the full organ, French horns, clarinets and kettledrums. Upon these occasions the audience is in deep mourning [vgl. 27. Juni 1755]."
(Arnot)

– Die Edinburgh Musical Society bestand bis 1792. 1755 hatte sie etwa 150 Mitglieder, 1763 etwa 180. In diesem Jahr ließ sie eine eigene Musikhalle errichten. Über die Aufführungen von Händelschen Werken und die Beziehung der Gesellschaft zu Händel (vgl. Dezember 1753) geben die Sederunt Books (1728–1795) und der Index of Music (1782) in der Edinburgh Public Library sowie der Index of Music (1765) und die Plan Books (1768–1771 und 1778–1786) in der Edinburgh University Library Auskunft.

Durch Daten belegt sind Aufführungen folgender Werke:

Acis and Galatea: 8.Juli 1753; 8.August 1755; 5.August 1757; 10. August 1759; 11. August 1769; 24. Juli 1772; 12. März 1773; 28. Februar 1777; 22. Dezember 1780; 20. Dezember 1782; 19. Februar 1790.

Alexander's Feast: 22. November 1753; 8. März 1755; 5. August 1756; 16. Dezember 1757; 19. Februar 1768; 6.Dezember 1776; 13.Februar 1784.

Deborah: 3. (?) Dezember 1754; 5. März 1756, 23.März 1759.

Judas Maccabaeus: 5. Dezember 1755; 3. Dezember 1756; – (?) Dezember 1768; – (?) Dezember 1775.

Messiah: 7. März 1760; 4. Dezember 1772; 22. Dezember 1772; – (?) März 1782.

Samson: 10.März 1758; 21.Dezember 1770; 23.Dezember 1774; 29.Juli 1785.

Solomon: 11. März 1757; 11. August 1758; 26. Februar 1761.

Programme von Aufführungen in früheren Jahren sind nicht nachgewiesen.

(Hamilton)

13. April 1728
The Craftsman

Polly Peachum.
A new Ballad. To the Tune of, Of all the Girls that are so smart.
I.
Of all the Belles that tread the Stage,
There's none like pretty Polly,
And all the Musick of the Age,
Except her Voice, is Folly.
II.
Compar'd with her, how flat appears
Cuzzoni or Faustina?
And when she sings, I shut my Ears
To warbling Senesino.
…
V.
Some Prudes indeed, with envious Spight
Would blast her Reputation,
And tell us that to Ribands bright
She yields, upon Occasion.

VI.
But these are all invented Lies,
And vile outlandish Scandal,
Which from Italian Clubs arise,
And Partizans of Handel.
…

16. April 1728
The London Gazette

The Court of Directors of the Royal Academy of Musick, pursuant to the Resolution of a General court of the said Academy held the 3d Instant, do hereby give Notice, that they have ordered another Call of 2 l. 1 half per Cent. which is the 21st Call, to be made payable by all the Subscribers to the said Academy, on or before the 24th Instant; and the Deputy Treasurer will attend at the Office in the Hay-Market, on Monday, Tuesday and Wednesday, the 22d, 23d, and 24th Instant, from Nine a-Clock in the Morning till Two in the Afternoon, in order to receive the same.

– Dies war die letzte Zahlungsaufforderung an die Subskribenten. Nach dieser Saison (also bereits nach neun Jahren) war das ursprünglich für 14 Jahre veranschlagte Kapital der Akademie aufgebraucht.

Chrysander erfaßte für die Zeit vom 2. April 1720 bis zum 1.Juli 1728 487 Aufführungen, davon 245 mit Werken von Händel, 108 von Bononcini, 55 von Ariosti und 79 von anderen Komponisten. Für die Subskribenten kostete demnach jedes Billett etwa vier Schilling, also weniger als der übliche Einzelpreis für die Galerie, der fünf Schilling betrug, bei einer angenommenen Zahlung von insgesamt 100 £ für ein Dauerbillett.
(Chrysander, II, 187 f.; Weinstock, 140)

19. April 1728
Händel beendet die Oper *Tolomeo.*
Eintrag in der autographen Partitur (R. M. 20. d. 1.): „Fine dell'Opera G F Handel April 19. 1728."

29. April 1728
The Daily Courant

At the King's Theatre … To-Morrow … will be perform'd A New Opera called, Ptolemy.

30. April 1728
Die *Oper Tolomeo, Re di Egitto* wird im Haymarket Theatre zum erstenmal aufgeführt.

– Den Text schrieb Niccolò Francesco Haym nach einem Libretto von Carlo Sigismondo Capece, das 1711 von Domenico Scarlatti vertont worden war. In seiner Widmung des Textbuches („Printed by Tho Wood") an den Earl of Albemarle, einen der Direktoren der Akademie, beklagt Haym das Schicksal der italienischen Oper in London: „May

your example give new vigour to the support of Opera, now fast declining in England." (Chrysander, II, 181, zitiert den italienischen Text: „Fate, che da lei prenda vigore il sostento delle Opere quasi cadenti nell'Inghilterra.")
Wiederholungen: 4., 7., 11., 14., 18. und 21. Mai 1728, Neuinszenierungen 1730 und 1733.
Besetzung:
Tolomeo – Senesino, Mezzosopran
Seleuce – Francesca Cuzzoni, Sopran
Elisa – Faustina Bordoni, Mezzosopran
Alessandro – Antonio Baldi, Alt
Araspe – Giuseppe Maria Boschi, Baß

1. Mai 1728

Johann Mattheson, Ode auf des S. T. Herrn Capellmeister Heinichen schönes neues Werck vom General-Baß.

Was machst du, Händel, schreibst du nichts?
Schickt man umsonst dir Boten?
An Form der schönen Kunst gebricht's,
Und nicht an bunten Noten.
(Chrysander, II, 233)

– Dies ist die sechste der elf Strophen von Matthesons Gedicht. Er bezieht sich darin auf Händels Widerstreben, die versprochene Autobiographie für die *Ehrenpforte* zu schreiben. Das Gedicht ist datiert: „Hamburg, den 1. May 1728".

16. Mai 1728
The Daily Courant

Notice is hereby given, that the General Court of the Royal Academy of Musick stands adjourned till Eleven a-Clock on Wednesday next, the 22d Instant, in order to receive any further Proposals that shall be offered for carrying on the Operas.
(Burney, II, 759)

25. Mai 1728
Neuinszenierung von *Admeto.*

– Wiederholungen: 28. Mai und 1. Juni.
Das Textbuch für diese Aufführungen nennt als Darstellerin des Orindo Mrs. Wright.
Vgl. 30. September 1727

28. Mai 1728
The Daily Courant

The General Court of the Royal Academy of Musick stands adjourn'd till To morrow, at Eleven a-Clock in the Forenoon, at the usual Place in the Hay market, when all the Subscribers to the said Academy are desired to be present.
(Burney, II, 759)

31. Mai 1728
The Daily Courant

The General Court of the Royal Academy of Musick stands adjourn'd till 11 a-Clock on Wednesday the 5th of June next, in order to consider of proper Measures for recovering the Debts due to the Academy, and discharging what is due to Performers, Tradesmen, and others; and also to determine how the Scenes, Cloaths, etc. are to be disposed of, if the Operas cannot be continued.
N. B. All the Subscribers are desired to be present, since the whole will be then decided by Majority of the Votes.
(Burney, II, 759; Chrysander, II, 220f.)

– Die gleiche Notiz erschien auch in der *London Gazette* vom 1. Juni 1728.
Vgl. 14. Januar 1729

1. Juni 1728
Die letzte Saison der Royal Academy of Music endet mit einer Aufführung von *Admeto.*
Vgl. 15. Juni 1728

4. Juni 1728
Händel kauft für 700 £ Südsee-Aktien.

– Eintragungen in Händels Konto bei der Bank von England sind für die Jahre 1728 bis 1759 nachweisbar (Young 1947, 228 ff.). Zweifellos hat Händel schon vorher und auch während des genannten Zeitraumes noch weitere Konten bei anderen Banken geführt.
Die finanziellen Schwierigkeiten der Akademie berührten Händel persönlich offenbar nicht.
Hawkins (V, 410 f.) erwähnt Gael Morris („a broker of the first eminence") als Händels Berater in finanziellen Angelegenheiten.
Vgl. Anhang, S. 548 ff.

15. Juni 1728
The British Journal

The fine Opera of Admetus, that was to have been performed last Tuesday-Night [11. Juni] at the King's Theatre in the Hay-Market, was put off on Account of Signora Faustina's being taken ill.
(Burney, II, 759 f.; Chrysander, II, 186)

– Die Saison endete also vorzeitig am 1. Juni. Es ist nicht bekannt, warum zwischen dem 2. Juni und 10. Juni keine Aufführungen vorgesehen waren.
Kurz darauf gingen Senesino, Faustina Bordoni und Francesca Cuzzoni nach Italien zurück und kamen im Herbst nicht wieder. Das Haymarket Theatre stand ein Jahr leer.
Vgl. 1. Juni und 6. Juli 1728

2. Juli 1728
Händel kauft für 250 £ Südsee-Aktien.

6. Juli 1728
The Craftsman

Signior Senesino and Signora Faustina having taken their leave of several Persons of Quality, are setting out for Italy by way of Paris: Some say they design a short stay at Soissons for the Entertainment of several Persons of Quality; and to show an Example of Harmony.

11. Juli 1728
Händel kauft für 150 £ Südsee-Aktien.

13. Juli 1728
John Cluer zeigt in *Mist's Weekly Journal* die Partitur von *Siroe* an.

3. August 1728
John Walsh und Joseph Hare kündigen in *The Craftsman* „The Opera of Siroe for a Flute" an.

17. August 1728
Händels *Alessandro* wird in Braunschweig aufgeführt.
(Loewenberg, Sp. 155)

– Die Rezitative wurden deutsch, die Arien und das Schlußensemble italienisch gesungen. Die Übersetzung stammte vermutlich von Christian Gottlieb Wendt.
Vgl. 18. November 1726

31. August 1728
Händel verkauft für 50 £ Südsee-Aktien.

14. September 1728
Walsh und Hare zeigen in *The Craftsman* an: „New Musick: The Favourite Songs in the last new Opera called Ptolemy... Also The Favourite Songs in the Opera call'd Siroe ... And the Favourite Songs in the Opera called Admetus."
(Smith 1960, 69 und 78)

September 1728 (I)
„At Lee's and Harper's great theatrical booth in the Bartholomew Fair", wird *The Quaker's Opera* aufgeführt, mit Musik von verschiedenen Komponisten, darunter der Marsch aus Händels *Scipione*.

– Diese ballad opera auf einen Text von Thomas Walker wurde am 31. Oktober 1728 auch im kleinen Haymarket Theatre aufgeführt. Den Marsch aus *Scipione* verwendete Gay auch in *Polly* (vgl. Januar/Februar 1728).

September (?) 1728 (II)
Walsh und Hare veröffentlichen *Six Overtures fitted to the Harpsicord or Spinnet viz. Julius Caesar Alexander Tamerlane Scipio Flavius Theseus being proper pieces*

for the Improvement of the Hand on the Harpsicord or Spinnet the Second Collection.
(Smith 1960, 281)

28. Oktober 1728
Walsh und Hare zeigen in der *Daily Post* an: „Six Overtures fitted to the Harpsichord or Spinnet, viz. Ptolomy, Siroe, Richard the First, Amadis, and the two Overtures in Admetus. Being proper pieces for the Improvement of the Hand on the Harpsichord or Spinnet. The third Collection."

– Eine weitere Ausgabe erschien ca. 1732.
(Smith 1960, 281)

26. November 1728
Walsh und Hare kündigen in der *Daily Post* an: „Ptolemy for a Flute... Where this is sold, may be had, a compleat Sett of all Mr. Handel's Opera's curiously transposed for a single Flute."

3. Dezember 1728
The London Gazette

The Time appointed by the Charter of the Royal Academy of Musick for chusing a Deputy Governour and Directors of the said Academy, being on the 22d of November in each Year, or within Fourteen Days after; Notice is hereby given, That a General Court, by Order of the Governour of the said Academy, will be held at Twelve o'Clock on Friday next, being the 6th Instant, at the usual Place in the Hay-Market.

– Das Ergebnis der Wahl ist nicht bekannt. Zum erstenmal wird der Cäcilien-Tag als der eigentliche Zeitpunkt für die Wahl genannt. Burney (II, 759 f.) gibt den *Daily Courant* vom 2. Dezember als Quelle für diese Ankündigungen.

10. Dezember 1728
Händel verkauft für 1 050 £ Südsee-Aktien.

20. Dezember 1728
Johann Christoph Gottsched, Der Biedermann. Fünff und Achtzigtes Blatt 1728 den 20. December

Und ich beklage auch die Meister in der Musick, die sich genötiget sehen, durch ihre göttliche Kunst, der Geilheit und Wollust zu statten zu kommen, ja so zu reden einer gifftigen Poesie das rechte Leben zu geben.
Wie viel edler könnten sie nicht dieselbe anwenden, wenn sie, wie der berühmte Hamburgische Künstler Telemann, in geistlichen und andern erbaren Stücken, ihr Talent wiesen. Dieser berühmte Mann ist einer von den dreyen musicalischen Meistern die heute zu Tage unserm Vaterlande Ehre machen. Hendel wird in Londen von allen Kennern bewundert, und der Herr Capellmeister Bach ist in Sachsen das Haupt unter

seines gleichen. Sie breiten auch ihre Sachen nicht nur in Deutschland aus, sondern Italien, Franckreich und Engelland lassen sich dieselben häufig zuschicken und vergnügen sich schon darüber.

[S. 140]

(Gottsched 1729; Bach-Dok., II, 184)

21. Dezember 1728 (I)
The London Journal

New Musick lately published,
I. The New Country Dancing-Master. Vol. III. Being a choice Collection of Country Dances. Performed at the Theatre, at Schools and publick Balls, with Directions to each Dance. The Tunes airy and pleasant for the Violin or Hoboy, and several of them within Compass of the Flute. Price 2s 6d.

(Smith 1948, 275)

– Dieser Band enthält das „Trumpet Minuet" aus Händels *Water Music.* Der Titel der Sammlung wurde gewählt in Anlehnung an den berühmten *Dancing Master,* der 1650 von John Playford begründet worden war und 1728 von John Young zum letztenmal veröffentlicht wurde.

21. Dezember 1728 (II)
Paolo Rolli an Senesino

L. [London] Il 21 dicembre.
Rispondo alla vostra del 28 ottobre. Spero d'aver corrisposto al vostro amichevole atto, a riguardo dell'Accademia Intronata ò mandato un'oda, e scritto lettera al Sig. Buoninsegni: ne sentirete l'avviso. ...
Tornò l'Uomo da'suoi viaggi, pienissimo del Farinello, e preconizzatore all'estremo. I partiti delle due Donne son qui ancora in viridi observantia: e si vuol da ciascuno la sua: talmente che per rimettere in piedi l'Opera, si è concluso riavere ambedue. Non si voleva dall'Uomo, il mio buon Amico; ma siccome le donne àn due partiti, e il mio Senesino non ne à che uno solo; così a quel tasto non si è risposto altro; se non che Senesino sia il primo. Cuzzona per li suoi, Faustina per le sue, non chè per li suoi, e Senesino per tutti. Si pensava ad Impresario; ma par che l'uomo rifiuti esserlo, ed io sono di sentimento che Accademia sarà: perchè il Corpo non è ancora disciolto. Si è saputo l'arrivo in Vienna della Cuzzona, ma si è taciuto fino ad ora il rimanente; ò inteso susurrare che quivi come altrove avrà un regàlo, e via. Che il partito della Laurenzana non abbia dormito: Costoro come ben sapete si conoscono; senza che altri ne le avvisi.
Il nostro ritorno qui non à bisogni di tutore: troverete due Fratelli che saranno pure vostri, e che non mancano di condotta e di coraggio. Se la Faustina pensasse così, avria minore spesa e inco-

modo, anzi minore mormorazione. Ma non voglio distendermi in questo articolo: so benissimo ch'ella è stata falsa meco, e che io veleggierò secondo il vento. Che dirà ella se il Malonesto Barbaro le volterà le carte? Questa è la mia profezia.
Il Riva è più che mai l'Istesso per L'istesso e per L'istessa; e di questo uguale ritorno buffa, sbuffa, sparla e avvampa. Gioiva del Farinello, lo inculcava per nuovità: Io ridevo, e rido, e risi ieri, quando convenne meco del vostro inevitabile ritorno: mi disse che il sig: Heydeger ve ne aveva già scritto. Che mala Razza! a Re malvagio consiglier peggiore ...
Quando l'uomo tornò (m'ero scordato scriverlo) che non disse contra quelli che cantano a Venezia! Cantavano cinque mesi per meno di 500 lire: non incontravano – che so io? Ma si predicava al deserto, come l'effetto mostrerà. Osservate intanto la buona intenzione ... Si parla di un Napoletano, pittore ancora di scene, osservate la grande amicizia dell'uomo verso il povero Borghi.
A Mons. Francois Bernardi Senesino
A Venice.

(Biblioteca Comunale, Siena, Lettere d'uomini illustri D. VI. 22. c. 302. Cellesi 1930, 321 ff.)

– Cellesi datiert den Brief auf 1739. Obwohl eine Reise Händels für Ende 1728 nicht nachgewiesen ist, dürfte Eisenschmidts Datierung auf den 21. Dezember 1728 – trotz Rollis Mitteilung, daß „der Mann von seiner Reise zurückgekehrt" sei – richtig sein. (Händel wird von Rolli wieder „l'uomo" genannt und ist wahrscheinlich auch mit „il Malonesto Barbaro" gemeint.)
Händel gelang es nicht, Farinelli zu engagieren, und als dieser 1734 nach London kam, ging er zu Händels Gegnern. Er konnte auch keine der beiden rivalisierenden „Königinnen" für seine Operntruppe zurückgewinnen. Die Cuzzoni hatte in Wien keinen Erfolg, weil sie eine zu hohe Gage verlangte. Die Rivalität zwischen ihr und der Laurenzana in Wien erwähnt auch Riva in seinem Brief an Muratori vom 27. September 1730 (Sola, 298).
Die Laurenzana konnte bisher nicht identifiziert werden. Die „due Fratelli" sind Rolli und sein Bruder.

(Eisenschmidt, I, 40 ff.)

1728 (I)

Händel subskribiert auf John Ernest Galliards *Hymn of Adam and Eve* auf den Text aus dem V. Buch von Miltons *Paradise Lost,* das Galliard 1728 im Selbstverlag veröffentlichte. (Eine spätere Ausgabe trägt Walshs Impressum.)

1728 (II)
John Chamberlayne, Magnae Britanniae Notitia, London 1728

The Establishment of their Royal Highnesses the Princess Royal, the Princess Amelia and the Princess Carolina:

...

	Per Ann.	l.	s.	d.
Dancing-Master,		240	0	0
Mr. Anthony L'abbé				
Musick-Master,		200	0	0
Mr. George-Frederic Handell				

(Chrysander, II, 175; 1892, 525)
Vgl. [30. September] 1727 (I), 1727 (I) und 1735 (I)

− Seit 1735 übten beide Lehrer ihr Amt nur für die zwei jüngeren Prinzessinnen aus, da die Princess Royal geheiratet hatte. 1741 wurde Mr. Glover Tanzlehrer. Maurice Greene, Kapellmeister und Komponist der Königlichen Kapelle, erhielt wie Händel ein Gehalt von jährlich 200 £. (Die Ausgabe des Supplements von 1729, *A General List... of all the... Officers,* war nur ein Nachdruck der Ausgabe von 1728; die Eintragung blieb bis 1735 unverändert.)
Vgl. 1735 (I)

1728 (III)
[James Ralph,] The Touch-Stone: or, Historical, Critical, Political, Philosophical, and Theological Essays on the Reigning Diversions of the Town. ... by a Person of Some Taste and Some Quality, London 1728

I. Of Musick, Operas and Plays. Their Original, Progress, and Improvement, and the Stage-Entertainment fully vindicated from the Exception of Old Pryn, the Reverend Mr. Collier, Mr. Bedford and Mr. Law.

...

Of Musick: Particularly Dramatick.
... Not that I would entirely banish from the Opera-Stage Heroick Deeds, or Characters of the first Rank: Nor would I confine the Dramma to such alone: Our English History is prolifick of Groundwork for all Theatrical Entertainments. As our Nation can boast of Persons and Actions equal in Fame to any Part of the Antiquity; so can we vie with their Golden Age, in Sylvan Scenes, and rural Innocence.
This amusing Variety in the Choice of Subjects for our Operas, will allow a greater Latitude in Composition than we have yet known: It will employ all our Masters in their different Talents, and in course destroy that Schism which at present divides our Lovers of Musick, and turns even Harmony into Discord: The Dispute will not then be, who is the justest, or brightest Composer, or which the finest Operas; those of our own

Growth, or those imported from Italy? Every Man would be set to Work, and strive to excel in his own Way. H−l [Händel] would furnish us with Airs expressive of the Rage of Tyrants, the Passions of Heroes, and the Distresses of Lovers in the Heroick Stile. B−ni [Bononcini] sooth us with sighing Shepherds, bleating Flocks, chirping Birds, and purling Streams in the Pastoral: And A−o [Attilio Ariosti] give us good Dungeon Scenes, Marches for a Battel, or Minuets for a Ball, in the Miserere. H−l would warm us in Frost or Snow, by rousing every Passion with Notes proper to the Subject: Whilst B−ni would fan us, in the Dog-Days, with an Italian Breeze, and lull us asleep with gentle Whispers: Nay, the pretty Operas from t'other Side the Water, might serve to tickle us in the Time of Christmas-Gambols, or mortify us in the Time of Lent; so make us very merry, or very sad.

− Das Pamphlet erschien 1731 noch einmal (wiederum anonym) unter dem neuen Titel *The Taste of the Town: or, a Guide to all Publick Diversions* (Exemplare in der Bodleian Library).

1728 (IV)
Johann Mattheson, Der Musicalische Patriot, Hamburg 1728

Sechste Betrachtung
Ein zwar unwürdiger und geringer, doch hertzlich-williger Nachfolger der heiligen Vorsänger, Moses und Josua, warnet alle Christen hiemit, daß sie ihre Pflicht, in Ausübung der Göttlichen Music, nicht länger aus den Augen setzen. Er rufet Himmel und Erde zu Zeugen, daß die Welt bishero grössesten Theils dem Willen und den Geboten Gottes, betreffend die hohen harmonischen Gaben, durchaus wiederstanden, oder ihnen doch kein Genüge gethan, sondern den schuldigen Gehorsam sehr laulicht erwiesen hat: so wol zu Hause, als in öffentlicher Gemeine. Er preiset den Nahmen des Herrn, der gleichwol in diesen Zeiten viel-herrlichere ingenia musica, als in vorigen, erwecket, und seinem Volck so reichlich geschencket hat, daß nichts darüber ist, so lange absonderlich Teutschland noch prangen kann mit Bach, Händel, Heinchen, Kaiser, Stöltzel, Telemann und andern.   [S.49f.]

Achte Betrachtung
Händel hat bey der jüngsten Krönung in London einen Chor, von mehr, als hundert ausgesuchten Personen, dirigiert. Das hat Art!...   [S.65]

Sieben und Zwantzigste Betrachtung
Der gantze vorhabende Handel kömmt auf die Frage an: ob die heutige theatralische und poetisch-abgefaßte, auch mit dictis und Chorälen untermengte, Kirchen-Music; oder ob die alte Compositions-Art, dabey lauter Schrifft-Stellen in

prosa vorkommen, am meisten erbaue? ... Das ist der status controversiae. Die alten Herren haben den Streit auf die Bahn gebracht: der Ephorus hat sie wieder legt, und nun schelten sie ihn tapffer aus: darauf schweigt er still, und verlangt hiemit einen Aus-Spruch von klugen unpartheyischen Leuten. Spreche nun, wer sprechen kann. Critisire, wer eine Crisin hat. Ich muß schweigen, als ein Criticus sine crisi. Sprecht! Bach, Graupner, Händel, Heinchen, Hurlebusch, Keiser, Stöltzel, Telemann, und alles, was sonst in heutiger Welt die Hertzen mit der Ton-Kunst zu bewegen weiß. Sprich gantz Italien, du Sitz der Music! Wer hat hier Recht oder Unrecht? Seid ihr denn stumm, daß ihr nicht reden wollt, was recht ist, und richten, was gleich ist, ihr Menschen-Kinder?

[S. 217 f.]

– Offensichtlich erschienen hier die Namen von Bach und Händel zum erstenmal gemeinsam gedruckt.
In der 6. Betrachtung setzt sich Mattheson mit den Aufgaben der älteren und zeitgenössischen Kirchenmusik auseinander, in der 27. Betrachtung polemisiert er gegen die 1726 veröffentlichte Schrift *Unvergreifliche Gedancken über die neulich eingerissene Theatralische Kirchen-Music* des Göttinger Gymnasialprofessors Joachim Meyer.
(Bach-Dok., II, 185 f.)

1728 (V)
Roger North, The Musicall Gramarian, London 1728 (?)

... As all things from low beginnings grow up to their full magnitude so our operas were performed by English voices, nay the Itallian of forrein operas were translated and fitted to ye musick, nay more some scenes were sung in English & others in Itallian or Dutch rather then fail, wch made such a crowd of Absurditys as was not to be borne. But now the subscriptions with a Royall encouragement hath brought the operas to be performed in their native idiom and up to such a sufficiency that many have sayd, Rome & venice, where they heard them, have not exceeded.
Now having brought our English opera music to this pass It will scarce be manners to thro any censures at them but be they very great & good, there is no such perfection upon earth to or from wch somewhat may not a buon cento be added, or substracted, and perhaps alltered for the better. One thing I dislike is the laying too much stress upon some one voice, wch is purchased at a dear rate. Were it not as well If somewhat of that was abated & added to the rest to bring ye orchestre to neerer equality? Many persons come to hear that single voice, who care not for all the rest, especially If it be a fair Lady; And observing ye discours of the

Quallity crittiques, I found it runs most upon ye point, who sings best? and not whither ye musick be good, and wherein? ... And it is a fault in ye composition to overcalculate for ye prime voice, as If no other part were worth Regarding, whereupon the whole enterteinment consists of solos, and very little or no consorts of voices. ... And now at last, from what I can perceiv, the Operas made in England of ye latter date, are more substantially musicall, than those wch are used notati out of Itally, wch latter have of late diverted from the Lofty style downe to the Ballad, fitt for the streets that receiv them, whereby it appears that the Itallian vein is much degenerated.

1728 (VI)
Johann Mattheson, Verzeichnis aller welschen Opern, welche von 1725. bis 1734. auf dem breslauischen Schauplatz vorgestellet worden sind.

...

Ao. 1728. 20. Griselda, ein sehr beliebtes Stück, im Sommer. Die Arien waren von Bioni, Boniventi, Caldara, Capelli, Gasparini, Giacomelli, Händel, Orlandini, Porpora, Porta, Sarro, Verocai, Vinci, Vivaldi.
(Mattheson 1740, 376)

1728 (VII)
Pierre Jacques Fougeroux, Voiage d'Angleterre d'Hollande et de Flandre fait en l'année 1728

L'opéra, qui autrefois n'étoit rien, est devenu depuis trois ans un spectacle considérable. Ils ont fait venir d'Italie les plus belles voix [et] les plus habiles symphonistes et y ont ajouté ce que l'Allemagne a de meilleur. Cela leur coûte tant qu'on parloit à mon départ de Londres de la rupture de cet opéra. Il n'y avoit que six voix, dont trois étoient excellentes, la fameuse Faustine de Venise, la Cuzzoni et Senesino fameux Castratte, – deux autres Castrattes, Balbi [sic] et Palmerini, et Boschi pour la basse, autant bon que peut estre un italien pour cette partie, qui est très rare chez eux. J'avois déjà entendu à Venise les trois belles voix, et comme il y a douze ans elles étoient encore meilleures qu'à présent. La Faustine a un gosier charmant et la voix assez grande mais un peu rude, sa figure et sa beauté sont des plus médiocres. La Cuzzoni quoique d'une voix plus foible a une douceur qui enchante avec des passages divins, après la fameuse Santine de Venise qui ne joue plus. Présentement, l'Italie n'a point eu des plus belles voix que les deux femmes: le Senesino est tout ce qu'ils ont eu de meilleur, bon musicien, beau gosier et assez bon acteur. On donnoit à Senesino 1600 pièces ou livres sterlings valent 3500 ff monoye de France et 1600 pièces à chaques des deux actrices, quoique l'opéra ne se joue que deux fois la semaine, les mardys et les samedys, et qu'il cesse pendant Lente. C'est un prix exorbitant et le moyen dont ils se font service pour enlever tout ce que l'Italie avoit de meilleur.

L'orchestre étoit composé de vingt-quatre violons conduits par les deux Castrucci frères, deux clavessins, dont Indel allemand grand joueur et grand compositeur en touchoit un, un archilut, trois violoncelles, deux contrebasses, trois bassons et quelquefois des flûtes et des clairons. Cet orchestre fait un grand fracas. Comme il n'y a point de partie du milieu les vingt-quatre violons ne jouent ordinairement que le premier et le second dessus, ce qui est extrêmement brillant et d'une belle exécution. Les deux clavessins [et] l'archilut font les accords et les parties de milieu. Il n'y a qu'un violoncelle, les deux clavessins et l'archilut pour le récitatif. La musique en est bonne et tout au fait dans le goût italien, à l'exception de quelques morceaux tendres dans le goût françois. C'est Indel qui a composé les troix opéras que j'ay vu. Le premier étoit Ptolemé Roy d'Égypte, le second Siroé Roy de Perse, et le troisième Admette Roy de Tessalie. C'étoient d'anciens opéras italiens pour les paroles que l'on avoit traduit en vers anglois a coté de l'italien en faveur des dames. Comme il n'y a aucun spectacle en danses en décorations en machines et que le théâtre est dénoué de Choeurs[1] et de cette multitude d'acteurs qui décorent la scène, on peut dire que le nom d'opéra est mal appliqué a ce spectacle, c'est plutôt un beau concert sur un théâtre.

La salle en est petite et d'un goût fort médiocre, le théâtre assez grand avec de mauvaises décorations.[2] Il n'y a point d'amphitéâtre, ce n'est qu'un parterre, où sont de grands bans ceintrez jusqu'à l'orchestre où les hommes et les femmes sont assis pesle-mesle.

Les loges sont louées à l'année. Au fond de la salle il s'élève une galerie ceintrée soutenue par des piliers qui donnent dans le parterre et élevée comme nos secondes loges. C'est pour la petite bourgeoisie, on y donne cependant cinq schelings qui font 5 ff m^e de France. Les places du parterre sont d'une demie guinée valent 11 ff 10. Le Roy a deux loges contre le théâtre, il y vient deux fois avec la Reine. Les princesses étoient vis à vis dans une autre loge. On bat des mains quand le roy arrive, et on les salue en sortant; il n'avoit que deux hallebardiers pour toute garde. Les bords du théâtre sont ornez de colones, le longs desquels sont attachez des miroirs avec des bras et plusieur de bougies, ainsi qu'aux pilastres qui soutiennent la galerie du fond de la salle. Au lieu de lustres ce sont de vilains chandeliers de bois, soutenus de cordes comme on en voit aux danseurs de cordes. Rien n'est plus vilain, ce sont pourtant des bougies par tout.

Comme vous n'estes pas sectateur de la musique italienne, je n'ose pas vous dire, Monsieur, qu'excepté le récitatif et la mauvaise manière d'accompagner en coupant le son de chaque accord, il y a des ariettes magnifiques pour l'harmonie avec des accompagnements de violons qui ne laissent rien à souhaiter. Les ouvertures de ces opéras sont des espèces de sonates en fugues fort belles. J'y entendis un morceau de someil imité de ceux que vous connoissez dans nos opéras. On avoit meslé dans une de ces ouvertures des corps [sic] de chasse ainsi que dans le Chorus[3] de la fin, ce qui faisoit des merveilles.

Les Concerts. Pendant que nous sommes sur la musique, il faut vous parler des concerts publics de Londres, qui sont peu de chose en comparaison des nôtres. Nous en entendimes[4] un qui se tint dans une salle basse, toute peinte mais fort noircie, qui sert ordinairement de salle à danser; il y a une tribune au bout où l'on monte quelques marches, c'est où se met la musique. On y joua quelques sonates et l'on y chanta des vaudevilles anglois et allemands: on paye pour ces mauvais concerts cinq schelings qui valent 5ff 10s. Nous entendimes encore un autre concert au premier étage dans un caffé, où les violons de l'opéra s'exercent tous les jeudys. Il n'y avoit que des allemands qui exécutent fort bien, mais qui jouent durement, un entre autres joua très bien de la flutte allemande. Nous y vismes aussi un ministre jouer du violoncelle.

Vous serez surpris, Monsieur, de ce que je vais vous dire, que parmy les gens de qualitez hommes et femmes il y en a peu qui s'attachent à la musique. On ne scait ce que c'est que de concerter ensemble, tout le plaisir consiste à bien boire et à fumer; vous scavez, Monsieur, combien l'occupation de la musique en France détourne la jeunesse de la débauche et de quel commerce elle devient par tous …

On y jouoit une espèce d'opéra comique, appellé l'Opéra des gueux, à cause qu'on y représentoit une bande de voleurs des grands chemins avec leur Capitaine, dont il n'y avoit que deux acteurs de bons et une fille appellée Fenton assez jolie. L'orchestre est aussi mauvais que l'autre [in Drury Lane]. Tout est en vaudevilles avec de méchante musique. On prétendoit que le poète avoit fait quelque application au gouvernement présent. On y boit à chaque moment, on y fume, et le Capitaine avec huit femmes qui luy tiennent compagnie dans la prison les baise à plusieurs reprises. On alloit le faire pendre au cinquième acte, mais avec de l'argent il a l'adresse de se sauver du gibet. C'est par où l'opéra finit. Je vous ennuyerois de vous parler des contredanses de la fin.

[1] Il n'y a qu'un trio ou quatuor à la fin et deux duo dans tout l'opéra.

[2] Dans les changemens de décorations on se sert d'une sonette au lieu d'un siflet.
[3] Le Chorus est composé seulement de quatre voix.
[4] Contre la pompe à feu.
(Sammlung Gerald Coke. Dean 1974, 177f.)

– Fougeroux' Reisebericht (ein Manuskript von 250 Seiten) besteht aus sechs sehr umfangreichen Briefen, die möglicherweise an seinen Schwager Henri-Louis Duhamel du Monceau (1700–1782), einen bekannten Botaniker und Agronomen, gerichtet waren. Die wiedergegebenen Abschnitte über Musik und Theater enthält der fünfte Brief. Fougeroux scheint Anfang April 1728 in London angekommen zu sein. Er besuchte u. a. Aufführungen von *Tolomeo, Siroe* und *Admeto* sowie der *Beggar's Opera.* Vermutlich hörte er ein Konzert in York Buildings am 12. April mit „Vocal and Instrumental [music], particularly several favourite Ballads by Mr Mountfort", denn auf dieses könnte seine Erwähnung von „vaudevilles anglois et allemands" zutreffen. Das Konzert, das er an einem Dienstag hörte, könnte eine Veranstaltung eines Musikklubs wie der Castle Society in der Castle Tavern gewesen sein.
„La fameuse Santine" ist wahrscheinlich Santa Stella, die Frau Antonio Lottis.
Wichtig ist die Beschreibung von Händels Orchester, obgleich Fougeroux Violen und Oboen nicht erwähnt (oder vielleicht Oboen und Trompeten verwechselt). Gegenwärtig gibt es außer diesem Bericht kein Zeugnis über die Verwendung von zwei Cembali zur Begleitung der Opernrezitative bei Händel.
(Dean 1974)
Vgl. 17. Februar, 29. April und 25. Mai 1728

1729

14. Januar 1729
The London Gazette

The Governour of the Royal Academy of Musick, doth hereby order Notice to be given to the several Subscribers, That a General Court of the said Academy will be held at Eleven a Clock on Saturday next, the 18th Instant, at the usual Place in the Hay-Market, in order to consider some Proposals that will then be offered for carrying on Operas; as also for disposing of the Effects belonging to the said Academy.
(Chrysander, II, 221)
Vgl. 15. Juni 1728

– Nach dem 18. Januar fand offensichtlich keine weitere Generalversammlung statt.

18. Januar 1729
Viscount Percival, Diary

I went to a meeting of the members of the Royal Academy of Musick: where we agreed to prosecute the subscribers who have not yet paid; also to permit Hydeger and Hendle to carry on operas without disturbance for 5 years and to lend them for that time our scenes, machines, clothes, instruments, furniture, etc. It all past off in a great hurry, and there was not above 20 there.
(Egmont MSS., III, 329, Anhang)

– Der erste Viscount Percival, seit August 1733 erster Earl of Egmont, gehörte der Akademie seit 1719 an (vgl. 30. November). Er war Mitglied der Academy of Ancient Music, deren Zusammenkünfte in der Crown and Anchor Tavern stattfanden.

23. Januar 1729
Händel kauft für 700 £ Südsee-Aktien

3. Februar 1729
Johann Mattheson, Hamburger Opernverzeichnis Anno 1729.
222. Der misslungene Braut-Wechsel, oder Richardus I König von England. Musik der Italiänischen Arien v. dem Hrn. Händel, der Teutschen v. dem Hrn. Telemann, die Uebersetzung der Italiänischen nebst der untergemischten Teutschen Poesie v. Hrn. C. H. Wend. Aufgef. d. 3. Febr. 1729.

– Zu Händels italienischen Arien kamen die Rezitative und 14 Arien von Telemann in deutscher Sprache hinzu. Die Oper wurde 1729 mehrfach aufgeführt und im Februar 1729 und Februar 1734 auch in Braunschweig gegeben.
(Chrysander, II, 179; Chrysander 1877, Sp. 262; Merbach, 363; Loewenberg, Sp. 158)

25. [Januar] 1729
Paolo Antonio Rolli an Senesino
Londra 25.   1729
Tornò l'Heydeger, disse non aver trovato contanti in Italia, protestò non volere intraprendere cosa alcuna senza le due donne [Cuzzoni und Bordoni], parlò solamente di quelle, e propose Farinello: alfine, sentendo che i vostri amici vi rivolevano, cedette, e voi ritornaste su 'l suo tappeto. Egli pensava dunque più ad una lucrosa sottoscrizione che ad altro, e ben pensava, perchè così i due partiti e i vostri amici d'ambedue, avriano ripiena la sottoscrizione annuale di 20 lire a testa. Questa era la macchina su 'l cui fondamento, a voi già noto, vi scrissi la prima lettera. Ma l'Handel non s'addormentò a tal zuffolo. Rimostrò la malizia dell'Emulo, e di lui vano e ridicolo viaggio il pensiero di guadagnar solo. Disse esservi bisogno di varietà, rinnovò l'antico sistema di cangiare cantanti per avere occasione di compor cose nuove per nuovi esecutori: trova facilità nella Corte al

suo nuovo progetto, e lo persuade. Faustina non si vuole. Voi siete stato abbastanza inteso, si vuole Farinello e la Cuzzona, s'ella non resta a Vienna, e si vuol da chi può. Mylord Bingly è alla testa del progetto. Ma fa di mestieri il teatro. Si chiama dunque l'Heydeger e se gli accordano 2200 lire, perchè egli provveda teatro, scene e abiti.

L'Handel avrà 1000 lire per la composizione o sua o d'altri ch'egli vorrà. La sottoscrizione sarà di quindici ghinee a testa e fino al presente si crede bastante. Si propongono 4000 lire in tutto per li cantanti – due di 1000 a testa con un giorno di beneficio et il resto etc. L'Handel partirà in breve per l'Italia, ove sceglierà la compagnia. 3 saranno deputati de'sottoscriventi per avere ispezione etc. Eccovi il nuovo sistema. Riva già ne porta il lutto, perchè ben vedete che malissimo vento spira per il Pallon Bononcino. Dite dunque alla Faustina che il suo caro Handelino verrà in Italia, ma non per lei. Non vi scrissi io già che ella avrialo provata alfine ben contrario alla di lei opinione? Poverina! me ne dispiace. Così merita (e ciò dico per tutti) d'esser trattato chi per fare vigliacchissima corte ai nemici, sacrifica gli amici. Il prezzo ora esclude voi, come temo, altrimenti non dubiterei che o prima, o poi, non avessi qui a rivedervi, in dispetto di chi à avuto in mira il non farvi tornare. Il Farinello verrà, forse, tratto dalla lusinga del beneficio, perchè niuno mai, se non voi, lo à rifiutato, avendo ottima faccia per elemosinare. …Sento ora che la Cuzzona abbia superate tutte le difficoltà in Vienna, e v'è gran facilità ch'ella vo restia servizio. Certamente ella piacque al sommo a Cesare e alle Imperatrice; e costà, la compagnia d'un proprio marito, à migliore effetto che quella d'un marito altrui. Addio, caro amico …

(Biblioteca Comunale, Siena. Fassini 1914, 48f.; Streatfeild 1917, 438f.; Cellesi 1933, 11ff.) Vgl. 4. und 7. Februar 1729

– Offensichtlich war Heidegger in Italien, bevor Händel dorthin reiste. Beide nahmen an der Versammlung am 18. Januar 1729 teil, bei der beschlossen wurde, den berühmten Carlo Broschi, genannt Farinelli, zu engagieren, was jedoch nicht gelang. Die „due donne" sind die Cuzzoni und Faustina und die „due partiti" ihre Parteigänger. Nur Senesino, der sich um diese Zeit in Venedig aufhielt, kehrte zu Händel zurück, doch erst 1731. Die Cuzzoni war von Philipp Josef Graf Kinsky, dem kaiserlichen Gesandten in London, nach Wien eingeladen worden und sang am österreichischen Hof, wurde aber nicht an der Wiener Oper engagiert. Faustina heiratete 1729 in Venedig Johann Adolf Hasse und sang dort wieder mit Senesino. Die Cuzzoni ging von Wien ebenfalls nach Venedig, trat aber auf einer anderen Bühne auf. Händels „emulo" war anscheinend Heidegger selbst. Lord Bingley war 1720/21 stellvertretender Gouverneur der Akademie. Das für Händel vorgesehene Gehalt von 1000 £ wird hier zum erstenmal genau angegeben. Es ist anzunehmen, daß sein früheres Gehalt bei der Akademie niedriger war. Bei der erwähnten Subskription handelt es sich nur um eine Jahressubskription für Dauerbillets, nicht um Aktienanteile.

27. Januar 1729
The Daily Post

Yesterday Morning Mr. Handell, the famous Composer of the Italian Musick, took his Leave of their Majesties, he being to set out this Day for Italy, with a Commission from the Royal Academy of Musick.

– Eine ähnliche Notiz erschien in der *Norwich Gazette* und im *Norwich Mercury* vom 1. Februar 1729.
Händel begab sich am Sonntagvormittag in den Buckingham Palace, reiste also nicht am folgenden Tag, sondern erst am 4. Februar ab. Chrysander (II, 224) datiert den Beginn dieser Reise irrtümlich auf den Spätsommer 1728, Burney (II, 760) auf Herbst 1728.

4. und 7. Feburar 1729
Paolo Antonio Rolli an Senesino

L. [Londra] il 4 di febbraio 1729.
Carissimo Amico,
Avrete già ricevuto una mia ch'io mandai a Firenze perchè vi fusse mandata a Venezia: e supponendola pervenutavi, vado continuando in questa le notizie musicali. Il nuova sistema Handeleidegriano (sic) piglia piede. Si fece adunanza generale, ove se ne parlò. Pochi furono gli adunati e di quelli sei o sette sottoscrissero solamente; altri non rifiutarono, altri fecero istanza di notificar loro prima i cantanti. Si spacciò la volontà regale e si disse che l'Handel partirebbe in breve per l'Italia in cerca di cantanti. Per consenso unanime fu concesso l'uso degli abiti e scene dell'Accademia per cinque anni a i due progettisti. Oggi appunto l'Handel parte e dieci giorni fa l'Haym mandò lettere circolari in Italia per annunciare a'virtuosi e virtuose questo nuovo progetto, e la venuta dell'Handel. Il Farinello è di primo predicamento, e tanto più quanto da poco fa sono venute da Venezia, e particolarmente a questo residente Vignola, che il teatro dove Farinello recita à tutto il concorso, e quello dove voi e la Faustina siete è quasi vuoto. La dichiarazione di questo R. (Re) circa le due virtuose è certamente stata questa: che se la Cuzzona e la Faustina vi tornassero, Egli contribuirebbe quello che aveva promesso; se la Cuzzona sola tornasse, Egli contribuirebbe lo stesso. Ma se la sola Faustina tornasse egli non contribuirebbe niente. Se la Cuzzona torni o no, è incertis-

simo. Mancano lettere di Vienna per arresto di poste, ma le intelligenze ultime parlavano di regali, e non di servizio. Nondimeno, siccome la mira di colei è il servizio, potrebb'essere che le riuscisse, avendo ella già piaciuto e disponendosi a contentarsi d'un mediocre certo e continuo, più volontieri che d'un incerto più lucroso. Ma la Faustina avrà notizie più fresche da Vienna e dalla sua carissima Imperatrice che tanto e pottanto l'amava. L'intenzione del novo progetto è di avere tutto novo. Il caro Hendelino, e per esperienza d'effeti, e per far cause a chi deve, detesta la promotrice del Siroe. Io sempre sono stato, siccome sarò, gravissimo seco, nè gli ò dato buon viaggio, ma giorni sono il Goupy venne a far visita a mio fratello, interrogandolo circa la gita dell'Handel e del nuovo sistema per sentire i miei sentimenti. Le risposte furono d'approvazione.

Egli disse ancora che la Faustina era stata cagione dei dissapori fra me e l'amico (Handel); al che fu risposto con noncuranza e risentimento. Egli detestava la Signora e diceva che il tutto, il tutto sarà nuovo, dicendo ancora che l'Amico odiava la Cuzzona ancora.

Riva è inferocito, perchè vede il Bononcino escluso dall'orgoglio proprio e dall'orgoglio del Capo Compositore, da quale dovrà dipendere ogni altro. ...

il 7. [febbraio 1729]

Si dice che il Farinello sia già stato impegnato per l'anno prossimo costì, come pur voi altrove. Se quello è impegnato bisognerà ricorrere a voi; in caso che non lo siate. ...Si parla ancora del Carestini per secondo. Le sottoscrizioni non saranno difficili; perchè il buonmercato piace e ai più. Ma le buone sicurtà non àn mai fatto danno. Sento per cosa certa che niuna delle due donne sia per essere chiamata: nel che ambo i partiti si accordano; onde, se la Cuzzona non torna di per sè, non sarà certamente fatta venire. Non dubito che vedrete l'Handel prima della fine del carnevale, perchè, certo, va direttamente a Venezia per Farinello. Sarò curioso del suo portamento con voi e con la celebratissima virtuosa. La quale, temo, che adirata contro allo infedele, non lo faccia buttar zoso in canal.

(Biblioteca Comunale, Siena. Fassini 1914, 85; Streatfeild 1917, 439f.; Cellesi 1933, 13ff.)
Vgl. 25. Januar 1729

– Haym war offensichtlich noch der italienische Sekretär der Akademie. Die Gemahlin Kaiser Karls VI., Elisabeth Christine von Braunschweig, kannte Faustina seit deren Engagement in Wien 1724. Während Faustina um 1725 in Wien ein Honorar von 12 500 Gulden hatte, forderte die Cuzzoni 24 000 Gulden jährlich, wurde aber nicht engagiert.
Der Maler Goupy versuchte, zwischen Händel und Rolli zu vermitteln, dessen Freund Riva auf der Seite Bononcinis stand. Giovanni Carestini kam erst 1733 an die Londoner Oper.

6. Februar 1729

Im Drury Lane Theatre wird *The Village Opera* (Text: Charles Johnson) aufgeführt mit Musik von verschiedenen Komponisten, u. a. mit einem Menuett von Händel auf die Worte „Deluded by her mate's dear voice", das irrtümlich Monsieur Denoyer (einem Ballettmeister) zugeschrieben wurde.

– Das Libretto dieser ballad opera wurde mit den Melodien gedruckt. Nach sechs Vorstellungen im Drury Lane Theatre und drei im Little Haymarket Theatre im Januar 1730 wurde die Oper gekürzt im Drury Lane Theatre als *The Chamber-Maid* erneut aufgeführt.
Vgl. 10. Februar 1730

8. Februar 1729

Anzeige von John Walsh und Joseph Hare in *The Craftsman:* „The third Book of Apollo's Feast; or The Harmony of the Opera Stage: Being a well chosen Collection of... Songs of the latest Opera's compos'd by Mr. Handel... Book III."

– Weitere Ausgaben erschienen 1734, 1755 und 1767.
(Smith 1960, 162ff.)

16. Februar 1729

Mary Pendarves an ihre Schwester Ann Granville

Somerset House, 16th February, 1728–9
The subscription for the Opera next winter goes on very well, to the great satisfaction of all musical folks.
(Delany, I, 188)

28. Februar 1729

Mary Pendarves an ihre Schwester Ann Granville

From our fireside, 28 February, 1728–9.
On Wednesday [26. Februar] I went in the afternoon to a concert of musick for the benefit of Mr. Holcomb. ...Holcomb sang six songs; we had two overtures of Mr. Handel's and two concertos of Corelli by the best hands. I was very well pleased; the house was exceeding full and some very good company.
(Delany, I, 188)

– Henry Holcombe war Sänger und Komponist (Chorsänger an der Kathedrale in Salisbury und später im Drury Lane Theatre). Er subskribierte auf die Partituren von drei Opern Händels.

11. März 1729
Händel an seinen Schwager Michaelsen

a Venise ce 11 de Mars 1729
Monsieur
et tres Hoñoré Frere
Vous trouverez par la lettre que j'envoye icy a ma
Mere que j'aye bien obtenu l'hoñeur de la Votre
du 18 du passé.
Permettez moy que je Vous en fasse particulierement mes remerciments par ces lignes, et que je
Vous supplie a vouloir bien continuer de me donner de tems en tems Vos cheres nouvelles pendant
que je me trouve en voyage par ce pais cy, puisque
Vous ne pouvez pas ignorer l'interest et la satisfaction que j'en prens. Vous n'avez qu'a les adresser
toujours à Mr Joseph Smith Banquier à Venise
(coñe j'ay deja mentioñé) qui me les enverrà aux
divers endroits ou je me trouverai en Italie. Vous
juge bien, mon tres Hoñoré Frere, du Contente-
ment que j'ay eu d'apprendre que Vous Vous
trouviez avec Votre Chere Famille en parfaite
santé, et je Vous en souhaite du meilleur de mon
Coeur la Continuation. La pensée de Vous em-
brasser bientôt me donne une vraye joye, Vous me
ferez la justice de le croire. Je Vous assure que c'a
eté un des motifs principales qui m'a fait entre
prendre avec d'autant plus de plaisir ce Voyage.
J'espère que mes desirs seront accomplis vers le
mois de Juillet prochain. En attendant je Vous
souhaite toujours comble de toute prosperité, et
faisant bien mes Complimens a Madame Votre
Epouse et embrassant Votre Chere Famille je suis
avec une passion inviolable
Monsieur, et tres Hoñoré Frere
Votre tres humble et tresobeissant Serviteur
Georg Frideric Handel.
A Monsieur
Monsieur Michaelsen
Conseiller de Guerre de Sa Majeste Prussieñe.
(Original verschollen. Chrysander, II, 225f.; Mueller von Asow, 115ff. und 93)

– Michaelsen hatte am 18. September 1726 Sophia
Elisabeth Dreissig, die Schwester seiner verstorbenen zweiten Frau, geheiratet. Händel beabsichtigte, seine Verwandten in Halle im Juli zu besuchen, aber anscheinend reiste er bereits im Juni
dorthin.
Joseph Smith, Bankier und später britischer Kon-
sul in Venedig, der Gatte der einstmals berühmten Sängerin Catherine Tofts, war ein großer
Kunstsammler. Händel wurde offensichtlich bei
Smith in der Hoffnung eingeführt, daß letzterer
ihm als Mittelsmann in Venedig dienen könne.
Zweifellos begegnete er dort Senesino und Faustina, während er mit Farinelli in Rom zusammengetroffen sein kann. Er soll auch Florenz und Mailand besucht haben.

24. März 1729
Im Smock Alley Theatre in Dublin wird die ballad
opera *The Beggar's Wedding* (Text: Charles Coffey)
aufgeführt mit Musik von verschiedenen Komponisten, darunter die Arie „Se risolvi abbandonarmi" aus *Floridante* mit dem englischen Text
„Talk no more of Whig and Tory".

– Die Oper wurde am 29. Mai im Little Haymarket Theatre aufgeführt und in gekürzter Fassung
am 13. Juni 1729 im Drury Lane Theatre unter
dem Titel *Phebe, or the Beggar's Wedding* wiederholt.

7. April 1729 (I)
The Daily Journal

At the King's Theatre in the Hay-Market, on
Thursday next, being the 10th Day of April, will
be An Assembly. To begin with the Instrumental
Opera of Radamistus. ... N. B. Every Ticket will
admit either one Gentleman or two Ladies.
(Burney, II, 760)

– Das aufgeführte Stück von Händel war vermutlich die Ouvertüre zu *Radamisto*. Heidegger
scheint während der Saison 1728/1729 das Theater
für Konzerte benutzt zu haben (vgl. 28. Februar
1729).

7. April 1729 (II)
John Byrom, Epilogue to Hurlothrumbo, or: The
Super-Natural

– Something hangs on my prophetic Tongue,
I'll give it Utterance – be it right or wrong:
Handel himself shall yield to Hurlothrumbo,
And Bononcini too shall cry – Succumbo.
That's if the Ladies condescend to smile;
Their Looks make Sense, or Nonsense, in our
Isle.
[S. 60]
(Byrom 1773, I, 215ff.; Byrom Poems, I, 138ff.)

– Samuel Johnsons *Hurlothrumbo* wurde am
29. März zum erstenmal aufgeführt und hatte solchen Erfolg, daß er innerhalb von vier Wochen
vierzehnmal wiederholt wurde. Byrom schrieb am
2. April 1729 an seine Frau: „For my part, who
think all stage entertainments stuff and nonsense,
I consider this [*Hurlothrumbo*] a joke upon 'em all."
(Journal, II, 349)
Johnson, ein Tanzlehrer, kam ebenso wie Byrom
aus Cheshire. Der Text und Teile der Musik
(ebenfalls von Johnson) wurden gedruckt.
Byroms Epilog wurde bei der zweiten Aufführung
des Stückes am 7. April vorgetragen. Der *Hurlothrumbo* war noch fünf Jahre später bekannt (vgl.
12. Februar 1734).
Byroms Epigramm vom Mai 1725 galt ebenfalls
Händel und Bononcini.
(Chrysander, II, 213ff.)

19. April 1729 (I)
John Walsh und Joseph Hare zeigen im *Craftsman* sieben Sammlungen von Händels „most celebrated Songs, curiously fitted for a German Flute and Bass, with a complete Index to the Whole" an. (Smith 1948, 275)

19. April 1729 (II)
Walsh und Hare inserieren in *The Daily Post* „A general Collection of Minuets made for the Balls at Court, the Opera's and Masquerades, consisting of Sixty in Number Compos'd by M^r: Handel. To which is added, Twelve celebrated Marches made on several occasions by the same Author. All curiously fitted for the German Flute or Violin". (Smith 1948, 275f.; Smith 1960, 272f.)

– Drei der Menuette waren der *Wassermusik* entnommen. Händel schrieb keine Menuette für Maskeraden, sondern nur für Hofbälle und Opern. Später wurden sie auch in Heideggers Maskeraden gespielt.

4. Mai 1729
Sir Lyonell Pilkington an seinen Schwager Godfrey Wentworth in Burthwait

Paris, 4th May 1729.
You seem to despair of any more operas in England, but I fancy there are some hopes yet of their returning. Handel is doing his endeavour in Italy to procure singers, and I fancy his journey will be of more effect than Heidegger's, but I'm told Senesino is playing an ungrateful part to his friends in England, by abusing 'em behind their backs, and saying he'll come no more among 'em. A Frenchwoman, whom I never will forgive for supposing we English can have a fault, told me the other day, that Senesino had built a fine house with an inscription over the door to let the world know 'twas the folly of the English had laid the foundation of it. Is this pardonable?
(Historical MSS. Commission, Reports on MSS. in Various Collections, II, 411f.; Streatfeild 1909, 109)

– Von Senesino und von Farinelli hieß es, daß sie Säcke mit Gold bei sich hatten, als sie England verließen.

6. Mai 1729
Im Theater in Lincoln's Inn Fields wird die ballad opera *The Wedding* (Text: Essex Hawker) aufgeführt.

– Die Ouvertüre war von Pepusch. Unter den Melodien von verschiedenen Komponisten waren von Händel die Märsche aus *Floridante* und *Scipione* sowie vermutlich zwei Menuette („Si cara" und „Cloe proves false").
Das gedruckte Libretto enthält auch die Melodien.

16. Mai 1729
Paolo Antonio Rolli an Senesino in Siena [?]

[Londra] il 16 di Maggio, 1729
Rispondo alla vostra d'Aprile. Le nuove che vennero al Riva dell' arrivo dell'Handel in Venezia, furono che voi freddamente lo accoglieste e che egli se ne lamentava e querelava e diceva che i Principi avean braccia lunghe, onde al fine vi riconciliaste seco, ed egli promisevi al ritorno di Napoli venire a Siena. Riva a quest'ora è già in Vienna, onde non vedrò più sue lettere fino all' inverno prossimo. Gneo, è in quello il nome di Faustina, e Pallone il vostro. La vostra dichiarazione per la Cuzzona è presa per corte che la facciate. Non è necessario dire alcune verità; com'è bene non dir mai la bugia. Che importa di due donne dir chi canti meno male, o sia meno cattiva attrice? La compagnia nuova endeliana è questa: La Stradina, la Somis, Carestini, Balino, Fabbri con sua moglie in occasione di terza donna, e un basso italicoalemanno. L'Handel à scritto che Carestini era l'emulo di Bernacchi. Ne vedremo l'evento, e ve ne informerò esattamente. – Avete ben toccato e visto che io meglio degli altri v'ò saputo informare, e dir quello che veramente è accaduto, e alle prime recite vi scriverò altri prognostici. Spero che vi sarà occasione di desiderar Senesino, ma non le due BB. ...
(Biblioteca Comunale, Siena. Cellesi 1933, 14ff.)

– Es ist nicht bekannt, ob Händel während dieser Reise in Neapel war und ob er nach Siena ging, um Senesino im Urlaub zu besuchen. Das Budget für die Sänger betrug 4000 £, und Händel schloß für 3850£ Verträge ab. Das Ensemble bestand nun aus folgenden Sängern: Antonio Bernacchi – 1200 £ (vgl. 5. Januar 1717); Antonia Margherita Merighi – 800 £; Anna Strada – 600 £; Annibale Pio Fabri (genannt Balino) – 500£; Francesca Bertolli – 450 £; Johann Gottfried (Giovanni Goffredo) Riemschneider – 300£. Die restlichen 150£ waren möglicherweise für Signora Fabri bestimmt. Zwei Sängern war eine Benefizvorstellung garantiert worden: Signora Strada und Signor Fabri. Riemschneider war Händels Schulkamerad in Halle gewesen und wurde von ihm in Hamburg engagiert, wohin er nach einem Jahr zurückkehrte. Sein Vater Gebhard Riemschneider war Kantor in Halle. „la Somis" kann eine Tochter des berühmten Geigers Giovanni Battista Somis gewesen sein.
(Serauky 1939, 394; Eisenschmidt, I, 52; Wolff 1957 I, 117)

24. Juni 1729
The London Gazette

Hanover, June 27, N. S. [New Style]
Mr. Hendel passed through this Place some Days

ago, coming from Italy, and returning to England.
(Chrysander, II, 232)

– Anscheinend war Händel vorher in Hamburg gewesen, um Riemschneider zu engagieren, ohne sich mit Mattheson in Verbindung zu setzen (*Ehrenpforte,* 101). Nach einem Besuch der kurfürstlichen Residenz Hannover reiste er nach Halle, um seine Mutter und seinen Schwager zu besuchen. Während seines Aufenthaltes in Halle überbrachte ihm Wilhelm Friedemann Bach eine Einladung nach Leipzig, der Händel nicht Folge leisten konnte (Forkel 1802, Kapitel VIII).
Ein Aufenthalt Händels in Hamburg ist nur durch Mattheson (*Ehrenpforte,* 101: „ er soll auch, wie ich vernommen, durch Hamburg gegangen seyn") belegt.

2. Juli 1729
The Daily Journal

Mr. Handel, who is just returned from Italy, has contracted with the following Persons to perform in the Italian Opera's, vz.
Signor Bernachi, who is esteem'd the best Singer in Italy.
Signora Merighi, a Woman of a very fine Presence, an excellent Actress, and a very good Singer – A Counter Tenor.
Signora Strada, who hath a very fine Treble Voice, a Person of singular Merit.
Signor Annibal Pio Fabri, a most excellent Tenor, and a fine Voice.
His Wife, who performs a Man's Part exceeding well.
Signora Bartoldi, who has a very fine Treble Voice; she is also a very genteel Actress, both in Men and Womens Parts.
A Bass Voice from Hamburgh, there being none worth engaging in Italy.
(Burney, II, 760; Schoelcher 1857, 89 f.)

– Der gleiche Bericht erschien in der *London Evening Post* vom 3. Juli und im *London Journal* vom 5. Juli.

4. Juli 1729
Brice's Weekly Journal

London, July I. Mr. Handel, the famous Composer of the Musick for the Italian Opera's, arrived here last Sunday Night [29. Juni] from Italy, having contracted with 3 Men and 4 Women to come over hither in the Winter, to sing in the Opera's, for four thousand Pounds.

8. Juli 1729 (I)
Händel verkauft für 200 £ Südsee-Aktien.

8. Juli 1729 (II)
Jean Jaques Zamboni an Graf Manteuffel

De Londres le 8/19. Juillet 1729.
Mr. Handel, qui est arrivé depuis peu d'Italie, a contracté avec les plus habiles personnes pour bien representer l'Opera Italien, savoir signor Bernachi, qui est estimé le meilleur Chanteur d'Italie, Signora Mirighi [Merighi], qui est une très-belle femme et excellente Actrice et bonne Chanteuse, signora Trada [Strada], qui a une excellente et triple voix et personne d'un merite singalier, signor Annibal Pio Fabri, qui tient un ordre excellent et qui a une très-belle voix, et sa femme qui excelle à representer parfaitement une partie d'homme; signora Bartoldi [Bertolli] a une très belle voix et est aussi une fort jolie Actrice en homme et en femmes; et il a pris à Hamburg une voix basse, n'en ayant pus trouvé à engager en Italie …
(Original verschollen, ehemals im Geheimen Sächsischen Staatsarchiv, Dresden. Opel 1889, 35 f.)

– Zamboni war ein Beauftragter des Sächsischen Hofes. Sein Bericht zitiert die Mitteilung, die die Akademie an die Presse gegeben hatte.
Vgl. 31. März 1724

10. Juli 1729
Händel verkauft für 500 £ Südsee-Aktien.

5. August 1729
Händel kauft für 400 £ Südsee-Aktien.

16. August 1729
Im Little Theatre in the Haymarket wird die ballad opera *Damon and Philida* (Text: Colley Cibber) uraufgeführt mit Musik von verschiedenen Komponisten, darunter ein Menuett von Händel.

– Dies war die zweite Fassung von Cibbers *Love in a Riddle,* das im Drury Lane Theatre am 7. Januar 1729 uraufgeführt worden war. „Handel's Minuet" wird erst in dem 1765 für eine Wiederaufführung von *Love in a Riddle* im Drury Lane Theatre gedruckten Textbuch erwähnt.

August 1729
Admeto wird in deutscher Sprache während der Sommermesse in Braunschweig aufgeführt.
(Chrysander, II, 157; Loewenberg, Cambridge 1943, S. 81)

– Die Übersetzung stammte wahrscheinlich von Georg Caspar Schürmann. In dieser Fassung wurde die Oper auch im Februar 1732 und im August 1739 in Braunschweig gespielt.
Vgl. 23. Januar 1730

3. September 1729
Paolo Antonio Rolli an Giuseppe Riva in Wien

L.ª il 3: di 7.ᵇʳᵉ 1729
... Avrete saputo che Attilio e l'Haym morirono. Ora sappiate che il famoso Rossi autore e Poeta italiano è il poeta dell'Handel. Niuno è giunto ancora della virtuosa C.
(Biblioteca Estense, Modena. Fassini 1912 II, 580; Streatfeild 1917, 440)

– Riva scheint etwa 1728 von London nach Wien versetzt worden zu sein. Haym, Rollis Nachfolger als italienischer Sekretär und ständiger Librettist der Akademie, schrieb 1723 den Text zu *Cajo Marzio Coriolano* für Ariosti und bearbeitete für ihn vermutlich auch 1727 Zenos Libretto von *Teuzzone*. Er starb am 11. August 1729. Giacomo Rossi schrieb für Händel die Libretti zu *Rinaldo, Il Pastor fido, Silla* und *Lotario*.

15. September 1729
Händel verkauft für 50 £ Südsee-Aktien.

18. Oktober 1729
The Norwich Gazette

[London] October 14. On Friday last [10. Oktober] several of the Italian Singers lately arrived from Italy, who are to perform in the Opera's, had the Honour of a private Performance befor their Majesties at Kensington; when the Harpsichord was played on by Mr. Handell, and their Performances were much approved. It is said, that at every opera Mr. Heydegger, who is master of the House, receives above £ 1 000.
(Handschriftliche Kopie von Arthur Henry Mann)

– *Der Norwich Mercury* vom gleichen Tage enthält eine ähnliche Notiz aus London unter dem Datum des 16. Oktober, doch ohne den letzten Satz, der auf einem Mißverständnis beruhte und sich wahrscheinlich auf die vom König fortlaufend gezahlten Subsidien von 1 000 £ jährlich bezog.

21. Oktober 1729
Hamburger Relations-Courier

Denen Liebhabern der Musicalischen Schau-Spiele, dienet zur freundlichen Nachricht, daß künfftigen Montag, als den 24. Octobr. wiederum von neuem aufgeführet werden soll, die Opera Julius Caesar, in welcher die Madame Avoglio die Partie der Cleopatra, und Madame Pollone die Partie des Julius Caesar, recitiren werden. Man wird nunmehr beständig mit allerhand Veränderungen der Opern continuiren.
Vgl. 21. November 1725

– „Madame Avoglio" ist identisch mit Christina Maria Avoglio, die 1741–1744 Händel-Partien in Dublin und London sang.

Oktober 1729
Jonathan Swift, Directions for a Birth-Day Song

Supposing now your Song is done,
To Minheer Hendel next you run,
Who artfully will pare and prune
Your words to some Italian Tune.
Then print it in the largest letter,
With Capitals, the more the better.
Present it boldly on your knee,
And take a Guinea for your Fee.   [Vs. 275 ff.]

– Das Gedicht bezieht sich auf den Geburtstag Georgs II. am 30. Oktober. Es ist eine Satire auf Laurence Eusden, den Poeta Laureatus, der von 1719 bis 1730 die Neujahrs- und Geburtstagsoden lieferte, war jedoch an den Reverend Matthew Pilkington gerichtet, der ebenfalls eine Ode aus Anlaß des Geburtstages schrieb. Das Gedicht wurde zum erstenmal 1765 in Swifts Werken veröffentlicht.
Händel als „Mynheer" zu bezeichnen, war ein alter Spaß (vgl. 6. März 1711, 17. Oktober 1724 und Mai 1725).

6. November 1729
Paolo Antonio Rolli an Giuseppe Riva in Wien

L. [Londra] il 6 di 9bre 1729
... Vi priego rassegnare la mia divozione al Sig.ʳᵉ Apostolo Zeno e ringraziarlo vivamente del suo cor generoso ver me, per cui, sieguane che chesivoglia; io gliene serberò nel mio gratissima memoria, e invigilerò alle occasioni di mostrargliene effetti ... Ma volete veramente ch'io vi dia nuove musicali. Caro el mio Caro Sior [sive?] Ziuseffe [?] Se la compagnia piace altrui come alla Reale Famiglia: Opere simile non saranno mai state nell'Eden nemmeno quando Adamo ed Eva ci cantavano gl'Inni del Milton. La Sig.ª Stradina à tutta la rapidità della Faustina, e tutta la Dolcezza della Cuzzona, et sic de singulis.
Ne vedremo gli Effetti. La Prova del Podino [= budino] consiste nel mangiarlo, dice il Proverbo Inglese, La verità è che la d.ª virtuosa è una copia semplice della Faust.ª, con miglior voce e migliore intonazione, ma senza il brio e il garbo di quella. La Sig.ª Merighi canta saviamente: Bernacchi è maggiore d'ogni eccessione. Non ò inteso altri. Parti non si sono ancor date. V'è una Romanetta di 450 lire in tutto, che si dice bella, mã io non l'ò vista ancora. Poverina trà viaggi e vivere non porterà a casa dieci ghinee. Dovreste venire a proteggerla a soccorrerla a compiacerla senza enfiagione. Se non venite presto; io vi manderò esatte nuove, senza partialità, perchè parlerò solamente dell'Evento, cioè del concorso o del vacuo, da cui tutto dipende, siasi buono o cattivo. Bernacchi à 1 200.- guinee – Merighi 1 000 overo 900.- con beneficio. Strad.ª 600 con benef.º, Fabri dicesi 500,- Basso

300.– oh sono stanchissimo di queste nuove, ma bisogna zoppicara col zoppo. Mio fratello è molto ricovrato S.ᵃ Langhorn gli ha fatto gran bene. Vi risaluta affettuosamente ed io v'abbraccio come quando fecilo a mezza Lama. addio. Oh m'ero scordato scrivervi che Mr. Tom v'à succeduto, perch'è sempre [?] con le virtuose.
(Biblioteca Estense, Modena. Fassini 1912 II, 580; Streatfeild 1917, 440)
Vgl. 16. Mai 1729

– „Zoppicare col zoppo" [mit dem Hinkenden hinken] bedeutet soviel wie „mit den Wölfen heulen". Rolli übersetzte Miltons *Paradise Lost* ins Italienische. „La Romanetta" war Signora Bertolli. „Mr. Tom" konnte nicht identifiziert werden.

16. November 1729
Händel beendet die Oper *Lotario*.
Eintrag in der autographen Partitur (R. M. 20. b. 6.): „Fine dell'Opera G. F. Handel. November 16 1729."

22. November 1729
The Norwich Gazette

[London] November 18. We hear the Operas will be brought on the Stage the Beginning of December, with great Magnificence, the Cloaths for the Singers, Attendants and Soldiers, being all imbroidered with Silver, and seven Sets of Scenes entirely new. And 'tis said that they will begin a new Opera call'd Lotharius.
(Handschriftliche Kopie von Arthur Henry Mann)

29. [?] November 1729
Mary Pendarves an ihre Schwester Ann Granville

Bernachi has a vast compass, his voice mellow and clear, but not so sweet as Senesino, his manner better; his person not so good, for he is as big as a Spanish friar. Fabri has a tenor voice, sweet, clear and firm, but not strong enough, I doubt, for the stage: he sings like a gentleman, without making faces, and his manner is particularly agreeable; he is the greatest master of musick that ever sang upon the stage. The third is the bass, a very good distinct voice, without any harshness. La Strada is the first woman; her voice is without exception fine, her manner perfection, but her person very bad, and she makes frightful mouths. La Merighi is the next to her; her voice is not extraordinarily good or bad, she is tall and has a very graceful person, with a tolerable face; she seems to be a woman about forty, she sings easily and agreeably. The last is Bertoli, she has neither voice, ear, nor manner to recommend her; but she is a perfect beauty, quite a Cleopatra, that sort of complexion with regular features, fine teeth, and when she sings has a smile about her mouth which is ex-treme pretty, and I believe has practised to sing before a glass, for she has never any distortion in her face.
The first opera is Tuesday next, I have promised Mrs. Clayton to go with her.
(Delany, I, 184 f.)

– Der Brief ist in der Ausgabe irrtümlich auf den 5. Dezember 1728 datiert. Er kann aber offensichtlich erst 1729 geschrieben worden sein, und zwar aufgrund der Erfahrungen, die Mrs. Pendarves beim Besuch der Generalprobe von *Lotario* machte, also am 29. oder 30. November. Es ist unwahrscheinlich, daß die Probe, zu welcher die Gönner der Akademie Zutritt hatten, erst einen Tag vor der Premiere (2. Dezember) stattfand. Der Brief wurde auch nicht am 5. Dezember geschrieben, als Mrs. Pendarves bereits mit Mrs. Clayton die Premiere des neuen Ensembles besucht hatte (vgl. 6. Dezember 1729).
The Spanish Friar war ein Stück von John Dryden, das in der ersten Hälfte des 18. Jahrhunderts oft aufgeführt wurde.

2. Dezember 1729
The Daily Journal

At the King's Theatre ... this present Tuesday ... will be perform'd, A New Opera, call'd, Lotharius. ... To begin exactly at Six o'Clock. Note, The Subscribers Tickets will be deliver'd this Day to such as have not received the same, at the Office in the Hay-Market, on Payment of the Money due on the Subscription.

– Der Text des *Lotario* (gedruckt 1729 bei Thomas Wood) wurde von Giacomo Rossi nach Antonio Salvis *Adelaide* (München 1722, Musik: Pietro Torri) bearbeitet. Händel lernte die Oper vermutlich in der Vertonung von Giuseppe Maria Orlandini im Frühjahr 1729 in Venedig kennen. Mit Händels *Lotario* wurde die zweite Londoner Opern-Akademie eröffnet.
Wiederholungen: 6., 9., 13., 16., 20. und 23. Dezember 1729, 3., 10. und 13. Januar 1730.
Besetzung:
Adelaide – Anna Strada, Sopran
Lotario – Antonio Bernacchi, Sopran
Berengario – Annibale Pio Fabri, Tenor
Matilde – Antonia Margherita Merighi, Alt
Idelberto – Francesca Bertolli, Mezzosopran
Clodomiro – Johann Gottfried Riemschneider, Baß
(Burney, II, 760 ff.; Chrysander, II, 235 ff.; Löwenberg, Sp. 163; Clausen, 170)

2. Dezember 1729
John, Lord Hervey, an Stephen Fox

December 2, 1729.
... I differ from you extremely in your opinion of

Swift's pamphlet ... for so far from neither liking nor disliking it, I do both in a great degree. We are to have an Opera tonight, the royal interpositions having found means to mediate between the incensed heroines, and compose the differences which arose on Stradina's name having the pas [place] of Merighi's in the libretto. The latter, in the first flush of her resentment on the sight of this indignity, swore nothing but that Parliament should make her submit to it. You think this perhaps a joke of mine; but 'tis literal truth, and I think too absurd to be imputed to anything but Nature, whose productions infinitely surpass all human invention, and whose characters have so indisputably the first place in comedy.
(Hervey/Ilchester, 41)

– Swifts Pamphlet war wahrscheinlich das Gedicht *Directions for a Birth-Day Song,* das privat zirkulierte (vgl. Oktober 1729). Stephen Fox, der spätere Earl of Ilchester, war ein naher Freund Herveys, des Chronisten der Regierung Georgs II.

6. Dezember 1729
Mary Pendarves an ihre Schwester Ann Granville

Saturday Morning, 6 Dec. 1729.
I think I have not said one word of the opera yet, and that is an impardonable omission; but when you know the salutation I had upon my entrance into the Opera-house, you will not be surprized that I forgot all things I heard there ... whether it was owing to that [schlechte Nachrichten über eine befreundete Person], or that the opera really is not so meritorious as Mr. Handel's generally are, but I never was so little pleased with one in my life. Bernachi, the most famous of the men, is not approved of; he is certainly a good singer, but does not suit the English ears. La Strada and the rest are very well liked.
(Delany, I, 228f.)

11. Dezember 1729 (I)
Händel kauft für 300 £ Südsee-Aktien.

11. Dezember 1729 (II)
Paolo Antonio Rolli an Giuseppe Riva in Wien

Londra il 20. di N^e 1729
... Nove giorni fa si cominciò l'opera intitolata Lotario. Io non vi fui se non martedì passato, cioè alla terza recita. L'Opera è universalmente stimata pessima. Bernacchi non piacque la prima sera, ma cangiò metodo la seconda, e piacque: di persona e di voce non incontra come il Senesino, ma il rinome dell'arte ch'egli hà, li cattiva silenzio di chi non vuole o non sa fargli plauso ... à in vero una sola aria da farlo splendere, perchè ... à preso un grosso granchio in tutta l'opera. Il libro fu recitato anno passato dalla F.[austin]^a e dal S.[enesin]^o a

Venezia intitolato Adelaide. Perfido! La Strada incontra molto ed ab Alto si dice che canta meglio delle due passate, perchè l'una non piacque mai, e l'altra so vuole che si scordi. il vero è che questa à un penetrante filetto di voce soprana che titilla le orecchie: ma oh quanto siamo lunge dalla Cuzzona! Questo è il parere ancora di Bon[oncin]° col quale sentii l'op[er]^a. Il Fabri incontra molto, veramente canta bene. Avveste mai creduto che un Tenore dovesse qui aver tale incontro?
La Merighi à veramente perfetta attrice e tale è general.^te stimata. V'è una Bertolli ragazza romana che recita da uomo. Oh caro Riva quando la vedrete sudar sotto l'elmetto; son certo che la desiderarete modenesissimamente, oh chel bel B.^sa! V'è poi un Basso d'Amburgo che à voce più da contralto naturale che da basso, canta dolcemente nella gola e nel naso, pronuncia l'italiano alla cimbrica, atteggia come un pargoletto Cinghiale, ed à più faccia da valet de chambre che d'altro. Bello! bello ma bello! Si allestisce il Giulio Cesare, perchè l'udienza scema[?] forte. Mi pare che la procella siasi mossa su'l superbo Orso. Tutta fava non si vuole, e fava si mal cotta come questo prima. L'Heydeger s'è fatto grand'onore negli abiti e bastante nelle scene ove è almeno la santa Mediocrità. E pure il concorso manca alla bella prima. Videbimus. La settimana prossima publicherò la prima parte del Milton. L'ò dedicata al Cardinale di Fleury, presone il motivo dalla conclusa Pace, che v'innesta benissimo le due nazioni.
(Biblioteca Estense, Modena. Fassini 1912 II, 529; Streatfeild 1917, 440f.)

– Das Datum des Briefes ist unsicher; Streatfeild änderte die „20" in „12" und „Nove" in „dieci". Rolli war bei der Datierung seiner Briefe häufig ungenau. Der 11. Dezember ergibt sich aus Rollis Bemerkung, die erste Aufführung sei vor neun Tagen gewesen.
„Alto" und „Orso" sind Spottnamen für Händel.

20. Dezember 1729
Mary Pendarves an ihre Schwester Ann Granville

Pall Mall, 20 Dec. 1729.
The opera is too good for the vile taste of the town: it is condemned never more to appear on the stage after this night. I long to hear its dying song, poor dear swan. We are to have some old opera revived, which I am sorry for, it will put people upon making comparisons between these singers and those that performed before, which will be a disadvantage among the ill-judging multitude. The present opera is disliked because it is too much studied, and they love nothing but minuets and ballads, in short the Beggars' Opera and Hurlothrumbo are only worthy of applause.
(Delany, I, 229)

– *Lotario* (vgl. 6. Dezember 1729) wurde nach dem 20. Dezember noch viermal aufgeführt. Die erste wiederaufgeführte „old opera" war *Giulio Cesare* (vgl. 17. Januar 1730).
Vgl. 7. April 1729 (II)

Dezember 1729
Francis Colman, Opera Register

In November 1729 Opera's began again with an entire new Company of Singers – La Sig^ra Strada del Pò was ye Cheife & best the rest little esteem'd
an Eunuch called Bernacchi
(Sasse 1959, 218)

– Die Vorstellungen der zweiten Opernakademie begannen erst am 2. Dezember mit Händels *Lotario*.

1729 (I)
Henry Carey, The Laurel-Grove; / or / The Poet's Tribute to Music and Merit. / And first, / To Mr. George-Frederick Handel.

Hail unexhausted Source of Harmony,
Thou glorious Chief of Phoebus' tuneful Sons!
In whom the Knowledge of all Magick Number,
Or Sound melodious does concentred dwell.
The Envy and the Wonder of Mankind
Must terminate, but never can thy Lays:
For when, absorb'd in Elemental Flame,
This World shall vanish, Music will exist:
Then thy sweet Strains, to native Skies returning,
Shall breathe in Songs of Seraphims and Angels,
Commixt and lost in Harmony Eternal,
That fills all Heaven! – – –   [S. 108 f.]
(Schoelcher 1857, 69)

– Das ist das erste von elf verschiedenen Musikern gewidmeten Gedichten, die 1729 in der dritten (erweiterten) Auflage von Careys *Poems on Several Occasions* erschienen.
Vgl. 25. März 1727

1729 (II)
Christiane Mariane von Ziegler, In Gebundener Schreib-Art Anderer und letzter Theil, Leipzig 1729

O Reitzung-voller Klang! der uns, geschickter Chor!
Durch süsse Zauberey das Ohr,
Wie die Syrenen, kan bethören,
Das ließ sich warlich hören;
Wer muß davon wohl Componiste seyn?
Ists Telemann? Bach? oder Hendel?
Ihr schweigt, und räumt mir keines ein,
Jedoch er sey nun wer er will,
So kan man doch so viel
Nach dem Gehöre schliessen,

Daß selbiger hieran ein Meister-Stück bewiesen,
Wie kräfftig hiesse nicht der Geist,
Wie lebhafft war der Ausdruck zu benennen,
Man hört und sahe recht sein Feuer, das er weist,
Durch alle Stimm und Noten rennen;
Es hätte, glaub ich in der That,
Diß schöne Stücke, das in sich was trefflichs hat,
Die Sieben-Schläffer doch unfehlbar aufgewecket,
Wenn es zur selbgen Zeit der Meister ausgehecket,
Annehmlichste Music! Kunst ohne deines gleichen!
Vor dir muß alle Welt die Seegel streichen.
[S. 296 f.]

– Rezitativ aus einem Kantatentext „Zu einer Garten-Music". Bach, Händel und Telemann werden als mutmaßliche Komponisten der Ouvertüre genannt, zu deren Spiel der vorangehende Arientext aufforderte.
(Bach-Dok., II, 198)

1730

17. Januar 1730
Giulio Cesare in Egitto wird im Haymarket Theatre erneut aufgeführt.
Wiederholungen: 24., 27. und 31. Januar, 3., 7., 14., 17. und 21. Februar, 21. und 31. März 1730.

– Nach Burney (II, 766) besuchte der König die Vorstellung am 31. März.
Das für die Neuinszenierung gedruckte Textbuch enthält kein Verzeichnis der Rollenbesetzung, doch läßt sich diese nach anderen Opernaufführungen in dieser Spielzeit rekonstruieren (Händel-Hdb., I, 225):
Giulio Cesare – Antonio Bernacchi, Sopran
Cornelia – Antonia Margherita Merighi, Alt
Sesto – Annibale Pio Fabri, Tenor
Cleopatra – Anna Strada, Sopran
Tolomeo – Francesca Bertolli, Mezzosopran
Achilla – Johann Gottfried Riemschneider, Baß
(Knapp 1968)

22. Januar 1730
The Daily Post

Walsh und Hare kündigen an: „A New Edition of the most celebrated Songs in Julius Caesar. 2s. 6d."
(Smith 1960, 32)

23. Januar 1730
Johann Mattheson, Hamburger Opernverzeichnis Anno 1730.
226. Admetus, die Musik v. Hrn. Händel, über-

setzt aus dem Italiänischen v. Wend. Zum erstenmal aufgeführt d. 23. Januar 1730.
(Chrysander, II, 157; Chrysander 1877, Sp. 262)

– *Admetus, König in Thessalien,* deutsch von Christian Gottlieb Wendt, stand in Hamburg noch bis 1736 auf dem Spielplan des Opernhauses am Gänsemarkt. Die Zahl der Aufführungen läßt sich nicht genau ermitteln; Willers verzeichnet nur fünf, Stompor mindestens zehn. Merbach schreibt den 1731 bis 1733 aufgeführten *Admetus* irrtümlich Telemann zu.
(Merbach, 363; Stompor, 78 und 83 f.)

26. Januar 1730

Händel verkauft für 50 £ Südsee-Aktien.

10. Februar 1730

Im Drury Lane Theatre wird die ballad opera *The Chamber-Maid* aufgeführt, die ein Menuett von Händel mit dem Text „Deluded by her mate's dear voice" enthält.

– *The Chamber-Maid* von Edward Phillips ist eine gekürzte Fassung der *Village Opera* von Charles Johnson (vgl. 6. Februar 1729). Das Textbuch der *Chamber-Maid* nennt Händel als Komponisten des Menuetts, während es im Textbuch der *Village Opera* einem „Monsieur Denoyer" zugeschrieben wurde.

12. Februar 1730

Händel beendet die Oper *Partenope.*
Eintrag in der autographen Partitur (R. M. 20. b. 11.): „Fine dell'Opera G. F. Handel a Londres ce 12 de Fevrier 1730".
Der erste Akt ist datiert: „Fine dell'Atto Primo January 14".

13. Februar 1730

Cluers Printing Office zeigt in der *Daily Post* die Partitur von *Lotario* sowie weitere acht bereits früher erschienene Opern Händels an.

– *Lotario* war das letzte Werk Händels, das dieser Verlag veröffentlichte. Die Witwe Cluers überließ Walsh die unverkauften Exemplare der *Lotario*-Partitur, die erst vier Wochen nach der letzten Aufführung der Oper erschienen war.
(Smith 1960, 36)

24. Februar 1730
The Daily Courant

At the King's Theatre ... this present Tuesday ... will be performed a new Opera, call'd, Parthenope. ... The Scenes and Dresses are all entirely new. ... To begin exactly at 6.

– Händels *Partenope* (nach einem Libretto von Sil-

vio Stampiglia) wurde am 28. Februar sowie am 3., 7., 10., 14. und 17. März wiederholt.
Vgl. 12. Dezember 1730 und 29. Januar 1737
Besetzung:
Partenope – Anna Strada, Sopran
Rosmira – Antonia Margherita Merighi, Alt
Arsace – Antonio Bernacchi, Sopran
Armindo – Francesca Bertolli, Mezzosopran
Emilio – Annibale Pio Fabri, Tenor
Ormonte – Johann Gottfried Riemschneider, Baß

2. März 1730
The Daily Journal

Lotharius for a Flute the Ariets with their Symphonys for a Single Flute and the Duet for two Flutes of that Celebrated Opera Compos'd by M.ʳ Handel. price 2s.
London. Printed for and sold by I: Walsh ... and Ioseph Hare, &c.
(Smith 1960, 38)

21. März 1730
The Daily Journal

For the Benefit of Signora Strada del Po.
At the King's Theatre ... this Day ... Julius Caesar. With some New Songs. NB. This Night's Benefit, being Part of Signora Strada's Salary, it is not to be deem'd in the Number of Operas that the Proprietors are obliged to have perform'd this Season. ...
Vgl. 17. Januar 1730

– Die „New Songs" waren „Parolette, vezzi e sguardi" und „Io vo' di duolo".

2. April 1730

Im Goodman's Field Theatre wird die ballad opera *The Fashionable Lady, or Harlequin's Opera; in the Manner of a Rehearsal* (Text: James Ralph) uraufgeführt.

– Unter den 68 Liedern dieses Stückes befindet sich das Händel zugeschriebene „O cruel tyrant love".

4. April 1730 (I)
The Craftsman

The Whole Opera of Parthenope in Score as it is Perform'd at the King's Theatre ... Printed for and sold by I: Walsh ... and Ioseph Hare, &c.
(Smith 1948, 279; Smith 1960, 46 f.)

– Bei dieser ersten Veröffentlichung nach der neuen Vereinbarung mit Händel war Walsh bemüht, die Qualität des Druckes nach dem Vorbild Cluers zu verbessern. Im Dezember 1730 druckte er die Ouvertüre zu *Partenope* in Stimmen als eine der sechs Ouvertüren, welche die vierte Sammlung dieser Serie bildeten.

4. April 1730 (II)
The Daily Courant

At the King's Theatre ... this present Saturday ... will be performed a New Opera, call'd Ormisda.

– Die Musik dieses von Händel und Giacomo Rossi bearbeiteten Pasticcios (Libretto: Apostolo Zeno, Bologna 1722) stammt von Giuseppe Maria Orlandini, Leonardo Vinci, Johann Adolf Hasse, Leonardo Leo u.a. Bis zum 9. Juni 1730 fanden 13 (nach Strohm 14) Aufführungen statt, im November und Dezember weitere fünf. Diese Wiederaufnahme der Ormisda in den Spielplan verzeichnet Colman irrtümlich unter dem 1. Februar 1731.
In den von Walsh und Hare veröffentlichten *Favourite Songs in... Ormisda* werden Antonia Margherita Merighi, Francesca Bertolli und Anna Strada als Sängerinnen genannt.
(Chrysander, II, 239; Smith 1954, 290f.; Sasse 1959, 219; Smith 1960, 41f.; Strohm 1974 II, 218ff.)

4. April 1730 (III)
Mary Pendarves an ihre Schwester Ann Granville

Pall Mall, 4th April 1730.
Operas are dying, to my great mortification. Yesterday I was at the rehearsal of a new one; it is composed of several songs out of Italian operas; but it is very heavy to Mr. Handel's.
(Delany, I, 253)

– Mrs. Pendarves bezieht sich auf *Ormisda.*
Als musikalischer Leiter der Oper komponierte Händel die Rezitative für mehrere Pasticci.

25. April 1730
The Daily Journal

The Favourite Songs in the Opera call'd Ormisda. London Printed for and sold by I: Walsh... and Ioseph Hare, &c.
(Smith 1960, 41f.)

27. April 1730
Im Little Theatre in the Haymarket wird die ballad opera *The Female Parson, or The Beau in the Sudds* (Text: Charles Coffey) uraufgeführt.

– Unter den verwendeten Melodien ist von Händel die Gavotte aus der Ouvertüre zu *Ottone.*

19. Mai 1730
Im Haymarket Theatre wird *Tolomeo* erneut aufgeführt.
Wiederholungen: 23., 26. und 30. Mai, 2., 6. und 13. Juni 1730.
Besetzung:
Tolomeo – Antonio Bernacchi, Sopran
Seleuce – Anna Strada, Sopran
Elisa – Antonia Margherita Merighi, Alt

Alessandro – Francesca Bertolli, Mezzosopran
Araspe – Annibale Pio Fabri, Tenor

– *The Daily Journal* vom 2. Juni (die Ausgaben von Mai 1730 sind nicht erhalten) kündigt die Aufführung „With several Alterations. The Opera being short, it will not begin till Seven o'Clock." an.
Vgl. 30. April 1728 und 2. Januar 1733

1. Juni 1730
Michelangelo Boccardi läßt, wahrscheinlich in München, den von ihm verfaßten Text einer Oper *Adelaide* drucken und widmet das Textbuch Kurfürst Karl Albrecht von Bayern (Exemplar in der Bayerischen Staatsbibliothek, München)
(Rudhardt, I, 120f.)

– Boccardis Widmung ist auf den 1. Juni 1730 datiert. Darin bezeichnet er sich als „Pastor Arcade in Roma e nuovamente Compagno della Reale Società di Londra" und verweist darauf, daß er auch das Libretto für eine Oper *Farnace* geschrieben habe. (Giovanni Portas *Farnace* liegt ein anderer Text zugrunde.) Offensichtlich hoffte Boccardi, Händel werde seinen Text vertonen und die Oper im Haymarket Theatre zu Ehren des bayerischen Kurfürsten aufführen.
Im Textbuch ließ er bereits den Hinweis „La Musica è del Signor Hendell, maestro di Capella della Loro Maestà Reale delle Grande Bretagna et Academico Filharmonico" sowie eine Übersicht der Rollenbesetzung drucken:
Adelaide – Antonia Margherita Merighi, Alt
Adalberto – (stumme Rolle)
Brunechilde – Anna Strada, Sopran
Berengario – Antonio Bernacchi, Sopran
Ermanno – Giuseppe Picini
Luitolfo – Margherita Bertoldi
Atone – Annibale Pio Fabri, Tenor
Giuseppe Picini und Margherita Bertoldi gehörten nicht zu Händels Ensemble. Möglicherweise beabsichtigte Boccardi, beide in London einzuführen.

12. Juni 1730
Paolo Antonio Rolli an Giuseppe Riva in Wien

L.ª il 12 di G.º 1730
Mio Caro Riva
... Non vi rispondo appena della Coppia Eidegrendeliana e delle pessime opere; perchè averamente vanno come meritano. Saranno i musici pagati, ed è tutto quelche potrà farsi. Vado poi scorgendo che o non vi saranno Opere a nuova stagione, o vi sarà la medesima Compagnia; e così certamente di male in peggio. La Strada piace a pochissimi che vorrebbono scordarsi della Cuzzona: nel resto della Rima sono poi somiglissime: I ask your pardon Sir. In quanto agli orecchj, avevate mille ragioni, ma in quanto agli occhiati, mio Caro Sig.ʳ Giuseppe, avevate mille Torti. ...
Marchetto Rizzi pochi giorni prima di morire,

mandò a questo Goupy una Caricatura della Cuzzone e Farinello cantanti un duetto: Goupy ei à fatto la giunta dell'Eideger a sedere con faccia supino, e l'anno stampata in onore d gloria del Gran Corpo della Canora canaglia.
(Biblioteca Estense, Modena; Streatfeild 1917, 441)

– Dieser Brief löst das Geheimnis eines berühmten Druckes, der zuweilen Hogarth zugeschrieben und allgemein auf 1734 datiert wurde. Marco (genannt Marchetto) Ricci, Maler und Kupferstecher, starb am 21. Januar 1729 in Venedig. Er zeichnete Karikaturen von Schauspielern und war 1727 zum letztenmal in London, wo er die Cuzzoni gesehen haben kann, aber nicht Farinelli, der erst 1734 dorthin kam. Ricci kann die beiden in Italien gesehen haben, jedoch nicht zusammen. In London traten beide 1734 gemeinsam in Hasses *Artaserse* auf.
Es gibt drei Varianten des Kupferstiches, der 1729 von Ricci entworfen und 1730 von Goupy ausgeführt wurde. Die erste nennt keine Namen, enthält aber folgende Verse:

Thou tunefull Scarecrow, & thou warbling Bird,
No shelter for your Notes, these lands afford
This Town protects no more the Sing-Song
                                              Strain
Whilst Balls & Masquerades Triumphant Reign
Sooner than midnight revels ere should fail
And ore Ridotto's Harmony prevail:
That Cap (a refuge once) my Head shall Grace
And Save from ruin this Harmonious face

Bei der zweiten Fassung stehen unter dem Bild auf der linken Seite der Name der Gräfin Burlington, der Patronin Faustinas, und der Name Goupys als der des Kupferstechers auf der rechten Seite, in der Mitte die Namen von Cuzzoni, Farinelli und Heidegger unter den entsprechenden „Porträts". Bei einer dritten Fassung wurde unter „Farinelli" noch „Senesino" hinzugefügt. Farinelli war dem Publikum von 1730 unbekannt, und der Druck hätte damals nicht verkauft werden können. Dies mag der Grund dafür gewesen sein, daß Senesinos Name hinzugefügt wurde. Er kann auch erst 1734 ergänzt worden sein, als Senesino und Farinelli gleichzeitig mit der Cuzzoni auftraten. Die Verse waren 1730 besser als 1734 verständlich. Unklarheiten bestehen noch hinsichtlich des Namens der Gräfin, der so plaziert war, als ob die Zeichnung von ihr stammte. Vielleicht fügte sie Riccis „Duett" die Gestalt Heideggers hinzu oder verfaßte die Verse. Nach Henry Angelos *Reminiscences* (1828, I, 406 f.) soll sie sowohl am Entwurf von Goupys Händel-Karikatur (vgl. 21. März 1754) als auch an dem der Karikatur des „Trios" beteiligt gewesen sein.
Die Mütze des Grenadiers an der Wand spielt dar-

auf an, daß Heidegger unter Königin Anna kurze Zeit bei der Garde gedient hat. Die Initialen „A R" auf der Mütze bedeuten Anna Regina.

19. Juni 1730
Händel an Francis Colman in Florenz

a Londres ce $\frac{19}{30}$ de Juin, 1730.

Monsieur,
Depuis que j'ay eu l'honneur de Vous ecrire, on a trouvé moyen d'engager de nouveau la Sig^{ra} Merighi, et cõme c'est une voix de Contr'Alto, il nous conviendroit presentement que la Femē qu'on doit engager en Italie fût un Soprano. J'ecris aussi avec cet ordinaire a Mr. Swinny pour cet effet, en luy recomãndant en meme tems que la Femme qu'il pourra Vous proposer fasse le Role d'homē aussi bien que celuy de Femē. Il y a lieu de croire que Vous n'avez pas encore pris d'engagement pour une Femme Contr'Alto, mais en cas que cela soit fait, il faudrait s'y en tenir.
Je prens la Liberté de Vous prier de nouveau qu'il ne soit pas fait mention dans les Contracts du premier, second ou troisieme Rolle, puisque cela nous gêne dans le choix du Drama, et est d'ailleurs sujet a de grands inconveniens. Nous esperons ainsi d'avoir par Votre assistance un homē et une Femē pour la Saison prochaine, qui comēnce avec le mois d'Octobr de l'añee Courante et finit avec le mois de Juillet 1731, et nous attendons avec impatience d'en apprendre des nouvelles pour en informer la Cour.
Il ne me reste qu'a Vous reiterer mes assurances de l'obligation particuliere que je Vous aurai de Votre Bonté envers moi a cet egard, qui ai l'hoñeur d'etre avec une affection respectueuse
Monsieur
Vôtre tres humble et obeissant Serviteur
George Frideric Handel.
A Monsieur, Monsieur Coleman
Envoyé extraord^{are} de S.M. Britanique,
aupres de S.A.R. le Duc de Toscane à Florence.
(Sammlung Karl Geigy-Hagenbach, Basel. Colman, 19 f.; Mueller von Asow 118 ff., Faksimile nach 120)

– Händels erster Brief an Colman ist verloren.

27. Juni 1730
The Craftsman
The Ladys Banquet First Book; Being a Choice Collection of the newest & most Airy Lessons for the Harpsicord or Spinnet: Together with several Opera Aires, Minuets, & Marches Compos'd by M^r. Handel. Perform'd at Court, the Theatres, and Publick Entertainments: Being a most delightful Collection, and proper for the Improvement of the Hand on the Harpsicord or Spinet. All Fairly Engraven. Price 2s. 6. N°. 171.

London. Printed for and sold by I: Walsh ... and I: Hare, &c.

– Der angekündigte Band war der erste einer neuen Folge mehrerer Sammelbände mit Klavierarrangements von Stücken verschiedener Komponisten. 1730 bis 1735 erschienen sechs Bände. Von Händel enthält der erste Band acht Stücke aus *Giulio Cesare, Riccardo Primo* und *Floridante* sowie eine Arie aus *Admeto,* bei der sein Name nicht genannt ist.
(Smith 1948, 167; Smith 1960, 268 ff.)

4. Juli 1730
Händel kauft von Joseph Goupy für 100 £ Südsee-Aktien.

18. Juli 1730
Owen Swiney an Francis Colman in Florenz

Bologna 18 July 1730.
I am favoured wth y^rs of ye 15th instant, & shall Endeav^r to observe punctually w^t you write about. I find y^t Senesino or Carestini are desired at 1200 G^s each, if they are to be had; Im'e sure that Carestini is Engaged at Milan, & has been so, for many Months past: and I hear y^t Senesino, is Engaged for ye ensuing Carnival at Rome.
If Senesino is at liberty (& will accept ye offer) then the affair is adjusted if Sig^ra Barbara Pisani accepts the offer I made her, which I really believe she will.
If we can neither get Senesino, nor Carestini, then Mr Handel desires to have a man (Soprano) & a woman contrealt, & y^t the price (for both) must not exceed one Thousand or Eleven hundred Guineas, & that the persons must sett out for London ye latter end of Augt or beginning of Septemb^r, and y^t no Engagem^t must be Made wth one with^t a certainty of getting the other.
Several of the persons recomended to Mr Handel (whose names he repeats in ye letter I received from him this Morning) are I think exceedingly indifferent, & Im'e persuaded wou'd never doe in England: & I think shou'd never be pitch'd on, till nobody else can be had.
I have heard a Lad here, of a^bt 19 years old, wth a very good soprano voice (& of whom there are vast hopes) who Im'e persuaded, would do very well in London, and much better than any of those mentioned in Mr Handel's letter who are not already engaged in case you cannot get Senesino. ...
Having no time to answer Mr. Handel's Letter, this day, I hope you will be so good as to let him know y^t I shall Endeav^r to serve him to the utmost of my power, & y^t I shall do nothing but w^t shall be concerted by you.
(Colman, 21 ff.)

– Swiney hatte London 1731 verlassen und hielt sich in Italien auf. Er kehrte um 1735 nach Eng-

land zurück und nahm den Namen MacSwiney (McSwiny) an.
Senesino trat Händels Ensemble gegen ein Jahresgehalt von 1400 Guineen wieder bei, Carestini wurde 1733 engagiert. Signora Pisani kam nicht nach London. Händels Brief an Swiney ist nicht erhalten.
Vgl. 29. Juli 1730 (I)

22. Juli 1730
The Daily Post

Six Solos Four for a German Flute and a Bass and two for a Violin with a Thorough Bass for the Harpsicord or Bass Violin Compos'd by Mr Handel Sig^r Geminiani Sig^r Somis Sig^r Brivio. London. Printed for and sold by I: Walsh ... and Ioseph Hare, &c.
(Smith 1960, 241)

– Die Sonaten I–III der Sammlung mit der Überschrift „Traversa Solo by Mr Handel" sind die „Hallenser Sonaten" (HWV 374–376).

27. Juli 1730 (I)
Protokollbuch des Schatzamtes

The King allows 1,000 l. to be paid the undertakers for the opera towards the discharging their debt, so prepare a sign manual, in the name of John James Heidegger, for that purpose.
(Redington, 416)

– Die Unternehmer waren Heidegger und Händel.

27. Juli 1730 (II)
Warrant Book des Königs

Royal sign manual directed to the Lords of Treasury for the issue of 1,000 l. to John James Heidegger to be applied as royal bounty towards enabling the undertakers of the opera to discharge their debts.
Memorandum: – Warrant signed by the Lords of the Treasury, July 28.
(Redington, 418)

28. Juli 1730
Maria Augusta Flörcke, die Schwester Dr. Johann Ernst Flörckes, des späteren Ehemannes von Händels Nichte Johanna Friderica, geb. Michaelsen, stirbt in Halle.
Vgl. 6. Dezember 1731

29. Juli 1730 (I)
Swiney an Colman in Florenz

Rome, July 29, 1730.
I was in hopes of ye Hon^r of a Letter from you, to let me know whether Senesino had accepted the offer of 1200 G^s. If he does not, then, we must provide a Soprano Man & a Contrealt Woman (tho

the Merighi stays) at ab^t 1000 G^s (both) or, Therab^ts – wth an absolute condition of their being in London by ye end of Septem^br.

I told you I had a young Fellow in View wth a good Voice & other requisites, in case Senesino (or some other fit person) cou'd not be Engaged – I have rec^d no answer, as yet, From the Sig^ra Barbara Pisani, but hope to have one by ye next week's ordinary – as soon as I receive it, I shall not fail to give you the purport of it.
(Colman, 25 f.)

Vgl. 18. Juli und 16. Oktober 1730

29. Juli 1730 (II)
Order Book des Schatzamtes

1730
July 29. John James Heidegger 1,000 0 0 Royal bounty to the undertakers of the Opera
(Redington, 580)

15. August 1730 (I)
The Norwich Mercury

[London,] August 8. This Day Mr. Handel, the famous Master of Musick, made Trial of the new Organ in Westminster-Abbey, upon which he play'd several fine Pieces of Musick, and gave his Opinion, that it is a very curious Instrument.

– Georg II. hatte die von Christopher Shrider für die Krönungsfeierlichkeiten (vgl. 11. Oktober 1727) gebaute Orgel der Westminster Abbey geschenkt (vgl. 10. Februar 1728). Nach der Erweiterung durch Abraham Jordan (vgl. 23. August 1720) wurde das Instrument am 1. August 1730 mit einer Aufführung von Purcells Anthem „O give thanks" neu geweiht. Wahrscheinlich war die Orgel bei diesen Erweiterungsarbeiten an den Lettner versetzt worden.
(Edwards 1902 I, 154)

15. August 1730 (II)
Händel kauft für 150 £ Südsee-Aktien.

28. August 1730
The Daily Post

Signor Senesino, the famous Italian Singer, hath contracted to come over hither against the Winter, to perform under Mr. Heydegger in the Italian Operas.
(Burney, II, 767)

August 1730
Händels *Siroe* wird in Braunschweig in italienischer Sprache aufgeführt.
(Loewenberg, Sp. 161; Stompor, 81)

Vgl. 9. Februar 1735

27. September 1730
Johann Mattheson, Hamburger Opernverzeichnis

228. Ernelinda, aus dem Italiänischen übersetzet v. Hrn. Telemann. Aufgeführet d. 27. Sept. 1730. Hr. Händel soll das meiste, wo nicht alles, componirt haben.
(Chrysander 1877, Sp. 262)

– Matthesons Zuschreibung an Händel ist falsch.
(Strohm 1974 II, 209 f.)

9. Oktober 1730
The Daily Journal

There are Grand Preparations making at the Opera-House in the Hay-Market, by New Cloaths, Scenes, &c. And, Senesino being arrived, they will begin to perform as soon as the Court comes to St. James's.
(Burney, II, 767)

16. Oktober 1730
Händel an Francis Colman in Florenz

à Londres $\frac{27}{16}$ d'Octobr 1730.

Monsieur

Je viens de recevoir l'honneur de Votre Lettre du 22 du passée N. S. par la quelle je vois les Raisons qui Vous ont determiné d'engager Sr Senesino sur le pied de quatorze Cent ghinees, a quoy nous acquiesçons, et je Vous fais mes tres humbles Remerciments des peines que Vous avez bien voulu prendre dans cette affaire. Le dit Sr Senesino est arrivé icy il y a 12 jours et je n'ai pas manqué sur la presentation de Votre Lettre de Luy payer a compte de son Salaire les cent ghinées que Vous Luy aviez promis. Pour ce qui est de la Sig^ra Pisani nous ne l'avons pas eüe, et comme la Saison est fort avancée, et qu'on comencera bientôt les Opéras nous nous passerons cette année cy d'une autre Feme d'Italie ayant deja disposé les Operas pour la Compagnie que nous avons presentement. Je Vous suis pourtant tres obligé d'avoir songé a la Sig^ra Madalena Pieri en cas que nous eussions absolument besoin d'une autre Femme qui acte en homme, mais nous nous contenterons des cinq Personnages ayant actuellement trouvé de quoy suppléer au reste.

C'est a Votre genereuse assistance que la Cour et la Noblesse devront en partie la satisfaction d'avoir presentement une Compagnie a leur gré, en sorte qu'il ne me reste qu'a Vous en marquer mes sentiments particuliers de gratitude et a Vous assurer de l'attention tres respectueuse avec la quelle j'ay l'honneur d'etre

Monsieur
Votre tres humble et tres obeissant Serviteur
George Frideric Handel
A Monsieur
Monsieur Colman
Envoyé Extraord^{inaire} de Sa Majesté Britañique
aupres de Son Altesse Royale le Grand Duc de
Toscane
à Florence
(British Library, Manuskripte des Royal College of
Music. Colman, 28 f.)
Vgl. 18. und 29. Juli 1730

– Barbara Pisani und Maria Maddalena Pieri kamen nicht nach London. Neu zum Ensemble der
Akademie kam der Bassist Giovanni Commano;
Riemschneider war nach Hamburg zurückgekehrt.

3. November 1730 (I)
Die zweite Saison der neuen Opern-Akademie
wird mit einer Neuinszenierung von Händels *Sci-
pione* eröffnet.
Wiederholungen: 7., 10., 14., 17. und 21. Novem-
ber 1730.
Besetzung:
Scipione – Annibale Fabri, Tenor
Lucejo – Senesino, Mezzosopran
Lelio – Francesca Bertolli, Mezzosopran
Ernando – Giovanni Commano, Baß
Berenice – Anna Strada, Sopran
Armira – Antonia Margherita Merighi, Alt
Vgl. 12. März 1726
(Händel-Hdb., I, 261 f.)

3. November 1730 (II)
Francis Colman, Opera Register

Nov: 3 Tuesday Opera's began wth Scipio
        Senesino being return'd charm'd much.
        the rest as last year –
        Scipio 4 times to Saturday ye 14. Nov.
        the King, Queen &c there each night.
(Sasse 1959, 219)

– Da sich Francis Colman zu dieser Zeit als außerordentlicher Botschafter Großbritanniens in Florenz aufhielt, kann diese Eintragung nicht von seiner Hand stammen.

10. November 1730
Die ballad opera *Silvia, or The Country Burial* (Text:
George Lillo) wird im Theater in Lincoln's Inn
Fields aufgeführt.

– Für die Arien „Wounded by the scornful fair"
und „In vain I rove" wurde Musik von Händel verwendet.
In gekürzter Fassung wurde die Oper am 18. März
1736 im Covent Garden Theatre wiederaufgeführt.
(Smith 1960, 171 und 134)

26. November 1730
Händel kauft für 350 £ Südsee-Aktien.

12. Dezember 1730
Partenope wird im Haymarket Theatre erneut auf-
geführt.
Wiederholungen: 15., 19. und 29. Dezember 1730,
2., 5. und 9. Januar 1731.
Vgl. 24. Februar 1730

– Die Partien von Arsace und Ormonte waren mit
Senesino und Commano besetzt.
(Händel-Hdb., I, 343)

27. Dezember 1730
Händels Mutter stirbt in Halle.
Vgl. 9., 15., 22. und 23. April 1683, Februar 1697
und 2. Januar 1731

Dezember 1730
An Tit. Herrn George Friedrich Händel Seinem
Hochgeehrten Herrn Vetter Wolte Bey dem
schmerzlichen Verluste Dessen geliebtesten Mut-
ter Frauen Dorothea Händelin diese Trauer-Zei-
len aus Halle in Sachsen nach Engelland mitley-
digst übersenden
M. Christian August Roth
s. s. Theol. Baccal. und Diaconus zu St. Moritz.
Herr Vetter,
Darf ich Ihn durch schwarze Littern grüssen,
Und bis nach Engelland mit diesen Zeilen gehn,
So wird dies Trauer-Blatt mein Beyleyd in sich
                                        schließen
Und aus ergebner Pflicht zu Seinen Diensten
                                        stehn.
Mich deucht, ich sehe noch das freundliche
                                        Willkommen,
Womit er unverhofft mein Haus beglückt
                                        gemacht,
Als er vergangenes Jahr die Reise
                                        vorgenommen,
Und auch in Gegenwart an seinen Freund
                                        gedacht.
Die Freude mehrte sich bei denen
                                        Anverwandten,
Sobald der erste Tritt in diese Stadt geschehn.
Ja viele wünschten Ihn, die seinen Namen
                                        kannten,
In seiner Seltenheit dasselbemahl zu sehn.
Die treueste Mama vergoss viel
                                        Freuden-Thränen,
Da Sie bei Finsterniss die fremde Hand bekam.
So mag auch ich anitzt die Worte nicht
                                        erwehnen,
Mit welchen Sie zuletzt betrübten Abschied
                                        nahm.
Allein nun ist die Lust auf einen Tag
                                        verschwunden,
Nach dem die Todes-Pest Ihm Schmerz und
                                        Trauer bringt.

Die Hoffnung ist dahin von den vergnügten
Stunden,
Was wunder, dass ein Schwert in seine Seele
dringt?
Er, als der eintzige von denen nächsten Erben,
Erfährt durch rauhe Luft des Himmels strengen
Schluß,
Dass die Getreueste nach zwey Geschwistern
sterben,
Und ihn als Ueberrest zurücke lassen muss.
Gewiss, wer diesen Fall vernünftig überlegt,
Der kann, so hart er ist, nicht Stahl und Eisen
sein,
Denn wer ein Mutter-Herz zu finstern Grabe
trägt,
Der scharrt den grössten Schatz mit grösster
Wehmut ein.
Gesetzt, das Alter sey nicht mehr so stark an
Kräften,
So liebt ein frommer Sohn doch was Ihn erst
geliebt,
Weil das Gebet zu Gott bei den
Berufs-Geschäften,
Ihm alles Wohlergehn Zeit ihres Lebens giebt.
Dergleichen hat er auch beständig sehen lassen,
Davon sein letzter Brief der Wahrheit Zeuge
bleibt,
Denn er bemühet sich beweglich abzufassen,
Was Ihm die Zärtlichkeit in seine Seele schreibt.
Der Inhalt ging dahin, das Leben zu vermehren,
Und der Entkräfteten durch Mittel beizustehn,
Den kalten Todes-Gift noch länger abzuwehren,
Und auch mit Rath und That Ihr an die Hand zu
gehn.
Jedoch die Zeit war aus von Ihrem
Tugend-Leben.
Das Sie bis achtzig Jahr in dieser Welt gebracht.
Drum hat Sie gute Nacht durch Ihren Tod
gegeben,
Und Ihren Jahres-Schluss noch dieses Jahr
gemacht.
O selig! wer sich hier dergleichen Lob erwirbet,
Als die Wohlselige bey Jedermann erlangt,
O selig! wer wie Sie so wohl und glücklich
stirbet,
Der findet, daß der Geist mit Ehren-Kronen
prangt.
Dies Hochgeehrtester, wird Er bei sich
bedenken,
Und der Wohlseligen geliebtesten Mama
Zwar noch den Thränen-Zoll bei stillen
Seufzern schenken,
Weil er das letzte mal Ihr holdes Auge sah;
Allein, Er wird sich auch durch wahre
Grossmuth fassen,
Indem Ihr Segens-Wunsch auf Seinem Haupte
ruht,
Und vor die Seinigen den Trost zurücke lassen,
Dass alles heilig sey, was Gottes Wille thut.

Derselbe lasse nun Denselben lange leben,
Und lege seiner Zahl so viele Jahre bey,
Als er der Seligsten auf dieser Welt gegeben,
Damit das Neue Jahr Ihm höchst erspriesslich
sey.
Ich aber will hiermit die Trauer-Zeilen
schliessen,
Zu welchen ich sofort mich höchst verbunden
fand;
Doch lass Er nun darauf nichts mehr von
Thränen fliessen,
Denn Seine Seligste lebt itzt in Engelland.
(Exemplar des Originaldruckes: Pfarr-Archiv der
Marienkirche Halle. Euterpe, XXXVI, Nr. 3,
44f.)

– Das Verwandtschaftsverhältnis zwischen Händel und Christian August Rot(t)h (1685–1752), den Händel wie seine anderen Verwandten in seinem Testament bedenkt (vgl. 1. Juni 1750 und 6. August 1756), ist noch ungeklärt. Der erwähnte Brief von Händel ist anscheinend verlorengegangen.
Vgl. 12. Februar 1731 und 22. Februar 1750
(Eckstein, 4 und 17f.; Förstemann, 10)

1730 (I)
John Walsh, Cash-Book

1729 Opera Parthenope ... £ 26 5 0.

– Die Oper *Partenope* war am 12. Februar 1730 vollendet, am 24. Februar uraufgeführt und am 4. April erstmals veröffentlicht worden.

1730 (II)
Der Pariser Verleger Jean Baptiste Christophe Ballard druckt in seiner Sammlung *Les Parodies nouvelles et les Vaudevilles inconnues* die Arie der Rossane „Se risolvi abbandonarmi" aus Händels *Floridante* mit dem Text „Daphnis, profitons du temps, je vois déjà l'Aurore" ab.
(Spitta 1894, 236f.)
Vgl. 1734 (V) und 1737 (II)

1731

2. Januar 1731 (I)
Archiv der Ober-Pfarr-Kirche zu Unser Lieben Frauen in Halle
Todten-Register v. J. 1717 bis 1740

J. N. J.
Anno 1731
In der Neuen Jahres Woche
♂ 2ten Jan. Frau Dorothea geb. Taustin, Herrn George Händels weil. geheimben Cammerdieners nachgel. Frau [folgt unleserliche Abkürzung] † ☿

27. Dez. hor. alt 80 Jahr weniger 6 Wochen mit der
gantzen Schule öffentlich begraben

[S.481]

– ♂ ist das astronomische Zeichen für Dienstag,
☿ für Mittwoch. Die Todesstunde wurde nicht
eingetragen.

2. Januar 1731 (II)

[Johann Georg Francke,] Die Wolthaten, welche
Gott, durch einen / seligen Todt, an seinen Gläubigen thut / und sie dadurch erwecket nach denselben zu verlangen, Wurden, / In dem, / Der
Weiland / Wol / Edlen, Hoch / Ehr und Tugend-
belobten Frau, / Dorotheen Taustin, / Des Weiland / Wol-Edlen und Wolfürnehmen Herrn, /
Herrn George Händels, / ... / Hinterlassenen Frau
Witwe, / ... / Am Tage Ihrer, mit Christ-üblichen
Ceremonien / geschehenen Beerdigung / war der
2. Jan. 1731. / Gehaltenen Leichen-Sermon / vorgestellt von ...

Memoria Defunctae
Es würde ein gar vergebliches Unternehmen
seyn / wenn man durch Lebens-Beschreibungen
intendiren wolte / die Verstorbenen bey denen
Lebendigen in unvergeßlichen Andencken zu erhalten. ...
Sie erblickte das Licht dieser Welt zum erstenmal
im Jahr Christi 1651. den 8. Febr. st. v. zu Dießkau.
Ihr Herr Vater war Tit. Herr George Taust / wohl-
verdienter Pastor zu besagtem Dießkau / der aber
nachhero von der damahligen Hochfürstl. Herr-
schafft zum Diener des göttlichen Worts bey der
Gemeinde zu Giebichenstein und Crölwitz ordentlich vociret worden.
Ihre Frau Mutter ist gewesen Frau Dorothea / eine
gebohrne Cunoin / Tit. Herrn Johann Christoph
Cunoes Not. Publ. und Arendatoris des Amts Bee-
sen / wie auch hernachmahls wohlbestalten Ober-
Bornmeisters alhier / eheleibliche Tochter
Der Herr Groß-Vater / von väterlicher Seite / war
Herr Johann Taust / welcher bei den damahligen
Religions-Troubeln und harten Verfolgung der
Augspurgischen Confessions-Verwandten / der
reinen Evangelischen Wahrheit zur Liebe / aus
dem Königreiche Böhmen entwichen / alle seine
Güter nach der Vorschrifft Christi Matth. 19, 29.
freywillig verlassen / und lieber als ein privatus all-
hier zu Halle / als in seinem Vaterlande in gutem
Ansehen und grossem Vermögen leben wollen;
welches veste Vertrauen auch der Höchste ihm
reichlich vergolten.
Die Frau Groß-Mutter / mütterlicher Seiten / ist
gewesen Frau Catharina / gebohrene Oleariin /
des Tit. theuren Herrn Johann Olearii S. S.
Theol. Doctoris Superintendentis, wie auch Ober-
Pfarrers und Pastoris bey der Kirchen zu U. L.
Frauen eheleibliche Tochter.

... Hiernächst liessen Sie (vorerwehnte fromme Eltern) / so viel an Ihnen war / nichts ermangeln /
was eine Gott und Menschen wohlgefällige Aufferziehung erforderte: Sie liessen ihre vornehmste
Bemühung nur dahin gerichtet seyn / daß mit den
zunehmenden Jahren auch der Wachstum im Guten befördert werden möchte; daher Dero Herr
Vater / als er einen aufgeweckten Kopf und ein
gut Gedächtniß / womit Gott Sie vor vielen andern ihres Geschlechts begabet / an seinem Kinde
gewahr worden / es bey der Information privat-
Praeceptorum nicht bloß bewenden ließ / sondern / so viel seine Amts-Verrichtungen es verstatten wolten / selbst Hand anlegte / und Sie so wohl
im Christenthum vester zu gründen / als auch das
H. Bibel-Buch bekannt zu machen / bemühet war;
welche Arbeit der Herr auch dergestalt gesegnet /
daß Sie bey mehrern Jahren / ja die gantze Zeit
ihres Lebens / aus diesem in ihrer Jugend einge-
sameleten Schatz der besten Kern-Sprüche einen
Vorrath über den andern zu ihrer eigenen und anderer Erbauung heraus nehmen können. Diese
ihre Christliche Aufführung und übrige angenehme Gemüths- und Leibes-Gaben / nebst vollkommener Wissenschaft einer Haushaltung vor-
zustehen / bewogen / bey ihren mannbaren
Jahren / viele Gemüther / um eine eheliche Verbindung mit Ihr / bey ihren Eltern anzusuchen.
Ob nun wohl Diese einer glücklichen Veränderung niemahlen entgegen / vielmehr ihre Versor-
gung wünschten / so war Sie doch hierzu / aus
Liebe zu Denselben / welche Sie bey ihren hohen
Jahren / (zumahlen den Herrn Vater / nachdem
Derselbe durch den Tod der Frau Mutter Anno
1681. in den Witwer-Stand gesetzet /) zu verlassen / Sie wider die kindliche Pflicht zu seyn
hielte / auf keine Art zu bringen; ja die Liebe gegen ihren alten und wegen eines harten Falls
elend gewordenen Herrn Vater war so groß / daß
Sie / bey damals grassirender Contagion, ihr eigenes Leben / (für welches doch der Herr Vater ge-
sorget und seine Tochter anderswo hingebracht)
nicht schonete / vielmehr ihn / da die Pfarr-Woh-
nung zu Giebichenstein bereits starck inficiret /
nicht unbesuchet gelassen / noch erwogen / daß
der Todt / so ihre Jungfer Schwester / ältesten
Herrn Bruder / als Adjunctum seines Herrn Vaters / und dessen Eheliebste durch die Seuche dahin gerissen / auch ihrer daselbsten warten
möchte. Vielmehr blieb sie bey Leistung ihrer
kindlichen Pflicht unerschrocken und getrost / indem sie wuste / daß Gott in diesen trübseeligen
Zeiten Sie erhalten / und auch vom Tode erretten
könne / wie denn unsere Selige zum Preise Gottes / daß sie seines allmächtigen Schutzes damals
an ihr erfahren / öffters zu erzehlen pflegte. Als
aber solche Plage hinwieder gäntzlich cessiret /
und ihr alter Herr Vater / durch eine anderweitige
Adjunction ihres jüngsten Herrn Bruders / in et-

was / bey seinen nunmehro beschwerlich gewordenen Amts-Verrichtungen soulagiret; vermochte die Seelige der weisen Führung des Höchsten und dem vielen Zureden ihres Herrn Vaters auch andrer guten Freunde nicht länger zu widerstehen / und resolvirte sich / nach vorhergegangenem fleissigen Gebet / in dem Namen Gottes / mit dem um Sie anhaltenden Herrn George Händeln / Sr. Hochfürstl. Durchl. Herrn Augusti, Hertzoges zu Sachsen und Postulirten Administratoris des Primats-Ertz-Stiffts Magdeburg / wohlbestalten Geheimten Cammer-Diener in ein Christliches Ehe-Verbindniß einzulassen / welches auch kurtz darauf zu Giebichenstein an H. Stätte / durch priesterliche Copulation, die ihr Herr Vater zu seinem höchsten Vergnügen noch selbst verrichten konnte / am Tage Georgii, war der 23. April des 1683. Jahres / vollzogen wurde. Wie nun Ehen / die auf kein vergängliches Interesse, sondern vielmehr auf Gleichheit der Gemüther und wahre Tugend gegründet / nicht anders als wohl gerathen können; also hat auch unsere Seelige mit diesem ihrem Ehe-Herrn bis an den Tag seines Todes / welcher nach Gottes unerforschlichen Willen Anno 1697. den 11. Febr. zu ihrer grössesten Empfindung erfolgte / iederzeit ruhig / vergnügt und Christ friedlich gelebet / auch mit ihm gezeuget Vier Kinder: als zwo Söhne / davon aber der erstere gleich in der Stunde seiner Geburt Ao. 1684. hinwieder seelig verstorben; dessen Verlust aber der Grundgütige Gott / zu der Eltern und des Herrn Groß-Vaters Freude / hinwieder ersetzte durch Schenckung des andern Sohnes / nehmlich

Georgen Friederichen / gebohren den 23. Febr. Anno 1685. welcher sowohl bey Sr. königl. Groß-Britannischen Majestät Georgio 1. glor-würdigsten Andenckens / als auch ietzt regierender Königl. Majestät in England und Churfürstl. Durchl. zu Hannover Georgio 2. wegen seiner ausnehmenden Wissenschaft in arte Musika, als Director von derselben / in besondern Gnaden stehet.
Und zwo Töchter / namentlich
1. Dorothea Sophia / so gebohren den 6. Octobt. Ao. 1687. und an Herrn Michaelem Diedericum Michaelsen / damahligen J. U. Doctorem nunmehro königl. Preuß. Kriegs-Rath allhier / mit Einwilligung ihrer Frau Mutter verheyrathet worden Ao. 1708. den 26. Sept. / mit dem Sie zehen Jahr in recht vergnügter Harmonie gelebet / aber am 11. August. 1718. das Zeitliche mit dem Ewigen bereits verwechselt. Von dieser lieben Tochter alleine hat unsere seel. Frau Cammer-Dienerin fünf Kindes-Kinder / als 3. Söhne und 2. Töchter erlebet / nemlich ...
2. Johanna Friederica / gebohren den 19. Nov. 1711 / so noch am Leben.

...
2. Johanna Christiana / gebohren Ao. 1690 den 10. Jan. die aber in der besten Blüthe ihrer Jugend / nemlich den 16. Julii 1709. nicht ohne grosse Empfindung ihrer Frau Mutter seelig verstorben.
... Nun Gott / der getreu ist / hat gleichfalls an ihr seine Verheissung in grossem Maasse erfüllet; denn obschon die Kräffte des äusserlichen Menschen abnahmen und ersterben wolten / so wuchs hingegen der inwendige / und ihr Geist ward immer lebendiger; auch da ihre Augen vor einigen Jahren dunckel worden / freuete Sie sich / daß / weil nun ihre Sinne durch eitle Lüste und Gedancken nicht so sehr zerstreuet werden könten / Sie viel andächtiger und durchdringender beten und mit denen Glaubens-Augen die ewigen Güter / welche Gott denen / die ihn lieben / bereitet / desto ungehinderter betrachten würde / je mehr die irdischen und vergänglichen ihrem Gesichte entzogen. Solchergestalt genoß unsere Seelige bereits in diesem Leben ein Theil derjenigen Seeligkeit / zu deren völligen Genuß sie nach dem Tode gelangen sollte; daher selbige vor diesem Herold / als er vor ohngefähr $\frac{7}{4}$. Jahren durch einen heftigen Schlagfluß / welcher ihr die gantze rechte Seite nebst der Zunge lähmete / sich meldete und Sie an ihre Sterblichkeit aufs nachdrücklichste erinnerte / gar nicht sich entsatzte / ... vielmehr gab Sie die Begierde nach dieser seeligen Gesellschafft durch Geberden zu erkennen / da ihr Mund solche mit Worten / zu der Zeit / nicht auszusprechen vermochte. Allein ihr sehnlicher Wunsch ward für diesesmahl nicht erfüllet / indem der Allgewaltige Sie zu besondern Trost der Ihrigen aus dieser augenscheinlichen Todes-Gefahr errettete / und derer Herren Medicorum Sorgfalt dergestalt segnete / daß Sie sich von diesem harten Lager ziemlich wieder erholten und auf der Welt mit dem alten Jacob noch die Freude haben konte / ihren eintzigen Herrn Sohn / welcher auf seiner Rück-Reise von Italien / mense Junii des 1729. Jahrs alhier eintraff / zu sprechen. ...
Ja der Über-Rest / so Gott ihren Jahren zugeleget hatte / war eine stetige Bereitung zu einem seeligen Tode / und weil ihr wohl wissend / daß hierzu mehr als menschliche Kräffte erfordert werden / so wandte Sie sich mit ihrem Gebet zu dem / der da überschwenglich thun kan / über alles / was wir bitten oder verstehen / flehete Denselben um den kräfftigen Beystand des H. Geistes hertzlich an / bekandte ihm täglich ihre Sünde / und suchte derselben Vergebung in dem theuren Verdienst Jesu Christi. Und zu diesen Heiland nahm Sie auch ihre erste Zuflucht / als Sie medio Octobr. a. p. mit einer ausserordentlichen Mattigkeit befallen wurde / stärckete zuförderst ihre Seele mit würdiger Geniessung seines wahren Leibes und wahren

Blutes / hiernächst überließ Sie ihren Leib derer
Herren Medicorum Vorsorge; Ob nun wohl
diese / ... / nichts versäumeten / so vermochten
doch alle gebrauchte Mittel diese bey alten Leuten
bekandte Kranckheit / welche man Marasmum se-
nilem zu nennen pfleget / nicht zu heben / noch
die Kräffte wieder zu ersetzen / daher es geschahe / daß / wann gleich wegen ihrer guten
Constitution ein Tag einige Hoffnung zur Besse-
rung geben wolte / sich den folgenden die bey
dergleichen Maladie gewöhnliche Symptomata desto heftiger wieder einfanden / welche Abwechs-
lung binnen der Zeit von eilf Wochen / da die
Seelige bettlägerig gewesen / so offte erfolgte / bis
Sie die Lebens-Geister am 3ten H. Weynachs-
Feyertage / war der 27. Dec. des verwichenen Jahres / Abends gegen 5. Uhr / zum grössesten Leid-
wesen der Ihrigen / vollends verliessen. Hingegen
war ihr Gemüth bey allen Leibes-Schmertzen gar
ruhig / ... Als aber unsere Seelige durch die über-
hand nehmende Entkräfftung verspührete / auch
in ihrer Seelen vergewissert seyn mochte / daß die
Zeit ihrer völligen Erlösung herannahete / bestel-
lete Sie etwas weniges wegen ihrer Beerdigung /
befahl ihren abwesenden Herrn Sohn nochmahls
der väterlichen Vorsorge des Allerhöchsten /
nahm von denen Ihrigen / unter Anwünschung
vielfachen Guten / völligen Abschied und
wünschte nichts mehr / als die erfreuliche Abho-
lung von ihrem Seelen-Bräutigam / ... / welcher
denn auch den nächstfolgenden Tag / Abends gegen 5. Uhr / wie schon gemeldet / zu ihrem Trost
erschiene / und ihre mit seinem kostbaren Blute
erkauffte Seele durch einen sanfften Tod aus dieser elenden Hütte in seine herrliche und ewige
Wohnungen einführete....
(Universitäts- und Landesbibliothek Sachsen-Anhalt, Halle. Francke, 1 und 5 ff.)

– Johann Georg Francke (1669–1747) war 1692
als Adjunctus an die Liebfrauenkirche in Halle berufen worden. 1709 wurde er Diakon, 1716 Archi-
diakon und 1722 Oberpfarrer, außerdem Konsistorialrat im Herzogtum Magdeburg. Nach dem
Kirchenbuch von St. Anna in Dieskau wurde Dorothea Taust am 10. Februar 1651 geboren. Auch
der genannte Todestag Georg Händels ist falsch;
im Sterberegister der Liebfrauenkirche ist der
14. Februar 1697 angegeben.
Vgl. Februar 1697
(Dreyhaupt, II, 614 f.; Chrysander, I, 6 ff.; Chrysander, II, 227 f.; Francke, 2 ff. und Ahnentafel)

2. Januar 1731 (III)
The Craftsman

Musick, Lately Publish'd. ...
Printed for and sold by John Walsh.
I The whole Opera of Parthenope in Score, with
the additional Song, as it is perform'd at the

King's Theatre in the Hay-Market. Composed
by Mr. Handel.
IV Seventeen of Mr. Handel's Operas transposed
for the Flute, and neatly bound in 2 Vols. 4to.
(Smith 1960, 47 und 275)

– Diese zweite Ausgabe von Händels *Partenope*
zeigt Walsh am 27. Januar 1731 auch im *Daily Journal* an. Sie enthält die für Senesino eingefügte
Arie „Seguaci di Cupido".
Vgl. 4. April und 12. Dezember 1730

12. Januar 1731
Im Haymarket Theatre wird das Pasticcio *Venceslao*
(Libretto: Apostolo Zeno; Musik: Capelli, Hasse,
Lotti, Orlandini, Vinci u. a.), bearbeitet von Hän-
del und Giacomo Rossi, aufgeführt.

– Der Erfolg war gering, so daß nur vier Aufführungen stattfanden, die letzte am 23. Januar
1731.
Von der 1717 in London aufgeführten Oper *Venceslao* (Burney, II, 699 f.) sind Text und Musik verschollen.
(Sasse 1959, 219; Strohm 1974 II, 220 ff.)

16. Januar 1731
Händel beendet die Oper *Poro*.
Eintrag in der autographen Partitur (R. M. 20.
b. 13.): „Fine dell'Opera di Poro al Londra
G. F. Handel gli 16 di Gennaro 1731".
Eintragungen am Ende des ersten und zweiten
Aktes: „Fine dell'atto primo mercordi li 23 di De-
cembr. 1730", „Fine dell'atto 2do G. F. Handel. De-
cembr. 30 Año 1730"

27. Januar 1731
Walsh und Hare zeigen im *Daily Journal* „The Favourite Songs in the Opera call'd Venceslaus"
an.
(Smith 1960, 79 f.)

29. Januar 1731
The Daily Journal

At the King's Theatre ... on Tuesday next, being
the 2d Day of February, will be perform'd, a new
opera, call'd Porus. ... N.B. The Scenes and Habits
are all intirely new.

– Die gleiche Ankündigung erschien im *Daily
Courant*, nur mit „Cloaths" anstelle von „Habits".

2. Februar 1731 (I)
Die Oper *Poro, Re dell'Indie* wird im King's Theatre
am Haymarket uraufgeführt.

– Das Libretto geht auf Metastasios *Alessandro
nell'Indie* (in der Vertonung von Leonardo Vinci
im Karneval 1730 in Rom aufgeführt) zurück. Die
Bearbeitung für Händel könnte Giacomo Rossi
oder Samuel Humphreys besorgt haben.

Wiederholungen: 6., 9., 13., 16., 20., 23. und 27. Februar und 2., 6., 9., 13., 16., 20., 23. und 27. März.

Vgl. 23. November 1731

Besetzung:

Poro – Senesino, Mezzosopran
Cleofide – Anna Strada, Sopran
Erissena – Antonia Margherita Merighi, Alt
Gandarte – Francesca Bertolli, Mezzosopran
Alessandro – Annibale Pio Fabri, Tenor
Timagene – Giovanni Commano, Baß

(Chrysander, II, 244ff.; Strohm 1975/76, 130f.)

2. Februar 1731 (II)
The Daily Journal

For the Benefit of a Gentlewoman lately arriv'd. At Mr. Hickford's Great Room in Panton-Street, on Thursday the 4th of February, will be perform'd, A Concert of Musick. In which she'll perform on several Instruments, particularly on the Violin, she having been approv'd by Mr. Handell, and will play (besides Corelli's Vivaldi's, &c.) some Pieces of her own Composing.

Tickets at 5 sh.

(Chrysander, III, 167)

– Der Name der Künstlerin ist nicht bekannt. Hickfords Konzertsaal befand sich in der Nähe des Haymarket.

12. Februar 1731
Händel an seinen Schwager Michaelsen in Halle

London den $\frac{23}{12}$ February 1731

Monsieur
et tres Honoré Frere.

Deroselben geEhrtestes vom 6 January habe zurecht erhalten, woraus mit mehreren ersehen die Sorgfalt die Derselbe genoȟen meine Seelige Fr. Mutter geziemend und Ihrem lezten Willen gemäß zur Erden zu bestatten. Ich kan nicht umhin allhier meine Thränen fließen zu lassen. Doch es hat dem Höchsten also gefallen, Deßen heyligen Willen mit Christlicher Gelassenheit mich unterwerffe. Ihr Gedächtnüß wird indeßen nimer bey mir erlöschen, biß wier nach diesen leben wieder vereiniget werden, welches der Grundgütige Gott in Genaden verleyhen wolle.

Die vielfältige Obligationes so ich meinem HochgeEhrten Hln Bruder habe vor die beständige Treüe und Sorgfalt womit derselbe meiner lieben Seeligen Frau Mutter allezeit assistiret werde nicht mit Worten allein sondern mit schuldiger Erkäntlichkeit zu bezeügen mir vorbehalten.

Ich verhoffe daß Mhhhl Bruder mein lezteres so in Antwort auff deßen vom 28 Decembris a. p. geschrieben, mit den Inlagen an den Hln Consistorial Rath Franck und Hln Vetter Diaconus Taust

wird zu recht erhalten haben. Erwarte also mit verlangen Deßen HochgeEhrteste Antwort, mit angeschloßener Notice wegen der auffgewandten Unkosten, wie auch die gedruckte Parentation und Leichen Carmina.

Indeßen bin sehr verbunden vor das lezt überschickte herrliche Carmen welches als ein hochgeschäztes Andenken verwahren werde.

Übrigens Condolire von Herzen Mhhhl Bruder und Deßen HochgeEhrteste Fr. Liebste wegen des sensiblen Verlusts so Sie gehabt durch das Absterben dessen Herrn Schwagers und bin sonderlich durch dessen Christmässige Gelassenheit erbauet. Der Höchste erfülle an uns allen dessen trostreichen Wunsch, in Deßen allgewaltigen Schutz meinen HochgeEhrten Hln Bruder mit Dero gesamten liebwehrtesten Familie empfehle, und mit aller ersinlicher Ergebenheit verharre

Ewr HochEdl.

Meines HochgeEhrtesten Herrn Bruders
tres humble et tres obeissant Serviteur
George Friedrich Händel.

A Monsieur
Monsieur Michael Dietrich Michaëlsen
Conseiller de Guerre de Sa Majesté Prussienne
a Halle en Saxe.

(Sammlung Floersheim, Wildegg im Aargau, Schweiz. Chrysander, II, 229f.; Mueller von Asow, 124f.; Cherbuliez, Faksimile nach 224; Kinsky, 6f., Faksimile nach 6)

– Das Briefpapier ist schwarz umrandet, der Brief schwarz gesiegelt. Es ist der erste der beiden Briefe, die Händel in deutscher Sprache an seinen Schwager geschrieben hat (vgl. 10. August 1733). Händel gebraucht seine Muttersprache ein wenig unsicher und vermengt sie mit englischen, französischen und lateinischen Wörtern. Seine Antwort auf den Brief des Schwagers vom 28. Dezember 1730, auf die Händel Bezug nimmt, ist nicht erhalten. Der „Consistorial Rath Frank" verfaßte die Leichen-Predigt für Händels Mutter (vgl. 2. Januar 1731), der Vetter ist Johann Georg Taust (1691–1764), seit 1720 Diakon an der Laurentiuskirche in Halle, ein Sohn von Georg Taust jun., dem jüngsten Bruder von Händels Mutter. Das „Carmen" ist vermutlich das Trauergedicht seines Vetters August Christian Rot(t)h (vgl. Dezember 1730). Bei dem verstorbenen Schwager von Michaelsen handelt es sich wahrscheinlich um einen Bruder von dessen dritter Frau. Die „schuldige Erkäntlichkeit", die sich Händel vorbehält, mag sich auf seine Absicht beziehen, seine Nichte Johanna Friederica, Michaelsens zweite Tochter aus erster Ehe, als Erbin seines Vermögens einzusetzen.

17. Februar 1731 (I)
The Daily Courant

Last Night their Majesties, together with the

Prince of Wales, attended by the Earl of Grantham, the Lords Herbert and Hervey, &c. went to the Theatre in the Haymarket, to see acted the Opera of Porus.
(Sammlung Harris)

17. Februar 1731 (II)
Grub-street Journal

Das Printing-Office im Bow Church Yard zeigt „The Favourite Songs in the Opera of Porus. Price 2s. 6d." an.
(Smith 1960, 51)
Vgl. 1. März 1731

– Walsh bezeichnet diesen Druck in seiner Ausgabe der „Favourite Songs" aus *Poro* (vgl. 3. März 1731) als Raubdruck. Besitzer des Printing-Office im Bow Church Yard war Thomas Cobb, der die Witwe des Verlegers Cluer geheiratet hatte.

24. Februar 1731
The Daily Courant

Yesterday there was a Rehearsal at St. Paul's, of the Musick that will be performed on Thursday [25. Februar] before the Sons of the Clergy, at their annual Meeting, at which there was a great Appearance of Persons of the first Rank and Figure; and their Collection on that Occasion amounted to above 200 l.
(Chrysander, II, 271)

– Das Jahresfest der „Sons of the Clergy" (vgl. 27. Februar 1731) war einer von vielen Anlässen, bei denen Händelsche Musik zum Besten einer wohltätigen Stiftung gespielt wurde. Händel war stets bereit, wohltätige Einrichtungen zu unterstützen. Die „Sons of the Clergy", eine alte Einrichtung zur Erziehung der Söhne von bedürftigen Geistlichen, waren die ersten, die sich seiner Hilfe erfreuen konnten. Sie feierten ihr Jahresfest seit altersher in der St. Paul's Cathedral, und seit 1709 wurde dabei nicht nur gepredigt, sondern es erklang auch Musik. Das Fest wurde mit einem Essen in der Merchant Taylors' Hall beschlossen. Seit 1714 wurden auf diesem Jahresfest Händels *Utrecht Te Deum* und *Jubilate* im Wechsel mit Purcells Te Deum und Jubilate aufgeführt, seit 1744 anstelle des *Utrecht Te Deum* und *Jubilate* Händels *Dettingen Te Deum*. Als Auftakt des Jahresfestes der „Sons of the Clergy" erklang die Ouvertüre zu Händels *Esther*, die von etwa 1720 bis 1743 auch am Cäcilientag in der St. Paul's Cathedral gespielt worden sein soll.
(Schoelcher 1857, 59; Pearce, 234 ff.)

27. Februar 1731
The Craftsman

Tuesday [23. Februar] were rehearsed at St. Paul's, for the Festival of the Sons of the Clergy, which

was celebrated on Thursday [25. Februar], the great Te Deum and Jubilate, composed by Mr. Handel for the publick Thanksgiving upon the Peace of Utrecht, together with the two Anthems made by him for the Coronation of his present Majesty: As they are esteemed by all good Judges some of the grandest Compositions in Church Musick, and were perform'd by a much greater Number of Voices and Instruments than usual upon the like Occasion; so there was a nobler Audience, and a more generous Contribution to the Charity, than has been known, the Collection amounting to 203 l. 9s. 6d. which is very near double what has been given in any other Year.
On Thursday at the Feast, at Merchant Taylors Hall, the Collection amounted to 476 l.

– Welche Krönungs-Anthems aufgeführt wurden, ist nicht bekannt. Vermutlich waren es die besonders populären, „Zadok the Priest" und „My heart is inditing". *Read's Weekly Journal* vom gleichen Tag gibt die Höhe der Kollekte bei der Probe mit 700 £ an.

Februar 1731 (I)
The Gentleman's Magazine

Thursday, Feb. 25.
...
An account of the money collected on occasion of the feast of the sons of the clergy held this day.

Collected at the rehearsal	203	9	7
At the choir on feast day	341	6	6
At the hall	480	5	3
	718	11	4

(Chrysander, II, 271)

– *The Gentleman's Magazine*, eine Monatsschrift, bestand von 1731 bis 1760; von 1731–1754 wurde es von Edward Cave herausgegeben. Die an zweiter und dritter Stelle angegebenen Pfundbeträge müssen 134 und 380 heißen, in der Endsumme muß es 1 Schilling heißen.

Februar 1731 (II)
Partenope (vgl. 24. Februar 1730) wird „in der Winter-Messe 1731" in Braunschweig in italienischer Sprache aufgeführt und bis 1733 mehrmals wiederholt.

– Aufführungen fanden auch in Salzthal (vgl. 12. September 1731) und Wolfenbüttel statt.
(Chrysander, II, 239; Loewenberg, Sp. 165; Stompor, 85)

1. März 1731
Das „Printing-Office in Bow-Church-Yard" [Thomas Cobb] zeigt im *Daily Journal* „The Favourite Songs in the Opera of Porus and transposed

for the Flute; to which is prefixed the Overture in Score" an (vgl. 17. Februar 1731/II).
(Smith 1960, 51)

2. März 1731
Walsh zeigt im *Daily Journal* „The whole Opera of Porus in Score. ... Engraven in a fair Character, and carefully corrected" an.
(Smith 1960, 50)

3. März 1731
Walsh zeigt im *Daily Journal* „The Favourite Songs in ... Porus" an.

– Die Anzeige erschien mit folgender Erklärung: „There is published a spurious Copy of those called The favourite Songs in Porus, with many Faults. This is to give notice to all who would have the favourite Songs in Porus, that they may have the Originals finely printed and correct where the whole Opera is sold."
Die Ausgabe enthält die Ouvertüre und neun Stücke aus der Partitur-Ausgabe.
(Smith 1960, 50)

8. März 1731
The Daily Advertiser

We are credibly inform'd, that the celebrated Signiora Cuzzoni, with another famous female Voice from Italy, are daily expected here, in order to perform in a new Opera which will be soon acted, and 'tis to be the last this Season.
(Chrysander, II, 324)

– Die Cuzzoni kam erst 1733 wieder nach London, sang jedoch bei der Opera of the Nobility.

13. März 1731
The Daily Journal

At the Desire of several Persons of Quality.
For the Benefit of Mr. Rochetti.
At the Theatre-Royal in Lincoln's Inn-Fields, on Friday, being the 26th Day of March, will be presented, A Pastoral, call'd Acis and Galatea. Compos'd by Mr. Handel. Acis by Mr. Rochetti; Galatea, Mrs. Wright; Polypheme, Mr. Leveridge; and the other Parts by Mr. Legar, Mr. Salway, Mrs. Carter, and Mr. Papillion.
(Schoelcher 1857, 115; Chrysander, II, 264; Smith 1948, 209 ff.)

– Die hier angekündigte, ursprünglich schon für den 17. März 1731 geplante Aufführung war die erste öffentliche (vermutlich szenische) der 1718 in Cannons komponierten und aufgeführten Masque *Acis and Galatea* (HWV 49a). In der Anzeige vom 15. März findet sich folgender Zusatz: „Coridon: Mr. Legar; Damon: Mr. Salway." Die Anzeige vom 24. März enthält eine weitere Ergän-

zung: „With additional Performances, as will be expressed in the Great Bills." Die Anzeige vom 26. März schließlich gibt noch folgenden Hinweis: „Likewise Mr. Rochetti will sing the Song, Son Confusa Pastorella, being the Favourite Hornpipe in the Opera of Porus." Sie schließt mit dem lateinischen Spruch: „Multa Pauca faciunt Unum satis."
Während Chrysander und Loewenberg annahmen, daß nur Teile des Händelschen Werkes aufgeführt wurden, haben Smith und Dean nachgewiesen, daß das Werk vollständig erklang. Die wieder als „Serenata" bezeichnete Neufassung (HWV 49b) führte Händel erstmals am 10. Juni 1732 auf. Die Aufführungen am 17. und 19. Mai 1732 fanden vermutlich ohne Händels Billigung statt.
Besetzung:
Acis – Philip Rochetti, Tenor
Galatea – Mrs. Wright, Sopran
Polifemo – Richard Leveridge, Baß
Coridon – Jean Laguerre (Legar), Tenor
Damon – Thomas Salway, Tenor
Die in der Anzeige vom 13. März 1731 erwähnten Mrs. Carter und Mr. Papillion erscheinen nicht unter den Solisten; vermutlich haben sie im Chor mitgesungen. Der bei dieser Aufführung neu eingeführte Coridon sang wahrscheinlich, wie aus später gedruckten Libretti hervorgeht, auch Damons Arie „Would you gain the tender creature". Alle Solisten gehörten vermutlich zum Ensemble des Theaters von Lincoln's Inn Fields.
(Chrysander, II, 115; Loewenberg, Sp. 170; Smith 1948, 209 ff.; Dean 1959, 171 ff.)

März 1731
Francis Colman, Opera Register

March. 1731.
> Porus K. of the Indies – New by Mr Hendel – it took much
> Son confusa Pastorella &c
> Rinaldo – revived, with some alterations
> Rodelinda, revived & took much
> the last performance was on Satturday ye 29th May 1731
> very hot weather.
(Sasse 1959, 219)

– Dieser Eintrag bezieht die Aufführungen von *Poro* im Februar (vgl. 2. Februar 1731), *Rinaldo* im April (vgl. 6. April 1731) und *Rodelinda* im Mai (vgl. 4. Mai 1731) mit ein. Die Arie „Son confusa pastorella" (vgl. 13. März 1731) war so populär, daß sie 1731 als Einzeldruck erschien. Im gleichen Jahr wurde sie als „The Bagpipe Song in Porus" mit einem unterlegten Text von Thomas Brerewood jr. („When fearful Pastorella strays") gedruckt (Nachdruck 1735).
(Smith 1960, 52)

2. April 1731
The Daily Journal

At the King's Theatre ... on Tuesday next, being the 6th Day of April, will be Reviv'd, An Opera, call'd, Rinaldo. With New Scenes and Cloaths. ... Great Preparations being required to bring this Opera on the Stage, is the Reason that no Opera can be perform'd till Tuesday next.
(Schoelcher 1857, 103)

6. April 1731
Rinaldo wird im Haymarket Theatre in neuer Fassung (HWV 7b) aufgeführt.

– Händel und Rossi haben das am 24. Februar 1711 uraufgeführte Werk für diese Inszenierung weitgehend umgearbeitet. Das gedruckte Textbuch enthält eine neue englische Übersetzung: „Revised, with many Additions by the Author [Giacomo Rossi], and newly done into English by Mr. Humphreys."
Wiederholungen: 10., 20., 24. und 27. April sowie 1. Mai 1731.
Besetzung:
Goffredo – Annibale Pio Fabri, Tenor
Almirena – Anna Strada, Sopran
Rinaldo – Senesino, Mezzosopran
Argante – Francesca Bertolli, Mezzosopran
Armida – Antonia Margherita Merighi, Alt
Mago – Giovanni Commano, Baß
(Händel-Hdb., I, 108 f.)

21. April 1731
The Daily Post

John Walsh zeigt an: „The Additional favourite Songs in the Opera called Rinaldo ... Also may be had, the whole Opera, composed by Mr. Handel; and three volumes, Containing the most celebrated Songs out of Mr. Handel's, Bononcini's, and Attilio's [Ariostis] Operas."

– Die Sammlung enthält acht Gesänge aus *Rinaldo* (HWV 7b), von denen fünf aus *Lotario* und je einer aus *Partenope* und *Admeto* entlehnt sind.
(Smith 1960, 57 f.)

4. Mai 1731
The Daily Courant

At the King's Theatre ... this present Tuesday ... will be revived an Opera, call'd Rodelinda.

– Wiederholungen: 8., 11., 15., 18., 22., 25. und 29. Mai 1731.
Vermutliche Besetzung:
Rodelinda – Anna Strada, Sopran
Bertarido – Senesino, Mezzosopran
Grimoaldo – Annibale Pio Fabri, Tenor
Eduige – Francesca Bertolli, Mezzosopran
Unulfo – Antonia Margherita Merighi, Alt

Garibaldo – Giovanni Commano, Baß
Vgl. 13. Februar 1725

22. Mai 1731
The Daily Courant

The Undertakers for the Opera have this Day finished the 50 Representations for which they were engaged this Year, but not having been able to compleat the like Number for the last Year, have therefore appointed two more Representations to be performed on Tuesday the 25th and Saturday the 29th Instant, on which Days the several Subscribers for this and the last Year will have Tickets delivered them at the Office gratis, or at the Door.

– Diese Information ist ein Zusatz zur Anzeige der *Rodelinda*-Vorstellung am 22. Mai. Die beiden zusätzlichen Aufführungen brachten ebenfalls *Rodelinda*. Mit der Vorstellung am 29. Mai wurde die Opernsaison abgeschlossen.

5. Juni 1731
Händel kauft für 200 £ Südsee-Aktien.

26. Juni 1731
John Walsh zeigt im *Craftsman* an: „Six Celebrated Songs made on purpose for French Horns Perform'd in the several Operas Compos'd by Mr Handel. in 7 Parts viz. Two French Horns or Trumpets, two Violins, a German Flute, Tenor & Bass. ..."

– Die Ausgabe enthält die Arien „Va tacito" aus *Giulio Cesare*, „Senza procelle" aus *Poro*. „Io seguo sol" aus *Partenope*, „Se l'arco" aus *Admeto*, „Combatti da forte" aus *Rinaldo* und „Dell'onor di giuste imprese" aus *Riccardo I*.
(Smith 1960, 217)

30. Juli 1731
Händel an seinen Schwager Michaelsen in Halle

A Londres ce $\dfrac{10\ d'\ Aoust}{30\ de\ Juillet}$ 1731

Monsieur et tres Honoré Frere
Je vois par la Lettre que Vous m'avez fait l'honneur d'ecrire du 12 Juillet. n. st. en Reponse a ma precedente, et par la specification que Vous y avez jointe, combien de peines Vous avez prises a l'occasion de l'Enterrement de ma tres Chere Mere.
Je Vous suis d'ailleurs tres obligé des Exemplaires de l'Oraison Funebre que Vous m'avez envoyés et aux quels Vous avez voulu joindre un fait pour feu mon Cher Pere; Je les attens de Mr Sbüelen.
Je scaurai apres m'acquitter an partie des obligations que je vous ai.
En attendant je Vous supplie de fair bien mes Respects et Compliments a Madame Votre Chere Epouse, a ma Chere Filleule, et au reste de Votre

chere Famille, et d'etre tres persuadé Vous meme, que je suis avec une passion inviolable
Monsieur et tres Honoré Frere
Votre tres humble et tres obeissant Serviteur
George Frideric Handel.

A Monsieur
Monsieur Michael Michaëlsen
Conseiller de Guerre de Sà Majesté Prussienne
à Halle en Saxe.
(Sibley Music Library, University of Rochester, N. Y. Chrysander, II, 230 f.; Mueller von Asow, 126; Coopersmith 1943, 62 f.)

– Die Stelle mit den Wörtern „Je les attens" hatte ein früherer Besitzer herausgeschnitten und der Sängerin Henriette Hendel-Schütz verehrt, da sich auf der Rückseite an dieser Stelle Händels Unterschrift befindet. Es ist jedoch gelungen, den Brief zu restaurieren, und Coopersmith druckte ihn 1943 zum erstenmal vollständig ab. Der Kaufmann Sbüelen, von dessen Tochter Händel wahrscheinlich in seinem Brief vom 18. März 1704 an Mattheson spricht, war offenbar Händels Freund und Mittelsmann in Hamburg.

6. August 1731

Im Drury Lane Theatre wird die ballad opera *The Devil to pay, or, The Wifes metamorphos'd* aufgeführt (Text: Charles Coffey und John Mottley nach *A Devil of a Wife* von Thomas Jevon).

– Eine auf einen Akt gekürzte Fassung kam am 19. Dezember 1731 im Goodman's Fields Theatre und am 13. April 1733 im Covent Garden Theatre heraus. In diese ballad opera war ein beliebtes Menuett von Händel mit dem Text „Thus we'll drown all melancholy" eingefügt worden. Dieses Menuett, dem auch der von Thomas Phillips verfaßte Text „Bacchus one day gaily striding" unterlegt worden war, erschien mehrmals als Einzeldruck sowie in Sammeldrucken.
(Smith 1960, 167)

14. August 1731

Händel verkauft für 200 £ Südsee-Aktien.

17. August 1731 (I)
Protokollbuch des Schatzamtes

Order for the preparation of a sign manual for issuing to Mr. Haidegger the King's allowance for the benefit of the opera as usual.
(Shaw 1898, 85)

17. August 1731 (II)
Händel an seinen Schwager Michaelsen in Halle

à Londres le $\frac{28}{17}$ d'Aoust 1736 [?]

Monsieur et tres Honoré Frere
Comme il ne me reste personne de plus proche

que ma Chere Niece et que je l'ay toujours parfaitement aimée Vous ne pouviez pas m'apprendre une plus agreable nouvelle que celle qu'Elle doit epouser une Personne d'un Caractere et d'un merite si distingué. Vôtre seule determination auroit suffi pour la mettre au comble de son bonheur ainsi je prens pour un Effet de Vôtre Politesse la demande que Vous faitez de mon approbation la bonne Education dant Elle Vous est redevable assurerà non seulement sa félicité, mais tournerà aussi a Vôtre Consolation, a la quelle Vous ne dautes pas que je ne prenne autant de part qu'il se puisse.

J'ay pris la Liberté d'envoyer à Monsieur Son Epoux pour un petit present de Nopces une Montre d'Or de Delharmes avec une Chaine d'Or et deux Cachets un d'Amatiste et L'autre d'Onyx. Agreez que j'envoye dans cette même occasion pour un petit Present de Nopces a mà chere Niece l'Epouse, une Bague de Diamant d'une Pierre seule qui pese sept grains et demi et quelque peu de chose de plus, de la premiere Eau et de toute Perfection. J'adresserai l'une et l'autre a Monsieur Sbüelen a Hambourg pour Vous les faire tenir. Les obligations envers Vous Monsieur et Madame Vôtre Epouse, que je Vous prie d'assurer de mes Respects, sont un point apart, dont je tacherai de m'aquitter à la premiere occasion. Permettez qu'apres cela je Vous assure qu'on ne scauroit etre avec plus de sincerité et de passion invariable que'j'ay l'honneur de l'être Monsieur et tres Honoré Frere
Vôtre tres humble et tres obeissant
George Frideric Handel.
A Monsieur,
Monsieur Michael Dietrich Michaelsen
Conseiller de Guerre de Sa Majesté Prussienne
a Halle en Saxe.
(Original ehemals Sammlung Dr. Ernst Foss, Berlin. Mueller von Asow, 140 f.)

– Da Johanna Friderica Michaelsen bereits am 6. Dezember 1731 Dr. Johann Ernst Flörcke geheiratet (belegt durch das Proclamations-Register der Kirche Unser lieben Frauen in Halle) und das Ehepaar 1736 schon eine am 29. September 1732 geborene Tochter hatte, muß Händel diesen Brief bereits 1731 geschrieben haben. Die Familie Flörcke übersiedelte 1733 von Jena nach Gotha, wo Flörcke anfänglich Hofrat, seit 1744 Geheimer Rat und seit 1750 Vice-Oberkonsistorialpräsident war (vgl. 10. August 1733). 1755 zog die Familie nach Halle, wo Johann Ernst Flörcke Ordinarius an der juristischen Fakultät, 1757 auch Direktor der Universität wurde. Er starb als Geisel der Stadt Halle am 9. Juni 1762 in Nürnberg, seine Frau am 28. Februar 1771 in Halle.
(Förstemann, Tafel II; Schrader, I, 282 und 388; Motschmann, 73 ff.)

28. August 1731
John Walsh zeigt im *Universal Spectator* und im *Weekly Journal* an: „A Collection of Choice English Songs set to Music by Mr. Handel."
(Smith 1954, 298 f.; Smith 1960, 176)

30. August 1731
Order Book des Schatzamtes

	£	s.	d.	
James Heideger	1,000	0	0	Royal bounty to the undertakers of the Opera.

(Shaw 1898, 185)

31. August 1731
Viscount Percival, Diary

Mr. Botmor came with Martini, the famous 'hautboy', and dined with me. We talked of the brutality and insolence of certain persons to their superiors, and Botmar told us three instances of it. Bononcini ... came in the late Queen's time for England, where for a while he reigned supreme over the commonwealth of music, and with justice for he is a very great man in all kinds of composition. At length came the more famous Hendel from Hanover, a man of the vastest genius and skill in music that perhaps has lived since Orpheus. The great variety of manner in his compositions, whether serious or brisk, whether for the Church or the stage or the chamber, and that agreeable mixture of styles that are in his works, that fire and spirit far surpassing his brother musicians, soon gave him the preference over Bononcini with the English. So that after some years' struggle to maintain his throne, Bononcini abdicated.
(Egmont MSS., I, 201)

– Hans Kaspar Freiherr von Bothmer war Regierungsvertreter Hannovers in London (vgl. Mai 1719) und Amateuroboist. Giuseppe San Martini war Oboist im Haymarket-Orchester und Komponist. Bononcini verließ England im Juni 1731 nach einer unwürdigen Affäre in der Academy of Ancient Music (vgl. Schoelcher 1857, 148 ff., der ausführlich aus einem Pamphlet von 1732, *Letters from the Academy of Ancient Music...*, zitiert). 1732 kehrte er nach London zurück (vgl. 9. Juni 1732).

12. September 1731
Partenope wird im Theater des Lustschlosses Salzthal anläßlich des Geburtstages der Herzogin-Witwe Elisabeth Sophie Marie von Braunschweig-Wolfenbüttel aufgeführt.
(Chrysander, II, 239; Chrysander 1863 I, 279; Schmidt 1929, Nr. 341)

– Das zweisprachige Textbuch läßt darauf schließen, daß die Oper italienisch gesungen wurde,

vermutlich vom gleichen Ensemble wie im Februar 1731 in Braunschweig.
Das erste Theater des in den Jahren 1688–1694 unter Herzog Anton Ulrich erbauten Lustschlosses Salzthal (auch Salzdahlum genannt) wurde 1694 eingeweiht. Das neue unter Herzog August Wilhelm in Salzthal errichtete Theater wurde 1715 eröffnet.
(Sonneck 1914, 851; Brockpähler, 86 f.)

29. September 1731
Händel verkauft für 72 £ Südsee-Aktien.

13. November 1731
The Daily Courant

At the King's Theatre ... this present Saturday ... will be perform'd, An Opera, call'd Tamerlane. ... N. B. The Silver Tickets are ready to be deliver'd to Subscribers, or their Orders, on Payment of the Subscription-money, at the Office in the Hay-Market.

– Mit dieser Neuinszenierung von *Tamerlano* eröffnete Händel die dritte Saison der Opernakademie.
Wiederholungen: 16. und 20. November 1731.
Vermutliche Besetzung:
Tamerlano – Antonio Gualandi, Alt
Bajazet – Giovanni Battista Pinacci, Tenor
Asteria – Anna Strada, Sopran
Andronico – Senesino, Mezzosopran
Irene – Francesca Bertolli, Mezzosopran
Leone – Antonio Montagnana, Baß
Antonia Margherita Merighi, Annibale Pio Fabri und Giovanni Commano hatten das Ensemble verlassen.
(Händel-Hdb., I, 238)
Vgl. 31. Oktober 1724

23. November 1731
Poro wird im Haymarket Theatre wiederaufgeführt.
Wiederholungen: 27. und 30. November, 4. Dezember 1731.
Besetzung:
Poro – Senesino, Mezzosopran
Cleofide – Anna Strada, Sopran
Erissena – Francesca Bertolli, Mezzosopran
Gandarte – Antonio Gualandi, Alt
Alessandro – Giovanni Battista Pinacci, Tenor
Timagene – Antonio Montagnana, Baß
(Händel-Hdb., I, 353)
Vgl. 2. Februar 1731

25. November 1731
Händel kauft für 472 £ Südsee-Aktien.

27. November 1731
John Walsh zeigt im *Daily Journal* „The Mask of Acis and Galatea" an.

– Es ist nicht bekannt, ob es sich um eine neue Ausgabe oder eine Nachauflage handelte.
(Smith 1948, 211f.; Smith 1960, 81f.)

2. und 6. Dezember 1731
Ober-Pfarr-Kirche zu Unser Lieben Frauen in Halle ...
Proclamations-Register v.J. 1712 – incl. 1734

D. 1. Adv. [2. Dez. 1731]
Durch Speciale Verordnung E. Hochlöbl. Regierung und Consistorii dieses Hertzogthums Magdeburg werden einmal vor allemal proclamiret und aufgeboten:
Herr Dr. Johann Ernst Flöricke. Comes palatinus, Professor Juris Ordinarius, des Hochfürstl. Sächs. gesamten HoffGerichts zu Jena, wie auch des Schöppenstuhls daselbst Assesor und der hochlöbl. Universität wolverordneter Syndicus.
Jgfr. Johanna Friderica, Herrn Dr. Michael Dietrich Michaelsen, Königl. Preuß. hochbestalten Krieges-Raths eheleibl. älteste Jgfr. Tochter.
R. A. (t ?) 5.4.1.
Marginalie: „Copuliret ♃ [Donnerstag] 6ten Decbr. hor. 11 in aedibus privat. a Dom. Arch. Diac. Mag. Ockeln"   [S. 564]

– Johanna Friderica Michaelsen ist Händels Patennichte, zu deren Taufe er nach Halle gekommen war (vgl. 23. November 1711).
Vgl. 17. August 1731 (II) und 1. Juni 1750

7. Dezember 1731
Admeto wird im Haymarket Theatre wiederaufgeführt.

– Die Anzeige im *Daily Courant* vermerkt zur Besetzung: „Wherein Signora Bagnoleti [Bagnolesi], lately arrived from Italy, is to perform."
Wiederholungen: 11., 14. und 18. Dezember 1731, 4., 8. und 11. Januar 1732.
Besetzung:
Admeto – Senesino, Mezzosopran
Alceste – Anna Bagnolesi, Alt
Ercole – Giovanni Battista Pinacci, Tenor
Trasimede – Antonio Gualandi, Alt
Antigona – Anna Strada, Sopran
Meraspe – Antonio Montagnana, Baß
Anna Bagnolesi, die Frau von Giovanni Battista Pinacci, sang zum erstenmal in London.
(Händel-Hdb., I, 285)
Vgl. 31. Januar 1727

13. Dezember 1731
Alexander Pope, Epistle to the Right Honourable Richard, Earl of Burlington

... And now the Chappel's silver bell you hear,
That summons you to all the Pride of Pray'r:

Light Quirks of Musick, broken and uneven,
Make the Soul dance upon a Jig to Heaven.

– Die zweite Ausgabe dieses berühmten satirischen Briefes ist „Of Taste" („Über Geschmack") betitelt, die dritte trägt den von Aaron Hill vorgeschlagenen Untertitel „Of False Taste" („Über schlechten Geschmack"). Es wurde angenommen, die Beschreibung von „Timon's Villa" in diesem Brief ziele auf den ausschweifenden Luxus in Cannons (Chrysander); der Herzog von Chandos ließ sich aber von Pope überzeugen, daß dieser ihn nicht in der Gestalt des Timon dargestellt habe. Während Mainwaring die wiedergegebenen Zeilen auf die Musik in Cannons nach Händels Aufenthalt bezieht und Sherburn annimmt, daß sie auf Bononcinis Anthems für Blenheim anspielen, wollte Pope „keine bestimmte Person, sondern nur den übertriebenen unnatürlichen Luxus im allgemeinen" kritisieren (Chrysander), und es ist völlig unwahrscheinlich, daß er Händels *Chandos Anthems* gemeint haben könnte.
(Chrysander, I, 488; Mainwaring, 188ff.; Sherburn)

20. Dezember 1731
The Daily Courant

... The same Evening [18. Dezember] the King and Queen, his Royal Highness the Prince of Wales, and the Three Eldest Princesses, went to the Opera House in the Hay-Market, and saw an Opera called Admetus.

22. Dezember 1731
Der *Daily Post-Boy* veröffentlicht zwei anonyme Briefe zur Verteidigung Popes in entstellter Form; im zweiten wird Händel erwähnt.
Vgl. 23. Dezember 1731

23. Dezember 1731 (I)
The Daily Journal

The following Letters having been incorrectly printed in a Daily Paper Yesterday, and the one being subjoined to the other as a Postscript from the same Hand, it was thought necessary to reprint them in this Paper correctly and separately, as they should be.
To J. G. Esq:
...
Dec. 19
Sir,
I Really cannot help smiling at the Stupidity, while I lament the slanderous Temper, of the Town. I thought no Mortal singly could claim that Character of Timon, any more than any Man pretend to be Sir John Falstaff.
But the Application of it to the D. of Ch. is monstrous; to a Person who in every Particular differs

from it. ... Is the Musick of his Chapel bad, or whimsical, or jiggish? On the contrary, was it not the best composed in the Nation, and most suited to grave Subjects; witness Nicol. Haym's and Mr. Handel's Noble Oratories? Has it the Pictures of naked Women in it? And did ever Dean Ch–w–d preach his Courtly Sermons there? I am sick of such Fool-Applications.
(Sherburn, 134)

– Den ersten Brief schrieb Alexander Pope an John Gay, den zweiten verfaßte William Cleland.
Mit „Noble Oratories" sind offensichtlich Händels Anthems gemeint. Haym, hauptsächlich bekannt als Händels Librettist, schrieb auch ein lateinisches Oratorium und ein Anthem, jedoch nicht für Cannons. Er starb 1729. Der am Schluß erwähnte „Dean" war vermutlich der „Knightly Chetwood", Kaplan von James II., der 1720 starb (Sherburn).

23. Dezember 1731 (II)
Aaron Hill an Alexander Pope

Dec. 23, 1731.
Concerning your Epistle. ... Two or three other likenesses concurred in the character; such as ... the pomp of the chapel, and its music; for whether jiggish or solemn never struck the inquiry of a thousand, who remembers the duke's magnificence chiefly by that circumstance.
(Hill 1753 I, 106 f.)

– Hill schrieb dies in seiner Antwort auf einen Brief Popes vom 22. Dezember, in welchem dieser versucht hatte, Hill von seinen wirklichen Absichten zu überzeugen. Pope antwortete Hill am 5. Februar 1732 und teilte ihm mit, daß der Herzog von Chandos sich mit seiner Erklärung zufriedengegeben habe.
Vgl. 13. Dezember 1731

1731 (I)
[James Miller,] Harlequin-Horace: or, The Art of Modern Poetry

In Days of Old when Englishmen were Men,
Their Musick like themselves, was grave, and
                                          plain ...
But now, since Brittains are become polite,
Since some have learnt to read, and some to
                                          write ...
Since Masquerades and Opera's made their
                                          Entry,
And Heydegger and Handell rul'd our Gentry;
A hundred different Instruments combine,
And foreign Songsters in the Concert join ...
In unknown Tongues mysterious Dullness chant,
Make Love in Tune, or thro' the Gamut rant.
                                          [S. 28 ff.]

Who'd seek to run such rugged Roads as these?
When smooth Stupidity's the Way to please;
When gentle H-'s Singsongs more delight,
Than all a Dryden or a Pope can write.
                                          [S. 36]
(Chrysander, II, 223 f.)

– Die Schrift erschien anonym. In der zweiten Auflage (1735) werden die „Singsongs" Henry Carey zugeschrieben; 1741 ist die Heidegger betreffende Zeile geändert: „And Heydegger reign'd Guardian of our Gentry".

1731 (II)
Im Theater am Kärntner Tor in Wien wird *Giulio Cesare in Egitto* in italienischer Sprache aufgeführt.
(Loewenberg, Sp. 150)

– Im gedruckten Textbuch ist kein Komponist genannt. Möglicherweise wurde auch Musik anderer Komponisten verwendet.

1731 (III)
Das Printing-Office im Bow Church Yard veröffentlicht *The Modern Musick-Master or, The Universal Musician... in which is included... Airs and Lessons... Extracted from the Works of Mr. Handel...*
(Smith 1960, 182)

– Die sechsteilige Sammlung enthält Arien und Instrumentalbearbeitungen aus Opern Händels.

1731 (IV)
Johann Mattheson, Grosse General-Baß-Schule, Hamburg 1731

Wenn wir auch den grossen Dantziger und Königsberger Kirchen / zum Exempel / unsere nicht gar zu kleine Hamburgische / oder andre Kirchen / so dann ferner dem Stobäo unsern Telemann; dem Orlandi unsern Keiser; dem Prätorio unsern Bach; dem Vulpio unsern Stöltzel; dem Hammerschmidt unsern Händel entgegen setzen / so behalten wir noch wol ein / gutes Register solcher braven Leute übrig / die jenen Alten den Vorzug / auf alle Weise / streitig machen müssen / und doch gesammter Hand nach keiner andern / als hauptsächlich nach der Welschen Art / so componiren / daß die Gemüther dadurch zur äusersten Andacht / Bewunderung und Freude / beweget werden können.   [S. e–f]
Der gute Heinichen / und der nicht zu verachtende Schieferdecker in Lübeck / sind schon darüber weggestorben; ehe auch die Reihe an sie kömmt / werden Bach / Fux / Graupner / Händel und Keiser hiemit nochmahls / samt allen andern / freundlich gebethen / das 100. bald voll zu machen.   [S. 167]
(Bach-Dok., II, 217 f., 220)

1732

15. Januar 1732

Ezio wird am Haymarket Theatre zum erstenmal aufgeführt.

– Der Text von Pietro Metastasio war für das zweisprachige Libretto von Samuel Humphreys ins Englische übersetzt worden.
Wiederholungen: 18., 22., 25. und 29. Januar (Nicoll).
Der König besuchte anscheinend vier Aufführungen, die zweite und die letzte gemeinsam mit der königlichen Familie. Zeitungen von diesen Tagen (*Daily Courant, Daily Journal* und *Daily Post*) sind nicht erhalten. Die Ouvertüre übernahm Händel aus der Fragment gebliebenen Oper *Titus, l'Empereur*.
Besetzung:
Valentiniano – Anna Bagnolesi, Alt
Fulvia – Anna Strada, Sopran
Ezio – Senesino, Mezzosopran
Onoria – Francesca Bertolli, Alt
Massimo – Giovanni Battista Pinacci, Tenor
Varo – Antonio Montagnana, Baß
(Chrysander, II, 248 ff.; Händel-Hdb., I, 362 f.)

22. Januar 1732

Händel kauft für 150 £ Südsee-Aktien.

31. Januar 1732

The Daily Journal

The Annual Feast of the Sons of the Clergy will be held at Merchant-Taylors-Hall in Threadneedle-Street on Thursday the 17th of February next. ...
Mr. Handell's Great Te Deum and Jubilate, with Two of his Anthems, will be vocally and instrumentally perform'd at the Divine Service; and those Persons who bring Feast Tickets will be admitted into the Choir.
N. B. The Rehearsal of the Great Te Deum, and Jubilate, and Anthems, will be at St. Paul's Cathedral on Monday the 14th of February next.
(Chrysander, II, 271)
Vgl. 24. Februar 1731 und 18. Februar 1732

Januar 1732

Francis Colman, Opera Register

In Jan^ry Ezio. a New Opera; Clothes & all ye Scenes New. but did not draw much Company
(Sasse 1959, 220)

1. Februar 1732

Giulio Cesare in Egitto wird im Haymarket Theatre neu aufgeführt.
Wiederholungen: 5., 8. und 12. Februar.
Vermutliche Besetzung:
Giulio Cesare – Senesino, Mezzosopran
Cornelia – Anna Bagnolesi, Alt

Sesto – Giovanni Pinacci, Tenor
Cleopatra – Anna Strada, Sopran
Tolomeo – Francesca Bertolli, Alt
Achilla – Antonio Montagnana, Baß
(Händel-Hdb., I, 225)

4. Februar 1732

Händel beendet die Oper *Sosarme*.
Eintrag in der autographen Partitur (R. M. 20. c. 10.): „Fine dell'Opera. G. F. Handel. A li 4 Venerdy
  di Febraro. 1732."

7. Februar 1732 (I)

Almira wird im Hamburger Opernhaus am Gänsemarkt erneut aufgeführt.
(Merbach, 364)

– Willers schreibt in seinem Tagebuch „Zum erstenmahle Almira", ohne Händel zu nennen, und notiert nur eine Wiederholung. Telemann hat die Oper für diese Wiederaufnahme bearbeitet und mit eigenen Einlagen versehen.
(Loewenberg, Sp. 112)
Vgl. 8. Januar 1705

7. Februar 1732 (II)

Das Printing Office im Bow Church-Yard zeigt in *The Daily Courant, The Daily Journal* und *The Daily Post* an: „The Compleat Score of the Overture, Favourite Songs, and Chorus in the new Opera call'd Aetius. Compos'd by Mr. Handel. To which is added, the whole Transpos'd for the Flute."
(Smith 1960, 23 f.)

8. Februar 1732

The Daily Post

Als Antwort auf die Anzeigen vom 7. Februar kündigt John Walsh für die folgende Woche „The whole Opera of Aetius in Score" mit folgendem Zusatz an: „N. B. There is publish'd a spurious Copy of those call'd the Favourite Songs in Aetius, with many Faults; This is to give Notice that all who would have the Favourite Songs in Aetius, may have the Originals, finely printed and correct, where the whole Opera is sold."

– Walsh veröffentlichte eine Auswahl von Arien zusätzlich zur Partitur.

14. Februar 1732

The Daily Journal und The Daily Post

This Day publish'd, The Whole Opera of Aetius in Score ...
Printed for, and sold by John Walsh. ...
Where may be had the following Pieces of Musick compos'd by Mr. Handel.
1. The whole Operas of Porus, Parthenope, Flavius, Otho, Floridante, and Rinaldo, in Score.

2. The Mask of Acis and Galatea.

3. Apollo's Feast, 3 Vol. containing the most celebrated Songs out of all the late Operas.

4. Twenty-four Overtures for Violins, &c. in eight Parts; also the same Overtures curiously set for the Harpsichord.

5. Six celebrated Songs for French Horns, &c. in seven Parts.

6. The most celebrated Airs in the Operas of Porus and Parthenope for the German Flute, Vol. 2. Part 1 and 2. Also seven Collections of Opera Airs for a German Flute, Violin or Harpsichord, Vol. 1.

7. Seventy-two Minuets and Marches for a German Flute and a Bass.

8. A compleat Set of all the Operas transpos'd for the Flute, in 2 Vol. 4to.

(Chrysander, II, 250)

– Von der Sammlung *Apollo's Feast* enthielten nur die Bände I und III Werke von Händel, Band II enthielt Werke von Bononcini.

15. Februar 1732
The Daily Courant

At the King's Theatre ... this present Tuesday ... will be perform'd, A New Opera, call'd, Sosarmes.

– Die von einem unbekannten Bearbeiter stammende Textfassung zu *Sosarme, Re di Media* geht auf Antonio Salvis Libretto *Dionisio, Re di Portogallo* (Florenz 1707, Musik: Giovanni Antonio Perti) zurück.
Wiederholungen: 19., 22., 26. und 29. Februar, 4., 7., 11., 14., 18. und 21. März 1732.
Besetzung:
Sosarme – Senesino, Mezzosopran
Haliate – Giovanni Battista Pinacci, Tenor
Erenice – Anna Bagnolesi, Alt
Elmira – Anna Strada, Sopran
Argone – Antonio Gualandi, Alt
Melo – Francesca Bertolli, Alt
Altomaro – Antonio Montagnana, Baß
Die Oper hatte ursprünglich den Titel *Fernando, Re di Castiglia*, und Schauplatz der Handlung war die spanische Stadt Coimbra. Erst nach Abschluß des zweiten Aktes änderte Händel den Titel, den Ort der Handlung und (mit Ausnahme von Altomaro) die Namen der handelnden Personen.
(Burney, II, 773 ff.; Chrysander, II, 251 ff.; Händel-Hdb., I, 373)

17. Februar 1732
Händel verkauft für 50 £ Südsee-Aktien.

18. Februar 1732
The Daily Courant

Yesterday was held the Annual Feast of the Sons of the Clergy, when Mr. Handell's Te Deum and Jubilate, compos'd for the Publick Thanksgiving for the Peace of Utrecht, together with the two Anthems made by him, one for his late Majesty, and the other for his present Majesty on his Coronation, were perform'd before a numerous and splendid Audience at St. Paul's Cathedral; and the Rev. Dr. [Richard] Warren preached an excellent Sermon. The Collection at the Church Doors on that Occasion amounted to 76 l. Afterwards they returned to Merchant Taylors Hall to Dinner; after which a very handsome Collection was made at the Basons [Basins].
Vgl. 11. Januar 1724

– Welches der vier Krönungsanthems für Georg II. (vgl. 11. Oktober 1727) aufgeführt wurde, ist nicht bekannt.

22. Februar 1732
Viscount Percival, Diary

I went to the Opera Sosarmis, made by Hendel, which takes with the town, and that justly, for it is one of the best I ever heard.
(Egmont MSS., I, 224)

23. Februar 1732
Viscount Percival, Diary

From dinner I went to the Music Club, where the King's Chapel boys acted the History of Hester, writ by Pope, and composed by Hendel. This oratoria [sic] or religious opera is exceeding fine, and the company were highly pleased, some of the parts being well performed.
(Egmont MSS., I, 225)

– Flower (1923) nahm an, daß am 23. Februar lediglich eine Probe stattgefunden habe und die Eintragung des Viscount sich auf die Aufführung vom 1. März beziehe und daß sich der Music Club im Hause von Bernard Gates in St. James's Street, Westminster, getroffen habe.

23. Februar, 1. und 3. März 1732
Händels Oratorium *Esther* wird in der Crown and Anchor Tavern szenisch aufgeführt.
(Smith 1950, 126 f.)

– *Esther* war der neue Titel der 1718 für Cannons komponierten Masque *Haman and Mordecai* (vgl. 3. September 1720). Daß die Aufführungen nicht in der Wohnung von Gates stattfanden, geht aus einem Eintrag in der für die Aufführungen benutzten Partitur-Kopie hervor: „Mr. Bernard Yates [sic], Master of the Children of the Chapel Royal, together with a number of voices from the Choirs of the Chapel Royal [St. James] and Westminster, join'd in Chorus's after the manner of the Ancients, being placed between the stage and the Orchestra; and the Instrumental parts (two or three particular instruments, necessary on this Occasion excepted) were perform'd by the members of the Philarmonic Society consisting only of Gentlemen; at the ‚Crown and Anchor' Tavern in the Strand

on Wednesday 23d of February 1731 $\left.\begin{array}{l}\text{for the} \\ \text{Philar-} \\ \text{monic} \\ \text{Society.}\end{array}\right\}$
and Wednesday 1 of March 1731

and on Friday 3d of March 1731 for the Academy." Die Aufführungen sind noch nach dem alten englischen Kalender mit 1731 datiert. Die Philarmonic Society (auch Society of the Gentlemen Performers of Musick genannt) und die Academy of Ancient Music waren private Vereinigungen; sie trafen sich regelmäßig – die Philarmonic Society mittwochs, die Academy freitags – in der Crown and Anchor Tavern. Während der Philarmonic Society nur Liebhaber angehörten – so waren beispielsweise kurz zuvor Viscount Percival, Baron von Bothmer und der Herzog von Chandos aufgenommen worden –, waren die Mitglieder der Academy of Ancient Music Berufsmusiker. Händel soll einer dieser drei Aufführungen beigewohnt haben, möglicherweise der am 23. Februar, seinem Geburtstag.
Besetzung:
Esther – John Randall, Sopran
Ahasverus und erster Israelit – James Butler, Baß (?)
Haman – John Moore, Baß
Mordecai und israelitischer Knabe – John Brown, Alt
Priester der Israeliten – John Beard, Alt (oder Tenor?)
Harbonah – Price Cleavely, Tenor
Persischer Offizier und zweiter Israelit – James Allen, Tenor
Israeliten und Offizieren – Samuel Howard, Tenor, Thomas Barrow, Kontratenor, und Robert Denham, Temor (?)
Burney (1785, 22) nennt Randall, Beard und Barrow unter den mitwirkenden Knaben und erwähnt auch Moore und Denham. Beard, Howard, Barrow, Denham, wahrscheinlich Butler und möglicherweise noch weitere der hier genannten Sänger wirkten auch später in Händels Oratorien mit. Thomas Barrow, später Gentleman of the Chapel Royal, sang in den *Messiah*-Aufführungen des Foundling Hospital 1754, 1758 und 1759. John Randall wurde Organist am King's College und Professor of Music in Cambridge, Samuel Howard war Organist und Komponist. Robert Denham wirkte 1755 als Sänger beim Three Choirs Festival in Worcester mit.
(Larsen 1957, 17 ff.; Dean 1959, 203 f.; Serwer)

25. Februar 1732 (I)
Johann Mattheson, Hamburger Opernverzeichnis
Anno 1732

233. Cleofida, Königin von Indien, mit dem rechten Namen, wie sie in London aufgeführet worden, Porus genannt. Die Musik vom Hrn. Händel; die Uebersetzung aus dem Italiänischen von Hrn. Wend. In Hamburg zum erstenmal gespielet d. 25. Febr. 1732.
(Chrysander 1877, Sp. 263)

– Die Arien wurden italienisch gesungen, die von Telemann komponierten Rezitative deutsch. Wends Übersetzung erschien 1732 und 1736 mit dem Titel *Triumph der Großmuth und Treue, oder Cleofida, Königin von Indien.*
Nach Willers' Notizen wurde die Oper von 1732 bis 1736 insgesamt 27mal aufgeführt, die erste oder auch noch die zweite Vorstellung mit dem Titel *Porus.*
Für die Aufführung vom 10. Juli 1736 war ein Prolog vorgesehen, dessen Vortrag jedoch nicht gestattet wurde.
(Chrysander, II, 247; Loewenberg, Sp. 166; Merbach, 364; Stompor, 78 f.)

25. Februar 1732 (II)
Christian Gottlieb Wend, Vorrede zur Übersetzung des Textes zu der Oper Poro

Wie Sehens- und Hörens-würdig dieselbe [Oper] sey, zu erweisen, wird hoffentlich genung heißen, wenn ich nur erinnere, daß sie verwichenes Jahr nicht allein zu London mit gantz ungemeinem Zulauffe, nach des Hn. Hendels Composition, (als welche sich auch hiesigen Ortes hören lassen wird, und die eines derer stärcksten, jemahls von diesem berühmten Virtuosen verfertigten Wercke ist,) unter den Nahmen Porus, sondern auch zu Dressden auf ausdrücklichen Befehl Sr. Königl. Maj. von Pohlen, von dem Hn. Capellmeister Hassen in die Music gesetzet, (wiewohl dem wörtlichen und umständlichen, nicht wesentlichen Inhalte nach, in etwas verändert und weitläufftiger,) unter dem Nahmen Cleofida, aufgeführet worden: Diese letztere Rubric aber hat man mit Fleiss behalten, damit frühzeitige Verächter nicht alsobald bey Erblickung des Titul-Blattes mit dem Fürwurffe herausfahren mögen, als ob man ihnen was Altes und aufgewärmtes präsentire, weil man schon vor geraumen Jahren allhier auch eine Piece, Porus benahmet, die doch mit gegenwärtiger nicht die geringste Verwandtschafft führet, gesehen hat ... Dass unser Herr Telemann die Teutschen Recitative unter Noten gebracht, brauche ich wohl nicht erst zu melden.
(Chrysander, II, 247)

– Johann Adolf Hasse, der 1730 Faustina in Venedig geheiratet hatte, ging 1731 mit ihr an den Hof Augusts II. in Dresden, wo am 13. September 1731 seine Oper *Cleofide* uraufgeführt wurde.

Februar 1732 (I)
Francis Colman, Opera Register

In Feb^ry Sosarmes – a New Opera – by Hendell – took much & was for many Nights much crowded to some peoples admiration
(Sasse 1959, 220)

Februar 1732 (II)
The Gentleman's Magazine

Thursday, Feb. 17.
... Was held at Merchant Taylor's Hall the annual Feast of the Sons of the Clergy; after a Sermon and the usual Musick at St. Paul's. The Collections on this Occasion amounted to 1080 l. 5s. Last Year but to 718 l. 11s. 4d.
Vgl. Februar 1731 (I) und 18. Februar 1732

Februar 1732 (III)
Neuaufführung von *Admeto* in Braunschweig.
(Chrysander, II, 157; Loewenberg, Sp. 157; Schmidt 1933, 160f.; Stompor, 84)
Vgl. August 1729

7. März 1732
Im Drury Lane Theatre wird Ben Jonsons Komödie *The Alchemist* erneut aufgeführt. Die musikalischen Einlagen stammen von Händel und anderen Komponisten.
(Schoelcher 1857, 119)

– Es bestehen Zweifel, ob die Einlagen für diese Inszenierung oder erst für die nächste (vgl. 20. Dezember 1733) im Little Theatre in the Haymarket Verwendung fanden. Die Anzeige im *Daily Journal* für die spätere Inszenierung spricht von „select pieces of Musick, compos'd by Sig. Corelli, Sig. Vivaldi, Sig. Geminiani, and Mr. Handel, and Entertainments of Dancing". Im Januar 1734 wurde die Komödie aufgeführt „with select pieces of Music ... For the Third Musick The 2d Overture made for Admetus by Mr. Handel". Für die Inszenierung im Drury Lane Theatre am 26. März 1739 kündigt die *London Daily Post* die Musik nur pauschal an: „Select Pieces of Musick. With entertainments of Singing and Dancing."
Walshs Ausgabe (1732) trägt den Titel *The Tunes in the Alchimist for two Violins and a Bass*. Sie wurde mehrfach angezeigt.
Händels Bühnenmusik besteht aus der Ouvertüre zu *Rodrigo*, acht nachfolgenden Tanzsätzen und sechs Opernarien aus *Giulio Cesare, Poro, Partenope, Admeto, Rinaldo* und *Riccardo I.*
Bereits 1710 hatten Walsh und Randall Händels *Rodrigo*-Ouvertüre und die nachfolgenden Tanzsätze anonym unter dem Titel *Musick in the Play call'd the Alchimist by an Italian Master* veröffentlicht und im *Post-Man* (8.–11. Juli 1710) angekündigt.
(Smith 1954, 286; Smith 1960, 8; Price, 787f.; Händel-Hdb., I, 503f.)

11. März 1732
Walsh kündigt im *Daily Journal* „The Favourite Songs in the Opera called Sosarmes" mit der „Overture in Score" an.

– Die Ausgabe enthält sechs Arien und zwei Duette.
(Smith 1960, 70)
Vgl. 29. April 1732

17. April 1732
Viscount Percival, Diary

I carried him [seinen Sohn] und my daughters to the rehearsal of the Opera of Flavius.
(Egmont MSS., I, 257)

18. April 1732
Wiederaufführung von *Flavio* am Haymarket Theatre.
Wiederholungen: 22., 25. und 29. April.
Besetzung:
Flavio – Antonio Gualandi, Alt
Guido – Senesino, Mezzosopran
Vitige – Anna Bagnolesi, Sopran
Ugone – Antonio Montagnana, Baß
Lotario – Giovanni Battista Pinacci, Tenor
Emilia – Anna Strada, Sopran
Teodata – Francesca Bertolli, Alt
Vgl. 14. Mai 1723

19. April 1732 (I)
The Daily Journal

Never Perform'd in Publick before,
At the Great Room in Villars-street York Buildings, To-morrow, being Thursday the 20th of this Instant April, will be perform'd, Esther an Oratorio or, Sacred Drama. As it was compos'd originally for the most noble James Duke of Chandos, the Words by Mr. Pope, and the Musick by Mr. Handel. Tickets to be had at the Place of Performance at 5s. each. To begin exactly at 7 o'Clock.

– Die Anzeige wurde am 20. April 1732 wiederholt. Nach Burney und Schoelcher waren bereits frühere Anzeigen erschienen, die nur Händel, nicht aber den Textautor nennen.
Vgl. 23. Februar 1732
(Burney, II, 775; Schoelcher 1857, 104; Smith 1954, 279; Dean 1959, 205)

19. April 1732 (II)
The Daily Journal

By His Majesty's Command.
At the King's Theatre in the Hay-Market, on Tuesday the 2d Day of May, will be performed, The Sacred Story of Esther: an Oratorio in English. Formerly composed by Mr. Handel, and now revised by him, with several Additions, and to be performed by a great Number of the best Voices and Instruments.
N.B. There will be no Action on the Stage, but the House will be fitted up in a decent Manner, for the Audience. The Musick to be disposed after the Manner of the Coronation Service.
Tickets to be delivered at the Office of the Opera house, at the usual Prices.

– Mit dieser Anzeige kündigte Händel seine eigene sorgfältig vorbereitete Aufführung an.
Nach Burney soll sich der Bischof von London (Gibson) der Aufführung einer „Sacred story" auf der Bühne widersetzt haben.
(Burney 1785, 286; Larsen 1957, 19; Dean 1959, 205f.)
Vgl. 11. Oktober 1727

25. April 1732
The Daily Journal

Thomas Wood kündigt das Textbuch zu Händels Aufführung von *Esther* am 2. Mai 1732 an.

– Im Textbuch ist *Esther* als „Oratorio: or, Sacred Drama" bezeichnet, wie in den Anzeigen der nicht autorisierten Aufführung. Die folgenden Angaben entsprechen der Anzeige von Händels Aufführung am 2. Mai: „The Musick formerly Composed by Mr. Handel, and now Revised by him, with several Additions. ... The Additional words by Mr. Humphreys."
(Dean 1959, 219 und Appendix G)

29. April 1732
The Daily Post

John Walsh kündigt „A Second Collection of the most Favourite Songs in ... Sosarmes ..." an.
(Smith 1960, 71)
Vgl. 11. März 1732

2. Mai 1732 (I)
The Daily Courant

By His Majesty's Command.
At the King's Theatre ... this present Tuesday ... will be perform'd Esther, an Oratorio, In English. Formerly composed by Mr. Handel, and now revised by him, with several Additions, and to be performed by a great Number of the best Voices and Instruments. ... To begin at Seven o'Clock.
Vgl. 19. April 1732 (II)

– Wiederholungen: 6., 9., 13., 16. und 20. Mai 1732; spätere Aufführungen in London 1733, 1735, 1736, 1737, 1740, 1751 und 1757, in Oxford 1733, in Dublin 1742.
Besetzung:
Ahasverus – Senesino, Mezzosopran
Haman – Antonio Montagnana, Baß
Harbonah – Francesca Bertolli, Alt
Esther – Anna Strada, Sopran
Mordecai – Francesca Bertolli, Alt
Israelit – Mrs. Davis, Sopran
Israelitin – Ann Turner-Robinson, Sopran
Nach Dean wirkte Lowe in Händelschen Aufführungen erst seit 1743 mit. Mrs. Davis und Ann Turner-Robinson sangen auch in der Neufassung von *Acis and Galatea* am 10. Juni 1732.
(Dean 1959, 203ff., 657)

2. Mai 1732 (II)
The Daily Post

We hear that the Proprietors of the English Opera will very shortly perform a celebrated Pastoral Opera call'd Acis and Galatea, compos'd by Mr. Handel, with all the Grand Chorus's [,Scenes, Machines,] and other Decorations, as it was perform'd before his Grace the Duke of Chandos at Cannons, and that it is now in Rehearsal.

– Eine ähnliche Notiz erschien im *Daily Journal* vom 3. Mai. Beide Notizen beziehen sich auf eine Aufführung im Little Theatre in the Haymarket, die für den 11. Mai vorgesehen war, aber auf den 17. Mai verschoben wurde. Die Worte „Scenes, Machines" fehlen in der *Daily Post* (vgl. 6. Mai 1732/I).
Seit dem 13. März 1732 führte eine Truppe unter der Leitung von Thomas Arne englische Opern im Little Theatre auf. Sie begann mit Johann Friedrich Lampes *Amelia*. Im Herbst 1732 folgte Lampes *Britannia* (vgl. 15. November), im Frühjahr 1733 Thomas Augustine Arnes Burleske *Opera of Operas*.
Die von Thomas Augustine Arne geleitete Aufführung von *Acis and Galatea* fand ohne Händels Beteiligung statt.
(Burney, II, 776; Smith 1948, 212ff.; Dean 1959, 172)

2. Mai 1732 (III)
Viscount Percival, Diary

I went to the Opera House to hear Hendel's „oratory", composed in the Church style.
(Egmont MSS., I, 266)

3. Mai 1732
The Daily Courant

Last Night their Majesties, his Royal Highness the Prince of Wales and the Three Eldest Princesses went to the Opera House in the Hay Market and saw a Performance called, (Esther, an Oratorio).

– Die königliche Familie besuchte auch die Aufführungen am 6., 13. und 20. Mai.

4. Mai 1732
The Daily Courant

Notice is hereby given, that if there are any Tickets which could not be made Use of on Tuesday last [2. Mai], the Money will either be returned for the same on sending them to the Office in the Haymarket next Saturday [6. Mai], or they will be exchanged for other Tickets for that Day.

– Anscheinend waren für die erste Aufführung von *Esther* zu viel Eintrittskarten verkauft worden.

6. Mai 1732 (I)
The Daily Post

At the New Theatre in the Hay-market, on Thursday next, being the 11th day of May, will be perform'd in English, a Pastoral Opera, call'd Acis and Galatea. Composed by Mr. Handel. With all the Grand Chorus's, Scenes, Machines, and other Decorations; being the first Time it ever was performed in a Theatrical Way.
The Part of Acis by Mr. Mountier, being the first Time of his appearing in Character on any Stage; Galatea, Miss Arne.
(Smith 1948, 214)

– Die Anzeige wurde an den folgenden Tagen wiederholt und erschien auch im *Daily Journal.*
Mountier, den Burney den „Chichester Boy" nannte, ist wahrscheinlich Thomas Mountier, der 1740 in die Society of Musicians aufgenommen wurde. Susanna Maria Arne, die Schwester von Thomas Augustine Arne, heiratete 1734 Theophilus Cibber und wurde unter diesem Namen bekannt.

6. Mai 1732 (II)
Viscount Percival, Diary

In the evening [I] went to Hendel's oratorio. The Royal Family was there, and the house crowded.
(Egmont MSS., I, 271)

11. Mai 1732 (I)
The Daily Post

At the New Theatre in the Hay-market, on Wednesday next, being the 17th May … Acis and Galatea.
N. B. The Opera is obliged to be put off to Wednesday the 17th following, it being impossible to get ready the Decorations before that Time.
(Smith 1948, 213)

11. Mai 1732 (II)
Händel kauft für 700 £ Südsee-Aktien.

15. Mai 1732
The Daily Courant

The same Evening [Sonnabend, 13. Mai] their Majesties, his Royal Highness the Prince of Wales, and the Three Eldest Princesses, went to the Opera-House in the Hay-Market, and saw an Entertainment call'd Esther, an Oratorio, in English.

17. Mai 1732
The Daily Post

At the New Theatre in the Hay-market, this present Wednesday … will be perform'd in English, a Pastoral Opera, call'd Acis and Galatea. Composed by Mr. Handel. … Pit and Boxes to be laid together at 5s. Gallery 2s 6d. … To begin exactly at Seven o'Clock.

– Die Aufführung wurde am 19. Mai 1732 wiederholt.
Besetzung:
Acis – Thomas Mountier, Tenor
Galatea – Susanna Maria Arne, Sopran
Polyphemus – Gustavus Waltz, Baß
Damon – Susanna Mason, Alt
(Dean 1959, 171f.)
Vgl. 2. Mai und Mai 1732

20. Mai 1732
John Walsh kündigt im *Craftsman* „The opera of Sosarmes and Aetius transposed for a single Flute" an.
(Smith 1960, 72)

22. Mai 1732
The Daily Courant

On Saturday [20. Mai] in the Evening their Majesties, his Royal Highness the Prince of Wales, and the Three Eldest Princesses, went to the Opera-House in the Hay-Market, and saw an Entertainment of Musick call'd Esther, an Oratorio.

23. Mai 1732
Francis Colman, Opera Register

May ye 23. Lucius Papirius a New Opera Handell it did not take
(Sasse 1959, 220)

– Die Oper *Lucio Papirio Dittatore* (Text: Apostolo Zeno, Textbearbeiter: Carlo Innocenzio Frugoni, Musik: Geminiani Giacomelli) wurde Anfang Mai 1729 in Parma uraufgeführt. Händel hat sie möglicherweise während seiner Italienreise 1729 gehört und brachte das Werk im Haymarket Theatre nahezu unverändert heraus. Er fügte für Montagnana zwei Arien von Porpora ein, reduzierte die

28 Arien der Oper auf 21 und nahm die für sein Ensemble notwendigen Transpositionen vor. Die Aufführung wurde dreimal wiederholt.
Besetzung:
Lucio Papirio – Giambattista Pinacci, Tenor
Marco Fabio – Antonio Montagnana, Baß
Papiria – Anna Strada, Sopran
Rutilia – Francesca Bertolli, Alt
Quinto Fabio – Senesino, Mezzosopran
Servilio – Anna Bagnolesi, Alt
Cominio – Antonio Campioli, Mezzosopran
(Strohm 1974 II, 224ff.)

29. Mai 1732
Francis Colman, Opera Register

May 29. Hester Oratorio, or sacred Drama, english all ye Opera Singers in a sort Gallery, no acting was performed Six times & very full.
(Sasse 1959, 220)

– Die letzte Aufführung von *Esther* war am 20. Mai. Die Beschreibung des Oratoriums ist dem Textbuch entnommen.
Vgl. 2. Mai 1732

Mai 1732
The London Magazine: or, Gentleman's Monthly Intelligencer

Esther: An Oratorio; or Sacred Drama. As it is now acted at the Theatre-Royal in the Hay-Market with vast Applause. The Musick being composed by the Great Mr. Handel.
[Es folgt der Text des Oratoriums]
Monthly Catalogue of Books.
Acis and Galatea: An English Pastoral Opera. In three Acts. Set to Musick by Mr. Handel. Sold by J. Roberts. Price 6d.   [S. 85 ff. und S. 107]

– Es war falsch, das „King's Theatre" als „Theatre-Royal" zu bezeichnen. Der ohne Nennung des Autors abgedruckte *Esther*-Text stimmt mit der Fassung der Aufführung vom 20. April 1732 überein. Händels Zusätze für seine Aufführung am 2. Mai 1732 sind nicht berücksichtigt. Das Textbuch zu *Acis* ist vermutlich das für die Aufführungen am 17. und 19. Mai von John Watts gedruckte.
(Chrysander, II, 277; Smith 1948, 215; Dean 1959, 219 und 172)

5. Juni 1732
The Daily Courant

At the King's Theatre ... on Saturday next [10. Juni] will be performed a Serenata call'd, Acis and Galatea. Formerly composed by Mr. Handel, and now revised by him, with several Additions; and to be performed by a great Number of the best Voices and Instruments.

There will be no Action on the Stage, but the Scene will represent, in a Picturesque Manner, a rural Prospect, with Rocks, Groves, Fountains and Grotto's; amongst which will be disposed a Chorus of Nymphs and Shepherds, the Habits, and every other Decoration suited to the Subject.

– Die gleiche Anzeige erschien im *Daily Journal*. Händels neue zweisprachige Fassung vermischt Arien aus der *Cantata à 3* (Neapel 1708, HWV 72) und Arien und Chöre aus der *Masque* (Cannons 1718, HWV 49a) mit Neukompositionen, zum Teil nach anderen Werken.
(Smith 1948, 216 ff.; Dean 1959, 172 ff.)

7. Juni 1732
Jonathan Tyers eröffnet Vauxhall Gardens.
Vgl. 15. April (I), 18. April, 27. April, 2. Mai 1738

9. Juni 1732
The Daily Post

Whereas Signor Bononcini intends after the Serenata composed by Mr. Handel has been performed, to have one of his own at the Opera-house, and has desired Signora Strada to sing in that Entertainment. Aurelio del Po, Husband of the said Signora Strada, thinks it incumbent on him to acquaint the Nobility and Gentry, that he shall ever think himself happy in every opportunity wherein he can have the Honour to contribute to their Satisfaction; but with respect to this particular Request of Signor Bononcini, he hopes he shall be permitted to decline complying with it, for Reasons best known to the said Aurelio del Po and his Wife; and therefore the said Aurelio del Po flatters himself that the Nobility and Gentry will esteem this a sufficient Cause for his Noncompliance with Signor Bononcini's Desire; and likewise judge it to be a proper Answer to whatever the Enemies of the said Aurelio del Po may object against him or his Wife upon this Occasion.

– Diese Notiz erschien nochmals im *Craftsman* vom 12. August 1732 in einem anonymen Brief an den Herausgeber. Dieser wurde im *Gentleman's Magazine* (August 1732) nachgedruckt.
Die Aufführung fand am Ende der Saison am 24. Juni als „a pastoral entertainment", nicht als „Serenata", statt, und zwar „by command of ... Queen Caroline", die während der Abwesenheit des Königs Regentin war. Sie besuchte die Aufführung zusammen mit drei Prinzessinnen.
Von Aurelio del Pò, dem Ehemann von Anna Strada, ist nur bekannt, daß er (nach Burney) 1737/38 „for the arrears of her salary" Händel mit Verhaftung gedroht haben soll (vgl. 21. Juni 1738).
(Burney, II, 777; Kelly, II, 354; Schoelcher 1857, 118)

10. Juni 1732
The Daily Courant

At the King's Theatre ... this present Saturday ...
will be perform'd, A Serenata, call'd Acis and
Galatea. ... To begin at 7 o'Clock. N. B. The full
Number of Opera's agreed for in the Subscription
being completed, the Silver Tickets will not be ad-
mitted, but only the Subscribers themselves in
Person.
– Die gleiche Anzeige erschien im *Daily Journal.*
Wiederholungen: 13., 17. und 20. Juni.
Vgl. 5. Dezember 1732
Besetzung:
Acis – Senesino, Mezzosopran
Galatea – Anna Strada, Sopran
Clori – Ann Turner-Robinson, Sopran
Polifemo – Antonio Montagnana, Baß
Silvio – Giovanni Battista Pinacci, Tenor
Filli – Anna Bagnolesi, Alt
Dorinda – Francesca Bertolli, Mezzosopran
Eurilla – Mrs. Davis, Sopran
Damon – Antonio Gualandi, Alt
(Smith 1948, 217 ff.; Dean 1959, 173)

20. Juni 1732
Viscount Percival, Diary

I went in the evening to the Opera House to hear
the fine masque of Acis and Galatea, composed by
Hendel.
(Egmont MSS., I, 281)

22. Juni 1732
Händel verkauft für 1 400 £ sowie für 1 000 £ Südsee-Aktien.

1. Juli 1732
John Walsh kündigt im *Craftsman* „Select Lessons,
or a choice Collection of easy Aires by Mr. Handel,
Geminiani, Bononcini, Baston, &c. for the Flute"
an.

– Zwei weitere Sammlungen erschienen im gleichen und im folgenden Jahr.
(Smith 1960, 276 f.)

2. August 1732
Händel zahlt 2 300 £ auf sein Konto ein.

12. August 1732
The Craftsman

... This brought me up, last Week, upon a Friend's
having written me Word that some Musick of Bononcini was to be perform'd at the Opera House,
of which He knew I was a great Admirer; but being very much disappointed at the Performance, I
went afterwards to pass the Evening with some of
my Acquaintance, who were Lovers of Musick as
well as my self, in order to get some Information

about it. ... several Stories were told for and
against the two late famous Antagonists. ... At last,
one of the Company had the Curiosity to ask what
might have been the Occasion that the Serenata
was not continued; to which another made
Answer that it fell out chiefly by the Means of
Strada's Husband, who would not suffer his Wife
to sing in it; upon which He took out of his
Pocket the Daily Post of June 9, and read an Advertisement, which that Gentleman had caus'd to
be inserted there, in the following remarkable
Style: [Es folgt der Text der Notiz vom 9. Juni
1732.]
(Schoelcher 1857, 118)

– Der Rest des anonymen Briefes ist eine politische Satire.

15. August 1732 (I)
Protokollbuch des Schatzamtes

Order for a sign manual for the issue of 1,000 l. to
the Music Academy as His Majesty's bounty for
the opera the last season.
(Shaw 1898, 249)

15. August 1732 (II)
Warrant Book des Königs

	£	s.	d.	
Royal Academy of Music	1,000	0	0	Royal bounty to the undertakers of the Opera.

(Shaw 1898, 340)

August 1732
Poro wird während der Sommermesse in Braunschweig unter dem Titel *Poro ed Alessandro* in italienischer Sprache aufgeführt.
(Chrysander, II, 247; Stompor, 85)

1. Oktober 1732
Partenope wird in Wolfenbüttel anläßlich des Ge-
burtstages Kaiser Karls VI. in italienischer Sprache
aufgeführt.
Vgl. 12. September 1731
(Chrysander, II, 239; Stompor, 85)

31. Oktober 1732
Lord Hervey an Charles, Duke of Richmond

St. James's, Oct. 31: 1732.
I am going to Lady Pembroke's to hear the new
Opera-Woman, Celestina; the Operas begin on
Saturday [4. November].
(March, I, 222; Hervey/Ilchester, 145)
Vgl. 25. März 1727 (II) und Frühling 1727

– Die Sopranistin Celeste Gismondi hatte Händel
kurz zuvor engagiert. In seinem Opern-Ensemble
sang sie 1732 und 1733, bei der Opera of the Nobility 1733 und 1734; sie starb 1735 in London.
(Dean 1959, 656)

4. November 1732 (I)

Händel eröffnet die Opernsaison mit dem Pasticcio *Catone in Utica* (Text: Pietro Metastasio), das bis zum 18. November dreimal wiederholt wird.

– Wahrscheinlich hat Händel Leonardo Leos *Catone* (Venedig 1729) während des Karnevals 1729 in Venedig gehört. Er tauschte einen großen Teil der Arien Leos gegen solche von Hasse, Porpora, Vivaldi und Vinci aus.
Besetzung:
Catone – Senesino, Mezzosopran
Marzia – Anna Strada, Sopran
Emilia – Celeste Gismondi, Sopran
Arbace – Francesca Bertolli, Alt
Cesare – Antonio Montagnana, Baß
(Kelly, II, 354; Chrysander, II, 252; Smith 1954, 288; Strohm 1974 II, 227 ff.)

4. November 1732 (II)
Lord Hervey an Stephen Fox

St. James's, November 4th, 1732.
I am just come from a long, dull, and consequently tiresome Opera of Handel's, whose genius seems quite exhausted. The bride's recommendation of being the first night, could not make this supportable. The only thing I liked in it was our Naples acquaintance, Celestina; who is not so pretty as she was, but sings better than she did. She seemed to take mightily, which I was glad of. I have a sort of friendship for her, without knowing why. Tout chose que me fait resouvenir ce temps m'attendrit; et je suis sur que ce soir à l'Opera j'ai soupiré cent fois.
(Hervey/Ilchester, 145 f.)

– Hervey hielt den *Catone* irrtümlich für ein Händelsches Werk. Er war mit Fox Anfang 1729 in Italien, wo sie wahrscheinlich Händel kennenlernten.

15. November 1732
The Daily Post

We hear that yesterday there was a Rehearsal of the English Opera, „Britannia", at the New Theatre in the Haymarket. The Musick (set by Mr. Lampe) gave great Satisfaction to the Audience. ... Miss Caecilia Young was particularly admired, which gave Occasion to the following Lines, alluding to the famous St. Caecilia:
„No more shall Italy its Warblers send
 To charm our Ears with Handel's heav'nly Strains;
For dumb his rapt'rous[1] Lyre, their Fame must
                                                    end.
And hark! Caecilia! from the Aetherial Plains,
Her Sounds once call'd a Seraph from the Skies;
To sing like Accents see! she hither flies."

[1]The opera of „Cato" is not Mr. Handel's.
(Smith 1948, 174)

– *Britannia* (Text: Thomas Lediard) wurde am 16. November uraufgeführt.

20. November 1732
Händel beendet die Oper *Orlando*.
Einträge in der autographen Partitur (R. M. 20. b. 8.): „Fine dell Atto 2do Nov. 10" und „Fine dell'Opera G. F. Handel Novembr 20 1732."

22. November 1732
Viscount Percival, Diary

I ... heard the practice of Alexander at the Opera House.
(Egmont MSS., I, 297)

– Percival hörte die Probe vor dem Dinner, bevor er in die Crown and Anchor Tavern ging, wo sich der Music Club anläßlich des Cäcilientages traf (vgl. 25. November 1727).

23. November 1732
John Walsh zeigt in der *Daily Post* „Books of Solos for a German Flute By ... Marcello ... Handel ..." an.
(Smith 1960, 242 f.)

– Bei den Kompositionen Händels handelt es sich um die Sonaten op. 1, die Walsh jetzt unter seinem Namen veröffentlichte, nachdem er sie bereits vorher unter dem von Jeanne Roger gedruckt hatte.
(Best 1977, 22 f.; Best 1980, 121)
Vgl. 7. Dezember 1734

25. November 1732 (I)
The Daily Journal

At the King's Theatre ... this present Saturday ... will be reviv'd, An Opera, call'd, Alexander. ... Tickets ... at Half a Guinea each. Gallery five Shillings. ... N. B. The Silver Tickets are ready to be deliver'd to Subscribers, or their Order, on paying the Subscription-Money, at the Office in the Hay-Market.
Vgl. 5. Mai 1726

Besetzung:
Alessandro – Senesino, Mezzosopran
Rossane – Anna Strada, Sopran
Lisaura – Celeste Gismondi, Mezzosopran
Tassile – Francesca Bertolli, Alt
Clito – Antonio Montagnana, Baß
Die Partien des Leonato und des Cleone hat Händel für diese Inszenierung gestrichen.
Wiederholungen: 28. November, 2., 19., 26. und 30. Dezember 1732.

25. November 1732 (II)
John Walsh zeigt im *Daily Journal* an: „The Most Celebrated Songs in the Oratorio call'd Queen Es-

ther To which is Prefixt The Overture in Score Compos'd by M^r: Handel, The Songs and Symphony's in the Masque of Acis and Galatea made and perform'd for his Grace the Duke of Chandos Compos'd by M^r: Handel with the Additional Songs und The Favourite Songs in the Opera call'd Cato."
(Smith 1960, 104, 82 und 22)

25. und 28. November 1732
Francis Colman, Opera Register

[Nov.] 25. Alexander reviv'd. Sig^r Gismonda had a
         Cold
         The King &c all at ye Opera
         a full House
      28. D° a thin House –
(Sasse 1959, 221)

27. November 1732
Johann Mattheson, Hamburger Opernverzeichnis

Anno 1732.

234. Judith, Gemahlin Kaiser Ludwig's des Frommen, aus einem sogenannten Lothario der in England, und einem andern gleiches Namens, der in Wien aufgeführet, von Händel und Chelleri componirt worden, zusammengeflickt. Die Uebersetzung der Recitativen ist von Hrn. Hamann, und Hr. Telemann hat sie in Noten gebracht. Die Arien sind von vorgemeldten Componisten und Italiänisch geblieben. In Hamburg zum erstenmal gespielt d. 27. Nov. 1732 mit sehr mittelmäßigem Beifall, wegen der elenden Worte.
(Chrysander 1877, Sp. 263)

– *Judith, Gemahlin Kayser Ludewigs des Frommen; oder Die siegende Unschuld* geht auf *L'Innocenza giustificata* (Text: Francesco Silvani, Musik: Fortunato Chelleri, Wien 1711) zurück. Eingefügt wurden drei italienische Arien aus Händels *Lotario,* drei neue deutsche Arien und deutsche Rezitative von Telemann. Die Oper wurde in Hamburg 1733 zweimal, 1734 dreimal, 1735 und 1736 je zweimal und 1737 einmal aufgeführt.
(Merbach, 364; Loewenberg, Sp. 125)

5. Dezember 1732 (I)
Aaron Hill an Händel

Dec. 5, 1732.
Sir,
I ought sooner, to have return'd you my hearty thanks, for the silver ticket, which has carried the obligation farther, than to myself; for my daughters are, both such lovers of musick, that it is hard to say, which of them is most capable of being charm'd by the compositions of Mr Handel.
Having this occasion of troubling you with a letter, I cannot forbear to tell you the earnestness of

my wishes, that, as you have made such considerable steps towards it, already, you would let us owe to your inimitable geniys, the establishment of musick, upon a foundation of good poetry; where the excellence of the sound should be no longer dishonour'd, by the poorness of the sense it is chain'd to.
My meaning is, that you would be resolute enough, to deliver us from our Italian bondage; and demonstrate, that English is soft enough for Opera, when compos'd by poets, who know how to distinguish the sweetness of our tongue, from the strength of it, where the last is less necessary.
I am of opinion, that male and female voices may be found in this kingdom, capable of every thing, that is requisite; and, I am sure, a species of dramatic Opera might be invented, that, by reconciling reason and dignity, with musick and fine machinery, would charm the ear, and hold fast the heart, together.
Such an improvement must, at once, be lasting, and profitable, to a very great degree; and would, infallibly, attract an universal regard, and encouragement.
I am so much a stranger to the nature of your present engagements, that, if what I have said, should not happen to be so practicable, as I conceive it, you will have the goodness to impute it only to the zeal, with which I wish you at the head of a design, as solid, and unperishable, as your musick and memory. I am,
Sir,
Your most obliged, And most humble Servant,
A. Hill.
(Hill 1753, I, 115 f.)

– Der an Händel gerichtete Ruf nach englischen Opern kam gerade zur rechten Zeit, als dieser im Begriff war, sich von der Oper ab- und dem Oratorium zuzuwenden. Hill hatte schon in seiner Widmung des *Rinaldo*-Librettos an Königin Anna die Wichtigkeit englischer Opern betont (vgl. 24. Februar 1711).
Die Dauerbillets für die Theater und andere Veranstaltungen wurden ebenso wie die der Vergnügungsgärten aus Metall oder Elfenbein hergestellt.
Vgl. 10. Februar 1733 (III)

5. Dezember 1732 (II)
Acis and Galatea wird erneut aufgeführt *(The Daily Journal).*
Vgl. 10. Juni 1732
Wiederholungen: 9., 12. und 16. Dezember 1732.

7. Dezember 1732
Eröffnung des Covent Garden Theatre unter der Leitung von John Rich.

– Rich zog mit seiner Truppe aus dem Lincoln's

Inn Fields Theatre (1714–1732) in das neue Haus und eröffnete es mit der Premiere einer Neuinszenierung von Congreves Komödie *The Way of the World* (1700 im Lincoln's Inn Fields Theatre uraufgeführt) mit der Musik von John Eccles.

1732 (I)

Händel subskribiert den ersten Band der von Thomas Cobb veröffentlichten *Suites de Pièces pour le Clavecin* von John Christopher Smith.

– Am 14. Mai 1737 kündigt Walsh den zweiten Band der *Suites de Pièces* an.

1732 (II)

Samuel Johnson, To the Poets of Future Ages

... In these days, lives in London, without encouragement, the famous Mr. Bononcini, whose Musick for Celestialness of Stile, I am apt to think, will demand remembrance in the Soul after Fire has destroy'd all things in this World; and I that have translated his Sounds into our own English Language, cannot say enough of this great Man, who is rival'd by Mr. Handel, a very big Man, who writes his Musick in the High-Dutch Taste, with very great success: so when you peruse these two Masters, you'll guess at the Men, and blush for the Taste of England.
(Vorrede zu Samuel Johnsons Schauspiel *The Blazing Comet; or, The Mad Lovers; or, The Beauties of the Poets,* London 1732)

1732 (III)

See and Seem Blind: or, A Critical Dissertation on the Publick Diversions, &c. ... In a Letter from ... Lord B – – – – – to A – – – H – – –, Esq., London [1732]

... I left the Italian Opera, the House was so thin, and cross'd over the way to the English one, which was so full I was forc'd to croud in upon the Stage. ...
This alarm'd H – l, and out he brings an Oratorio, or Religious Farce, for the duce take me if I can make any other Construction of the Word, but he has made a very good Farce of it, and put near 4000l. in his Pocket, of which I am very glad, for I love the Man for his Musick's sake.
This being a new Thing set the whole World a Madding; Han't you be at the Oratorio, says one? Oh! If you don't see the Oratorio you see nothing, says t'other; so away goes I to the Oratorio, where I saw indeed the finest Assembly of People I ever beheld in my Life, but, to my great Surprize, found this Sacred Drama a mere Consort, no Scenary, Dress or Action, so necessary to a Drama; but H – l, was plac'd in Pulpit, (I suppose they call that their Oratory), by him sate Senesino, Strada, Bertolli, and Turner Robinson, in their own Habits;

before him stood sundry sweet Singers of this poor Israel, and Strada gave us a Halleluiah of Half an Hour long; Senesino and Bertolli made rare work with the English Tongue you would have sworn it had been Welch; I would have wish'd it Italian, that they might have sung with more ease to themselves, since, but for the Name of English, it might as well have been Hebrew. ...
We have likewise had two Operas, Etius and Sosarmes, the first most Masterly, the last most pleasing, and in my mind exceeding pretty: There are two Duetto's which Ravish me, and indeed the whole is vastly Genteel; (I am sorry I am so wicked) but I like one good Opera better than Twenty Oratorio's: Were they indeed to make a regular Drama of a good Scripture Story, and perform'd it with proper Decorations, which may be done with as much Preverence in proper Habits, as in their own common Apparel; (I am sure with more Grandeur and Solemnity, and at least equal Decency) then should I change my Mind, then would the Stage appear in its full Lustre, and Musick Answer its original Design.
[S. 10, 14 ff., 19 f., 23, 26]
(Flower 1923, 200; Dean 1959, 206 f.)

– Der Adressat könnte Aaron Hill gewesen sein. Die „italienische Oper" war das Haymarket Theatre, die „englische Oper" das Little Theatre in the Haymarket. Bei den Oratorien handelte es sich um *Esther* und *Acis and Galatea.*

1732 (IV)

Johann Gottfried Walther,. Musicalisches Lexicon oder Musicalische Bibliothec ..., Leipzig 1732

Hendel (Georg Friedrich) oder Händel, ein anjetzo hochberühmter, in England sich aufhaltender Capellmeister, von Halle im Magdeburgischen gebürtig, und Scholar des seel. Zachau ums Jahr 1694, ist gebohren an. 1685 den 23ten Februarii. Von seiner Composition sind auf dem Hamburgischen Theatro folgende Opern aufgeführt worden, als: an. 1704 die Almira; an. 1705 der Nero; an. 1708 Florindo, und Daphne; an. 1715 der Rinaldo; an. 1717 die Oriana; an. 1718 die Agrippina; an. 1721 die Zenobia; an. 1723 der Muzio Scevola, und Floridantes; an. 1725 der Tamerlan, und Julius Caesar in Egypten; und an. 1726 der Otto, König in Teutschland. s. des Hrn. Capellmeister Matthesons Musikal. Patrioten, in der 23 und 24ten Betrachtung. An. 1720 sind 8 Suites de Pieces pour le Clavecin, zu London in 4to oblongo von seiner Arbeit in Kupfer gestochen worden. s. Matthesonii Crit. Mus. T. 1. p. 45. Ein mehrers von ihm stehet in des Hrn. Matthesons Musical. Ehren-Pforte zu erwarten.
[S. 309]

1732 (V)
John Walsh, Cash-Book

1732 Opera Aetius   £ 26 5 0
      Opera Orlando   26 5 0

– *Ezio* wurde am 14. Februar 1732, *Orlando* am 6. Februar 1733 veröffentlicht.

1733

2. Januar 1733
Tolomeo wird im Haymarket Theatre erneut aufgeführt.
Wiederholungen: 9., 13. und 16. Januar.
Vgl. 30. April 1728 und 19. Mai 1730

– Das Libretto von 1730 wurde für diese Neuinszenierung ergänzt und verändert.
Besetzung:
Tolomeo – Senesino, Mezzosopran
Seleuce – Anna Strada, Sopran
Elisa – Celeste Gismondi, Sopran
Alessandro – Francesca Bertolli, Alt
Araspe – Antonio Montagnana, Baß
(Händel-Hdb., I, 320)

19. Januar 1733 (I)
The Daily Journal

We hear that most of the Musical Societies in Town have generously agreed to join their Assistance with the Gentlemen of the Chapel Royal, the Choirs of St. Paul's and Westminster, in the Performance of Mr. Handel's Great Te Deum, Jubilate, and Anthems, at St. Paul's, both in the Rehearsal and Feast of the Corporation of the Sons of the Clergy, in order to promote so great a Charity.
Vgl. 1. und 10. Februar 1733

19. Januar 1733 (II)
The Daily Journal

New Musick.
This Day are Publish'd, Neatly printed in Amsterdam, ...
Five Sets of Lessons for the Harpsichord, Four by G. F. Handel, the other by Joseph Hector Fioco. ... Sold by Benj. Cooke.
(Chrysander, III, 197 f.)

– Die zehn Veröffentlichungen, unter denen die oben zitierte an neunter Stelle steht, wurden von Gérard Frédéric Witvogel verlegt und von Benjamin Cooke in England vertrieben. Fiocco war seit 1731 Chormeister an Notre-Dame in Antwerpen. Die vier Stücke von Händel sind: *Sonata pour le Clavecin ... Opera Seconda ...* (HWV 577), *Capricio Pour le Clavecin ... opera terza ...* (HWV 481), *Preludio*

et Allegro ... Opera quarta (HWV 574), *Fantaisie Pour le Clavecin ... Opera quinta ...* (HWV 490). Sie wurden 1734 wieder abgedruckt in Walshs *The Lady's Banquet Fifth Book*.
Wie es zu dieser Veröffentlichung kam, ist nicht bekannt. Jacob Wilhelm Lustig, der Mittelsmann zwischen Händel und Witvogel gewesen sein könnte, kam erst 1734 nach London. Er bezeugte, daß Händel die vier Stücke in seiner Jugend geschrieben hatte.
1732 veröffentlichte Witvogel auch *Prelude et Chaconne Avec LXII Variations Composées par Mr Hendel, Opera primo ...*
(Smith 1960, 217, 233, 238 ff., 247)

27. Januar 1733
The Daily Journal

At the King's Theatre ... this present Saturday ... will be perform'd, a new Opera, call'd, Orlando. Wherein the Cloaths and Scenes are all entirely New.

– Der Text zu *Orlando* stammt nicht, wie bisher vielfach angegeben (u. a. Chrysander; Loewenberg, Sp. 172), von Grazio Braccioli, sondern geht zurück auf das Libretto *L'Orlando, overo La gelosa pazzia* von Carlo Sigismondo Capece, erstmals aufgeführt in Rom 1711 mit der Musik von Domenico Scarlatti (Strohm 1975/76, 135). Literarische Quelle ist wieder Ariosts *Orlando furioso*. Der Bearbeiter des Händelschen Operntextes ist nicht bekannt. Das bei Thomas Wood gedruckte Textbuch nennt nur Samuel Humphreys als Übersetzer ins Englische. Die Jahreszahl 1732 auf der Titelseite des Textbuches ist aufgrund des in England noch geltenden julianischen Kalenders kein Beweis dafür, daß die Premiere bereits Ende 1732 erfolgen sollte. Sie war für den 23. Januar 1733 geplant (*Daily Journal*, 19. Januar), und Burney nennt diesen als Tag der Erstaufführung.
Wiederholungen: 3., 6., 10., 17. und 20. Februar, 21., 24. und 28. April sowie 1. und 5. Mai.
Besetzung:
Orlando – Senesino, Mezzosopran
Angelica – Anna Strada, Sopran
Medoro – Francesca Bertolli, Mezzosopran
Dorinda – Celeste Gismondi, Mezzosopran
Zoroastro – Antonio Montagnana, Baß
Zur Begleitung von Senesinos Arie „Già l'ebro mio ciglio" schreibt Händel „Violette marine per le Sig^{ri} Castrucci" und „Violoncelli pizzicati" vor. Pietro Castrucci, der Konzertmeister des Opernorchesters, hatte das neue Instrument bereits am 28. Februar und 14. April 1732 in Konzerten vorgeführt. Sein jüngerer Bruder Prospero war einige Jahre Konzertmeister der Music Society in der Castle Tavern, Paternoster Row.
(Burney, II, 779; Chrysander, II, 252 ff.)

29. Januar 1733

Die ballad opera *The Boarding-School, or The Sham Captain* wird am Drury Lane Theatre aufgeführt.

– Den Text hatte Charles Coffey nach *Love for Money, or The Boarding-School* (1691) von Thomas D'Urfey zusammengestellt. Unter den 23 Gesangsnummern auf Musik verschiedener Komponisten soll auch ein Menuett von Händel mit dem Text „Come, boys, fill around" gewesen sein, das nicht identifiziert werden konnte; im Druck (British Library) wird Händels Name nicht genannt.

27. Januar bis 3. März 1733
Francis Colman, Opera Register

Jan^ry 27.   Orlando Furioso a New Opera, by Handel
             The Cloathes & Scenes all New –
Febr. 3.   D° extraordinary fine & magnificent … performed Severall times until Satturday
March 3^d   Floridante an old Opera revived by D° to Tuesday March ye 13th
(Sasse 1959, 221 f.)

Januar 1733
John West, Earl of Delawarr, an Charles, Duke of Richmond

There is a Spirit got up against the Dominion of Mr. Handel, a subscription carry'd on, and Directors chosen, who have contracted with Senesino, and have sent for Cuzzoni and Farinelli, it is hoped he will come as soon as the Carneval of Venice is over, if not sooner. The General Court gave power to contract with any Singer Except Strada, so that it is Thought Handel must fling up, which the Poor Count will not be sorry for, There being no one but what declares as much for him, as against the Other, so that we have a Chance of seeing Operas once more on a good foot. Porpora is also sent for. We doubt not but we shall have your Graces Name in our Subscription List. The Directrs. chosen are as follows. D. of Bedford, Lds. Bathurst, Burlington, Cowper, Limmerick, Stair, Lovel, Cadogan, DeLawarr, & D. of Rutland, Sir John Buckworth, Henry Furnese Esq., Sr. Micl. Newton; There seems great Unanimity, and Resolution to carry on the Undertaking comme il faut.
(March, 234)

– Delawarr (auch Delaware und De La Warr) war Schatzmeister des Königs. Die anderen Direktoren waren John Russell, Duke of Bedford; Allen Bathurst, Baron Bathurst; Richard Boyle, Earl of Burlington (Händels alter Gönner); William, Earl of Cowper (der führende Unternehmer der neuen Oper); James Hamilton, Viscount Limerick; John

Dalrymple, Earl of Stair; Thomas Coke, Lord Lovel; Charles, Baron Cadogan; John Manners, Duke of Rutland; die letzten drei konnten nicht identifiziert werden. Der „Poor Count" ist Heidegger. Richmond trat dem neuen Direktorium der mit Händel konkurrierenden Adelsoper im Lincoln's Inn Fields Theatre bei.
Die erste Zusammenkunft fand am 15. Juni 1733 in Hickford's Room in der Panton Street am Haymarket statt. Sie wurde von Frederick, Prince of Wales, einberufen, der in Opposition zum König stand, der Händels Gönner war.
Anscheinend war Anna Strada bei der Opera of the Nobility nicht erwünscht, möglicherweise wegen ihrer Loyalität zu Händel. Vielleicht aber resultierte diese auch aus der Tatsache, daß sie bei der anderen Seite nicht erwünscht war.
Das Schreiben ist der erste Beleg für die wachsende Opposition gegen Händels Oper und für sein neuerliches Zerwürfnis mit Senesino. Richmond, Bathurst, Burlington, Limerick und Stair waren Direktoren der ersten Royal Academy of Music gewesen.

1. Februar 1733
Das *Utrecht Te Deum* und *Jubilate* und zwei Anthems werden in St. Paul's Cathedral aufgeführt.
Vgl. 10. Februar 1733 (III)

6. Februar 1733
John Walsh kündigt im *Daily Journal* „The Whole Opera of Orlando in Score … Engraven in a fair Character, and carefully corrected" an.
(Chrysander, II, 257; Schoelcher 1857, 122)

– Am 31. März 1733 erschien die zweite Auflage, für die in der ersten Auflage handschriftlich eingetragene Korrekturen in den Stichplatten ausgeführt worden waren.
Im gleichen Jahr veröffentlichte Walsh zum erstenmal auch *The Favourite Songs in the Opera call'd Orlando*.
(Smith 1960, 40 f.)

10. Februar 1733 (I)
Fog's Weekly Journal

… There happen'd an Accident when I was last at the Opera of Julius Caesar, which will serve to explain this Part of Vasconcellos Character, and from which indeed I took the Hint of writing this Paper. A Piece of the Machinery tumbled down from the Roof of the Theatre upon the Stage just as Senesino had chanted forth these Words;
Cesare non seppe mai, che sia timore.
Cesar does not know what Fear is.
The poor Hero was so frightened, that he trembled, lost his Voice, and fell a-crying. – Every Tyrant or Tyranical Minister is just such a Cesar as Senesino.

– Zitat aus einem Artikel, in dem Abbé Vertots *Revolution of Portugal* erwähnt wird (nachgedruckt im *London Magazine* vom Februar 1733). Vasconcellos war 1640 Premierminister von Portugal. Händels *Giulio Cesare* war im Februar 1732 zum letztenmal aufgeführt worden.

10. Februar 1733 (II)
Fog's Weekly Journal

On Saturday Night last [3. Februar], as her Majesty was coming from the Opera House in the Haymarket, the Fore Chairman had the Misfortune to slip, going down the Step by Ozinda's Coffeehouse near St. James's House, by which Accident the Chair fell, and broke the Glasses; but her Majesty happily got no Harm.

– An diesem Abend war *Orlando* aufgeführt worden.

10. Februar 1733 (III)
Hooker's Weekly Miscellany

On Thursday last Week [1. Februar] the Sons of the Clergy met at St. Paul's Cathedral, where Mr. Handel's Te Deum and Jubilate, and Two Anthems were performed by a great Number of Voices and Instruments, and the Rev. Dr. Stebbing preached an excellent Sermon suitable to the Occasion; after which, they proceeded in their usual Order to dine at Merchant-Taylor's-Hall. At the Rehearsal, and on the Feast Day, at the Church and Hall, the Collections amounted to 945 l. 10s. 3d.
The following excellent piece, written on this occasion, will, we doubt not, be highly obliging to all our Readers of Taste and Judgment.

An Ode, on Occasion of Mr. Handel's Great Te Deum, at the Feast of the Sons of the Clergy

So David, to the God, who touch'd his Lyre,
The God, who did at once inspire
The Poet's Numbers, and the Prophet's fire,
Taught the wing'd Anthem to aspire!
The Thoughts of Men, in Godlike Sounds he
                        sung,
And voic'd Devotion, for an Angel's Tongue.
At once, with pow'rful Works, and skilful Air,
The Priestly King, who knew the weight of Prayer,
To his high Purpose, match'd his Care;
To deathless Concords, tun'd his mortal Lays,
And with a Sound, like Heav'ns, gave Heav'n its
                        Praise.

Where has thy Soul, O Musick! slept, since then?
Or through what Lengths of deep Creation led,
Has Heav'n indulg'd th' all-daring Pow'r to tread?

On other Globes, to other Forms of Men,
Hast thou been sent, their maker's name to
                        spread?
Or, o'er some dying Orb, in tuneful dread,
Proclaiming Judgment, wak'd th' unwilling Dead?
Or, have new Worlds, from wand'ring Comets,
                        rais'd,
Heard, and leapt forth, and into Being blaz'd?

Say, sacred Origin of Song!
Where hast thou hid thyself so long?

Thou Soul of Handel! – through what shining
                        Way,
Lost to our Earth, since David's long past Day,
Didst thou, for all this length of Ages stray!
What wond'ring angels hast thou breath'd among,
By none, of all th' immortal Choirs out-sung?

But, 'tis enough, since thou art here again;
Where thou hast wander'd gives no Pain:
We hear, – we feel, thou art return'd once more,
With Musick, mightier than before;
As if in ev'ry Orb,
From every Note, of God's, which thou wert
                        shown,
Thy Spirit did th' Harmonious Pow'r absorb,
And made the moving Airs of Heav'n thy own!

Ah! give thy Passport to the Nation's Prayer,
Ne'er did Religion's languid Fire
Burn fainter – never more require
The Aid of such a fam'd Enliv'ner's Care:
Thy Pow'r can force the stubborn Heart to feel,
And rouze the Luke-warm Doubter into Zeal.

Teach us to pray, as David pray'd before;
Lift our Thanksgiving to th' Almighty's Throne,
In Numbers like his own:
Teach us yet more,
Teach us, undying Charmer, to compose
Our inbred Storms, and 'scape impending Woes:

Lull our wanton Hearts to Ease,
Teach Happiness to please;
And, since thy Notes, can ne'er, in vain implore!
Bid 'em becalm unresting Faction o'er:
Inspire Content, and Peace, in each proud Breast,
Bid th' unwilling Land be blest.

If Aught we wish for seems too long to stay,
Bid us believe, that Heav'n best knows its Day:
Bid us, securely, reap the Good we may,
Not, Tools to other's haughty Hopes, throw our
                        own Peace away.

– Aufgeführt wurden das *Utrecht Te Deum* und *Jubilate* und zwei Anthems.

Vgl. 19. Januar 1733 (I)
Das Gedicht wurde auch im *Gentleman's Magazine* vom Februar 1733 abgedruckt. Sein Autor war Aaron Hill (1753, III, 167 ff., datiert auf 1. Februar 1732).
(Schoelcher 1857, 59; Chrysander, II, 280 f., 474 ff.)

10. Februar 1733 (IV)
Die ballad opera *Achilles* (Text: John Gay) wird im Covent Garden Theatre aufgeführt.

21. Februar 1733
Händel beendet das Oratorium *Deborah*.
Eintrag in der teilautographen Partitur (R. M. 20. h. 2.): „Fine SDG. G F Handel London. Febr. 21 v. st. 1733."

22. Februar 1733
The Daily Post-Boy

To be Performed, at the Royal Chapel at Whitehall, by the Gentlemen of his Majesty's Chappel Royal and the best Hands
Harmonia Sacra; consisting of the Te Deum, Jubilate, Anthems, and other Pieces of Church Musick, composed by the most eminent Masters, ancient and modern.
The Whole will be divided into Three Performances.
The First to be on Tuesday the 13th Day of March and to consist of the following Pieces, viz.
A Te Deum, Jubilate and Two Anthems, performed at his Majesty's Chapel Royal: All with Voices and Instruments, and set to Musick by Mr. Handel.

– Die Einnahmen von 130 £ aus den drei sehr erfolgreichen Konzerten waren bestimmt für den 1729 gegründeten „Fund for the Widows, &c. of the Gentlemen of the Chappel Royal, who die in his Majesty's Service", wie es in der den Anzeigen der zweiten und dritten Veranstaltung hinzugefügten Anmerkung heißt.
Händels Jubilate kann nur das *Utrecht Jubilate* gewesen sein; das Te Deum kann das *Utrecht Te Deum*, das Te Deum D-Dur oder das Te Deum A-Dur gewesen sein. (Die beiden letzteren kommen von der Besetzung her am ehesten in Frage.)
(Burrows 1981, I, 413 ff.)
Vgl. 1733 (III)

Februar 1733
The Gentleman's Magazine

Thursday, Feb. 1.
Mr. Handel's Te Deum and Jubilate, with two Anthems, were perform'd before the Corporation of Clergy's Sons, at St. Paul's Cathedral, by a much greater Number of Voices and Instruments than usual, about 50 Gentlemen performing gratis. ...
The Collection came to 954. 10. 3d.
(Chrysander, II, 271 f.)
Vgl. 1. Februar 1733

3. März 1733
Floridante wird erneut aufgeführt.
Wiederholungen: 6., 10. und 13. März, 8., 15. und 19. Mai.

– Die Besetzung ist nicht bekannt; vermutlich sang Senesino wieder die Partie des Floridante.
Vgl. 9. Dezember 1721

7. März 1733
Rosamond (Text: Joseph Addison, Musik: Thomas Augustine Arne) wird im Lincoln's Inn Fields Theatre aufgeführt.
(Smith 1948, 190)

– Addisons Text wurde 1707 von Thomas Clayton vertont (aufgeführt in Drury Lane), 1729 von Henry Carey und 1767 von Samuel Arnold.

12. März 1733
The Daily Journal

By his Majesty's Command.
At the King's Theatre ... on Saturday the 17th of March, will be performed, Deborah, an Oratorio, or Sacred Drama, In English Composed by Mr. Handel. And to be performed by a great Number of the best Voices and Instruments.
N. B. This is the last Dramatick Performance that will be exhibited at the King's Theatre till after Easter.
The House to be fitted up and illuminated in a new and particular Manner.
Tickets ... at One Guinea each, Gallery Half a Guinea.
(Burney, II, 780; Schoelcher 1857, 127; Chrysander, II, 284 f.)

– Die Anzeige erschien auch in der *Daily Post* und wurde in beiden Zeitungen bis zum 17. März wiederholt.
Zum erstenmal wurde jetzt ein Oratorium an einem Sonnabend aufgeführt, der bisher der italienischen Oper vorbehalten war. Für die Premiere, die von der Subskription ausgenommen war, wurden die Eintrittspreise erhöht. Von der zweiten Aufführung an heißt es in den Anzeigen: „N. B. Subscribers' silver tickets will be admitted."

15. März 1733
John Walsh kündigt in der *London Daily Post* „New Editions von *Orlando, Ezio, Poro* u. a. an.

17. März 1733
Deborah wird zum erstenmal aufgeführt.

– Den Text verfaßte Samuel Humphreys; das gedruckte Textbuch enthält seine Widmung an Königin Caroline.
Wiederholungen: 27. und 31. März und 3., 7. und 10. April 1733; April 1734, März 1735 (Covent Garden), November 1744 (Haymarket), März 1754 und März 1756 (Covent Garden).
Vgl. 14. April 1733
Besetzung:
Deborah – Anna Strada, Sopran
Barak – Senesino, Mezzosopran
Abinoam – Antonio Montagnana, Baß
Sisera – Francesca Bertolli, Alt
Jael – Celeste Gismondi, Sopran
Israelitin – Celeste Gismondi, Sopran
Oberpriester des Baal – (?), Baß
Hoherpriester der Israeliten – Antonio Montagnana, Baß

(Smith 1948, 185; Dean 1959, 236)

24. März 1733
The Bee; or, Universal Weekly Pamphlet

The following Epigram, which has run about in Manuscript for two or three Days past, does not want epigrammatick wit. It needs no Explanation to People who know what is done in the World.

A Dialogue between two Projectors.

Quoth W– [Walpole] to H–l [Handel] shall we two agree,
And Join in a Scheme of Excise. H. Caro si.
Of what Use is your Sheep if your Shepherd can't sheer him?
At the Hay-Market I, you at We–er [Westminster]? W. Hear him.
Call'd to Order the Seconds appear'd in their Place,
One fam'd for his Morals, and one for his Face;
In half they succeeded, in half they were crost;
The Tobacco was sav'd, but poor Deborah lost.

– Das anonyme Epigramm wurde gelegentlich Lord Chesterfield zugeschrieben.
Der „für seine Moral Berühmte" kann Lord Hervey gewesen sein; „seines Gesichts wegen" bekannt war Heidegger.
Am 14. März, drei Tage vor der ersten Aufführung von *Deborah*, brachte Walpole im Parlament einen Gesetzesentwurf über eine Tabak-Akzise ein, der auf heftigen Widerstand stieß und ohne eine zweite Lesung von der Mehrheit abgelehnt wurde. Eine Gleichsetzung von Walpole und Händel hinsichtlich ihres Charakters, ihrer mangelnden Popularität und ihrer Begünstigung durch den Hof war völlig verfehlt, noch unmotivierter war es jedoch, in Walpole Händels Schutzherrn zu sehen.

Daß bei der Premiere von *Deborah* die Eintrittspreise erhöht wurden, genügte, um Händels und Walpoles „Habgier" auf den gemeinsamen Nenner eines Angriffs auf das öffentliche Interesse zu bringen. Schon Schoelcher (131, 403f.) hatte diese Umstände klar erkannt. Joseph E. Cecci *(Handel and Walpole in Caricature)* aber zog dieses Epigramm zur Erklärung zweier Radierungen heran, von denen die eine („Handel Oratorio") jedoch keine Karikatur ist und die andere nichts mit Händel zu tun hat.
(Schoelcher 1857, 128ff.; Chrysander, II, 285f.)
Vgl. 7. April 1733

27. März 1733
Viscount Percival, Diary

Went in the evening to see „Deborah", an oratorio, made by Hendel. It was very magnificent, near a hundred performers, among whom about twenty-five singers.
(Egmont MSS., I, 345)

31. März 1733
Lady A. Irwin an Lord Carlisle

London, 31 March [1733]
Last week we had an Oratorio, composed by Hendel out of the story of Barak and Deborah, the latter of which name[s] it bears. Hendel thought, encouraged by the Princess Royal, it had merit enough to deserve a guinea, and the first time it was performed at that price, exclusive of subscribers' tickets, there was but a 120 people in the House. The subscribers being refused unless they would pay a guinea, they, insisting upon the right of their silver tickets, forced into the House, and carried their point. This gave occasion to the eight lines I send you, in which they have done Hendel the honour to join him in a dialogue with Sir Robert Walpole. I was at this entertainment on Tuesday [27. März]; 'tis excessive noisy, a vast number of instruments and voices, who all perform at a time, and is in music what I fancy a French ordinary in conversation.
(Carlisle, 106)

– Anne, die Princess Royal, soll 1732 die Aufführungen von *Esther* und *Acis and Galatea* im Haymarket Theatre gefördert haben. Lady Irwin legte dem Brief das am 24. März gedruckte Epigramm bei.

2. April 1733
The Daily Journal

On Saturday Night last [31. März] the King, Queen, Prince, and the three eldest Princesses were at the King's Theatre in the Hay-market, and saw the Opera called Deborah.

6. April 1733

Aufführung von Henry Fieldings *The Miser* mit einem Nachspiel: *Deborah; or, A Wife for You All.* (Myers 1948, 43f.)

– Fieldings Epilog, der nie veröffentlicht wurde und nur durch einen Theaterzettel bekannt ist, könnte eine aktuelle Parodie auf Humphreys' Oratorientext gewesen sein.

7. April 1733
The Craftsman

Sir,

I am always rejoiced, when I see a Spirit of Liberty exert itself among any Sett, or Denomination of my Countrymen. I please myself with the Hopes that it will grow more diffusive; some time or other become fashionable; and at last useful to the Publick. As I know your Zeal for Liberty, I thought I could not address better than to you the following exact Account of the noble Stand, lately made by the polite Part of the World, in Defense of their Liberties and Properties, against the open Attacks and bold Attempts of Mr. H–l upon both. I shall singly relate the Fact, and leave you, who are better able than I am, to make what Inferences, or Applications may be proper.
The Rise and Progress of Mr. H–l's Power and Fortune are too well known for me now to relate. Let it suffice to say that He was grown so insolent upon the sudden and undeserved Increase of both, that He thought nothing ought to oppose his imperious and extravagant Will. He had, for some Time, govern'd the Opera's, and modell'd the Orchestre, without the least Controul. No Voices, no Instruments were admitted, but such as flatter'd his Ears, though they shock'd those of the Audience. Wretched Scrapers were put above the best Hands in the Orchestre. No Musick but his own was to be allowed, though every Body was weary of it; and he had the Impudence to assert, that there was no Composer in England but Himself. Even Kings and Queens were to be content with whatever low Characters he was pleased to assign them, as it was evident in the case of Signor Montagnana; who, thouth a King, is always obliged to act (except an angry, rumbling Song, or two) the most insignificant Part of the whole Drama. This Excess and Abuse of Power soon disgusted the Town; his Government grew odious; and his Opera's grew empty. However this Degree of Unpopularity and general Hatred, instead of humbling him, only made him more furious and desperate. He resolved to make one last Effort to establish his Power and Fortune by Force, since He found it now impossible to hope for it from the good Will of Mankind. In order to This, he form'd a Plan, without consulting any of his Friends, (if he has any) and declared that at a proper Season he wou'd communicate it to the Publick; assuring us, at the same Time, that it would be very much for the Advantage of the Publick in general, and his Opera's in particular. Some People suspect that he had settled it previously with the Signora Strada del Po, who is much in his Favour; but all, that I can advance with certainty, is, that He had concerted it with a Brother of his own, in whom he places a most undeserved Confidence. In this Brother of his, Heat and Dullness are miraculously united. The former prompts him to any Thing new and violent; while the latter hinders him from seeing any of the Inconveniences of it. As Mr. H–l's Brother, he thought it was necessary he should be a Musician too, but all he could arrive at, after a very laborious Application for many Years, was a moderate Performance upon the Jew's Trump. He had, for some Time, play'd a parte buffa abroad, and had entangled his Brother in several troublesome and dangerous Engagements, in the Commissions he had given him to contract with foreign Performers; and from which (by the way) Mr. H–l did not disengage Himself with much Honour. Notwithstanding all these and many more Objections, Mr. H–l, by and with the Advice of his Brother, at last produces his Project; resolves to cram it down the Throats of the Town; prostitutes great and aweful Names, as the Patrons of it; and even does not scruple to insinuate that they are to be Sharers of the Profit. His Scheme set forth in Substance, that the late Decay of Opera's was owing to their Cheapness, and to the great Frauds committed by the Doorkeepers; that the annual Subscribers were a Parcel of Rogues, and made an ill Use of their Tickets, by often running two into the Gallery, that to obviate these Abuses he had contrived a Thing, that was better than an Opera, call'd an Oratorio; to which none should be admitted, but by printed Permits, or Tickets of one Guinea each, which should be distributed out of Warehouses of his own, and by Officers of his own naming; which Officers would not so reasonably be supposed to cheat in the Collection of Guineas, as the Doorkeepers in the collection of half Guineas; and lastly, that as the very being of Opera's depended upon Him singly, it was just that the Profit arising from hence should be for his own Benefit. He added, indeed, one Condition, to varnish the whole a little; which was, that if any Person should think himself aggriev'd, and that the Oratorio was not worth the Price of the Permit, he should be at Liberty to appeal to three Judges of Musick, who should be oblig'd, within the Space of seven Years at farthest, finally to determine the same; provided always that the said Judges should be of his Nomination, and known to like no other Musick but his.
The Absurdity, Extravagancy, and Opposition of this Scheme disgusted the whole Town. Many of

the most constant Attenders of the Opera's resolved absolutely to renounce them, rather than go to them under such Exortion and Vexation. They exclaim'd against the insolent and rapacious Projector of this Plan. The King's old and sworn Servants of the two Theatres of Drury-Lane and Covent-Garden reap'd the Benefit of this general Discontent, and were resorted to in Crowds, by way of Opposition to the Oratorio. Even the fairest Breasts were fir'd with Indignation against this new Imposition. Assemblies, Cards, Tea, Coffee, and all other Female Batteries were vigorously employ'd to defeat the Project, and destroy the Projector. These joint Endeavours of all Ranks and Sexes succeeded so well, that the Projector had the Mortification to see but a very thin Audience in his Oratorio; and of about two hundred and sixty odd, that it consisted of, it was notorious that not ten paid for their Permits, but, on the contrary, had them given them, and Money into the Bargain, for coming to keep him in Countenance.

This Accident, they say, has thrown Him into a deep Melancholy, interrupted sometimes by raving Fits; in which he fancies he sees ten thousand Opera Devils coming to tear Him to Pieces; then He breaks out into frantick, incoherent Speeches; muttering sturdy Beggars, Assassination, &c. In these delirious Moments, he discovers a particular Aversion to the City. He calls them all a Parcel of Rogues, and asserts that the honestest Trader among them deserves to be hang'd – It is much question'd whether he will recover; at least, if he does, it is not doubted but He will seek for a Retreat in his own Country from the general Resentment of the Town.

I am, Sir, Sir,
Your very humble Servant,
P–lo R–li.
P. S. Having seen a little Epigram, lately handed about Town, which seems to allude to the same Subject, I believe it will not be unwelcome to your Readers.

Epigram
Quoth W–e to H–l, shall We Two agree,
And exise the whole Nation?
H. si, Caro, si.
Of what Use are Sheep, if the Shepherd can't
shear them?
At the Hay-Market I, you at Westminster.
W. Hear Him!
Call'd to Order, their Seconds appear in their
Place;
One fam'd for his Morals, and one for his Face.
In half They succeeded, in half They were crost:
The Exise was obtain'd, but poor Deborah lost.

– *The Country Journal; or, The Craftsman* war eine fortschrittliche Zeitung, die von Nicholas Arm-

hurst unter dem Pseudonym Caleb D'Anvers mit Unterstützung von Lord Bolingbroke, William Pulteney und Thomas Coke herausgegeben wurde. Pulteney und Coke (aus Norfolk) gehörten zu den ersten Subskribenten der Royal Academy of Music im Jahre 1719. Der *Craftsman* stand in Opposition zu Robert Walpole.
Es ist kaum anzunehmen, daß die Unterschrift „P–lo R–li" mit Paolo Rollis Wissen benutzt wurde. Obgleich er Händel sehr kritisch gegenüberstand, ist nicht bekannt, daß er ihn jemals öffentlich angegriffen hat. Die Unterschrift kann durchaus eine Fälschung gewesen sein, mit der auf die Opposition gegen Händel sogar unter seinen früheren Teilhabern hingewiesen werden sollte. An Beginn und Schluß des Briefes finden sich Hinweise darauf, daß sein Verfasser ein nationalistisch eingestellter Engländer war. Ebenso wie das am Schluß abgedruckte Epigramm scheint auch der Brief selbst in Wirklichkeit gegen Walpole gerichtet gewesen zu sein.
Nach Schoelcher und Chrysander bedeuten: die Oper – der Staat, das Orchester – Zivilbeamte und Parlament, Komponist – Staatsmann, Montagnana – der König, seine Arien – eine drohende Proklamation und Parlamentsrede, die Oper – die Finanzen des Staates, Anna Strada – die Königin, Händels Bruder (womit wohl Heidegger gemeint ist) – Horace Walpole, ein Musiker – ein Staatsmann, eine „Buffo-Partie im Ausland" – Horace Walpole als Botschafter in Paris, die ausländischen Schauspieler – fremde Mächte, der jüngst begonnene Verfall der Opern – Zölle, die Türschließer – Steuereinnehmer, die jährlichen Subskribenten und die „groben Bettler" (ein Wort von Horace Walpole) – die Kaufleute der City of London, das Oratorium – die Akzise, die ständigen Opernbesucher – die Parteigänger der Regierung. (Die „Judentrommel" ist besser bekannt als Judenharfe oder Maultrommel.)
Im *London Magazine* vom April 1733 ist der Brief mit der Überschrift „A new Opera Scheme. One who signs himself Paolo Rolli, in a Letter to Mr. D'Anvers, says …" abgedruckt.
(Schoelcher 1857, 128 ff., 404; Chrysander, II, 287 ff., 476 ff.)
Vgl. 24. Mai 1733

11. April 1733
Mary Pendarves an ihre Schwester Ann Granville

Dangan, 11th April, 1733.
I am sorry the Act of Oxford happens this year; I fear it will incommode me in my journey to Gloucester – the town will be so cramm'd: an I have so much a higher pleasure in view than any entertainment they can give, that I have no thoughts of stopping there.
(Delany, I, 410)

– Mary Pendarves schrieb aus Irland, ihrer zukünftigen Heimat. Sie hatte offenbar keine Vorstellung davon, welche Art von „Unterhaltung" in Oxford bevorstand. Der „Oxford Act" war eine feierliche Versammlung zur Verleihung der akademischen Würden. Am Sonnabend und am Montag verteidigten die Graduierten ihre Thesen, am Sonntag predigten zwei der neuen Doktoren der Theologie.

14. April 1733

Das Oratorium *Esther* wird im Haymarket Theatre erneut aufgeführt und am 17. April wiederholt.

– Nach Burney begann Händel 1733, vielleicht auch schon 1732, in den Pausen seiner Oratorienaufführungen Orgelkonzerte zu spielen. „Esther wurde nun im Jahr 1732 zehn Abende auf dem Heumarkts-Theater gespielt. Im März 1733 wurde Debora zuerst gegeben; und im April wurde abermals Esther auf eben der Schaubühne aufgeführt. Während dieser ersten Aufführungen seiner Oratorien machte Händel zuerst dem Publikum das Vergnügen, Orgelconcerte zu spielen, eine Musikgattung, die ganz von seiner Erfindung ist ... Der so beliebte Satz am Schluß seines zweyten Orgelconcerts hieß lange die Menuet im Oratorium Esther, weil man sie zuerst in dem Concerte gehört hatte, welches er zwischen den Theilen dieses Oratorium's spielte."
(Burney/Eschenburg, XXXIIIf.)

16. April 1733

Die Oper *Ulysses* von John Christopher Smith d.J. (Text: Samuel Humphreys) wird im Lincoln's Inn Fields Theatre aufgeführt.
(Burney, II, 1002f.; Smith 1948, 175)

4. Mai 1733

Karl Ludwig Freiherr von Pöllnitz, Mémoires

Quant aux Spectacles, les Anglais les aiment, et en ont plus qu' aucune autre Nation. Ils ont un Opéra Italien, qui est le meilleur et le plus magnifique de l'Europe. On y paye une demi-Guinée pour les moindres places, et une Guinée pour les autres. Il y a toujours un grand concours de monde. Cependant, cela ne suffit pas pour payer les Acteurs: plusieurs Seigneurs contribuent à leurs apointemens, qui sont excessifs. Aussi a–t–on les meilleurs Voix de l'Italie. Un Acteur nommé Senosino (sic) a quinze-cens pièces par an, encore est–il comblé de présens. La Musique de ces Opera est ordinairement de la composition d'un nommé Hendel, que beaucoup de gens estiment audelà de toute expression, et que d'autres regardent comme un homme ordinaire. Quant à moi, je trouve sa Musique plus savante que touchante. Les Décorations sont très belles, et la Salle est fort grande et beaucoup plus belle que celle de Paris. On est assis dans le Parterre; les Dames forment des demicercles, de sorte que tout le monde se voit en face: ce qui fait un fort bon effet. J'oubliois de vous dire, que tout est bien éclairé de bougies. On danse dans les Entre-Actes, lorsqu'il n'y a point d'Intermede burlesque.
Outre l'Opera Italien, il y en a encore un Anglois, où l'on ne chante que les Airs, le reste est récité. Cela me paroît plus raisonnable que lorsque tout est chanté: du moins un homme ne chante point en se tuant, ou en se battant.
(Pöllnitz 1734, III, 420, Lettre LIV; Pöllnitz 1737, II, 466)

– Daß Händels Musik von Pöllnitz als „mehr kunstvoll" bezeichnet wird denn als „ergreifend", deutet auf den Stilwandel zum Gefühlvoll-Empfindsamen. Wenn die Londoner Oper von einem weitgereisten Mann als die „beste und großartigste in Europa" bezeichnet wird, so hat dies Gewicht. Als ungewöhnlich vermerkt Pöllnitz, daß statt der in Italien meist üblichen komischen Intermezzi in den Pausen Ballette getanzt wurden.

12. Mai 1733
The Craftsman

New Musick, this Day Published. A choice Sett of Aires, call'd Handel's Water-Piece, composed in Parts for Variety of Instruments. Neatly engraven and carefully corrected, and never before printed. Price 1s 6d.
London: Printed for and sold by Daniel Wright.

– Die Anzeige erschien auch in *Fog's Weekly Journal* vom gleichen Tag. Ein vollständiges Exemplar von Wrights Ausgabe ist nicht bekannt, erhalten ist nur ein Satz von fünf Stimmen, den Wrights Nachfolger John Johnson nach dessen Stichplatten um 1740 druckte. Wrights nicht autorisierte Ausgabe enthielt eine Overture (aus der *Water Music*), ein Allegro und ein Aire, die beide nicht identifiziert sind, und zwei Märsche (auch als „March by Handel" überliefert: Add. MSS. 34126), von denen der zweite aus *Partenope* stammt.
Walshs autorisierte Auswahl aus der *Wassermusik* erschien erst später.
(Smith 1948, 272, 281f.; Music & Letters, Juli 1949, 262f.; Redlich 1962 und 1968)

17. Mai 1733
The Grub-street Journal

Lately published, Opera's, with the Musick, as perform'd at the Theatres-Royal, &c. ... Printed for J. Watts. ...
Deborah. An Oratorio; or, Sacred Drama. As it is perform'd at the King's Theatre in the Hay-Market. The Musick compos'd by Mr. Handel. The Words by Mr. Humphreys.

– Unter den veröffentlichten Libretti, „on the same Paper, for the Conveniency of Gentlemen binding them up in Volumes", war auch das zu *Acis and Galatea* (wahrscheinlich in der Fassung vom Mai 1732).

22. Mai 1733
Bononcinis Oper *Griselda* wird wiederaufgeführt.
Vgl. 22. Februar 1722

24. Mai 1733
The Free Briton

A Letter to the Author of the last Craftsman ...
A while ago you talked about Signor Montagnana, and of a King who made the lowest character in the whole drama. Indeed, it is a fine way of proving that you did not affront the King, when you told him he had astonished his people....This passage, to be sure, was meant as the finest stroke of humour in this pious and loyal performance.
Fra. Walsingham.
(Schoelcher 1857, 403)

– Walsingham war vermutlich das Pseudonym für den Herausgeber William Arnall.
Vgl. 7. April 1733

25. Mai 1733
John Walsh zeigt im *Daily Journal* „The whole Opera of Orlando in Score; also the same transposed for a Common Flute" an.
(Smith 1960, 41)

2. Juni 1733
The Bee

We are credibly informed, that one Day last Week Mr. H–d–l, Director-General of the Opera-House, sent a Message to Signior Senesino, the famous Italian Singer, acquainting Him, that He had no farther Occasion for his Service: and that Senesino replied, the next Day, by a Letter, containing a full Resignation of all his Parts in the Opera, which He had performed for many Years with great Applause – We hope the polite Mr. Walsingham will give us Leave to observe, upon this Occasion, that the World seems greatly Astonish'd at so unexpected an Event; and that all true Lovers of Musick grieve to see to fine a Singer dismissed, in so critical a Conjuncture.

– Nach Chrysander erschien die Notiz auch im *Craftsman* vom gleichen Tag. Spätestens seit Januar 1733 verhandelte Senesino mit der Adelsoper.
(Chrysander, II, 323)

7. Juni 1733
Händel beendet das Oratorium *Athalia*.

Eintrag in der autographen Partitur (R. M. 20. h. 1.): „Fine dell' Oratorio S. D. G. G F Handel London June yᵉ 7. 1733."

9. Juni 1733
Die Spielzeit wird mit einer Aufführung von Bononcinis *Griselda* beendet.

– Es war die vierte Saison unter der Leitung von Händel und Heidegger. Mit Ausnahme von Anna Strada gingen die italienischen Sänger zur Adelsoper über.

12. Juni 1733
John Walsh inseriert in der *Daily Post: Forrest Harmony, Book the Second: Being a Collection of the most Celebrated Aires, Minuets, and Marches; Together with several Curious Pieces out of the Water Musick...for two French Horns ...*

– Die Ausgabe enthält drei Stücke aus der *Water Music* und die Arie „Se l'arco" aus *Admeto*.
(Smith 1948, 282; Smith 1960, 257 f., 265)
Vgl. 19. Juli 1717

13. Juni 1733
The Daily Post

The Subscribers to the Opera in which Signor Senesino and Signora Cuzzoni are to perform, are desired to meet at Mr. Hickford's Great Room in Panton-street, on Friday next [15. Juni] by Eleven o'Clock, in order to settle proper Methods for carrying on the Subscription.
Such Persons who cannot be present are desired to send their Proxies.
(Burney, II, 780; Cummings 1914, 69)
Vgl. Januar 1733

23. Juni 1733
The Bee

London, June 20.
Great Preparations are making for Mr. Handel's Journey to Oxford, in order to take his Degree of Musick; a Favour that University intends to compliment him with, at the ensuing Publick Act. The Theatre there is fitting up for the Performance of his Musical Entertainments, the first [of] which begins on Friday Fortnight the 6th of July. We hear that the Oratorio's of Esther and Deborah, and also a new one never performed before, called Athaliah, are to be represented two Nights each; and the Serenata of Acis and Galatea as often. That Gentleman's Great Te Deum, Jubilate, and Anthems, are to be vocally and instrumentally performed by the celebrated Mr. Powell, and others, at a solemn Entertainment for the Sunday. The Musick from the Opera is to attend Mr. Handel; and we are informed, that the principal Parts in his Oratorio's, &c. are to be [sung] by Signora

Strada, Mrs. Wright, Mr. Salway, Mr. Rochetti, and Mr. Wartzs.
(Chrysander, II, 305 f.)

– Händel nahm den ihm angebotenen akademischen Ehrengrad nicht an.
Mit Ausnahme von Anna Strada waren Händels Sänger jetzt ausschließlich Engländer. Mrs. Wright sang schon 1727 und 1728 in Opern von Händel; sie, Thomas Salway und Philip Rochetti wirkten in der Aufführung von *Acis and Galatea* am 26. März 1731 mit. Gustavus Waltz („Wartzs") sang am 17. Mai 1732 die Partie des Polyphem. Walter Powell, Küster am Magdalen College, Oxford, und seit 1732 Esquire Bedell of Divinity, war Mitglied der Chöre des Christ Church College und des St. John's College. Er sang bei den Three Choirs Meetings in Oratorien Händels.
Wichtigster Veranstaltungsort der Feierlichkeiten war das Sheldonian Theatre.
Vgl. Juni 1734
Die von Flower (230) zitierte Skizze *Compendio della vita di G. F. Handel* (Bologna, Civico Museo Bibliografico-Musicale) wurde erst nach Händels Tod geschrieben und bietet keine zusätzlichen Informationen zu Händels Aufenthalt in Oxford.

26. Juni 1733
Warrant Book des Königs

	£	s.	d.	
Royal Academy of Music	1,000	0	0	Royal bounty to the undertakers of the Opera.

(Shaw 1898, 493)

– Im Protokollbuch des Schatzamtes findet sich keine entsprechende Eintragung.

(Juni) 1733
The Manners of the Age: In Thirteen Moral Satires

… The realm in doubt, till sages shall ordain,
If Paul henceforth, or H–deg–r, shall reign. …
If sacred opera's shall instruct us still,
And churches empty, as ridotto's fill;
The Hebrew or the German leave the field,
And David's lyre to Handel's spinnet yield. …
'Twas once fair Britain's glory and her praise
To bind her heroes brows with foreign bayes;
Victorious wreaths from vanquish'd realms
                                    to bring,
She cannot conquer now – but she can sing;
And while her warriors at the stage look gay,
Gentle or eager, just as fiddlers play;
Made soft or fierce by Handel's potent lyre;
Their rage and love both modell'd by the wire;
Of Latin eunuchs, and sweet tunes possest,
The opera is safe – and England blest.

… Tho' not a writer, yet a friend to wit,
Boyet is constant to his fav'rite pit;
To want a darling bliss who never fears,
While Italy has tunes and Britain ears;
His crown each week to pay, no mortal wrong,
For the two joys – a fiddle and a song …
Entring the stage, he knows not his design,
If Porus is that act to die, or dine;
A stranger, as he sings, to what he wants,
If for his night-gown, or his sword he pants;
Nor knows, when first he enters in the ring,
If [1]Handel's lion is to fight, or sing. …
[1] Opera of Hydaspes.
(Myers 1948, 19 und 27)

– Die Satiren wurden (nach dem *Gentleman's Magazine*) im Juni 1733 anonym veröffentlicht. Die zitierten Abschnitte sind der Robert Walpole gewidmeten vierten Satire und der Lord Onslow gewidmeten zwölften Satire entnommen.
Die Oper *L'Idaspe fedele* (*Hydaspes,* 1710) war nicht von Händel, sondern von Mancini.
Vgl. 2. Februar 1731

(Juli) 1733
Der Herzog von Chandos an seinen Neffen Henry Perrot in Oxford

Music, ladies & learning are each entertainments which cannot fail to gratify the passions of one who has so good a taste.
(Baker, 131)

– Mit diesem Brief empfahl der Herzog seinem Neffen einen Harfenisten aus dem „Concert at Cannons", wahrscheinlich Thomas Jones, der nach Oxford ging, „to try his fortune at the Act". Der Herzog befürchtete, daß die beiden zuerst genannten „Unterhaltungen" den Vorrang haben könnten. Zu diesem Zeitpunkt scheint er noch nicht gewußt zu haben, welche Rolle Händel bei den Feierlichkeiten spielen sollte.

4. Juli 1733
Der Vizekanzler der Universität Oxford an die Vorsteher der Colleges und Halls

Gentlemen,
You are desired to signify to your Societies, that during the approaching Solemnity which begins on the 6th Day of July, All Doctors wear their Scarlet Gowns.
The Musick usually perform'd on Saturday Morning between the hours of 6 and 8, is remov'd from the Musick School to the Theater by Act of Convocation. …
Vice-Can. Oxon.
(Bodleian Library: B 3.15. ART. Eland, 9)

– Der Vizekanzler der Universität, Reverend Dr. William Holmes, Präsident des St. John's Col-

lege, hatte Händels Besuch in Oxford veranlaßt.
Die Musikschule der Universität besaß einen eigenen Konzertsaal.
Die „Convocation" ist die große gesetzgebende Versammlung der Universität.

5. Juli 1733 (I)
Thomas Hearne, Diary

One Handel, a forreigner (who, they say, was born in Hanover) being desired to come to Oxford, to perform in Musick this Act, in which he has great skill, is come down, the Vice-Chancellour (Dr Holmes) having requested him to do so, and as an encouragement, to allow him the Benefit of the Theater both before the Act begins and after it. Accordingly he hath published Papers for a performance today at 5s. a Ticket. This performance began a little after 5 clock in the evening. This is an innovation. The Players might as well be permitted to come and act. The Vice-Chancellour is much blamed for it. In this, however, he is to be commended for reviving our Acts, which ought to be annual, which might easily be brought about, provided the Statutes were strictly followed, and all such innovations (which exhaust Gentlemen's pockets and are incentives to Lewdness) were hindered.
(Hearne, Remarks, XI, 224; Schoelcher 1857, 157)

– Hearne war ein „staunch Jacobite".
Die mit Händel getroffenen Vereinbarungen gestatteten diesem, Konzerte innerhalb der Universität zu geben, um einen Teil seiner Ausgaben für die offiziellen Veranstaltungen zu decken.
Gedruckte Programme sind nicht erhalten. Händels erste Aufführung war die von *Esther* am 5. Juli 1733. Anna Strada sang die Esther, Walter Powell den Mordecai.

5. Juli 1733 (II)
Register of Warrants des Prince of Wales

To Mr In^o Kipling for the last Season of   £   s   d
Opera's...   250 – –
(British Library, Add. MSS. 24 403, Bl. 43r)

– Kipling war der Kassierer von Händels Opernhaus.
Vgl. 28. Juni 1734 und 5. Juli 1737

6. Juli 1733
Thomas Hearne, Diary

The Players being denied coming to Oxford by the Vice-Chancellour and that very rightly, tho' they might as well have been here as Handel and (his lowsy Crew) a great number of forreign fidlers, they went to Abbington, and yesterday began to act there, at which were present many Gownsmen from Oxford.

This being the Encoenia of the Theater of Oxford, Speeches, Declamations and Verses were spoke in the Theater, but I hear of nothing extraordinary in the performance.
Many years ago was printed with wooden cutts Brant's Ship of Fools, translated into English by Alex. Barclay. A Supplement should be put to it, containing an account of all those that encouraged Handel & his company last night at our Theater, and that intend to encourage him when our Act is over. The Vice-Chancellour is very right to have an Act, but then it should have been done in a statutable way, so as to begin today (the Encoenia being now reckoned part of the Act) being Friday & to end next Tuesday morning.
(Hearne, Remarks, XI, 225)

– Abingdon liegt südlich von Oxford. Die „Players" waren Komödianten, die wahrscheinlich aus London gekommen waren. „Encaenia" sind die gewöhnlich im Juni abgehaltenen jährlichen Gedächtnisfeiern für die Gründer und Wohltäter der Universität. Unter den Studenten, die rezitierten, war auch Heneage Finch, Lord Guernsey, nachmals dritter Earl of Aylesford, ein Verwandter von Charles Jennens. (Er kam später in den Besitz von Jennens' Händel-Sammlung.)
Sebastian Brants berühmtes *Narrenschiff* war 1509 als *The Shyp of Folys* ins Englische übersetzt worden.

7. Juli 1733 (I)
Henry Baynbrigg Buckeridge, Musica Sacra Dramatica, Sive Oratorium (Carmine Lyrico)

Satis superque audivimus Orphea
Pronos morantem fluminis impetus:
Saltus et auritos ferasque
Ducere carminibus peritum.

Pellaee Princeps, omnipotens lyra
Te vicit, Hosti cedere nefeium:
Iras amoresque excitavit
Timotheus variente dextra.

Procul profani cedite Musici,
Non ficta rerum, non steriles soni,
At sancta castas mulcet aures
Materies sociata chordis.

O Suada, sacro digna silentio,
Seu blanda saevi pectoris impetum
Delinit, aut victrix triumphos
Ingeminat graviore plectro.

Auditis? O qui consonus intonat
Vocum tumultus! Tollitur altius
Iucundus horror, proripitque
Ad superos animam sequacem.

Vicissitudo lenior anxiam
Suspendit aurem, dum sociabilis
Sermo sonorus praeparabit
Grande melos vice gratiori.

Iam segniori Musica murmurat
Profunda pulsu: praescia dum canit
Debora venturum triumphum, et
Fausta Deo praeeunte bella.

Ad arma circum classica provocant,
Ad arma valles pulsaque littora:
Iam refluo Baracus ingens
Mergit equos equitesque fluxu.

Audin minaci murmure cornua
Laesa? En! tremendis fata tonitribus
Remugit aura, et militaris
Harmoniae fremit omnis horror.

O surge victrix, surge potens Lyra.
Debora, Tu, Barace, minacium
Victor Tyrannorum per urbes
I celebres agita triumphos.

Sed praeparatam iam ferit artifex
Handelus aurem. Musa procax, tace.
Victorias, pompas, triumphos
Ille canet melior Poeta.
(Bodleian Library, Oxford: Rawl. MS. C. 155, Bl.
367, S. 4. Eland, 24)

– Buckeridge, Student am St. John's College, trug
das Gedicht im Theater selbst vor.
Barak ist eine der Personen in Händels *Deborah*.

7. Juli 1733 (II)
Applebee's Original Weekly Journal

We hear from Oxford, that there is a curious Instrument lately invented, and made by Mr. Munday an Organist, that has been blind ever since he
was five Years of Age. He plays upon the Harpsichord and two Organs, either single or all together, with one set of Keys, wherein he makes
30 Varieties, without taking his Hands off.
(Eland, 7f.; Dean 1959, 110)

– Das „merkwürdige Instrument" war ein Clavior-
ganum, von dem sich ein älterer, einfacherer Typ
im Victoria and Albert Museum in London befindet. Vielleicht hat Mr. Munday (Mundy?) seine
Erfindung auch Händel vorgeführt.
Vgl. 19. September 1738

7. Juli 1733 (III)
Read's Weekly Journal

Oxford, July 2. Our Publick Act opens next Thursday [5. Juli] Afternoon about Five o'Clock: Almost
all our Houses not only within the City, but without the Gates, are taken up for Nobility, Gentry,
and others: Many of the Heads of Houses and
other Gentlemen of the University of Cambridge
will be here on Wednesday Night; and we are so
hurry'd about Lodging, that almost all the Villages
within three or four Miles of this City, make a

good Hand of disposing of their little neat Tene-
ments on this great Occasion.
(Eland, 7f.)

– Abgedruckt auch im *Suffolk Mercury* vom 9. Juli
1733.

8. Juli 1733 (I)
Thomas Hearne, Diary

The Professor of Musick (who is M[r] Richard
Goodson) is on the Vespers, by virtue of the Statute, to read an English Lecture between 9 and
10 Clock in the morning in the Musick School,
with a Consort of Musick also. But yesterday
morning there was nothing done of that, only a
little after six clock or about 7 was a sham consort
by Goodson in the Theatre, at which some Ladies
were present, but not a soul was pleased, there being nothing of a Lecture. ...
Half an hour after 5 Clock yesterday in the afternoon was another Performance, at 5s. a ticket, in
the Theater by Mr Handel for his own benefit, continuing till about 8 clock. NB. his book (not worth
1d.) he sells for 1s.
(Hearne, Remarks, XI, 227)

– Die erwähnte Vesper war der Vorabend des
Festaktes. Richard Goodson d. J., seit 1718 Profes-
sor für Musik, war Komponist und Organist an
der Christ Church und am New College.
Das Textbuch zu *Esther* war von Thomas Wood in
London gedruckt worden.

8. Juli 1733 (II)
In St. Mary's Church in Oxford werden ein „Te
Deum and Anthems" von Händel aufgeführt.

– Möglicherweise handelte es sich um das *Utrecht
Te Deum* und zwei Krönungsanthems. In den zeitgenössischen Berichten werden nur die Sänger Powell, Rowe und Waltz genannt. Die Aufführung
könnte unter Händels Leitung stattgefunden haben: Für eine ähnliche Aufführung während des
Oxford Act 1713 wurde der Universitätsorganist
bezahlt, für 1733 gibt es dagegen keinen Nachweis für eine Bezahlung; andererseits gibt es in
Händels Autographen keine Eintragungen, die auf
die Verwendung für eine Aufführung 1733 deuten.
(Burrows 1981, I, 128v, 129, 410v, 411)

10. Juli 1733
Athalia (Text: Samuel Humphreys nach *Athalie*
von Jean Racine) wird in Oxford zum erstenmal
aufgeführt und am 11. Juli wiederholt.

– Das Textbuch wurde von John Watts in London
gedruckt.
Die erste Aufführung war ursprünglich für den
9. Juli vorgesehen. In London wurde *Athalia* am
1. April 1735 zum erstenmal aufgeführt.

Besetzung:
Athalia – Mrs. Wright, Sopran
Josabeth – Anna Strada, Sopran
Joas – „The Boy" (Goodwill), Alt
Joad – Walter Powell (oder Thomas Salway?), Tenor
Mathan – Philip Rochetti, Tenor
Abner – Gustavus Waltz, Baß
„The Boy" war die übliche Bezeichnung für einen noch nicht mutierten Sopran- oder Altsolisten, dessen Name nicht angegeben wurde. Die Partie des Abner war ursprünglich für Montagnana geschrieben worden (Smith 1948, 176; Dean 1959, 260).
(Chrysander, II, 313ff.; Dean 1959, 258ff.)
Über Händels Orgelspiel während einer dieser Aufführungen berichtet Burney: „Im Sommer 1733 gieng er bey Gelegenheit einer öffentlichen Feyerlichkeit nach der Universität Oxford, und nahm Carestini, die Strada, und seine Operngesellschaft mit sich. Bey dieser Feyerlichkeit wurde sein Oratorium Athalia auf der öffentlichen Schaubühne aufgeführt, wobey er ein Vorspiel auf der Orgel machte, welches jeden Zuhörer in Erstaunen setzte. Der verstorbene Herr Michael Christian Festing, und Dr. Arne, die dabey zugegen waren, versicherten mich beyde, daß weder sie selbst, noch irgend sonst einer von ihren Bekannten je vorher solch ein Fantasiren, oder auch selbst solch einen vorläufig studirten Vortrag, auf diesem oder irgend einem andern Instrument gehört hätten."
(Burney/Eschenburg, XXXIV)

11. Juli 1733 (I)
Thomas Hearne, Diary

Yesterday. ... In the evening half hour after five a Clock, Handel & his Company performed again at the Theater, being the 3rd time, at five shillings a Ticket.
(Hearne, Remarks, XI, 229)

11. Juli 1733 (II)
Viscount Percival, Diary

I heard this day that the Prince [of Wales] ... attempted to gain the favours of Mrs. Bartholdi [Francesca Bertolli], the Italian singer, and likewise of the Duchess of Ancaster's daughter, but both in vain.
(Egmont MSS., I, 390)

11. Juli 1733 (III)
In der Christ Church Hall in Oxford wird *Acis and Galatea* (in der zweisprachigen Fassung vom Juni 1732) aufgeführt.
Besetzung:
Acis – Walter Powell, Kontratenor
Galatea – Anna Strada, Sopran

Polyphemus – Gustavus Waltz, Baß
Dorindo – Philip Rochetti, Tenor
Clori – Mrs. Wright, Sopran
Filli – Thomas Salway (?), Tenor
Sylvio – Thomas Salway (?), Tenor
Eurilla – Mrs. Wright (?), Sopran

– Im Titel des von John Watts gedruckten Textbuches (*Gentleman's Magazine*, Juli 1733, 387), wird das Werk als „a Serenata: or Pastoral Entertainment" bezeichnet. Die Aufführung soll eine Benefizveranstaltung – wahrscheinlich für Anna Strada, Rochetti und Waltz – gewesen sein.
(Smith 1948, 220ff.; Dean 1959, 175)

12. Juli 1733 (I)
Thomas Hearne, Diary

Yesterday morning from 9 clock in the morning till eleven, Handel & his Company performed their Musick in Christ Church Hall, at 3s a ticket. ...
In the evening of the same day, at half hour after 5, Handel & his Crew performed again in the Theater at 5s per Ticket. This was the fourth time of his performing there.
(Hearne, Remarks, XI, 230)

12. Juli 1733 (II)
Deborah wird in Oxford aufgeführt.
Vermutliche Besetzung:
Deborah – Anna Strada, Sopran
Barak – Walter Powell, Kontratenor
Jael – Mrs. Wright, Sopran
Sisera – Mr. Row (Roe), Kontratenor
Abinoam – Gustavus Waltz, Baß
Oberpriester des Baal – Gustavus Waltz, Baß
(Dean 1959, 237)

13. Juli 1733
Thomas Hearne, Diary

Last night, being the 12th, Handel and his Company performed again in the Theatre, being the 5th time of his performing there, at 5s. per Ticket, Mr Walter Powel (the Superior Beadle of Divinity) singing, as he hath done all along with them.
(Hearne, Remarks, XI, 230)

– Über Powell vermerkte Hearne am 26. Januar 1732 in seinem Tagebuch: „Mr. Powell is a good natured man, & a good Singer, being Clarke of Magd. Coll. & singing man of St. John's."

14. Juli 1733 (I)
Read's Weekly Journal

Oxford, July 8. On Friday last [6. Juli] our Publick Act began, which was opened by a fine Concert of Musick by Mr. Handel and several of the best Performers (Vocal and Instrumental) in the Italian

Opera's, and was graced with the Presence of a most noble and polite Audience, who were pleased to express their general Satisfaction. ...

Mr. Handel has perform'd two of his Oratorio's by a Subscription of five Shillings with great Applause, which encourages him to continue them till the Conclusion of the Act.

14. Juli 1733 (II)
The Craftsman

Oxford, July 8. On Friday last [6. Juli] began our publick Act with great Solemnity. ... The Evening concluded with Mr. Handel's Oratorio, call'd Esther. On Saturday about Seven in the Morning there was a Piece of Musick performed in the Musick School ...; in the Afternoon there were Disputations in the Theatre, and afterwards an Oratorio.

This Day Mr. Handel's Te Deum and Anthems were perform'd in St. Mary's Church, before a numerous Assembly; and To-morrow the Exercises in the Theatre are to be renew'd, and a new Oratorio perform'd, call'd Athalia. The University have been pleased to confer the Degree of Laws on the Right Hon. the Lord Sidney Beauclerck; but Mr. Handel has not accepted his Degree of Doctor of Musick, as was reported, that Gentleman having declin'd the like Honour when tender'd him at Cambridge. There is a very great Appearance of Ladies at all the publick Entertainments, and the Town very full of Company.

– Tatsächlich begannen die Feierlichkeiten bereits am Donnerstag, dem 5. Juli. Das am Sonnabendvormittag gespielte Werk war von Richard Goodson. *Esther* wurde am 5. und 7. Juli aufgeführt, *Athalia* am 10. und 11. Juli. Händel war kein akademischer Grad in Cambridge angeboten worden. Eine solche Absicht soll er von vornherein abgelehnt haben, weil Greene, um 1715 sein Kalkant in der St. Paul's Cathedral, den Doktorgrad der Universität von Cambridge für die Vertonung von Popes *Ode for St. Cecilia's Day* erhalten hatte und seit 1730 dort Professor der Musik war. Bescheidenheit und die für den Titel geforderte Gebühr (100 £) werden als Gründe für Händels Ablehnung in Oxford genannt. Der Satz, der sich auf Händels akademischen Grad bezog, wurde auch im *Suffolk Mercury* vom 16. Juli abgedruckt und am 18. Juli in Hearnes Tagebuch zitiert.

14. Juli 1733 (III)
The Bee

Oxford, July 10.
... As the Solemnity in conferring the Degrees on the Gentlemen before-mentioned engaged the Theatre to a very late Hour of that Afternoon, Mr. Handel's new Oratorio, called Athalia, was de-

ferred 'till this Day, when it was performed with the utmost Applause, and is esteemed equal to the most celebrated of that Gentleman's Performances: there were 3700 Persons present.

– Diese Notiz erschien auch in *Read's Weekly Journal* und im *Universal Spectator* vom gleichen Tag.

14. Juli 1733 (IV)
The Norwich Gazette

By the post today [10. Juli] from Oxford it is advised, that the Publick Act opened there last Friday [6. Juli] ... towards Evening an oratorio of Mr. Handell's called Arthur [sic] was performed by about 70 Voices and Instruments of Musick, and was the grandest ever heard at Oxford. It is computed that the Tickets which were only 5s each amounted to £ 700.
(Sammlung. A. H. Mann)

– Ein gedrucktes Exemplar ist nicht erhalten. Der letzte Satz lautete im *Universal Spectator* vom selben Tag: „Oxford, July 8. ... It is imputed Mr. Handel has got about 700 l. already."

14. Juli 1733 (V)
The Weekly Register

Oxford. The Persons of Quality and Distinction who are come hither on this Occasion make a very grand Appearance, and are greater in Number than ever was known heretofore: the little Hutts of the neighbouring Villages are mostly filled with the Gentlemen of Cambridge and Eton, there being no Place empty in this or the Towns within five and six Miles about us.
(Eland, 8)

18. Juli 1733
Thomas Hearne, Diary

The Prints speak of our late Act at Oxford after the following manner. They observe 'that our Public Act begun on Friday July 6 with great solemnity. ... The evening concluded with Mr Handel's Oratorio called Esther. On Saturday July 7, after seven in the morning, there was a piece of musick* performed in the Musick School, and about nine the Lectures in the several other sciences; in the afternoon there were disputations in the [Divinity School, Physick School, Law School and] Theatre, and afterwards an Oratorio. The next day, being Sunday July 8th, Mr Handel's Te Deum and Anthems were performed in St Mary's Church before a numerous Assembly, and the day after, being Monday, the Exercises in the Theatre were renew'd, and a new Oratorio performed called Athalia. (This is false, for 'twas not performed till next evening, being Tuesday.) The University has been pleased to confer the Degree of Doctor of

Laws, on the Right Hon. the Lord Sidney Beauclerck, but Mr Handel has not accepted his Degree
of Doctor of Musick, as was reported, that Gentleman having declined the Honour, when tendered
him at Cambridge. ... 'This is the Substance of the
Prints of Monday July 16, as the Publishers received their Account from Oxford.
* But 'twas a very poor one, & there was no Musick Speech as used formerly to be th' none hath
been since 1693.
(Hearne, Remarks, XI, 232 f.)

– Dies ist eine Zusammenfassung aus den zitierten Zeitungen mit Anmerkungen Hearnes in
Klammern und in einer Fußnote. Die Rede über
die Musik („Music Speech") war in früheren Jahren ein Teil der Encaenia in Oxford gewesen (vgl.
6. Juli 1733).

19. Juli 1733
Thomas Hearne, Diary

The Prints also, dated from London the 12th inst.,
say farther, that they write from Oxford, that on
Monday, July 9th, the Theatre was again
crowded ... to hear the Disputations continued ...;
and the next night (being Tuesday) another Oratorio of Mr Handel's, called Athalia, was performed in the Theatre, where 3 700 Persons were
present. ...
And moreover from London of the 14th being Saturday 'tis noted that 'twas computed, that Mr Handel cleared by his Musick at Oxford upwards of
2 000 l.
(Hearne, Remarks, XI, 233)

– Diese Mitteilungen, für die Hearne Londoner
Zeitungen vom 12. Juli als Quelle nennt, waren
erst am 14. Juli gedruckt worden. Die letzte Bemerkung ist nur aus der *Norwich Gazette* vom
21. Juli bekannt, muß aber vor diesem Tage in
einer Londoner Zeitung erschienen sein.

21. Juli 1733
The Norwich Gazette

It is computed that the famous Mr. Handell
cleared by his Musick at Oxford upwards of
£ 2 000.
(Sammlung A. H. Mann)

– Wenn es zutrifft, daß Händel für die beiden
Aufführungen von *Esther* 700 Pfund eingenommen
hat, könnten die Aufführungen von *Athalia* und
Deborah etwa 1 300 Pfund eingebracht haben.
In der biographischen Skizze (vgl. 23. Juni 1733)
heißt es: „Der Erfolg des Oratoriums [gemeint
sind alle Aufführungen] entsprach denn auch den
Leistungen der Virtuosen und der erstklassigen
Darbietung, und es wird erzählt, daß Händel
£ 4 000 Reingewinn mit nach Hause brachte."
(Flower 1923, 192)

Für 1733 sind keine Eintragungen auf Händels
Konto nachzuweisen. Doch kann angenommen
werden, daß seine Einnahmen aus den Aufführungen in Oxford, von denen auch die nicht unbe-
trächtlichen Unkosten bestritten werden mußten,
offensichtlich sehr hoch gewesen sind.

Juli 1733 (I)
The Gentleman's Magazine

Friday, 6. ... Begun the Publick Act at Oxford. ...
On Sunday, Mr Handel's Te Deum and Anthems
were perform'd in St. Mary's Church.
... On Tuesday Mr Handel's new Oratorio, call'd
Athalia, was perform'd with vast Applause, before
an Audience of 3 700 Persons. ...
The Order of the Philological Performances at the
Oxford Act.
Concert. I.
... 13. Henry Baynbrigg Buckeridge, of St John
Baptist Coll. Gentleman-Commoner. On the sa-
cred Dramatic Music, or Oratorio. In Lyric
Verse.
Concert. II.
1. Ld. Guernsey, Son of the E. of Aylesford, of
Univ. Coll. The Praise of true Magnificence. In
Lyric Verse.

– „Concert." bedeutet „concertatio".

Juli 1733 (II)
The London Magazine

Wednesday, 11. Advice from Oxford. ...
The Verses and Orations spoken by young Noblemen and others, were on the following Subjects,
viz. On the Oxford Act. ... On the sacred Dramatic Music, or Oratorio. The Praise of true Magnificence. ...
... On the Saturday Mr. Handel's Oratorio of Esther was done a second Time.
On Sunday ... at St. Mary's ... Mr. Handel's Te
Deum, Jubilate, and Anthems, were performed by
a great Number of the best Instruments, the Vocal
Parts by Mr. Powel, Mr. Wartz, and Mr. Roe. The
Galleries both Morning and Afternoon were reserved for the Ladies, who made a most beautiful
and grand Appearance to near 800.
On the Monday. ... As the Solemnity in conferring
the Degrees ... engag'd the Theatre to a very late
Hour of that Afternoon, Mr. Handel's new Oratorio, call'd Athalia, was deferr'd to the next Day,
when it was performed with the utmost Applause,
to an Audience of near 4,000.

8. August 1733
Thomas Hearne, Diary

An old man of Oxford ... observed to me, that our
late Oxford Act was the very worst that ever
was ..., and I think his observation was just, tho' it

must be said, that the Vice-Chancellor is to be commended for having an Act (tho' not for bringing Handel & his Company from London).
(Hearne, Remarks, XI, 239)

10. August 1733
Händel an seinen Schwager Michaelsen in Halle

London, den $\frac{21}{10}$ August 1733.

Monsieur et tres Honoré Frere
Ich empfing dessen HochgeEhrtes vom verwichenen Monath mit der Innlage von unsern liebwehrtesten Anverwandten in Gotha, worauf mit dieser Post geantwortet. Ich freue mich von Herzen desselben und sämptlichen Wehrtesten Famille gutes Wohlseyn zu vernehmen, als dessen beharrliche Continuation ich allstets anerwünsche. Sonsten sehe die grosse Mühewaltung so sich mein HochgeEhrtester Herr Bruder abermahl genōmen wegen der Einnahme und Ausgabe vom vergangenen Jahre vom ersten July 1732 bis dreysigsten July 1733, wegen meiner Seeligen Fr. Mutter hinterlassenen Hauses, und muss mier meine schuldige Dankbarkeit dessfalls vorbehalten.
Es erwehnet mein HochgeEhrter Herr Bruder dass es wohl nöthig wäre dass ich solches selbsten in Augenschein nähmen möchte, aber, wie sehr ich auch verlange denenselbigen Ihriges Orths eine Visite zu machen so wollen deñoch der mier bevorstehende unvermeidliche Verrichtungen, so mich gewiss sehr überhäuffen solches Vergnügen mier nicht vergönnen, will aber bedacht sein meine Sentiments dessfalls schrifftlich zu senden.
Es hat mein HochgeEhrter Herr Bruder sehr wohl gethan sich zu erinnern meiner lieben Seeligen Fr. Mutter letzten Willen wegen Ihres Leichensteines zu beobachten, und hoffe dass derselbe wird selbigen vollfüllen.
Ich ersehe aus der überschickten Rechnung dass de Fr. Händelin so im Hause wohnet sechs reichsthaler des Jahres Stubenzins gibet, ich könte wünschen dass solcher ins künfftige Ihr erlassen werden möchte so lange als Sie beliebet darinnen zu wohnen.
Ich übersende hierbey verlangter maassen die überschickte Rechnung von mier unterschrieben, meine obligation desfals werde gewiss nicht in vergessenheit stellen. Ich mache meine ergebenste Empfehlung an dero HochgeEhrteste Fr. Liebste. grüsse zum schönsten die wehrte Täustische Famille und alle gute Freunde. Ich werde bald wiederum meinem HochgeEhrtesten Herrn Bruder beschwehrlich fallen, hoffe aber, da ich desselben Gutheit kenne, dessfalls dessen pardon zu erhalten, ich bitte zu glauben dass ich lebenslang mit aller auffrichtigen Ergebenheit verbleiben werde

Meines Insonders HochgeEhrtesten Herrn Bruder bereitwilligst gehorsamster Diener
George Friederich Händel.
A Monsieur
Monsieur Michael Dietrich Michaelsen
Conseiller de Guerre de Sa Majesté Prussienne
a Halle en Saxe
(Original ehemals Sammlung Dr. Ernst Foss, Berlin. Mueller von Asow, 128 ff.)
Vgl. 11. Februar 1697

– Mit „Fr. Händelin" ist vermutlich die Schwiegertochter von Händels Stiefbruder Karl, Witwe des Kammerdieners Georg Christian Händel, gemeint.
Händel ging im Sommer 1733 nicht nach dem Kontinent, wie Hawkins (V, 318) und Chrysander (II, 332) annahmen.

17. August 1733
Giulio Cesare wird in Hamburg erneut aufgeführt.
(Loewenberg, Sp. 150)
Vgl. 21. November 1725

August 1733 (I)
The Oxford Act, a new Ballad-Opera

Act I.
Thoughtless. I am sure there were as many Books as cost me Twenty Pounds all gone for Five. In the next Place, there's the Furniture of my Room procur'd me some Tickets to hear that bewitching Musick, that cursed Handel, with his confounded Oratorio's; I wish him and his Company had been yelling in the infernal Shades below....
Act II.
Haughty. Our Case run in a Parallel; nay, 'tis worse with me, for I question whether my gaping Herd of Creditors won't be for sequestring my Fellowship or not. I don't see what Occasion we had for this Act, unless it was to ruin us all: It would have been much more prudent, I think, had it pass'd in the Negative; for I am sure it has done more Harm than Good amongst us; no one has gain'd any thing by it but Mr. Handel and his Crew.
Pendant. Very true; we had Fiddlers enough here before, and by squandering away the Profits of our Fellowships, we not only endanger our Reputation, but our own dear Persons too, Brother: for this Act has run me so far into Debt, that if a catchpole should clap me on the Shoulder, I know of no other remedy to satisfy my Creditors but to go to Jail.
Haughty. God forbid, Brother; I dont doubt but what the Publick Stock of the University is very much diminished too by these extravagant expenses. And as for the younger Sort, nothing could have done them a greater Piece of Disser-

vice. There's my pupil Dick Thoughtless says, this last Fortnight has stood him in above an Hundred Pounds, and I question whether it may not be true, for Dick's a generous young Fellow....
Act III.
Vice Chancellor. I dare say, if the Truth was known, most of your money was spent in tickets to hear the Oratorio's; I must confess a Crown each was rather too much; but had you been contented with a single one, without treating all your Acquaintance, that could never have hurt you.
Haughty. Lord, Sir, you must excuse me; so many years can never have rolled over your head and find you ignorant that Musick has Charms to sooth the savage Soul, and much more rational Men; ... so you would not suppose us to be such Brutes as to engross all the Pleasure to ourselves, without complimenting our Friends with a Participation of it.   [S.7, 13, 28]
(Bodleian Library, Oxford: Gough Oxf. 59. Schoelcher 1857, 158; Chrysander, II, 309; Mee, XV; Eland, 20ff.)

– Das Textbuch *(The Oxford Act, a new Ballad-Opera. As it was performed by a Company of Students at Oxford)* wurde in London gedruckt und im *Gentleman's Magazine,* August 1733, verzeichnet. Eine Aufführung der Parodie ist nicht nachweisbar.
Vgl. Juni 1734

(August?) 1733 (II)
Antoine François Prévost, Le Pour et le Contre

J'ai mille singularitez curieuses à rapporter sur l'Angleterre, dont l'histoire Littéraire est peu connue hors de ses limites. Mais j'annonce quelque chose de plus agréable, pour la premiére feuille. C'est la cérémonie toute extraordinaire qui vient de se faire dans l'Université d'Oxford, pour la reception du fameux Musicien Handel, en qualité de Docteur en Musique. Il est le premier exemple de cette nature. Les Anglois sont persuadez que la meilleure voie pour encourager les Arts, est de traiter ceux qui excellent, avec les plus honorables distinctions. Dans quelque genre que ce soit, quiconque s'éleve ici au dessus de ses Pareils, passe pour un grand homme. On a vûx le Pl. (Père) Courayer tenir sa place à cette fête en habit de Docteur.   [Lettre XIV, Bd.I, S.120]

Quoique je ne me sois engagé à faire le récit de ce qui s'est passé à Oxford le 20. de Juillet dernier, que sur l'assurance qu'on m'avoit donnée de m'en envoier une Relation detaillée, que je n'ai point encore reçue: Je ne me crois pas dispensé d'executer dès aujourd'hui une partie de ce dessein, pour accoûtumer le Lecteur à faire fond sur mes promesses. ...
L'Université d'Oxford a cet avantage, qu'étant comblée de graces et de richesses, par la faveur des Rois d'Angleterre, et par les liberalitez d'une infinité de Particuliers, ses heureux Membres (1) n'ont pour s'occuper d'autres soins que l'Honneur, et l'avancement des Sciences. ...
Dans ces principes qui l'ont portée cent fois à prévenir volontairement le Mérite et la Vertu, par l'offre de ses faveurs, elle s'est crû obligée de réconnoître les talents extraordinaires de M. Handel, pour la Musique.
Cet habile homme est né en Allemagne. Il démeure depuis longtems à Londres; il s'est passé peu d'hivers sans qu'on ait vû paroître quelque ouvrage admirable de sa main. Jamais la perfection d'un Art ne s'est trouvée jointe avec tant de fécondité dans le même Ouvrier. Autant d'Opera (a), de Concerti, et autant de chefs-d'oeuvre. Il a introduit récemment à Londres une nouvelle espece de composition, qui s'execute sous le nom (b) d'Oratorio. Quoique le sujet soit pris de la Religion, la presse n'y est pas moindre qu'à l'Opera. Il réunit tous les genres; le grand, le tendre, le vif, le gracieux. Quelque Critiques l'accusent seulement d'avoir emprunté le fond d'une infinité de belles choses, de Lully, et surtout des Cantates Françoises, qu'il a l'adresse, disent-ils, de déguiser à l'Italienne: Mais le crime servit léger, quand il seroit certain; et l'on juge bien d'ailleurs que dans la multitude d'Ouvrages que M. Handel a composez, il est bien difficile qu'il ne se recontre pas quelques fois (c) avec la composition des autres.
L'Université d'Oxford sensible à tant de mérite, fit offrir ses premiers honneurs à M. Handel, avec le titre glorieux de Docteur en Musique. Le jour de la cérémonie devoit être le 20. de Juillet, auquel on avoit rémis l'installation d'un grand nombre d'autres Docteurs et de Maîtres ès Arts. M. Handel s'est rendu à Oxford, mais on a été surpris de lui voir réfuser les marques de distinction qu'on lui déstinoit. Il n'y avoit que cette modestie qui pût être égale à ses Talens. Il n'a pas laissé de marquer une vive réconnoissance à l'Université, et de contribuer à rendre plus brillante la cérémonie qui s'est faite pour les autres. A une heure après midi le Vice-Chancelier de l'Université, accompagné de tous les chefs de Colleges, des Docteurs en robe, et des autres Membres, se rendit sur un grand Théâtre, exposé à la vûe d'une infinité de personnes de la plus haute condition, de l'un et de l'autre sexe, qui s'étoient assemblées exprès pour cette Fête. Elle commença par la création de 84 Maîtres ès Arts entre lesquels étoit Mylord Jaques Beauclerc, frere du Duc de S. Alban. Ensuite il y eût quelques disputes sçavantes, à la fin desquelles on créa dix Docteurs en Théologie, six en Médicine, et deux en Droit. Le Vice-Chancelier prononça alors un discours latin des plus éloquens à l'honneur des Sciences et de ceux qui les cultivent. Il étoit si tard lorsqu'il acheva, qu'on fut obligé de rémettre au lendemain, les témoignages

de la réconnoissance de M. Handel. C'étoit un Oratorio de sa composition, nommé Athalie, qu'on prétend être égal à tout ce qu'il a jamais fait de plus beau – Il eut pour Auditeurs, trois-mille-septcens, personnes, presque tous Dames et Seigneurs du plus haut rang. On n'a jamais vû d'exemple de tant d'applaudissemens et de marques d'admiration.

(1) Par ses Membres, on entend ici fois ceux qui jouissent des revenus immenses qui sont attachez à l'Université.

(a) D'habiles Musiciens m'ont assuré que Julius Caesar, Scipione et Rodelinda sont ses plus excellens Ouvrages.

(b) C'est une espece de Cantate spirituelle, divisée en Scenes mais sans intrigue et sans action.

(c) Cela fait honneur aux Musiciens François sans faire tort à M. Handel.

[Lettre XV, Bd. I, S. 121 ff.]

– Prévost d'Exiles (1697–1763), Autor des berühmten Romans *Manon Lescaut*, lebte 1728–1730 und 1733–1734 in England. In den Jahren 1733–1740 gab er („par l'auteur des Memoirs d'un homme de Qualité") die Wochenschrift *Le Pour et le Contre, Ouvrage périodique d'un goût nouveau* heraus. Über Pierre François Courayer, seit 1727 Ehrendoktor der Theologie der Universität Oxford, schreibt Prévost: „Le Père Corayer, ajoûte l'Auteur de cette Relation, qui est en Angleterre depuis sept ans, pour avoir défendu l'Eglise Anglicanne, se fit voir sur le Theatre pendant toute la cerémonie en robe de Docteur ..." (S. 209) Prévost besaß selbst einen akademischen Grad der Oxforder Universität.

August 1733 (III)
Giulio Cesare wird in Braunschweig zur Sommer-Messe aufgeführt.
(Chrysander, II, 109; Loewenberg, Sp. 150)
Vgl. August 1725

– Das Libretto („Giulio Cesare e Cleopatra ... da representarsi nel famosissimo teatro di Brounsviga nella fiera d'Estate l'anno 1733") wurde in Wolfenbüttel gedruckt.

5. Oktober 1733
Händel beendet die Oper *Arianna in Creta*.
Eintrag in der autographen Partitur (R. M. 20. a. 6.): „Fine dell'Opera London 5 Octobr G F. Handel 1733."

28. Oktober 1733
Johann Mattheson, Hamburger Opernverzeichnis

236. Parthenope, aus dem Italiänischen von Hrn. Wend übersetzet, Musik von Hrn. Händel, was die Arien betrifft; der Rezitative von Hrn. Keiser, wurde 14 Tage vor Martini aufgeführt.

(Chrysander 1877, Sp. 263; Chrysander, II, 239; Merbach, 364; Loewenberg, Sp. 165)

– Die Arien wurden italienisch gesungen; die deutschen Rezitative hatte Reinhard Keiser komponiert. Die Oper wurde in der Saison 1733/34 siebenmal, 1735 fünfmal, 1736 neunmal aufgeführt.

30. Oktober 1733 (I)
Die Opernsaison am Haymarket Theatre beginnt am Geburtstag des Königs mit der Oper *Semiramide riconosciuta* (Text: Pietro Metastasio). Wiederholungen: 3., 6. und 9. November 1733. (Chrysander, II, 333 f.)

– Obwohl der Geburtstag des Königs gewöhnlich mit einem Ball im St. James's Palace gefeiert wurde, gelang es Händel, den Hof einschließlich des Prinzen von Wales unter seinen Zuhörern zu haben (*Daily Courant,* 31. Oktober). Die Arien stammten überwiegend von Leonardo Vinci, dessen *Semiramide* zuerst 1729 in Rom aufgeführt worden war; die Rezitative hatte Händel neu komponiert.
(Smith 1948, 178; Strohm 1974 II, 231 ff.)

30. Oktober 1733 (II)
Francis Colman, Opera Register

1733 Haymarket Handells House Sig^{ra} Margarita Durastanti return'd to England
Oct. 30. Tuesday K. G. Birthday, Semiramis. a new Opera
(Sasse 1959, 222)

– Colman datiert die letzte Aufführung der *Semiramide* auf den 10. November.

30. Oktober 1733 (III)
St. James's Evening Post

The Musick to be performed in the Royal Chapel at the Solemnity of the Princess Royal's Marriage, is now composing by Mr. Handel.

– Prinzessin Annes Vermählung mit Wilhelm von Oranien war ursprünglich auf den 12. November 1733 festgesetzt. Das zu diesem Anlaß von Greene komponierte Anthem („Blessed are all they that fear the Lord") war schon am 20. Oktober vollendet (*Berington's Evening Post*) und sollte am 27. Oktober voraufgeführt werden (*The Daily Post-Boy,* 27. Oktober 1733).
(Burrows 1981, I, 401 v, 402)
Vgl. 5. und 13. November 1733

(Oktober?) 1733
Antoine François Prévost, Le Pour et le Contre

Le Théâtre de l'Opera élevé par M. Hydegger (a), et mis en réputation par les Ouvrages de M. Handel, s'étoit soûtenu depuis plusieurs années avec un succès incroiable. L'on y a vû la Signora Faustina emporter dans une seule nuit pour son bénéfit (b) dixhuit-cent livres sterling, c'est-à-dire, environ quarante mille livres de France. Signor Senesino, la Signora Cuzzoni, et quantité d'autres voix excellentes, ont tiré à leur tour des récompenses proportionnées à leur mérite. Les Instruments n'étoient pas paiez moins libéralement, et l'espérance du gain les attiroit de toutes les parties de l'Europe. Heureux s'ils avoient sçû profiter tranquillement de leur fortune. Mais l'excez de l'abondance a produit parmi eux son effet ordinaire. Je ne le nomme point; parce que tout le monde comprend que c'est la fierté et l'orgueil. Peut-être la jalousie y est entrée aussi pour quelque chose. Enfin, de tout cela est né la discorde; et l'on attend avec impatience ce qu'elle produira. L'Hiver (c) approche. On scait déja que Senesino brouillé irréconciliablement avec M. Handel, a formé un schisme dans la Troupe, et qu'il a loué un Théâtre séparé pour lui et pour ses partisans. Les Adversaires ont fait venir les meilleures voix d'Italie; ils se flattent de se soûtenir malgré ses efforts et ceux de sa cabale. Jusqu'à présent les Seigneurs Anglois sont partagez. La victoire balancera longtems s'ils ont assez de constance pour l'être toûjours; mais on s'attend que les premiéres représentations décideront la querelle, parce que le meilleur des deux Théâtres ne manquera pas de reussir aussi-tôt tous les suffrages.

(a) Voiez son caractere dans le cinquieme Tome des Mémoires d'un Homme de qualité.

(b) Chaque Acteur a sa nuit, dont il retire tout le profit, C'est ce qu'on nomme bénéfit. Cela monte pour chacun à proportion de l'estime qu'il s'est acquise.

(c) L'Opera ne joue qu'en Hiver.

[Lettre XXXIV, Bd. I, S. 279]

Vgl. (August?) 1733

– Frühere Nummern der Zeitschrift enthalten nichts über den Streit zwischen Händel und Senesino.

3. November 1733
Lady Bristol an ihren Gatten John Hervey, Earl of Bristol

[London,] Nov. 3, 1733.
I am just come home from a dull empty opera, tho' the second time; the first was full to hear the new man, who I can find out to be an extream good singer; the rest are all scrubbs except old Durastante, that sings as well as ever she did.
(Bristol, III, 108; Streatfeild 1909, 130; Flower 1923, 284)

– Streatfeild gibt den Brief ohne genaue Datierung wieder und bezieht ihn auf die zweite Auf-

führung von *Cajo Fabricio* am 8. Dezember 1733; Flower datiert ihn auf 1741.
Die neue Oper war *Semiramide* (vgl. 30. Oktober 1733), der neue Sänger Carestini (vgl. 13. November 1733).

5. November 1733
Händels Wedding Anthem für Prinzessin Anne und Wilhelm von Oranien wird vor der Königlichen Familie voraufgeführt (*St. James's Evening Post*, 6. November 1733).

– Der Text des Anthems wurde Anfang November in verschiedenen Zeitungen abgedruckt.
(Burrows 1981, I, 401v, 402)
Vgl. 30. Oktober 1733 (III)

13. November 1733
The Daily Journal

At the King's Theatre … this present Tuesday … will be reviv'd an Opera, call'd Otho. …
N. B. The Princess Royal's Marriage being put off, the Opera will be perform'd this Day as usual.

– Prinzessin Anne sollte am 12. November 1733 mit dem Prinzen Wilhelm von Oranien vermählt werden. Da sie erkrankte, fand die Hochzeit erst am 14. März 1734 statt.
Der König, die Königin und der Prinz von Wales besuchten die Aufführung am 13. November.
Besetzung:
Ottone – Giovanni Carestini, Alt
Teofane – Anna Strada, Sopran
Emireno – Gustavus Waltz, Baß
Gismonda – Margherita Durastanti, Mezzosopran
Adelberto – Carlo Scalzi, Sopran
Matilda – Maria Caterina Negri, Alt
Wiederholungen: 17., 20. und 24. November 1733.
Eine für Frühjahr 1733 geplante Wiederaufführung der Oper mit Senesino, Anna Strada, Antonio Montagnana, Celeste Gismondi, Thomas Mountier und Francesca Bertolli kam nicht zustande. Bereits 1727 hatte die Erkrankung von Faustina Bordoni und Francesca Cuzzoni eine Wiederaufnahme verhindert (Smith 1948, 178; Händel-Hdb., I, 201f.).
Carestini, den Händel schon früher zu engagieren versucht hatte, sang ursprünglich Sopran. Margherita Durastanti war nach neunjähriger Abwesenheit zurückgekehrt. Mit Maria Caterina Negri war ihre Schwester Rosa Negri (Sopran) nach London gekommen.
Vgl. 12. Januar 1723, 5. Februar 1726 und 11. April 1727

19. November 1733
John Henley erwähnt Händel in seiner Rede anläßlich des Cäcilien-Tages 1733.

– Henleys Rede und ihre Ankündigung im *Daily Journal* vom 17. November 1733 sind nur durch Chrysander belegt: „Die Harmonie des Himmels, oder die Bestandtheile und wahre Natur der göttlichen Musik, mit einem Schlüssel, solche Musik bei allen Gelegenheiten zu beurtheilen, zu verstehen und zu componiren; Fehler darin und bei einigen Organisten kritisiert; die Charaktere von Dr. Pepusch, Corelli, Bononcini, Händel, Purcel; die große Frage, Warum es nur sieben Noten in der Musik giebt? gelöst, – mit dem Anerbieten einer Medaille an Den, der es besser weiß u.s.w. Zugleich ein zeitgemäßer Rath für den B[ischof] von London, bei einer bevorstehenden Gelegenheit [der Hochzeit der Prinzessin Anna] nicht sechs Fehler zu begehen."
(Chrysander, III, 21)

[November] 1733
Do you know what you are about? Or, A Protestant Alarm to Great Britain: Proving our late Theatric Squabble, a Type of the present Contest for the Crown of Poland; and that the Division between Handel and Senesino, has more in it than we imagine. Also That the latter is no Eunuch, but a Jesuit in Disguise; with other Particulars of the greatest Importance. ... London. ... J. Roberts ... 1733.

Preface
I Hereby exhort and admonish, nay, entreat and conjure our Nobility, Gentry, and others, whom it may concern, That before they subscribe, or at least pay any of their Money to H––d–l, or S––n––o, they take especial Care to be satisfied, that the Singers are true Protestants, and well affected to the present Government.... let it be particularly covenanted, that they sing not in an unknown Tongue ... for who knows, but under Colour of an Opera, they may sing Mass as they have done before; witness, A Hymn to the Virgin, written by Cardinal Coscia, and sung by Signora Catsoni [Cuzzoni] to a Harp, &c. in the Opera of Julius Caesar, the Words are these,
Vádoro Pupille...
In English thus, I worship thee, O Holy Virgin, Perfection of Divine Love...

Prologue
In these tumultuous and distracted Days,
When Players Hostile Troops 'gainst Players raise,
When under the Command of Captain Thee
The Free-born Actor braves the Patentee:
When Handel wages War with Senesino,
And Punch defiance gives to Harlequino:
When Discord ev'ry where in Pomp appears,
And all the World's together by the Ears:
When such a Bustle's for a King of Poland,
That many wish there were a King in No-land....

Now as we see by Players, the Revolution of States, so in States, may we read the Fate of Playhouses. Theatres have been Types of Kingdoms, Kingdoms now condescend to be Types of Theatres; for mark my Prediction, my dear Countrymen, they both will Squabble and Fight, till they beggar each other, and then be glad to sit down quietly by their Loss, according to Word of Command, as you were.... [S.9]

Let us now ... turn our Eyes to the Opera's; there we see Harmony perverted, and Discord predominant, even without Preparation or Resolution, Senesino and Handel are playing at Dog and Bear, exactly like the Two Kings of Poland, contending for the Empire of Doremifa.
Strange that such Difference should be,
'Twixt Tweedledum, and Tweedle Dee!
Were singing and fidling the only matters in Contest, I should leave them to fight it out among themselves; but they are too bare-fac'd, and any one may see with half an Eye, that Religion is more their Business than Musick: He must be ignorant indeed who knows not that C–rb–t [William Corbett?], under the disguise of a Fiddler, has for many Years past acted the Spy... [S.14f.]
... let us next visit Mr. Se––si–o, and we shall find him neither better or worse than a Jesuit in disguise, and an immediate Emissary of the Whore of Babylon; his singing alas! is but a mere Pretence to blind us; he is as cunning as the Devil, and no more an Eunuch than Sir Robert Walpole; nay I am told, there are no less than four of the waiting Girls at the Opera now pregnant by him. Hinc ille Lachrymae!
This was the beginning of all Mischief, for one of the Wenches being a Favourite of Heidegger's, his Adonis-ship grew Jealous, and sent a Challenge to S–esi–o, which was the first Symptom of this Rupture.
Add to this our Jesuit's implacable hatred to Handel, for making him sing in the English Oratorio's, whereby he incurr'd the Pope's Displeasure; but he has since so well work'd out his Redemption, that I am credibly informed, his Holiness has promised him the first Cardinal's Hat that falls ...
[S.16f.]
(Sammlung Gerald Coke)

– Das anonyme Pamphlet ist im *Gentleman's Magazine* (November 1733) angezeigt.
Der Streit zwischen August III. und Stanislaus Leszczyński um den polnischen Thron führte zum Krieg von 1733–1735.

4. Dezember 1733
Am Haymarket Theatre wird die Oper *Cajo Fabricio* (Text: Apostolo Zeno, Musik: Johann Adolf Hasse) in der Bearbeitung von Händel aufgeführt. Wiederholungen: 8., 15. und 22. Dezember 1733.

– Die Rezitative komponierte Händel neu.
Der König besuchte die letzte Aufführung.
(Chrysander, II, 333f.; Smith 1948, 183)

20. Dezember 1733
Ben Jonsons Komödie *The Alchemist* wird im Little
Theatre at the Haymarket aufgeführt „With select
Pieces of Musick, compos'd by Sig. Corelli, Sig. Vi-
valdi, Sig. Geminiani, and Mr. Handel, and Enter-
tainments of Dancing" (*The Daily Journal*).
Vgl. 7. März 1732.

25. Dezember 1733 (I)
The Daily Post

Last Night there was a Rehearsal of a new Opera
at the Prince of Wales' House in the Royal Gardens in Pall Mall, where was present a great Concourse of the Nobility und Quality of both Sexes:
some of the choicest Voices and Hands assisted in
the Performance.
(Chrysander, II, 326)

– Der Prinz residierte seit 1732 in Carlton House.

25. Dezember 1733 (II)
The Daily Post

At the Theatre Royal in Lincoln's-Inn-Fields, on
Saturday next, being the 29th Day of December,
will be perform'd a new Opera, call'd Ariadne.

– *Ariadne in Naxus (Arianna in Nasso)* war eine
neue Oper von Nicola Porpora auf einen Text von
Rolli. Das Libretto war der Frau des spanischen
Gesandten gewidmet, die Musik „dem britischen
Adel" (vgl. 28. März 1734).
Das neue Ensemble der Opera of the Nobility bestand aus Senesino, Montagnana, Cuzzoni, Gismondi und Bertolli, die zuvor für Händel gesungen hatten, sowie Maria Segatti. Francesca Cuzzoni traf erst im Frühjahr 1734 ein. Porpora war
als Komponist und Dirigent engagiert worden,
Rolli als Librettist.
Zur gleichen Zeit bereitete Händel die erste Auf-
führung seiner Oper *Arianna in Creta* (*Ariadne in
Crete*) vor (vgl. 26. Januar 1734).

1733 (I)
James Bramston, The Man of Taste, Occasion'd
by an Epistle of Mr. Pope's on that Subject. By the
Author of the Art of Politicks, London 1733

Without Italian, or without an ear,
To Bononcini's musick I adhere. ...
Bagpipes for men, shrill German-flutes for boys,
I'm English born, and love a grumbling noise.
 The Stage should yield the solemn Organ's note,
And Scripture tremble in the Eunuch's throat.
Let Senesino sing, what David writ,
And Hallelujahs charm the pious pit.

Eager in throngs the town to Hester came,
And Oratorio was a lucky name.
Thou, Heideggre! the English taste has found,
And rul'st the mob of quality with sound.
In Lent, if Masquerades displease the town,
Call 'em Ridotto's, and they still go down:
Go on, Prime Phyz! to please the British nation,
Call thy next Masquerade a Convocation.   [S. 13 f.]

– Als Erwiderung auf dieses anonyme Gedicht erschien *The Woman of Taste.*
Vgl. 13. Dezember 1731

1733 (II)
The Woman of Taste. Occasioned by a late Poem,
entitled, „The Man of Taste". By a Friend of the
Author's, London 1733

... Wou'd you then grace the box, or ball adorn,
Let none perceive you were in Britain born;
From Paris take your step, from Rome your song,
And breathe Italian musically wrong. ...

The joy of young and old, of maid and wife,
Ne'er miss the Oratorio for your life. ...

To make her triumphs and his art the greater,
Here Handell kills fair Hester's foes in metre;
Flutes keep due measure with the victim's pangs,
Faustina quav'ring just as Haman hangs
Now warbling baudry – – – in a holier post,
Now chanting anthems to the Lord of Host.
To make the service to each master even,
By Satan now employ'd, and now by heaven;
And either to displease exceeding loath,
Receives two honest fees to serve 'em both:
The beauteous Hebrew pensive for a time,
Marry'd by Humphreys to the king of rhime.
Each pulpit scorn'd, the good reforming age
More fond of morals taught 'em by the stage;
(Which though they may some prelates hearts
                                      perplex,
Hit you and I, and all our modish sex.)
A vicious town and court, not half so soon
Made vertuous by a sermon as a tune;
Whose melting notes the souls of sinners sooth,
Who fly from Gibs – –n to be sav'd by Booth;
In pit or box perform their Maker's will,
Made saints by maxims taught 'em at quadrille:
From Rich's hands who absolution take,
Pardon'd by Cibber, though condemn'd by
                                      W – – –ke. [S. 7 ff.]

– Von dem Gedicht sind zwei Drucke, beide
1733, nachgewiesen. Edmund Gibson war Bischof
von London, William Wake Erzbischof von Canterbury. Der Schauspieler Barton Booth starb am
10. Mai 1733. Humphreys schrieb u. a. die Textfassung zu Händels zweiter Fassung von *Esther.* Rich
war jetzt Leiter des Covent Garden Theatre; Cibber war Poeta laureatus.
Vgl. 1733 (I)

1733 (III)
Polymnia; or, The Charms of Musick, London
1733

An Hymn or Ode, Sacred to Harmony; Occasion'd
by Mr. Handel's Oratorio, and the Harmonia
Sacra, Perform'd at Whitehall, by the Gentlemen
of the Chappel-Royal. By a Gentleman of Cambridge.

To Mr. Handel.
I raise my Voice, but you can raise it high'r,
And to bold Notes, can bolder string my Lyre:
Tun'd by thy Art, my artless Muse may live,
And from the pleasing Strains may Pleasure give.
Deep hid in Thought may buried Raptures roll,
Light up the Bard, and fire his kind'ling Soul.
If genial Beams, on Earth, th' Almighty spreads,
To ripen Metals, sleeping in their Beds.
Hence lively Brilliants into Being strive,
From waking Seeds, yet doubtful if alive.
Hence, may your Song, my rougher Song, refine;
To pierce, like Diamonds, and like Diamonds,
                                          shine.
When melting Solo's steal th' attentive Ear,
Dead is my Sorrow, and extinct my Fear.
But when the full-mouth'd Chorus wounds the
                                          Sky,
The Dead with Fear awake, the Living die.
So with the rising Musick, Passions rise,
As with the dying Musick Passion dies.
(Myers 1948, 49 f.)

– Von dem Gedicht sind drei Drucke von 1733
nachgewiesen. George I. hatte das Banqueting
House in eine Königliche Kapelle umgewan-
delt.
Vgl. 23. Februar 1733

1733 (IV)
„Mr. Hendel, Docteur en Musique, London" subskribiert auf Georg Philipp Telemanns *Musique de
table,* Hamburg 1733.

– Händel war der einzige Subskribent in England.
Er entlehnte aus Telemanns Kompositionen viele
Themen für eigene Werke.
(Seiffert; Godman)

1734

1. Januar 1734
Caspar Wilhelm von Borcke aus London an Friedrich Wilhelm I., König in Preußen

Letztern Sonnabend [29. Dezember 1733] wurde
der Anfang der neuen Opera gemachet, welche
die Noblesse entrepenniret hat, nachdem Sie mit
der conduite des Directeurs von der alten Opera,
Händel, nicht zufrieden gewesen, und denselben
zu abbaissiren eine neue angeleget, welche über
zweyhundert Persohnen subscribiret, und jegliche
20 Guinées dazu praenumeriret haben. Auf dem
Piquet der subscribenten ist der erste Sänger,
Nahmens Sènesino, gepräget, mit der Überschrift:
Nec pluribus impar. Es wurde diese neue Opera
erstlich die Opera der Rebellen genennet. Weilen
aber bay der ersten Ouverture der gantze Hof zugegen war, alß ist Sie dadurch legitimiret und loyal
geworden. Hiebey hat Sich das genie der Nation
sehen lassen, wie sehr Es nemlich zu novitaeten
und Factionen geneigt ist. In denen praeliminair-
Tractaten, welche zu dieser fundation errichtet,
heißet der erste Articul: Point d'accommodement
à jamais avec le Sr Händel.
(ZStA Merseburg. Friedländer 1902, 103 f.)

– Borcke (oder Borck) war der erste Deutsche, der
ein Werk von Shakespeare (*Julius Caesar*) ins
Deutsche übersetzte. Er hielt sich 1733–1737 in
London auf. Friedrich Wilhelm I., ein Vetter Ge-
orgs II., schätzte Händels Musik.
Vgl. 25. Dezember 1733 (II)

5. Januar 1734
Die Oper *Arbace* von Leonardo Vinci wird in der
Bearbeitung von Händel am Haymarket Theatre auf-
geführt.
(Schoelcher 1857, 161; Chrysander, II, 333 f.;
Smith 1948, 179 f.; Strohm 1974 II, 231 ff.)

– Metastasios *Artaserse* war 1730 von Leonardo
Vinci für Rom und von Johann Adolf Hasse für
Venedig vertont worden. In London wurde die
Oper mit dem Titel *Arbace* aufgeführt (vgl.
28. März 1734).
Bei der Premiere war der Hof ohne den Prinzen
von Wales zugegen; bei der Aufführung am 8. Ja-
nuar war auch dieser anwesend. In Walshs Aus-
gabe der *Favourite Songs in the Opera call'd Arbaces*
(vgl. 5. Februar 1734) werden Anna Strada und
Giovanni Carestini als Sänger genannt.
Carestini hatte bereits bei der Aufführung von
Hasses Oper in Venedig mitgewirkt. Die Oper
wurde achtmal aufgeführt.
Vgl. 29. Oktober 1734 (II)

8. Januar 1734
Thomas Cobb und Bezaleel Creake zeigen in der
St. James's Evening Post an: „The Operas of Julius
Caesar, Rodelinda, Scipio, Alexander and the rest
of Mr. Handel's Operas in Score and for the
Flute."

10. Januar 1734
The Grub-street Journal

Preliminary articles of peace between the Patentees and the Revel company of Comedians.

I. There shall instantly commence an entire Suspension of Arms on both Sides.

...

XIII. The most high and puissant John Frederick Handell, prince Palatine of the Hay-market, the most sublime John James Heidegger, Count of the most sacred and holy Roman Empire, and the most noble and illustrious Signior Senesino, little duke of Tuscany, do engage for themselves, their heirs and successors, to become guarantees for the due performance and execution of all, every, and singular the articles of this present treaty.

Done in the camp in New-palace-yard before Westminster-hall, this 28th day of November, in the year of our Lord 1733.

(Bodleian Library, Oxford: N. 22863, c.3.)

– Erster und letzter Artikel eines imaginären Friedensvertrages. Die Satire wurde auch im *London Magazine* vom Januar 1734 abgedruckt.

14. Januar 1734
Stockholmske Post-Tidningar

Nästkommande lögerdag som är den 19 hujus upföres en Pastoral eller ett Herda-Qwäde. Poesien och Billietterne finnes uti Wedewägs Manufacture bod wid Riddarehus-Torget. Börjas klockan half fem.

– Ankündigung der konzertanten Aufführung einer Bearbeitung von Händels Masque *Acis and Galatea* mit schwedischem Text am Sonnabend, dem 19. Januar 1734, in Stockholm.

(Loewenberg, Sp. 170 f.; Dean 1959, 185 und 629)

24. Januar 1734
Der König und der Prinz von Wales besuchen einen Ball im Haymarket Theatre.

(Smith 1948, 180)

26. Januar 1734
The Daily Journal

At the King's Theatre ... this present Saturday ... will be perform'd a new Opera, call'd Ariadne. ...

– Wiederholungen: 29. Januar, 2., 5., 9., 12., 16., 19., 23. und 26. Februar, 2., 5., 9., 12. und 16. März, 16. und 20. April 1734.

Wiederaufnahme: November 1734.

Der Hof besuchte die Aufführungen am 12. Februar und 5. März.

Das zweisprachige Textbuch (die englische Übersetzung stammt wahrscheinlich von Samuel Humphreys) wurde von Thomas Wood gedruckt. Daß Pietro Pariatis Libretto *Arianna e Teseo* für Händel von Francis Colman bearbeitet worden sein soll, der am 20. April 1733 in Pisa starb (Chrysander, II, 335), ist nicht zu belegen.

Besetzung:

Arianna – Anna Strada, Sopran

Teseo – Giovanni Carestini, Alt
Carilda – Maria Caterina Negri, Alt
Alceste – Carlo Scalzi, Sopran
Minos – Gustavus Waltz, Baß
Tauride – Margherita Durastanti, Mezzosopran
Il Sonno – ?, Baß

(Burney, II, 783 ff.); Chrysander, II, 334 ff.; Eisenschmidt, II, 93 f.; Smith 1948, 168 f., 180; Walker 1950; Loewenberg, XXI; Händel-Hdb., I, 394 f.)

Vgl. 27. November 1734

29. Januar 1734
Earl of Egmont, Diary

Went to Hendel's opera, called „Ariadne".

(Egmont MSS., II, 18)

– Viscount Percival war im August 1733 erster Earl of Egmont geworden.

Januar 1734
Francis Colman, Opera Register

Jan^{ry} p^{mo} Ariadne in Crete. a New Opera & very good & perform'd very often Sig^r Carestino sung Surprisingly well: a new Eunuch – many times perform'd

(Sasse 1959, 222)

– Der Eintrag wurde erst nach dem Tod von Francis Colman (20. April 1733) geschrieben.

„Jan^{ry} p^{mo}" bedeutet wahrscheinlich nicht „1. Januar", sondern bezieht sich auf die Erstaufführung der Oper.

Die letzten Eintragungen im Opera Register sind irrtümlich auf April datiert:

„1734 April 18. Pastor Fido – by Handell – [erste Aufführung am 18. Mai 1734] / Opera Lincolns Inn Fields. Senesino's House / a New Opera open'd in January 1733/4 / Ariadne in Naxus [vgl. 25. Dezember 1733] / Sig^r Senesino / Sig^{ra} Cuzzoni / return'd fr^o Italy / Sig^{ra} Celeste / Sig^{ra} Bertolli / Sig^r Montagna Basse / & Sig^{ra} Sagatti/April ye 11th Aeneas / a New Opera [von Porpora, erste Aufführung am 11. Mai 1734]".

(Sasse 1959, 223)

J. P. Malcolm (1808, 351) zitiert aus einer ungenannten Quelle: „Senesino ... is said to have hired the Theatre in Lincoln's-Inn-Fields for the Winter of 1733-4 as an Opera-House." Das stimmt mit dem Opera Register überein, wo auch zwischen „Handells House" am Haymarket und „Senesino's House" in Lincoln's Inn Fields unterschieden wird (Chrysander, II, 324).

Januar oder Februar 1734
Lady Betty Germain an Lionel, Duke of Dorset

... The report goes that Dodington has made up all differences with the King and Prince [of Wales]. ... Even about operas 'tis outrageous, and the de-

light of everybody's heart seems to be set upon the King's sitting by himself at the Haymarket House; ... and t'other day at Dodington's the Prince was as eager and pressed me as earnestly to go to Lincoln's Inn Fields opera as if it had been a thing of great moment to the nation, but by good luck I had company at home.
(Stopford-Sackville, 157)

– George Bubb Dodington wurde später Lord Melcombe.

4. Februar 1734

Im Drury Lane Theatre wird die Pantomime *Cupid and Psyche, or, Columbine Courtezan* (Musik: Johann Friedrich Lampe) aufgeführt.

– Für die Ouvertüre verwendete Lampe auch Themen von Händel. Der Autor des Textes ist unbekannt. Walsh druckte die Ouvertüre und ausgewählte Arien. Die Partien von Bacchus und „Mynheer Bassoon" sang Gustavus Waltz.
(Smith 1948, 184)

5. Februar 1734

Walsh zeigt im *Daily Journal* „The Favourite Songs in the Opera call'd Arbaces" an.

– Die Titelseite enthält den Hinweis: „Note. Where these are Sold may be had all M.ʳ Handel's Operas and Instrumental Musick."
(Smith 1954, 287; Smith 1960, 16 f.)

12. Februar 1734

Harmony in an Uproar: A Letter to F–d–K H–d–l, Esq.; M–r of the O–a H–e [Frederick Handel, Esq.; Master of the Opera House] in the Hay-Market, from Hurlothrumbo Johnson, Esq.; Composer Extraordinary to all the Theatres in G–t–B–t–n [Great-Britain], Excepting that of the Hay-Market, in which the Rights and Merits of both O–s [Operas] are properly consider'd.

Wonderful Sir!
The mounting Flames of my Ambition having long aspir'd to the Honour of holding a small Conversation with you; but being sensible of the almost insuperable Difficulty of getting at you, I bethought me, a Paper Kite might best reach you, and soar to your Apartment, though seated in the highest Clouds; for all the World knows, I can top you, fly as high as you will.
But all preliminary Compliments, and introductory Paragraphs laid aside, let us fall to Business – You must know then, Sir that I have been told, and made to understand by your Betters, Sir, that of late you have been damn'd Insolent, Audacious, Impudent and Saucy, and a thousand things else, Sir (that don't become you) worse than all that –
Do you see, Sir, – as to Particulars, we scorn to descend to Particulars; – for they are look'd upon as great Secrets; – for your Enemies are very wise, damn'd cunning, and close; confounded close some of them, and terrible Haidpieces, i' faith; as you'll find to your Costs, before this Season is expir'd, though at the Expence of half their Estates.
Now, Sir, – you must know I make a formal Demand to you in the Name of all the Muses and Mortals devoted to those divine Sublimities; Why this Discord? Why these stupendous Alarms in the Affairs of Harmony? Why, has Musick made so confounded a Noise, that the Great Guns upon the Rhine, and in Italy, affect not our Ears, deafned with an eternal Squawl or chatter about Operas? ...
And first for thee, thou delightful musical Machine [Händel]. Why hast thou dar'd to rouse the roaring Lions, and wily Foxes of the British Nation; who, but for Pity, could tear thy very Being to Atoms in the hundreth Part of an Allegro Minnum; make Crotchets of thy Body, and Semiquavers of thy Soul; and with the powerful Breath of their Nostrils, blow thy Existence beneath the lowest Hell.
Go then, thou mistaken Mortal, prostrate thy self before these Grand Signiors; yield to their most unreasonable Demands; let them spurn and buffet thee: Talk not foolishly of Merit, Justice or Honour, and they may prove so gracious, as to let thee live and starve; else thy Destruction's sworn; thy Foes are as merciful as wise, and will not leave thee worth a Groth; the Mightiness and Wisdom of Man have vow'd it. ...
... I am humbly of the Opinion, before I hear you, that you are certainly in the wrong: But to shew my Impartiality, since I am declared Umpire in this weighty Cause, I solemnly cite you before my Tribunal. ...
But since you are called upon this solemn manner ... I hope you'll behave like a Gentleman; own yourself guilty at once, and save us a great deal of Time and Trouble. But before you proceed to your Defence, consider who you have to do with; think of that, Sir, and tremble. Know, Mortal, that there are leagu'd against you as many bl–e, g–n and r–d R–ns [blue, green and red Ribbons], as would serve to hang up you, your Singers, and your whole Orchestre, like so many dead Moles upon a Hedge-Row: mighty Men, and wise Men; some of them wise enough to be Justices of the Peace. Will not all this frighten you? – Are you in your right Wits? Rat me, if I don't think you in as bad a Situation, as if a Whirlwind, and a Earthquake, and a fiery Torrent from Mount AEtna, and as if – but I must defer my Similes 'till next Page. –
Well, Sir! – you need not give your self much pains about your Defence, I know all your Arguments, before I hear them. – I am sensible you

wou'd have it believ'd in your Favour, that you are no way to blame in the whole of this Affair; but that when S–no [Senesino] had declared he would leave England, you thought yourself oblig'd in Honour, to proceed with your Contract, and provide for yourself elsewhere; that as for C–oni [Cuzzoni], you had no Thoughts of her, no Hopes of her, nor no want of her, S–da [Strada] being in all respects infinitely superior, in any Excellency requir'd for a Stage; as for Singers in the under Parts, you had provided the best Set we ever had yet; tho' basely deserted by Mon-na [Montagnana], after having sign'd a formal Contract to serve you the whole of this Season; which you might still force him to do, were you not more afraid of W–r–H–ll [Westminster-Hall], than ten thousand D–rs [Doctors], or ten thousand D–ls [Devils]. – I know, you'll say, that as you were oblig'd to carry on Operas this Winter, you imagin'd you might be at Liberty to proceed in the Affair, in that Manner which wou'd prove most to the Satisfaction of the unprejudic'd Part of the Nobility and Gentry and your own interest and Honour. I know you say, it was impossible for you to comply with the unreasonable and savage Proposals made to you; by which you were to give up all Contracts, Promises, nay risque your Fortune, to gratify fantastical Whims and unjust Picques. I know you'll say, that if you were misled [verführt durch Heidegger?], or have judged wrong at any Time in raising the Price of your Tickets, that ye were sufficiently punish'd, without carrying the Resentment, arising thereupon, to such a length. I know you'll say, considering that Entertainment in any light, it better merited so extravagant a Price, than any other Entertainment ever yet exhibited to this Nation, not excepting the most celebrated Bear-Garden. – I know, you'll say, that if –
... Therefore I do here solemnly declare upon the Honour of an Esquire, and the Word of a Gentleman, that all you assert, is false, – utterly false, damnably false; and that you're an impudent Liar, and a Scoundrel, and a Rascal; and so G–d conf–nd [God confound] you, and rot you and yours to all Eternity, and ten times worse than all that; and if this Answer is not sufficient to convince you, and all the reasonable Part of this Town that you're positively in the Wrong, I have no more to say; for nothing can be more plain on my side.
In the same Manner, argue your Partizans at the Chocolate and Coffee Houses. – Says a very fine Gentleman to me t'other Day (whom Car-ino [Carestini] I suppose has catch'd by the Ears) – So Mr. Hurlothrumbo, I hear you're a great Stickler for the Opera at L–n's–I– F–ds [Lincoln's Inn Fields]; a pretty Set of Singers, truly! and for Composers, you out-do the World! – Don't you think, says he, at this Time of Life, S–no [Senesino]

could twang a Prayer finely thro' th' Nose in Petticoats at a Conventicle? Hah! – or what think you, says he, of Si–ra Ce–sti [Celeste Gismondi] snuffling a Hymn there in Concert; or Madam B–lli [Bertolli], with her unmeaning Voice, with as little Force in it as a Pair of Smith's Bellows with twenty Holes in the Sides: Your Base, indeed, makes a humming Noise, and could roar to some Purpose, if he had Songs proper for him; as for your S–ra Fag–tto [Signora Fagotto – Maria Segatti], she indeed may with her Master [Porpora?] be sent home to School again; and by the Time she is Fourscore, she'll prove a vast Addition to a Bonefire; or make a fine Duenna in a Spanish Opera.
Humph! says he, your Composers too have behav'd notably truly; – your Porpoise, says he, may roul and rumble about as he pleases, and prelude to a Storm of his own raising; but you should let him know, that a bad Imitation always wants the Air and Spirit of an Original, and that there is a wide Difference betwixt full Harmony, and making a Noise. – I know, says he, your Expectations are very high, from the Performance of the King of Aragon [Carlo Arrigoni]; but that Trolly Colly Composer, says he, a stupid Cantata-Thrummer, must make a mighty poor Figure in an Opera; tho' he was so nice last Winter, that he would not allow that Han–l [Händel] could Compose, or Sen–no [Senesino] Sing: What Art he has us'd, to produce him now as the first Voice in Europe, I can't imagine, but you must not depend upon his Majesty too far, says he; for to my Knowledge, he has been engag'd by a formal Deputation from the General Assembly of N–th Br–n [North Brethren?], to new-set their Sc–ch [Scotch] Psalms, and be Clerk to the High Kirk in Edinburgh, with a Salary of one hundred Pound Scots, per Ann....
... Therefore proceed we now without more delay to your Trial. – Cryer – O yes? – O yes? – &c.
This is to give Notice, to all Directors of Operas, Masters of Playhouses, Patentees with Patents or without, Composers, Performers, or other Masters that neither Compose nor Perform, all Dancing-Masters, Exhibiters of Poppet-Shews, Presidents of Bear-Gardens, Rope-Dancers, but particularly all Judges of Musick and others – That they now appear and produce their several Complaints against the Prisoner at the Bar, in order to bring him to speedy Justice.
Court. Frederick Handel, hold up your Hand. Know you are here brought to answer to the several following high Crimes and Misdemeanors, committed upon the Wills and Understandings, and against the Peace of our Sovereign Lord the Mobility [Wortspiel: mob und nobility] of Great-Britain, particularly this Metropolis: To which you shall make true and faithful Answer – So help you Musick – Swear him upon the two Operas of Ariadne, alias the Cuckoo [*Arianna in Nasso* von Por-

pora] and the Nightingale [*Arianna in Creta* von Händel].

Imprimis, You are charg'd with having bewitch'd us for the Space of twenty Years past; nor do we know where your Inchantments will end, if a timely Stop is not put to them; they threatning us with an entire Destruction of Liberty, and an absolute Tyranny in your Person over the whole Territories of the Hay-Market.

Secondly, You have most insolently dar'd to give us good Musick and sound Harmony, when we wanted and desir'd bad; to the great Encouragement of your Opera's, and the Ruin of our good Allies and Confederates, the Professors of bad Musick.

Thirdly, – You have most feloniously and arrogantly assum'd to yourself an uncontroul'd Property of pleasing us, whether we would or no; and have often been so bold as to charm us, when we were positively resolv'd to be out of Humour.

Besides these, we can, at convenient Time or Times, produce and prove five hundred and fifteen Articles of lesser Consequence, which may in the whole, at least, amount to accumulative Treason – How say you, Sir, are you guilty of the said Charge or no?

Prisoner. – Guilty of the whole Charge.

Court. – We knew it must be so; Pshaw, pshaw, it could not be otherways – But to shew our Indulgence for your so readily complying, and saving us the Trouble of producing our several Evidences, and to demonstrate to the World our Impartiality in the whole Progress of this Affair, before we proceed to pass Sentence upon so old and notorious an Offender, we give you Leave to make a Speech, in which, if you behave prudently, it may occasion a Mitigation of the Rigour of the intended Sentence; but be sure your Speech be a wise one, or it will not pass Muster with us Acacians [Academicians].

Now set yourself in Order, look mighty Grave and wise; as Wise as an Emperor in an Elbow-Chair; screw your Muscles into Form; so, now balance your Hands, and see-saw them up and down like an Orator – tolerably well.

Clerk of the Court – Frederick Handel, look full at the Court, and make Three Bows.

Court. – Sirrah – Demme [Sir – Damned], we say – Sirrah! what has your Stupidity to offer in your Defence, that Sentence of Annihilation should not be immediately pronounc'd against you and your Tramontani of the Hay-Market, for daring to oppose our mighty Wills and Pleasures – well said Us!

Pris. – Most Noble, Right Honourable, and superlatively excellent –

Court, – Go on – Scoundrel –

Pris. – I am almost confounded at being thus arraign'd before so August an Assembly of the wisest Heads of the Nation; and to appear as a Criminal, where, tho' I am guilty of the Charge, I am as innocent of any Crime, as ignorant of any real Accusation. Wherein have I offended?

Court. – Why, you saucy Son of a B––ch [Bitch], do you pretend to impeach the Honour, Sense, or Power of the Court? Wherein have you offended? Unparallell'd Audaciousness! when we have said you have offended. Scoundrel! You're as impudent as a red hot Poker, which is enough to put any Face out of Countenance. But, Sirrah if you are not guilty by Law, we'll prove it logically – No Man is brought to this Bar, but who is guilty – You are brought to this Bar –

Ergo – Do you understand a Syllogism, Rascal? It is plain as a Dutchman's Backside by Day-light; no Man at the Old Bailey ever had a fairer Trial for his Life; away with him, Gaoler, to the Condemn'd Hold, – till the Warrant is sign'd for his Execution.

[Ende der Gerichtsverhandlung]

Now, Sir, you may think this Usage very severe –But to shew you upon what a weak Foundation you build your Pretences to support an Opera, I'll prove by Twenty-five substantial Reasons, that you are no Composer, nor know no more of Musick than you do of Algebra. You may look grave at this Assertion, but hear me, and confute me.

First then, Sir, – Have you taken your Degrees? Boh! – ha, ha, ha! Are you a Doctor, Sir? ah, ah! A fine Composer indeed, and not a Graduate; fie, fie, you might as well pretend to be a Judge, without having been ever call'd to the Bar; or pretend to be a Bishop, and not a Christian. Why Doctor Pushpin [Pepusch, 1713 Doktor in Oxford] and Doctor Blue [Greene, 1730 Doktor in Cambridge] laugh at you, and scorn to keep you Company; and they have vow'd to me, that it is scarely possible to imagine how much better they compos'd after the Commencement Gown was thrown over their Shoulders than before; it was as if a musical – had laid Hands upon them, and inspired them with the Enthusiasm of Harmony.

Secondly, Sir, – I understand you have never read Euclid, are a declar'd Foe to all proper Modes, and Forms, and Tones of Musick, and scorn to be subservient to, or ty'd up by Rules, or have your Genius cramp'd: Thou God and Vandal to just Sounds! we may as well place Nightingales and Canary-birds behind the Scenes, and take the wild Operas of Nature from them, as allow you to be a Composer: An ingenious Carpenter, with a Rule and Compass, will succed better in Composition, thou finish'd Irregularity.

Thirdly, Sir – I [Samuel Johnson, als Lord Flame in Hurlothrumbo] have heard it own'd by some of your best Friends, that, being one Sunday in a Country Church, you made a terrible Blunder in singing the Psalms, put out the Clerk and the whole Congregation, to the great Disturbance of the Parson and his Flock; nor did they recover the Confusion you threw them into, in a month after; therefore I submit it to the proper Judges, if an Ignorant in a Country Psalm can be allow'd a Composer of Oratorio's.

Fourthly, Sir – It has been objected to you, I believe with some Truth (for I never knew one Man take your Part in it) that you can no more Dance a Cheshire Horn Pipe, than you can fly down a Rope from Paul's Church; a Composer, and not Dance a Cheshire Round! Incredible! I have made it apparent to some Audiences, as Numerous as Polite, that the Beauty of Composition, and the Force of a fine Genius, lay in Singing, Dancing, and Fiddling at the same Time; nor will it now be contested, that Footing it well is as necessary to shew a Man's brightest Parts, as any Productions of his Head-piece.

But as for my fifth Reason, Sir – That indeed wou'd be sufficient to convince the most Bigotted in your Favour of your Incapacity in this Art; nor will it scarely be believed, when I can demonstrate to the blind Understandings of your Admirers, that by G–d [God], you have made such Musick, as never Man did before you, nor, I believe, never will be thought of again, when you're gone.

My other twenty Reasons are full as strong as these, but my Printer says he can afford no more Reasons for Twelve-pence [der Preis der Schrift betrug 1 Schilling]; but surely these may be allow'd sufficient to the Reasonable; and tho' you and your Friends have Fronts of a Metal some Degrees harder than Corinthian Brass; yet how will them same metallick Countenances stare, when I shall assert, that to exhibit your Performances in the Perfection of your Art, it must be, not as a Composer, but a Conjurer; yes, Sir, a Conjurer, look as grim as you please; and the Whole of your Merit shall, in proper Colours, be shewn not to proceed from the Arts of Musick, but the Black-Art.

It has in many Particulars been made manifest to the religious Part of your Audiences, that for these twenty Years past (as was well observed in your Trial) you have practis'd Sorcery in this Kingdom upon his Majesty's Liege Subjects, and often bewitched every Sense we have; there was not a Letter in one of your Publick Bills, but had Magick in it; and if at any Time a Squeak of one of your Fiddles, or the Tooting of a Pipe was heard, Hey bounce! we prick'd up our Ears like so many wild Colts; away danced the whole Town, Helter skelter, like a Rabble-Rout after a mad Bull; squeezing and pressing, and shoving, and happy were they that could be squeez'd to Death. You have rais'd the Dead, and engaged all the Heroes, antique or modern, from Theseus to Orlando Furioso, to fight your Battles for you; you can call up Devils,

and bring down Spirits to enchant us; as if at any Time another Composer [Bononcini] civilly introduc'd a Patient, Strolling, Pastoral Princess [Griselda; vgl. 22. Februar 1722 und 22. Mai 1733] to instruct us, up starts one of your damn'd Knight-Errant Alexanders or Julius Caesars, and most inhumanly frighted the poor Lady out of her Wits, and laid, at one Stroke, the Composer flat on his Back. There is no bearing such Usage in a Christian Country! nay, what is worse, and what I think should be taken Notice of by our pious reverend B–ch of B–ps [Bench of Bishops], whenever you gave us a Christian Hero, as Rinaldo or Amadis, you took Care to bring in some damn'd heathenish Wizard to play Pranks for them, and shew that you wholly worked by Witchcraft; nay, such an Ascendant had you got over us, that we cried up every where other Composers for the first Masters in the World, and would not allow you to produce one Bar of tolerable Musick; yet we never went near their Performances, and nolens volens were hurri'd away by some of your infernal Agents, to crowd your Houses; and when we would have lock'd up our Wives and Daughters from your Power, Presto pass, they whipp'd through Keyholes, or Chimney-Tops, to you: If this is not being carried away by Inchantment, I can't tell what it is. If at any Time the Magick of your Opera lost its Force, by being too often us'd, away went the D–l [Devil] and you to work in a Vizard, to hide your evil Designs, and then out comes an Oratorio, or a Serenata; and just as we had begun to recover our Senses, all of a sudden we run as mad as ever; and hoity toity, away went we, like so many Witches on Broomsticks and Hobby-Horses, to the Prince of Darkness's Midnight Revels. If this is not downright Witchcraft, I never knew a Conjurer in my Life. But to put the Matter beyond all Dispute; have you not this very Season imported from Italy an Arch Friend, one Care–no [Carestini], that will play the Devil with us before he quits us, and leagu'd yourself to a notorious Witch, one Str–da [Strada], that never lets us be quiet Night or Day; and as if these were not sufficient to play Tricks with the whole Kingdom, you have brought over the whole Family of the Negri's [die Schwestern Maria Caterina und Rosa Negri], to make Magicians, Sirens, Devils, and other Ministers of Darkness, to carry on your infernal Designs. But that ignorant, well-meaning Persons may no longer be seduc'd by you, or think that Musick is but a harmless Amusement, let them consider that nothing was ever looked upon more proper to carry on Inchantments by than Harmony; it was always made use of by Antients and Moderns upon such Occasions, at all solemn Sacrifices, Invocations of Ghosts or Devils, calling up Spirits from the Earth, or down from the Air, Musick was held the only Lure to entice them; nay,

Belzebub himself has a great Command that Way, and constantly entertains his Votaries at their Installations, Festivals, and Nocturnal Meetings, with Operas, Symphonies, Voluntaries, and Madrigals in the Air, and I fear, Sir, has but too often lent a helping Hand to you. But I hope this prudent Subscription at L- I-n-F-ds [Lincoln's Inn Fields] will put an End to your Charms, and knock off the Fetters we have so long wore; nor are we without Hopes, that thro' you, Musick may receive such a home Thrust, as she may never recover (at least in England) again: And if the Statute for burning Witches and Wizards was in full Force, I know who should soon be whipp'd into the Middle of a Bonefire of his own Works, and like a Swan die to some Tune.

But to come a little nearer to the Merits of the Cause, and give you a Wound where you think yourself most secure: Your Party very confidently, and with an Air of Wisdom, give out, that you are all very much surpriz'd, that so weighty a Part of the Grand Leg-ture [Legislature] should employ both their Time and Money so ill, as in setting up one O-ra H-se [Opera House] to ruin another, without ever giving the Appearance of a formal Reason for acting so; when their precious Hours and vast Parts might, at this critical Juncture, be of infinite Service to their Country; when we are almost at a Loss how to behave.

Mighty pretty, truly – how charmingly wise and sententious! Notable Speech-makers indeed! – How Murder will out! Does not this Objection alone make good all that we have been disputing about these three Hours? Is it not obvious that so many great M- [Masters], mighty great M- (who are so over loaded with the Burthen of publick Affairs, that all common Necessaries of Life are neglected to attend that Service) would ever have taken all this Trouble about so lousy and paltry a Fellow as you? Had not your Insolence arriv'd to such an unparalell'd Pitch of Audaciousness, that it quite threaten'd the utter Ruin of the Nation, had they not timely stood in the Gap made in our Liberties and Properties by your Musick, the Torrent in another Year or two might have swept away – God knows what – But, like true Patriots, they interpos'd, and ventur'd Lives and Fortunes to save us.

You may, if you please, very pertly ask, Pray how could all this be effected by so innocent an Entertainment as an O-ra [Opera]? How, you D-g [Dog]? How could it be sooner effected than by an O-ra? That Source of Expence, Luxury, Idleness, Sloth, and Effeminacy, and all that; a damn'd Set of Italian Squeakers and Fiddlers: Nor indeed was there any other Method left to ruin your Opera, and demolish the Ascendant you had gain'd over us, but by setting up another Source of Expense, Luxury, Idleness, Sloth, and Effeminacy, and all

that; and wisely contriv'd too, Sirrah, that you might not have the whole Plunder of a rich Nation to yourself, but that some of our most noted Spirits for Sense and Patriotism might come in for a Share with you. For if one O-ra [Opera] was thought so very burthensome, and gave such Room for just Complaints; no Way so proper to make us sensible of its Weight, and our Mistake, as setting up two.

Nor is it these mighty Men alone that would devour you; the whole musical World is united against you; the King of Arragon [Carlo Arrigoni] swears you want Softness; Signior Porpoise [Porpora] finds you deficient in Roughness; Mr. Honeycomb [Henry Holcombe] protests, that he cannot adapt one Air of your Composition either to his Eyes or Nose; and they are such Stuff as is only fit for the Throat of a Care-ni [Carestini] or a Stra-a [Strada]; Mr. Gaynote [John Gay? Er war 1732 verstorben.] vows you produce no pretty Thing, that is to say, pleasingly pretty, to tickle the Ladies; Dr. Pushpin affirms, you are no Mathematician; and Dr. Blue [Maurice Greene] roundly asserts in all Companies, that you are quite void of Spirit and Invention; Nay, I can produce an Italian Nobleman [?], whose musical Judgment is universally allow'd of (especially if his Spectacles are on) who has assured me, that you know no more of Harmony, than he does of the Tricks of a Faro-Table, or a Bowling-Green. It is true, from his Dress and Situation of late, he may be look'd upon to puff a little of our Side; but that is only by way of Amusement; for to shew his Impartiality, he has often condescended to give you Hints for your Improvement; and went so far as to invite you to eat a Tripe-soup and Fricassee of Sheep's Trottern, at Little Pontack's near St. Martin's Church, with him; when he had a Scheme to propose of infinite Advantage to you, without any Prospect to himself, but the Payment of his Dinners, and the Liberty of your Gallery, which your Ignorance and Obstinacy refused. As for that indefatigable Society [Academy of Ancient Music], the Gropers into Antique Musick, and Hummers of Madrigals, they swoon at the Sight of any Piece modern, particularly of your Composition, excepting the Performances of their venerable President [seit 1734 Pepusch], whose Works bear such vast Resemblance to the regular Gravity of the Antients, that when dress'd up in Cobwebs, and powdered with Dust, the Philharmonick Spiders could dwell on them, and in them, to Eternity.

But if my concise Method of reasoning, or happy Talent of convincing by Demonstration, have not been able to satisfy you, in order to make a compleat Conquest, I must attack you in your own Way, and draw a – Cantata upon you; which is adapted to the Musick of an Ancestor of the King of Arragon's, who had the Honour to be Madrigal-

Composer to the Children of Queen Elizabeth's Scullery: The Words I translated in the modern Taste, from the original Italian of that incomparable Dramatick Poet, Seignior Rowley-Powley [Paolo Rolli].

...

L–I–F– [Lincoln's Inn Fields] Triumphant.
A Cantata.
To the Tune of, Welcome Joan Saunderson, &c.
Recitative.
  Welcome sweet P–ra [Porpora] to Britain's Shore,
A–ne [Ariadne] now adds to our Musical Store.
Air.
O my sweet P–ra [Porpora]!
'Tis a fine Opera;
We will play it then o'er and o'er,
And over again, Nights full Threescore,
'Till the whole World comes near us no more.
                                    Da Capo.
Duet.
This Opera will no farther go,
Hark ye, Sir Treasurer! – why say you so?
It will not do; – it ne'er can do,
Without you get in Don F–di–do [Ferdinando].
Chorus.
He must come to, and he shall come to,
And he must come to, whether he will or no.
Recitative.
Welcome sweet Arragon over the Main,
Is Don F–di–do [Ferdinando] safe landed from
                                    Spain?
Air.
O my Dear Arragon,
This is a Paragon;
We will play it over again,
And over again, to free us from Pain;
All in the Tweedeldum, deedeldum Strain.
                                    Da Capo.
Duet.
Alas! the poor Don no longer can go,
Then there is an End of all our fine Shew:
If this won't do, how shall we get Money?
Why! – wait the Arrival of Madam Cuz-ni [Cuz-
                                    zoni].
Chorus.
She must come to, and she shall come to:
If she'll not come to, this will never do.

By this little Sketch, Sir, you find we are not at a Loss for Words, Sir, nor Musick, Sir, to equal any Thing of yours; and before this Season is out, we shall firk you up with an Or–rio [Porporas Oratorium *Davide e Bersabea*, aufgeführt am 12. März 1734] shall make your Hair stand an end; and I am determin'd (if nothing else will do) to be at the Expence of Books and Masters to get a Smattering of the Black Art, that we may be able to play Con-

jurer against Conjurer, and Devil against Devil with you, to the End of the Chapter.
But now, Sir, that I have sung you a Song, give me Leave to tell you a Tale; and perhaps before I have done with you, like my Betters, to shew my Breeding, I may chance to let a F–A– [Fart] But to my Story – You must know then, Sir, I once went to the World in the Moon [England]. ... My Profession and Merit were soon known, it not being possible to hide any extraordinary Genius from the penetrating Capacities of that Country, particularly in the Art of Musick, of which they affect, to the greatest Degree, to appear very fond and very knowing; but betwixt you and I, Sir, (but be sure you keep it secret) the Majority of its Inhabitants have their Ears placed so near their Backsides, that they frequently sit upon them.
However, the brilliant Rays of my Talents in that Art quickly enlighten'd that opaque Globe so far, that I was immediately admitted into the good Graces of the Court, and principal Grandees; who were all ravished with the Novelty and Exquisiteness of my Compositions: In consequence of which I was declar'd principal Composer to their O–as [Operas]; and should have enjoy'd the same Station in the Court Chapels and Publick Temples, only that Place could not be conferr'd upon a Foreigner: Yet upon all solemn Occasions, they were obliged to have Recourse to me for their religious Musick, tho' their ordinary Services were all compos'd and performed by Blockheads that were Natives; they claiming from several Laws a Right hereditary, to have the Places in their Temples supply'd with Fools of their own Country. But People of Taste in general being more nice in the Affairs of any Amusement than those of Religion, cou'd not bear that the Musick in their Operas should be so trifled with, and slabber'd over by unskilful Composers, or Performers; therefore were at a prodigious Expence for Voices and Instruments from the Kingdom of the Sun [Italien], or other Countries of the fixed Stars.
No Merit can secure a Man from Envy, when eminent in any Profession; of Course my Success raised me many Rivals; the Moon-Calves (who have a mortal Aversion to being too long pleas'd with any Thing, and are only noted for Inconstancy) gave into their Projects, and formed strong Parties against me; which always appear'd done more in Pique to me, than Love to them: But their Compositions proved so contemptible, and in all Respects so inferior to mine, that whenever we contended, I carry'd the Day, my Enemies still decreeing me the Prize, yet continuing my Enemies.
In this state for several Years I triumph'd almost absolute in the Empire of Musick, nor ever disturb'd, but from some small Malcontents without Doors, who either wish'd the total Ruin of Har-

mony, or were quite eat up with Spleen and Vapours, and did not know what they would be at: I
was prodigiously caress'd at Court, the Royal Family (as in all other polite Arts and Sciences) being
not only Lovers, but perfect Judges of Musick; but
more particularly the divine Princess Urania [Prin-
cess Anne], who condescended to be my Scholar,
and made that Proficiency, as seemed almost mi-
raculous to me her Master; nay to that exquisite
Degree, that the Amusement only carried it to as
great a Height in her, as in the most Ingenious,
who made it their Profession: This Favour so far
from diminishing, created me fresh Foes, who
generally sprouted up from Stocks and Stones, like
the new Race after Ovid's Deluge: Upon which
the splenetick Tribe of fine Gentlemen and very
fine Ladies, (quite out of Patience that I gave
them no Musick to find Fault with) determin'd to
oppose my Scheme, and have an O–a [Opera] of
their own, where they were sure to have as much
bad Musick as their Hearts could desire: They
listed Composers, who never dared to shew their
Heads in Moon-land as such, but under their Ban-
ners; and then taking into Pay some cast-off Performers, who had appeared in under Parts in my
O–as, and some Strollers, who sung Ballads about
the Streets, with an old noted Gelderino [Sene-
sino] at their Head (who was almost past his Business, and had besides a great Hole quite through
his Lungs, so that more of his Breath broke out
downwards than upwards) with this Ragamuffin
Troop they pretended to set up against me, having
hired a large Booth [Lincoln's Inn Fields Theatre]
for that Purpose, where there had been formerly
Puppet-shows and Rope-dancing; they made a vast
Subscription to carry on this grand Design, drawing in most of the young Fellows of their
Acquaintance, by great Promises and notorious
Fal–ds [Falsehoods], but who soon became sick of
the Project, and would have parted with their Billets at a very great Discount: The most violent
(and who headed their Party) [die Direktoren der
Opera of the Nobility] were the D–c [Duc] de
Buffalo [Earl Delaware], the D–c de Trincolo, the
M–qui [Marquis] Sansterre, C–te [Comte] Spend-
All, C–te Fat–head, B–n [Baron] Sad–dog, and
the Ch–r [Chevalier] Squatt: Nay, they went so far
as to give out, that they received some Encouragement from Monseigneur, the K–g's [King's] eldest
Son [Prince of Wales], who only laugh'd at them
in his Sleeve.

I had then in Pay a perfect Set of Performers, par-
ticulary Angelo Carrioli [Carestini], and Coeleste
Vocale [Anna Strada]; the Unprejudic'd were
amaz'd at the Vastness of their Judgment and Justice as well as Beauty of their Execution. My opponents were obliged to make use of all their Interest and Industry, not only to get Company to their
House, but to keep those who could not suffer

their low Entertainments from coming to mine;
nor did they spare entering into the most indirect
Means to ruin me; having not only decoy'd a
noted Performer from me, after having for a Term
formally bound himself to serve me, but by some
underhand Slight, they spirited away two very remarkable Monsters, the first Night of a new O–a
[Händels Ottone; vgl. 13. November 1733], who
had for a considerable Time been trained up, to
the Stage; but by good Luck, I had some more
Monsters in another Den, tho' not so expert at
their Business.

They open'd their Musicall Droll the first Night to
a crouded Audience, Numbers being drawn
thither by Curiosity, and by the Boldness and Stupidity of the Attempt; their Success consisted in a
full House that Night, but Applause no Night;
their Company dropped off at once, and then they
had recourse to the most unfair and ungentleman-
like Behaviour that ever was known upon such an
Occasion, to make an Audience; even using F–ce
[Force] rudely, to such as would not comply; and
b–ing [bribing] or hiring others, to visit their
House.

For some time I played gently with these charming Gudgeons, and maugre all their pitiful Efforts
kept my Head above Water; but at last I came slap-
dash upon them with a new O–a of my own Composition [Händels Oper Arianna]; which answer'd
to my Profit, and the Pleasure of the Town; their
Weakness was made manifest, they were defeated,
and I triumphed. Indeed they made another small
Push, in bringing upon the Stage one of the most
execrable, low Entertainments [? – Apollo and
Daphne, eine 1734 anonym aufgeführte Oper, oder
Porporas am 5. Februar 1734 uraufgeführte Oper
Ferdinando] that ever was heard; it was receiv'd according to its Merit, which enhanc'd the Value of
mine the more.

I might now have ruled, undisturb'd, the whole
Empire of Harmony in the Moon, it being reckoned the highest Presumption or Rashness to oppose me in a Dominion so lawfully gain'd, and so
equitably supported.

But being fir'd with a just Indignation at the unworthy Treatment I met with from a People I so
long honour'd and charm'd with my Performances,
and for whom I had incessantly laboured for above
twenty Years, I resolved to quit the Country: Accordingly, as soon as my Contract for that Season
was expir'd, I hired a large Palanquin, and carried
off the Principal of my Voices and Performers instrumental to the Kingdom of the Sun; where I
was caress'd to the highest Degree, not oppress'd
by the Great, nor chagrin'd by the impotent Attempts of any jealous Rival in the Art. There I remain'd several Years, honour'd and beloved,
loaded with Riches and Reputation; yet my kind
Reception could never stifle my innate Love for

my own Country; where being happily arrived, I
hope to spend the Remainder of my Days in that
Quiet of Mind and reasonable Enjoyment of Fortune, which none of my mean-spirited Opposers
ever can taste.
Now, Sir, – What think you of my Tale? – Or how
like you my Jaunt to the World in the Moon? – If
in this small Sketch of some Part of my Life, you
find any Rules for your future Conduct, in observing them you may make me your Friend, and shew
yourself a wise Man.
But to return to the Subject of the former Part of
my Letter; I think I have made it very plainly appear, that you or somebody else is damnably in the
Wrong; and I believe most People will allow (even
the most warm Partisans of both Sides of the
Question) that it is absolutely necessary, for the
better Entertainment of the Court, Nobility, and
Gentry, to contrive some Method of gently blow-
ing into the Air one O–a H–e [Opera House], and
all concerned in it.
As you have some Reason to dread this Proposal,
yet you cannot plead Ignorance, or not having
timely Warning given you by,
Wonderful Sir,
Yours, as you merit it,
Hurlothrumbo Johnson.
From my Apartments in Moor-field-Palace,
February 12, 1733.
(Schoelcher 1857, 168ff.; Chrysander, II, 339ff.)

– Das bei Robert Smith gedruckte Pamphlet
wurde im *Daily Journal* vom 18. März 1734 angezeigt. Sein Autor ist nicht bekannt. Es steht außer
Zweifel, daß es von einem Anhänger Händels geschrieben wurde, vermutlich aber ohne dessen
Wissen. Es wurde in den *Miscellaneous Works of the
late Dr. Arbuthnot* (Glasgow 1751, II, 18ff.) abgedruckt, selbst noch in der Londoner Ausgabe
(1770, II, 24ff.), obwohl schon 1751 John Arbuthnots Sohn George gegen den Abdruck unech-
ter Schriften in der Glasgower Ausgabe öffentlich
Einspruch erhoben hatte. Der *Hurlothrumbo* von
Samuel Johnson war am 29. März 1729 im Little
Theatre in the Haymarket erstmals aufgeführt
worden (vgl. 7. April 1729).

16. Februar 1734
Earl of Egmont, Diary

Went to the Crown Tavern to hear the practice of
Hendel's Te Deum, and other music to be performed at St. Paul's on Tuesday next [19. Februar]
at the Festival of the Sons of the Clergy.
(Egmont MSS., II, 31)

– „Hendel's Te Deum" war das *Utrecht Te Deum*
(vgl. 23. Februar 1734).

23. Februar 1734
The London Evening Post

New Musick.
This Day Published,
The Favourite Songs in the Opera, call'd Ariadne;
also the Favourite Songs in Arbaces; with their
Symphonies in Score.
Printed for John Walsh. ...
Where may be had,
The celebrated Te Deum and Jubilate for Voices
and Instruments; as it was perform'd at St. Paul's.
Composed by Mr. Handel.

– Die gleiche Anzeige erschien am 26. Februar
1734 auch im *Daily Journal.*
Vgl. 5. Januar und 6. April 1734
Am 5. März 1734 zeigt Walsh im *Daily Journal* so-
wohl Händels als auch Porporas *Ariadne* an.
Ausgaben von Te Deum und Jubilate waren 1731
und 1732 erschienen.
(Smith 1960, 157)

Februar 1734
Händels *Riccardo Primo* wird in Braunschweig auf-
geführt.
Vgl. 3. Februar 1729

(Februar ?) 1734
Antoine François Prévost, Le Pour et le Contre

Il y a actuellement comme j'ai déja dit ci-devant
dans une autre feuille, six Théatres réguliers à
Londres, deux pour l'Opera et quatre pour la Co-
médie. ... Il s'est fait depuis six mois plus de dé-
pense pour les deux Opera, qu'il ne s'en fera pour
l'entretien de la Flotte pendant une année.
M. Handel, toujours soutenu par le Roi et par la
Famille Roiale, fait caloir autant qu'il peut, la voix
charmante du Signor Carastini; et tous les Seigneurs de la Cour idolâtres du Signor Senesino,
prodiguent les guinées pour l'élever au-dessus de
son Rival. Ma prédiction ne s'est pas trouvée
juste: j'avois cru pouvoir assûrer dans une des
Feuilles précédentes que le meilleur des deux
Théatres réüniroit bien-tôt les suffrages; mais le
mérite des deux partis, ou l'obstination des Partisans a fait durer jusqu'à présent le schisme avec
égalité d'avantage. On commence à craindre néanmoins pour le parti de M. Handel, depuis que la Signora Cuzzoni s'est mise en chemin pour venir
fortifier celui de Senesino. Cette célèbre chanteuse étoit à Genes, avec des appointmens fort
considérables. Il a fallu des monts d'or pour la
faire consentir de repasser en Angleterre; et l'on
assûre que les Seigneurs, dans l'espérance de l'engager par l'honneur autant que par l'intérêt, ont
envoié à Genes, exprès pour elle, un Vaisseau de
guerre qui la portera, jusqu'à Marseille. Voilà les
Corsaires d'Afrique bien trompez, s'ils ont eu

quelque dessein sur la Cuzzoni pour l'Opera d'Alger.   [Lettre XLI, Bd. III, S. 115 f.]

– Daß afrikanische Seeräuber Francesca Cuzzoni für die Oper von Algier entführen wollten, ist ironische Übertreibung des Autors, doch daß für die Sängerin ein Kriegsschiff zur Verfügung gestellt wurde, weil sie Händels Gegenpartei verstärken sollte, ist aufschlußreich für die Opernleidenschaft der Zeit.
Vgl. 2. November 1734

1. März 1734
In Hamburg wird *Circe,* Reinhard Keisers letzte Oper, zum erstenmal aufgeführt.
(Loewenberg, Sp. 181)

– Den Text der Oper hatte Johann Philipp Praetorius nach dem in holländischer und französischer Sprache verfaßten Libretto von Jan Jacob Mauricius, einem holländischen Regierungsvertreter in Hamburg, geschrieben. Neben 21 überwiegend von Reinhard Keiser komponierten deutschen Gesängen enthielt die Oper 23 italienische Arien, darunter vier von Händel, Hasse und Vinci.

11. März 1734 (I)
The Daily Journal

We hear, amongst other publick Diversions that are prepared for the Solemnity of the approaching Nuptials, there is to be perform'd at the Opera House in the Hay-Market, on Wednesday next [13. März], a Serenata, call'd, Parnasso in Festa. The Fable is, Apollo and the Muses, celebrating the Marriage of Thetis and Peleus. There is one standing Scene which is Mount Parnassus, on which sit Apollo and the Muses, assisted with other proper Characters, emblematically dress'd, the whole Appearance being extreamly magnificent. The Musick is no less entertaining, being contrived with so great a Variety, that all Sorts of Musick are properly introduc'd in single Songs, Duetto's, &c. intermix'd with Chorus's, some what in the Style of Oratorio's. People have been waiting with Impatience for this Piece, the celebrated Mr. Handel having exerted his utmost Skill in it.
(Burney, II, 785 f.; Schoelcher 1857, 164)

– Die szenische Darstellung von Apollo und den Musen auf dem Berg Parnaß beruhte auf alten Vorbildern italienischer Intermedien (Wolff 1968, 22 f.).

11. März 1734 (II)
The Daily Journal

At the King's Theatre ... on Wednesday the 13th Instant, will be perform'd Parnasso in Festa: or, Apollo and the Muses celebrating the Nuptials of Thetis and Peleus. A Serenata. Being an Essay of

several different Sorts of Harmony. ... To begin at Six o'Clock.

– Für den größten Teil der Serenata *Il Parnasso in Festa* griff Händel auf sein in London noch nicht aufgeführtes Oratorium *Athalia* zurück. Der Verfasser des italienischen Textes ist nicht bekannt. Das zweisprachige Textbuch druckte Thomas Wood mit dem Titel „Parnasso in Festa per gli sponsali di Teti e Peleo; The Feast of Parnassus, for the Nuptial of Thetis and Peleus. A Serenade ... Done into English by Mr. George Oldmixon".
Der Hof besuchte die erste Aufführung am Vorabend der Vermählung von Prinzessin Anne mit dem Prinzen von Oranien.
Wiederholungen: 16., 19., 23. und 26. März 1734; Neuaufführungen: 9. und 11. März 1737, 8. November 1740, 14. März 1741.
Besetzung:
Apollo – Giovanni Carestini, Alt
Orfeo – Carlo Scalzi, Sopran
Clio – Anna Strada, Sopran
Calliope – Margherita Durastanti, Mezzosopran
Cloride – Maria Caterina Negri, Alt
Eurilla – ?, Alt
Euterpe – Rosa Negri, Sopran
Proteo – Gustavus Waltz, Baß
Frederick Hudson vermutet, daß während der ersten Aufführung von *Il Parnasso in Festa* auch Concerti aus Händels Opus 3 aufgeführt wurden, da auf der Titelseite des Walsh-Druckes dieser Konzerte, der offenbar bald nach Prinzessin Annes Vermählung erschienen ist, folgender Vermerk steht, der für spätere Ausgaben wieder getilgt wurde: „N. B. Several of these Concertos were perform'd on the Marriage of the Prince of Orange with the Princess Royal of Great Britain in the Royal Chappel of St. James's." Auch Hawkins wußte von einem Zusammenhang mit der Hochzeit, denn er schreibt in seiner *General History,* die „Six Concertos" seien „composed on the occasion of the marriage of the prince of Orange with the princess royal". Unwahrscheinlich ist aber, daß sie während der Trauung am 14. März gespielt wurden.
(Smith 1960, 218; Hudson, HHA IV/11, Krit. Bericht, 22 f.)

14. März 1734 (I)
The Daily Courant

The same Evening [13. März] their Majesties, his Royal Highness the Prince of Wales, with the rest of the Royal Family, and his Serene Highness the Prince of Orange, went to the Theatre in the Hay-Market, and saw a Serenata called Parnasso in Festa, or Apollo and the Muses celebrating the Nuptials of Thetis and Peleus.
(Schoelcher 1857, 164)

14. März 1734 (II)

In der Französischen Kapelle im St. James's Palace findet die Vermählung der Princess Royal mit dem Prinzen von Oranien statt. Händel führt das Wedding Anthem „This is the day which the Lord hath made" auf.

– Zur ursprünglich für den 12. November 1733 geplanten Hochzeit (vgl. 13. November 1733) war Maurice Greene mit der Komposition eines Anthems beauftragt worden. Am 23. Oktober 1733 heißt es in *The Bee*: „Seats will be made round the Chapel for the Nobility as at the Coronation [1727], and a fine Anthem, composed by Dr. Green, will be performed by Mr. Abbot, Mr. Hughes, Mr. Chelsam, and the other Gentlemen of the Chapel Royal." (Chrysander, II, 321) Der Text des Anthems basiert auf den Psalmen 45 und 118, die Musik übernahm Händel vorwiegend aus *Athalia* und *Parnasso in Festa* (Weinstock, 189). Vermutlich schrieb er dieses Wedding Anthem auf ausdrücklichen Wunsch von Prinzessin Anne, seiner Schülerin.

Jacob Wilhelm Lustig (geb. 1706 in Hamburg, 1728 bis zu seinem Tode 1796 Organist an der Martinikerk in Groningen) schreibt 1771 in der zweiten Auflage seiner *Inleiding tot de Muziekkunde* (172), Händel „habe ihm 1734 in London gestanden, nur dieser Prinzessin mit ganzer Lust seine Unterweisung zugewendet zu haben" (Chrysander, II, 364). Lustig widmete Prinzessin Anne 1736 *Sechs Cembalosonaten op. 1*.

16. März 1734
The Bee

London, March 14.
Last Night [13. März] Mr. Handell's new Serenata, in Honour of the Princess Royal's Nuptial's with the Prince of Orange, was perform'd ... and was received with the greatest Applause; the Piece containing the most exquisite Harmony ever furnish'd from the Stage, and the Disposition of the Performers being contriv'd in a very grand and magnificent Manner.
(Chrysander, II, 320 f.)
Vgl. 11. März 1734

20. März 1734
Ann Granville an ihre Schwester Mary Pendarves

Gloster, 20 March, 1734.
... Oh the Serenata! could I have heard it, or the Anthem Mr. Handel composed for the Princess! 'tis a horrid thing to be removed from all harmony.
(Delany, I, 444)

21. März 1734
The Grub-street Journal

The nuptials of her royal highness the princess royal with the prince of Orange, was perform'd on thursday last [14. März] ... after the organ had play'd some time, his highness the prince of Orange led the princess royal to the rails of the altar, and kneel'd down, and then the Lord bishop of London perform'd the service; after which the bride and bridegroom arose, and retir'd to their places, whilst a fine anthem compos'd by Mr. Handell, was perform'd by a great number of voices and instruments.
(Chrysander, II, 321)

– Ähnliche Berichte erschienen in *Read's Weekly Journal* vom 23. März und im *London Magazine* vom März 1734.

23. März 1734
Earl of Egmont, Diary

I went to the Opera House in the Haymarket to hear Hendel's Serenata composed in honour of the marriage, called „Apollo and Daphnis". The Royal family was all there, the Prince of Wales excepted.
(Egmont MSS., II, 68)

– Die „Serenata" war *Il Parnasso in Festa*.
Der Prinz besuchte möglicherweise die Premiere der Pasticcio-Oper *Belmira* im Haus der Adelsoper.

28. März 1734
Mary Pendarves an ihre Schwester Ann Granville

L. B. St., 28th March, 1734.
I went with Lady Chesterfield in her box. ... 'Twas Arbaces, an opera of Vinci's, pretty enough, but not to compare to Handel's compositions. ... I went to the oratorio at Lincoln's Inn, composed by Porpora ... some of the choruses and recitatives are extremely fine and touching, but they say it is not equal to Mr. Handel's oratorio of Esther or Deborah.
(Delany, I, 446, 450)

„L. B. St." steht für Lower Brook Street, wo Mrs. Pendarves ein Haus in Händels Nachbarschaft bewohnte. Lady Chesterfield war Händels frühere Schülerin Melusina von der Schulenburg, Countess of Walsingham. Porporas für „the British Nobility" komponiertes Oratorium *Davide e Bersabea* (Text: Paolo Antonio Rolli) war am 12. März 1734 zum erstenmal aufgeführt (Egmont MSS., II, 54) und am 27. März wiederholt worden.
Vgl. 5. Januar 1734

2. April 1734
Wiederaufführung von *Deborah* am Haymarket Theatre.

– Der König besuchte die Wiederholungen am 6. und 9. April.
Vgl. 17. März 1733
Vermutliche Besetzung:
Deborah – Anna Strada, Sopran
Barak – Giovanni Carestini, Alt
Abinoam – Thomas Reinhold, Baß
Sisera – Maria Caterina Negri, Alt
Jael – Rosa Negri, Sopran
Israelitin – Margherita Durastanti, Sopran
Oberpriester des Baal – Gustavus Waltz, Baß
Thomas Reinhold, ein gebürtiger Deutscher, kam 1731 nach London und war seit 1736 bis zu seinem Tod (1751) Händels wichtigster Bassist.
(Smith 1948, 185; Dean 1959, 237f.)

2. und 4. April 1734
Mary Pendarves an ihre Schwester Ann Granville

L. B. Str., 2nd April 1734.
4th April.
In the afternoon went with Lady Rich to the oratorio, Deborah by name, which I love (besides its own merit which is a great deal) for „sister Deborah's" sake. ...
Next week I shall have a very pretty party. Oh that you were to be here! The Percivals, Sir John Stanley, Bunny, Lady Rich and her daughter, Mr. Hanmer, Lady Catherine, Mr. Handel, and Strada, and if my Lady S. will lend me her harpsichord, she shall be of the party.
(Delany, I, 452, 454)

– Lady Elizabeth Rich war die Frau des Feldmarschalls Sir Robert Rich. Mrs. Sarah Chapon, eine Jugendfreundin von Mary Pendarves, wurde von ihren Freunden Deborah genannt. Philip Percival war ein Bruder des Earl of Egmont. Sir John Stanley, ein Onkel der Schwestern, hatte die junge Mary Granville Anfang 1711 Händel vorgestellt. „Bunny" war ihr Bruder Bernard Granville. Sir Thomas Hanmer war Herausgeber der Shakespeare-Ausgabe 1734–1744, seine Frau Catherine die älteste Tochter des Earl of Egmont. „Lady S." war Judith, Countess of Sunderland.
Vgl. 12. April 1734

3. April 1734
The Daily Courant

The same Evening [2. April] the Prince and Princess of Orange, and her Royal Highness the Princess Caroline, went to the King's Theatre in the Hay Market, and saw an Oratorio, call'd, Deborah.

6. April 1734
The London Evening Post

Musick.
This Day is publish'd, ... Printed for John Walsh... Where may be had, just publish'd, ... A second Collection of Favourite Songs in the Opera call'd Ariadne. To which is prefix'd, the Overture in Score. Composed by Mr. Handel.
(Smith 1960, 17)
Vgl. 23. Februar 1734

12. April 1734
Mary Pendarves an ihre Schwester Ann Granville

L. B. Str[r], 12 April, 1734.
I must tell you of a little entertainment of music I had last week; I never wished more heartily for you and my mother than on that occasion. I had Lady Rich and her daughter, Lady Cath. Hanmer and her husband, Mr. and Mrs. Percival, Sir John Stanley and my brother, Mrs. Donellan, Strada and Mr. Coot. Lord Shaftesbury begged of Mr. Percival to bring him, and being a profess'd friend of Mr. Handel (who was here also) was admitted; I never was so well entertained at an opera! Mr. Handel was in the best humour in the world, and played lessons and accompanied Strada and all the ladies that sang from seven o'the clock till eleven. I gave them tea and coffee, and about half an hour after nine had a salver brought in of chocolate, mulled white wine and biscuits. Everybody was easy and seemed pleased, Bunny staid with me after the company was gone, eat a cold chick with me, and we chatted till one o'the clock.
(Delany, I, 454)

– Die Gäste von Mary Pendarves, einer attraktiven Witwe von 35 Jahren, waren Anhänger Händels und zum Teil selbst Amateurmusiker. Philip Percival war ein vielseitiger Kunstdilettant, Violaspieler und Komponist. Lady Catherine sang und spielte Cembalo, und Sir Thomas Hanmer, vormals Speaker des Unterhauses und Führer der Hannoveranischen Tories, spielte Violine. Anthony, Graf Shaftesbury, wurde später ein ebenso glühender Bewunderer Händels wie sein Vetter James Harris. Anne Donellan war eine Verwandte der Percivals; Händel vermachte ihr in seinem Testament 50 Guineen.

27. April 1734 (I)
Mary Pendarves an ihre Schwester Ann Granville

L. B. Str[r]., 27 April, 1734.
Yesterday morning at the rehearsal of a most delightful opera at Mr. Handel's called Sosarme, which is acted to-night, and I doubt as I am to go out of town next week, I shall not be able to resist the temptation of it.
(Delany, I, 463)

27. April 1734 (II)
Wiederaufführung von *Sosarme* am Haymarket Theatre
Wiederholungen am 30. April und 4. Mai.
Besetzung:
Sosarme – Giovanni Carestini, Alt
Haliate – Margherita Durastanti, Sopran
Erenice – Maria Caterina Negri, Alt
Elmira – Anna Strada, Sopran
Argone – Carlo Scalzi, Sopran
Melo – Rosa Negri, Sopran
Altomaro – Gustavus Waltz, Baß
Vgl. 15. Februar 1732

30. April 1734
Mary Pendarves an ihre Schwester Ann Granville

L. B. Str., 30 April [1734].
I go to-night to the opera with Lady Rich and Mrs. Donellan, to Sosarmes, an opera of Mr. Handel's, a charming one, and yet I dare say it will be almost empty! 'Tis vexatious to have such music neglected.
(Delany, I, 466)

– Auch die Adelsoper war in Schwierigkeiten geraten. Graf Egmont schrieb am 6. Mai in sein Tagebuch: „In the evening I went to the opera called Iphigenia, composed by Porpora, and I think the town does not justice in condemning it."

1. Mai 1734
In der Crow Street Music Hall in Dublin wird *Acis and Galatea* zum Benefiz für Mrs. Raffa aufgeführt.
(*Musical Opinion*, April 1921, 609)

– Die Aufführung war in einem Libretto verzeichnet, das nicht mehr aufgefunden werden konnte.

7. Mai 1734
The Daily Journal

At the King's Theatre ... this present Tuesday ... will be reviv'd a Serenata, call'd, Acis and Galatea. ... Tickets ... at Half a Guinea each. Gallery Five Shillings. ... To begin at Half an Hour after Six o'Clock.

– Diese Aufführung der englisch-italienischen Mischfassung war bereits im *Daily Journal* vom 4. Mai, das das falsche Datum des 6. Mai trug, angekündigt worden, aber irrtümlich für „Saturday, the 6th Day of May".
(Smith 1948, 222)
Vgl. 5. Dezember 1732 und 24. März 1736

18. Mai 1734
The Daily Journal

At the King's Theatre ... this present Saturday ...

will be perform'd, An Opera, call'd Pastor Fido. Composed by Mr. Handel. Intermixed with Chorus's. The Scenery after a particular Manner. ... To begin at Half an Hour after Six o'Clock.
Vgl. 22. November 1712

– Wiederholungen: 21., 25. und 28. Mai, 4., 8., 11., 15., 18., 22., 25. und 29. Juni, 3., 6. und 15. Juli 1734.
Das Textbuch mit „large Additions" erschien bei Thomas Wood.
Vermutliche Besetzung:
Mirtillo – Giovanni Carestini, Alt
Amarilli – Anna Strada, Sopran
Eurilla – Margherita Durastanti, Sopran
Silvio – Carlo Scalzi, Sopran
Dorinda – Maria Caterina Negri, Alt
Tirenio – Gustavus Waltz, Baß
(Smith 1948, 185)
Vgl. 9. November 1734 (II)

28. Mai 1734
Mary Pendarves an ihre Schwester Ann Granville

L. B. Street, May 28th, 1734.
Donellan and I are to dine to-day with Sir John Stanley, and afterwards go with him to Pastor Fido.
(Delany, I, 472)

1. Juni 1734
Im *Daily Journal* wird die Aufführung von *Il Pastor Fido* am 4. Juni 1734 mit dem Hinweis „Being the last Time of performing till after the Holidays" angekündigt.
Vgl. 29. Juni 1734

– Die Adelsoper beendete ihre erste Saison am 15. Juni. Sie hatte in dieser Spielzeit Bononcinis *Astarto* (vgl. 19. November 1720), das Pasticcio *Belmira* und Porporas *Enea nel Lazio* aufgeführt.

22. Juni 1734
The Craftsman

John Walsh zeigt an: „Six Overtures for Violins, etc. in seven Parts, as they are performed at the King's Theatre in the Haymarket in the Opera's of Ariadne, Sosarmes, Orlando, Aetius, Porus, Esther. Compos'd by Mr. Handel, fifth Collection. – N. B. The same Overtures are also curiously set for the Harpsicord. The most celebrated Opera Aires in Ariadne, etc. by Mr. Handel, curiously fitted for a German Flute and Bass ..."
(Smith 1960, 291 f.)
Vgl. 6. April 1737

26. Juni 1734
Händel hebt 1 300 £ von seinem Konto ab.

28. Juni 1734
Register of Warrants des Prince of Wales

To Mʳ Handel for the Season of Operas in the Hay-
market ending this
Year 1734   £   s   d
              250   –   –
(British Library, Add. MSS. 24 403, Bl. 98ʳ)
Vgl. 5. Juli 1733 und 5. Juli 1737

29. Juni 1734
Die Aufführung von *Il Pastor Fido* wird im *Daily
Journal* wieder mit dem Zusatz „Being the last
Time of performing" angezeigt (vgl. 1. Juni 1734).

– Chrysander vermutet, daß der Aufenthalt von
Prinzessin Anne vom 2. Juli bis 21. Oktober 1734
in England Händel veranlaßte, die Opernsaison
bis zum 15. Juli zu verlängern und den *Pastor fido*
noch dreimal zu wiederholen. Belegt sind die beiden „Command Performances" vom 3. und 6. Juli,
die von der königlichen Familie und Prinzessin
Anne besucht wurden. Lord Hervey spricht in seinen Memoiren (vgl.
1734/IV) von der Fürsorge der Prinzessin für
ihren in Schwierigkeiten geratenen Lehrer, ähnlich auch Jacob Wilhelm Lustig in seiner *Inleiding
tot de Muziekkunde* (vgl. 1751).
(Chrysander, II, 363)

[Juni] 1734
The Oxford Act. A.D. 1733. Being a particular and
exact Account of that Solemnity. ... In a Letter to a
Friend in Town.

Thursday, July the 5th [1733]. About 5 o'Clock,
the great Mr. Handel shew'd away with his Esther,
an Oratorio, or sacred Drama, to a very numerous
audience, at 5 shillings a ticket. ...
The next Morning, Saturday, July the 7th, there
was a fine Performance of Instrumental Musick in
the Theater, between 6 and 8 o'clock, under the
care and inspection of Richard Goodson, B. Mus.,
our Musick Professor, who made it his sole business to perform everything very exactly, that could
well be expected of him, during the whole
time. ...
The Chevalier Handel very judiciously, forsooth,
ordered out Tickets for his Esther this Evening
again.
Some of the Company, that had found themselves
but very scramblingly entertained at our dry Disputations, took it into their Heads, to try how a
little Fiddling would sit upon them.
Such as cou'dn't attend before, squeezed in with
as much Alacrity as others strove to get out; so
that e're his [Händels] Myrmidons cou'd gain their
Posts, he found that he had little likelyhood to be
at such a Loss for a House, as once upon a time,
Folks say, he was.

However, in this Confusion, one of the good-natured Cantab's, cou'dn't help suggesting to him,
that his only Way now wou'd be, to carry it off
with an Air, and e'en be contented with what he
cou'dn't help.
So that notwithstanding the barbarous and inhu-
man Combination of such a Parcel of unconscion-
able Chaps, he disposed, it seems, of most of his
Tickets, and had, as you may guess, a pretty mottley Appearance into the Bargain. ...
The Vice Chancellor, whose Province it was to
take care of the Preachers for the next Day
[8. Juli], provided the Rev. Dr. Thomas Cóckman,
Master of University College, for the Forenoon.
After the Performance of Sieur Handel's Te Deum
with Instruments,
The Doctor took his Text from Rom. XII. 2. ...
There was then an Anthem very finely performed
with Instruments.
The Person that the Vice-Chancellor pitched upon
for the Afternoon, was the Rev. Dr. Thomas
Secker, Prebendary of Durham, and Rector of
S. James's Westminster.
After a grand Jubilate to the Te Deum, he
preached from Deut. XXXII. 46. 47. ...
The Galleries here were reserved for the Ladies,
where they made a very sparkling gaudy Shew;
and after another Anthem with Instruments was
over, they were most of them carried away to
New-College Chapel, where they heard an Evening Service of the late famous Dr. Blow, and another Anthem with Instruments, from whence
they divided their Favours, and took to different
Walks, as lay most convenient for the remaining
Part of their Evening.
The next Morning, Tuesday, July the 10th at Eight
o'Clock, there was an excellent Latin Sermon. ...
The Company in the Evening were entertained
with a spick and span new Oratorio called
Athalia.
One of the Royal and Ample had been saying, that
truely, 'twas his Opinion, that the Theater was
erected for other-guise Purposes, than to be prostituted to a Company of squeeking, bawling, outlandish Singsters, let the Agreement be what it
would.
This Morning, Wednesday, July the 11th there was
luckily enough, for the Benefit of some of Handel's People, a Serenata in their [Christ Church's]
Grand Hall.
After 'twas over, the Person was soon met with,
and immediately 'twas down to the very
Ground.
Oh! – Your Servant – Mr. – ! Sir, your very humble Servant! Your Servant Sir! –
Well – but after all – your College Hall isn't half
so bad a Room for Musick, it seems, as People fancied – didn't it sound excellently well?

– They say there was a deal of good Company. ...
In the Evening, Athalia was served up again.
But the next Night he concluded with his Oratorio of Deborah.

[S. 3, 21, 31, 33, 43, 44 f., 47]
(Bodleian Library, Oxford, Gough Oxf. 113 und Adds Oxf. 8° 61. Schoelcher 1857, 157 f.; Chrysander, II, 308 f.; Mee, XIV f.; Eland, 12 ff.)

– Der Bericht ist im *Gentleman's Magazine* vom Juni 1734 verzeichnet.
Die „Theatri Encaenia" genannte festliche Veranstaltung zur Feier des Jahrestages des neuen Sheldonian Theatre fand am 6. Juli 1733 statt. Die „Cantab's", die Herren von Cambridge, dinierten am 10. Juli mit den Universitätsrichtern in der University College Hall. Die „Royal and Ample" waren vermutlich die Mitglieder von Christ Church.

1. Juli 1734
Edward Holdsworth an Charles Jennens

London, Jul. 1.ˢᵗ [1734]
Mʳ Herbert was on Saturday night at yᵉ Haymarket to hear Pastor fido. 'twas expected that that wou'd be the last time of acting, but at the request of the audience 'twill be continued 2 nights more. Mʳ Herbert tells me yᵗ there were 200 at least in yᵉ Pit and boxes, and the Gallery full.
(Sammlung Gerald Coke)

– Mr. Herbert besuchte die Aufführung am 29. Juni 1734.
Edward Holdsworth (1684–1746) war mit Charles Jennens befreundet. Beide verband ihr Interesse an antiker Literatur. 1742 veröffentlichte Holdsworth eine Auswahl seiner Briefe an Jennens („Briefe an einen Freund"); 1753 erschien zum erstenmal die Übersetzung der Werke Vergils von Holdsworth und Joseph Spence, der 1768 auch Holdsworth' Studien zu Vergil herausgab, die dieser Jennens hinterlassen hatte. Nach Holdsworth' Tod ließ ihm Jennens im Park von Gopsall ein Denkmal mit einer Plastik von Roubiliac errichten.
Holdsworth verließ Oxford „1715 on account of the Abjuration Oath. After this he travelled with several Noblemen & Gentlemen, till near the time of his Death" (handschriftlicher Nachruf von Jennens). Von seinen Reisen teilte er Jennens Neuigkeiten aus dem Musikleben mit und sandte ihm Musikalien. Ihre Korrespondenz (ca. 40 Briefe von Jennens, ca. 70 von Holdsworth) liegt geschlossen vor, da Holdsworth' Bruder Henry nach dessen Tod alle Briefe von Jennens an diesen zurücksandte.
Der Briefwechsel war bis 1973 im Besitz der Familie des Earl of Howe.
(Christie; Hicks 1973)

12. Juli 1734 etc.
Liste der Besucher des Earl of Oxford

Mr. Handel, Brook Street.
(Portland MSS., VI, 56)

– Die Liste enthält wahrscheinlich die Namen der Gratulanten anläßlich der Vermählung von Lady Margaret Cavendish Harley mit William, 2. Duke of Portland, am 20. Juni 1734.

15. Juli 1734
Händels vierzehnte und vorläufig letzte Opernsaison am Haymarket Theatre endet mit einer Aufführung des *Pastor fido*.

– Händels Kontrakt mit Heidegger war am 6. Juli abgelaufen, und dieser vermietete das Haus nun an die Adelsoper. Händel verständigte sich mit John Rich, seine Opern im Wechsel mit dessen Schauspielaufführungen im Covent Garden Theatre zu geben.

Paris, Juli (?) 1734
Antoine François Prévost, Le Pour et le Contre

M. Handel, Chef d'un des deux Operas de Londres, avoit entrépris [sic] de soutenir son Théatre malgré l'opposition de tous les Seigneurs Anglois. Il s'étoit flatté mal-à-propos que sa réputation lui attireroit toujours une assemblée nombreuse; et manque de ce fondement il a fait tant de dépenses ruineuses, et tant de beaux Operas à pure perte, qu'il se trouve forcé de quitter Londres pour retourner dans sa patrie.   [Bd. IV, Nr. CXXI, S. 31]

Ende Juli bis Ende (?) August 1734
Händel hält sich wahrscheinlich zum erstenmal zur Kur in Tunbridge Wells in der Nähe von Ashford auf.

– Möglicherweise war Händels Kur der Anlaß für das Gerücht, er habe England verlassen.

12. August 1734
Händel beginnt mit der Komposition der Oper *Ariodante*.
Eintrag in der autographen Partitur (R. M. 20. a. 7.): „August 12. 1734 angefangen."
Vgl. 24. Oktober 1734

24. August 1734
Edward Holdsworth aus Rom an Charles Jennens

The account you had of Senesino's death was false, He is still living, and we expect him on this stage the next winter. I am assur'd yᵗ He has been offer'd 1 200 £ for the winter, if He will return to England, and 'tis believ'd yᵗ the Undertakers will advance to one hundred pᵈ more, but He insists upon 1600.
(Sammlung Gerald Coke)

– Senesino gehörte 1720–1728 und 1730–1733
Händels Ensemble, 1733–1735 dem der Opera of
the Nobility an.

27. August 1734
Händel an Sir Wyndham Knatchbull

London, August 27, 1734
Sir
At my arrival in Town from the Country, I found
my self honourd of your kind invitation. I am very
sorry that by the situation of my affairs I see my
self deprived of receiving that Pleasure, being engaged with Mr. Rich to carry on the Opera's in Covent Garden. I hope, at your return to Town, Sir, I
shall make up this Loss. Meanwhile I beg you to
be persuaded of the sincere Respect with which I
am
Sir
your most obedient and most humble Servant
George Frideric Handel.

To Sir Wyndham Knatchbull, Bart.,
of Mersham le Hatch near
Ashford, Kent.
(Original früher im Besitz von Charles Salaman,
später in der Sammlung W. Westley Manning,
London; verkauft durch Sotheby 1954, durch Star-
gardt 1961. Faksimile in beiden Katalogen.)

– Knatchbull war ein neuer Bekannter Händels;
von 1736 an subskribierte er auf dessen Werke.
1730 hatte er Catherine, die Schwester von James
Harris d. J. (vgl. 12. April 1734 und 19. April 1737),
geheiratet.
(Chrysander, II, 366 f.)

15. Oktober 1734
Minute Book des Schatzamtes

Order for a sign manual for 1,000 l. for the Opera
undertakers.
(Shaw 1898, 579)
Vgl. 23. Oktober 1734

23. Oktober 1734
Minute Book des Schatzamtes

Mr. Chancellor says the King intends that the
1,000 l. for the undertakers of the Opera shall be
paid to Mr. Hendell and not to the Academy of
Music, as the last 1,000 l. was. So prepare a sign
manual accordingly.
(Shaw 1898, 580; Monthly Musical Record, Juni
1902)

– Nur in diesem Jahr wurde die Subvention des
Königs für die Oper nicht an die Academy oder
Heidegger, sondern an Händel direkt gezahlt. Ob
dies auf Empfehlung von Prinzessin Anne er-
folgte (vgl. 29. Juni 1723), ist nicht belegt.
Vgl. 29. Oktober 1734

24. Oktober 1734
Händel beendet die Oper *Ariodante*.
Vgl. 12. August 1734
Einträge in der autographen Partitur (R. M. 20.
a. 7.): „Agost 28: 1734." (nach dem Chor „Si go-
dete"), „Fine dell'Atto 2do li 9 di Settembre 1734"
(nach der Arie „Il mio crudel martoro"), „Fine del
Atto 2do" (nach dem Accompagnato „Che vivi")
und „Fine dell'Opera Octobr 24, 1734."

29. Oktober 1734 (I)
Warrant Book des Königs

	£	s.	d.	
George Frederick Handel, Esq.	1,000	0	0	Same [königliche Zuwendung] towards enabling the undertakers of the Opera to discharge their debts.

(Shaw 1898, 670)
Vgl. 31. Oktober 1734

29. Oktober 1734 (II)
Die Adelsoper eröffnet die Saison am Haymarket
Theatre mit *Artaserse* (Musik: Johann Adolf Hasse
und Riccardo Broschi).
(Loewenberg, Sp. 165)
Vgl. 1. Dezember 1724 und 5. Januar 1734

– Die neue Fassung von Hasses *Artaserse* wurde in
dieser Saison 28mal aufgeführt.
In dieser Oper trat zum erstenmal der berühmte
Sopranist Carlo Broschi, genannt Farinelli, der
Bruder Riccardos, in London auf.
Er sang nie eine Partie von Händel. Bei seiner
Vorstellung am Hof begleitete ihn Prinzessin
Anne auf dem Cembalo und bestand darauf, daß
er zwei Arien von Händel vom Blatt sang, was ihm
einige Schwierigkeiten bereitete (Burney 1771,
216). Bei seinem ersten Opernauftritt war die königliche Familie anwesend (*The Suffolk Mercury*,
4. November 1734).

31. Oktober 1734
Zahlungsanweisung über 1000 £ an Händel

George Frederick Handel Esqr
Order is taken this 31st Day of October 1734 By
virtue of his Ma^{ts} General Letters of Privy Seal
bearing dato the 26th day of June 1727 and in pursuance of a Warrant under his Ma^{ts} Royal Sign
Manual dated the 28th instant That you deliver and
pay of such his Ma^{ts} Treasure as remains in your
charge unto George Frederick Handel Esqr or to
his assigns the Sum of One thousand pounds
without account to be applyed as Our Royal
Bounty towards enabling the Undertaker of the
Opera to discharge their Debts and these together
with his or his assigns acquittance shall be your

Discharge herein
R. Walpole
Wm Clayton
My Ld Onslow I pray pay this Order out of ... &
... Excise
14th Decr 1734   Will: Yonge
Ex. Record. 14° Dec. 1734 ... Onslow
Exam: : Halifax

Rückseite:
19 December 1734
Reced. the full Contents of the within written Order
George Frideric Handel
Witness John Kipling
(Sammlung Gilbert S. Inglefield, Eggington
House, Leighton Buzzard, Bedfordshire)

– Die Anweisung ist unterschrieben von Schatz-
kanzler Sir Robert Walpole, den Lords im Schatzamt William Clayton und Sir William Yonge, dem
Schatzmeister der Marine Arthur Onslow sowie
von George Montague, 4. Earl of Halifax, Rech-
nungsprüfer des Schatzamtes.
Die zu Beginn genannten „General Letters of
Privy Seal" sind in den „Entry Books of King's
Warrants" eingetragen (T. 52; Bd. 35, 34). Sie er-
mächtigen die Beamten des Schatzamtes, auf daß
sie „Issue and pay or Cause to be Issued and paid
all such Sum and Sums of mony for any publick or
particular Uses or Services as we by any Warrant
or Warrants under our Royal Sign Manual Shall
Direct and Appoint" (Information des Public Record Office).

2. November 1734
Lord Hervey an Henry Fox

St. James's, November 2, 1734
No place is full but the Opera. ... By way of public
spectacles this winter, there are no less than two
Italian Operas, one French play house, and three
English ones. Heidegger has computed the expense of these shows, and proves in black & white
that the undertakers must receive seventy-six
thousand odd hundred pounds to bear their
charges, before they begin to become gainers.
(Hervey/Ilchester, 211)

4. November 1734
The London Daily Post

We are informed, that when Mr. Handel waited on
their Majesties with his New Opera of Ariodante,
his Majesty express'd great Satisfaction with the
Composition, and was graciously pleased to Subscribe 1000 l. towards carrying on the Operas this
Season at Covent-Garden.
(Burney, II, 791)

– *The London Daily Post, and General Advertiser* erschien am 4. November zum erstenmal.

Es ist möglich, daß Händel im St. James's Palace
aus seiner neuen Oper auf dem Cembalo vor-
spielte. Weinstock (183) nimmt an, Händel habe
dem König eine Partitur überreicht.
Vgl. 9. November 1734 (III)

9. November 1734 (I)
The Bee

London, Novemb. 8.
Mr. Handel opens Tomorrow, at Covent-Garden
Theatre, with the Opera of Pastor Fido, preceded
by a new Dramatic Entertainment of Musick; and
we hear there was a Rehearsal this Day at Twelve
o'Clock.
(Chrysander, II, 368)
Vgl. 18. Mai 1734

9. November 1734 (II)
The London Daily Post

Covent-Garden.
At the Theatre-Royal in Covent-Garden, this pres-
ent Saturday ... will be perform'd Pastor Fido. An
Opera; With several Additions, Intermix'd with
Chorus's. Which will be preceded by a new Dra-
matic Entertainment (in Musick) call'd, Terpsi-
chore. ... Tickets ... at Half a Guinea each. First
Gallery 4s. Upper Gallery 2s. 6d.
(Theatrical Register. Schoelcher 1857, 172)

– Der Prolog *Terpsicore* wurde im „Temple of
Erato, President of Musick" dargestellt. Das Text-
buch hatte Thomas Wood gedruckt.
Wiederholungen: 13., 16., 20. und 23. November
1734.
Besetzung:
Prolog
Apollo – Giovanni Carestini, Alt
Erato – Anna Strada, Sopran
Terpsicore – Marie Sallé
Drama
Mirtillo – Giovanni Carestini, Alt
Amarillis – Anna Strada, Sopran
Silvio – John Beard, Tenor
Dorinda – Maria Caterina Negri, Alt
Eurilla – Rosa Negri, Sopran
Tirenius – Gustavus Waltz, Baß
Die Partien von Eurilla und Silvio mußten neu be-
setzt werden, da Margherita Durastanti und Carlo
Scalzi (vgl. 18. Mai 1734) Händels Ensemble ver-
lassen hatten. Der neue Tenor John Beard war
Chorsänger der Chapel Royal und wurde Händels
wertvollster Oratoriensänger.
Marie Sallé war nach London zurückgekehrt und
von Rich engagiert worden (vgl. 5. Juni 1717 und
8. Januar 1735).

9. November 1734 (III)
The Ipswich Gazette

London, November 5.
We hear that his Majesty, who has already been graciously pleas'd to give his 1,000 l. subcription to the Operas in the Haymarket, has likewise ordered 500 l. to be given as his subscription to Mr. Handell, who is allow'd by all good Judges to be the finest Composer of Musick in the whole World. And
That Mr. Handell had got an extreme fine English Voice, who will speedily sing at the Theatre in Covent Garden, and who never sang on any stage.
We hear that both Operas (occasion'd by their dividing) are at a vast expence to entertain the Nobility and Gentry for the ensuing Season; the Opera House in the Haymarket are reckon'd to stand near 12000 l. and Mr. Handell at near 9000 l. for the Season.
(Malcolm 1808, 354)
Vgl. 4. November 1734

– In den Calendars of Treasury Papers findet sich keine weitere Zahlung an Händel belegt. Der neue englische Sänger war John Beard.

9. November 1734 (IV)
Paolo Antonio Rolli an Giuseppe Riva in Wien

Londra a 9. di 9.bre 1734
....So che avreste voluto ch'io vi avessi dato nuove Teatrali; ma sebben io [?] l'anno passato ci ebbi, e forse questo, ci avrò qualche mano; ne ò tanto aborrimento; che non curo parlarne, non che punto scriverne. Non voglio però, perchè no'l merita, tacervi che il Farinello mi à sorpreso di tal maniera; ch'io mi sono accorto non aver prima inteso se non una particella del canto umano, ed ora lusingomi sentirne il Tutto. Egli è inoltre d'amabilissimi e accorti costumi, onde con piacer sommo ne godo la conoscenza e la vicinanza: Mi à fatto un Presente che desideravo molto, e che mi farà passar molte ore gradite, rivolgendo il mio pensiero alla gloria della Patria e del Maestro comune, che forse noi due soli abbiamo al poetico onore accresciuta; cioè le opere e Rime del Sig.^r Ab.^e Metastasio, al quale ravviverete memoria di me.
(Biblioteca Estense, Modena. Fassini 1912 II, 626; Streatfeild 1917, 443)

– Es bedeutet sehr viel, wenn Rolli, der Freund Senesinos, in solchen Worten von Farinelli spricht (vgl. 23. September 1720).

20. November 1734
Edward Holdsworth an Charles Jennens

Kingsey near Tame, Nov. 20. 1734
Your friend Wat requir'd much after you when I was at Oxford, and longs to know your Opinion of Farinelli. I hope he performs at least so well as to give you some satisfaction tho' in a bad house, and y^t you can easily believe He wou'd delight you very much was he under the direction of the Prodigious.
(Sammlung Gerald Coke)

– „Wat" ist der Kontratenor Walter Powell, der in Oxford zu Händels Sängern gehört hatte (vgl. 10. Juli 1733); „the Prodigious" ist Händel.

21. November 1734
Lady Elizabeth Compton an Elizabeth Shirley, Countess of Northampton

A Scholar of Mr Gates, Beard, (who left the Chappell last Easter) shines in the Opera of Covent Garden & Mr Hendell is so full of his Praises that he says he will surprise the Town with his performances before the Winter is over.
(Townshend MSS., 242; Streatfeild 1909, 136)

26. November 1734
Hamburger Relations-Courier

Denen Liebhabern Musicalischer Schauspiele wird hiemit zu dienstlicher Nachricht vermeldet, daß nächst-künfftigen Montag, den 29. Nov. auf dem hiesigen Schauplatze eine neue Opera, Rodelinda betitult, zum erstenmahl aufgeführt werden soll: Sie ist von der Composition des so berühmten Hrn. Hendell, und sonst an Intriguen und übriger Beschaffenheit ein so fürtreffliches Stück, daß solche auch den allerschönsten jemahls präsentirten, mit Recht den Wettstreit anbieten kan.

27. November 1734
The London Daily Post

At the Theatre-Royal in Covent-Garden, [this present] Wednesday ... will be perform'd an Opera, call'd, Ariadne. ... No Persons whatever to be admitted behind the Scenes.
(Theatrical Register)

– Wiederholungen: 30. November, 4., 7. und 11. Dezember 1734.
Die ursprünglich mit Margherita Durastanti und Carlo Scalzi besetzten Partien von Tauride und Alceste (vgl. 26. Januar 1734) wurden vermutlich von Rosa Negri und John Beard gesungen.

29. November 1734
Johann Mattheson, Hamburger Opernverzeichnis

238. Rodelinda, Königin der Lombardey. Die Composition der Italiänischen Arien vom Hrn. Händel. In Prosa übersetzt von Hrn. Fischer, in Reime gebracht von Hrn. Wend: verstehe den Recitativ. Zum erstenmal in Hamburg aufgeführt

d. 29. Nov. u. zwar mit geringem Beifall. (NB. In
der Wieringischen Zeitung vom 7. Dec. wurde,
bey Gelegenheit eines Avertissements, wegen der
Opern-Lottereyen, keine grosse Hoffnung der Fortsetzung des ganzen Werks gegeben.) s. No. 225.
wo ein Flavius Bertaridus aufgeführet worden, in
welchem dieselbige Geschicht enthalten.
(Chrysander, II, 129; Chrysander 1877, Sp. 263;
Merbach, 365)

– Christian Gottlieb Wendt verfaßte die deutschen Rezitative und übertrug für das gedruckte
Textbuch die italienisch gesungenen Arien in
deutsche Verse.
Die Oper wurde in diesem Jahr zweimal aufgeführt, einmal 1735 und zweimal 1736.
Flavius Bertaridus war eine Oper von Telemann.

30. November 1734
John Walsh zeigt im *Craftsman* „Two Collections of
Favourite Songs in the Opera's of Pastor Fido, and
Ariadne with their Overtures in Score. By
Mr. Handel" an.
(Chrysander, II, 363)

– Die beiden Sammlungen aus *Arianna* waren im
Februar und April 1734 erschienen, die Sammlung
aus *Pastor Fido* wurde zum erstenmal angekündigt.
Weitere Ausgaben der *Favourite Songs in ... Pastor
fido* veröffentlichte Walsh 1735.
(Smith 1960, 47 ff.)

7. Dezember 1734
The Craftsman

Musick, This Day Published, Compos'd by
Mr. Handel,
I. A fourth Volume of Apollo's Feast: Or, the Har-
mony of the Opera Stage. Being a well chosen Col-
lection of all the favourite and most celebrated
Songs out of his late Opera's, with their Sympho-
nies for Voices and Instruments. Engraven in a
fair Character. – N.B. In this and the 1st, 2nd and
3d Volumes are contain'd the most favourite
Songs out of all the Opera's.
Also by the same Author,
II. Six Concerto's for Violins, &c. in seven Parts.
Opera terza.
III. Six Sonata's or Trio's for two German Flutes or
Violins, and a Bass. Opera seconda.
IV. Twelve Solo's for a Violin, German Flute or
Harpsichord. Opera Prima.
V. Thirty Overtures for Violins, &c. in seven
Parts. – N.B. The same Overtures are set for the
Harpsichord.
VI. The Water Musick and six French Horn Songs.
In seven Parts.
VII. The most celebrated Airs out of all the Opera's
fitted for a German Flute, Violin and Harpsichord.
In 12 Collections.

VIII. Nineteen Operas compleat. Printed in
Score.
IX. Esther, an Oratorio, and the Mask of Acis and
Galatea.
X. The Te Deum and Jubilate, as performed at
St. Paul's.
XI. Two Books of celebrated Lessons for the Harp-
sichord.
All compos'd by Mr. Handel, and Printed for John
Walsh, at the Harp and Hoboy in Catherine-street
in the Strand.

– Der vierte Band von *Apollo's Feast* wurde bereits
am 4. Dezember 1734 im *Daily Journal* angekündigt (Smith 1960, 163). Die Sammlung, deren erster Band am 11. November 1726 angezeigt worden war, umfaßte insgesamt fünf Bände mit Arien
sowie einen Band mit *Overtures in Score* von Händel
(1740), der auch als „Sixth Volume of Apollo's
Feast" bezeichnet wurde.
Die Sonaten op. 1 und op. 2 hatte Walsh 1732 erstmals verlegt, die Concerti grossi op. 3 1734 (vgl.
14. März 1734). Die *Thirty Overtures for Violins* erschienen seit Januar 1723, die Cembalofassungen
seit 1726; die *Water Music* wurde 1733 veröffentlicht, die *French Horn Songs* im Juni 1731, die *Airs
out of all the Operas* 1725, *Te Deum* und *Jubilate*
1731, *Two Books of... Lessons* 1733.
Die „zwei Bücher" waren Cluers Druck der *Suites
de Pieces... Premier Volume*, den Walsh vertrieb, bis
er ihn 1736 selbst druckte (Smith 1960, 348 und
350), und die *Suites de Pieces ... Second Volume*.

10. Dezember 1734
Aufführung von Händels (?) *Ottone* am Haymarket
Theatre.
Wiederholungen: 14., 17., 21. und 23. Dezember
1734.

– Die Oper wurde mit dem Titel „*Otho*" angekündigt, ohne Nennung Händels.
The Weekly Oracle: or, Universal Library vom 7. Dezember 1734 berichtet über eine Probe am 5. Dezember „before a numerous Audience of the first
Quality".
Ein von Charles Bennet verlegtes Libretto ist verloren. Burney (II, 791) nimmt an, daß Händels *Ottone* von der Adelsoper aufgeführt wurde (vgl.
27. Dezember 1734/I).
(Smith 1948, 182)

18. Dezember 1734
Die Pasticcio-Oper *Oreste* wird im Covent Garden
Theatre aufgeführt.
Wiederholungen: 21. und 28. Dezember 1734.

– Die Musik hatte Händel aus früheren Opern zusammengestellt. Die Ouvertüre ist eine Bearbeitung der Einleitung zur *Cor fedele*. Die Rezitative
komponierte Händel neu.

Das Libretto stammte von Giovanni Gualberto Bar-
locci (Rom 1723). Marie Sallé tanzte in dieser Aufführung zu Musik aus *Terpsicore, Arianna* und Triosonaten. Einer ihrer Tänze hieß „The Grecian
Sailor" (vgl. 17. April 1735).
(Burney, II, 788; Chrysander, II, 368; Smith 1954,
290; Smith 1960, 40)

19. Dezember 1734
Händel bestätigt den Erhalt der „Royal Bounty"
von 1 000 £.
Vgl. 31. Oktober 1734

21. Dezember 1734
The Bee

London, December 19
Last Night their Majesties were at the Theatre
Royal in Covent-Garden, to see the Opera of
Orestes, which was perform'd with great Ap-
plause.

24. Dezember 1734
The Prompter

... Are not our English Singers shut out, with our
Mother-Tongue? So engrossing are Italians, and so
prejudic'd the English against their own Country,
that our Singers are excluded from our very Concerts; Bertolli singing at the Castle, and Senesino
at the Swan, to both their Shames be it spoken;
who, not content with monstrous Salaries at the
Opera's, stoop so low as to be hired to sing at
Clubs! thereby eating some English Singers
Bread. ...
(Chrysander, II, 378)

– In der Castle Tavern und in der Swan Tavern
hielten verschiedene Musikklubs ihre Zusammenkünfte ab. Sänger der italienischen Oper traten bei
besonderen Gelegenheiten in solchen Klubs auf
(Chrysander, II, 123).

27. Dezember 1734 (I)
The Prompter
Since ... the Words, in our Opera's, are not only
silly, but unnecessary, and an Incumbrance upon
the Scale of the Composer ... I wou'd recommend ... that it shou'd be Lawful to use but One
Single Word, throughout the whole three Acts of
an Opera. ... If any Good Christian can give Notice of a Word, more properly adapted, than Quadrille, let him translate it into Italian, and convey
it to the Lord Chamberlain's Office, and He shall
receive its full Value, out of the Overplus of
Mr. Handel's Subscription; it being peculiar to the
Good Fortune of this Gentleman, that He is to
contribute, his Assistance, toward Entertainments,
which his Enemies are paid for.

– Der Schluß bezieht sich offensichtlich auf die

Aufführungen von *Ottone* am Haymarket Theatre
(vgl. 10. Dezember 1734).
Herausgeber der Zeitung waren Aaron Hill und
William Popple.

27. Dezember 1734 (II)
Vermutlich an Catherine Collingwood gerichteter
Brief eines unbekannten Absenders

Bullstrode [Street], Dec. 27, 1734.
I don't pity Handell in the least, for I hope this
mortification will make him a human creature; for
I am sure before he was no better than a brute,
when he could treat civilized people with so much
brutality as I know he has done.
(Throckmorton MSS., 257. Streatfeild 1909, 135)

– Der Brief ist ohne Unterschrift und Adresse
überliefert. Catherine Collingwood wurde später
die zweite Frau von Sir Robert Throckmorton.
Vgl. 19. Februar 1737

28. Dezember 1734
John Walsh zeigt in *The Craftsman* an: „Just published. The Operas of Pastor fido and another for
a single Flute" (Smith 1960, 49).

31. Dezember 1734
John Walsh zeigt in der *London Evening Post* an:
„Just publish'd. The Opera's of Pastor fido and
Ariadne for a single Flute" (Smith 1960, 18).

1734 (I)
*Select Lessons, Or a Choice Collection of Airs Neatly
Contriv'd for Two Flutes or Two Violins. And Extracted
from the Works of ye most Celebrated Masters. (Viz)
M^r. Handel, M^r. Weidemann, M^r. Turner, M^r. De Fesch,
Sig^r. Peschetti, M^r. Festing, N. B. The Whole being never
before Publish'd. ... Printed & Sold by Danl. Wright ...
& D. Wright Junr.*

– Von Händel sind enthalten: „Minuet in Atalanta", „Minuet in Ariadne" und ein „Air by Handel".
(Smith 1960, 277)

1734 (II)
Michel Charles Le Cène veröffentlicht in Amster-
dam die *Suites De Pieces Pour le Clavecin Composées
Par G. F. Handel ... N°. 561* (vgl. 14. November
1720).
(Smith 1960, 252)

1734 (III)
Jean de Serré de Rieux, Les Dons des Enfans de
Latone: La Musique et la Chasse du Cerf. A Paris,
chez Pierre Prault ...

... Mais pourquoi parcourir Naples, Venise, ou
Rome?
L'Angleterre empruntant l'Italique idiome,

N'a-t-elle pas cent fois fait retentir les airs
Du Dramatique éclat de ses doctes Concerts?
D'un genie étranger la source inépuisable
Enfante chaque année un œuvre mémorable,
Qui d'une nation où fleurissent les Arts,
Charme, étonne & ravit l'oreille & les regards.
Dans l'Harmonique fond d'une Orgue
                                    foudroyante
Hendel[1] puisa les traits d'une grace sçavante:
Flavius, Tamerlan, Othon, Renaud, Caesar,
Admete, Siroé, Rodelinde, & Richard,
Eternels monumens dressés à sa mémoire,
Des Opera Romains surpasserent la gloire.
Venise lui peut-elle opposer un rival?
Son caractere fort, nouveau, brillant, égal,
Du sens judicieux suit la constante trace,
Et ne s'arme jamais d'une insolente audace.

[1]Organiste de S. Paul de Londres né en Allemagne,
& qui compose avec un grand succès tous les
Opéra d'Angleterre depuis plus de vingt ans, en
langue Italienne.   [S. 102 f.]

... tous les Airs chantans sont parodiés sùr un
nombre d'Airs choisis dans les Opera d'Angleterre
de la composition de Mr. Hendel.

La mérite de ce sçavant auteur est connu dans
toute l'Europe, & la couronne qu'il a reçuë l'année
derniere de la main des plus illustres Anglois, le
met au dessus de tout éloge. Comme sa composition infiniment sage & gratieuse semble s'appro-
cher de notre goût plus qu'aucune autre, dans le
principe où l'on est que tout ce qui est essentielle-
ment bon en Musique doit paroître tel à toutes les
nations sensées, on a voulu faire l'essay de voir si
les paroles Françoises mises avec exactitude pour-
roient sous un masque étranger recevoir de nouvelles graces. Mais il seroit inutile d'en dire davan-
tage, puisqu'il ne s'agait point quant à présent de
la Musique dont la façon singuliere n'a été imagi-
née que dans la vûe d'un amusement particulier; il
n'est question que des paroles...   [S. 300]
(Staats- und Universitätsbibliothek Hamburg; Bibliothèque Nationale, Paris: 8⁰. B. 1279. Chrysander, II, 183 f.)

– „Nouvelle chasse du cerf" ist ein Singspiel, in
dem das Erlegen eines Hirsches dargestellt wird.
„Nouvelle" heißt es deshalb, weil 1708 schon ein
Divertissement *La Chasse au Cerf* von Jean-Bap-
tiste Morin aufgeführt und 1709 bei Christophe
Ballard gedruckt worden war. Mit der „Couronne",
die Händel im Vorjahr empfangen haben soll, ist
wohl die ihm in Oxford angebotene Ehrung gemeint.

Die auftretenden Personen sind Diane, Nephele
und Psecas. Sie singen Parodien auf acht Arien
und ein Duett von Händel, eine Arie von Nicola
Fago und ein Air aus einer Violinsonate von Jean-
Marie Leclair. Die französischen Gesangstexte, für
die man Melodien Händels zur Unterlegung finden soll, beginnen: „L'Ombre fuit", „Courons, vo-
lons", „De Bacchus à l'envi", „Bacchus, tu charmes
mon âme", „Non, non, sans le vin", „A jamais
chantons la gloire", „Triomphez, Puissant Dieu"
(Duett), „L'éclat de votre présence" und „L'Amour
livre aux mortels".

1734 (IV)
Lord Hervey, Memoiren

... Another judicious subject of his [Prince of
Wales] enmity was her [Princess Royal] supporting Handel, a German musician and composer
(who had been her singing master, and was now
undertaker of one of the operas), against several
of the nobility who had a pique to Handel, and
had set up another person to ruin him; or, to
speak more properly and exactly, the Prince, in
the beginning of his enmity to his sister, set himself at the head of the other opera to irritate her,
whose pride and passions were as strong as her
brother's (though his understanding was so much
weaker), and could brook contradiction, where
she dared to resist it, as little as her father.

What I had related may seem a trifle, but though
the cause was indeed such, the effects of it were
no trifles. The King and Queen were as much in
earnest upon this subject as their son and daughter, though they had the prudence to disguise it,
or to endeavour to disguise it, a little more. They
were both Handelists, and sat freezing constantly
at his empty Haymarket Opera, whilst the Prince
with all the chief of the nobility went as constantly
to that of Lincoln's Inn Fields. The affair grew as
serious as that of the Greens and the Blues under
Justinian at Constantinople. An anti-Handelist
was looked upon as an anti-courtier, and voting
against the Court in Parliament was hardly a less
remissible or more venial sin than speaking
against Handel or going to Lincoln's Inn Fields
Opera. The Princess Royal said she expected in a
little while to see half the House of Lords playing
in the orchestra in their robes and coronets; and
the King (though he declared he took no other
part in this affair than subscribing £ 1,000 a year to
Handel) often added at the same time he did not
think setting oneself at the head of a faction of fiddlers a very honourable occupation for people of
quality; or the ruin of one poor fellow so generous
or so good-natured a scheme as to do much honour to the undertakers, whether they succeeded
or not; but the better they succeeded in it, the
more he thought they would have reason to be
ashamed of it. The Princess Royal quarelled with
the Lord Chamberlain for affecting his usual neu-
trality on this occasion, and spoke of Lord Delaware, who was one of the chief managers against
Handel, with as much spleen as if he had been at
the head of the Dutch faction who opposed the
making her husband Stadtholder.

...She had Handel and his opera so much at heart that even in these distressful moments she spoke as much upon his chapter as any other, and begged Lord Hervey to assist him with the utmost attention.
(Hervey/Ilchester, I, 313f. und 411; Hervey/Sedgwick, 273f. und 371; Chrysander, II, 364)

– Hervey war mit Königin Caroline und Prinzessin Anne befreundet. Die Memoiren basieren auf seinen Tagebüchern aus den Jahren 1732–1737. Charles Fitzroy, 2. Duke of Grafton, war seit 1724 Lord-Oberhofmeister und in dieser Eigenschaft Präsident der Royal Academy of Music. Der letzte Abschnitt bezieht sich auf Prinzessin Annes Abschied von Hervey, bevor sie am 21. Oktober 1734 England wieder verließ (vgl. 29. Juni 1734).

1734 (V)
In Band IV von Jean Baptiste Christophe Ballards Sammlung *Les Parodies nouvelles et les Vaudevilles inconnus* erscheint auch der Marsch aus *Scipione*, überschrieben „Marche d'Hendel", auf den Text „À toi Catin, Il faut que je t'en verse".
(Smith 1960, 67)
Vgl. 1730 (II) und 1737 (II)

1735

8. Januar 1735
The London Daily Post

At the Theatre-Royal in Covent-Garden, this present Wednesday... will be perform'd a New Opera, Calld Ariodante.

– Das Libretto zu Händels *Ariodante*, nach *Ginevra, Principessa di Scozia* von Antonio Salvi (Florenz 1708), geht auf eine Episode aus Ariostos *Orlando furioso* zurück.
Wiederholungen: 15., 18., 22. und 29. Januar, 5., 12., 20. und 24. Februar und 3. März 1735.
Vgl. 5. Mai 1736
Besetzung:
Il Re di Scozia – Gustavus Waltz, Baß
Ginevra – Anna Strada, Sopran
Ariodante – Giovanni Carestini, Alt
Lurcanio – John Beard, Tenor
Dalinda – Cecilia Young, Sopran
Polinesso – Maria Caterina Negri, Alt
Odoardo – Mr. Stopelaer, Tenor
Wie *Terpsicore* (vgl. 9. November 1734) und *Alcina* (vgl. 16. April 1735) enthält auch *Ariodante* Tanzsätze für Marie Sallé.
(Burney, II, 791ff.; Burgh, III, 101; Chrysander, II, 369f.; Loewenberg, Sp. 183; Händel-Hdb., I, 408f.)

1. Februar 1735
Die Opera of the Nobility führt im Haymarket Theatre Nicola Porporas *Polifemo* (Text: Paolo Antonio Rolli) auf.

– Nach dieser Aufführung wurde ein satirischer Kupferstich mit dem Titel *Harmony* veröffentlicht (*The British Museum Catalogue of Satires in Prints and Drawings. Division I. Political Satires*, Vol. III, Part I, 1734–50, no. 2258), der Porpora an einer Orgel zeigt. Auf dieser sitzt eine schreiende Eule, auf dem Boden liegen drei Rollen mit den Aufschriften „Poly––o an Opera", „A–x–s an Opera" und „D–d an Oratorio", die sich auf Porporas *Polifemo*, auf *Artaserse* (vgl. 29. Oktober 1734) und auf Porporas Oratorium *Davide e Bersabea* beziehen, das im März und April 1734 siebenmal aufgeführt worden war und im Februar und April 1735 wiederholt wurde.
Der Stich enthält folgenden Vers, dessen letzte Zeile sich auf Händel bezieht:
With Notes Harmonick, Solemn grave and Easy
See Sirs, what Pains our Segnior takes to please
ye:
Since Airs thus Sweet proceed from Windy
Bum.
H–l avant, the Oratorio's Dumb.

9. Februar 1735
Siroe wird in Braunschweig erneut aufgeführt (vgl. August 1730).
(Loewenberg, Sp. 161)

5. März 1735
The London Daily Post

At the Theatre-Royal in Covent-Garden, this present Wednesday ... will be perform'd an Oratorio, call'd Aesther. With several New Additional Songs; likewise two new Concerto's on the Organ.

– Diese Ausgabe der Zeitung wurde irrtümlich mit dem 4. März datiert. Die Ankündigung von Orgelkonzerten, die Händel in den Pausen spielte, war etwas Neues. Es ist nicht bekannt, wann Händels eigene Orgel in Covent Garden aufgestellt wurde. In seinem Testament vermachte er sie Rich, dem Leiter des Hauses. Bei einem Brand im Jahre 1808 wurde das Instrument vernichtet.
Wiederholungen: 7., 12., 14., 19. und 21. März 1735.
Vermutliche Besetzung:
Esther – Anna Strada, Sopran
Ahasverus – Giovanni Carestini, Alt
Mordecai – Maria Caterina Negri, Alt
Haman – Gustavus Waltz, Baß
Israelitin – Cecilia Young, Sopran

Harbonah ⎤
Israelit   ⎰ Samuel Howard, Tenor
(Dean 1959, 211)

15. März 1735 (I)
The Bee

London, March 13
Signora Celeste Gismundi, a famous Singer, Wife
to Mr. Hempson an English Gentleman, died on
Tuesday [11. März], after a lingering illness. She
performed in Mr. Handel's Operas for several
Winters with great Applause, but did not sing this
Season on any Stage, on Account of her Indisposi-
tion.
(Chrysander, II, 325)

– Chrysander zitiert diese Notiz fälschlich unter
dem 19. März 1735. Celeste Gismondi sang nur in
der Saison 1732/33 bei Händel, nach der Rückkehr
von Margherita Durastanti im Herbst 1733 dann
1733/34 bei der Opera of the Nobility.

15. März 1735 (II)
Mary Pendarves an ihre Mutter Mary Granville

15 March, 1734–5
We [Mrs. Pendarves und ihre Schwester Ann
Granville] were together at Mr. Handel's oratorio
Esther. … My sister gave you an account of
Mr. Handel's playing here for three hours together: I did wish for you, for no entertainment in
music could exceed it, except his playing on the
organ in Esther, where he performs a part in two
concertos, that are the finest things I ever heard in
my life.
(Delany, I, 530 und 532)

– Der in diesem Brief erwähnte Bericht Ann
Granvilles über Händels Cembalospiel im Hause
von Mary Pendarves ist nicht nachweisbar.
Vgl. 12. April 1734

20. März 1735
The Old Whig: or, The Consistent Protestant

A Letter to a Friend in the Country.
…The late Squabble at the Opera is pretty well adjusted. It had rose very high; Parties were formed,
and Protests were just ready to be enter'd, to
which many fair Hands had threaten'd to subscribe; when by accommodating Matters with
Senesino, all the ruffled Passions were calmed, as
it had been by the Melody of his Voice. Farinello
surpasses every thing we have hitherto heard. Nor
are we wanting in our Acknowledgments: For, besides the numerous Presents of considerable Sums
made him by the Nobility, Foreign Ministers, and
Others, (which amounted to some Thousand

Pounds,) he had an Audience at his Benefit larger
than was ever seen in an English Theatre; and
there was an Attention, that shew'd how much
every one was charmed. – In the flourishing State
of this Opera, 'tis no Wonder that the other Theatres decline. Handel, whose excellent Compositions have often pleased our Ears, and touched
our Hearts, has this Winter sometimes performed
to an almost empty Pitt. He has lately reviv'd his
fine Oratorio of Esther, in which he has introduced two Concerto's on the Organ that are inimitable. But so strong is the Disgust taken against
him, that even this has been far from bringing him
crowded Audiences; tho' there were no other publick Entertainments on those Evenings. His Loss
is computed for these two Seasons at a great
Sum. …
(Chrysander, II, 381)

– Die „two Seasons" sind die Spielzeiten 1733/34
am Haymarket Theatre und 1734/35 am Covent
Garden Theatre.

25. März 1735
Händel beendet das Orgelkonzert F-Dur, 1738 als
op. 4 Nr. 4 gedruckt.
Eintrag in der autographen Partitur (King's MSS.
317): „S. D. G. G. F. H. march 25   1735"
(Chrysander, I, 222)

26. März 1735
The London Daily Post

At the Theatre-Royal in Covent-Garden, this present Wednesday … will be perform'd an Oratorio,
call'd Deborah. With a new Concerto on the Organ; Also the First Concerto in the Oratorio of Esther. …
(Theatrical Register)

Wiederholungen: 28. und 31. März 1735.
Besetzung:
Deborah – Anna Strada, Sopran
Barak – Giovanni Carestini, Alt
Jael – Cecilia Young, Sopran
Sisera   ⎤
Abinoam   ⎰ – Thomas Reinhold, Baß (?)
Baalspriester ⎦

– Vermutlich spielte Händel das Konzert F-Dur
(op. 4 Nr. 5) und das Konzert B-Dur (op. 4 Nr. 2).
In der Anzeige für die Aufführung am 31. März
heißt es: „Also the two Concerto's in the Oratorio
of Esther."
(Dean 1959, 211 und 237 f.)

27. März 1735
The London Daily Post

…that to perfect the Performance, Mr. Handel designs to introduce, to-morrow Night ... a large new Organ, which is remarkable for its Variety of curious Stops; being a new Invention, and a great Improvement of that Instrument.

1. April 1735
The London Daily Post

At the Theatre-Royal in Covent-Garden, this present Tuesday ... will be perform'd an Oratorio, call'd Athalia. With a new Concerto on the Organ; Also the first Concerto in the Oratorio of Esther, and the last in Deborah.
(Theatrical Register)

– Dies war die erste Londoner Aufführung des am 10. Juli 1733 in Oxford uraufgeführten Oratoriums.
Wiederholungen: 2., 3., 9. und 12. April.
Besetzung:
Athalia – Cecilia Young, Sopran
Josabeth – Anna Strada, Sopran
Joas – William Savage, Knabenalt
Joad – Giovanni Carestini, Alt
Mathan – John Beard, Tenor
Abner – Gustavus Waltz, Baß
Das „new Concerto" war das Orgelkonzert F-Dur (op. 4 Nr. 4). Die beiden anderen waren vermutlich op. 4 Nr. 2 und Nr. 5.
Ob die von einer französischen Schauspielertruppe für Ende April 1735 im New Haymarket Theatre geplante Aufführung von Racines *Athalie* stattgefunden hat, ist nicht zu belegen. Es wäre die erste Aufführung dieser Tragödie in England gewesen.
(Dean 1959, 211 und 258f.)

3. April 1735
The London Daily Post

We hear that the Youth, (a new Voice) who was introduced in the Oratorio of Athalia, last Night, at the Theatre Royal in Covent Garden, met with universal Applause.
(Theatrical Register)

– „The Youth" war William Savage (vgl. 1. und 16. April 1735).

8. April 1735
Händel beendet die Oper *Alcina*.
Eintrag in der autographen Partitur (R. M. 20. a. 4.): „Fine dell'Opera G F Handel April 8 1735."

12. April 1735
Mary Pendarves an ihre Mutter Mary Granville

Lower Brook Street, April 12, 1735.
Yesterday morning my sister [Ann Granville] and I went with Mrs. Donellan to Mr. Handel's house

to hear the first rehearsal of the new opera Alcina. I think it the best he ever made, but I have thought so of so many, that I will not say positively 'tis the finest, but 'tis so fine I have not words to describe it. Strada has a whole scene of charming recitative – there are a thousand beauties. Whilst Mr. Handel was playing his part, I could not help thinking him a necromancer in the midst of his own enchantments.
(Delany, I, 533f.)

– Die Szene der Strada war vermutlich „Ah! Ruggiero crudel!" mit der Arie „Ombre pallide".

16. April 1735 (I)
The London Daily Post

Their Majesties intend being at the Opera in Covent-Garden To-night; and we hear the new Opera will exceed any Composition of Mr. Handel's hitherto performed.
(Burney, II, 793)

16. April 1735 (II)
The London Daily Post

At the Theatre-Royal in Covent-Garden, this present Wednesday... will be perform'd a New Opera, call'd Alcina....
(Theatrical Register)

– Händels Textquelle war das 1728 von Antonio Fanzaglia verfaßte Libretto *L'isola d'Alcina* (Musik: Riccardo Broschi), das auf Ariostos *Orlando furioso* zurückgeht.
Wiederholungen: 19., 23., 26. und 30. April, 3., 7., 10., 14., 17., 21. und 28. Mai, 4., 12., 18., 25. und 28. Juni sowie 2. Juli 1735.
Vgl. 6. November 1736 und 10. Juni 1737
Besetzung:
Alcina – Anna Strada, Sopran
Ruggiero – Giovanni Carestini, Alt
Morgana – Cecilia Young, Sopran
Bradamante – Maria Caterina Negri, Alt
Oronte – John Beard, Tenor
Melisso – Gustavus Waltz, Baß
Oberto – William Savage, Knabenalt
Marie Sallé trat in dieser Oper zum letztenmal in London auf (vgl. April und Juni 1735).
Carestini soll Händel die später so berühmt gewordene Arie „Verdi prati" als für ihn ungeeignet zurückgegeben und von diesem folgende Antwort erhalten haben: „You toc! Don't I know better as your seluf, vaat is pest for you to sing? If you vill not sing all de song vaat I give you, I will not pay you ein stiver." Chrysander bezweifelte dies, weil Händel mit den italienischen Sängern italienisch und nicht englisch gesprochen habe. Steglich gibt zu bedenken, daß Carestini zu diesem Zeitpunkt bereits eineinhalb Jahre in London lebte und Englisch verstanden haben dürfte.

(Burney 1785, 24; Chrysander, II, 385f.; Steglich, 102; Strohm 1975/76, 140f.; Händel-Hdb., I, 420f.)

17. April 1735 (I)
The Daily Journal

At Covent Garden ... the Play of Henry 4th, with Entertainments of Dancing. The Grecian Sailors, as it was performed in the Opera of Orestes; and a Grand Ballet, called the Faithful Shepherd, as performed in the Opera of Pastor Fido.
(Schoelcher 1857, 176; Wyndham, I, 46)
Vgl. 9. November und 18. Dezember 1734

17. April 1735 (II)
Edward Holdsworth an Charles Jennens

Otterborn, near Winchester, Apr. 17 [1735]
... I wish the Prodigious better success wth his Alcina than he has had with his other operas.
(Sammlung Gerald Coke)

[April?] 1735
Antoine-François Prévost d'Exiles, Le Pour et le Contre

... Cette divine Sallé, à qui l'on ne parloit il y a un an que d'eléver des Autels, ou du moins des Monuments de mémoire éternelle dans l'Eglise de Westminster, voici comme on la traite aujourd'hui. Qu'on ne me demande point la traduction de cette Satyre: ma langue et ma plume s'y réfusent également.
The French us English oft deride
And for our unpoliteness chide:
Mam Sallé too (late come from France)
Says we can neither dress nor dance.
Yet she, as t'is agreed by most,
Dresses and dances at our cost.
She from experience draws her rules
And Justly Calls the English fools.
For such they are, since none but such
For foreign Tilts would pay so much.
                    [Lettre CLXXII, Bd. V, S. 117f.]

– Als ein Gegenstück zu diesem englischen Gedicht auf Marie Sallé, der auch Voltaire einige Verse gewidmet hatte, kann ein französisches Gedicht gelten, dessen Verfasser „an ingenious Gentleman of Paris" ist. Es wurde nach der am 2. Juli 1735 mit *Alcina* beendeten Opernsaison in verschiedenen Londoner Zeitungen veröffentlicht:
Mistress Sallé toujours errante
Et qui partout vit mécontente,
Sourde encore du bruit des sifflets,
Le cœur gros, la bourse légère,
Revient, maudissant les Anglois,
Comme en partant pour l'Angleterre,
Elle maudissait les François.
Die von Dacier wiedergegebene Fassung weicht geringfügig von der bei Latreille überlieferten ab. Über das Kostüm der Sallé veröffentlichte der Londoner Korrespondent des *Mercure de France* – möglicherweise Charles Montesquieu – am 15. März 1734 folgende, von H. Sutherland Edwards in der ersten Auflage von Grove's Dictionary zitierte Beschreibung: „She ventured to appear without skirt, without a dress, in her natural hair, and with no ornament on her head. She wore nothing in addition to her bodice and under petticoat but a simple robe of muslin arranged in drapery after the model of a Greek statue."
(Grove, Dictionary, 1878, I, 131; Dacier 1909, 171; Eisenschmidt, II, 90ff.; Lynham, 46ff.)

8. Mai 1735
The Grub-street Journal

On Mr. Handel's performance on the Organ, and his Opera of Alcina.
By a Philharmonick.
1.
Gently, ye winds, your pinions move
On the soft bosom of the air;
Be all serene and calm above,
Let not ev'n Zephyrs whisper there.
2.
And oh! Ye active springs of life,
Whose chearful course the blood conveys,
Compose a while your wonted strife;
Attend – 'tis matchless Handel plays.
3.
Hush'd by such strains, the soft delight
Recalls each absent wish, and thought;
Our senses from their airy flight,
Are all to this sweet period brought:
4.
And here they fix, and here they rest,
As if 'twas now consistent grown,
To sacrifice the pleasing taste
Of ev'ry blessing to this one.
5.
And who would not with transport seek
All other objects to remove;
And when an angel designs to speak,
By silence, admiration prove?
6.
When lo! the mighty man essay'd
The organ's heavenly breathing sound,
Things that inanimate[1] were made,
Strait mov'd, and as inform'd were found.
7.
Thus Orpheus, when the numbers flow'd,
Sweetly descanting from his lyre,
Mountains and hills confess'd the God,
Nature look'd up, and did admire.
8.
Handel, to wax the charm as strong,
Temper'd Alcina's[2] with his own:

And now asserted by their song,
They rule the tunefull world alone.
9.
Or she improves his wonderous lay;
Or he by a superior spell
Does greater melody convey,
That she may her bright self excel.
10.
Then cease, your fruitless flights forbear,
Ye infants[3] in great Handel's art:
To imitate you must not dare,
Much less such excellence impart.
11.
When Handel deigns to strike the sense,
'Tis as when heaven, with hands divine,
Struck out the globe (a work immense!)
Where harmony meets with design.
12.
When you attempt the mighty strain,[4]
Consistency is quite destroy'd;
Great order is dissolv'd again,
Chaos returns, and all is void.

[1] The disaffected.
[2] An enchantress, Strada.
[3] Three great composers. [Ariosti, Bononcini, Porpora?]
[4] The Opera.
(Chrysander, II, 480f. und 375f.)

– Das Gedicht wurde von John Alcock vertont, 1735/36 Organist an der All Hallows Church, Bread Street. Text und Musik erschienen als Einzeldruck (British Library; Sammlung Gerald Coke).

15. Mai 1735
The London Daily Post

Last Night their Majesties and the Princess Amelia were at the Opera of Alcina, which meets with great Applause.
(Burney, II, 793)

16. Mai 1735
Mary Pendarves an Jonathan Swift

May 16, 1735.
Our Operas have given much cause of dissension; men and women have been deeply engaged; and no debate in the House of Commons has been urged with more warmth; the dispute of the merits of the composers and singers is carried to so great a height, that it is much feared, by all true lovers of music, that operas will be quite overturned. I own I think we make a very silly figure about it.
(Delany, I, 540)

20. Mai 1735
The General Evening Post

Mr. Handel goes to spend the Summer in Germany, but comes back against Winter, and is to have Concerts of Musick next Season, but no Opera's.
(Chrysander, II, 388)

– Die Notiz wurde am 22. Mai auch im *Old Whig* abgedruckt. Händel ging in diesem Sommer nicht nach Deutschland, sondern erst 1737 zur Kur nach Aachen.
Die Verluste der beiden Opernhäuser in zwei Spielzeiten wurden auf 9000 £ für Händel und 10000 £ für die Adelsoper geschätzt.
(Hawkins, V, 353 und 356; Husk, 66; Chrysander, II, 382)
Vgl. 9. November 1734 (III) und 16. Oktober 1735

[Mai?] 1735
Antoine-François Prévost d'Exiles, Le Pour et le Contre

Le Signor Farinelli, qui s'étoit rendu en Angleterre avec les plus grandes espérances, a le plaisir de les voir comblées par des libéralitez et des caresses aussi extraordinaires que ses talens. On aimait les autres: pour celui-ci on en est idolâtre; on l'adore; c'est une fureur. Il est impossible en effet de chanter mieux. M. Handel n'a pas laissé de donner un nouvel Oratorio, qui s'exécute les Mercredis et les Vendredis, avec des chœurs et des accompagnemens d'une grande beauté. On convient qu'il est l'Orphée de son siècle, et que cette nouvelle Piece est un chef d'œuvre. Il y touche l'Orgue lui-même, avec une habileté surprénante. On l'admire: mais c'est de loin, car il est souvent seul; un charme entraîne la foule chez Farinelli, Figurez-vous tout l'art de Senesino et de Carastino, avec une voix plus belle que celle des deux ensemble.... On assûre que quelques Seigneurs aïant demandé depuis peu de jours à Farinelli s'il pensoit à prendre de nouveaux engagemens à Londres pour l'hyver prochain; il répondit qu'il le vouloit bien, mais à condition que ses appointemens fussent plus considérables que ceux de tous les autres Acteurs. Il faut rémarquer qu'ils sont quatre ou cinq, à chacun desquels on donne quinze-cent Livres Sterling pour le Salaire d'un hyver. On le pria là-dessus d'expliquer à quoi pouvoient monter ses prétensions? Je ne demande qu'une Guinée de plus, répondit-il, pour faire connoître seulement la différence qu'il y a de mes Concurrens à moi. On ne manqua point de satisfaire aussitôt sa vanité. Mais Senesino qui n'en a pas moins, et qui étoit en possession, il y a un an, de tous les honneurs qu'on prodigue aujourd'hui à son Rival, déclara avec beaucoup d'amertume, que la moindre

marque de préférence le faisoit partir le lendemain pour l'Italie. Il a fallu de sérieuses négocia-
tions pour accomoder un différend de cette importance, et Farinelli s'est enfin rendu par bonté
d'ame.

[Lettre CLXXXIII, Bd. V, S. 204 ff.]

– Die Benefizvorstellung brachte Farinelli
2.000 Guineen ein, der Prinz von Wales schenkte
ihm zusätzlich 100 Guineen und eine goldene Ta-
bakdose. Ein englischer Kritiker (*The Prompter*,
Nr. 18) beanstandete diese Übertreibung mit der
Begründung, daß es sich bei der Musik um eine
nutzlose Kunst handle und man einem Ausländer
so viel Geld zuwende.

30. Juni 1735
Händel hebt 300 £ von seinem Konto ab.

[Juni?] 1735
Antoine-François Prévost d'Exiles, Le Pour et le
Contre

Que d'exemples ne trouverois-je pas de cette nature, si j'avois à prouver l'injustice et les erreurs
de la multitude! Mon sujet m'en offre encore un,
que je trouve d'autant plus rémarquable qu'il est
dans l'extrêmité opposée. Mademoiselle Sallé, qui
avoit d'abord reçu des Anglois les mêmes faveurs
que Farinelli, avec la proportion néanmoins qui
convenoit à ses talens, s'étoit vû ensuite fort mal-
traitée en Vers et en Prose, sans qu'on ait sçu les
raisons qui pouvoient justifier ce changement. On
étoit même porté à croire que le trait venoit de
quelque Concurrent jaloux, et l'on sçait que ces lé-
gers obstacles nuisent moins à la gloire qu'ils ne la
rélevent. Mais, par un caprice incroiable dans une
Nation qui avoit sçu rendre justice à son mérite,
elle a eu le chagrin de voir les dispositions si chan-
gées, qu'on n'a pas eu honte de la sifler en plein
Théatre. On joüoit l'Opera d'Alcine dont le sujet
est tiré de l'Arioste. Mademoiselle Sallé avoit composé un Ballet, dans lequel elle se chargea du rôle
du Cupidon, qu'elle entreprît de danser en habit
d'homme. Cet habit, dit-on, lui sied mal, e fût ap-
paremment la cause de sa disgrace. Ses Partisans
en France s'affligeront moins qu'elle, d'un accident qui pourra contribuer à la rendre au Theatre
de Paris, surtout depuis le mauvais succes de son
Bénéfit qui ne lui a pas produit la moitié autant
que l'année derniere.

[Lettre CCII, Bd. VI, S. 34 f.]

– Trotz ihres Mißerfolgs scheint Marie Sallé in
England geblieben zu sein, zumal ihr Onkel als
Chef einer Schauspieltruppe aus der französischen Provinz in London größte Erfolge als Arle-
quin hatte.

Sommer 1735
Johann Mattheson, Die wol-klingende Fingersprache, Hamburg 1735

Die harmonische Sprache der Finger in zwölf Fugen über zwei oder drei Themen, und gewidmet
dem edelgeborenen tiefgelehrten und weltberühmten Herrn Georg Friedrich Händel, Kapellmeister beim König von Großbritannien und Kurfürsten von Braunschweig-Lüneburg als ein
Zeichen außerordentlicher Hochachtung von Mattheson.

– Widmung des ersten Teils von Matthesons Or-
gelfugen, die dieser im Selbstverlag veröffentlichte. 1749 druckte Ulrich Haffner in Nürnberg
diesen und den 1737 erschienenen zweiten Teil
unter dem Titel *Les doits parlans* nach den Origi-
nalplatten, jedoch ohne die Widmung an Händel.
Vgl. 18. Juli 1735

2. Juli 1735
Die Spielzeit in Covent Garden wird mit einer
Aufführung der *Alcina* am 2. Juli 1735 beendet.

5. Juli 1735
The Universal Spectator

... If ... an Opera, or a Poem, set to good Musick,
gives us in some pleasing Allegory, a Lesson of
Morality, I can't but think it preferable to either
the Comick Vein or the Tragick Stile.... What put
me on these Reflections was a young Gentleman,
where I was in Company lately, being as he
thought, very witty upon Opera's in general, and
on that of Alcina in particular; he cou'd find no
Allegory in the whole Piece (perhaps he was only
acquainted with the Sound of the Word) and nothing of a Moral; I happen'd to differ from him in
Opinion and had like to have drawn the Satyr of
his Wit upon me. This Poem, which is said to be
finely set to Musick by the inimitable Mr. Handell,
is taken from Orlando Furioso, and is an Abstract
of the 6th and 7th Book; Rogero is the Hero in the
Opera, who by a Hypo-griffin, is hurry'd away to
the Island where Alcina keeps her Court. ... The
Opera goes no farther than the breaking of Alcina's Enchantment, and contains an agreeable
Allegory; Rogero is carry'd thro' the Air on a
Hypo-griffin, by which is figur'd to us the Violence of youthful Passions. ... Astolfo's ... Advice
to Rogero ... proves that neither the Counsel of
Friends, nor the Example of others suffering by
the Corses we are ourselves pursuing, can stop the
giddy head-strong Youth from the Chase of imagi-
nary or fleeting Pleasures, which infallibly lead
them to cruel Reflections and to too late Repen-
tence. The Character of Alcina's Beauty, and Inconstancy proves the short Duration of all sublun-

ary Enjoyments, which are lost as soon as attain'd. ...

I think from what is said, that the Opera of Alcina affords us a beautiful and instructive Allegory; but I fear the young Gentleman never gave himself the Trouble to crack the Nut that he might have the Pleasure of tasting the Kernel.

(Chrysander, II, 371 f.)

– Im *Gentleman's Magazine* vom Juli 1735 erschien der Artikel mit der Überschrift „Defence of Operas". *The London Magazine* vom gleichen Monat brachte einen Auszug unter der Überschrift „Of Tragedies, Comedies, and Opera's". Der Herausgeber des *Universal Spectator* war Henry Baker unter dem Pseudonym Henry Stonecastle, den Prévost „das Londoner Orakel" nannte.

Vgl. 19. März 1743

10. Juli 1735
The London Daily Post

Yesterday Signor Caristina, a celebrated Singer in the late Opera's in Covent Garden Theatre, embarqued on Board a Ship for Venice.

(Theatrical Register)

– Giovanni Carestini sang 1739 – 1741 wieder in London, aber nicht mehr in Aufführungen Händels.

11. Juli 1735
Im Theatre in Lincoln's Inn Fields wird die ballad opera *The Honest Yorkshire-Man* (Text: Henry Carey, Musik von verschiedenen Komponisten) aufgeführt.

– Von Händel wurde das Duett „Joys in gentle trains appearing" aus *Athalia* unter dem Titel *Chaste Love* mit dem Text „Love's a gentle gen'rous passion" gesungen. Die Oper wurde nach nur einer Aufführung am 1. August vom New Theatre in the Haymarket übernommen und am 12. November 1735 auch im Theatre in Goodman's Fields aufgeführt. Das 1736 gedruckte Textbuch (mit Melodien) trägt die Anmerkung: „Refused to be acted at Drury Lane playhouse." Der Titel der Oper war ursprünglich *The Wonder! An Honest Yorkshire-Man.*

18. Juli 1735
Händel an Johann Mattheson

A Londres, ce $\frac{29}{18}$ de Juillet 1735.

Monsieur,

Il y a quelque tems, que j'ay reçu une de Vos obligeantes Lettres; mais à present je viens de recevoir votre dernière, avec votre ouvrage.

Je vous en remercie, Monsieur, & je vous assure que j'ay toute l'estime pour votre merite; je sou-

haiterois seulement, que mes circonstances m'etoient plus favourables, pour vous donner des marques de mon inclination à vous servir. L'ouvrage est digne de l'attention des Conoisseurs, & quant à moi, je vous rends justice. ... Au reste, pour ramasser quelque Epoque (de ma vie)..., il m'est impossible, puisqu'une continuelle application au service de cette Cour & Noblesse me detourne de tout autre affaire.

Je suis avec une consideration tres parfaite etc.,

Monsieur,

Votre très-humble et très-obeissant Serviteur

G. F. Handel.

Monsieur Mattheson, secrétaire de l'Ambassade britannique à Hambourg.

(Mueller von Asow, 133 f.)

– Das Original des Briefes, auf dem nach La Mara folgender Empfangsvermerk von Mattheson steht: „reçue le 5 d'Août N. S. à Hambourg.", befand sich ehemals in der Sammlung Pölchau, Hamburg. Mattheson druckte ihn mit deutscher Übersetzung in der *Ehrenpforte* ab (vgl. 1740/I).

Burney, Schoelcher und Chrysander drucken mit geringfügigen Abweichungen Matthesons Text nach; La Mara gibt den Brief vollständig in eigener Übersetzung wieder und ergänzt die bei Mattheson fehlenden Teile in eckigen Klammern.

(Burney 1785, 52; Schoelcher 1857, 366 f.; Chrysander, II, 383 f.; La Mara, I, 169)

28. Juli 1735
Händel an Charles Jennens

London July 28/1735.
S^r

I received your very agreeable Letter with the inclosed Oratorio. I am just going to Tunbridge, yet what I could read of it in haste, gave me a great deal of Satisfaction. I shall have more leisure time there to read it with all the Attention it deserves. There is no certainty of any Scheme for next Season, but it is probable that some thing or other may be done, of which I shall take the Liberty to give you notice, being extreamly obliged to you for the generous Concern you show upon this account. The Opera of Alcina is a writing out and shall be sent according to your Direktion, it is allways a great Pleasure to me if I have an opportunity to show the sincere Respect with which I have the Honour to be

Sir

Your Most obedient humble Servant

George Frideric Handel

To Mr. Jennens Junior
at Gopsal near Atherstone
Coventry bag.

(Bis 1973 Sammlung Earl of Howe; Horsley; Mueller von Asow, 135 ff.)

– Vermutlich hielt sich Händel auch in diesem Sommer wieder in Tunbridge Wells auf.

Das erste Libretto von Jennens, das Händel vertonte, war das zu *Saul* (1738). Das im Brief erwähnte war vermutlich ein anderes. Um 1730 hatte Jennens begonnen, Abschriften von Partituren und Stimmen Händelscher Werke zu sammeln. Die bestellte Partiturabschrift der *Alcina* fertigte J. Chr. Schmidt d. Ä. an. Der größte Teil der Jennens-Sammlung, die später in den Besitz des 3. Earl of Aylesford und dann in den von Sir Newman Flower überging, befindet sich seit 1965 in der Manchester Public Library, ein kleiner Teil in der British Library sowie in amerikanischen Bibliotheken. Jennens lebte in Gopsall, Leicestershire. Als er diesen Landsitz 1747 von seinem Vater übernahm, ließ er das Haus in luxuriöser Weise erneuern. Er war Amateurschriftsteller und Musikliebhaber. Er subskribierte alle Partituren Händels, die von 1725 bis 1740 veröffentlicht wurden.

20. August 1735
Warrant Book des Königs

	£	s.	d.	
Royal Academy of Music	1,000	0	0	Royal bounty to the undertakers of the Opera.

(Shaw 1900, 126)

– Im Minute Book des Schatzamtes findet sich kein entsprechender Eintrag. Diese Subvention ging an die Opera of the Nobility für ihre erste Saison im Haymarket Theatre (1734/35). Trotzdem wird noch die Royal Academy of Music als Empfänger genannt.

23. August 1735
John Walsh kündigt in *The Craftsman* Händels *Six Fugues or Voluntaries for the Organ or Harpsichord … Troisieme Ovarage* an.
(Smith 1954, 306; Smith 1960, 236)

30. August 1735
The Craftsman

Musick this Day Published, …
Printed for and sold by John Walsh. … Where may be had, just Published, price 2s. 6d.
I. The favourite Songs in the last new Opera, called Alcina in Score. by Mr. Handel.
II. Twelve Duets for two Voices, with a thorough Bass for the Harpsichord. Collected out of all the late Opera's. Compos'd by Mr. Handel. To which is added, the celebrated Trio in the Opera of Alcina.

– Insgesamt druckte Walsh drei Auswahlbände mit „favourite Songs" aus *Alcina*. Schon im September 1735 erschien *The Favourite Songs in the Opera call'd Alcina … Second Collection;* im November 1736 veröffentlichte Walsh die erste und zweite Sammlung zusammen mit einer dritten Auswahl (vgl. November 1736). Das Terzett „Non è amor" war ein besonders beliebtes Stück aus dieser Oper.
(Chrysander, II, 373; Smith 1960, 8 ff. und 173 f.)

5. September 1735
Wilhelm Willers, Bemerkungen über Theater Vorfälle

Sept. 5 Cesar, N. B. kam niemand und wurde nicht gespielt.
(Merbach, 366)
Vgl. 21. November 1725 und 17. August 1733

13. September 1735
John Walsh kündigt in *The Craftsman* „The Favourite Songs in the Opera of Alcina and Ariodante with the Overtures" an.
(Chrysander, II, 373; Smith 1960, 19)

– Von der Auswahl aus *Ariodante* erschienen zwei Auflagen, in der zweiten sind die Fehler der ersten korrigiert.

15. September 1735
Händel hebt 100 £ von seinem Konto ab.

16. Oktober 1735
The General Evening Post

We hear that Mr. Handell will perform Oratorios, and have Concerts of Musick, this Winter, at Covent-Garden Theatre.
(Chrysander, II, 388)

– Die Notiz wurde auch im *Old Whig* vom 23. Oktober 1735 abgedruckt. Eine Oratorien-Saison war für das Publikum neu.
Vgl. 20. Mai 1735

28. Oktober 1735
Die Opernsaison am Haymarket Theatre beginnt mit Porporas *Polifemo.*
(Burney, II, 797)

25. November 1735
Lord Hervey an Charlotte Digby

St. James's, November 25th, 1735.
… I am this moment returned with the King from yawning four hours at the longest and dullest Opera that ever the enobled ignorance of our present musical Governors ever inflicted on the ignorance of an English audience; who, generally speaking, are equally skilful in the language of the drama and the music it is set to, a degree of knowledge

or ignorance (call it which you please) that on this occasion is no great misfortune to them, the drama being composed by an anonymous fool, and the music by one Veracini, a madman, who to show his consummate skill in this Opera has, among half a dozen very bad parts, given Cuzzoni and Farinelli the two worst. The least bad part is Senesino's, who like Echo reversed, has lost all his voice, and retains nothing of his former self but his flesh. ... Handel sat in great eminence and great pride in the middle of the pit, and seemed in silent triumph to insult this poor dying Opera in its agonies, without finding out that he was as great a fool for refusing to compose, as Veracini had shown himself by composing, nobody feeling their own folly, though they never overlook other people's, and having the eyes of a mole for the one, with those of a lynx for the other. That fellow having more sense, more skill, more judgement, and more expression in music than anybody, and being a greater fool in common articulation and in every action than Mrs. P–t or Bishop H–s, is what has astonished me a thousand times. And what his understanding must be, you may easily imagine, to be undone by a profession of which he is certainly the ablest professor, though supported by the Court: and in a country where his profession is better paid than in any other country in the world. His fortune in music is not unlike my Lord Bolingbroke's in politics. The one has tried both theatres, as the other has tried both Courts. They have shone in both, and been ruined in both; whilst everyone owns their genius and sees their faults, though nobody either pities their fortune or takes their part.
(Hervey/Ilchester, 238 f.)

– Charlotte Digby, die Frau des Hon. Edward Digby, war eine Schwester von Herveys Freunden Stephen und Henry Fox, dem späteren Earl of Ilchester und dem späteren Baron Holland.
Die an diesem Abend aufgeführte Oper war Francesco Maria Veracinis *Adriano in Siria* (Libretto: Pietro Metastasio). Veracini, der 1714 als Violinvirtuose in London aufgetreten war, kam 1735 erneut nach London, um für Porporas Opernunternehmen als Komponist tätig zu sein. Über Metastasio schrieb Oliver Goldsmith am 14. November 1759 in *The Bee:* „I might venture to say, that ,written by Metastasio', put up in the bills of the day, would alone be sufficient to fill a house." Senesino zog sich nach den Aufführungen des *Adriano in Siria* von der Opernbühne zurück. Ein Lied von Henry Carey, *The Ladies' Lamentation for ye Loss of S–, Sung by Mr. Roberts,* sowie George Bickhams Karikatur vom Jahre 1737 nahmen darauf Bezug.
Mrs. P–t und Bischof H–s ließen sich nicht identifizieren. (Der einzige englische Bischof aus dieser

Zeit, dessen Name mit Herveys Abkürzung übereinstimmt, wäre John Harris, Bischof von Llandaff.) Henry St. John, Viscount Bolingbroke, war unter Königin Anna im Tory-Ministerium von 1711 bis 1714 Staatssekretär für auswärtige Angelegenheiten. Er paktierte schon in dieser Zeit mit den Jakobiten und ging nach seinem Sturz unter Georg I. als Staatssekretär in den Dienst des in Frankreich lebenden Stuart-Prätendenten Jakob Eduard.

27. November 1735
Charles Jennens an Edward Holdsworth

Q. Square, Nov. 27, 1735
We have been three weeks without any Opera till last Tuesday, when out came Veracini's "Adriano". He is a better man at Songs than at instrumental compositions, & his Opera was so much beyond my expectation, that I decided to go again on Saturday.
I like it better than any Opera we have yet had from an Italian, tho' we have some from Porpora & Vinci. There goes a story of Veracini, which may be true for ought I know, but it can be true of none but such a Madman as He is. They say, that having heard, his excellent hand upon the Violin was attributed in great measure by Carbonelli to the Tone of his instrument rather than to his superior skill in the use of it, he has burnt two very fine fiddles, & bought him a Scrub of 15th price, to show the World that he does not stand in need of a Cremona to outshine his Brethren.
(Sammlung Gerald Coke)

8. Dezember 1735
Händel hebt 50 £ von seinem Konto ab.

10. Dezember 1735
John Walsh zeigt in der *London Daily Post* an: „The Opera's of Alcina and Ariodante with all the Overtures, Songs and Duets, with their Symphonies, Transpos'd for the Common Flute, Compos'd by Mr. Handel. To which is added the Dance Tunes from the late Opera's."

– Von den beiden Ausgaben (Ellis, VII, 567, 1905, verzeichnet zwei separate Veröffentlichungen) ist nur *Ariodante* erhalten (Händel-Hdb., I, 408).

1735 (I)
John Chamberlayne, Magnae Britanniae Notitia, London 1735

The Establishment of their Royal Highnesses the Princess Amelia and the Princess Caroline

	Per Ann. l.	s.	d.
Musick-Master, Mr. George-Frederic Handell.	200	0	0

– Nach der Heirat von Prinzessin Anne blieb Händel der Musiklehrer ihrer Schwestern Amelia und Caroline. Prinzessin Caroline starb 1757, für den Unterricht der Prinzessin Amelia wurde Händel bis an sein Lebensende bezahlt. Der Haushalt der beiden unvermählt gebliebenen Prinzessinnen wurde am 2. Juli 1734 eingerichtet.
Vgl. 1728 (II) und 27. September 1736

1735 (II)
Acis and Galatea (HWV 49^b) wird im Aungier-Street Theatre in Dublin aufgeführt.
(Lawrence 1922, 404)
Vgl. 1. Mai 1734

Etwa 1735
Zwei Notizen Händels

12 Gallons Port.
12 Bottles French   Duke Street, Meels.

James…
Banker in Lombard Street
pour M. Wesselow en france.
(Fitzwilliam Museum, Cambridge, MS 260. Mann 1978, 62 und 44)

1736

17. Januar 1736
Händel beendet die Ode *Alexander's Feast or The Power of Musick.*
Einträge in der autographen Partitur (R. M. 20. d. 4.): „Fine della parte prima January ye 5. 1736." und „Fine. 17. January 1736."

20. Januar 1736
Im Hamburger Opernhaus am Gänsemarkt wird *Radamisto* aufgeführt und zweimal wiederholt.
Vgl. 28. Januar 1722
(Merbach, 358; Händel-Hdb., I, 172f.)

25. Januar 1736 (I)
Im Hamburger Opernhaus am Gänsemarkt wird *Partenope* aufgeführt und achtmal wiederholt.
Vgl. 28. Oktober 1733
(Merbach, 364; Händel-Hdb., I, 343)

25. Januar 1736 (II)
Händel beendet das Concerto grosso C-Dur (HWV 318).
Eintrag in der autographen Partitur (R. M. 20. g. 11.): „January 25, 1736."

– Das Concerto wurde vor dem zweiten Teil von *Alexander's Feast* gespielt und erhielt daher den Beinamen *Concerto in Alexander's Feast (Alexanderfest-Konzert).*
Vgl. 11. Dezember 1740

6. Februar 1736 (I)
The London Daily Post

Handel's most celebrated Airs in Alcina, and all the late Opera's, with their Symphonies and Accompanyments, made Concerto's for Violins, &c in six Parts. The song Part contriv'd for a German Flute. Printed for and Sold by John Walsh …

– Diese Stimmen-Ausgabe enthält Stücke aus *Alcina, Pastor fido, Ariodante, Arianna in Creta, Partenope* und *Admeto.*
(Smith 1960, 267)

6. Februar 1736 (II)
John Walsh kündigt in der *London Daily Post* und im *General Advertiser* an: *The Most Celebrated Songs in the Oratorio Call'd Deborah* und *The Most Celebrated Songs in the Oratorio Call'd Athalia, Compos'd by Mr Handel.*

– Die *Deborah*-Ausgabe war möglicherweise eine Kombination der ersten beiden Drucke der *Most Celebrated Songs* aus *Deborah.* Spätere Ausgaben mit dem Titel *Deborah an Oratorio Set to Musick by M^r. Handel* … (1751 oder später) enthalten die Gesänge aus den vorangegangenen Auswahlbänden sowie, als zweiten Teil, *Additional Airs in ye late Oratorio Compos'd by Mr. Handel.*
(Smith 1960, 97, 101f.)

12. Februar 1736
The Old Whig

Friday [6. Februar]
We hear that the Feast of the Sons of the Clergy will be on Thursday Se'nnight [19. Februar], that a new Te Deum, composed by Dr. Green, will be performed at St. Paul's on that Occasion, with Mr. Handel's Jubilate and Coronation Anthem. The Rehearsal will be the Tuesday preceding [17. Februar].
(Bodleian Library, Oxford. Chrysander, II, 426)

19. Februar 1736 (I)
The London Daily Post

At the Theatre-Royal in Covent-Garden, this Day… will be presented an Ode, (never perform'd before,) call'd The Feast of Alexander. Written by the late Mr. Dryden. And Set to Musick by Mr. Handel. … To begin exactly at Six o'Clock.

– Wiederholungen: 25. Februar, 3., 12. und 17. März 1736.
Der Text war von Newburgh Hamilton für Händel bearbeitet worden. Drydens Original hatte Jeremiah Clarke 1687 vertont, Thomas Clayton 1711 eine Bearbeitung von John Hughes.
Im Textbuch („Printed for J. and R. Tonson") sind als instrumentale Einlagen verzeichnet: „A Concerto for two Violins, Violoncello &c." (Concerto

grosso C-Dur) vor dem zweiten Teil; „A Concerto here, for the Harp, Lute, Lyricord, and other Instruments" (op. 4 Nr. 6) nach dem Rezitativ „Timotheus plac'd on high"; „A Concerto for the Organ and other Instruments" (op. 4 Nr. 1) nach dem Chor „Let old Timotheus".

Nach dem Concerto C-Dur erklang die Kantate „Cecilia, volgi un sguardo" (Einlageblatt im Libretto: „A Cantata, perform'd at the Beginning of the Second Act").

In der autographen Partitur werden Anna Strada, Cecilia Young, John Beard, Mr. Erard und Thomas Reinhold als Sänger und Andrea Caporale als Violoncellist genannt, in den handschriftlichen Continuo-Stimmen Pasqualino de Mareis als Violoncellist und Mr. Walch als Cembalist.
(Chrysander, II, 427; Smith 1954, 303f.; Smith 1960, 240)

19. Februar 1736 (II)
Newburgh Hamilton, Vorrede zum Textbuch zu Alexander's Feast

I confess my principal View was, not to lose this favourable Opportunity of its being set to Musick by that great Master, who has with Pleasure undertaken the Task, and who only is capable of doing it Justice; whose Compositions have long shewn, that they can conquer even the most obstinate Partiality, and inspire Life into the most senseless Words.
If this Entertainment can, in the least degree, give Satisfaction to the real Judges of Poetry or Musick, I shall think myself happy in having promoted it; being persuaded, that it is next to an Improbability, to offer the World any thing in those Arts more perfect, than the united Labours and utmost Efforts of a Dryden and a Handel.
(Husk, 70ff.; Chrysander, II, 417ff.)

– Hamilton hat sich auf eine klare Scheidung des Drydenschen Werkes in Arien, Rezitative und Chöre beschränkt. Aus seiner 1720 verfaßen Cäcilien-Ode *The power of Musick* fügte er einen Anhang eigener Verse hinzu, die Händel nachträglich komponierte, aber später nicht vollständig für seine Aufführungen berücksichtigte (Händel-Hb., II, 452f.).
Vgl. 17. Februar 1739

19. Februar 1736 (III)
Earl of Egmont, Diary

In the evening I went to Mr. Hendel's entertainment, who has set Dryden's famous Ode on the Cecilia Feast to very fine music.
(Egmont MSS., II, 235)

– 1739 vertonte Händel eine weitere Cäcilien-Ode Drydens (*Ode for St. Cecilia's Day*).

20. Februar 1736
The London Daily Post

Last Night his Royal Highness the Duke, and her Royal Highness the Princess Amelia were at the Theatre Royal in Covent Garden, to hear Mr. Dryden's Ode, set to Musick by Mr. Handel. Never was upon the like Occasion so numerous and splendid an Audience at any Theatre in London, there being at least 1300 Persons present; and it is judg'd that the Receipt of the House could not amount to less than 450 l. It met with general Applause, tho attended with the Inconvenience of having the Performers placed at too great a distance from the Audience, which we hear will be rectified the next Time of Performance.
(Burney, II, 789; Schoelcher 1857, 181)

25. Februar 1736
The London Daily Post

Covent-Garden … this Day … The Feast of Alexander. … For the better Reception of the Ladies, the Pit will be floor'd over, and laid into the Boxes; and the Orchestre plac'd in a Manner more commodious to the Audience.
(Chrysander, II, 427)

26. Februar 1736
The Old Whig

Friday [20. Februar]
Yesterday [19. Februar] the Sons of the Clergy held their Annual Feast with great Solemnity: They met at St. Paul's, where an excellent Sermon was preach'd before them, and a new Te Deum compos'd by Dr. Green, as likewise Mr. Handel's celebrated Jubilate and Coronation-Anthem, were perform'd by a vast Number of the best Hands and Voices; after which they proceeded to an elegant Entertainment at Merchant-Taylors Hall. The Money collected in the Choir amounted to 84 l. 3s. 6d. and that in the Hall to 505 l. 3s. 6d. besides which several Sums were expected from Annual Benefactors, though not present at the Feast.
(Bodleian Library, Oxford)
Vgl. 12. Februar 1736

9. März 1736
Edward Holdsworth an Charles Jennens

Winton, March 9, [1736]
I hope the Prodigious succeeded well with his Alexander's feast. One of the chaplains of the College here went to London on purpose to hear the performance at the feast of ye Sons of the Clergy, but to his great mortification cou'd not be at Mr Handel's entertainment. He told me as his opinion

that He thought no person in the world capable of setting the Ode except Mr Handel; for tho' 'tis very musical to read, yet the words he says are very difficult to set. And He is esteem'd a very good judge of Musick. Perhaps those who encourag'd Mr Handel to undertake such a task, might do it wth the same design as made Mr Dryden put Creech upon translating Horace. But I hope his superior genius has surmounted all difficulties.
(Sammlung Gerald Coke)

– „Winton" ist der latinisierte Name von Winchester.

15. März 1736
The Daily Post

The same Morning [13. März] died, at his House in Catharine-street in the Strand, Mr. John Walsh, late Musick Printer and Instrument-Maker to his Majesty, which Place he had resign'd some Time since to his Son, Mr. John Walsh, who succeeds him in his Business.

– Nachrufe auf John Walsh erschienen am gleichen Tage auch im *Daily Journal* und in der *London Daily Post. The Gentleman's Magazine* vom März 1736 sowie *The Chronological Diary* für das Jahr 1736 berichten, Walsh habe ein Vermögen von 30 000 £ hinterlassen.
(William C. Smith, A Bibliography of the Musical Works published by John Walsh ..., London 1948, VIII)

20. März 1736
The Dublin Gazette

We hear that for the Benefit of Mercer's Charitable Hospital in Stephen-street, towards the Maintenance and Support of the distressed Sick Poor received therein, there will be a solemn grand Performance of Church Musick at St. Michan's Church, on the 31st of this Inst., at Eleven o'clock, with the Church Service, and a Charity Sermon. Beside the best publick Performers in this Kingdom, there will assist about forty Gentlemen, skilled in Musick on various Instruments. The Musick appointed is the celebrated Te Deum and Jubilate of the famous Mr. Handel, with his Coronation Anthem, made on the King's Accession to the Crown, never heard before. Tickets will be distributed at the said Hospital, at Half a Guinea each.
(Townsend 1852, 35)

– Dies war die erste der in den folgenden Jahren regelmäßig stattfindenden Aufführungen von kirchenmusikalischen Werken Händels zugunsten des Mercer's Hospital in Dublin. Das nach dem *Utrecht Te Deum* und *Jubilate* aufgeführte *Coronation Anthem* konnte nicht identifiziert werden. Die „best publick Performers" waren die Choristen der

Christ Church und der St. Patrick's Cathedral. Die Aufführung fand jedoch in der St. Andrew's Church statt (vgl. 27. März 1736). Das Hospital war 1734 von Mary Mercer gegründet worden.

23. März 1736
John Osborn zeigt in der *London Daily Post* seine Ausgabe des Librettos zu Händels *Acis and Galatea,* „an English Pastoral Opera", an.

– Es war vermutlich ein Nachdruck des Textbuches, das John Watts für die Aufführung unter Thomas Arne im Mai 1732 gedruckt hatte. Ein Exemplar ist nicht bekannt.
(Smith 1948, 222f.; Dean 1959, 176)

24. März 1736 (I)
John Osborn zeigt in der *London Daily Post* erneut sein Textbuch zu Händels *Acis and Galatea* an für einen Preis von sechs Pence.
Thomas Wood zeigt in der gleichen Zeitung ein Textbuch zum Preis von einem Schilling an und bezeichnet *Acis and Galatea* als „Serenata ..., With several Additions and Alterations". Auch von diesem Textbuch ist kein Exemplar bekannt.
(Smith 1948, 222f.; Dean 1959, 176)

24. März 1736 (II)
The London Daily Post

At the Theatre-Royal in Covent-Garden, this Day ... will be reviv'd a Serenata, call'd Acis and Galatea. There will be no Action on the Stage, but the Scene will represent a Rural Prospect of Rocks, Grotto's, &c. amongst which will be dispos'd a Chorus of Nymphs and Shepherds. The Habits and other Decorations suited to the Subject.
– Wiederholung: 31. März 1736.
Unter den angeführten Bühnendekorationen fehlen in dieser Anzeige die „Fountains", die in der Ankündigung der Aufführung vom 10. Juni 1732 im *Daily Courant* ausdrücklich genannt worden waren.
Ein auf 1736 datiertes Textbuch zu *Acis and Galatea* steht nach Dean nicht im Zusammenhang mit den Aufführungen im März 1736, da es die für Cannons bestimmte Version des Werkes (HWV 49^a) enthält, sie allerdings in zwei Akte teilt und die Arie des Corydon „Would you gain the tender creature" hinzufügt. Es handelt sich wahrscheinlich um ein Textbuch für eine Aufführung in der Provinz.
(Smith 1948, 222ff.; Dean 1959, 185f.)

24. März 1736 (III)
Earl of Egmont, Diary

In the evening went to hear Handel's mask of Acis and Galatea.
(Egmont MSS., II, 248)

– Egmont schreibt Händels Namen zum ersten Mal korrekt. Nach der zweiten Aufführung notiert er: „Handel's music, Acis and Galatea" (Egmont MSS., II, 253).

26. März 1736
Ch. N. Le Clerc in Paris erhält ein königliches Privileg für den Druck von „Deux livres de pièces de clavecin et un livre solo de Hendel".
(Brenet, 436)

– Le Clerc druckte 1736 oder um 1737 sowie noch einmal um 1740 die beiden Bände der *Suites de Pièces de Clavecin* nach, außerdem die Solosonaten op. 1 und die Triosonaten op. 2, darüber hinaus 1744 sowie 1751 die Concerti grossi op. 6.
(Smith 1960, 223 f., 243 f., 246 und 252 f.)

27. März 1736 (I)
The London Daily Post

For the Benefit of Mr. Walker.
By the Company of Comedians.
At the Theatre-Royal in Covent-Garden, this Day … will be presented a Tragedy (not acted this Season), call'd Abramule, or, Love and Empire. … To which … will be reviv'd a Farce … call'd A City Ramble; or, The Humours of the Compter. … The Whole concluding with Mr. Handell's Water-Musick.
(Wyndham, I, 57)

– Die Tragödie von Dr. Joseph Trapp war seit 1704, die Farce von Charles Knipe seit 1715 auf verschiedenen Londoner Bühnen gespielt worden.
Vgl. 8. Mai 1736

27. März 1736 (II)
The Dublin Gazette

Whereas the Parish of St. Michan's have refused the use of their Church for the Performance of Divine Service in the Cathedral way (and not of an Oratorio, as falsely advertised), for the Benefit of Mercer's Charitable Hospital; This is to inform the Publick, that the same charitable intention will be pursued at St. Andrew's Church, and a Sermon preach'd suitable to the Occasion.
(Townsend 1852, 35)

– Die Formulierung „in the Cathedral way" soll erklären, daß es sich nicht um ein Konzert mit geistlicher Musik, sondern um die Aufführung von kirchenmusikalischen Werken im gottesdienstlichen Rahmen handelt. Es soll damit vermutlich auf die St. Paul's Cathedral in London hingewiesen werden, wo die gleichen Werke Händels ebenfalls für wohltätige Zwecke aufgeführt wurden. In Dublin wurde die Formulierung auch

in den folgenden Jahren gebraucht. Die Verweigerung der Benutzung der Kirche beruhte offensichtlich auf einem Mißverständnis.
Vgl. 20. März 1736

30. März 1736
The Dublin Gazette

The Performance of Handel's Te Deum and Jubilate, &c., for the Benefit of Mercer's Hospital, appointed for the 31st Instant, is put off for a few days.
(Townsend 1852, 36)

6. April 1736
The Dublin Gazette

… Church Musick at St. Andrew's Church on Thursday next the 8th of this Instant.
(Townsend 1852, 36)
Vgl. 10. April 1736

7. April 1736
Esther (HWV 50[b]) wird in Covent Garden erneut aufgeführt und am 14. April wiederholt.
Vermutliche Besetzung:
Esther – Anna Strada, Sopran
Mordecai – William Savage, Knabenalt
Israelitin – Cecilia Young, Sopran
Haman – Mr. Erard, Baß
Ahasverus – John Beard, Tenor
Harbonah ⎫
Israelit ⎭ – Thomas Salway, Tenor
(Dean 1959, 211)

10. April 1736
Pue's Occurrences

On Thursday last [8. April] … was perform'd a Grand Te Deum, Jubilate, and an Anthem, composed by the famous Mr. Handel. Mr. Dubourg play'd the first Violin, Signor Pasqualini [Pasqualino de Mareis?] the first Bass.
The principal Voices were Mr. Church, Mr. Lamb, Mr. Baileys, and Mr. Mason.
The performers were upwards of 70 in number, among whom were several noblemen and gentlemen of distinction, besides the best publick Hands in this kingdom; 'twas the grandest performance ever heard here; the whole was conducted with the utmost Regularity and Decency.
There were present, their Graces the Duke und Duchess, and Lady Caroline, attended by a vast number of the Nobility and Gentry of the first rank.
(Townsend 1852, 36 f.)

– Händels Freund Matthew Dubourg war seit 1728 „Master of the State Music" in Irland. John Church, William Lamb(e), James Baileys und John

Mason waren Chorvikare an den beiden Dubliner Kathedralen. Lionel Cranfield Sackville, first Duke of Dorset, war der damalige Vizekönig von Irland. Die Predigt hielt Dekan Richard Madden.

13. April 1736
The London Daily Post

We hear, that Signior Conti, who is esteemed the best Singer in Italy, being sent for by Mr. Handell, is expected here in a few days.
(Schoelcher 1857, 182)

– Der Soprankastrat Gioacchino Conti, genannt Gizziello, trat am 5. Mai 1736 zum ersten Mal in London auf. Er gehörte dem Händelschen Opernensemble ein Jahr lang an und sang die männlichen Hauptpartien in *Atalanta, Arminio, Giustino* und *Berenice.*

15. April 1736
The Old Whig

Friday [9. April].
We hear that Mr. Handel has engag'd several of the finest Singers in Italy, and that they are expected here next Week, in order to perform eight Operas, for the Entertainment of her Royal Highness the future Princess of Wales.
(Chrysander, II, 389)

– Falls der Prince of Wales tatsächlich eine Händelsche Opernsaison für seine Braut, die Prinzessin Augusta von Sachsen-Gotha, arrangiert hatte, könnte er eigentlich nicht mehr der Protektor der Opera of the Nobility gewesen sein.

16. April 1736
Die Apollo Society führt in der Devil Tavern, Temple Bar, *David's Lamentation over Saul and Jonathan* von William Boyce (Text: John Lockman) auf.

– Die Apollo Society war um 1731 von Maurice Greene und Michael Festing gegründet worden. Händel soll dazu geäußert haben: „De toctor Creen is gone to the tefel!" (Knight, Vol. VI, 184ff.) Der große Raum in der Devil Tavern wurde Apollo genannt.
Lockmans Text wurde auch von John Christopher Smith (d. J.) vertont (vgl. 22. Februar 1740).

20. April 1736
Edward Holdsworth an Charles Jennens

Winton, Ap. 20 [1736]
I don't remember yᵗ I ever heard of Sig.ʳ Giacinto, but you'l not have the worse opinion of him on yᵗ score. I am glad the Prodigious is going to undertake operas again. I hope yᵗ will raise your spirits another winter, as I fear his silence contributed to sink them this.
(Sammlung Gerald Coke)
Vgl. 5. Mai 1736

22. April 1736 (I)
Händel beendet die Oper *Atalanta.*
Einträge in der autographen Partitur (R. M. 20. a. 9): „Fine dell' Atto 1. April 9. 1736."; „Fine dell'Atto 2ᵈᵒ April 14. 1736."; „Fine dell 'Opera G. F. H. April 22. 1736."

22. April 1736 (II)
Mary Pendarves an Jonathan Swift

London, April 22, 1736.
When I went out of town last autumn, the reigning madness was Farinelli; I find it now turned on Pasquin, a dramatic satire on the times. It has had almost as long a run as the Beggar's Opera; but, in my opinion, not with equal merit, though it has humour.
(Delany, I, 554)

– *Pasquin,* Henry Fieldings „dramatic satire on the times", wurde am 5. März 1736 im New Theatre in the Haymarket zum erstenmal aufgeführt und bis zum Ende der Saison (2. Juli) 63mal wiederholt.
Mrs. Pendarves hatte den Winter in Bath verbracht.

27. April 1736 (I)
Earl of Egmont, Diary

She [die Prinzessin von Sachsen-Gotha] landed on Sunday [25. April] at Greenwich. ... On Monday he [der Prince of Wales] went again to her, and they passed the evening on the water with music.
I was present at the wedding [27. April] which ended about nine at night.
The Bishop of London, as Dean of the Chapel, performed it, assisted by the Bishop of Hereford. There was a prodigious crowd. ... The chapel was finely adorned with tapestry, velvet, and gold lace. ... Over the altar was placed the organ, and a gallery made for the musicians. An anthem composed by Hendel for the occasion was wretchedly sung by Abbot, Gates, Lee, Bird, and a boy.
(Egmont MSS., II, 264)

– Da das königliche Brautpaar in den Tagen nach der Ankunft der Braut lebhaftes Interesse an Händel zeigte, könnte die auf dem Fluß gespielte Musik Händels *Wassermusik* gewesen sein.
Die Trauung fand abends in der Chapel Royal des St. James's Palace statt. Händel hatte dafür das *Wedding Anthem* „Sing unto God ye kingdoms of the earth" komponiert. Die erwähnten Sänger sind die drei Gentlemen der Chapel Royal, John Abbot (Alt, später Baß), Bernard Gates (Baß) und George

Lee (Leigh, Alt) sowie John Beard (Tenor), der „boy" war vermutlich William Savage.

27. April 1736 (II)
Charles Jennens an Edward Holdsworth

Everybody strives to excell in Finery at the Prince's Wedding, which will be to night. I need not except my self, for you know I am no Courtier. Mr. Handel has made a new Opera for the occasion, but I don't hear when he will produce it; for he does not begin before Wednesday May 5th, & then with one of the last year's operas. I don't wonder you have not heard of Sign^r. Conti, for they tell me he is but 19 years of Age, & perhaps had not appeared upon the Stage when you was in Italy. Those who have heard him say He is the finest Soprano they ever heard: & what is something surprising, he goes five notes higher than Farinelli with a true natural voice, & is sweet to the very top. You must have heard Domenico [Annibali], whom Mr. Handel expects next year, & very great things are said of his singing, too.
(Sammlung Gerald Coke)

– Am 5. Mai 1736 führte Händel *Ariodante* auf, *Atalanta* erst am 12. Mai.
Vgl. 6. Mai und 27. November 1736.

28. April 1736
The Daily Journal

… When the Dean had finished the Divine Service, the married Pair rose and retired back to their Stools upon the Hautpas; where they remained while an Anthem composed by Mr. Handel was sung by his Majesty's Band of Musick, which was placed in a Gallery over the Communion-Table.
(Schoelcher 1857, 184 und 384)

29. April 1736
The London Daily Post

We hear Mr. Handel has compos'd a new Opera, on the Occasion of his Royal Highness's Marriage to the Prince [Princess] of Saxe Gotha, and as the Wedding was solemnized sooner than was expected, great Numbers of Artificers, as Carpenters, Painters, Engineers, &c. are employed to forward the same, in order to bring it on the Stage with the utmost Expedition, and that several Voices being sent for from Italy, for that purpose, are lately arrived, who as we are informed, will make their first Appearance, in the Opera of Ariodante.
(Burney, II, 799 f.)
Vgl. 5. Mai 1736.

– Am 4. Mai wurde im Haymarket Theatre anläßlich der Hochzeit Nicola Porporas Serenata *La Festa d'Imeneo/The Feast of Hymen* (Text: Antonio Paolo Rolli) aufgeführt und bis zum 15. Mai dreimal wiederholt.

5. Mai 1736

Die Opern-Saison in Covent Garden beginnt mit einer Neuinszenierung von Händels *Ariodante* anstelle der geplanten Uraufführung von *Atalanta.*
(Burney, II, 800)

– Außer der nun von Gioacchino Conti gesungenen Titelpartie entsprach die Besetzung der Uraufführung (vgl. 8. Januar 1735). Für Conti, einen hohen Sopran, wurden die Arien des Ariodante durch neue ersetzt (vgl. Händel-Hdb., I, 408). Die Ballett-Einlagen entfielen, da Marie Sallé nicht mehr in London auftrat.
Wiederholung: 7. Mai 1736.

6. Mai 1736
The London Daily Post

Last Night the Opera of Ariodante was performed at the Theatre in Covent-Garden, in which Signior Gieacchino Conti Ghizziello made his first Appearance, and met with an uncommon Reception; and in Justice both as to Voice and Judgment, he may truly be esteem'd one of the best Performers in this Kingdom.
(Sammlung Harris. Burney, II, 800)

8. (?) Mai 1736
The London Daily Post

For the Benefit of Mr. Wood.
At the Theatre-Royal in Covent-Garden, Tuesday next, May 11, will be presented a Comedy, call'd The Inconstant; or, the Way to win Him. … With the Overture to the Opera of Ariadne … End of Act I. A Chancon a Boire, to Musick of Mr. Handel's, sung by Mr. Leveridge and Mr. Laguerre. … After the Play. Mr. Handel's Water-Musick, accompanied with French-Horns, Kettle-Drums, &c. And a Grand Ballet, call'd The Faithful Shepherd, by Mr. Glover and others.
(Sammlung Harris)

– Die Komödie von George Farquhar war erstmals 1702 in Drury Lane aufgeführt worden. Im Covent Garden Theatre wurde sie am 6. April 1736 neu inszeniert. Die für das Trinklied verwendete Musik Händels konnte nicht identifiziert werden.

12. Mai 1736
The London Daily Post

At the Theatre-Royal in Covent-Garden, this Day … will be perform'd a New Opera, call'd Atalanta. In Honour of the Royal Nuptials of their

Royal Highnesses the Prince and Princess of Wales.... N.B. The Gallery Doors will be open'd at Four o'Clock, and the Pit and Boxes at Five.... To begin at Seven o'Clock.

– Wiederholungen: 15., 19., 22., 26. und 29. Mai sowie 2. und 9. Juni 1736. Wiederaufnahme in der folgenden Spielzeit am 20. November 1736.
Besetzung:
Atalanta – Anna Strada, Sopran
Meleagro – Gioacchino Conti, Sopran
Irene – Maria Caterina Negri, Alt
Aminta – John Beard, Tenor
Nicandro – Gustavus Waltz, Baß
Mercurio – Thomas Reinhold, Baß

Der von Händel vertonte Text geht auf Belisario Valerianis Libretto *La caccia in Etolia* (Ferrara 1715, Musik: Fortunato Chelleri) zurück. Im Titel des bei Thomas Wood gedruckten Textbuches heißt es: „On Occasion of an Illustrious Marriage."
Die Königin besuchte in Begleitung des fünfzehnjährigen Duke of Cumberland und der vier Prinzessinnen die von ihr angeordnete Aufführung am 2. Juni sowie die letzte Vorstellung am 9. Juni. (Der König war am 22. Mai nach Deutschland gereist.)
(Burney, II, 801 ff.; Strohm 1975/76, 141 f.)

13. Mai 1736
The London Daily Post

Last Night was perform'd at the Theatre Royal in Covent Garden, for the first Time, the Opera of Atalanta, composed by Mr. Handel on the joyous Occasion of the Nuptials of their Royal Highnesses the Prince and Princess of Wales. In which was a new Set of Scenes painted in Honour of the Happy Union, which took up the full length of the Stage: The Fore-part of the Scene represented an Avenue to the Temple of Hymen, adorn'd with Figures of several Heathen Deities. Next was a Triumphal Arch on the Top of which were the Arms of their Royal Highnesses, over which was placed a Princely Coronet. Under the Arch was the Figure of Fame, on a Cloud, sounding the Praise of this Happy Pair. The Names Fredericus and Augusta appear'd above in transparent Characters.
Thro' the Arch was seen a Pediment, supported by four Columns, on which stood two Cupids embracing, and supporting the Feathers, in a Princely Coronet, the Royal Ensign of the Prince of Wales. At the farther end was a View of Hymen's Temple, and the Wings were adorn'd with the Loves and Graces bearing Hymenaeal Torches, and putting Fire to Incense in Urns, to be offer'd up upon this joyful Union.
The Opera concluded with a Grand Chorus, during which several beautiful Illuminations were dis-

play'd, which gave an uncommon Delight and Satisfaction.
There were present their Majesties, the Duke, and the Four Princesses, accompanied with a very splendid Audience, and the whole was received with unusual Acclamations.
(Burney, II, 801)

– Der Bericht erschien ohne den letzten Absatz auch in der *London Evening Post* vom gleichen Tage und wurde im *Old Whig* vom 20. Mai 1726 nachgedruckt. Das in Händels *Atalanta* gefeierte Paar, der Prinz und die Prinzessin von Wales, besuchten wahrscheinlich die zweite Aufführung der Oper am 15. Mai; am 12. Mai sahen sie im Drury Lane Theatre Joseph Addisons Tragödie *Cato* (1713) und die Farce *Taste A-la-mode*.
Nach Wyndham existierten 1741 noch die sechs Kulissenflügel, die möglicherweise der 1736 zum Hofmaler und Inspektor der Kunstsammlungen des Prinzen von Wales ernannte Joseph Goupy gemalt hatte. Leiter der „Illuminations" war Mr. Worman (vgl. 18. Juli 1741).
(Wyndham, II, 309 ff.)

14. Mai 1736
The London Daily Post

To all Lovers of Musick,
This Day is publish'd, Proposals for Printing by Subscription, the Opera of Atalanta, in Score, compos'd in Honour of the Happy Nuptials of their Royal Highnesses the Prince and Princess of Wales. By Mr. Handel.
1. The whole will be Printed on the best Dutch Paper.
2. The Price to Subscribers will be Half a Guinea, to be paid at the Time of Subscribing, which will be One Third Cheaper than any Opera yet printed in Score.
3. The whole will be Corrected by the Author, and none will be sold after the Publication under 16s. Those Lovers of Musick who are willing to encourage this Undertaking, are desir'd to send their Names immediately; the Work being in such Forwardness, that it will be ready to be deliver'd to Subscribers by the Middle of June.
Subscriptions are taken in by John Walsh ... and at most Musick Shops in Town.
(Chrysander, II, 390 f.)

– Nach dem Vorbild von Cluer, der von 1725 bis 1727 vier Partituren von Händel auf Subskription gedruckt hatte, schrieb John Walsh d. J. 1736 bis 1740 sechs Partituren zur Subskription aus. Den größten Erfolg brachte *Atalanta*. Schon die erste Subskribentenliste verzeichnet 142 Subskribenten auf 180 Exemplare, spätere Listen nennen 154 Subskribenten auf 192 Exemplare.
(Smith 1960, 20 f.)

Mitte Mai 1736
Benjamin Victor an Matthew Dubourg in Dublin

... The two opera houses are, neither of them, in a successful way; and it is the confirmed opinion that this winter will compleat your friend Handel's destruction, as far as the loss of his money can destroy him; I make no question but you have had a better description of his new singer than I can give you; I hear he supplies the loss of Senesino better than was expected, but it is principally in his action – his voice and manner being on the new model – in which Farinelli excels every one, and yet, the second winter, exhibited here to empty benches. We are not without hopes of Senesino's return to England, and of once more seeing him in his most advantageous light, singing Handel's composition.
On Tuesday last, we had a new opera of Handel's; and at the appearance of that great prince of harmony in the orchestre, there was so universal a clap from the audience that many were surprized, and some offended at it. As to the opera, the critics say, it is too like his former compositions, and wants variety – I heard his singer that night, and think him near equal in merit to the late Carestini, with this advantage, that he has acquired the happy knack of throwing out a sound, now and then, very like what we hear from a distressed young calf.
... As to the Operas, they must tumble, for the King's presence could hardly hold them up, and even that prop is denied them, for his majesty will not admit his royal ears to be tickled this season. As to music, it flourishes in this place more than ever, in subscription concerts and private parties, which must prejudice all operas and public entertainments.
(Victor, I, 14f.; Macfarren, 24; Chrysander, II, 396f.)

– Der undatierte Brief wird in der Erstausgabe mit „Nov. 1738", von Chrysander auf November 1736 datiert.
Senesino wechselte 1733 zur Opera of the Nobility und verließ London vor 1736. Farinelli verließ die Stadt erst im Juni 1737. Händels Ersatz für Senesino war bis 1735 der Altkastrat Giovanni Carestini und von April 1736 bis Juni 1737 der Soprankastrat Gioacchino Conti. Der im Brief erwähnte „second winter" ist offensichtlich Händels zweite Saison in Covent Garden (1735/36).
Chrysander, der annahm, daß in der Briefausgabe nur die Jahreszahl falsch sei, änderte 1738 in 1736. Im November 1736 kam jedoch keine neue Oper von Händel heraus. Mit der „new opera of Handel's" kann demnach nur *Atalanta* gemeint sein, die mit Conti am 12. Mai 1736 uraufgeführt wurde. Der 12. Mai war ein Mittwoch, der Wochentag, an

dem alle neuen Händel-Opern von Frühjahr 1736 bis Herbst 1737 uraufgeführt wurden. Da Benjamin Victor jedoch „on Tuesday last" schreibt, ist anzunehmen, daß er die Generalprobe am 11. Mai 1736 besucht und den Brief in der Woche von Mittwoch, dem 12., bis Dienstag, den 18. Mai 1736, geschrieben hat.

5. Juni 1736 (I)
John Walsh zeigt in *Fog's Weekly Journal* an: *Atalanta an Opera as it is Perform'd at the Theatre Royal in Covent Garden* ...

– Anzeigen erschienen auch in der *London Daily Post* vom 9. Juni 1736 sowie in der *London Evening Post* vom 10. Juni 1736. *The Gentleman's Magazine* verzeichnete die Ausgabe unter den Büchern des Jahres. Ein Jahr später erschien bei Walsh eine Flötenbearbeitung der *Atalanta* (vgl. 18. Juni 1737).
(Chrysander, II, 391; Smith 1960, 20f.)

5. Juni 1736 (II)
Subskribenten-Verzeichnis für Atalanta (Auszug)
Apollo Society at Windsor Castle
The Countess of Burlington
The Reverend [Thomas] Broughton
The Marchioness of Carnarvon
Miss Edwards
William Freeman
Mr. [Bernard] Granville, 2 Books
Mr. [Bernard] Gates
James Harris
Mr. [Henry] Holcombe
Mr. [James] Heseltine, Organist of Durham
Mr. [John] Harris, Organ Builder and Harpiscord maker
Mrs. [Elizabeth] Hare, 2 Books
Charles Jennings [= Jennens], 2 Books
Sir Windham Knatchbull, Bart.
Mr. [John] Keble [= Keeble]
Mr. [Thomas] Lowe
The Dutchess of Marlborough
Mr. Joseph Mahoon, Harpsicord maker to his Majesty
The Musical Society at Oxford
Dr. [John Christopher] Pepusch, 7 Books
Mr. William Savage
Mr. [Charles Frederick] Weideman
Mr. John Webber, Organist of Boston
Mr. [Christian Frederick] Zincke

– Die Subskribentenliste wurde in der Partitur veröffentlicht. Der Subskriptionspreis betrug 10s. 6d., der Preis außerhalb der Subskription 16s.
Zincke war ein aus Dresden stammender Emailleur, der seit 1706 in London lebte. Ein goldener Ring mit einem mutmaßlichen Porträt von Händel (heute in der Henry Watson Music Library in Manchester) ist eine Arbeit von ihm.

Ein späteres Verzeichnis nennt auch [Isaac] Ximenes.

9. Juni 1736

Die Opern-Saison in Covent Garden schließt mit einer Aufführung von *Atalanta* (vgl. 12. Mai 1736).

11. Juni 1736
Thomas Gray an Horace Walpole in Cambridge

June 11 [1736] London.

It was hardly worth while to trouble you with a letter till I had seen somewhat in town; not that I have seen anything now but what you have heard of before, that is, Atalanta. There are only four men and two women in it. The first is a common scene of a wood, and does not change at all till the end of the last act, when there appears the Temple of Hymen with illuminations; there is a row of blue fires burning in order along the ascent to the temple; a fountain of fire spouts up out of the ground to the ceiling, and two more cross each other obliquely from the sides of the stage; on the top is a wheel that whirls always about, and throws out a shower of gold-colour, silver, and blue fiery rain. Conti I like excessively in everything but his mouth which is thus, ⬭ ; but this is hardly minded, when Strada stands by him. ... I have ... a commission for your man (with your leave), that is, to call at Crow's for me, and bid him send me Atalanta with all the speed he possibly can, which I must owe him for till I come down again.
(Sammlung Waller. Gray Correspondence, II, 44 f.; Walpole/Gray, I, 102 f.)

– Nach John Mitford war Gray „not partial to the music of Handel" (Gray Works, I, LVII). Den Chor „No more to Ammon's God and King" aus Händels *Jephtha* fand er jedoch bezaubernd, und „he used to speak with wonder of that chorus" (Price, II, 191).
Walpole war 1736 am King's College, Cambridge, Gray am Pembroke College, hielt sich aber vom 9. Juni bis 23. Oktober nicht in Cambridge auf. Er sah die Aufführung von *Atalanta* am 9. Juni. Seine Skizze von Contis „square cavernous mouth, in outline like a knuckle-bone" entspricht der Beschreibung in einem Brief, den Gray im Juli 1742 an John Chute und Sir Horace Mann schrieb: „his mouth, when open, made an exact square".
Offensichtlich hatte Gray die *Atalanta*-Partitur bei dem Cambridger Buchhändler Crow bestellt, der auf sieben Exemplare subskribiert hatte.

18. Juni 1736
The London Daily Post

We hear that several Persons have been sent to Italy from the two Theatres, to engage some additional Voices, for the carrying on of Operas for the ensuing Season, and that Sig. Dominichino, one of the best Singers now in Italy, is engaged by Mr. Handel, and is expected over in a short time.
(Burney, II, 803)

– Burney gibt den Ausschnitt undatiert wieder. Der Altkastrat Domenico Annibali sang von Oktober 1736 bis Juni 1737 in London (vgl. 5. Oktober 1736).
Vgl. 18. November 1736

19. Februar bis 19. Juni 1736
Auszüge aus einer Abrechnung des Schatzmeisters der Theater von Lincoln's Inn Fields und Covent Garden Mr. Handel's Music.

Dr.	Charge					Nights paid for		Cr.		
1735/6						1735/6				
Thursday Feby. 19	Alexander's Feast	52	5	8	Received ⎫	For Rent & Actors	90	0	0
We. 25	Alexander's Feast	52	5	8	Feb. 27 ⎬	Servants pr. list	14	11	4
Mar. 3	Alexander's Feast	52	5	8	Mar. 3 ⎭	Received in full	52	5	8
Friday 12	Alexander's Feast	19	5	8	„ 12	Received in full	19	5	8
Wed. 17	Alexander's Feast	19	5	8	„ 17	Received in full	19	5	8
Wed. 24	Acis & Galatea	19	5	8	„ 24	Received in full	19	5	8
Wed. 31	Acis & Galatea	19	5	8	„ 31	Received in full	19	5	8
Wed. Apl. 7	Esther	19	5	8	Apl. 7	Received in full	19	5	8
Wed. 14	Esther	19	5	8	„ 14	Received in full	19	5	8
Wed. May 5th	Ariodante	52	5	8	May 5	Received in full	52	5	8
Frid. 7	Ariodante	52	5	8	„ 7	Received in full	52	5	8
Wed. 12	Atalanta	52	5	8	„ 12	Received in full	52	5	8
Sat. 15	Atalanta	52	5	8	„ 15	Received in full	52	5	8
Wed. 19	Atalanta	52	5	8	„ 19	Received in full	52	5	8
Sat. 22	Atalanta	52	5	8	„ 22	Received in full	52	5	8
Wed. 26	Atalanta	52	5	8	„ 26	Received in full	52	5	8
Sat. 29	Atalanta	52	5	8	„ 29	Received in full	52	5	8
Wed. June 2	Atalanta	52	5	8	June 2	Received in full	52	5	8
Wed. June 9	Atalanta	33	13	8	„ 19	Recd.	33	13	8
In all 19.									

– Chrysander errechnete, daß Händel an Rich für den Zeitraum von vier Monaten eine Gesamtsumme von £ 1 553:11:4 zahlen mußte. Diese setzt sich zusammen aus £ 12 pro Tag für das Haus, £ 7:5:8 pro Tag für die Angestellten „und sodann an den Tagen, an welchen englische Schauspiele gegeben werden konnten (Dienstags und Sonnabends), außerdem noch £ 33, d. h. den vollen Betrag dessen, was der Director seinen Schauspielern zu zahlen verpflichtet war, gleichviel ob er sie beschäftigte oder nicht". Die Tagesausgaben von £ 52:5:8 reduzierten sich an den Tagen der Fastenzeit, da keine Schauspiele gegeben werden durften, um £ 33, das Gehalt für die Schauspieler also, die für diese Tage offensichtlich nicht bezahlt zu werden brauchten. (Der geringere Betrag für den 9. Juni 1736 mag darauf zurückzuführen sein, daß die Saison in Covent Garden eigentlich schon beendet war und die nochmalige *Atalanta*-Aufführung auf besonderen Wunsch der Königin erfolgte.) Chrysander vergleicht die Tagessumme von £ 52:5:8 mit den Tageskosten – Kostüme und Dekorationen ausgenommen – in Drury Lane, die laut einer am 14. Juni 1733 im *Grub-street Journal* veröffentlichten Notiz nur £ 49 betrugen. (Husk, 68; Chrysander, II, 391 f.; Dean 1959, 81 f.)

22. Juni 1736
Warrant Book des Königs

	£	s.	d.	
Royal Academy of Music	1,000	0	0	Royal bounty to the undertakers of the Opera.

(Shaw 1900, 257)

– Diese Zuwendung erhielt das Haymarket Theatre.
Vgl. 24. August 1736

29. Juni 1736
Händel an Anthony Ashley Cooper, fourth Earl of Shaftesbury, St. Giles's, Wimborne

London June 29th, 1736
My Lord,
At my return to Town from the Country (where I made a longer stay than I intended) I found my self honourd with Your Lordships Letter. I am extremly obliged to Your Lordship for sending me that Part of My Lord Your Fathers Letter relating to Musick. His notions are very just. I am highly delighted with them, and can not enough admire 'em. Your Lordships kind remembrance of me makes me sensible to the utmost degree, and it is with the profoundest respect that I am
My Lord
Your Lordships Most obedient and most humble Servant
George Frideric Handel.

To the Right Honourable
the Earl of Shaftesbury
A. Giles's
(Victoria and Albert Museum, London. Mueller von Asow, 138 f.)

– St. Giles's House in Wimborne, Dorsetshire, war der Familiensitz der Earls of Shaftesbury (vgl. 12. April 1734 und 20. November 1736/II).
Mit dem von Händel erwähnten „Letter relating to Musick" ist vermutlich die Schrift *Soliloquy, or Advice to an Author* (1710) von Anthony Ashley Cooper gemeint, dem 3. Earl of Shaftesbury und Vater des Briefempfänger, einem berühmten Philosophen seiner Zeit. Im 2. Abschnitt des zweiten Teils dieses Buches spricht Shaftesbury über Musik.
Es ist nicht bekannt, wo Händel sich zwischen dem 10. und dem 29. Juni 1736 aufgehalten hat. Vielleicht war er der Einladung von Sir Wyndham Knatchbull (vgl. 27. August 1734) gefolgt. Daß er sich um diese Jahreszeit in Tunbridge Wells aufhielt, ist unwahrscheinlich.
(Shaftesbury, I, 152 ff.)

10. Juli 1736
Im Hamburger Opernhaus am Gänsemarkt wird *Poro* unter dem Titel *Triumph der Grossmuth und Treue, oder Cleofida, Königin von Indien* erneut aufgeführt (vgl. 25. Februar 1732).
(Merbach, 367)

10. August 1736
Gloucester Journal

All Gentlemen who are subscribers to the annual meeting of the Three Choirs of Gloucester, Worcester and Hereford, are desir'd to take notice, that the day and place of Meeting this year, will be at Gloucester, Tuesday, September 7. … Mr. Purcell's Te Deum will be perform'd on the Wednesday Morning, and Mr. Handel's on the Thursday morning.

14. August 1736
Händel beginnt mit der Komposition der Oper *Giustino*.
Eintrag in der autographen Partitur (R. M. 20. b. 4.): „Agost 14. 1736."

20. August 1736
Händel hebt von seinem Konto 150 £ ab.

24. August 1736
Minute Book des Schatzamtes

Order for the issue out of Civil List Revenue of sums as follow: –

	£	s.	d.
To the Academy of Musick	1,000	0	0

(Shaw 1900, 183)

– Der Betrag war für die Unternehmer des Haymarket Theatre bestimmt (vgl. 22. Juni 1736).

9. September 1736

In Gloucester wird während des Three Choirs Festival Händels *Utrecht Te Deum* aufgeführt (vgl. 10. August 1736).

15. September 1736

Händel beginnt mit der Komposition der Oper *Arminio*.
Eintrag in der autographen Partitur (R. M. 20. a. 8.): „angefangen Mittwoch Sept. 15 1736."

27. September 1736
Warrant Book des Königs

Royal Warrant by the Queen, as Guardian of the Kingdom, countersigned by three Lords of the Treasury, establishing a yearly payment of 200 l. to George Frederick Handel as music master, and 73 l. 10s. to Paolo Antonio Rolli as Italian master to the Princesses Amelia and Caroline, same to date from 1734, Lady day, the date from which the salaries payable under the establishment of 1734, July 2, for the said Princesses commenced; the above two sums having been omitted to be inserted in said establishment. Dated at the Court at Kensington.
(Shaw 1900, 188)
Vgl. 1735 (I)

28. September 1736

Händel hebt von seinem Konto 200 £ ab.

5. Oktober 1736
The Daily Post

Last Night the famous Signora Strada arriv'd from Holland, who is come on purpose to sing next Thursday [7. Oktober] in a Concert of Musick at the Swan Tavern in Exchange-Alley.
Sig. Dominico Annibaly, a famous Singer, is also arriv'd from the Court of Saxony for Mr. Handel's Opera.

– Burney (II, 803) zitiert frei nach der *Daily Post*. Chrysander bringt nur den ersten Absatz in deutscher Übersetzung (II, 395), nennt aber als Quelle die *London Daily Post* vom gleichen Tage.
Den Sommer verbrachte Anna Strada bei Prinzessin Anne in Holland.

14. Oktober 1736 (I)
The Old Whig

From Thursday's [7. Oktober] Papers. On Tuesday last [5. Oktober] Signor Dominico Annibali, the celebrated Italian Singer lately arriv'd from Dresden, to perform in Mr. Handel's Opera in Covent-Garden, was sent for to Kensington, and had the Honour to sing several Songs before her Majesty and the Princesses, who express'd the highest Satisfaction at his Performance.

– Burney (II, 803) gibt diese Notiz ohne Quellenangabe, vermutlich nach der *Daily Post* vom 5. Oktober 1736, wieder.

14. Oktober 1736 (II)

Händel beendet die Oper *Arminio*.
Einträge in der autographen Partitur (R. M. 20. a. 8.): „Fine dell'Atto Primo Sept. 19. 1736."; „Fine dell'Atto 2do Sept. 26. 1736."; „Fine dell'Opera G F Handel Octob^r 3 Anno 1736. Den 14 dieses vollends alles ausgefüllet."
Vgl. 15. September 1736

20. Oktober 1736

Händel beendet die Oper *Giustino*.
Einträge in der autographen Partitur (R. M. 20. b. 4.): „Fine del Atto 1 Agost 29. 1736."; „Fine dell'Atto 2.do Sept. 3. 1736."; „Fine dell'Opera G. F. Handel London 7. Septemb^r 1736 ū [und?] von dem 15 Oct. biß den 20. Aō 1736 ausgefüll[et]."
Vgl. 14. August 1736

1. November 1736
The London Daily Post [?]

Their Royal Highnesses the Prince and Princess of Wales intend to honour Mr. Handel with their Presence on Saturday next [6. November] at the Opera of Alcina, which is the Reason for performing Operas earlier in the Season than intended.
(Burney, II, 803)
Vgl. 8. November 1736

4. November 1736
Edward Holdsworth an Charles Jennens

Winton, Nov. 4 [1736]
I am glad to hear that the Prodigious is like to entertain you so well this winter. He will very much contribute, I don't doubt, to keep up your spirits; but pray don't let him engross all your time.
(Sammlung Gerald Coke)
Vgl. 20. April 1736

6. November 1736 (I)

Händel eröffnet die Opernsaison im Covent Garden Theatre mit einer Neuinszenierung von *Alcina*.
Wiederholungen: 10. und 13. November.
Besetzung:
Alcina – Anna Strada, Sopran
Ruggiero – Gioacchino Conti, Sopran
Morgana – Rosa Negri, Alt
Bradamante – Maria Caterina Negri, Alt
Oronte – John Beard, Tenor
Melisso – Thomas Reinhold, Baß
Oberto – William Savage, Sopran

– Änderungen, die Händel für die Wiederaufnahme dieses Werkes vornehmen mußte, resul-
tierten vor allem aus den neu besetzten Partien
des Ruggiero und der Morgana. Die ursprünglich
für Carestini geschriebene Partie des Ruggiero
transponierte Händel um eine Sekunde aufwärts,
die ursprünglich von der Sopranistin Cecilia
Young gesungene Partie der Morgana um eine
Terz abwärts. Für Rosa Negri fügte er je eine Arie
aus *Arianna in Creta* und *Admeto* ein. Außerdem
mußte Händel bei dieser Aufführung auf die
Tänze verzichten, da seit dem Weggang von Marie
Sallé kein Ballett mehr zur Verfügung stand. Eine
dritte Auflage des Textbuches erschien bei Thomas Wood.
(Händel-Hdb., I, 420 f.)

6. November 1736 (II)
The Daily Gazetteer

This Day their Royal Highnesses the Prince and
Princess of Wales, will dine at their House in Pall
Mall, and in the Evening will be present at the
Opera call'd, Alcina, at the Theatre Royal in Co-
vent Garden.

– Die Notiz erschien auch im *Daily Journal* vom
gleichen Tage.

8. November 1736
The London Daily Post

On Saturday last [6. November] their Royal Highnesses the Prince and Princess of Wales were at
the Theatre-Royal in Covent-Garden, to see the
Opera of Alcina, which was perform'd to a numerous and splendid Audience: The Box in which
their Royal Highnesses sat, was of white Satin,
beautifully Ornamented with Festons of Flowers
in their proper Colours, and in Front was a flam-
ing Heart, between two Hymeneal Torches, whose
different Flames terminated in one Point, and
were surmounted with a Label, on which were
wrote, in Letters of Gold, these Words, Mutuus
Ardor.

11. November 1736
John Walsh zeigt in der *London Daily Post* „The celebrated Songs in the Opera call'd Alcina" an.

– Diese Veröffentlichung ergänzte die 1735 erschienenen zwei Bände (vgl. 30. August 1735) um eine
dritte Auswahl: *The Favourite Songs in the Opera
call'd Alcina Compos'd by M.ʳ Handel. First, Second &
3.ᵈ Collection.*
(Smith 1960, 9 f.)

18. November 1736
The London Daily Post

Signora Merighi, Signora Chimenti, and The

Francesina (Three Singers lately come from Italy,
for the Royal Academy of Musick) had the Honour to sing before her Majesty, the Duke, and
Princesses, at Kensington, on Monday Night last
[15. November], and met with a most gracious Reception, and her Majesty was pleased to approve
their several Performances; after which, The
Francesina, performed several Dances to the entire Satisfaction of the Court.
(Burney, II, 803)

– Antonia Margherita Merighi hatte bereits
1729–1731 in Händels Ensemble gesungen. Erst
1738 wirkte sie wieder in Händelschen Opern mit,
in *Faramondo* und *Serse*. Margherita Chimenti, genannt La Droghierina, sang 1738 in den gleichen
Händel-Opern wie die Merighi. Elisabeth Duparc,
genannt La Francesina, wurde 1738 die Nachfol-
gerin von Anna Strada del Pò und blieb bis 1749
bei Händel. Danach trat sie in London bis 1752
noch als Konzertsängerin auf. Als Tänzerin trat
sie in der Öffentlichkeit nicht auf.
(Dean 1959, 653 f.)

20. November 1736 (I)
Zu Ehren des Geburtstages der Princess of Wales
wird Händels *Atalanta* aufgeführt und am 27. No-
vember 1736 wiederholt.
Am Ende der Aufführung gab es zu Ehren der
Königlichen Hoheiten „several fine devices and
fire-works, proper to the occasion".
(Burney, II, 803 f.)

20. November 1736 (II)
Thomas Harris an Anthony Ashley Cooper, 4. Earl
of Shaftesbury, St. Giles's, Wimborne

Lincoln's Inn. November 20th, 1736.
My Lord,
I am very much obliged to your Lordship for the
favour of your letter on Monday last. The Opera
of "Atalanta" was performed to-night in order to
give their royal Highnesses a view of ye Fire-
Works which went off with great Applause, tho' I
don't think with that Splendour I have seen them
formerly, "Porus" will be performed on Wednesday or Saturday next when I won't fail to let your
Lordship know what success it meets with, and particularly how Annibali (of whom there ar great expectations, which I wish don't turn to his prejudice) is received. Lady Cat. Noel and Mr. and
Mrs. Eure of Lime Street and Westminster were all
there and are very well. I will not trouble yr. Lordship with any thing of ye Birth-Night, as no doubt
but Lady Shaftesbury will have a full account of all
ye Finery from Lady Catherine who was there at
noon and in ye evening.
I beg yr. Lordship to let my Lady Dowager know I
have sent ye spinnet to Mr. Eure at Oxford, and
hope to hear of its safe arrival by to-morrow's
post.

I ask your Lordship's pardon for thus troubling you with a long Westminster Hall affair, but as I have sometimes had ye Honour to hear, yr. Lordship mention som things relating to these matters, I hope you will be so good as to exempt it, and I am satisfied nothing yt in any respect tends to Liberty, be it in matters Ecclesiastical or Civil, can be unacceptable to your Lordship. I beg my humble service to the Lady Shaftesbury's and am, my Lord.
Your Lordship's most obliged and obedient humble servant,
Tho. Harris.

– Thomas Harris war zu dieser Zeit Master in Chancery. Sein Vetter, der 26jährige Anthony Ashley Cooper, 4. Earl of Shaftesbury, blieb auch auf dem Familiensitz in Dorsetshire an den musikalischen Ereignissen in London interessiert (vgl. 29. Juni 1736).
Lady Catherine ist Lady Shaftesburys Schwester; Mr. Eure (eigentlich Ewer) ist der Bruder der alten Lady Shaftesbury, der Mutter von Anthony Ashley Cooper, der den Titel schon im Alter von drei Jahren erhalten hatte und bereits mit 14 Jahren verheiratet worden war.
(Matthews 1959, 261f.)
Vgl. 12. und 13. Mai und 20. November 1736 (I)

23. November 1736
Die neue Spielzeit am Haymarket Theatre wird mit Johann Adolf Hasses *Siroe* eröffnet.
(Burney, II, 804)

27. November 1736 (I)
The London Daily Post

We hear that Signor Domenico Anibali is to make his first Appearance in the Opera of Porus on Wednesday next [1. Dezember] at the Theatre Royal in Covent-Garden.

– Die Wiederaufführung von Händels *Poro* mußte wegen der Erkrankung von Anna Strada verschoben werden (vgl. 2. und 8. Dezember 1736).

27. November 1736 (II)
Mary Pendarves an ihre Schwester Ann Granville

Nov. 27, 1736.
Bunny came from the Haymarket Opera, and supped with me comfortably. They have Farinelli, Merighi, with no sound in her voice, but thundering action – a beauty with no other merit; and one Chimenti, a tolerable good woman with a pretty voice and Montagnana, who roars as usual! With this band of singers and dull Italian operas, such as you almost fall asleep at, they presume to rival Handel – who has Strada, that sings better than ever she did; Gizziello, who is much improved

since last year; and Annibali who has the best part of Senesino's voice und Caristini's, with a prodigious fine taste and good action! We have had Alcina, and Atalanta, which is acted to-night for the last night with the fireworks, and I go to it with Mrs. Wingfield. Next Wednesday is Porus, and Annibali sings Senesino's part. Mr. Handel has two new operas ready – Erminius and Justino. He was here two or three mornings ago and played to me both the overtures, which are charming.
My brother has tied me down at last to learn of Kellaway; he has paid him the entrance-money, which is two guineas, and has made me a present of Handel's Book of Lessons.
(Delany, I, 578f.)

– Bunny ist Bernard, der Bruder der Schwestern Granville. Joseph Kelway, ein Schüler Geminianis, war seit 1736 Organist an St. Martin-in-the-Fields. Sein Orgelspiel wurde von Händel sehr geschätzt. Um 1764 veröffentlichte er *Six Sonatas for the Harpsichord*.
Händels „Lessons" sind seine *Suites de Pieces pour le Clavecin,* von denen 1736 zwei Sammlungen vorlagen.
(Cudworth; Smith 1960, 248ff.)

29. November 1736
Brief des Fürsten Kantemir aus London an die Marquise Monconseil

De quoi voulez – vous donc qu'on parle? Je puis bien vous dire que M. Hendel a déjà commencé à donner ses opéras et que peu de monde y va. L'autre théâtre s'ouvrira mardi prochain, et j'ai peur qu'il sera peu fréquenté, car il n'y a que Farinelli qui vaut la peine d'être entendu.
(L. N. Maikov, Materialien zur Biographie des Fürsten A. D. Kantemir [in russ. Sprache], St. Petersburg 1903, 64; Gruber, 133 u. 154)

– Antioch Dmitrievič Kantemir (1708–1744), Dichter, Publizist und Diplomat, ist der Begründer des russischen Klassizismus und der satirischen Richtung in der russischen Literatur des 18. Jahrhunderts. Er war Anhänger der italienischen Musik und verkehrte in London in den Händel feindlich gesinnten Kreisen.
(Gruber, 132f., 154)
Vgl. 20. Februar 1739

1. Dezember 1736
John Walsh kündigt in der *London Daily Post* als „just publish'd" an: „The Opera of Porus in Score as it is perform'd at the Theatre in Covent Garden. Compos'd by Mr. Handel."

– Da kein Exemplar einer solchen Ausgabe nachweisbar ist, handelt es sich vermutlich um die ca. 1735 erschienene Partitur, in deren Titel ebenso wie in der 1731 erschienenen ersten Partitur-Aus-

gabe (vgl. 2. März 1731) das Haymarket Theatre als Aufführungsort genannt wird.
(Smith 1960, 50 f.)

2. Dezember 1736
The London Daily Post

Yesterday Signora Strada was taken violently ill of a Fever and Sore Throat, so that the Opera of Porus could not be performed as was intended; which sudden Indisposition put it out of the Power of the Directors, to give earlier Notice to the Town of their Disappointment: On which Account they are obliged to defer the Performance of any Opera till further Notice.
(Chrysander, II, 399)

– Im Dezember 1736 gab es in London eine Influenza- Epidemie.

8. Dezember 1736
Poro wird im Covent Garden Theatre erneut aufgeführt.
Besetzung:
Poro – Domenico Annibali, Alt
Cleofide – Anna Strada, Sopran
Erissena – Francesca Bertolli, Alt
Gandarte – John Beard, Tenor
Alessandro – Gioacchino Conti, Sopran
Timagene – Thomas Reinhold, Baß
Wiederholungen: 15. und 22. Dezember 1736 sowie 5. Januar 1737.

– Die neue Besetzung machte verschiedene Änderungen notwendig. Für Conti und Annibali fügte Händel mehrere Arien aus *Partenope, Siroe,* und *Ariodante* sowie aus Opern von Giovanni Alberto Ristori und Leonardo Vinci ein. Darüber geben autographe Notizen Händels (Fitzwilliam Museum, Cambridge, MS 258, 89 ff.) sowie das von Thomas Wood verlegte Textbuch Aufschluß. Dieses ist als „The fourth edition, with additions" bezeichnet und nach dem Textbuch gedruckt, das offensichtlich für eine 1734 vorgesehene, aber nicht zustandegekommene Neuinszenierung bestimmt war.
(Chrysander, II, 246 f.; Händel-Hdb., I, 353)

9. Dezember 1736
The Daily Gazetteer

Last Night her Majesty, the Duke and Princesses, were at the Theatre Royal in Covent Garden, to see the Opera call'd Porus.
(Burney, II, 804)

– Die *London Daily Post* vom gleichen Tage brachte diese Notiz mit dem Zusatz „the three eldest Princesses" (Amelia, Caroline und Louisa). Für die 1724 geborene Prinzessin Louisa komponierte Händel etwa um diese Zeit zwei Cembalo-

Suiten: „Lessons composed for the Princess Louisa" (HWV 447 und 452).
(Smith 1960, 238)

13. Dezember 1736
The London Daily Post

Saturday last [11. Dezember] ... their Royal Highnesses ... sent Notice to the Theatre Royal in Covent Garden, that they could not be present at the Opera of Porus, which they had commanded.

– Am Nachmittag des 11. Dezember 1736 war die Nachricht von einer Fehlgeburt der Prinzessin Anne von Oranien am englischen Hof eingetroffen; daher fiel die vorgesehene *Poro*-Aufführung aus.

18. Dezember 1736
Händel beginnt mit der Komposition der Oper *Berenice*.
Eintrag in der autographen Partitur (R. M. 20. a. 10.): „angefangen Decemb^r 18. 1736."
Vgl. 27. Januar 1737 (I)

1736 (I)
Lord Hervey, Memoiren

The Queen ... always agreeing with him [Lord Hervey] when he said he wished this new favourite [des Königs : Amelia Sophia von Walmoden] brought over [von Hannover] ... frequently, when he talked to her on this subject ... would begin to sing or repeat these words: „Se mai più sarò gelosa mi punisca il sacro nume", etc., which was the beginning of a song in one of Handel's operas, called Porus.
(Hervey/Sedgwick, 600)

– Georg II. holte Frau von Walmoden 1739, also erst nach dem Tode der Königin, nach London und erhob sie zur Lady Yarmouth. „Se mai più sarò geloso..." ist ein Arioso aus der Oper *Poro*.

1736 (II)
Henry Coventry, Philemon to Hydaspes

First Conversation with Hortensius
Hortensius, who had once been a slight performer in music ... inquired much after the State of the Opera this Season, which, he said, must now, he suppos'd, be advanc'd to its highest Glory by the Arrival of the so much celebrated new Singer.
There was nothing (I told him) now remaining to make the entertainment complete, but that Mr Handel's Compositions should go along with the Haymarket Voices: For want of which, there had been but one Opera at that House during the Season, which had been thoroughly approved by the Town. The opera I meant of Artaxerxes which was originally composed in Italy.
(Bodleian Library, Oxford)

– Dieses Buch wurde 1736 in London unter dem Pseudonym Talbot veröffentlicht. Es enthält zwei Gespräche über „falsche Religion". Eine zweite Auflage erschien 1738, eine dritte, erweiterte, 1753, und zwar unter dem Namen des Autors, der ein Jahr zuvor gestorben war. In der dritten Auflage fehlt der hier zitierte Abschnitt.

Mit *Artaserse* von Johann Adolf Hasse und Riccardo Broschi wurde am 29. Oktober 1734 die Saison der Opera of the Nobility im Haymarket Theatre eröffnet, in der Farinelli zum ersten Mal in London auftrat. Händel führte seine Opern in dieser Saison am Covent Garden Theatre auf.

1736 (III)
John Walsh, Cash Book

1736 Opera Atalanta ... £ 26 5 0
1736 Opera Armenius ... £ 26 5 0

– Aus diesen Eintragungen geht hervor, daß Walsh Händel für jede gedruckte Opernpartitur das gleiche Honorar zahlte, selbst für die auf Subskription veröffentlichten.

1736 (IV)
J. Bettenham druckt 1736 für B. Barker und W. Parker *A Collection of Anthems, as the same are now performed at this Majesty's Chapel Royal* (zur ersten Ausgabe vgl. 11. Januar 1724). Auf S. 102 steht der Text von Händels Anthem „As pants the hart".

1736 (V)
Händel subskribiert die 1736 in Gloucester erschienene Ausgabe der *Two Cantata's and Six Songs* von Barnabas Gunn.

– Gunn war von 1730 bis 1740 Organist an der Kathedrale von Gloucester.

1736 (VI)
John Walsh veröffentlicht um 1736 einen weiteren Band mit Flötenbearbeitungen Händelscher Opern und bietet ihn mit den beiden vorher erschienenen Bänden (1730 und 1732) an: „A Complete Set of all his Operas curiously transpos'd for a Single Flute and neatly bound in 3 Volumes 4.to £ 2. 2s. 0 N.o 204."
Vgl. 2. Januar 1731 und 1. Juli 1732
(Smith 1960, 275)

1736 (VII)
On the Humours of the Town, London um 1736

A Dialogue between Colombine & Punch to a Favourite Air of Mr Handel's

C. O, my pretty Punchinello,
  O, my little Dapper Fellow,
  Have you heard ye Farinelli
  Is coming over?

P. No, my Colombino,
  I hear that Carestino,
  Ye famous Carestino,
  Who has pleas'd both King and Queen, O,
  Sets out for Dover.

C. But I hope my Senesino
  Is no such Rover.

P. O no, your Senesino
  Has lick'd himself quite clean, O,
  Has Thousands got fifteen, O,
  And lives in clover.

C. After Porpora and Handel
  Where d'ye think ye Town will dandle
  Or which must hold the Candle?

P. I dont care a Farthing.
  But Harlequin O Lun O
  Has Cook'd a deal of Fun O
  Of Pantomime and Pun O
  And expects a mighty Run O
        At Covent Garden.

C. Shall we go and see the Fun O
        At Covent Garden?

P. In Play-houses full Six O
  One knows not where to fix O
  Till they let us in for Nix O–
        That's Punches bargain.
  Both. We'll see 'em round all Six O
  If they'll let us in for Nix O–
        That's always our bargain.

– Dieses ursprünglich als Einzeldruck herausgegebene Spottlied, dessen Text von Henry Carey stammt und der Arie „Scacciata dal suo nido" aus *Rodelinda* unterlegt war, wurde später noch in zwei Sammeldrucke aufgenommen: in den ersten Band der 1739 in London erschienenen *Calliope or English Harmony A Collection of the most Celebrated English and Scots Songs*... (S. 148 f.) und in den zweiten Band des 1740/41 erschienenen *Musical Entertainer* („The Taste, a Dialogue"). Am Ende ist eine Flötenbearbeitung beigefügt. Smith datiert das Lied auf ca. 1733, *The British Museum Catalogue of Satires in Prints and Drawings* (Bd. II, Nrn. 1846 und 1847) auf etwa 1730. Für die Datierung auf etwa 1736 spricht: Das Covent Garden Theatre wurde 1732 eröffnet (sein damaliger Besitzer, John Rich, der in den in seinem Theater gegebenen Pantomimen den Harlekin spielte, erscheint in diesem Lied unter dem Namen Lun), Farinelli trat zum ersten Mal am 29. Oktober 1734 in London auf, Carestini verließ London im Juli 1735 und Senesino im November oder Dezember des gleichen Jahres. Vorher kann das Lied nicht entstanden sein.
(Smith 1960, 64)

1737

4. Januar 1737
Mary Pendarves an ihre Schwester Ann Granville
Jan 4, 1736–7.

To-morrow I go to the opera with Lady Chester-field.
(Delany, I, 586)

– Es war die letzte Vorstellung der Neuinszenie-rung des *Poro* (vgl. 8. Dezember 1736). Lady Ches-terfield ist Händels ehemalige Schülerin Petronilla Melusina von der Schulenburg (vgl. 6. November 1719).

8. Januar 1737 (I)
Mary Pendarves an ihre Schwester Ann Granville

Jan. 8, 1736–7.
I was this morning regaled with Mr. Handel's new opera called Arminius, it was rehearsed at Covent Garden; I think it is as fine a one as any he has made, as I hope you will, 'tis to be acted next Wednesday [12. Januar]. From the rehearsal I came home with my neighbour Granville!
(Delany, I, 587)

– Bernard Granville, der Bruder der beiden Schwestern, hatte kurz zuvor ein Haus in der Park Street, Grosvenor Square, in der Nähe der Woh-nungen von Mrs. Pendarves und Händel bezo-gen.

8. Januar 1737 (II)
Lady Lucy Wentworth an ihren Vater, den Earl of Strafford

London, January 8, 1737.
Lady Anne [ihre Schwester] was last wensday [5. Januar] at Mr. Hendle's house and she likes the new man much better then Conte' who she does not at all aprove of.
(Wentworth Papers, 528)

– Mit „Mr. Hendle's house" ist das Covent Gar-den Theatre gemeint. Der „new man" war Dome-nico Annibali, der nun die Titelpartie in *Poro* sang.

12. Januar 1737
The Daily Post

This Evening will be perform'd. ... At the Theatre Royal in Covent-Garden, The Opera of Armi-nius.

– Der Verfasser des Textes zu *Arminio*, der auf ein Libretto von Antonio Salvi (Florenz 1703, Mu-sik: Alessandro Scarlatti) zurückgeht, ist unbe-kannt.
Besetzung:
Arminio – Domenico Annibali, Mezzosopran

Tusnelda – Anna Strada, Sopran
Sigismondo – Gioacchino Conti, Sopran
Ramise – Francesca Bertolli, Alt
Segeste – Thomas Reinhold, Baß
Varo – John Beard, Tenor
Tullio – Maria Caterina Negri, Alt
Wiederholungen: 15., 19., 22. und 26. Januar so-wie 12. Februar 1737.
Francesca Bertolli, die Händels Ensemble schon von 1729 bis 1733 angehört hatte, war von der Opera of the Nobility für ein Jahr zu Händel zu-rückgekehrt. Die Sänger werden auch in Walshs Partitur-Ausgabe (vgl. 12. Februar 1737) ge-nannt.
Nach Burney besuchten der Prinz und die Prin-zessin von Wales die Uraufführung der Oper.
(Burney, II, 805; Loewenberg, Sp. 189)

18. Januar 1737
Lady Lucy Wentworth an ihren Vater, den Earl of Strafford

London, January 18, 1737.
Last Sunday [16. Januar] there was a vast deal of musick at Church, too much I think, for I doubt it spoilt every body's devotion, for there was drums and Trumpets as loud as an Oritoria ... his ma-jesty ... was not at the Opera a saterday as most people thought he wou'd to show he was safely arived.
(Wentworth Papers, 530f.; Myers 1948, 47)
Am Sonnabend (15. Januar 1737) fand die zweite Aufführung des *Arminio* statt.

22. Januar 1737
The Craftsman

To all Lovers of Musick.
This Day is publish'd, Proposals for Printing by Subscription,
The Opera of Arminius in Score, as it is per-form'd at the Theatre-Royal in Covent-Garden. Composed by Mr. Handel.
1. The whole will be Printed on the best Dutch Pa-per.
2. The Price to Subscribers will be Half a Guinea, to be paid at the Time of Subscribing, which will be One Third Cheaper than any Opera yet printed in Score.
3. The whole will be Corrected by the Author, and non will be sold after the Publication under 16s.
Those Lovers of Musick who are willing to sub-scribe, are desir'd to send their Names immedi-ately; the Work being in such Forwardness, that it will be ready to be deliver'd to Subscribers by the Middle of February.
Subscriptions are taken in by John Walsh... and at most Musick Shops in Town.

– Die Anzahl der Subskribenten variiert in den erhaltenen Ausgaben zwischen 108 und 111 Subskribenten auf 143 bis 145 Exemplare.
(Smith 1960, 20)

27. Januar 1737 (I)
Händel beendet die Oper *Berenice* (vgl. 18. Dezember 1736).
Einträge in der autographen Partitur (R. M. 20. a. 10.): „Fine del Atto primo Decembᵣ 27. 1736.“; „London Fine dell Atto 2ᵈᵒ Jan. 7ᵗʰ 1736 G. F. Handel.“; „Fine dell'Opera Berenice G. F. Handel January 18. 1737. Auszufüllen geendiget den 27 January 1737.“

27. Januar 1737 (II)
Edward Holdsworth an Charles Jennens

Winton, Jan. 27 [1737]
I am very sorry to hear that Mᵣ Handel has had no better success; but our taste is vitiated in every thing, & musick must bear its share; nor can it be expected yᵗ Handel and Hurlothrumbo shou'd both be admir'd in the same age. If your spleen does not rise high enough to attack them, I wish Mr. Pope wou'd. He might find Heroes enough amongst the Directors, and I doubt not but you cou'd furnish him with sufficient materials.
(Sammlung Gerald Coke)

29. Januar 1737
Neuinszenierung von *Partenope* im Covent Garden Theatre.
Vgl. 24. Februar 1730
Besetzung:
Partenope – Anna Strada, Sopran
Arsace – Domenico Annibali, Mezzosopran
Rosmira – Francesca Bertolli, Alt
Armindo – Gioacchino Conti, Sopran
Emilio – John Beard, Tenor
Ormonte – Maria Caterina Negri, Alt
Wiederholungen: 2., 5. und 9. Februar 1737.

– Die erste und die dritte Vorstellung erfolgten auf Anordnung des Prinzen und der Prinzessin von Wales.
Thomas Wood druckte das Textbuch mit Änderungen und Ergänzungen.
(Händel-Hdb., I, 343)

7. Februar 1737
Earl of Egmont, Diary

In the evening I visited [my] son Hanmer, and found him so well that he was in the morning at the rehearsal of Handel's new opera.
(Egmont MSS., II, 342)

– Die „new opera“ war *Giustino* (vgl. 16. Februar 1737).

12. Februar 1737 (I)
The Craftsman

New Musick, This Day is publish'd, The whole Opera of Arminius in Score... by Mr. Handel. Also Twenty Operas in Score, compleat by the same Author. Printed for and sold by John Walsh.
(Chrysander, II, 398)
Vgl. 22. Januar 1737

12. Februar 1737 (II)
Subskribenten-Verzeichnis für *Arminio* (Auszug)

Apollo Society at Windsor Castle
The Marchioness of Carnavon
Earl Cooper [= Cowper]
William Freeman
M. C. Festing
Mr. Granville 2 [Exemplare]
Mr. Gates, one of the Gentlemen & Master of the Children of ye Chapel Royal
James Harris
John Harris, Organ Builder
Charles Jennens 2 [Exemplare]
Sir Windham Knatchbull
Mr. Keeble
Mr. Low
The Musical Society Oxen.
Dr. Pepusch
James Peasable, Organist at Southampton
Mr. [John] Robinson
Earl of Shaftsbury
John Snow of Oxford
John Stanley
Mr. [William] Savage
I. Scott, organist
Iohn Simpson, Musick seller 14 [Exemplare]
Mr. Wiedman
Mr. Zink[e]

– Mary (Bruce) Marchioness of Carnarvon war die Gattin von Henry, dem zweiten Sohn des Duke of Chandos. Sie starb 1738 im Alter von 28 Jahren.

16. Februar 1737
The Daily Post

This Evening will be perform'd, ... At the Theatre Royal in Covent-Garden, a new Opera, call'd Justin.

– Händels Libretto, dessen Bearbeiter unbekannt ist, geht auf eine 1724 für Rom eingerichtete Neufassung (Musik: Vivaldi) des 1711 von Pietro Pariati für Bologna (Musik: Albinoni) bearbeiteten Librettos von Niccolò Beregani (Venedig 1683, Musik: Legrenzi) zurück.
Besetzung:
Anastasio – Gioacchino Conti, Sopran
Arianna – Anna Strada, Sopran
Leocasta – Francesca Bertolli, Alt

Amanzio – Maria Caterina Negri, Alt
Giustino – Domenico Annibali, Mezzosopran
Vitaliano – John Beard, Tenor
Polidarte – Thomas Reinhold, Baß
La Fortuna – William Savage, Sopran
Wiederholungen: 16., 19., 22. und 25. Februar, 2.
und 4. März, 4. und 11. Mai sowie 8. Juni 1737.
Die Sänger werden auch in Walshs Partiturausgabe genannt (vgl. 26. März 1737).
(Loewenberg, Sp. 74; Wolff 1937, 84ff.; Strohm
1975/76, 143)

19. Februar 1737
Mr. Pennington an Miss Catherine Collingwood in
Bath

19th Feb. 1736–7.
… Partys run high in musick, as when you shone
among us. Mr. Handel has not due honour done
him, and I am excessively angry about it, which
you know is of vast consequence.
(Throckmorton MSS., 257; The Sackbut, 1931,
157)
Vgl. 27. Dezember 1734
Über Mr. Pennington ist nichts bekannt.

22. Februar 1737
Eine Londoner Zeitung

The Days of Performance during Lent will be on
Wednesdays and Fridays.
(Sammlung Harris)

– Dieser Hinweis ist einer Ankündigung der *Giustino*-Aufführung am 22. Februar 1737 (einem
Dienstag) entnommen.
Vom 25. Februar bis zum 7. April 1737 wurden folgende Händelsche Werke im Covent Garden
Theatre aufgeführt:
25. Februar *Giustino*
2. März *Giustino*
4. März *Giustino*
9. März *Il Parnasso in Festa*
11. März *Il Parnasso in Festa*
16. März *Alexander's Feast*
18. März *Alexander's Feast*
23. März *Il Trionfo del Tempo*
25. März *Il Trionfo del Tempo*
30. März *Alexander's Feast*
1. April *Il Trionfo del Tempo*
4. April *Il Trionfo del Tempo* (Montag)
5. April *Alexander's Feast* (Dienstag)
6. April *Esther* (Mittwoch)
7. April *Esther* (Donnerstag)
Für die letzten vier Aufführungen in der Karwoche
hatte Händel eine besondere Erlaubnis erhalten.

28. Februar 1737
Im Drury Lane Theatre wird *The Universal Passion*,
eine Komödie von James Miller nach Shake-

speares *Much Ado about Nothing* und Molières *Princesse d'Élide*, aufgeführt. Im II. Akt singt Catherine
Clive Händels „I like the am'rous Youth that's
free" (HWV 228[11]).

– Das Lied wurde 1737 als Einzeldruck veröffentlicht, 1746 in *The British Orpheus* (Bd. I), 1758 in
Clio and Euterpe (Bd. I). Catherine (Kitty) Clive,
geb. Rafter, eine Schülerin von Henry Carey, war
Schauspielerin und Sängerin; 1743 sang sie in Oratorien Händels. In dieser Aufführung spielte sie
die Liberia und sprach den Epilog.
„I like the am'rous Youth" hatte Händel eigens für
Kitty Clive komponiert.
James Miller schrieb das Textbuch zu Händels *Joseph and his Brethren* (vgl. 29. Februar und 1. März
1744).
(Schoelcher 1857, 235; Squire 1913, 105; Smith
1960, 179)
Vgl. 14. März 1741

2. März 1737
Händel beginnt das Oratorium *Il Trionfo del Tempo
e della Verità* (HWV 46b).
Eintrag in der autographen Partitur (R. M. 20.
f. 10.): „London angefangen ohnegefehr den
2 March 17[37]".
Vgl. 14. März 1737

4. März 1737
Eine Londoner Zeitung

[Ankündigung der *Giustino*-Aufführung]
Being the last Opera that will be perform'd 'till
Easter.
(Sammlung Harris)
Vgl. 16. und 22. Februar 1737

8. März [?] 1737
Ann Granville an ihre Mutter, Mrs. Granville

[London,] 8th March 1737.
Music is certainly a pleasure that may be reckoned
intellectual, and we shall never again have it in the
perfection it is this year, because Mr. Handel will
not compose any more! Oratorios begin next
week, to my great joy, for they are the highest entertainment to me.
(Delany, I, 594)

– Das Datum dieses Briefes ist möglicherweise
falsch, denn Händels Oratorien-Saison begann bereits am Mittwoch, dem 9. März 1737 (vgl. 22. Februar 1737). Die Befürchtungen von Händels
Freunden, er werde nicht mehr komponieren, beziehen sich wahrscheinlich auf sein Opernschaffen (vgl. 5. Mai 1737).

9. März 1737
Il Parnasso in Festa wird im Covent Garden Theatre
aufgeführt und am 11. März wiederholt.

– Die Besetzung ist nicht bekannt; vermutlich sangen Anna Strada und Maria Caterina Negri die gleichen Partien wie bei der Uraufführung am 13. März 1734.
(Burney, II, 809)

11. März 1737
The London Daily Post

We hear, since Operas have been forbidden being performed at the Theatre in Covent Garden on the Wednesdays and Fridays in Lent, Mr. Handel is preparing Dryden's Ode of Alexander's Feast, the Oratorios of Esther and Deborah, with several new Concertos for the Organ and other Instruments; also an Entertainment of Musick, called Il Trionfo del Tempo e della Verita, which Performances will be brought on the Stage and varied every Week.
(Burney, II, 806 f.; Schoelcher 1857, 185)

– Deborah wurde in dieser Saison nicht wieder aufgenommen.

14. März 1737
Händel beendet Il Trionfo del Tempo e della Verità (HWV 46ᵇ).
Eintrag in der autographen Partitur (R. M. 20. f. 10.): „Fine dell'Oratorio G. F. Handel London March 14 1737".
Vgl. 2. März 1737

– Händel hat an der zweiten Fassung des Oratoriums Il Trionfo del Tempo e del Disinganno (HWV 46ᵃ; vgl. 14. Mai 1707) nur zwei Wochen gearbeitet.
Vgl. 11. März 1757

15. März 1737 (I)
Eine Londoner Zeitung

By Command of their Royal Highnesses the Prince and Princess of Wales. At the Theatre-Royal in Covent-Garden, To-morrow, March 16, will be perform'd an Ode, written by Dryden, call'd Alexander's Feast. With Concerto's on the Organ, and other Instruments.
(Sammlung Harris)

– Einen Hinweis auf diese Aufführung veröffentlichte die Daily Post am 16. März 1737.
Wiederholungen: 18. und 30. März, 5. April („by Desire"), 10. und 25. Juni 1737. 1736 war das Werk als The Feast of Alexander angekündigt worden (vgl. 19. Februar 1736/I und 25. Februar 1736), erhielt aber bereits in dem 1736 gedruckten Textbuch seinen endgültigen Titel Alexander's Feast.
Die Besetzung ist nicht vollständig bekannt, Anna Strada und John Beard sangen die gleichen Partien wie 1736, den Part von Cecilia Young, die am 15. März 1737 Thomas Augustine Arne heiratete,

übernahm wahrscheinlich Domenico Annibali, den Part von Erard wahrscheinlich Thomas Reinhold. Der Text der 1737 zu Beginn des 2. Aktes von Anna Strada und Annibali gesungenen Kantate „Cecilia, volgi un sguardo" wurde als Extrablatt gedruckt und in die für diese Aufführungen wiederverwendeten Textbücher vom Vorjahr eingelegt. Im Druck erschien „Cecilia, volgi" zusammen mit der Arie „Sei del ciel" in Walshs erster Partitur-Ausgabe des Alexander's Feast (vgl. 8. März 1738).
(Schoelcher 1857, 383 f.; Chrysander, II, 429 f.; Smith 1960, 90)

15. März 1737 (II)
Edward Holdsworth an Charles Jennens

Winton, Mar. 15 1736/37

I am sorry Mʳ Handel is like to be a sufferer notwithstanding all the pains he has taken to please; and yᵗ he would be convinc'd by such dear-bought experience what a perverse, stupid, & incorrigible race of mortals we are. He wou'd do very well I think to lay quiet for a year or two; and then I am persuaded yᵗ his enemies will sink of course, and many of them will court him as much as now they oppose him. What has min'd our Dissenters, but letting them alone, & leaving them to their own stupidity? Disputing with them kept up their perverse spirits, and was the chief support of their faction. But I am chiefly concern'd for you, for I fear whilst Handel retires you'l have the Hyp. And that is of more consequence than all the musick in the world to Dear Sʳ. Your most affectionate humble Serv.t E. Holdsworth.
(Sammlung Gerald Coke)
Vgl. 19. Februar 1737

17. März 1737 (I)
The Daily Journal

Last Night their Royal Highnesses the Prince and Princess of Wales went to the Theatre Royal in Covent Garden, where Mr. Dreyden's celebrated Ode called Alexander's Feast was performed with great Applause, and to the Satisfaction of a numerous Audience.

17. März 1737 (II)
Eine Londoner Zeitung

Last Night Mr. Dryden's Ode, call'd Alexander's Feast, was performed at the Theatre Royal in Covent-Garden, to a splendid Audience, where his Royal Highness the Prince and the Princess of Wales were present, and seem'd to be highly entertain'd, insomuch that his Royal Highness commanded Mr. Handel's Concerto on the Organ to be repeated, and intends to Honour the same with his Presence once again, as likewise the new Ora-

torio call'd Il Trionfo del Tempo e della Verita, which is to be perform'd on Wednesday next [23. März].
(Sammlung Harris)

23. März 1737 (I)
The Daily Post

This Evening will be perform'd, At the Theatre-Royal in Covent-Garden, An Oratorio call'd Il Trionfo del Tempo e della Verita.

– In einer anderen Zeitungsanzeige (Sammlung Harris) heißt es: „...a new oratorio, with concertos on the organ and other instruments ... By Command of their Royal Highnesses the Prince and Princess of Wales."
Wiederholungen: 25. März, 1. und 4. April 1737.
Vermutliche Besetzung:
Tempo – Domenico Annibali, Mezzosopran
Disinganno – Maria Caterina Negri, Alt
Bellezza – Anna Strada, Sopran
Piacere – John Beard, Tenor
Das gedruckte Textbuch („Done into English by Mr. George Oldmixon") nennt die Partien, aber nicht die Sänger.
Vgl. 3. März 1739

23. März 1737 (II)
Die Academy of Ancient Music führt in der Crown and Anchor Tavern Händels *Chandos Te Deum* (HWV 281) auf.

– Das Textbuch *Motets, Madrigals and other pieces, performed by the Academy of Ancient Music on Thursday, March 23rd, 1737* ([1738?]; nachgedruckt 1746, 1751 und 1755) enthält das Te Deum mit dem Vermerk „composed by Mr. Handel for the Duke of Chandos".

26. März 1737
The Craftsman

To all Lovers of Musick.
On Wednesday the 30th Instant will be publish'd, The whole Opera of Justin in Score, as it is perform'd at the Theatre-Royal in Covent-Garden. Composed by Mr. Handel.
Printed for and sold by John Walsh.
(Chrysander, II, 397 f.)

– Der vermutlich einen Monat früher veröffentlichte Aufruf zur Subskription ist nicht nachweisbar. Am 2. April 1737 zeigt Walsh in *The Craftsman* die Fertigstellung des Druckes an: „This Day is publish'd. The whole Opera of Justin ..."
(Smith 1960, 35)

31. März 1737
Eine Londoner Zeitung

At the Theatre-Royal in Covent-Garden, To-morrow, April 1, will be perform'd the last New Ora-

torio, call'd Il Trionfo del Tempo e della Verita. With Concerto's on the Organ, and other Instruments. ...
(Sammlung Harris)
Vgl. 23. März 1737 (I)

März/April 1737
Im Haymarket Theatre wird das Oratorium *Jephtha* von Maurice Greene aufgeführt.

– Greene war seit 1718 Organist an der St. Paul's Cathedral, außerdem seit 1727 Organist und Komponist der Chapel Royal und seit 1735 Master of the King's Band of Musick.
Als Textvorlage für *Jephtha* benutzte Greene eine im März 1737 in *The Gentleman's Magazine* unter dem Namen Burnet veröffentlichte Dichtung. Nicoll folgt Robert Watt *(Bibliotheca Britannica)* und Gordon Goodwin *(Dictionary of National Biography)* und schreibt den Text John Hoadly zu unter Bezug auf ein 1737 gedrucktes Textbuch sowie einen Abdruck in der 1740 erschienenen Sammlung *A Miscellany of Lyric Poems*, die im Untertitel folgende Angabe enthält: „... performed in the Academy of Music, held in the Apollo." Der Apollo-Saal befand sich in der Devil's Tavern (vgl. 16. April 1736), in dem die Apollo Society ihre Zusammenkünfte hatte.
Händels Librettist, Thomas Morell, übernahm einen Vers aus dem von Greene vertonten Text in seinen *Jephtha*-Text.
(Nicoll 1925; Dean 1959, 589 ff.)

2. April 1737
Subskribenten-Verzeichnis für *Giustino* (Auszug)
Right Hon. Marchioness Carnarvon
Right Hon. Earl Cowper
Wm Freeman
Mr. Granville 2 Books
Mr. Bernard Gates
James Harris 2 Books
Mr. James [= John] Harris, Organ Builder
Mrs. Hare 2 Books
Charles Jennens 2 Books
St Windham Knatchbul
Mr. [James] Kent, Organist of Trin. Coll. Camb.
Mr. [John] Keeble 2 Books
Musical Society Oxford
Dr. Pepusch
Mr. I [James] Peasable, Organist at Southampton
Right Hon. Earl of Shaftsbury
Mr. [John] Stanley
Mr. [William] Savage
Mr. [John] Simpson, Musick Seller
Mr. John Snow of Oxon
Mr. Wiedeman
Mr. Zincke

– 104 Subskribenten (in einigen Exemplaren sind 105 verzeichnet) erwarben 110 (bzw. 111) Exemplare.

6. April 1737 (I)
Esther wird im Covent Garden Theatre aufgeführt und am 7. April wiederholt.
Vermutliche Besetzung:
Ahasverus – Domenico Annibali, Mezzosopran
Haman – Thomas Reinhold, Baß
Habdonah – John Beard, Tenor
Esther – Anna Strada, Sopran
Mordecai – Francesca Bertolli, Alt

6. April 1737 (II)
John Walsh kündigt in der *London Daily Post* an:
„Six Overtures fitted to the Harpsicord viz. Justin Arminius Atalanta Alcina Ariodante Pastor fido 2ᵈ Compos'd by Mʳ Handel. Sixth Collection."
„Six Overtures for Violins &c. in Seven Parts as they are Perform'd at the King's Theatre in the Operas of Justin Arminius Atalanta Alcina Ariodante Pastor fido 2ᵈ Compos'd by Mʳ Handel. Sixth Collection."

– Beide Ausgaben werden in *The Craftsman* vom 2. Juli 1737 als „Just publish'd" angezeigt.
(Smith 1960, 282 ff.)

13. April 1737
Eine Londoner Zeitung

At the Theatre-Royal in Covent-Garden, this Day, April 13, will be perform'd a New Opera, call'd Dido.
(Sammlung Harris)

– Das Pasticcio *Didone abbandonata* (Text: Pietro Metastasio, Rom 1726, Musik: Leonardo Vinci, Johann Adolf Hasse, Geminiano Giacomelli und Antonio Vivaldi) wurde von Händel bearbeitet.
Besetzung:
Didone – Anna Strada, Sopran
Enea – Gioacchino Conti, Sopran
Jarba – Domenico Annibali, Mezzosopran
Selene – Francesca Bertolli, Alt
Osmida – Maria Caterina Negri, Alt
Araspe – John Beard, Tenor
Händel war nicht in der Lage, die Aufführung zu leiten, da er an diesem Tage einen Schlaganfall erlitt, der seinen rechten Arm lähmte.
Wiederholungen: 20. und 27. April, 1. Juni 1737.
Bis zum Ende der Spielzeit wurden Opern nur mittwochs aufgeführt; Ausnahmen waren: Sonnabend, 21. Mai, Freitag, 10. Juni, Dienstag, 21., Sonnabend, 25. Juni 1737.
(Strohm 1974 II, 237 ff. und 256 ff.)

19. April 1737
James Harris an Anthony Ashley Cooper, 4. Earl of Shaftesbury

Sarum April 19 – 1737

... Yʳ Lordᵖ Observations on the Ode is certainly very Just. People came with an Expectation that Music was to give Them a prospect of Persepolis on Fire. But this indeed was to expect Pomegranates from an Orange Tree. ...
... The Great are certainly of right the Natural Patrons of Arts & Sciences. Next to a free Governmᵗ their Countenance is yᵉ greatest happiness wᶜʰ can befall them. ... This Good Fortune has made Yʳ Lordᵖ Happiness in yᵉ Musical Way by Sending Us Handel.
(Public Record Office: G. D. 24, Bundle XXVIII, No. 26)

– James Harris erbte nach dem Tode seines Vaters die Close of Salisbury (Sarum). Er war ein Vetter des 4. Earl of Shaftesbury. Seine Mutter, Lady Elizabeth Ashley Cooper, die zweite Frau von James Harris d. Ä., war eine Schwester des 3. Earl of Shaftesbury. Seine Schwester Catherine war mit Sir Windham Knatchbull verheiratet. Er heiratete 1745 Elizabeth Clarke. Sein Sohn James Harris (der dritte dieses Namens) wurde später 1. Earl of Malmesbury.
James Harris war vor allem bekannt durch sein sprachphilosophisches Werk *Hermes* (London 1751), weshalb er oft „Hermes-Harris" genannt wurde. 1744 veröffentlichte er *Three Treatises. The First Concerning Art. The Second Concerning Music, Painting, and Poetry. The third Concerning Happiness*. Er stellte das Werkverzeichnis für Mainwarings Händel-Biographie zusammen und bearbeitete die Texte für die zweibändige Ausgabe von Werken italienischer und deutscher Komponisten, die Joseph Corfe um 1800 unter dem Titel *Sacred Music* veröffentlichte.
1762 wurde im Drury Lane Theatre sein Pastoralstück *The Spring* mit Musik von Händel und anderen Komponisten aufgeführt (als *Daphnis and Amaryllis* seit 1763 mehrfach in Oxford). Die große politische Laufbahn von James Harris begann erst nach Händels Tod.

29. April 1737
The Daily Advertiser

For the Benefit of Mr. W. Savage.
At the Castle Tavern, Pater-noster-Row, on Monday the 2d of May, will be an Entertainment of Vocal and Instrumental Musick. ... And at the end of each Part will be perform'd one of Mr. Handel's Coronation-Anthems, with Voices and Instruments.

– Die Castle Tavern war der Treffpunkt des Philarmonica Club, jetzt Castle Society genannt. 1744 zog dieser Klub in The King's Arms nach Cornhill um.
William Savage (geb. 1720) sang erstmals 1735 als „the boy" bei Händel.

30. April 1737
The London Daily Post

Mr. Handel, who has been some time indisposed with the rheumatism, is in so fair a way of recovery, that it is hoped he will be able to accompany the opera of Justin on Wednesday next, the 4th of May; at which time we hear their Majesties will honour that opera with their presence.
(Burney, II, 809 f.)

– Ob Händel, dem es vorübergehend etwas besser ging, die Aufführung tatsächlich geleitet hat, ist nicht bekannt.
Die erste Aufführung von *Berenice* konnte er nicht leiten (vgl. 14. und 18. Mai 1737).

5. Mai 1737
James Harris an Anthony Ashley Cooper, 4. Earl of Shaftesbury

Sarum May 5 1737
Y^r Lord$^{p's}$ information concerning Mr Handel's Disorder was y^e first I received – I can assure Y^r Lord^p it gave me no Small Concern – when y^e Fate of Harmony depends upon a Single Life, the Lovers of Harmony may be well allowed to be Sollicitous. I heartily regrett y^e thought of losing any of y^e executive part of his meritt, but this I can gladly compound for, when we are assured of the Inventive, for tis this which properly constitutes ye Artist, & Separates Him from ye Multitude. It is certainly an Evidence of great Strength of Constitution to be so Soon getting rid of So great a Shock. A weaker Body would perhaps have hardly born ye Violence of Medicines, wch operate So quickly. I rejoice to hear from y^r Lord^p that the Author's Bill is like to Succeed, and I am Sure ye Lovers both of Letters & of Harmony ought to be thankfull to y^r Lord^p for ye Pain you have taken in Solliciting it. Tis a bad Proof w^t remains of Gothic Barbarity we have Still amongst us that ye Bill Should have been opposed on acc^t of Mr Pope & Handel. It may however for our comfort be remembered th^t even in ye Augustan Age when Virgil & Horace were alive, at ye Same time lived Bavius & Maevius. The Success of this Bill will I hope give us ye Ode, which I have a vast desire to be possessed of. If Mr Handel gives off his Opera, it will be the only Pleasure I shall have left in ye musicall way, to look over his Scores, and recollect past Events – Here Strada used to shine – there Annibale – This was an Excell^t Chorus, and that a Charming peice of Recitative – In that I shall amuse my Self much in the Same manner as Virgil tells of ye Trojans... the War y^r Lord^p knows was renewed with double Earnestness & Vigour. May my Pleasure find ye Same Fate, & be lost by ye Return of that Harmony wch I have given over, Supported & carried on by ye Same Spirit & Resolution.

(Public Record Office: G. D. 24, Bundle XXVIII, No. 27)
Vgl. 19. April 1737

– Es war vermutlich ein apoplektischer Insult und nicht Rheumatismus, der zur Lähmung von Händels rechtem Arm geführt hatte (vgl. 14. Mai 1737).
Die Worte „executive part of his meritt" beziehen sich vermutlich in erster Linie auf Händels Orgel- und Cembalospiel und erst in zweiter auf seine Dirigiertätigkeit.
Die erwähnte Ode auf einen Text von Pope hat Händel nicht komponiert. Der Arzt John Belcher, ein Freund von Pope und Händel, soll diesen zur Vertonung von Popes früher *Ode for Musick* (1708; auch bekannt als *Euridice* oder *Ode for St. Cecilia's Day*) angeregt haben. Händel lehnte ab, da Greene die Ode bereits 1730 vertont hatte. Nach Burney soll Händel gesagt haben: „It is de very ding vat my pellows-plower has set already for ein tocktor's tecree at Cambridge" (1785, 33).
In den gedruckten Protokollen über die Author's Bill, d. h. das Urheberrechtsgesetz, das zu jener Zeit wieder in den beiden Häusern des Parlaments behandelt wurde, sind Pope und Händel nicht genannt. (Allerdings geben die Journals des Ober- und Unterhauses die Verhandlungen nur unvollständig wieder.) Auf Grund einer Petition Londoner Drucker und Buchhändler gegen die Praktiken des Raubdrucks wurde unter Königin Anna vom 12. Dezember 1709 bis zum 5. April 1710 die erste Bill for Encouragement of Learning behandelt. Diese garantierte für neue Veröffentlichungen einen Schutz von 14 Jahren (vgl. 14. Juni 1720). In den Jahren 1735–1749 bemühte sich eine Society for the Encouragement of Learning um die Verbesserung des Urheberrechts. Vom 3. März bis zum 5. Mai 1735 wurde ein Gesetz für „better Encouragement of Learning" diskutiert, zuerst im House of Commons, dann im House of Lords, wurde jedoch nicht verabschiedet.
Seit dem 5. April 1737 wurde im House of Lords ein Gesetz über „more effectual securing sole Right of printed Books to Authors, &c." diskutiert, das von Henry, Viscount Cornbury, eingebracht worden war, aber ebenfalls nicht verabschiedet wurde. Der ziemlich revolutionäre Gesetzesentwurf sah vor: entweder urheberrechtlichen Schutz auf Lebenszeit und elf Jahre darüber hinaus oder auf insgesamt 21 Jahre, wenn der Autor innerhalb von zehn Jahren nach der Veröffentlichung sterben sollte, außerdem einen Schutz für postume Werke von 21 Jahren. Shaftesburys Name wird in keinem der gedruckten Berichte über die Gesetzesvorlagen von 1737 genannt.
Auch der Earl of Egmont war an der Aufhebung des Urheberrechtsgesetzes aus der Zeit von Königin Anna interessiert. Am 17. März 1735 zeichnete

er 10 Guineen für einen Gesetz-Vorentwurf, der Autoren vor der Willkür von Druckern und Buchhändlern schützen sollte und der von hochgestellten Persönlichkeiten, mit John, Lord Carteret, an der Spitze (vgl. 28. Oktober 1720), propagiert wurde. Diese Persönlichkeiten hatten sich in der bereits erwähnten Society for the Encouragement of Learning vereinigt. Am 19. März 1737 suchte der Earl of Egmont Lord Limerick auf, um mit ihm den Act for Encouragement of Learning und speziell den Punkt zu besprechen, daß Nachdrucke in Irland nicht untersagt sein sollten, sondern lediglich ihr Import nach England.

Bavius und M(a)evius waren zwei römische Dichterlinge, die versucht hatten, Horaz und Vergil Abbruch zu tun.

(Chrysander, II, 432f.; Egmont MSS., II, 161; Collins, 72; Atto, 263ff.)

14. Mai 1737
The London Evening Post

The ingenious Mr. Handel is very much indispos'd, and it's thought with a Paraletick Disorder, he having at present no Use of his Right Hand, which, if he don't regain, the Publick will be depriv'd of his fine Compositions.

18. Mai 1737 (I)
The Daily Gazetteer

Last Night the King, Queen, and Princesses, went to the Opera in the Haymarket.
And this Evening their Majesties will be at the Opera in Covent Garden.
(Burney, II, 810)

– Am 17. Mai 1737 wurde im Haymarket Theatre *Sabrina* von Paolo Antonio Rolli aufgeführt. Rolli hatte das Libretto (nach Miltons *Comus*) bearbeitet und auch die Musik zusammengestellt. Neben Farinelli trat als neue italienische Sängerin Maria Antonia Marchesini auf.
(Chrysander, II, 403)

18. Mai 1737 (II)
The Daily Post

This Evening will be perform'd, At the Theatre-Royal in Covent-Garden, A new Opera, call'd Berenice.

– Der Bearbeiter des auf Antonio Salvis Libretto *Berenice, Regina d'Egitto* (Pratolino 1709; Musik: Giacomo Antonio Perti) zurückgehenden Textes ist nicht bekannt.
Besetzung:
Berenice – Anna Strada, Sopran
Selene – Francesca Bertolli, Alt
Alessandro – Gioacchino Conti, Sopran
Demetrio – Domenico Annibali, Mezzosopran

Arsace – Maria Caterina Negri, Alt
Fabio – John Beard, alternierend mit William Savage, Tenor
Aristobolo – Thomas Reinhold, Baß
Wiederholungen: 21. und 25. Mai, 15. Juni 1737.
Händel leitete keine dieser Aufführungen.
Anna Strada und Gioacchino Conti traten in dieser Oper zum letztenmal in London auf.
(Burney, II, 810; Loewenberg, Sp. 190; Strohm 1975/76, 144f.)

21. Mai 1737
Eine Londoner Zeitung

We hear that the Directors of his Majesty's Operahouse in the Haymarket, have engaged for the ensuing Season, the famous Caffariello, reputed to be the best singer in Italy.
(Burney, II, 813)

– Farinelli verließ das Haymarket Theatre im Juni 1737. Der Sopranist Caffarelli (Gaetano Majorano) kam am 1. November nach London. Er sang 1738 die Titelpartien in Händels *Faramondo* und *Serse*.
Vgl. 29. Oktober 1737

28. Mai 1737
The Craftsman

Musick. Just publish'd, Proposals for printing by Subscription, the new Opera of Berenice, and Alexander's Feast; an Ode, as they are perform'd at the Theatre-Royal in Covent-Garden. Composed by Mr. Handel. Subscriptions are taken in by John Walsh.
(Chrysander, II, 428)

– Die Subskriptionsaufrufe für Händels *Alexander's Feast* wurden in der gleichen Zeitung am 11., 18. und 25. Juni sowie am 2. Juli 1737 wiederholt.
(Smith 1948, 126)

31. Mai 1737
Eine Londoner Zeitung

By His Majesty's Command, At the Theatre-Royal in Covent-Garden, To-morrow, June 1, will be perform'd an Opera, call'd Dido. ... To begin at Seven o'Clock.
(Sammlung Harris)
Vgl. 13. April 1737

– Die Aufführungen begannen jetzt später als in den Wintermonaten.

4. Juni 1737
The Craftsman

... However, if this Bill must pass ... I hope our Italian Opera's will fall the first Sacrifice, as they not only carry great Sums of Money out of the Kingdom, but soften and enervate the Minds of the People. It is observable of the antient Romans, that they did not admit of any effeminate Musick, Singing or Dancing, upon their Stage, till Luxury had corrupted their Morals, and the Loss of Liberty follow'd soon after. If therefore it should be thought necessary to lay any farther Restraint upon the most useful Sort of dramatical Entertainments, the worst ought certainly to receive no Encouragement.

– Dieser Artikel, der im Juli 1737 auch im *London Magazine* erschien, bezieht sich auf die Playhouse Bill, die die Freiheit auf der Bühne einschränken sollte und über die vom 20. Mai bis zum 21. Juni 1737 im Parlament debattiert wurde. Anlaß zu dem Gesetzentwurf hatte die Verhöhnung der Regierung in der Farce *The Golden Rump* im Lincoln's Inn Fields Theatre gegeben. Der Earl of Chesterfield sprach im Interesse der Freiheit gegen das Gesetz, das aber angenommen wurde. (Bredenförder)

7. Juni 1737
Eine Londoner Zeitung

At the Theatre-Royal in Covent-Garden, To-morrow, June 8, will be perform'd an Opera, call'd Justin.
(Sammlung Harris)

10. Juni 1737
Eine Londoner Zeitung

By Command of their Royal Highnesses the Prince and Princess of Wales. At the Theatre-Royal in Covent-Garden, this Day, June 10, will be perform'd an Opera, call'd Alcina.
(Sammlung Harris)

– Die Besetzung war vermutlich die gleiche wie im Vorjahr (vgl. 6. November 1736).
Wiederholung: 21. Juni 1737.

11. Juni 1737
Die Opera of the Nobility beendigt ihre Saison vorzeitig.

– Am 24. Mai 1737 war *Demofoonte* (Text: Corri nach Metastasio, Musik: Egidio Romoaldo Duni) zum erstenmal aufgeführt worden. Eine für den 28. Mai vorgesehene Wiederholung mußte wegen Indisposition von Farinelli abgesagt werden. Ob am 11. Juni *Demofoonte* oder *Sabrina* (vgl. 17. Mai 1737) aufgeführt wurde, konnte nicht ermittelt werden. Die für den 14. Juni 1737 angekündigte Aufführung von *Sabrina* mußte wegen erneuter Erkrankung Farinellis abgesagt werden.
(Nicoll 1922; Burney, II, 813)

1733–1737
Repertoire der Opera of the Nobility

Lincoln's Inn Fields

1733	29. Dezember	*Ariadne* (Text: Rolli; Musik: Porpora)
1734	5. Februar	*Ferdinando* (Musik: Porpora)
	12. März	*Davide e Bersabea*, Oratorium (Text: Rolli, Musik: Porpora)
	23. März	*Belmira*, Pasticcio
	11. Mai	*Enea nel Lazio* (Text: Rolli, Musik: Porpora)

Haymarket

	29. Oktober	*Artaserse* (Musik: Hasse und Riccardo Broschi)
	10. Dezember	*Ottone* (Text: Haym nach Pallavicini; Musik: Händel)
1735	1. Februar	*Polifemo* (Text: Rolli; Musik: Porpora)
	8. April	*Issipile* (Text: Metastasio; Musik: Sandoni)
	3. Mai	*Ifigenia in Aulide* (Text: Rolli; Musik: Porpora)
	25. November	*Adriano* (Musik: Veracini)
1736	24. Januar	*Mitridate*, Pasticcio
	2. März	*Orfeo,* Pasticcio
	13. April	*Honorius* (Text: Lolli und Boldoni; Musik: Campi)
	4. Mai	*The Feast of Hymen*, Serenata (Porpora)
	23. November	*Siroe* (Text: Metastasio; Musik: Hasse)
1737	8. Januar	*Merope* (Text: Zeno)
	12. Februar	*Demetrio* (Text: Metastasio; Musik: Pescetti)
	Fastenzeit	*Jephtha*, Oratorium (Greene)
	12. April	*La Clemenza di Tito* (Text: Corri nach Metastasio; Musik: Veracini)
	26. April	*Sabrina* (Text: Rolli nach Miltons *Comus*; Musik: Zusammenstellung: Rolli)
	24. Mai	*Demofoonte* (Text: Corri nach Metastasio; Musik: Duni)

15. Juni 1737 (I)
The London Daily Post

To all Lovers of Music.
This Day is publish'd, The whole Opera of Berenice in Score.
Those Gentlemen who intend to subscribe are desired to send in their Names immediately.
Subscriptions are taken in by John Walsh.

– Der Text der Anzeige wurde Schoelchers teilweise in französischer Sprache abgefaßtem *Catalogue, chronological and raisonné, of Handel's works* (British Library, R. M. 18. b. 2., Bll. 33–370) entnommen und ins Englische zurückübersetzt, ist also im Wortlaut nicht authentisch.

Walshs *Berenice*-Partitur enthält kein Subskribenten-Verzeichnis.

15. Juni 1737 (II)
Eine Londoner Zeitung

The Work is in a great Forwardness and will be carefully corrected and done with all Expedition. Subscriptions are taken in by the Author, in his House in Brook-street, Hanover Square; also by John Walsh. ... The Price to Subscribers to be two Guineas, one Guinea to be paid at the Time of Subscribing, and the other on Delivery of the Book in Sheets. A Print of the Author will be curiously engrav'd and given to the Subscribers and Encouragers of the Work.
(Chrysander, II, 429)

– Den Text hat Schoelcher aus Walshs Ankündigung von Händels *Alexander's Feast* in einer Londoner Zeitung (*London Daily Post*?) kopiert und Chrysander mitgeteilt. Anscheinend stand diese Ankündigung im Zusammenhang mit dem Subskriptionsaufruf, der zum erstenmal am 28. Mai erschienen war.
Dies ist die erste Anzeige, die die Interessenten zum Abschluß der Subskription auch in Händels Haus einlädt.

18. Juni 1737
The Craftsman

New Musick, This Day is publish'd, The New Opera of Berenice in Score ... by Mr. Handel. ... Printed for and sold by John Walsh. ... Where may be had, Proposals for printing by Subscription, Alexander's Feast, an Ode, wrote in Honour of St. Cecilia. By Mr. Dryden. Set to Musick by Mr. Handel.
(Chrysander, II, 398)

– In derselben Zeitung zeigt Walsh außerdem als „Just publish'd" an: *The Opera of Arminius and Atalanta for the Common Flute.*
(Smith 1960, 20 f.)

25. Juni 1737
Eine Londoner Zeitung

By Command of their Royal Highnesses the Prince and Princess of Wales. At the Theatre-Royal in Covent-Garden, this Day, June 25, will be perform'd an Ode, call'd Alexander's Feast. Written by Dryden.
(Sammlung Harris)

– Mit dieser Aufführung wurde wahrscheinlich die Saison beendet.

5. Juli 1737
Register of Warrants des Prince of Wales

To Mr John Kipling for the Season of Opera's at Covent Garden Theatre 1737

£	s	d
250	0	0

(British Library: Add. MSS. 24 404, Bl. 66ᵛ)

– Am selben Tag wurden 250£ an Joseph Haymes für die Opernsaison am Haymarket Theatre gezahlt. Haymes, wahrscheinlich der Kassierer der Opera of the Nobility, hatte den gleichen Betrag auch am 27. Juni 1735 sowie am 27. Juli 1736 erhalten. Die Subventionen des Prinzen für die Opernhäuser erfolgten von 1733 bis 1737; Händels Unternehmen wurde in den Jahren 1735 und 1736 von ihm finanziell nicht unterstützt (vgl. 5. Juli 1733 und 28. Juni 1734).

6. Juli 1737

Der Prince of Wales begibt sich mit Damen und Herren seiner Hofhaltung unter Musikbegleitung auf der Themse von Kew nach Vauxhall Gardens.
(Wroth, 291)

– Bei dieser Gelegenheit könnten Teile der Wassermusik Händels aufgeführt worden sein.

9. Juli 1737

John Walsh zeigt im *Craftsman* an: *Select Aires & Duets for two German Flutes or two Violins By the following Eminent Authors Handel Geminiani S. Martini Weideman Quantz Pescetti 2d Book.*

– Die Händel-Bearbeitungen stammen aus *Berenice, Giustino, Lotario, Sosarme, Arminio, Il Trionfo del Tempo e della Verità, Giulio Cesáre, Alexander's Feast* und *Il Pastor Fido.*
(Smith 1960, 261)

25. August 1737
Warrant Book des Königs

	£	s.	d.	
Royal Academy of Music	1,000	0	0	Royal bounty to the undertakers of the Opera.

(Shaw 1900, 432)

– Eine entsprechende Eintragung im Protokollbuch des Schatzamtes fehlt. Die Subvention wurde an die Haymarket Opera gezahlt.

August 1737

In Braunschweig wird Händels *Arianna in Creta* in italienischer Sprache aufgeführt.
(Loewenberg, Sp. 180; Stompor, 85)

1. September 1737

Händel hebt 150 Pfund von seinem Konto ab.

17. September 1737
Johann Adolph Scheibe, Der Critische Musicus,
Hamburg 1737

Das 15 Stück. Dienstags, den 17. September, 1737.
In einigen Arten von Clavierstücken unterscheidet sich die deutsche Musikart von den übrigen sehr merklich. Wir finden bey den Ausländern weder eine so vollkommene Einrichtung noch Auszierung, noch Ausarbeitung dieser Stücke, als bey den Deutschen; wie sie denn dieses Instrument vor allen Nationen mit der größten Stärke, und nach der wahren Natur desselben auszuüben wissen. Die beyden großen Männer unter den Deutschen, Herr Bach und Herr Händel bezeugen solches auf das nachdrücklichste.
(Scheibe 1745, 148)

– Scheibes *Critischer Musikus* erschien 1737–1740 in Hamburg als Wochenschrift, 1745 in Leipzig in Buchform. Ähnlich äußert sich etwa zur gleichen Zeit Lorenz Mizler in seiner Monatsschrift *Neu eröffnete musikalische Bibliothek* (vgl. Oktober 1737).

September 1737
Händel reist zur Kur nach Aachen.
(Burney, II, 817)

– Der genaue Termin ist nicht bekannt. Händel kehrte Ende Oktober oder Anfang November nach London zurück.

14. Oktober 1737
Johann Mattheson, Hamburger Opernverzeichnis

Anno 1737
244. Die Farbe macht die Königin, ein Sing-Spiel. Uebersetzt aus dem Italiänischen durch Mr. Dreyer, einen jungen Studenten. Die Musik, bis auf 12 oder 16 Arien, ist von dem sogenannten Römischen Capellmeister Leonhard Fischer; das übrige ist von Hasse, Händel, Vinci etc. Zum erstenmal aufgeführt d. 14. Oct.
(Chrysander 1877, Sp. 264)

– Nach Willers' Tagebuch fand die erste Aufführung des Singspiels *Color fa la regina oder Die Farbe macht die Königin* bereits am 13. Oktober statt; zwei Wiederholungen im Herbst 1737, eine zu Beginn des folgenden Jahres.
(Merbach, 368)

15. Oktober 1737
John Christopher Smith d. Ä. aus Elbing an Matthew Dubourg in Dublin

… heute kann ich Ihnen beweisen, wie sehr unser Meister wieder er selber geworden ist: bedenken Sie, mein lieber Dubourg, daß die Leute von Elbing, dieser kleinen Stadt des östlichen [sic!] Preußens, von wo ich Ihnen diese Zeilen schreibe, als sie ich weiß nicht wodurch informiert waren von

seiner Anwesenheit, … erreicht haben, seine Mitwirkung bei dem Fest zu erlangen, das sie für die Fünfhundertjahresfeier ihrer Stadt vorbereiten und ihn bewogen haben, sich selber die Tatsache seiner Heilung zu beweisen und für sie eine Kantate zu schreiben, die er in ein paar Tagen komponierte mit unglaublicher Leichtigkeit und Glück!
… Augenblicklich beschäftigt er sich mit den Proben seines Werkes, das er dirigieren wird, und sobald das erledigt ist, werden wir nach London zurückkehren, wo wir in den letzten Tagen dieses Monats einzutreffen gedenken und fröhlicher, als wir damals abgereist sind.

– Dieser (in seiner Echtheit angezweifelte) Brief ist der einzige Beleg für Händels Aufenthalt im Herbst des Jahres 1737 in der damals westpreußischen Stadt Elbing (heute Elblag, Volksrepublik Polen). Warum er von Aachen aus dorthin gereist sein soll, wird im Brief nicht erwähnt. Müller-Blattau zieht freundschaftliche oder künstlerische Beziehungen zur englischen Kolonie der Stadt in Erwägung.
Die „Kantate" ist das im November 1737 anläßlich der Fünfhundertjahrfeier der Gründung von Elbing aufgeführte „Drama per Musica" *Hermann von Balcke* (Text: Georg Daniel Seyler). Hermann von Balcke (Hermann Balk), Landmeister des Deutschen Ritterordens, hat Elbing im Jahr 1237 gegründet. „Die Composition der Arien" stammt nach Angabe des Textbuches „Theils von Ms. Handel, theils von Ms. du Grain, von welchem letztern das gantze Recitativ in die Music gesetzet worden". Bei dem Händelschen Anteil handelt es sich nicht um eigens dafür komponierte Stücke, sondern um Übernahmen aus den Opern *Giulio Cesare, Partenope, Alessandro, Riccardo I., Ottone, Admeto, Scipione* und *Radamisto*.
Händel konnte die Aufführung nicht dirigieren, da sie erst am 28. November 1737 stattfand (vgl. 7. November 1737).
(Döring, 155; Leux, 441ff.; Müller-Blattau 1933 II, 240f.; Müller-Blattau 1970, 121)

19. Oktober 1737
Kronprinz Friedrich von Preußen an Prinz Wilhelm von Nassau-Oranien

à Rémusberg, ce 19. Octob. 1737

Faites, s'il vous plait, bien des assurances de mon estime à Madame votre Epouse, elle me fait trop d'honneur de vouloir pncer [sic!] à moi, touchant les opéras de Hendel; je lui ai une obligation infinie de ses atantions [sic!] obligantes, mais je vous prie de lui dire, que les beaux jours de Hendel sont passéz [sic!], sa tête est épuissée [sic!] et son gout hors de mode; mandez moi si vous avéz quelque chanteur et quele voi [sic!] qu'il chante, je

vous enverai des airs de mon compositeur, qui j'espère seront du goût de votre Epouse.
(Ranke 1869, 33 f.; Ranke 1872, 202; Friedlaender 1902, 103)

– Der preußische Kronprinz, der spätere König Friedrich II. von Preußen, residierte von 1736 bis zu seinem Regierungsantritt am 31. Mai 1740 in Rheinsberg in der Mark. Er war ein Vetter von Händels Lieblingschülerin Princess Anne, die am 14. März 1734 den Prinzen Wilhelm von Nassau-Oranien geheiratet hatte. Sein vernichtendes Urteil über Händel scheint er im Alter revidiert zu haben, denn er bemühte sich, Händels Autographe von John Christopher Smith d. J. für 2000 £ zu erwerben (*Anecdotes*, 49). Mit „mon compositeur" dürfte sein späterer Hofkapellmeister Carl Heinrich Graun gemeint sein, der seit dem Frühjahr 1735 seiner Kapelle als Leiter der Kammermusik angehörte.

26. Oktober 1737
The Dragon of Wantley (Text: Henry Carey; Musik: Johann Friedrich Lampe) wird im Covent Garden Theatre aufgeführt.
(Loewenberg, Sp. 189 f.)

– Obgleich diese Satire auf die italienische Opera seria gegen Händels *Giustino* gerichtet war, soll Händel das Werk geschätzt haben (vgl. 19. Januar 1738). *The Dragon of Wantley* gehört zu den bemerkenswertesten Opernparodien des 18. Jahrhunderts. Das Stück war in England so beliebt, daß es bis 1782 immer wieder aufgeführt werden konnte. Der aus Sachsen stammende Komponist war 1725 als Fagottist nach London gekommen. Seit 1730 komponierte er die Musik zu den im Covent Garden Theatre aufgeführten Pantomimen.

28. Oktober 1737
The London Daily Post

Mr. Handel, the Composer of the Italian Music, is hourly expected from Aix-la-Chapelle.
(Burney, II, 817)

29. Oktober 1737
Heidegger beginnt im Haymarket Theatre eine neue Saison mit dem Pasticcio *Arsace* (Text: Antonio Salvi; Textbearbeitung: Paolo Antonio Rolli).

– Der Adel hatte nach Farinellis Abreise im Juni 1737 sein Opernunternehmen im Haymarket Theatre aufgegeben. Farinellis Nachfolger, Gaetano Majorano, war bereits engagiert und traf am 1. November in London ein (Burney, II, 817). Giovanni Battista Pescetti sollte Porporas Nachfolger als Komponist des Hauses werden. Der Tod von Königin Caroline am 20. November 1737 zwang zum Abbruch der Saison. Bald darauf verständigte

sich Heidegger wieder mit Händel, und am 3. Januar 1738 wurde dessen *Faramondo* im Haymarket Theatre aufgeführt.
Arsace wurde am 1. November 1737 und am 9. Mai 1738 wiederholt.

Oktober 1737
Lorenz Christoph Mizler, Musikalische Bibliothek, Leipzig 1737

Es wird sich nun zeigen, welche Nation in dem gelehrten Europa den Sieg hierin erhalten wird. Jedoch was rede ich von einer Sache, als die noch geschehen soll. Die Deutsche Nation hat ja schon zum Theil den Sieg erhalten, und ist gar kein Zweiffel, daß sie nicht künfftig andere Völcker hierin vollkommen belehren sollte, weil sie solches, vermöge ihrer Natur, eher, als andere Nationen, zu thun geschickt ist. Was das erste betrifft, wird wohl niemand diese Wahrheit läugnen können. Belustiget nicht die Ohren der klugen Engelländer vor allen andern daselbst lebenden Componisten der vortreffliche Händel. Wer ist er denn? Ein Deutscher. Wer ist der, so sich den Beyfall einer gantzen Nation, die man allezeit vor die beste Kennerin der Musik gehalten, erworben? Herr Capellmeister Hasse, ein Deutscher hat es so weit gebracht, daß ihn die Italiäner, als einen Ausländer, allen ihren einheimischen Componisten vorziehen. Gewiß man hat Ursach, sich darüber zu verwundern. Ein gewisser Cavalier, der erst kürtzlich aus Italien gekommen, und mit dem ich etliche Tage zu reisen die Ehre gehabt, hat mich selbsten versichert, daß, wenn eine Oper Beyfall in Italien finden sollte, müste sie von Herrn Hassen componiret seyn. Wo ist ein so vortrefflicher Lautenist zu finden, als Herr Weiß in Dreßden. Wo können andere Nationen solche Clavieristen aufweisen, als Händel und unser Herr Bach allhier. Welche Nation verehret einen solchen gelehrten und erfahrnen Musikverständigen, als Hamburg an Herrn Mattheson. Macht Herr Telemann nicht solche Ouverturen, als die Frantzosen nimmermehr? Sind nicht Bisendel und Graun solche Virtuosen auf der Violin, und Quanz auf der Quer-Flöte, als man an andern Orten nicht leicht findet? Bezaubert nicht die Ohren seiner Zuhörer der vortreffliche Pantalon auf eine verwundernde Art? Sind diese Virtuosen nicht lauter Deutsche? Welche Capellen anderer Völcker sind wohl besser als die Wienerischen und Dreßdnische? Ich habe also die Wahrheit geredet, wenn ich gesaget, daß die Deutschen in der Musik vor andern Nationen einen Vorzug haben, und unten in den musikalischen merckwürdigen Neuigkeiten wird solches das Zeugniß eines Ausländers bekräfftigen. So weit man also in der Musik nur immer gekommen ist, so weit sind auch die Deutschen gekommen, und haben sich vor andern Nationen den Vorzug erworben.   [S. 9 f.]

– Aus Mizlers Besprechung von Matthesons Schrift *Von der musikalischen Gelehrsamkeit* (Hamburg 1732). Teil 3 der *Musikalischen Bibliothek* wurde am 28. Oktober 1737 in den *Neuen Zeitungen von gelehrten Sachen* angezeigt.
(Bach-Dok., II, 290f.)

7. November 1737
The London Daily Post

[Händel ist aus Aachen zurückgekehrt,] greatly recovered in his health.
(Burney, II, 817)

15. November 1737
Händel beginnt mit der Komposition der Oper *Faramondo.*
Eintrag in der autographen Partitur (R. M. 20. a. 13.): „angefangen den 15 Novem^br 1737 Dienstag."
Vgl. 24. Dezember 1737

20. November 1737
Königin Caroline stirbt in London.

27. November 1737
Wilhelm Willers, Bemerkungen über Theater Vorfälle
Nov. 27. J. Cesar. N. B. konnte nicht gespielt werden.
(Merbach, 368)
Vgl. 21. November 1725

28. November 1737
Hermann von Balcke wird in Elbing aufgeführt.
Vgl. 15. Oktober 1737

12. Dezember 1737
Händel beendet das *Funeral Anthem for Queen Caroline* „The Ways of Zion do mourn".
Eintrag in der autographen Partitur (R. M. 20. d. 9.): „S. D. G. G. F. Handel London Decemb^r 12. 1737."

– Der König soll Händel mit der Komposition dieses Werkes am 7. Dezember 1737 beauftragt haben.
(Hawkins, V, 416)

15. Dezember 1737
The Old Whig

On Friday [16. Dezember] will be a Practice of a fine solemn Anthem, composed by Mr. Handel, at the Banquetting House, Whitehall, which will be performed on Saturday Night in King Henry VII's Chapel at her Majesty's Burial.
(Chrysander, II, 436)
Vgl. 4. Januar 1738

17. Dezember 1737
Read's Weekly Journal

They have fix'd up a Gallery in the said Chapel where an Organ is erected by Mr. Schrider, his Majesty's Organ-Builder for the Performance of the solemn Anthem.
The following Anthem is to be perform'd at her Majesty's Funeral which is set to Musick by Mr. Handell.

– Christopher Shrider hatte bereits für die Krönungsfeierlichkeiten von 1727 eine Orgel errichtet (vgl. 10. Februar 1728).

18. Dezember 1737 (I)
Der Herzog von Chandos an seinen Neffen, Reverend Dr. Theophilus Leigh

Lond^n 18 Decem^r 1737.
The Solemnity of the Queen's Funeral was very decent, and performed in more order than any thing I have seen of the like kind. … It began about a quarter before 7, & was over a little after ten; the Anthem took up three quarter of an hour of the time, of which the composition was exceding fine, and adapted very properly to the melancholly occasion of it; but I can't say so much of the performance.
(Huntington Library, San Marino, California. Baker, 260)

18. Dezember 1737 (II)
Francis Hare, Bischof von Chichester, an seinen Sohn, Francis Naylor

London, December 18, 1737.
… The funeral service was performed by the Bishop of Rochester as Dean of Westminster. After the service there was a long anthem, the words by the Sub-dean, the music set by Mr. Handel, and is reckoned to be as good a piece as he ever made: it was above fifty minutes in singing.
(Hare MSS., 237)

– Dean of Westminster war Joseph Wilcocks, Sub-Dean Edward Willes. Den Text für das *Funeral Anthem* hatte Willes aus dem Alten Testament zusammengestellt (Händel-Hdb., II, HWV 264).
(Chrysander, II, 437; Clemens, 159)

19. Dezember 1737
The Daily Gazetteer

On Saturday last [17. Dezember] her late Majesty was interr'd in a new Vault, in King Henry the Seventh' Chaple. … After the Burial Service was over, the fine Anthem, set to Musick by Mr. Handel, was performed by upwards of 140 Hands, from the Choirs of St. James's, Westminster, St. Paul's, and Windsor.

22. Dezember 1737
The Grub-street Journal

The funeral of her late Majesty was perform'd between the hours of six and nine last saturday night
[17. Dezember]. ... The fine Anthem of Mr. Handel's was perform'd about nine. The vocal parts
were perform'd by the several choirs of the Chapel
royal, Westminster-abbey and Windsor, and the
boys of the Chapel-royal and Westminster-abbey;
and several musical Gentlemen of distinction attended in surplices, and sang in the burial service.
There were near 80 vocal performers, and 100 instrumental from his Majesty's band, and from the
Opera, &. DA. [*Daily Advertiser*]

– Chrysander gibt den Bericht nur in deutscher
Übersetzung wieder und nennt als Quellen den
Daily Advertiser vom 19. Dezember sowie das
Grub-street Journal vom 22. Dezember 1737. Schoel-
cher gibt die *Daily Post* als Quelle an.
John Randall soll Händel, der die Orgel spielte,
die Noten umgewendet haben (vgl. 23. Februar
1732).
(Schoelcher 1857, 193; Chrysander, II, 437)

24. Dezember 1737
Händel beendet die Komposition der Oper *Fara-*
mondo.
Einträge in der autographen Partitur (R. M. 20.
a. 13.): „Fine dell'Atto 1. Montag den 28 Novem^br
1737."; „Fine dell'Atto 2do den 4 Decemb^r 1737.
Sonntags abends üm 10 Uhr."; „Fine dell Opera
G. F. Handel. London Decembr 24. 1737."
Vgl. 15. November 1737

26. Dezember 1737
Händel beginnt mit der Komposition der Oper
Serse.
Eintrag in der autographen Partitur (R. M. 20.
c. 7.): „angefangen den 26 Decembr 1737 od Mon-
tag, den 2 X tag."

– X ist die Abkürzung für Christ. Händel hatte
ursprünglich geschrieben: „...25 Decembr od Son-
tag..."
Vgl. 14. Februar 1738

1737 (I)
John Walsh, Cash-Book

1737 Opera Justin	£ 26	5 0
1737 Opera Berenice	£ 26	5 0
1737 Opera Faramondo	£ 26	5 0
1737 Opera Alexander's Feast	£ 105	0 0

– Die *Giustino*-Partitur erschien am 2. April 1737,
die *Berenice*-Partitur am 18. Juni 1737, die *Fara-*
mondo-Partitur am 4. Februar 1738, die Partitur
von *Alexander's Feast* am 11. März 1738. Die *Bere-*
nice-Partitur wurde nicht zur Subskription ausge-

schrieben. Die Partitur der irrtümlich als Oper bezeichneten Ode *Alexander's Feast* unterschied sich
in Format und Preis beträchtlich von den drei
Opernpartituren.

1737 (II)
Band VII von Ballards Sammlung *Les Parodies nou-*
velles et les Vaudevilles inconnus, Paris 1737, enthält
auf S. 77 eine als „Air d'Hindil" betitelte, bisher
nicht identifizierte Tanzmelodie von Händel mit
dem Text „Par les charmes d'un doux men-
songe".
(Smith, 1960, 185)

1737 (III)
Johann Mattheson, Kern Melodischer Wissenschaft, Hamburg 1737

... Andrer Künstler auf Instrumenten zu geschweigen, hat der berühmte Händel offt, in seinen Schauspielen, solche [ex tempore] Accompagnements gesetzet, dabey das Clavier allein, in
diesem [phantastischen] Styl, nach des Spielers
Gefallen und Geschicklichkeit, sonderlich hervorragte: welches seinen eigenen Mann erfordert,
und einigen andern, die es haben nachthun wollen, nur schlecht von der Faust gegangen ist.
[S. 23]

Die mir bekannten grossen Meister in Fugen sind,
nebst andern, Bach, Fux, Händel, Johann Krieger,
Kuhnau, Telemann, Walther.   [S. 182]
(Bach-Dok., II, 294f.)

1737 (IV)
Johann Christoph und Johann David Stössel,
Kurtzgefaßtes Musicalisches Lexicon, Chemnitz
1737

Hendel (Georg Friedrich) oder Händel, ein anetzo
hochberühmter, in England sich aufhaltender Capellmeister, von Halle im Magdeburgischen gebürtig, und ein Scholar des sel. Zachau ums Jahr 1694,
ist gebohren a. 1685 den 23 Febr., ward a. 1733 in
London zum Doctor in der Music creirt.   [S. 178]

– Stössels Lexikon geht (fehlerhaft) zurück auf Johann Gottfried Walthers *Musicalisches Lexikon*
(Leipzig 1732). Händel nahm die Auszeichnung
mit dem Doktorgrad (in Oxford!) nicht an (vgl.
23. Juni 1733).

1737 (V)
Henry Carey, The Beau's Lamentation for the Loss
of Farinelli

Fly Heidegger, fly, and my idol restore;
O, let me but hear the enchanter once more,
For Handel may study, and study in vain
While Strada's expell'd, and my Broschi's in Spain.
(Chrysander 1863 II, 362)

– In dieser Strophe wird nicht nur Farinellis Weggang beklagt, sondern auch der von Händels langjähriger Primadonna Anna Strada, die von 1729 bis 1737 in Händels Opern und in Oratorien gesungen hatte. *The Beau's Lamentation* ist in der zweibändigen, 1737/38 erschienenen Sammlung *The Musical Century, in One Hundred English Ballads … The Words and Musick … by Henry Carey* enthalten, die 1740 und 1743 (in erweiterter Form) nachgedruckt wurde.

1737 (VI)

„La Veuve" Boivin, Le Clerc und Guersant veröffentlichen um 1737 in Paris „Avec Privilege du Roy" *XII Solos For a German Flute a Hoboy or Violin With a Thorough Bass for the Harpsicord or Bass Violin Composé Par M.ʳ Handel.*
(Smith 1960, 243)

– Eine spätere Auflage veröffentlichten „La Veuve" Boivin, Le Clerc und Duval um 1740. Um 1745 erschien die Sammlung unter dem Titel *Sonates à Violon Seul e Basse. Sig. Handel, 1.ᵉʳᵉ Œuvre.*
(Hopkinson, 241f.; Smith 1960, 243f.)

1738

3. Januar 1738 (I)
Eine Londoner Zeitung

Hay-Market.
At the King's Theatre in the Hay-Market, this Day, January the 3d, will be perform'd a New Opera, call'd Faramondo. … To begin at Six o'Clock. N. B. The remaining Silver Tickets will be deliver'd to the Subscribers this Day, on paying the Subscription, at the Office in the Hay-Market, where Subscription will be taken.
(Sammlung Harris)

– Nach dem Tode der Königin am 20. November 1737 blieben die Theater etwa sechs Wochen geschlossen. Händel und Heidegger eröffneten die Saison des Haymarket Theatre am 3. Januar 1738 mit *Faramondo*. Der Text, dessen Bearbeiter unbekannt ist, fußt auf einer 1720 für Rom überarbeiteten, von Gasparini vertonten Fassung des Librettos von Zeno aus dem Jahre 1699.
Besetzung:
Faramondo – Gaetano Majorano, Sopran
Clotilda – Elisabeth Duparc, Sopran
Rosimonda – Maria Antonia Marchesini, Mezzosopran
Gustavo – Antonio Montagnana, Baß
Adolfo – Margherita Chimenti, Sopran
Gernando – Antonia Margherita Merighi, Alt
Teobaldo – Antonio Lottini, Baß
Childerico – William Savage, Sopran
Das neue Ensemble setzte sich aus den bisherigen Sängern des Haymarket Theatre, Merighi, Montagnana (beide hatten Händel 1733 verlassen) und Chimenti, sowie William Savage vom Covent Garden Theatre und vier neuen Sängern zusammen.
Wiederholungen: 7., 10., 14., 17., 21. und 24. Januar sowie am 16. Mai 1738.
Nach Mainwaring erhielt Händel für *Faramondo* und *Alessandro Severo* (vgl. 25. Februar 1738) von Lord Middlesex 1000 £. Middlesex wurde 1741 einer der Direktoren des Haymarket Theatre (vgl. 5. November 1741).
(Mainwaring, 124; Burney, II, 818; Flower 1923, 442; Strohm 1975/76, 145)

3. Januar 1738 (II)
Lord Wentworth an seinen Vater, den Earl of Strafford

London, January 3, 1738.
Mr. Hamilton has been at the rehearsal of Pharamond the new opera, and goes to it to-night. To be sure it will be vastly full, since there has not been one so long a time and a new person to sing into the [bargain].
(Wentworth Papers, 536f.)

– Das letzte Wort ist nicht zu entziffern. Mit der „new person" ist vermutlich Elisabeth Duparc gemeint.

4. Januar 1738 (I)
Eine Londoner Zeitung

Last Night the new Opera of Faramondo was perform'd at the King's Theatre to a splendid Audience, and met with general Applause. It being the first Time of Mr Handel's Appearance this Season, he was honour'd with extraordinary and repeated Signs of Approbation.
(Sammlung Harris. Flower 1923, 263)

4. Januar 1738 (II)
The Old Whig

Writ after the rehearsal (in the Banquetting-House, Whitehall) of the Anthem, composed by Mr. Handell for her late Majesty's Funeral

Struck with the Beauties form'd by magic Dyes,[1]
From Group to group, the Eye in Transport flies;
Till Seraph-accents, solemn, deep, and slow,
Melt on the Ear, in soft, melodious Woe.

Such Charms the two contending Arts dispense;
So sweetly captivate each ravish'd Sense,
We ne'er can fix; but must by Turns admire
The mimic Pencil, and the speaking Lyre.
L.
[1] The Painting on the Ceiling by Rubens.
(Chrysander, II, 444f.)
Vgl. 15. und 16. Dezember 1737

– Für die Decke des Banquetting House hatte Rubens in allegorischen Szenen die Taten König Jakobs I. dargestellt und die Bilder 1635 nach London gesandt. „L." steht für John Lockman (vgl. 16. April 1736 und August 1759).

7. Januar 1738 (I)
The Craftsman

Musick.
This Day is Publish'd, Proposals for Printing by Subscription the Opera of Faramondo in Score, as it is perform'd at the King's Theatre in the Hay-Market. Composed by Mr. Handel.
Subscriptions are taken in by John Walsh.
Vgl. 23. Januar und 4. Februar 1738

7. Januar 1738 (II)
Hamburger Relations-Courier

London 17. Dec. 1737
In der Capelle Heinrichs des Siebenden ist ein Baldachin aufgerichtet, worunter Ihro Königl. Hoheit die Printzessin Amalia, als das Haupt der Leich-Procession sitzen soll, so lange als die Ceremonien des Begräbnisses währen, und man die von Hrn Händel verfertigte Trauer-Music abgesungen haben wird. Von dieser Music ist vorgestern in der Hof-Capelle zu St. James die Probe gemachet worden, wobey der König und die königl. Familie sich incognito befunden, und heute früh hat man sie in dem Chor zu Westmünster gleichfalls probiret, da ein großer Zulauf von Leuten gewesen.
(Becker, 37)

14. Januar 1738
Hamburger Relations-Courier

London, 31. Dezember 1737
Sobald die Proceßion anfieng, wurden die Canonen vom Tower gelößt, und damit alle Minuten, biß alles vorbey, fortgefahren. Zu obiger Trauer-Music, welche der berühmte Hr. Capellmeister Hendel aufgesetzt, und für eine seiner herrlichsten Stücke gerechnet wird, sind 150 geschickte Persohnen gebraucht worden.
(Becker, 37)

Etwa 15. Januar 1738
The Daily Post

The admired Mr. Handel had a due Esteem for the Harmony of his Numbers; and the great Maecenas, the Duke of Chandos, showed the Regard he had for his Muse, by so generously rewarding him for celebrating his Grace's Seat at Cannons.
(Lucas, V)

– Der zitierte Abschnitt findet sich in einem Nachruf für Samuel Humphreys, der am 11. Januar 1738 gestorben war. Humphreys hat für Händel das *Esther*-Textbuch der Fassung 1732 bearbeitet sowie die Textbücher zu *Deborah* und *Athalia* verfaßt und die italienischen Libretti der Opern *Ezio, Poro, Rinaldo* (2. Fassung), *Sosarme* und *Orlando* für die zweisprachigen Textbücher ins Englische übersetzt.
1728 hatte Humphreys „Cannons, a poem" veröffentlicht. Unter „Numbers" sind Verse zu verstehen.

18. Januar 1738
Edward Holdsworth an Charles Jennens

Magd. Coll. Jan. 18 [1738]
Mr Pitt is disappointed of the subscription he expected, the gentleman whom he depended upon being willing I find to have the book but not to pay for it. I fancy honest Hurlothrumbo wou'd have had better success amongst our ingenious Oxonians than Mr Handel's Alexander.
(Sammlung Gerald Coke)

19. Januar 1738
Lord Wentworth an seinen Vater, den Earl of Strafford

London, January 19, 1738.
We was at Covent Garden Play House last night, my mother was so good as to treat us with it, and the Dragon of Wantcliff was the farce. I like it vastly and the musick is excessive pretty, and th'it is a burlesque on the operas yet Mr. Handel owns he thinks the tunes very well composed ... it has been acted 36 times already and they are always pretty full. The poor operas I doubt go on but badly, for tho' every body praises both Cafferielli and the opera yet it has never been full, and if it is not now at first it will be very empty towards the latter end of the winter.
(Wentworth Papers, 539)

– Lord Wentworth meint die Opernparodie *The Dragon of Wantley* (vgl. 26. Oktober 1737) und den Soprankastraten Caffarelli (Gaetano Majorano) in Händels *Faramondo* (vgl. 3. Januar 1738/I).

23. Januar 1738
The London Daily Post

This Day are publish'd, Proposals for Printing by Subscription, The Opera of Faramondo, in Score. ...
1. The Work will be printed on good Paper.
2. The Price to Subscribers is Half a Guinea to be paid at the Time of Subscribing.
3. The whole will be corrected by the Author.
4. The Lovers of Musick, who are willing to subscribe, are desired to send in their Names immediately, the Work being in such Forwardness, that it will be ready to be deliver'd to Subscribers by the

4th of February next.
Subscriptions are taken in by John Walsh ... and by most Musick-Shops in Town.
(Schoelcher 1857, 194)
Vgl. 7. Januar und 4. Februar 1738

27. Januar 1738
The London Daily Post

On the 4th of February will be published, The Opera of Faramondo, in Score.... In a short Time will be publish'd, Alexander's Feast, an Ode, set to Musick by Mr. Handel.
Subscriptions are taken in by the Author, and John Walsh.

– Wie schon bei der Partitur-Ausgabe von *Alexander's Feast* konnten Subskriptionen auch bei Händel aufgegeben werden (vgl. 15. Juni 1737/II sowie 4. Februar und 11. März 1738).

28. Januar 1738
Am Haymarket Theatre wird Pescettis Oper *La Conquista del Vello d'Oro* aufgeführt.
(Chrysander, II, 450)

Januar 1738
Johann Abraham Birnbaum, Unpartheyische Anmerckungen über eine bedenckliche Stelle in dem sechsten Stück des Critischen Musicus, Leipzig 1738

Es schreibt der verfasser ferner; der Herr Hof-Compositeur habe zur zeit nur einen angetroffen, mit welchem er um den vorzug streiten könne. Wer hiedurch gemeinet werde ist mir, und noch vielen andern unbekannt. Der verfasser würde sich sehr viele verpflichtet, und deren billige neugierigkeit vergnügt haben, wenn er von demselben nähere nachricht ertheilen wollen. Ich zweifle aber, ob er solches iemahls wird zu thun im stande seyn. Zielt er etwan damit auf einen gewissen grossen meister der Music eines auswärtigen reiches, der wie man sagt, seiner gantz besondern geschicklichkeit wegen, nach dem gebrauch des landes, die Doctor würde in der Music zur würdigen belohnung erhalten hat; so beruffe ich mich auf das zeugniß einiger unpartheyischen kenner der Music, die auf ihren reisen, diesen grosen mann ebenfalls zu hören das glück gehabt, dessen geschicklichkeit ungemein gerühmet, dem allen ohngeachtet aber ungeheuchelt versichert haben: es sey nur ein Bach in der welt, und ihm komme keiner gleich. Bey sogestallten sachen dürffte der Herr Hof-Compositeur wohl noch keinen angetroffen haben, mit welchem er um den vorzug streiten könnte.   [S. 13]
(Bach-Dok., II, 296 ff.)

– Nachgedruckt von Lorenz Mizler (Neu eröffnete musikalische Bibliothek ... Vierter Theil,

62 ff.) und Johann Adolph Scheibe (Critischer Musikus, 1745, 833 ff.).
Vgl. März 1738 und 1745 (V)
Bach soll Birnbaums Verteidigungsschrift am 8. Januar 1738 „seinen Freunden und Bekannten ... mit nicht geringem Vergnügen selbst ausgetheilet" haben (Critischer Musikus, 1745, 861).

4. Februar 1738 (I)
The London Daily Post

This Day will be publish'd, ready to deliver to the Subscribers. The whole Opera of Faramondo, in Score.... Printed for and sold by John Walsh.... In a short Time will be publish'd, Alexander's Feast.... Subscriptions are taken in by the Author, in Brooks-street Hanover Square; and John Walsh.

– Die Anzeige erschien am selben Tag auch im *Craftsman*.
Mit Ausnahme von William Savage sind in der Partitur die Namen aller Sänger der ersten Aufführung genannt (vgl. 3. Januar 1738/I).
(Smith 1960, 25)

4. Februar 1738 (II)
Subskribenten-Verzeichnis für Faramondo (Auszug)

Her Royal Highness Princess Mary
Right Hon. Lord Cowper
William Freeman
Mr. Granville 2 Books
Mr. Gates, one of the Gentlemen of the Chappel Royal
James Harris 2 Books
Mr. [James] Haseltine, Organist of Durham
Iohn Harris, Organ Builder
Char. Jennens 2 Books
Sir Windham Knatchbull, Bart.
Mr. [John] Keeble
Mr. Mantel, Organist
The Musical Society at Oxford
Mr. [James] Peasable, Organist
Dr. Pepusch
Master Pepusch
Mr. [John] Robinson
Right. Hon. Earl of Shaftsbury
Mr. Iohn Stanley
Mr. [John] Simpson 10 Books
Mr. Benj: Short
Mr. Weideman
Mr. Zincke

14. Februar 1738
Händel beendet die Oper *Serse*.
Einträge in der autographen Partitur (R. M. 20. c. 7.): „Fine dell' Atto primo Jan. 9 1738."; „Fine dell'Atto 2do Jan. 25. 1738."; „Fine dell' Opera G. F. Handel. London Februar. 6. 1738. geendiget auszufüllen den 14 dieses Febr 17[38]".

25. Februar 1738
The London Daily Post

At the King's Theatre ... this Day ... will be perform'd an Opera, call'd Alessandro Severo. ... Tickets ... half a Guinea. Gallery Five Shillings. ... The Gallery will be open'd at Four o'Clock. Pit and Boxes at Five. To begin at Six o'Clock.

– Das Libretto für diese Pasticcio-Oper stammt von Apostolo Zeno (Venedig 1717). Die Musik wurde zu einem großen Teil aus Händels Opern *Arianna, Arminio, Atalanta, Berenice, Ezio, Giustino, Orlando, Siroe, Radamisto* und *Riccardo Primo* zusammengestellt. Die Ouvertüre und die Rezitative komponierte Händel neu.
Die Ouvertüre druckte Walsh in seinen Ausgaben von *Handel's Overtures in Score,* und ... *in ... Parts* (vgl. 21. Oktober 1738), Arien anscheinend nur als Instrumentalbearbeitungen (vgl. 8. März/I). Walshs Ausgabe von *Sonatas or Chamber Aires for a German Flute Violin or Harpsicord ...* Vol. III, Part VII (April 1738) enthält ausschließlich Arien aus diesem Pasticcio, Vol. IV, Part I (Januar 1739), eine Arie, Vol. IV, Part II, ein Menuett.
(Smith 1960, 15 und 320)
Wiederholungen: 28. Februar, 4., 7. und 11. März und 30. Mai 1738.
Vermutliche Besetzung:
Alessandro – Gaetano Majorano, Sopran
Sallustia – Elisabeth Duparc, Sopran
Claudio – Margherita Chimenti, Sopran
Albina – Maria Antonia Marchesini, Mezzosopran
Giulia – Antonia Margherita Merighi, Alt
Marziano – Antonio Montagnana, Baß

2. März 1738
The London Daily Post

Next Week will be publish'd, And ready to be delivered to the Subscribers, by the Author at his House in Brook-street, Hanover-square; and by John Walsh in Catherine-street, Alexander's Feast. An Ode. Wrote in Honour of St. Cecilia. By Mr. Dryden. Set to Musick by Mr. Handel.
Note, Whereas a Print of the Author is now engraving by an eminent Hand, and is very near finish'd; those Noblemen, Gentlemen and Ladies, who have done the Author the Honour of Subscribing may be assured, as soon as it is finish'd, it shall be sent to their Houses, by John Walsh, the Undertaker of this Work for the Author.
(Schoelcher 1857, 198f.; Chrysander, II, 429; Smith 1948, 127)

3. März 1738
The London Daily Post

For the Benefit of Master Fery, who performs the Punch and Burgomaster, Scholar to Mons. Livier.

At the Royal Theatre in Drury-Lane, this Day ... will be performed a Concert of Vocal and Instrumental Musick. By the best Hands. Consisting of several select Pieces composed by Mr. Handel and other eminent Masters, and taken from the favourite Operas. The vocal Parts by Mr. Beard and Mrs. Clive, being several favourite Songs in Italian and English. ... Likewise a Preamble on the Kettle-Drums by Master Fery, Concluding with the Anthem, God save the King ... with two new Minuets, and a Chorus out of Atalanta for French Horns and Trumpets, the two French Horns to be performed by two little Negro-Boys, Scholars to Mr. Charles, who never performed before.

– Über „Master Fery" sind keine weiteren Nachrichten überliefert. Mr. Charles war um 1740 sowohl in London wie in Dublin sehr bekannt. Das erwähnte Anthem ist das Coronation Anthem „Zadok the Priest".
(Chrysander 1863 II, 291f.)

4. März 1738
Im Drury Lane Theatre wird *Comus*, eine masque von John Dalton nach Milton, Musik von Thomas Augustine Arne, aufgeführt.
Vgl. 23. Januar 1745 und 1. August 1748

8. März 1738 (I)
The London Daily Post

This Day is published, Price 1s. 6d. The Favourite Songs in the Opera call'd Alexander Severo, in Score. By Mr. Handel. Printed for and sold by John Walsh. ... Where may be had, ... Alexander's Feast.
(Chrysander, II, 448)

– Die Ankündigung erschien am 11. März 1738 auch im *Craftsman* mit dem Zusatz (für *Alessandro Severo*): „Taken from the Operas of Justin, Arminio, Atalanta, &c." Von dieser Ausgabe ist kein Exemplar bekannt.
(Smith, 1960, 15 und 90)

8. März 1738 (II)
Subskribenten-Verzeichnis für Alexander's Feast (Auszug)

His Royal Highness, the Prince of Wales
His Royal Highness, the Duke of Cumberland
Her Royal Highness, the Princess of Orange
Her Royal Highness, the Princess Amelia
Her Royal Highness, the Princess Caroline
Her Royal Highness, the Princess Mary and the
                              Princess Louisa.
Apollo Society at Windsor
Accademy for Vocal Musick in Dublin
Rt. Hon. Lady Burlington
Rt. Hon. Earl Cowper
Rt. Hon. Thos Carter, Master of the Rolls in Ireland. Two Books.

Mr. [Richard] Church, Org. of New College, Oxon.
Mr. [John] Church, at Dublin
Wm. Freeman
M.C. Festing
B. Granville
Dr. Green[e]
Bernard Gates, Master of the Children, and one of yᵉ Gentlemen of his Majesties Chappel-Royal
Iohn Harris, Organ Builder
James Harris
James Hesletine, Organist of Durham
Wm. Hayes, of Oxon
Charles Jennens. Six Books.
Sir Windham Knatchbull, Bart. Two Books.
Mr. [John] Keeble
Musical Society at Oxon.
Musical Society on Wednesday at the Crown and Anchor
Musical Society at Exeter
Philarmonic Society. Two Books.
Iohn Pigott, Organist of Windsor
Rt. Hon. Earl of Shaftesbury
Rt. Hon. Countess of Shaftesbury
Rt. Hon. Countess Dowager of Shaftesbury
Mr. [Benjamin] Short, Organist
Iohn Christopher Smith
Iohn Stanley
Charles Weideman
Wm. Wheeler, Organist of Newbury
Mr. [Christian Frederick] Zinck[e]

– Die Liste verzeichnet 124 Subskribenten auf 146 Exemplare.
(Chrysander, II, 430; Smith 1948, 126 ff.)

10. März 1738
The London Daily Post

For the Benefit of Mr. Adcock.
At the Swan Tavern in Cornhill, this Day, will be performed A Grand Concert of Vocal and Instrumental Musick. ... The Concert to conclude with the Coronation Anthem, call'd God save the King, compos'd by Mr. Handell.
(Chrysander 1863 II, 292)

– „Mr. Adcock" ist wahrscheinlich der Trompeter Abraham Adcock, der um 1755 beim Three Choirs Festival mitwirkte. „God save the King" ist das Coronation Anthem „Zadok the Priest".

11. März 1738
The Craftsman

Musick, this Day is Publish'd, And ready to be deliver'd to the Subscribers, by the Author, at his House in Brook-Street, Hanover-Square. Alexander's Feast. ... Printed for and sold by John Walsh.

– Die gleiche Anzeige erschien in der London Daily Post vom 14. März 1738.
(Chrysander, II, 429; Smith 1948, 127 f.)
Die Ausgabe enthält auch die Kantate „Cecilia, volgi un sguardo" (vgl. 15. März 1737).
Alexander's Feast, Acis and Galatea und *Samson* sind die einzigen oratorischen Werke Händels, von denen Walsh komplette Partituren druckte.
(Smith 1960, 90)

14. März 1738
Im Haymarket Theatre wird Veracinis Oper *Partenio* aufgeführt.
(Chrysander, II, 450)

16. März 1738
Edward Holdsworth an Charles Jennens

Magd. Coll, Mar. 16 [1738]
Wat Powel had told me before I rec.ᵛᵈ yrs yᵗ Mʳ Handel had had very good success wᵗʰ one Opera. I shou'd be glad to know when He brings yʳˢ on the Stage; yᵗ I may be more interested in wishing him success.
(Sammlung Gerald Coke)

– Händel hatte am 3. Januar 1738 die Saison mit einer offenbar recht erfolgreichen Aufführung von *Faramondo* begonnen. Holdsworth wartete wahrscheinlich auf die eventuelle Aufführung der Vertonung von Jennens' *Saul*-Text.

28. März 1738 (I)
The London Daily Post

Hay-Market.
For the Benefit of Mr. Handel,
At the King's Theatre in the Hay-Market, this Day ... will be performed An Oratorio. With a Concert on the Organ. ... To begin at Six o'Clock.
N.B. For the better Conveniency there will be Benches upon the Stage.
(Burney, II, 823; Schoelcher 1857, 195; Chrysander, II, 449 f.)

– Die Aufführung fand in der Karwoche statt. Das von John Watts vertriebene Textbuch (Exemplare im King's College, Cambridge, und in der New York Public Library) zeigt, daß Händel kein Oratorium, sondern eine Auswahl aus eigenen Werken aufgeführt hat (das *Chandos Anthem* „As pants the hart", zwei Arien aus *Deborah,* das *Coronation Anthem* „My heart is inditing" sowie Arien und Duette aus anderen Werken). Nach Burney war die Einnahme aus dieser Veranstaltung „ungemein ansehnlich" (Mainwarings Angabe von 1500 £ dürfte übertrieben sein). Burney berichtet, daß sich allein „auf der Bühne, die wie ein Amphitheater eingerichtet war," „fünfhundert angesehene Personen" befunden hätten.
(Mainwaring, 125; Burney/Eschenburg, XXXIV)

28. März 1738 (II)
Earl of Egmont, Diary

In the evening I went to Hendel's Oratorio, where I counted near 1,300 persons besides the gallery and upper gallery. I suppose he got this night, 1,000 l.
(Egmont MSS., II, 474)

März 1738
[Johann Adolph Scheibe,] Beantwortung der unpartheyischen Anmerkungen über eine bedenkliche Stelle in dem sechsten Stück des Critischen Musicus, Ausgefertiget von Johann Adolph Scheibe. Musikus, Hamburg 1738.

Der ungenannte Herr Verfasser der sinnreichen Anmerkungen fährt in seinen geschickten Untersuchungen fort. Er kan nunmehro auch nicht vertragen, daß mein Briefsteller dem Herrn Capellmeister Bach nur einen grossen Mann entgegen setzt, mit welchem er auf dem Clavier und auf der Orgel um den Vorzug streiten kann. Es ist auch dieses Lob nicht groß genug. Es soll vielmehr, seinem Vorgeben nach, kein einziger Musicant in der Welt seyn, der ihm nur gleich kommt, vielweniger mit dem er um den geringsten Vorzug streiten soll. Das ist in den Lobeserhebungen zu stark ausgeschweifet. Mein Briefsteller hat sich ohnedem in seinem Schreiben etwas vergangen, da er dem Herrn Capellmeister Bach allein den Herrn Capellmeister Händel entgegen setzt. Wer sich nur einigermassen in der musicalischen Welt umgesehen hat, wird ohne Zweifel mehr als einen gefunden haben, der mit diesem grossen Manne zu vergleichen stehet.
... Man kann auch endlich in keiner Wissenschaft oder Kunst sagen, es ist nur einer darinn der vortreflichste / man findet allemahl noch andere, die von gleicher Vortreflichkeit sind, oder die es auch noch wohl höher gebracht haben.
Niemand wird aber deßwegen dem Herrn Hofcompositeur den Ruhm absprechen, daß er auf dem Clavier und Orgel so groß ist, daß es kaum zu glauben stehet, wenn man ihn nicht selbst gesehen und gehöret hat. Mein Briefsteller hat ihm dahero auch keinen würdigern Mann, als den berühmten Herrn Händel entgegen gesetzt. Der Beyfall, welchen dieser letztere von allen Kennern noch täglich erhält, und seine sonderbahre Annehmlichkeit zu spielen, wodurch er die Herzen seiner Zuhörer auf das zärtlichste rühret, können auch den besten Musicverständigen ungewiß machen, wer von diesen beyden grossen Männern dem andern vorzuziehen ist.   [S. 17 f.]

– Das Erscheinungsdatum (März 1738) nennt Scheibe selbst in der Neuauflage von 1745 (S. 861).
Vgl. Januar 1738 und 1745 (V)

Frühjahr 1738
John Walsh, Cash-Book

1738 Opera Xerxes ... £ 26 5 0

– Walshs Ausgabe erschien am 30. Mai 1738.
Vgl. 14. Februar und 15. April 1738 (II)

15. April 1738 (I)
The London Daily Post

The Effigie of Mr. Handel the famous Composer of Musick, is going to be put in Vaux-Hall-Gardens, at the Expence of Mr. Jonathan Tyers.
(Burney, II, 825)

– Tyers hatte Vauxhall Gardens sechs Jahre zuvor eröffnet (vgl. 7. Juni 1732). Es war außergewöhnlich, einem lebenden Künstler ein Denkmal zu errichten.

15. April 1738 (II)

The London Daily Post

At the King's Theatre ... this Day ... will be perform'd a New Opera, call'd Xerxes.... To begin at Six o'clock.

– Das Libretto (Autor unbekannt) geht zurück auf ein Textbuch von Silvio Stampiglia (Musik: Giovanni Bononcini, Rom 1694), dessen Vorlage der Text von Niccolò Minato (Musik: Francesco Cavalli, Venedig 1654) gewesen war.
Besetzung:
Serse – Gaetano Majorano, Sopran
Arsamene – Maria Antonia Marchesini, Mezzosopran
Amastre – Antonia Margherita Merighi, Alt
Romilda – Elisabeth Duparc, Sopran
Atalanta – Margherita Chimenti, Sopran
Ariodate – Antonio Montagnana, Baß
Elviro – Antonio Lottini, Baß
Wiederholungen: 18., 22. und 25. April sowie 2. Mai 1728.
(Burney, II, 821 ff.; Strohm 1975/76, 146 f.; Powers, 73 ff.)

18. April 1738
The London Daily Post

We are informed from very good Authority; that there is now near finished a Statue of the justly celebrated Mr. Handel, exquisitely done by the ingenious Mr. Roubillac, of St. Martin's-Lane, Statuary, out of one entire Block of white Marble, which is to be placed in a grand Niche, erected on Purpose in the great Grove at Vaux-hall-Gardens, at the sole Expence of Mr. Tyers, Conductor of the Entertainment there; who in Consideration of the real Merit of that inimitable Master, thought it proper, that his Effigies should preside there, where his Harmony has so often charm'd even the

greatest Crouds into the profoundest Calm and most decent Behaviour; it is believed, that the Expence of the Statue and Nich cannot cost less than Three Hundred Pounds; the said Gentleman likewise very generously took at Mr. Handel's Benefit Fifty of his Tickets.
(Burney, II, 825)
Vgl. 28. März 1738 (I)

– Der französische Bildhauer Louis François Roubillac war Anfang der 1730er Jahre nach England gekommen. Die Händel-Statue wurde 1833 versteigert, gelangte 1854 in den Besitz der Sacred Harmonic Society. Seit 1975 befindet sie sich im Victoria and Albert Museum London.
(Puttick)

22. April 1738
The Craftsman

This Day is publish'd (And are ready to be deliver'd to the Subscribers for Alexander's Feast) A Print of Mr. Handel. Engraved by the celebrated Mr. Houbraken of Amsterdam. The Ornaments design'd by Mr. Gravelot. Printed for John Walsh.

– Das Porträt ist das bekannte Brustbild im ovalen Rahmen, unter dem eine Szene aus *Alexander's Feast* abgebildet ist. Das einzige bekannte Exemplar des Stichs in seiner ursprünglichen Form (ohne die spätere Beschriftung) befindet sich im Fitzwilliam Museum, Cambridge.
(Chrysander, II, 430; Smith 1948, 128 ff.)

23. April 1738

Die erste Subskribenten-Versammlung für den Fund for the Support of Decayed Musicians and their Families findet in der Crown and Anchor Tavern statt.

– Unmittelbarer Anlaß für die Gründung dieses Fonds, aus dem später die Royal Society of Musicians of Great Britain hervorging, waren der Tod des verarmten Oboisten Jean Christian Kytch (vgl. 23. August 1720) auf dem St. James's Market sowie das Auffinden seiner beiden sich selbst überlassenen Knaben als Eseltreiber auf dem Haymarket durch die Musiker Festing, Weidemann und Vincent. Händel zählte von Anfang an zu den Subskribenten.
(Burney, II, 1004; Chrysander, III, 15 f.)
Vgl. 8. Mai 1738

24. April 1738
The London Daily Post

This Day are published, Proposals for Printing by Subscription, The Opera of Xerxes. Compos'd by Mr. Handel. Which will be ready to be deliver'd by the 20th of May. Printed for John Walsh.... Where

may be had, To which is prefix'd a curious Print of the Author, Alexander's Feast.
(Smith 1948, 128)

– *Serse* war die letzte Opernpartitur Händels, die Walsh zur Subskription ausschrieb. Die Veröffentlichung verzögerte sich bis zum 30. Mai 1738. Von der Ausgabe des *Alexander's Feast* mit dem Händel-Porträt ist nur ein Exemplar erhalten (Rowe Music Library, King's College, Cambridge).
(Chrysander, II, 429)

26. April 1738
The London Daily Post

N. B. Having been impossible to perform the whole Number of Opera's this Season, each Subscriber may have a Ticket extraordinary deliver'd to him each Night the Opera is perform'd, upon sending his Silver Ticket to the Office.

– Der Text ist der Ankündigung von Wiederaufführungen des Pasticcios *Arsace* (vgl. 29. Oktober 1737) beigefügt.
Nach Burney konnte Heidegger wegen der sechswöchigen Unterbrechung des Opernbetriebes nach dem Tod der Königin die geplanten 50 Aufführungen nicht verwirklichen, so daß er das Pasticcio *Arsace* erneut in den Spielplan aufnahm. Es fand jedoch nur eine Aufführung statt (9. Mai 1738).
(Burney, II, 823; Chrysander, II, 451)
Vgl. 24. Mai 1738 (I) und 26. Juli 1738

27. April 1738
The London Daily Post

The same Day [26. April] a Statue of Mr. Handel, in Marble, was carried over the Water, to be put up in Vaux-Hall Gardens.
(Chrysander, III, 9)

April 1738
The London Magazine

To Mr. Handel. Occasion'd by hearing a late Piece of Musick compos'd by him. By Mr. Blythe.
N.B. This Gentleman is now printing a Collection of his Poems by Subscription.

When Orpheus warbled on his flute, 'tis said,
All nature danc'd to the sweet tunes he play'd:
Exulting hills, with sympathetick life,
Mov'd to the measures of his quick'ning fife:
The listening trees, enamour'd with his notes,
Trail'd after him their pompous length of roots:
The wond'ring fry leap'd from their native main,
And sought the shore, attracted by his strain:
The feather'd quires forsook their rural bounds,
Drawn by the magick of his moving sounds:
His musick wou'd the lion's fury 'swage;
Tame hungry wolves, and quell the tiger's rage.

Thus fiction tells of him, what now we see
Heighten'd, oh Handel, and made true in thee.
What thing so lifeless but thy lyre can move?
What rage so fierce but thou can'st tune to love?
If he attentive nature drew, before;
Thou canst attract her with a sweeter power.
Were he on earth again to stand the test,
His sounds, compar'd with thine, were noise
                                              confess'd:
And the green laurel, he now wears, the nine
Would justly from his brow transfer to thine.

– Über Blythe ist nichts bekannt. Die Subskription auf seine Gedichtsammlung scheint nicht erfolgreich gewesen zu sein.

1. Mai 1738
Edward Holdsworth an Charles Jennens

Bath, May 1 [1738]
I fear it faces very ill with the Prodigious during this Parliamenteening, but I suppose his Antagonists are equally sufferers.
(Sammlung Gerald Coke)
Vgl. 26. April 1738

2. Mai 1738
The London Daily Post

Last Night the Entertainment of the Spring-Gardens, Vaux-Hall, was opened, and there was a considerable Appearance of Persons of both Sexes. The several Pieces of Music play'd on that Occasion had never [been] heard before in the Gardens. The Company express'd great Satisfaction at the Marble Statue of Mr. Handel, who is represented in a loose Robe, striking the Lyre, and listening to the Sounds; which a little Boy, carv'd at his Feet, seems to be writing down on the back of the Violoncello. The whole Composition is in a very elegant Taste.
(Schoelcher 1857, 198)
Vgl. 18. April 1738

8. Mai 1738 (I)
Vorbemerkung zum Fund for the Support of Decayed Musicians and their Families

May 8, 1738.
Whereas a Subscription was set on foot the beginning of the last month, for establishing a Fund for the Support of Decayed Musicians, or their Families; which Subscription having already met with uncommon success, the Subscribers have had two General Meetings, in order to form themselves into a regular Society, by the name of The Society of Musicians, and have elected Twelve Governors for the present year; and also agreed to the following resolutions. ...
(Burney 1785, 129f.; Burney/Eschenburg, 94ff.; Smith 1948, 168)

8. Mai 1738 (II)
Verzeichnis der Subskribenten für den Fund for the Support of Decayed Musicians and their Families (Auszug)

G. F. Handel, Esq.

– Das Subskribenten-Verzeichnis ist in den Statuten des Fund abgedruckt, die in der zweiten Versammlung am 7. Mai beschlossen wurden. Subskribenten waren die Komponisten Thomas Augustine Arne, William Boyce, Henry Carey, Maurice Greene, John Ernest Galliard, Georg Friedrich Händel, William Hayes, William Jackson, Richard Leveridge, John Christopher Pepusch, John Christopher Smith jun. und John Worgan sowie die Musiker Andrea Caporale, Ralph Courteville, Michael Christian Festing, Joseph Kelway, Thomas Roseingrave, Mr. Reading, John Stanley, Richard Vincent und Carl Friedrich Weideman. Schoelcher nennt außerdem John Keeble und Mr. Cervetto, die aber erst im Verzeichnis von 1744 genannt werden. Die Initiatoren zur Gründung des Fund waren vor allem Festing und Greene.
(Schoelcher 1857, 364f.)
Vgl. 23. April 1738 und 28. August 1739

13. Mai 1738
Common Sense: Or The Englishman's Journal

To the Author of Common Sense.
Sir,
... Wednesdays and Fridays in Lent, have, for several Ages, been appropriated for Fasting and Divine Worship, in the Churches of England and Rome, and the Clergy of both have always zealously recommended the strict Observance of them by their pious Examples; but those Days were never totally engrossed for Sacred Purposes, for Men were always allowed to pursue their proper Employments; and in our Days the celebrated Handell has often exhibited his Oratorio's to the Town without any Prohibition; but every Body knows his Entertainments are calculated for the Quality only, and that People of moderate Fortunes cannot pretend to them, although, as Free Britons, they have as good a Right to be entertained with what they do not understand as their Betters.
Whether Mr. Handell has a License from the Ecclesiastical Court, or from the Licensers of the Stage, for playing on Wednesdays and Fridays, I can not tell; but if he has not, I must think the Restraint laid on the facetious Mr. Punch, from acting on those Days, seems a little partial; for he has at least as good a Pretence to the same Liberty, especially considering the submissive Remonstrance and candid Office made by him in his Petition to the Licenser of the Stage. ...
I am, Yours, etc.   A. D.

Dick's Coffee house
Temple Bar, 10th April.

To the Worshipful Licensers of the Stage,
The humble Petition of Punch, Master of the artificial Company of Comedians in the Haymarket.

... As Oratorio's have a Sanction for being
founded upon Scripture History, and on that Account are suffered to be exhibited on Wednesdays
and Fridays in Lent, Mr. Punch intends to divert
the Town the ensuing Lent with several entertaining Pieces of the same Kind, particularly, the History of Bell and the Dragon, and the Life and
Death of Haman, Prime Minister to King Ahas-
uerus; and between the Acts, Punch will perform
several serious Dances to the Organ, in the Habit
of a Cardinal or an Archbishop.

– Dieser anonyme Brief wurde im *London Magazine* vom Mai 1738 nachgedruckt. Chrysander, der
in „Haman, Prime Minister to King Ahasverus"
eine Anspielung auf Robert Walpole sah, hielt
Henry Fielding für den Verfasser des Briefes.
(Chrysander, II, 407 f.)

16. Mai 1738
John Walsh kündigt in der *London Daily Post* das
Erscheinen der Partitur von Händels *Serse* für
Ende Mai 1738 an.
Vgl. 24. Mai 1738 (II) und 30. Mai 1738

22. Mai 1738
Hamburger Relations-Courier

London, 13. Mai 1738
[Gestern...] war das erste musicalische Concert in
Vauxhall, wobey sich sehr viele vornehme Stan-
des-Personen beyderley Geschlechts einfanden,
um einige von dem berühmten Hrn. Hendel componirte neue Stücke zu hören, als auch die mitten
in dasigen schönen Gärten aufgerichtete Statue
dieses geschickten Componisten zu sehen. Selbige
ist von feinem Marmor durch den hiesigen Bildhauer Roubillac verfertiget, und stellet den Apollo
für, welcher eine Leyer rühret und auf den Klang
dieses schönen Instruments aufmerksam ist, wobey ein zu dessen Füßen sitzender Knabe die Noten gleichsam auf den Rücken eines Violoncello
zu schreiben scheinet. Es wird diese Ehren-Säule
für ein rechtes Meister-Stück gehalten, und von
männiglich bewundert.
(Becker, 37)

24. Mai 1738 (I)
The London Daily Post

May 23, 1738.
All Persons that have subscrib'd or are willing to
subscribe twenty Guineas for an Italian Opera to
be perform'd next Season at the King's Theatre in
the Hay-Market, under my Direction, are desired
to send ten Guineas to Mr. Drummond the Banker
who will give them a Receipt, to return the Money
in case the Opera should not go on, and whereas I
declared I would untertake the Opera's provided I
can agree with the Performers, and that 200 Subscriptions are procured, and as the greatest Part of
the Subscribers have already paid the 10 Guineas;
it is desired that the remaining Subscribers will be
pleased to send the Money to Mr. Drummond, on
or before the 5th of June next, that I may take my
Measures, either to undertake the Opera if the
Money is paid, or give them up in case the Money
is not paid, it being impossible to make the necessary Preparations, or to Contract with the Singers
after that Time.
J. J. Heidegger
(Burney, II, 824; Chrysander, II, 451)

– Der Bankier Andrew Drummond wird im Statut
des Fund for the Support of Decayed Musicians
and their Families auch als Verwalter von dessen
Kapital genannt. Außerdem verwaltete er die
Spenden für das Foundling Hospital.
(Burney 1785, 129 f.; Burney/Eschenburg, 95)
Vgl. 26. Juli 1738

24. Mai 1738 (II)
The London Daily Post

In a few Days will be published, The Opera of
Xerxes. ...
N.B. Those Gentlemen, &c. who intend to sub-
scribe are desir'd to send in their Names immedia-
tely.
Printed for John Walsh.

– In einer Anzeige des *Craftsman* vom 27. Mai
1738 heißt es: „Next week will be publish'd...".
Die Ausgabe erschien am 30. Mai 1738.

24. Mai 1738 (III)
Dem Prinzen und der Prinzessin von Wales wird
ein Sohn geboren: George William Frederic, der
spätere König Georg III.

27. Mai 1738
Common Sense

I made a Visit the other Morning to a Friend, at
his Chambers in the Temple, and found him engaged with an ingenious Mechanick, who is the
Maker of a certain little Musical Instrument,
which, of late, is carried in the Pockets of all your
Men of Wit and Pleasure about the Town. ...
As Operas were going down, he [der Künstler] did
not doubt but Myn Heer Handel himself would
compose for it.

– Händel komponierte 18 Stücke (HWV 587–604)
für eine Flötenuhr des englischen Mechanikers

und Uhrmachers Charles Clay, die mit einer drei Oktaven umfassenden Klaviatur versehen war.
(Squire 1919, 549 f.)
Vgl. 6. März 1711, 17. Oktober 1724, Mai 1725 und Oktober 1729

30. Mai 1738

John Walsh zeigt in der *London Daily Post* das Erscheinen der Partitur von Händels *Serse* an.

– Die Ausgabe erschien ohne Subskribenten-Verzeichnis; die Aufrufe (vgl. 24. April und 24. Mai 1738) hatten offenbar wenig Erfolg.
(Chrysander, II, 449; Smith 1960, 68)

Mai 1738
The London Magazine

The four underwritten Copies of Verses are ascrib'd to Mr. Lockman.
Suppos'd to be written under the Statue, representing Mr. Handel, in Vauxhall-Gardens.

Drawn by the fame of these imbower'd retreats,
Orpheus is come from the Elysian seats;
Lost to th'admiring world three thousand years,
Beneath lov'd Handel's form he re-appears.
Sweetly this miracle attracts the eye:
But hark! for o'er the lyre his fingers fly.

Another.
Fam'd Orpheus drew the Thracians with his lyre;
The Britons Handel's sweeter power admire:
O hear his strains, and this bright circle view,
You'll think this tributary marble due!

Seeing the Marble Statue (carv'd by Mr. Roubillac) representing Mr. Handel, in Spring Gardens, Vauxhall.

That Orpheus drew a grove, a rock, a stream
By musick's power, will not a fiction seem;
For here as great a miracle is shown –
Fam'd Handel breathing, tho' transformed to stone.

To be written under the Effigies of Mr. Handel in Vaux-Hall Gardens.
Acrostick.
High as thy genius, on the wings of fame,
Around the world spreads thy all-tuneful name.
Nature, who form'd thee with peculiar care,
Did art employ, to draw a copy here,
Emblem of that great self! whilst yet you live
Lending such helps, your better part can give.
J. A. Hesse.

Upon Handel's Statue being placed in Spring-Garden at Vaux-Hall.

As in debate the tuneful sisters stood,
In what sequester'd shade, or hallow'd wood,
Should Handel's statue (musick's master!) stand,

In which fair art well mimicks nature's hand;
Thus spoke the god, that with enliv'ning rays,
Glads the whole earth, and crowns the bard
"Here bid the marble rise, be this the place,
"The haunt of ev'ry muse, and ev'ry grace;
"Where harmony resides, and beauties rove:
"Where should he stand but in Apollo's grove?"
(Burney, II, 825; Schoelcher 1857, 198)

– Das vierte Gedicht von John Lockman, das sich auf andere Arbeiten Roubillacs bezieht, ist hier nicht abgedruckt. Der Verfasser des letzten Gedichtes ist unbekannt. Lockmans erstes Gedicht wurde mit einigen Änderungen in seinem *Sketch of the Spring Gardens, Vauxhall, in a Letter to a Noble Lord* [Lord Baltimore], London, ca. 1762, erneut gedruckt. Teile daraus wurden in den Katalog der Versteigerung von Händels Statue übernommen, der auch das dritte Gedicht enthält (Exemplar im Besitz von Gerald Coke).
Vgl. 18. April 1738 und Juni 1738

6. Juni 1738 (I)
John Lockman, The Invitation to Mira, Requesting Her Company to Vaux Hall Garden

Come, Mira, Idol of ye Swains,
(So green ye Sprays, the Sky so fine,)
To Bow'rs where heav'n-born Flora reigns
And Handel warbles Airs divine.
(Bickham/Vincent II, Nr. 2)

– Die von Richard Vincent herausgegebene und von George Bickham jun. gestochene Liedersammlung *The Musical Entertainer* ist reich mit Kupferstichen ausgestattet. Die hier zitierten Verse stammen aus dem zweiten Lied des zweiten Bandes der Sammlung (Datierung des Bogens: „According to ye late Act [of Parliament], 6 June 1738"). Die Vertonung dieses Gedichts stammt von Thomas Gladwin. Eine von George Bickham nach Gravelot gestochene Vignette zeigt die Händel-Statue von Roubillac. Eine andere Darstellung dieser Statue ist dem anonymen Lied *The Pleasures of Life, sung at new Sadler's Wells* (Bd. II, Nr. 6, Ausgabe von 1740) beigefügt (vgl. 26. Juli 1740).
(Smith 1960, 183 f.)

6. Juni 1738 (II)
Die Saison am Haymarket Theatre wird mit einer Aufführung von Veracinis *Partenio* (vgl. 14. März 1738) beendet.
(Burney, II, 823)

21. Juni 1738
The London Daily Post

On Saturday last [17. Juni] set out for Breda Signiora Strada del Po, to which Place she goes in Obedience to the Command of her Royal Highness the Princess of Orange, from whence she in-

tends to go to Italy; but before her Departure desires that the British Nobility and Gentry (from whom she has received so many signal Marks of Favour) might be acquainted that it is no ways owing to her, that the present Scheme for performing Opera's next Winter in the Haymarket, under the Direction of Mr. Heydegger, has miscarried, as has been maliciously reported: she having agreed with Mr. Heydegger above a Month ago, as the said Gentleman can testify.
(Burney, II, 824; Chrysander, II, 451f.)

– Die Notiz stammt offensichtlich von Anna Stradas Ehemann, Aurelio del Pò (vgl. 9. Juni 1732). Anna Strada, Händels langjährige Primadonna, hatte seit Juni 1737 nicht mehr bei ihm gesungen, war aber in London geblieben. Sie erfreute sich weiterhin der Gunst von Prinzessin Anne von Oranien, bei der sie sich schon zwei Jahre zuvor besuchsweise aufgehalten hatte (vgl. 5. Oktober 1736). Nach England kehrte sie nicht wieder zurück.
Vgl. 26. Juli 1738

Juni 1738

Im *London Magazine* erscheint ein an Jonathan Tyers gerichtetes, mit I. W. gezeichnetes Gedicht mit dem Titel: *To the Master of Vaux-Hall Gardens, on his employing the ingenious Mr. Roubillac to carve the Statue of Mr. Handel.*
Sein Verfasser ist unbekannt. In dem Gedicht wird Tyers als Mäzen gefeiert, der bei dem berühmten Roubillac eine Händel-Statue in Auftrag gegeben hat (vgl. 18. April 1738).

4. Juli 1738
The London Daily Post

We hear from Oxford, that on Thursday the 13th Instant (being in the Act Week) will be perform'd in a grand Manner, at the Theatre, Alexander's Feast, for the Benefit of Mr. Church and Mr. Hayes.
(Chrysander, II, 427)

– John Church war Chorsänger, William Hayes Organist, später Professor, am Magdalen College, Oxford.

5. Juli 1738
Warrant Book des Königs

	£	s.	d.	
Royal Academy of Music	1,000	0	0	Same [Royal bounty] for the undertakers of the Opera.

– Eine entsprechende Eintragung im Protokollbuch des Schatzamtes fehlt.
(Shaw 1900, 597)

19. Juli 1738
John Walsh zeigt in der *London Daily Post* das Er-

scheinen von *Select Aires or Duets for two German Flutes, and a German Flute & Bass Compos'd by M.ͬ Handel, and other Eminent Authors. 3.ᵈ Book* an.
Vgl. 26. September 1730 und 9. Juli 1737
(Smith 1960, 261f.)

23. Juli 1738
Händel beginnt die Komposition des Oratoriums *Saul* mit dem Chor „How excellent Thy name". Eintrag in der autographen Partitur (R. M. 20. g. 3.): „July 23. 1738."
Vgl. 27. September 1738

26. Juli 1738
The London Daily Post

Hay-Market.
July 25, 1738.
Whereas the Opera's for the ensuing Season at the King's Theatre in the Hay-Market, cannot be carried on as was intended, by Reason of the Subscription not being full, and that I could not agree with the Singers th'I offer'd One Thousand Guineas to One of them: I therefore think myself oblig'd to declare, that I give up the Undertaking for next Year, and that Mr. Drummond will be ready to repay the Money paid in, upon the Delivery of his Receipt; I also take this Opportunity to return my humble Thanks to all Persons, who were pleas'd to contribute towards my Endeavours of carrying on that Entertainment.
J. J. Heidegger.
(Burney, II, 824; Chrysander, II, 452)

– Das Angebot von 1000 Guineen hatte Heidegger vermutlich dem Sopranisten Caffarelli gemacht, nicht aber Anna Strada, die niedrigere Honorare erhalten hatte und mit Heidegger wohl zu einer Einigung gekommen wäre. Von Händels Sängern blieben Maria Antonia Marchesini, Elisabeth Duparc sowie William Savage; Cecilia Arne-Young, John Beard und Gustavus Waltz kehrten zu ihm zurück.

Juli 1738
Elizabeth Robinson an die Duchess of Portland

I arrived at Mount Morris rather more fond of society than solitude. I thought it no very agreeable change of scene from Handel and Cafferelli.
(Montague 1906, II, 27)

– Elizabeth Robinson heiratete 1742 Edward Montagu, einen Enkel des Earl of Sandwich. Der hier mitgeteilte Satz ist einem Antwortbrief Miss Robinsons auf einen Brief der Duchess of Portland (vgl. 12. Juli 1734) vom 30. Juni 1738 entnommen. Beide Damen waren nach der Londoner Opern-Saison auf ihre Familiensitze zurückgekehrt.

5. August 1738
The Craftsman

This Day is published, on a Fan Mount ... Likewise the Rural Harmony and delightful Pleasures of Vaux Hall Gardens. Whereon is shewn the Grand Pavillion, the Orchestra, the Organ, and the Statue of Mr. Handel. Sold Wholesale or Retail at Pinchbeck's Fan Ware-house at the Fan and Crown in New Pound Court in the Strand, London.

21. August 1738
The London Daily Post

On Saturday last [19. August] the Entertainment of the Spring-Gardens, Vaux-hall, ended for this Season; great Numbers of People came to it, th' the Evening was cold, and seem'd to threaten Rain. The whole was conducted with the usual Decency, and concluded with the Coronation Anthem, by Mr. Handel. The Company seem'd greatly satisfied on that Occasion.

– Die Saison in Vauxhall-Gardens hatte am 2. Mai 1738 begonnen. Das *Coronation Anthem* war vermutlich „Zadok the Priest".
1740 komponierte Händel „for the Concert at Vaux-hall" das Hornpipe D-Dur für Streicher und Basso continuo (HWV 356).
(Schoelcher 1857, 196; Smith 1954, 305)

August 1738

Alcina wird in Braunschweig aufgeführt.
(Stompor, 85)

2. September 1738
The Craftsman

This Day is publish'd, The [Ladies] Entertainment, 5th Book. Being a Collection of the most favourite Airs from the last Opera's, set for the Harpsichord or Spinnet. To which is prefix'd the celebrated Organ Concerto, Compos'd by Mr. Handel. Printed for and sold by John Walsh.

– Der Band enthält sechs Arien aus *Serse* und zwei aus *Faramondo* sowie das Orgelkonzert B-Dur op. 4 Nr. 2 (die sechs Orgelkonzerte op. 4 erschienen am 4. Oktober 1738). Die ersten vier Bände dieser Sammlung (1708, 1709, 1716) enthielten keine Kompositionen von Händel.
(Smith 1960, 270, 224)

12. September 1738
Gloucester Journal

Worcester, Sept. 11, 1738. For the Benefit of Mr. Merrifield, Organist of the Cathedral. At the Town Hall, on Wednesday the 20th. instant, (Being the Second Night of the Races) will be perform'd the Oratorio of Hester, composed by Mr. Handell.
(Dean 1959, 214, 631)

19. September 1738
Charles Jennens an Lord Guernsey

Queen's Square, London, 19 September 1738.
Mr. Handel's head is more full of maggots than ever. I found yesterday in his room a very queer instrument which he calls carillon (Anglice, a bell) and says some call it a Tubalcain, I suppose because it is both in the make and tone like a set of Hammers striking upon anvils. 'Tis played upon with keys like a Harpsichord and with this Cyclopean instrument he designs to make poor Saul stark mad. His second maggot is an organ of £ 500 price which (because he is overstocked with money) he has bespoke of one Moss of Barnet. This organ, he says, is so constructed that as he sits at it he has a better command of his performers than he used to have, and he is highly delighted to think with what exactness his Oratorio will be performed by the help of this organ; so that for the future instead of beating time at his oratorios, he is to sit at the organ all the time with his back to the Audience. His third maggot is a Hallelujah which he has trump'd up at the end of his oratorio since I went into the Country, because he thought the conclusion of the oratorio not Grand enough; tho' if that were the case 'twas his own fault, for the words would have bore as Grand Musick as he could have set 'em to: but this Hallelujah, Grand as it is, comes in very nonsensically, having no manner of relation to what goes before. And this is the more extraordinary, because he refused to set a Hallelujah at the end of the first Chorus in the Oratorio, where I had placed one and where it was to be introduced with the utmost propriety, upon a pretence that it would make the entertainment too long. I could tell you more of his maggots: but it grows late and I must defer the rest till I write next, by which time, I doubt not, more new ones will breed in his Brain.
(Archiv der Familie Aylesford. Flower 1923, 251 f.; Faksimile vor 251)

– Jennens war ein Vetter der Frau des zweiten Earl of Aylesford, Lord Guernsey dessen Sohn (vgl. 6. Juli 1733). Das erwähnte Oratorium ist *Saul,* dessen Libretto Charles Jennens verfaßt hat. Das Glockenspiel („carillon") benutzte Händel für den Chor „Welcome, mighty King" und die „Sinfoníe pour les Carillons" im 1. Akt. Daß das Glockenspiel auch als „Tubalcain" bezeichnet wurde – Tubal ist der Name eines Schmiedes im Alten Testament –, ist wohl als Scherz gemeint.
Händels „zweite Grille" war wahrscheinlich eine Orgel mit einem separat stehenden Spieltisch, wie sie beispielsweise zur Händel-Gedächtnisfeier 1784 verwendet wurde: „Die Züge, wodurch sie mit dem Klavier in Verbindung stand, an welchem Herr Bates, der Anführer des Orchesters, saß, giengen neunzehn Fuß weit von dem Körper der

Orgel ab, und waren zwanzig Fuß sieben Zoll senkrecht tiefer, als die Tasten, womit sie ordentlich gespielt wird. Dergleichen Züge in Verbindung mit den Tasten wurden hier zu Lande zuerst für Händel selbst, zu seinen Oratorio's, verfertigt; aber sie so weit von dem Instrument entfernt anzubringen, ohne die Tasten unspielbar schwer zu machen, dieß erfo[r]derte ausnehmende Geschicklichkeit, und viel mechanische Hülfsmittel." (Burney/Eschenburg, 7)

Die Anspielung auf Händels Geldverhältnisse ist ironisch gemeint. Über die Stellung des „Hallelujah" im *Saul* scheint sich Händel schließlich mit Jennens geeinigt zu haben.
(Dean 1959, 109 f.)

25. September 1738
The London Daily Post

Sept. 23, 1738.
To all Lovers of Musick.
Whereas there are Six Concerto's for the Organ by Mr. Handel, publish'd this Day, some of which have been already printed by Mr. Walsh, and the other done without the knowledge or Consent of Mr. Handel.
This is to give Notice, That the same six are now printing, and will be published in a few Days, corrected by the Author. Price 3s. J. Walsh.
(Schoelcher 1857, 201; Chrysander, III, 158f.)

– Von dem Raubdruck, dessen Titel *(Six Concertos for the Harpsichord or Organ by Mr. Handel. Sold at the Musick Shops)* nur Chrysander überliefert, ist kein Exemplar bekannt. Ähnliche Titelformulierungen verwendeten Walsh sen. und andere Verleger bei nichtautorisierten Drucken. Walshs Ausgabe erschien am 4. Oktober 1738, wegen der Konkurrenz zu einem niedrigeren Preis als gewöhnlich.
(Smith 1960, 224)

27. September 1738 (I)
The London Daily Post

To all Lovers of Musick.
Whereas there is a spurious and incorrect Edition of Six Concerto's of Mr. Handel's for the Harpsicord and Organ, publish'd without the Knowledge, or Consent of the Author,
This is to give Notice, (That the Publick may not be imposed on by that mangled Edition) That there are now printing from Mr. Handel's original Manuscript, and corrected by himself, the same Six Concerto's, the Copy of which I have purchased from Mr. Handel, and shall be publish'd in a few days. (Price 3s.) J. Walsh.
(Smith 1960, 224)

27. September 1738 (II)
Händel beendet das Oratorium *Saul.*
Vgl. 23. Juli 1738

Einträge in der autographen Partitur (R. M. 20. g. 3.): „Fine dell'Atto 2do. Agost. 8. 1738. Dienstag den 28 dieses."; „den 27 Septr 1738" (am Ende des Chores „O fatal day").

– Diese Einträge werden ergänzt durch Charles Jennens' Eintrag in seinem Exemplar von John Mainwarings Händel-Biographie: „print. 1738. begin. 1st Act. Jul. 23, 1738. End Aug. 1. Act. 2 Aug. 2, End Aug. 8, End of Act 3, Aug. 15". In Jennens' Partiturabschriften von Akt I und Akt II des Oratoriums ist am Ende vermerkt: „Aug. 1. 1738" und „begun August 8th 1738 tuesday 28th of this instant"
(Dean 1972, 161; Walker, 45)

28. September 1738
John Walsh, Cash-Book

1738, Sept. 28th, six organ concertos in p[arts.]
£ 26 5 0
Vgl. 4. Oktober 1738

September 1738
Händel komponiert die Oper *Imeneo.*
Einträge in der autographen Partitur (R. M. 20. b. 5.): „Fine dell'Atto 1mo [durchgestrichen] den 14 Septr 1738."; „Fine dell'Atto 2do den 17. September"; „Fine dell'Opera den 20 Septem^{br} 1738."
Der Einleitungssatz der Ouvertüre ist überschrieben: „Ouverture, den 9 Sept. 1738. Soñabend."

– Händel überarbeitete *Imeneo* im Herbst 1740 (vgl. 10. Oktober 1740) für die Uraufführung am 22. November 1740.
(HHA, IV/14, Krit. Bericht, 61 f.; Händel-Hdb., I, 491)

1. Oktober 1738
Händel beginnt mit der Komposition des Oratoriums *Israel in Egypt.*
Eintrag in der autographen Partitur (R. M. 20. h. 3.): „Moses Song. Exodus. Chap. 15. angefangen Oct. 1. 1738."

4. Oktober 1738
The London Daily Post

New Musick.
This Day is published (Price 3s.) Six Concerto's for the Harpsichord, or Organ. Compos'd by Mr. Handel.
These Six Concertos were publish'd by Mr. Walsh from my own Copy, corrected by my self; and to him only I have given my Right therein.
George Frideric Handel.
(Chrysander, III, 159)

– Zunächst erschienen nur die Cembalo-/Orgelstimmen. Die Titelseite trug den gleichen Vermerk Händels wie in dieser Anzeige sowie folgenden Hinweis: „N.B. In a few days will be

Published the Instrumental Parts to yᵉ above Six Concertos." Die Orchesterstimmen erschienen aber erst am 2. Dezember 1738. Der Preis der kompletten Ausgabe betrug 10 Schilling, 6 Pence. Als Opus 4 sind die Konzerte zunächst nur auf den Orchesterstimmen bezeichnet, in den Anzeigen erstmals am 18. Januar 1739.
(Smith 1960, 224 ff.)

7. Oktober 1738
John Walsh, Cash-Book

1738, Oct. 7th, six new sonatas ... £ 26 5 0
(Chrysander, III, 151 f.)

– Es handelt sich hier um sechs der im Februar 1739 von Walsh als Opus 5 veröffentlichten sieben Triosonaten Händels (vgl. 18. Januar und 28. Februar 1739). Möglicherweise sollte Opus 5 wie Opus 2 ursprünglich nur aus sechs Sonaten bestehen.

1721 – 7. Oktober 1738
John Walsh (sen. und jun.), Cash-Book

1722	Opera	Otho	£	42	0	0
1721	"	Floridan [sic]	"	72	0	0
1723	"	Flavio	"	26	5	0
1729	"	Parthenope	"	26	5	0
1730	"	Porus	"	26	5	0
1736	"	Armenius	"	26	5	0
1736	"	Atalanta	"	26	5	0
1737	"	Berenice	"	26	5	0
1737	"	Justin	"	26	5	0
1732	"	Orlando	"	26	5	0
1732	"	Aetius	"	26	5	0
1737	"	Faramondo	"	26	5	0
1737	"	Alexander's Feast	"	105	0	0
1738	"	Xerxes	"	26	5	0
1738, Sept. 28th, six organ concertos in p.			"	26	5	0
1738, Oct. 7th, six new sonatas			"	26	5	0

(Macfarren, 22)

– Das Originalblatt ist verloren. Macfarren berichtet, daß es ihm in seiner Eigenschaft als Sekretär der Handel Society 1844 von einem Mr. Nottingham vorgelegt worden sei und er eine getreue Abschrift angefertigt habe. Das Verzeichnis ist nicht chronologisch angelegt und nicht vollständig: Es fehlen *Alessandro Severo, Arianna in Creta, Ariodante* und *Tolomeo*. Die Zahlungen erfolgten vermutlich jeweils im Januar oder Februar, d. h., nach dem alten englischen Kalender am Ende des Jahres.

14. Oktober 1738
Common Sense

(A Discourse upon the Fall of the Operas.)
... Don Chrysostimus informs us, that the Musician Timotheus, playing one Day upon the Flute

before Alexander the Great, in the Movement called Ortios, that Prince immediately laid hold of his Great Sword, and was with Difficulty hindered from doing Mischief, – restrain'd, no Doubt, by some prudent, and pacifick Minister. – And Mr. Dryden, in his celebrated Ode upon St. Caecilia's Day, represents that Hero, alternately affected, in the highest Degree, by tender or martial Sounds, now languishing in the Arms of his Courtesan, Thais, and anon furious, snatching a Flambeau, and setting Fire to the Town of Persepolis. This we have lately heard, set to Musick by the Great Mr. Handel, who, for a Modern, certainly excels in the Ortios or Warlike Measure: – But we have some Reason to think that the Impressions which it was observed to make upon the Audience soon gave Way to the Phrygian, or Lascivious Movement.
... The Swiss ... have at this Time a Tune, which, when play'd upon their Fifes, inspires them with such a Love of their Country, that they run Home as fast as they can. ... Could such a Tune be composed here, it would then indeed be worth the Nation's While to pay the Piper. ... I would therefore, most earnestly recommend it to the Learned Doctor Green, to turn his Thoughts that Way. – It is not from the least Distrust of Mr. Handel's Ability that I address myself preferably to Doctor Green: But Mr. Handel having the Advantage to be by Birth a German, might probably, even without intending it, mix some Modulations, in his Composition, which might give a German Tendency to the Mind, and therefore greatly lessen the National Benefit, I propose by it.

– Die Anspielungen beziehen sich auf Händels *Alexander's Feast*.
Bei dem „Swiss Tune" handelt es sich um den *ranz des vaches* oder Kuhreigen, bei der „Fife" um das Alphorn. Der Verfasser dachte offenbar an eine englische Nationalhymne; als sich seine Idee verwirklichte, wurde diese weder von Maurice Greene noch von Händel vertont; ihr Komponist blieb anonym.

21. Oktober 1738
The Craftsman

This Day is published, Six Overtures for Violin, &c. in Eight Parts from the Operas of Xerxes, Pharamond, Alexander Severus, Alexander's Feast, Berenice, Orestes, Composed by Mr. Handel, the Seventh Collection. Printed for and sold by John Walsh.

– Weitere Auflagen dieser Ausgabe erschienen um 1740, 1750 und 1760.
(Smith 1960, 294 f.)

1. November 1738
Händel beendet das Oratorium *Israel in Egypt*.

Einträge in der autographen Partitur (R. M. 20. h.
3.): „Fine della Parte 2da d'Exodus Octo^{br} 20. 1738.
Octob^r 28."; „Fine. Octob^r 11. 1738. den 1 No-
vemb^r völlig geendiget."

18. November 1738
The London Daily Post

St. Cecilia's Day; why Sounds please, or not; Talents of Dr. Pepusch, Mr. Handel, Dr. Green, &c.
two Ladies Queens; the Oxford Almanack, Motion against the Recorder, and the Test, &c. will be
Oratory Subjects Tomorrow.
(Chrysander, III, 21)

– Auszug aus einer Ankündigung des Redners
John Henley (vgl. 19. November 1733).

2. Dezember 1738
The Craftsman

This Day is published, The Instrumental Parts to
Mr. Handel's Six Organ Concertos. N.B. The Part
for the Harpsicord or Organ may be had separate,
price 3s. Printed for and sold by John Walsh.

– Die Solostimmen waren bereits am 4. Oktober
erschienen. Der Titel der Ausgabe lautet: *Six Concertos for the Organ and Harpsichord; Also For Violins,
Hautboys, and other Instruments in 7 Parts. Compos'd
by M^r: Handel. Opera Quarta.* Die Ausgabe wurde
1739 und 1753 nachgedruckt.
(Chrysander, III, 157ff.; Smith 1960, 224ff.)

1738 (I)
George Vertue, Note Books

A Sculptor of some merit has several years been
in England. and labouring to gain reputation has
lately, as mentioned in the news papers. made a
Statue in Marble of Mr Handel the famous Master
of Music and great composer of Operas &c. (sd. to
be like him in the moddel.) this Statue was made
to be Set up in Foxhall Gardens. by ... Robullac a
French man Sculptor born in Switzerland or some
part of it, but had been many years in France &
there made his studies. I have seen a Model in
Clay the portrait of Farranelli the famous singer
very like him, and well done, a bust of Sr Isaac
Newton one of Oliver Cromwell &c. this statue of
Handell is well wrought and with much Art. when
considerd.
(British Library, Add. MSS. 23 076 [Note Book
A. f.]. Vertue, III, 84)

1738 (II)
Lorenz Christoph Mizler, Neu eröffnete musikali-
sche Bibliothek, Leipzig 1738

Eben dergleichen kan ich auch von dem berühmten Händel rühmen. Seine Cantate, Sarei troppo

felice, s'io potessi dar regge, &c. ist eben so wohl
nach den obigen Regeln gesetzet, als die vorigen:
und in seiner Lucretia ist er gewiß in wenigen
Stücken davon abgewichen.   [S. 11]

– Aus Mizlers Besprechung von *Hrn. Prof. Gott-
scheds Gedanken von Cantaten, so in desselben critischen
Dicht-Kunst vorkommen.*

1738 (III)

Madame Boivin und Le Clerc veröffentlichen um
1738 in Paris *Six Fugues Pour le Clavecin oú L'Orgue.
Par G. F. Handel. Troisieme Ouvrage Prix 5^{tt} Avec Pri-
vilége du Roy.*
(Hopkinson, 242; Smith 1960, 237)

– Walsh hatte Händels *Six Fugues or Voluntarys for
the Organ or Harpsichord* zum erstenmal im Sommer
1735 (vgl. 23. August 1735) veröffentlicht.

1739

3. Januar 1739
The London Daily Post

We hear, that on Tuesday se'nnight [16. Januar]
the King's Theatre will be open'd with a new Oratorio, compos'd by Mr. Handel, Call'd Saul: And
that at the same Theatre there will be a Masquerade on Thursday the 25 Inst.
(Burney, II, 818; Schoelcher 1857, 203; Chrysander, III, 58)

– Am gleichen Tag gab Heidegger „Leave & Licence to Angelo Corri to perform an Opera there"
(Public Record Office: L. C. 5/161, 51). Händel
hatte das Haus von Heidegger für seine erste dort
stattfindende Oratorien-Saison gemietet. Für
diese waren zwölf Aufführungen vorgesehen, die
in der Regel dienstags stattfanden.
(Burney, II, 825)

7. Januar 1739
Mary Pendarves an ihre Schwester Ann Granville

To-morrow I go to hear Mr. Handel's oratorio rehearsed.
(Delany, II, 24)

– Der Brief ist zwar mit dem 9. Januar datiert, da
aber die für Freunde zugängliche Probe bereits
am 8. Januar stattfand (vgl. 9. Januar 1739/II), muß
der Brief am 7. Januar 1739 geschrieben worden
sein.

9. Januar 1739 (I)
The London Daily Post

At the King's Theatre in the Hay-Market, on Tuesday next, being the 16th Instant, will be perform'd
a new Oratorio, call'd Saul. ... To begin at Six
o'Clock.
(Burney, II, 825)

9. Januar 1739 (II)
Lord Thomas Wentworth an seinen Vater, den
Earl of Strafford

London, January 9, 1739.
Mr. Handel rehearsed yesterday a new Oratorio
call'd Saul, and Mr. Hamilton thinks it a very good
one; and for a chief performer he has got one
Rusell an Englishman that sings extreamly well.
He has got Francisschina for his best woman, and
I believe all the rest are but indifferent.
(Wentworth Papers, 542)

– Hamilton war vermutlich Hauslehrer des jungen
Wentworth. Der Countertenor Russel sang die
Partie des David (vgl. 16. Januar 1739); er ist wahrscheinlich identisch mit dem in Smolletts Advice
(vgl. 1746/I) erwähnten Schauspieler-Sänger. Saul
war das einzige Oratorium Händels, in dem Russel mitgewirkt hat.
(Dean 1959, 659)

10. Januar 1739
Protokolle der Zusammenkünfte der Gouverneure
des Mercer's Hospital, Dublin

The Day of the Musical Service att St Andrews
Church is alterd from Thursday the 8th Day of
Febry to Tuesday the 13th Day of February....
The Governors of Mercer's Charitable Hospital
give this publick notice that... Divine Service will
be perform'd as formerly after the Cathedral man-
ner, with Te Deum Jubilate and two new Anthems
Compos'd by Mr Handel.

– Der Text war zum Abdruck in den Zeitungen
bestimmt.
Te Deum und Jubilate hatte Händel 1713 für den
Friedensschluß zu Utrecht komponiert, die beiden „new Anthems" waren zwei seiner 1727 komponierten Coronation Anthems.
Vgl. 17. Februar 1739

11. Januar 1739
Vereinbarung zwischen dem Herzog von Argyll
und Händel

Indenture between John, Duke of Argyll and
Greenwich, Master General of His Majesty's
Ordnance... on the one Part; & George Frederick
Hendal Esqr. on the other Part, witnessing that
the said George Frederick Hendel hath received
out of His Majesty's Stores ... at the Tower the
Kettle Drums undermentioned the same being
lent to him for the use of the Oratorios at the
Kings Theatre in the Hay Market, 18th Jan.,
1738/9.
(Sammlung W. Westley Manning, London; ver-
kauft von Sotheby am 12. Oktober 1954)

– Für diese Vereinbarung wurde ein Vordruck benutzt, der handschriftlich ausgefüllt und von beiden Parteien unterzeichnet wurde.

John, Duke of Argyll and Greenwich, war Generalfeldzeugmeister. Die entliehenen großen Pauken gehörten zum Bestand des Artillerie-Trains;
sie standen eine Oktave tiefer als die gewöhnlichen. Sie wurden in den Feldzügen zwischen
1689 und 1756 benutzt und bis 1841 ständig im
Tower verwahrt. Händel hat sie auch für spätere
Oratorien-Aufführungen ausgeliehen.
(Myers 1948, 47; Dean 1959, 275 und 296f.)

13. Januar 1739 (I)
Earl of Egmont, Diary

This week the Lady Henrietta Powis, a young widow of 22 years old, married Birde [Beard] the
singing man. She is daughter to the Earl of Wal-
grave, now Ambassador in France, and her first
husband was son to the Marquis of Powis. Her
brother [James], an Ensign in the Guards, told
her that her lover had the pox, and that she would
be disappointed of the only thing she married him
for, which was her lust; for that he would continue
to lie every night with the player that brought
them together, and give her no solace. But there is
no prudence below the girdle. Birde continues to
sing upon the stage. This lady had 600 l. a year
jointure, 200 l. of which is encumbered by former
debts, and 200 l. she has lately sold to pay his
debts. To-day it is said her goods have been
sold.
(Egmont MSS., III, 4)

– Lady Henrietta, einzige Tochter von James, Earl
of Waldegrave, war die Witwe des Lord Edward
Herbert, Marquis of Powis (gest. 1734). Sie heiratete am 8. Januar 1739 den Tenor John Beard
(Schoelcher 1857, 281f.). Beard heiratete später
die Tochter von John Rich, dem Direktor des Covent Garden Theatre, dessen Nachfolger er
wurde.

13. Januar 1739 (II)
Lord Thomas Wentworth an seinen Vater, den
Earl of Strafford

London, January 13, 1739
I hear Mr. Handell has borrow'd of the Duke of
Argylle a pair of the largest kettle-drums in the
Tower, so to be sure it will be most excessive
noisy with a bad set off singers; I doubt it will not
retrieve his former losses.
(Wentworth Papers, 543)

16. Januar 1739
Das Oratorium Saul wird im Haymarket Theatre
uraufgeführt.

– Den Text des Werkes, der häufig Newburgh
Hamilton zugeschrieben wurde, hat Charles Jen-
nens verfaßt (vgl. 19. September 1738).
Besetzung:
Saul – Gustavus Waltz, Baß
Jonathan – John Beard, Tenor

David – Mr. Russell, Kontratenor
Abner – ? (Tenor)
Merab – Cecilia Arne-Young, Sopran
Michal – Elisabeth Duparc, Sopran
Doeg – Mr. Butler, Baß
Hoherpriester – John Kelly, Kontratenor
Hexe von Endor – Maria Antonia Marchesini (?),
        Mezzosopran
Geist des Samuel – Mr. Hussey, Baß
ein Amalekiter – Mr. Stoppelaer, Tenor
Abiathar – ? (Baß)
Die Namen der Solisten sind handschriftlich vermerkt in einem Exemplar des von Thomas Wood gedruckten Textbuches (Royal College of Music, London). Die Partien des Abner und des Abiathar wurden wahrscheinlich von einem der genannten Sänger gesungen.
Wiederholungen: 23. Januar („With several new Concerto's on the Organ"), 3. und 10. Februar, 27. März und 19. April 1739.
Händel führte *Saul* erneut 1740 und 1741 in Lincoln's Inn Fields, 1742 in Dublin, 1744 in Covent Garden, 1745 am Haymarket, 1750 und 1754 in Covent Garden auf.
(Chrysander, III, 56 ff.; Dean 1959, 297 ff.)

17. Januar 1739
The London Daily Post

Last Night the King, his Royal Highness the Duke, and their Royal Highnesses the Princesses, were at the Oratorio in the Hay-market; it met with general Applause by a numerous and splendid Audience.
(Schoelcher 1857, 258)

– Der Earl of Egmont besuchte ebenfalls „Hendle's new oratorio" (Egmont MSS., III, 5).

18. Januar 1739 (I)
The London Daily Post

This Day are publish'd, Proposals for Printing by Subscription, Seven Sonata's, or Trio's, for two Violins, or German Flutes, and a Bass. Opera Quinta. Compos'd by Mr. Handel.
1. The Price is Half a Guinea to be paid at the Time of Subscribing.
2. The whole will be engraven in a fair Character, corrected by the Author, and will be ready to deliver to Subscribers by the 28th of February next.
Subscriptions are taken in by John Walsh... and at most Musickshops in Town.

– Die Triosonaten op. 5 erschienen am 28. Februar 1739. Der Subskriptionsaufruf enthielt außerdem Hinweise auf vier bereits erschienene Walsh-Publikationen von Werken Händels, darunter die hier zum erstenmal als „Opera 4" bezeichneten Orgelkonzerte (vgl. 4. Oktober 1738).

18. Januar 1739 (II)
The London Daily Post

John Walsh zeigt als „Just publish'd" an: „Six Overtures fitted to the Harpsicord or Spinnet viz. Xerxes Pharamond Alexander Severus Alexander's Feast Athalia Berenice Compos'd by M: Handel. Being all proper Pieces for the Improvement of the Hand on the Harpsicord or Spinnet. Seventh Collection ..." Eine weitere Auflage erschien 1749 oder später.
(Smith 1960, 284)

18. Januar 1739 (III)
Earl of Egmont, Diary

I went at night to a public meeting of the vocal music club at the Crown Tavern, where the famous oratorio of Hendel, called "The Feast of Alexander", was performed by the gentlemen of our club.
(Egmont MSS., III, 5)

– Die „gentlemen of our club" waren die Sänger der Chapel Royal, der „club" die Academy of Ancient Music. Die privaten Zusammenkünfte der Academy fanden freitags statt. Die hier erwähnte öffentliche Aufführung fiel auf einen Donnerstag. Das Textbuch dieser Aufführung (Sammlung Schoelcher) nennt nach dem alten Kalender den 18. Januar 1738 als Tag der Aufführung.

22. Januar 1739
William Kent an den Earl of Burlington
The oratorio's goe on well, I was there with a handsom widow fatt, which has given much diversion to the looker on & we was in the box we us'd to have – There is a pretty concerto in the oratorio there is some stops in the Harpsicord that are little bells, I thought it had been some squerrls in a cage.
(Pope/Sherburn, IV, 163; Dean 1959, 298)

3. Februar 1739
Thomas Wood kündigt in der *London Daily Post* das Textbuch von Händels Oratorium *Saul* an.
(Schoelcher 1857, 204; Chrysander, III, 57)

– Das Textbuch nennt nach dem alten englischen Kalender 1738 als Erscheinungsjahr. Es ist je ein Motto in griechischer und lateinischer Sprache vorangestellt. Am 3. Februar wurde *Saul* zum dritten Mal aufgeführt. Diese Aufführung besuchte auch der Earl of Egmont (Egmont MSS., III, 18).

12. Februar 1739
The London Daily Post

This day is publ., pr. 2s. 6d. The celebrated Airs in Score of the Oratorio of Saul. By Mr. Handel. J. Walsh.
(Chrysander, III, 57)

– Der Titel dieser ersten Auswahl lautet: *The Most Celebrated Songs in the Oratorio Call'd Saul Compos'd by M.̲ Handel.* Die Partitur nennt die Namen der Sänger Beard, Russel, Francesina und Arne. Eine zweite Auswahl wurde am 17. März, eine gemeinsame Ausgabe bereits am 19. März 1739 angekündigt (vgl. 11. April 1739).
(Smith 1960, 138 f.)

17. Februar 1739 (I)
Walsh zeigt in der *London Daily Post* die „Second Edition" von *Alexander's Feast* an, das am gleichen Tage im Haymarket Theatre aufgeführt wurde.
(Schoelcher 1857, 204)

– Die Anzeige kann sich auf eine neue Auflage der ersten Ausgabe (vgl. 8. und 11. März 1738) beziehen, möglicherweise aber auch auf die spätere Ausgabe, die die Cäcilien-Kantate und die Arie „Sei del ciel" nicht enthält.
Am 13. Dezember 1739 zeigt Walsh in der *London Daily Post* die Originalpartitur des Werkes an, die 1743 (vgl. 3. Oktober) und 1751 (vgl. 6. März) nachgedruckt wurde.
(Smith 1960, 90 f.)

17. Februar 1739 (II)
The Dublin Gazette

On Tuesday last [13. Februar] the Te Deum, Jubilate and two Coronation Anthems composed by Mr. Handel, were performed at St. Andrew's Church with the greatest Decency and Exactness possible, for the Support of Mercer's Hospital, at which were present Their Excellencies the Lords Justices, and Eight Hundred Persons of the best Quality and Distinction; on which Occasion a most excellent Sermon was preached by the Rt. Rev. the Ld. Bishop of Kildare [Dr. Charles Cobbe].
(*The Irish Builder*, 15. Januar 1897)

– Der Vizekönig von Irland war zu dieser Zeit nicht in Dublin. Diesen Bericht hatte wie gewöhnlich der Sekretär des Direktoriums von Mercer's Hospital geschrieben. Die gleiche Notiz erschien am 21. Februar in Faulkners *Dublin Journal.*
Vgl. 10. Januar 1739

17. Februar 1739 (III)
Händels *Alexander's Feast* wird im Haymarket Theatre wiederaufgeführt (vgl. 19. Februar 1736) und am 24. Februar sowie am 20. März 1739 wiederholt.

– Die neue Ausgabe des Textbuches enthält Newburgh Hamiltons Widmungsgedicht an den Komponisten:
To Mr. Handel, On his Setting to Musick Mr. Dryden's „Feast of Alexander".

Let others charm the list'ning scaly Brood,
Or tame the savage Monsters of the Wood;
With magick Notes enchant the leafy Grove,
Or force ev'n Things inanimate to move:

Be ever Your's (my Friend) the God-like Art,
To calm the Passions, and improve the Heart;
The Tyrant's Rage, and Hell-born Pride controul,
Or sweetly sooth to Peace the mourning Soul;
With martial Warmth the Hero's Breast inspire,
Or fan new-kindling Love to chaste Desire.

That Artist's Hand, (whose Skill alone cou'd move
To Glory, Grief, or Joy, the Son of Jove;)
Not greater Raptures to the Grecian gave,
Than British Theatres from you receive;
That Ignorance and Envy vanquish'd see,
Heav'n made you rule the World by Harmony.

Two glowing Sparks of that Celestial Flame,
Which warms by mystick Art this earthly Frame,
United in one Blaze of Genial Heat,
Produc'd this Piece in Sense and Sounds complete;
The Sister Arts as breathing from one Soul,
With equal Spirit animate the Whole.

Had Dryden liv'd the welcome Day to bless,
Which cloath'd his Numbers in so fit a Dress;
When his majestick Poetry was crown'd,
With all your bright Magnificence of Sound;
How wou'd his Wonder and his Transport rise,
Whilst fam'd Timotheus yields to you the Prize.
(Schoelcher 1857, 180; Chrysander, II, 423 f.)

– Im 19. Jahrhundert war *Alexander's Feast* in Deutschland unter dem Titel *Timotheus, oder Die Gewalt der Musik* bekannt. (Chrysander erinnert in diesem Zusammenhang an Benedetto Marcellos Kantate *Timoteo, o gli affetti della Musica* auf einen Text von Antonio Conti., der Drydens Ode ins Italienische übersetzt hatte.)

17. Februar 1739 (IV)
Mary Pendarves an ihre Schwester Ann Granville

Park Street, 17th Feb. 1738–9.
I go to-night to the oratorio – no I mean to Alexander's Feast – with Mrs. Carey.
(Delany, II, 38)

– Mrs. Pendarves hielt sich bei ihrem Bruder Bernard Granville auf, der in der Nähe von Händel in der Park Street wohnte.

20. Februar 1739
Brief des Fürsten Kantemir aus Paris an G. Amiconi

Sento bene la pena, nella quale si trova Lei e gli altri amatori della musica vedendo quell'orribil decadenza della professione in Londra. Mi, son sempre immaginato, che la sola musica di Haendel

non puo dilettar le orecchie, e che la presenza della Francesina e buona per gli occhi ...
La prego ancora di comprar e spendirmi a mio conto ... 3) tutte le aperture di Haendel stampate in sette parti, e 4) i nuovi concerti per l'organo dell'istesso Haendel.
(Maikov, 130f; Gruber, 154)

– Ungeachtet seiner negativen Einstellung zu Händel bittet Kantemir um die Übersendung von Händels Ouvertüren und der Orgelkonzerte op. 4 (vgl. 4. Oktober und 2. Dezember 1738).
In einem undatierten Brief aus London schreibt Kantemir an Jean Jaques Zamboni (vgl. 8. Juli 1729): „Je vous remercie infiniment pour m'avoir donné le plaisir de voir les pièces de m. Haendel, et je vous les renvoi aussitôt parce que c'est de la plus sublime algèbre ma tête peu musicale (une composition de la maniere de Salriati), qui n'aime pas voir devant elle des choses qu'elle ne peut pas comprendre."
(Maikov, 209f.; Gruber, 133 und 154)
Vgl. 29. November 1736

28. Februar 1739
John Walsh zeigt in der *London Daily Post* die *Seven Sonatas or Trios for two Violins or German Flutes with a Thorough Bass for the Harpsicord or Violoncello ... Opera Quinta* an.
Vgl. 18. Januar 1739
(Smith 1954, 301; Smith 1960, 246)

Februar 1739
In einem Benefiz-Konzert für den Trompeter Valentine Snow werden in Hickford's Room „several Chorus's out of Acis and Galatea, Alexander's Feast, and Coronation Anthems" aufgeführt.
(MT LXIII, 1906, 603)

3. März 1739
The London Daily Post

At the King's Theatre ... this Day ... will be reviv'd an Oratorio, call'd Il Trionfo del Tempo & della Verita, with several Concerto's on the Organ and other Instruments.
(Chrysander, III, 59)
Vgl. 23. März 1737 (I)

– Es fand nur diese Aufführung statt.

6. März 1739
The London Daily Post

We hear that on Tuesday the 20th of this Month the Feast of Alexander will be performed, for the Benefit of a Fund establish'd for the Support of decay'd Musicians and their Families; and that

Mr. Handel has generously given the Use of the Opera-House, and intends to direct the Performance.
(Chrysander, III, 16)
Vgl. 23. April 1738

10. März 1739
Im Covent Garden Theatre wird Pescettis Pastoraloper *Angelica e Medoro* (Text nach Metastasios *L'Angelica*) aufgeführt.
(Burney, II, 826)
– In der *London Daily Post* vom 26. Februar 1739 war das Werk als „a new serenata" angekündigt worden, die „in the same manner as an opera" mit Signora Moscovita – „just arrived from Italy" – und Signora Marchesini aufgeführt werden sollte. Nach Alan Yorke-Longs unveröffentlichtem Essay über die Opera of the Nobility ist Signora Moscovita identisch mit Lucia Panichi. Außerdem sangen in dieser Oper Cecilia Arne-Young, Gustavus Waltz, Thomas Reinhold und Philip Rochetti.
(Smith 1948, 188)

17. März 1739
John Walsh inseriert in der *London Daily Post*: „This Day is Publish'd Price 2s. 6d. A Second Collection of Favourite Songs in the Oratorio of Saul, with the Overture, March and Carillon."
Vgl. 12. Februar 1739
(Chrysander, III, 57; Smith 1954, 281; Smith 1960, 138f.)

20. März 1739
The London Daily Post

For the Benefit and Increase of a Fund established for the Support of Decay'd Musicians or their Families. At the King's Theatre ... this Day ... will be reviv'd an Ode, call'd Alexander's Feast. Written by Mr. Dryden. With several Concerto's on the Organ, and other Instruments, Particularly a new Concerto on the Organ by Mr. Handel, on purpose for this Occasion. ... To begin at Seven o'Clock.
(Schoelcher 1857, 365)

– Dieses Konzert war das erste, das Händel zugunsten des „Fund" gab. Das „new Concerto on the Organ" war das Konzert A-Dur HWV 296.
Vgl. 6. März 1739

22. März 1739
The London Daily Post

On Tuesday Night last [20. 3.] Alexander's Feast was perform'd at the Opera House in the Haymarket, to a numerous and polite Audience ... and we hear, several of the Subscribers (tho' they had Tickets sent them Gratis for this Performance) were so generous as to pay at the Doors, and others have since sent Presents to the Fund;

Mr. Handel gave the House and his Performance, upon this Occasion, Gratis, and Mr. Heidegger made a Present of Twenty Pounds to defray the other incident Expences.
(Burney, II, 1005)
Vgl. 20. März 1739

26. März 1739
Ben Jonsons Komödie *The Alchemist* wird im Drury Lane Theatre aufgeführt.
Vgl. 7. März 1732 und 20. Dezember 1733

28. März 1739
Händel hebt 50 £ von seinem Konto ab.

2. April 1739
Händel beendet das Orgelkonzert F-Dur (HWV 295).
Eintrag in der autographen Partitur (R. M. 20. g. 14.): „Fine G. F. H. London. April 2 1739."

4. April 1739 (I)
The London Daily Post

At the King's Theatre ... this Day ... will be perform'd a New Oratorio, call'd Israel in Egypt. With several Concerto's on the Organ, and particularly a new one. ... To begin at Seven o'Clock.
(Chrysander, III, 89)

– Den Text hat möglicherweise Jennens für Händel aus Exodus XV, Psalm 105 und Psalm 106 zusammengestellt (vgl. 10. Juli 1741). Weitere Aufführungen fanden am 11. und 17. April 1739 statt. Das neue Orgelkonzert hatte Händel am 2. April beendet.
Besetzung:
Erster Sopran – Elisabeth Duparc
Zweiter Sopran – Master Robinson (Knabenalt)
Alt – William Savage
Tenor – John Beard
Erster Baß – Gustavus Waltz
Zweiter Baß – Thomas Reinhold
Master Robinson war wahrscheinlich der Sohn des Organisten John Robinson und der Sopranistin Ann Turner-Robinson. Darauf deutet Händels Vermerk in der autographen Partitur über dem Duett „Thou in thy mercy": „Mr. Bird and Robinsons Boy".

4. April 1739 (II)
Earl of Egmont, Diary

In the evening I went to Hendel's new Oratorio, „The Israelites' flight out of Egypt".
(Egmont MSS., III, 49)

5. April 1739
The London Evening Post

The Office of Licenser being grown almost as formidable to Authors, as that of Inquisitor to Jews and Hereticks, the Patrons and Lovers of Musick were in great Pain for the Fate of the new Oratorio at the Hay-Market; some Persons apprehending, with a good deal of Reason, that the Title of Israel in Egypt was, to the full, as obnoxious as that of The Deliverer of his Country: But as a Permit was granted for its Exhibition, we may conclude that Mr. Handel has work'd a greater Miracle than any of those ascrib'd to Orpheus, tho' the Poets give us their Words, that Savages, Stocks and Stones, were sensible of his Harmony.

7. April 1739
The London Daily Post

Hay-Market ... Wednesday next, April 11 ... Israel in Egypt. With Alterations and Additions, and the two last new Concerto's on the Organ. (Being the last Time of performing it.)
(Schoelcher 1857, 208; Chrysander, III, 90)

10. April 1739
The London Daily Post

Hay-Market ... To-Morrow ... Israel in Egypt. Which will be shortned and Intermix'd with Songs.
(Schoelcher 1857, 208 f.; Chrysander, III, 90)

– Händel vermerkte selbst vier Einlagen im Autograph, die für Signora Francesina (Elisabeth Duparc) bestimmt waren: „Through the land" aus *Athalia* anstelle des Chores „Egypt was glad"; „Angelico splendor" nach dem Chor „But the waters overwhelmed their enemies"; „Cor fedele" anstelle des Chores „And in the greatness of thine excellency"; „La speranza, la costanza" nach dem Duett „Thou in thy mercy". Die beiden letzten Einlagen hatte Händel auch in das am 28. März 1738 aufgeführte „Oratorio" eingefügt. Die drei italienischen Arien wurden aus *Esther* (HWV 50b) übernommen.
(Chrysander, III, 91; Dean 1959, 212)

11. April 1739
Walsh zeigt in der *London Daily Post* „The celebrated Airs in the Oratorio of Saul, in two Books" an (vgl. 12. Februar und 17. März 1739).

13. April 1739
The London Daily Post

To the Author of the London Daily Post.
Sir,
Upon my Arrival in Town three Days ago, I was not a little surpriz'd, to find that Mr. Handel's last Oratorio, (Israel in Egypt) which had been performed but once, was advertis'd to be for the last time on Wednesday. I was almost tempted to think that his Genius had fail'd him, but must own myself agreeably disappointed. I was not only

pleas'd, but also affected by it, for I never yet met with any Musical Performance, in which the Words and Sentiments were so thoroughly studied, and so clearly understood; and as the Words are taken from the Bible, they are perhaps some of the most sublime parts of it. I was indeed concern'd, that so excellent a Work of so great a Genius was neglected, for tho' it was a Polite and attentive Audience, it was not large enough I doubt to encourage him in any future Attempt. As I should be extreamely sorry to be depriv'd of hearing this again, and found many of the Auditors in the same Disposition; yet being afraid Mr. Handel will not undertake it without some Publick Encouragement, because he may think himself precluded by his Advertisement, (that it was to be the last time) I must beg leave, by your means, to convey not only my own, but the Desires of several others, that he will perform this again some time next Week.

I am, Sir,

Your very humble Servant, A. Z.

(Schoelcher 1857, 210; Chrysander, III, 91f.)

– Der Schreiber dieses Briefes ist unbekannt. (Die Initialen „A. Z." waren gebräuchlich für anonyme Einsendungen.)

14. April 1739
The London Daily Post

We are inform'd that Mr. Handel, at the Desire of several Persons of Distinction, intends to perform again his last new Oratorio of Israel in Egypt, on Tuesday next the 17th Instant.

(Schoelcher 1857, 211)

17. April 1739
The London Daily Post

We hear the Prince and Princess [of Wales] will be at the King's Theatre in the Hay-Market this Evening, to see Israel in Egypt.

(Chrysander, III, 92)

18. April 1739
The London Daily Post

Wednesday Morning, April 18, 1739.
Sir,
I Beg Leave, by your Paper, to congratulate, not Mr. Handel, but the Town, upon the Appearance there was last Night at Israel in Egypt. The Glory of one Man, on this Occasion, is but of small Importance, in Comparison with that of so numerous an Assembly. The having a Disposition to encourage, and Faculties to be entertain'd by such a truly-spiritual Entertainment, being very little inferior to the unrivall'd Superiority of first selecting the noble Thoughts contained in the Drama, and giving to each its proper Expression in that most

noble and angelic Science of Musick. This, Sir, the inimitable Author has done in such a manner as far to excel himself, if compar'd with any other of his masterly Compositions: As, indeed, he must have infinitely sunk beneath himself, and done himself great Injustice, had he fallen short of doing so. – But what a glorious Spectacle! to see a crowded Audience of the first Quality of a Nation, headed by the Heir apparent of their Sovereign's Crown and Virtues, with his lovely and beloved Royal Consort by his Side, sitting enchanted (each receiving a superior Delight from the visible Satisfaction it gave the other) at Sounds, that at the same time express'd in so sublime a manner the Praises of the Deity itself, and did such Honour to the Faculties of humane Nature, in first creating those Sounds, if I may so speak; and in the next Place, being able to be so highly delighted with them. Nothing shews the Worth of a People more, than their Taste for Publick Diversions: And could it be suppos'd, as I hope in Charity it may, or if this and such like Entertainments are often repeated, it will, that numerous and splendid Assemblies shall enter into the true Spirit of such an Entertainment, "Praising their Creator, for the Care he takes of the Righteous", (see Oratorio, p. 6) and for the Delight he gives them: – Did such a Taste prevail universally in a People, that People might expect on a like Occasion, if such Occasion should ever happen to them, the same Deliverance as those Praises celebrate; and Protestant, free, virtuous, united, Christian England, need little fear, at any time hereafter, the whole Force of slavish, bigotted, united, unchristian Popery, risen up against her, should such a Conjuncture ever hereafter happen.

If the Town is ever to be bless'd with this Entertainment again, I would recommend to every one to take the Book of the Drama with them: For tho' the Harmony be so unspeakably great of itself, it is in an unmeasurable Proportion more so, when seen to what Words it is adapted; especially, if every one who could take with them the Book, would do their best to carry a Heart for the Sense, as well as an Ear for the Sound.

The narrow Limits of your Paper forbids entering into Particulars: But they know not what they fall short of in the Perfection of the Entertainment, who, when they hear the Musick, are not acquainted with the Words it expresses; or, if they have the Book, have not the proper Spirit to relish them. The Whole of the first Part, is entirely Devotional; and tho' the second Part be but Historical, yet as it relates the great Acts of the Power of God, the Sense and the Musick have a reciprocal Influence on each other.

"He gave them Hailstones for Rain, Fire mingled with Hail ran along the Ground": And above all, "But the Waters overwhelm'd their Enemies, there was not one left." – The Sublimity of the great Musical Poet's Imagination here, will not admit of Expression to any one who considers the Sound and the Sense together.

The same of, "He is my God, I will prepare him an Habitation; my Father's God." Page 13, in the third Part.

Again, "Thou didst blow with the Wind; the Sea cover'd them, they sunk as Lead in the mighty Waters"; – and, to name no more, "The Lord shall reign for ever and ever", and Miriam's Song at the Conclusion.

'Tis a sort of separate Existence the Musick has in these Places apart from the Words; 'tis Soul and Body join'd when heard and read together: And if People, before they went to hear it, would but retire a Moment, and read by themselves the Words of the Sacred Drama, it would tend very much to raise their Delight when at the Representation. The Theatre, on this occasion, ought to be enter'd with more Solemnity than a Church; inasmuch, as the Entertainment you go to is really in itself the noblest Adoration and Homage paid to the Deity that ever was in one. So sublime an Act of Devotion as this Representation carries in it, to a Heart and Ear duly tuned for it, would consecrate even Hell itself. – It is the Action that is done in it, that hallows the Place, and not the Place the Action. And if any outward Circumstances foreign to me, can adulterate a good Action, I do not see where I can perform one, but in the most abstract Solitude. – If this be going out of the way, on this Occasion, the stupid, senseless Exceptions that have been taken to so truly religious Representations, as this, in particular, and the other Oratorios are, from the Place they are exhibited in, and to the attending, and assisting of them, by Persons of Piety and real Virtue, must be my Apology.

I have been told, the Words were selected out of the Sacred Writings by the Great Composer himself. If so, the Judiciousness of his Choice in this Respect, and his suiting so happily the Magnificence of the Sounds in so exalted a Manner to the Grandeur of the Subject, shew which Way his natural Genius, had he but Encouragement, would incline him; and expresses, in a very lively Manner, the Harmony of his Heart to be as superlatively excellent, as the inimitable Sounds do the Beauty and Force of his Imagination and Skill in the noble Science itself.

I can't conclude, Sir, without great Concern at the Disadvantage so great a Master labours under, with respect to the many of his Vocal Instruments, which fall so vastly short in being able to do due Justice to what they are to perform; and which, if executed in a manner worthy of it, would receive so great Advantage. This Consideration will make a human Mind serious, where a lighter Mind would be otherwise affected. I shall conclude with this Maxim, "That in Publick Entertainments every one should come with a reasonable Desire of being entertain'd themselves, or with the polite Resolution, no ways to interrupt the Entertainment of others. And that to have a Truce with Dissipation, and noisy Discourse, and to forbear that silly Affectation of beating Time aloud on such an Occasion, is, indeed, in Appearance, a great Compliment paid to the divine Author, of so sacred an Entertainment, and to the rest of the Company near them; but at the same time, in reality, a much greater Respect paid to themselves." I cannot but add this Word, since I am on the Subject, "That I think a profound Silence a much more proper Expression of Approbation to Musick, and to deep Distress in Tragedy, than all the noisy Applause so much in Vogue, however great the Authority of Custom may be for it." I am, Sir, &c.
R. W.

– Die Ausgabe der *London Daily Post* von diesem Tage ist nicht erhalten, der Brief wurde aber aus Anlaß einer erneuten Aufführung von Händels *Israel in Egypt* in der *London Daily Post* vom 1. April 1740 noch einmal gedruckt. Chrysander hielt Richard Wesley, einen der Subskribenten auf Walshs Partitur-Ausgabe von Händels *Alexander's Feast,* für den Verfasser des Briefes.
(Chrysander, III, 94 ff.)

19. April 1739 (I)
The London Daily Post

At the King's Theatre ... this Day ... will be perform'd the last New Oratorio, call'd Saul. And not Israel in Egypt (as by Mistake was advertised in Yesterday's Bills and Papers). – With a Concerto on the Organ, by Mr. Handel; And another on the Violin, by the famous Sig. Plantanida, who is just arriv'd from Abroad.
(Schoelcher 1857, 211; Moser, 140)

– Dies war der zwölfte Abend von Händels Oratorien-Saison.

19. April 1739 (II)
The London Daily Post

We hear that Signiora Busterla, a famous Italian Singer arrived here last Tuesday [17. April], and is to perform in the Opera's that are intended to be perform'd by Mr. Handel, after the Holydays.
(Chrysander, II, 453)

– Constanza Piantanida, genannt La Posterla, war die Frau des Geigers Giovanni Piantanida.
Vgl. 1. Mai 1739

24. April 1739
Händel beendet das Pasticcio *Jupiter in Argos.*
Eintrag in der autographen Partitur (Fitzwilliam Museum, MS 258):

„Fine dell Opera, Jupiter in Argos. April 24, 1739."

1. Mai 1739
The London Daily Post

At the King's Theatre... this Day... will be acted a Dramatical Composition, call'd Jupiter in Argos. Intermix'd with Chorus's, and two Concerto's on the Organ.... To begin at Seven o'Clock.
(Sammlung Harris)
Wiederholung: 5. Mai 1739.

– Der Text des Werkes basiert auf Antonio Maria Lucchinis Libretto *Giove in Argo* (Dresden 1717, Musik: Antonio Lotti), das Händel im September 1719 anläßlich der kurprinzlichen Hochzeitsfeierlichkeiten in Dresden kennengelernt hatte. Für *Jupiter in Argos* übernahm Händel vorwiegend Stücke aus eigenen Opern, die er mit einigen neukomponierten verband. Die Sopranpartien (Diana, Calisto, Iside) wurden vermutlich von Constanza Piantanida, Elisabeth Duparc und Maria Antonia Marchesini, die Tenorpartie (Arete) von John Beard, die Baßpartien (Ergasto, Licaone) von Gustavus Waltz und Thomas Reinhold gesungen.
(Burney, II, 826; Chrysander, II, 453; Flower 1923, 257; Coopersmith 1936; Smith 1954, 290; Loewenberg, Sp. 135; Strohm 1975/76, 147f.)

5. Mai 1739
Johann Adolph Scheibe, Der Critische Musicus, Hamburg 1739

Sechs und Dreißigstes Stück. Dienstags, den 5 May 1739.
Ich war inzwischen begierig, alle diese grossen Leute näher zu kennen. Mein Führer meldete mir aber, daß ich ihre Namen so gleich erfahren könnte, weil man sie in dem Buche der Ewigkeit aufzeichnen würde. Indem brachten die Priester ein grosses Buch und legten es auf die untersten Stuffen des Thrones. Ein Herold rief mit erhabener Stimme: (b)
Fux, Hasse, Händel, Telemann, Bach, Graun, Schmidt, Heinichen, Graun, Stölzel, Graupner, Bokemeyer, (c)
Alle diese Namen wurden von dem Oberpriester mit goldenen Buchstaben in das Buch gezeichnet.
(b) Allhier stunden in dem Manuscripte verschiedene grosse und verehrungswerthe Namen gewisser erhabener Personen, daß ich Bedenken getragen habe, sie mit einzurücken.
(c) Hier folgten noch sehr viele Namen, die aber sämtlich so unleserlich geschrieben waren, daß es mir fast nich möglich gewesen ist, sie deutlich zu unterscheiden. Ich bin also genöthiget worden, den Platz leer zu lassen. [S. 80]

– Aus der Schilderung eines Traumes (begonnen im 35. Stück), in dem „berühmte und erhabene Personen" von Priestern zum Thron der Ewigkeit geleitet werden. Nachdruck in Scheibe 1745 (340f.), wo die Namen alphabetisch geordnet sind und „kayser" (Reinhard Keiser) ergänzt wurde.
(Bach-Dok., II, 364)

10. Mai 1739
Die Academy of Ancient Music führt Teile aus Händels *Israel in Egypt* auf.

– Das für diese Aufführung gedruckte Textbuch erschien unter dem Titel „The Song of Moses, and the Funeral Anthem for her late Majesty; set to Music by Mr. Handel, and performed by the Academy of Ancient Music, on Thursday, May the 10th, 1739. London: Printed in the Year MDCCXXXIX". Die Academy hat *Israel in Egypt* offensichtlich nicht in der von Händel konzipierten Anlage (das *Funeral Anthem for Queen Caroline* unter dem neuen Titel „The Lamentation of the Israelites for the Death of Joseph" als ersten Teil und „Moses Song. Exodus. Chapt. 15." als dritten Teil) aufgeführt.
Die Academy war der alte, von Pepusch geleitete Club, der sich in der Crown and Anchor Tavern traf. Greene gehörte ihm seit 1731 nicht mehr an; er hatte in diesem Jahr die Apollo Society gegründet, die sich in der Devil's Tavern traf. Während die Apollo Society 1740 *Miscellany of Lyric Poems* herausgab, veröffentlichte die Academy of Ancient Music 1761 und in 2. Auflage 1768 *The Words of such Pieces as are most usually performed by the Academy of Ancient Music*, darin die Texte folgender Werke Händels: *Acis and Galatea, Alexander's Feast, Esther, Israel in Egypt* (in der Anlage der Aufführung vom 10. Mai 1739), *L'Allegro ed il Penseroso* und *Messiah*.
(Chrysander, III, 101)

18. Mai 1739
John Walsh zeigt in der *London Daily Post* einen weiteren Band der mehrteiligen Sammlung mit Bearbeitungen von Stücken verschiedener Komponisten an: *Sonatas or Chamber Aires for a German Flute, Violin or Harpsicord... Vol. IV, Part 2.*[d]
(Smith 1954, 287; Smith 1960, 320)

– Der Band enthält von Händel Sätze aus *Alexander's Feast* und ein Menuett aus *Alessandro Severo.*

23. Juni 1739
Johann Adolph Scheibe, Der Critische Musicus, Hamburg 1739

Das 43 Stück. Dienstags, den 23 Jun. 1739
Zu unsern Zeiten scheint es zwar, als ob diese Art von Cantaten aus der Mode kommen wollte. Ich weis nicht, woran solches liegen muß; ob unsern

Liebhabern vielleicht mehr eine volle und starke Musik, als eine so schwache Cantate, gefällt? Inzwischen ist es unstreitig wahr, daß diese Cantaten ganz besondere Schönheiten besitzen, die man in keinen andern Singestücken findet. Der Sänger kann sich auch darinnen besser, als in andern Arien, hören lassen; doch erfordern sie auch fleißige und in der Musik wohlerfahrne Sänger. Es ist also gar wohl zu glauben, daß es gar leicht geschehen kann, daß sie wieder ihren alten Beyfall erhalten, und in neue Aufnahme kommen; bey wahren Kennern der Musik sind sie ohnedieß noch immer beliebt gewesen. Die größten Meister in diesen Cantaten sind wohl, ins besondere, der berühmte Astorga, Marcello, Mancini und Conti, wie auch Händel, Heinichen und Bigaglia. Die beyden ersten beweisen darinnen einen besondern durchdringenden Fleiß und einen großen Verstand; die drey letztern aber ein so natürliches, freyes und angenehmes Wesen, das man nicht hören kann, ohne es zu lieben, und das auch ohne einen fleißigen Sänger von sich selbst gefällt.
Das war also die Einrichtung einer Cantate, wenn sie ohne Instrumente gesetzet wird.
(Scheibe 1745, 400 f.)

Juni 1739
In London [?], Paris und Lyon erscheint wahrscheinlich in diesem Monat ein offensichtlich nicht autorisierter Druck mit Cembalo-Bearbeitungen Händelscher Werke: *Pieces Pour le Clavecin Composies par G. F. Handel V^e. Ouvrage... London, John What, Musical instrument Maker and Musick Printer ... A Paris Et Chez ... M.^d Boivin ... Et chez le Clerc... A Lyon on trouve aux mêmes adresses le Portrait de Mr Handel Gravé par Schmidt ...*

– Diese Sammlung enthält u. a. die Ouvertüren zu *Giustino* und *Atalanta,* Allegro und Andante aus dem Orgelkonzert op. 4 Nr. 1, das Orgelkonzert op. 4 Nr. 2, Musette und Menuett aus *Alcina* und die Arie „Va godendo" aus *Serse.*
(Hopkinson, 234 ff. und 242 ff.; Smith 1960, 276)

Juli 1739
The Scots Magazine

An Evening at Vaux-Hall.
London, May 28.
... after shewing tickets, or paying money, the Ladies and Gentlemen walk in, survey the coop made to keep the footmen in, just at the door, take a hasty circuit round the walks, the paintings not being yet let down, take a view of Handel's bust, curiously carved on a fine block of marble, and plac'd on one side of the garden, striking his lyre: – but before they have observed half of its beauties, the musick striking up, the whole company crowd from every part of the gardens towards the orchestra and organ. ...
(Wroth, 293)

22. August 1739
Ann Granville an Lady Throckmorton in Scarborough, Yorkshire

Northend, 22d August 1739.
Have you heard Mr. Kellaway upon the harpsichord? he is at Scarborough and a most delightful player, very little inferior to Handel. ⌐
(Delany, II, 61)
Vgl. 27. November 1736.
– Burney (II, 1009) nennt sein Spiel von „masterly wildness ... bold, rapid, and fanciful".

28. August 1739
Die Gründungsmitglieder des Fund for the Support of Decayed Musicians and their Families unterzeichnen die Declaration of Trust.
Vgl. 23. April und 7. Mai 1738

– Die Versammlung zur Unterzeichnung der Declaration of Trust (einer Vollmachtserklärung für die Verwaltung des Treuhandvermögens), an der 18 oder 19 Mitglieder teilnahmen, fand wahrscheinlich in der Crown and Anchor Tavern statt. Händel gehörte zu den Unterzeichnern.
Nach Burney (1785, 132) kam der Fund 1739 mit der Corporation of the Sons of the Clergy überein, jährlich zwei Konzerte in St. Paul's Cathedral zu veranstalten, wofür Sänger und Instrumentalisten jährlich 50 £ bekommen sollten.

August 1739
Händels *Admeto* wird in Braunschweig erneut aufgeführt.
(Chrysander, II, 157; Loewenberg, Sp. 157; Stompor, 84)

– *Admeto* war schon im August 1729 und Februar 1732 in Braunschweig aufgeführt worden. Daß in Braunschweig um diese Zeit auch Händels *Riccardo I.* wiederaufgeführt wurde (Chrysander, II, 179), läßt sich nicht belegen.

5. oder 6. September 1739
In Gloucester wird Händels Ode *Alexander's Feast* aufgeführt.
Leiter der Aufführung war vermutlich William Boyce, seit 1737 Dirigent des Three Choirs' Festival. Über dieses Konzert berichtet das *Gloucester Journal:* „We had the greatest appearance of Nobility and Gentry on this occasion ever known here."

– Gloucester war die erste der drei das Three Choirs' Festival veranstaltenden Städte, in der Händelsche Oratorien aufgeführt wurden.

6. September 1739
John Walsh kündigt in der *London Daily Post* eine neue Ausgabe von Händels „Acis and Galatea, a Masque" an. Dem gleichzeitig veröffentlichten Verzeichnis anderer Ausgaben seines Verlages fügt er hinzu: „Where may be had, a Print of Mr. Handel."
(Smith 1948, 224)

– Es handelt sich um die dritte Ausgabe von *The Songs and Symphony's in the Masque of Acis and Galatea made and perform'd for his Grace the Duke of Chandos Compos'd by M.ʳ Handel with the Additional Songs* (vgl. 7. Dezember 1734 und 13. Dezember 1739/III). Das angebotene Porträt ist der Kupferstich von Houbraken mit Ornamenten von Gravelot, der am 22. April 1738 zum ersten Mal veröffentlicht worden war.
(Smith 1948, 128; Smith 1960, 82)

15. bis 24. September 1739
Händel komponiert die *Ode for St. Cecilia's Day* (Text: John Dryden).
Einträge in der autographen Partitur (R. M. 20. f. 4.): „Ouverture to the Song for Sᵗ Cecilia's Day by Mr. Dryden. 1687. begun Sept. 15, 1739"; „Fine. G. F. Handel Septembʳ 24. 1739. ☽ [Montag]"

9. September bis Ende Oktober 1739
Handel komponiert die *Zwölf Concerti grossi op. 6.*
Einträge in den autographen Partituren (R. M. 20. g. 11, R. M. 20. f. 4 und MS 264):

Nr. 1	„Fine. G.F. Handel. Sept. 29. 1739. ♄
G-Dur:	[Sonnabend]."
Nr. 2	„Fine. G.F. Handel. Octobʳ 4. 1739.
F-Dur:	♃ [Donnerstag]." (Eintrag am Ende der Gigue, die dann Schlußsatz von Konzert Nr. 9 wurde)
Nr. 3	„Fine. G.F. Handel. Oct. 6. 1739. ♄
e-Moll:	[Sonnabend]."
Nr. 4	„Fine. G.F. Handel. Octobʳ 8. 1739.
a-Moll:	☽ [Montag]."
Nr. 5	„begun Sept. 15. 1739." (Ouverture
D-Dur:	zur *Cäcilien-Ode* = Satz 1 und Satz 2); „Fine. G.F. Handel Octobʳ 10 1739 ☿ [Freitag]"
Nr. 6	„Fine. G.F. Handel. Octoᵇʳ 15. 1739.
g-Moll:	☽ [Montag]"
Nr. 7	„Fine. G.F. Handel. Octobʳ 12. 1739. ♀
B-Dur:	[Freitag]"
Nr. 8	„G.F. Handel. Octobʳ 18. 1739. ♃
c-Moll:	[Donnerstag]"
Nr. 9	„Ouverture. den 9 Sept. 1738. Sonnabend." (wieder gestrichene langsame Einleitung vor Satz 4; vgl. auch Konzert Nr. 2)
F-Dur:	
Nr. 10	„G.F. Handel. Octobʳ 22. 1739.
d-Moll:	[Montag]"
Nr. 11	„G.F. Handel. Octobʳ 30. 1739. ♂
A-Dur:	[Dienstag]"
Nr. 12	„Fine. G.F. Handel. Octobʳ 20. 1739.
h-Moll:	♄ [Sonnabend]"

– Die Zählung der Konzerte als „Opera sesta" erscheint zum erstenmal in der von Walsh im Juli 1741 veröffentlichten zweiten Auflage des Stimmendrucks.
(Chrysander, III, 168 f.)

22. September 1739
Johann Adolph Scheibe, Critischer Musikus, Hamburg 1739

… Der berühmte Capellmeister, Reinhard Kaiser, ist vor wenig Tagen allhier mit Tode abgegangen. … Die große Anzahl seiner Opern und die übrigen großen Singestücke wird auch so leicht kein Componist erreichen; denn es sind nur allein der erstern weit über hundert aus seiner Feder geflossen. Dennoch aber hat es seinen Erfindungen niemals an Feuer und Zärtlichkeit gemangelt. Und wer weis nicht, daß sich ein gewisser großer Componist, der sich in einem benachbarten großen Reiche aufhält, seinem Vaterlande aber, seiner wahren Verdienste wegen, keine gemeine Ehre machet, sehr oft der Gedanken und Erfindungen unsers Kaisers zu bedienen gewußt hat? [S.527f.]
(Scheibe 1749 I, „Das 56 Stück. Dienstags, den 22. September, 1739.")

27. Oktober 1739
The Craftsman

Musick.
This Day are Publish'd, Proposals for Printing by Subscription, With His Majesty's Royal Licence and Protection. Twelve Grand Concerto's, in Seven Parts, for four Violins, a Tenor, a Violoncello, with a Thorough-Bass for the Harpsichord. Compos'd by Mr. Handel.
1. The Price to Subscribers is Two Guineas, One Guinea to be paid at the Time of Subscribing, and the other on the Delivery of the Books.
2. The whole will be engraven in a neat Character, printed on good Paper, and ready to deliver to Subscribers by April next.
3. The Subscribers Names will be printed before the Work.
Subscriptions are taken by the Author, at his House in Brookstreet, Hanover-square; and John Walsh in Catherine-street in the Strand.
(Schoelcher 1857, 227)
Vgl. 21. April 1740

31. Oktober 1739 (I)
Königliches Privileg für John Walsh zum Schutz seiner Ausgaben der Werke Händels

George R.

George the Second, by the Grace of God, King of Great Britain, France, and Ireland, Defender of the Faith, &c. To all to whom these Presents shall come Greeting. Whereas George Frederick Handel, of the Parish of St. George the Martyr Hanover Square, in Our County of Middlesex, Esq; hath humbly represented unto Us, that he hath with great Labour and Expence composed several Works consisting of Vocal and Instrumental Musick, and hath authorised and appointed John Walsh of the Parish of St. Mary le Strand, in Our said County of Middlesex, to print and publish the same; and hath therefore humbly besought us to grant Our Royal Privilege and Licence to the said John Walsh for the sole Engraving, Printing, and Publishing the said Works for the Term of Fourteen Years; We being willing to give all due Encouragement to Works of this Nature, are graciously pleased to condescend to his Request; and We do therefore by these Presents so far as may be agreeable to the Statute in that Behalf made and provided, grant unto him the said John Walsh, his Heirs, Executors, Administrators, and Assigns, Our Licence for the sole Printing and Publishing the said Works for the Term of Fourteen Years, to be computed from the Date hereof; strictly forbidding all Our loving Subjects within our Kingdoms and Dominions to reprint or abridge the same, either in the like or in any other Size or Manner whatsoever; or to import, buy, vend, utter, or distribute any Copy or Copies thereof, reprinted beyond the Seas, during the aforesaid Term of Fourteen Years, without the Consent or Approbation of the said John Walsh, his Heirs, Executors, Administrators, and Assigns, under their Hands and Seals first had and obtained, as they will answer the contrary at their Perils; whereof the Commissioners and Officers of Our Customs, the Master, Wardens, and Company of Stationers are to take Notice, that due Obedience may be rendered to our Pleasure herein declared.

Given at Our Court at St. James's, the Thirty-first Day of October, 1739, in the Thirteenth Year of Our Reign.

By His Majesty's Command,

Holles Newcastle.

(Schoelcher 1857, 92 f.)

– Das erste Druck-Privileg (vgl. 14. Juni 1720) war Händel und nicht seinem Verleger gewährt worden. Es war bis 1734 gültig. Das neue Privileg hatte John Walsh jun. erbeten, weniger zum Schutz gegen Raubdrucke, sondern vor allem zur Bestätigung als alleiniger Verleger Händelscher Werke. Unter ausdrücklichem Hinweis auf das Privileg erschienen die *Zwölf Concerti grossi op. 6* (1740), *Samson* (1743), *Judas Maccabaeus* (1747), *Joshua* und *Alexander Balus* (1748), *Susanna* und *So-*

lomon (1749). Nach Händels Tod erhielt Walsh am 19. August 1760 ein neues Privileg, das er für die Ausgabe der sechs Orgelkonzerte op. 7 (1761) nutzte.

31. Oktober 1739 (II)

John Walsh zeigt in der *London Daily Post* an: *Select Minuets, collected from the Opera's, … the Balls at Court, the Masquerades, and all Publick Entertainments. For the Harpsicord, Violin or German Flute. Compos'd by M.ʳ Handel Dr Greene M.ʳ M. C. Festing M.ʳ Hudson.*

– Die Ausgabe enthält fünf Menuette von Händel.

(Smith 1960, 273)

10. November 1739

Mattheson bittet Händel erneut um Übersendung einer Autobiographie für die *Ehrenpforte*.

(Mattheson 1740, 98)

– Da Händel auch dieser Bitte nicht nachkam, verfaßte Mattheson die biographische Skizze schließlich selbst.

13. November 1739

John Walsh zeigt in der *London Daily Post* an: „A Second Edition, beautifully printed of 42 Overtures from all the Opera's in 8 Parts. By Mr. Handel."

(Smith 1960, 294)

– Exemplare dieser Ausgabe konnten nicht nachgewiesen werden.

(Smith 1960, 289 ff.)

17. November 1739 (I)
The London Daily Post

Lincoln's-Inn Fields.

At the Theatre-Royal in Lincoln's Inn Fields, on Thursday, November 22, (being St. Cecilia's Day) will be perform'd An Ode of Mr. Dryden's, With two new Concerto's for Instruments. Which will be preceded by Alexander's Feast. And a Concerto on the Organ…Particular Preparations are making to keep the House warm; and the Passage from the Fields to the House will be cover'd for better Conveniency.

To begin at Six o'Clock.

(Schoelcher 1857, 225 ff.; Husk, 73)

– Händel hatte das Theater für zwei Spielzeiten von Rich gemietet und eröffnete die erste mit diesem Konzert. Das Textbuch für dieses Konzert (Exemplar Sammlung Gerald Coke) hat folgenden Titel: „Alexander's Feast; or the Power of Musick. An Ode. Wrote in Honour of St. Cecilia, And a Song for St. Cecilia's Day. Both written by Mr. Dryden. And set to Musick by Mr. Handel."

Von den mitwirkenden Sängern sind Elisabeth

Duparc und John Beard in der autographen Partitur der *Ode for St. Cecilia's Day* genannt. Das Konzert wurde am 27. November 1739 wiederholt.
Wegen des strengen Winters waren besondere
Vorkehrungen getroffen worden: „Particular care
will be taken to have the House well-aired, and
the passage from the Fields to the House will be
cover'd for better conveniency", (*London Daily
Post,* 22. November). Am 27. November heißt es:
„Particular care will be taken to have Guards
plac'd to keep all the passages clear from the
Mob."
(Chrysander, III, 111)

17. November 1739 (II)
Johann Adolph Scheibe, Der Critische Musicus,
Hamburg 1739
Das 64 Stück. Dienstags, den 17 November,
1739.
Mich dünkt, und ich werde mir dießfalls den Beyfall aller Vernünftigen versprechen können, daß
die Beschaffenheit unserer itzigen Opernmusik,
so, wie sie ein Hasse, ein Graun, ein Telemann
und ein Händel hergestellet haben, keiner Schutz-
schrift bedarf; und daß es unnöthig seyn würde,
denjenigen zu widerlegen, welcher die Schönheit
derselben läugnen wollte. Wer weis aber auch
nicht, daß der Geschmack, den wir itzo in der Musik erlanget haben, und der unstreitig der beste
ist, den man jemals in der Musik gesehen hat, seinen Ursprung vornehmlich aus der Oper herfüh-
ret?
Wenn wir es in Deutschland so weit bringen werden, lauter Odenmelodien zu singen, und die Singespiele ganz und gar von der Bühne zu verbannen: so können wir auch versichert seyn, daß wir
alsdann auch niemals weder einen Hassen, noch
einen Graun, noch einen Telemann, Händel, oder
Bach, wieder erblicken werden. Männer, die zum
Ruhme unsers Vaterlandes alle andere ausländische Componisten, sie mögen auch seyn, wo sie
wollen, beschämen.
(Scheibe 1745, 590, 591)

22. November 1739
In der *London Daily Post* zeigt Walsh seine Partitur-Ausgabe von *Alexander's Feast* an und verweist
außerdem auf die zwölf Concerti grossi, die auf
„400 Plates" für den Druck vorbereitet werden,
mit dem Zusatz: „N. B. Two of the above Concerto's will be perform'd this Evening."

29. November 1739
Charles Jennens an Edward Holdsworth

Q. Square, Nov. 29, 1739
Handel open'd the Theatre in Lincoln's-Inn-Fields
on S[t]. Cecilia's day with Dryden's two Odes for the
day, the House was very full upon that day, but he

perform'd it last Tuesday [27. November] a 2[d] time
to half a House.
(Sammlung Gerald Coke)
Vgl. 17. November 1739 (I)

1. Dezember 1739 (I)
The Newcastle Courant

On Wednesday last [29. November] were perform'd, with great Applause, at Mr. Avison's Concert in the Assembly-Room, upon twenty six Instruments, and by a proper Number of Voices
from Durham, the three following celebrated
Pieces for Vocal and Instrumental Musick, composed by the greatest Masters of the Age, viz. To
Arms, and Britons strike home; The Oratorio of
Saul; and The Masque of Acis: The Gentlemen
and Ladies join'd in the Chorus's at the End of
each Song; all present saluted the Performers with
loud Peals of Claps, acknowledging a general Satisfaction. There was the greatest Audience that ever
was known on the like Occasion in Newcastle.
– Charles Avison, Organist an St. Nicholas in
Newcastle, veranstaltete 1739 Subskriptionskon-
zerte.
„To Arms" und „Britons strike home" sind zwei
patriotische Gesänge, die während des Seekrieges
gegen Spanien (1739) sehr populär waren.
(Dean 1959, 106, 179 und 300)

1. Dezember 1739 (II)
The Newcastle Journal

On Wednesday last [29. November], at the Sub-
scription-Concert in this Town, was perform'd, to
a very numerous Audience, three grand Choruses,
concluding with Britons strike home, Etc. the
Voices from Durham joining the Instruments. The
Number of Performers amounting to near 40, and
the pieces of Musick suited to the brave Spirit of
the Times, occasion'd the most general Applause
that was ever known in this Place; particularly at
the Beginning of To Arms, the Company stood up
together, and an Universal Vivacity was observ'd
to fire the whole Audience.
(Dean 1959, 300)

6. Dezember 1739
Walsh wiederholt in der *London Daily Post* seinen
Subskriptions-Aufruf für die „Twelve Grand Con-
certo's" mit dem Zusatz: „N. B. Two of the above
Concerto's were perform'd at the Theatre-Royal in
Lincoln's-Inn Fields in Alexander's Feast."
Vgl. 27. Oktober, 17. November (I) und 13. Dezem-
ber 1739 (III)

13. Dezember 1739 (I)
The London Daily Post

At the Theatre Royal in Lincoln's-Inn Fields, this
Day, will be perform'd Acis and Galatea, A Sere-

nata. With two new Concerto's for several Instruments, never perform'd before. To which will be added, The last New Ode of Mr. Dryden's, And a Concerto on the Organ.... Box Tickets will be sold this Day at the Stage-Door. Particular care will be taken to have Guards plac'd to keep all the Passages clear from the Mob. To begin at Six o'Clock.
(Burney, II, 826f.; Chrysander, III, 111; Smith 1948, 224f.)
Wiederholungen: 20. Dezember 1739, 21. Februar und 28. März 1740, 28. Februar und 11. März 1741.
Besetzung:
Acis – John Beard, Tenor
Galatea – Elisabeth Duparc, Sopran
Polyphemus – Thomas Reinhold, Baß
Damon – the Boy, Sopran

– „the Boy" war vermutlich der Sohn des Organisten John Robinson und der Sopranistin Ann Turner-Robinson.
(Smith 1948, 228)

13. Dezember 1739 (II)
The London Daily Post

This Day is published, Acis and Galatea. A Serenata, or Pastoral Entertainment. Written by Mr. Gay. To which is added, A Song for St. Caecilia's Day. Written by Mr. Dryden. Both set to Musick by Mr. Handel.
Printed for John Watts.... The Price to Gentlemen and Ladies in the Theatre is One Shilling; if more is ask'd, it is an Imposition.
(Chrysander, III, 111; Smith 1948, 225)

– Zum erstenmal wird John Gay auch in dem für die Aufführung gedruckten Textbuch (Exemplar Huntington Library, San Marino, California) als Autor der englischen Fassung genannt.
Vgl. 13. März 1731

13. Dezember 1739 (III)
The London Daily Post

This Day is Published,
1. The Songs in the New Ode of Mr. Dryden's for St. Cecilia's Day, set to Musick by Mr. Handel. Price 3s.
2. Acis and Galatea, a Serenade (as it is now perform'd). Pr. 4s.
3. The Favourite Songs in Alexander's Feast. Price 5s.
Printed for John Walsh. ...
At the same Place may be had the Original Score of Alexander's Feast, with the Chorus's, &c. Where may be had, Proposals for Printing by Subscription; Twelve Grand Concerto's, in 7 Parts. Composed by Mr. Handel ... the Delivery of ... which will be in April next.
N. B. Two of the above Concerto's will be performed this Evening, at the Theatre-Royal in Lincoln's-Inn Fields.
(Smith 1948, 225f.)

– Die angezeigte Ausgabe von Händels *Acis and Galatea* war Walshs vierte Auflage dieses Werkes. Am 15. Dezember 1739 erschien die Anzeige mit geändertem Zusatz: „N.B. Four of the above Concerto's have been perform'd at the Theatre-Royal in Lincoln's Inn Fields."
Vgl. 14. Februar 1740
(Smith 1960, 82)

13. Dezember 1739 (IV)
Richard West an Horace Walpole

Temple, Dec. 13, 1739.
Plays we have none, or damned ones. Handel has had a concerto this winter. No opera, no nothing. All for war and Admiral Haddock.
(Walpole Correspondence, I, 197)

– „A concerto" bedeutet hier eine Konzertreihe.
Admiral Nicholas Haddock war Kommandeur der englischen Mittelmeerflotte im Seekrieg gegen Spanien.

1739
Johann Mattheson, Der vollkommene Capellmeister, Hamburg 1739

§ 21.
Nur allein die kaltsinnige Teutschen, ob sie gleich durch drey wichtige H. nehmlich Händel, Heinichen und Hasse, den Welschen ihr grosses musicalisches Vermögen vor Augen geleget haben, setzen einestheils ihr grössestes Verdienst darin, daß sie bey kläglichen sowol, als bey frölichen Gemüths-Neigungen, davon etwa ihr Gesang handeln mag (wenns noch am besten bestellet ist) einmahl just so wie das andere fein steiff und unbeweglich aussehen, ihre Cantate, als eine Cantate, als ob es ihnen gar kein Ernst um den Inhalt wäre, gantz ehrbar und stramm daher singen, und sich um den Ausdruck oder die rechte Meinung derselben nicht das geringste bekümmern, ja die Absicht der Worte das zehntemahl kaum verstehen oder recht einnehmen: wie die Exempel davon bey Meistern und Schülern täglich auffstossen. [S.36f.]

§ 90.
Andrer Künstler zu geschweigen, so hat der berühmte Händel offt, in seinen Schauspielen, solche Accompagnemens gesetzet, dabey das Clavier allein, nach des Spielers Gefallen und Geschicklichkeit, ohne Vorschrifft in diesem Styl hervorragte: welches seinen eignen Mann erfordert, und etlichen andern, die es haben nachthun wollen, nur schlecht von der Faust gegangen ist; ob sie gleich sonst ziemlich Sattelfest waren. [S.88]

§ 15.

Zu Mustern dieser Arbeit der Doppel-Fugen, mit
mehr als einem Haupt-Satze, und zwar, was erstlich die Ausführung mit zweien Subjectis anlan-
get, will ich von gedruckten Sachen, weil sie viel
leichter, als geschriebene, in iedermanns Händen
seyn können, die Kuhnauischen und Händelischen Wercke, auf alle Weise angepriesen haben.

[S. 431]

§. 58.

Ein paar Proben aus Händels Wercke, oder Suites
pour le Clavecin, die Ao. 1720 zu London gar sau-
ber in Kupffer gestochen herausgekommen sind,
dürfften hier nicht undienlich seyn: indem doch
ein gantz andrer Geist daraus hervorleuchtet, und
zwar ein solcher, der alle Auswege der Harmonie
dergestalt kennet und besitzet, daß er nur damit
zu schertzen oder zu spielen scheinet, wenns andern arbeitsam vorkömmt. Er macht sich so verbindlich nicht mit seinen Sätzen und Gegensät-
zen, als Kuhnau; sondern springet ab und zu.
Indessen führet er das Hauptthema galant ein,
und bringt es sehr offt an solchen Stellen an, da es
keiner vermuthet noch suchet.

§. 59.

Wer sollte wol dencken, daß in diesen wenig Noten, als einem dicken kurtzen Gold-Drat, ein Fa-
den verborgen wäre, der sich hundertmahl so lang
ziehen läßt?

j. 59.
a 2. Soggetti, di Händel, p. 14.

§. 60.

So kurtz die Sätze sind, so lang und wol hat sie
doch der berühmte und geschickte Verfasser ausgeführet. Wir finden darin alles, was zu einer
Doppelfuge mit zween Subjecten erfordert wird.
Erstlich: die Länge, und noch dazu eine verschiedene, ist die bequemste, so man wehlen kan,
nehmlich von anderthalb Tacten. Zum andern, so
ist der Umfang zwar in dem einen Satz bis auf die
Septime gerathen; im andern aber macht er nur
eine Qvart aus.

§. 61.

Drittens ist das Leben, oder die Lebhafftigkeit so
groß, daß die Noten gleichsam mit einander sprechen und schwatzen. Viertens thun die unisoni
continuati, welche der Gleichförmigkeit des
punctirten Satzes entgegen stehen, den rechten
Abwechselungs-Dienst, der so angenehm als
nothwendig ist. Fünfftens ist die Gegenbewegung
auf das genaueste in Acht genommen, worauf vieles ankömmt.

§ 62.

Sechstens erscheinen die Gänge, Läuffe und
Sprünge just eins ums andre; auch fehlet es an
einer Bindung nicht, die zum Eintritt Anlaß giebt.
Siebendens wechseln die Intervalle fein ab, nehmlich so: 3, 6, 8, 6, 3. Zum achten ist der Noten Geltung, oder der rhythmus in den Klängen, durch
die Puncte sehr natürlich und nett ausgedrückt.
Wozu neuntens noch kömmt, die Vermeidung der
Schlüsse, und zehntens der hie und da veranlaßte,
unvermuthete Eintritt dieses oder jenen Thema-
tis.

§. 63.

Eine neue Art, da zwar erst mit einem Subjecto
angefangen, dasselbige aber alsobald, als ob es
nicht gefiele, verlassen wird; dahingegen zwey andre eingeführet werden, die in der Verwechselung
Stand halten, gibt uns folgendes Exempel an die
Hand:

a 2. Soggetti, di Händel, p. 63.

Soggetto sciolto.

Soggetti legati.

§. 64.
Es bleibt aber nicht dabey, sondern das verlassen-
scheinende Thema wird wiederum hervorgesucht,
und zum Zwischen-Spiel, als eine einfache Fuge

behandelt; in der That aber, dem ungeachtet, mit
der doppelten fortgefahren: welches gewiß sehr
artig herauskömmt. Noch ein anders von eben
demselben Meister.

Von Doppel-Fugen.   441

à 2. Soggetti di Händel, p. 85.

§. 65.
Alle oberzehlte zehn gute Eigenschafften sind
hier wiederum anzutreffen, und noch die elffte
dazu, nehmlich die edle Einfalt und Ernsthafftig-
keit des ersten Hauptsatzes, welche durch die
zwischentretende kleine Pause klüglich unterbro-
chen wird. Solches verursacht hier mit dem sprin-
genden oder vielmehr hüpffenden Gegensatze desto grössere Veränderung, ie mehr die Noten in
der Geltung von einander unterschieden sind, als
halbe Schläge gegen Achtel und Sechszehntel.
Man bemercke daneben die beiden Zusätze, oder
transitiones,*)*); ingleichen die vermiedene Ca-
dentz†) und den Eintritt §). So viel aus dem Händel.   [S. 439 ff.]

§ 68.
Von der eintzigen Tridentinischen Orgel wird
groß Wesen gemacht. Es soll aber der Organist daselbst erstaunet seyn, wie er den Signor Sassone
(so nannten die Italiäner den Händel) bey der
Durchreise darauf spielen gehöret. ...

§ 69.
Insbesondere gehet wol Händeln so leicht keiner
im Orgelspielen über; es müste Bach in Leipzig
seyn: Darum auch diese beyde, ausser der Alpha-
betischen Ordnung, oben an stehen sollen. Ich
habe sie in ihrer Stärcke gehöret, und mit dem ersten manchesmahl sowol in Hamburg, als Lübeck,
certiret. Er hatte in England einen Schüler, Nahmens Babel, von dem man sagte, daß er seinen
Meister überträffe.   [S. 479]

– Den zweiten Absatz übernahm Mattheson mit
geringfügigen Änderungen aus seinem im Frühjahr 1737 veröffentlichten *Kern melodischer Wissenschaft.*
Über einen Aufenthalt Händels in Trient ist sonst
nichts bekannt; möglicherweise hat er sich während seiner ersten Italienreise dort kurz aufgehalten. Die erwähnte Orgel war vermutlich die der
Kathedrale Santa Maria Maggiore, die 1532–1536
von Caspar Zimmermann gebaut worden war.
Vgl. 31. Januar 1717 und 15. Dezember 1722

1740

4. Januar 1740
John Lockman, Enquiry into the Rise and Progress of Operas and Oratorios

... Mr. Addison, Mr. Gay, &c. took up their Pens, and gave the Public Pieces which were thought no way injurious to their Reputation as Writers. But whether it was owing to the Inability of the Composers, the Defects of the Performers, or the too prevailing Influence of the Italian Opera, those English pieces had not the wish'd for Success, if we except Acis and Galatea, which in every Respect charms, to this Day, Persons of all Ranks and Capacities. ... However, some Attempts have been made, of late Years, to rescue the Drama in question from the Ignominy under which it had so long laboured; by setting to Music Pieces which are excellent in themselves, as Alexander's Feast.

John Lockman, Some Reflections concerning Operas, Lyric Poetry, Music, &c.

... Among the many Things I have been told [of the Effect which Harmony had upon some of the Brute Creation] I shall mention but one; to which the Author of the Music of the following Drama, was, among other Persons, an Eye-witness.
It relates to a Pigeon in the Dove-house of Mr. Lee in Cheshire. That Gentleman had a Daugther who was extremely fond of Music, and a very fine performer on the Harpsicord. The Dove-house was built not far from the Parlour, where the musical Instrument stood. The Pigeon, whenever the young Lady play'd any Air, except Spera si in Otho,[1] never stirred; but as soon as that Air was touched, it would fly from the Dove-house to the Window; there discover the most pleasing Emotions; and the Instant the Air was over, fly back again. The young Lady was so delighted with the Fancy, that she ever after called Spera si the Pigeon's Air, and wrote it under that Title in her Music-book. ...
But notwithstanding the wonderful Sublimity of Mr. Handel's Compositions, yet the Place in which Oratorios are commonly performed among us, and some other Circumstances, must necessarily lessen the Solemnity of this Entertainment, to which possibly, the Choice of the Subject of these Dramas may likewise sometimes contribute.
[1] By Mr. Handel

– Die beiden Essays stehen am Beginn des gedruckten Textbuches zu *Rosalinda. A Musical Drama* (Text: John Lockman, Musik: John Christopher Smith jun.), das am 4. Januar 1740 in Hickford's Great Room zum erstenmal aufgeführt wurde.

Der erste Essay bezieht sich auf Addisons *Rosamond* (1707 von Clayton vertont) und wahrscheinlich auf die *Beggar's Opera* von John Gay, dem Verfasser des Textes von *Acis and Galatea.* Der Dichter der Ode *Alexander's Feast* ist John Dryden.
Der zweite Essay spricht von Elisabeth Legh (hier Lee geschrieben) aus Adlington Hall (vgl. 26. Januar 1727).
Während Lockman „Spera si mi dice il core" aus Händels *Ottone* nennt, sprechen Hawkins (V, 415) und Schoelcher (1857, 76f.) von „Spera, sì, mio caro bene" aus *Admeto* als der „Tauben-Arie".

5. Januar 1740
Johann Adolph Scheibe, Der Critische Musicus, Hamburg 1740

Ein und siebenzigstes Stück. Dienstags, den 5 Jenner, 1740.
Man frage einmal einen Hasse, einen Händel, einen Telemann, einen Graun, alle berühmte italiänische Componisten, und auch endlich selbst einen Fux, der doch in der Mathematic sehr wohl erfahren ist, ob ihnen bey allen ihren vortreflichen Arbeiten, wodurch sie sich so sehr erhoben haben, wohl jemals die Mathematic einen einzigen Weg gezeiget hat, ob ihnen diese sonst ungemeine Wissenschaft nur etwas dazu behülflich gewesen ist, ihre Zuhörer zu rühren, in Bewegung zu setzen, und endlich alle Leidenschaften, Gemüthsbewegungen, und andere natürliche Begebenheiten, natürlich, lebhaft und überhaupt schön auszudrücken? Ja man frage einen grossen Bach, der doch alle musicalische Kunststücke in seiner völligen Gewalt hat, und dessen verwundernswürdige Arbeiten man nicht ohne Erstaunen sehen und hören kann, ob er bey der Erlangung dieser grossen Erfahrung und Geschicklichkeit nur einmahl an das mathematische Verhältniß der Thöne gedacht, und ob er bey der Verfertigung so vieler musicalischen Kunststücke die Mathematic nur einmal um Rath gefraget hat?   [S.355]

8. Januar 1740
Die Direktoren von Mercer's Hospital in Dublin treffen Anordnungen für einen Wohltätigkeitsgottesdienst, der am 14. Februar in der St. Andrew's Church stattfinden soll mit einer Aufführung von Händels *Utrecht Te Deum* und *Jubilate* und „two new Anthems". (Protokolle des Mercer's Hospital)

– Der Gottesdienst wurde auf den 6. März verschoben, da an diesem Tage der Vizekönig von Irland sowie der Primas und der Kanzler anwesend sein konnten. Die Predigt hielt der Bischof von Derry, die Texte der Anthems wurden in 1 000 Exemplaren gedruckt.

19. Januar – 9. Februar 1740
Händel komponiert das Oratorium *L'Allegro, il Penseroso ed il Moderato*. Der Text zu *L'Allegro* und *Il Penseroso* geht auf John Milton (1632) zurück, den Text zu *Il Moderato* schrieb Charles Jennens, der auch Miltons Texte bearbeitete.
Einträge in der autographen Partitur (R. M. 20. d. 5.): „♀ Jan. 19. 1740"; „Fine della parte prima Jan: 25 1740 ♀."; „Fine della Parte 2da Fevrier 2. 1740"; „S. D. G. G. F. Handel Fevrier ☽ [Montag] 4. 1740 ♄ [Sonnabend] 9 dito".

– Das Ausfüllen der Partitur beendete Händel am 9. Februar. Das astronomische Zeichen ♀ (Freitag) im ersten Eintrag ist falsch. Der 19. Januar war ein Sonnabend.

4. Februar 1740
In der *London Daily Post* wird für den 7. Februar eine Aufführung von *Acis and Galatea* und der *Ode for St. Cecilia's Day* angekündigt.
(Schoelcher 1857, 225 f.)

6. Februar 1740
The London Daily Post

In consideration of the Weather continuing so cold, the Serenata called Acis and Galatea, that was to be performed To-morrow Night at the Theatre-Royal in Lincoln's-Inn-Fields, will be put off for a few Nights further; of which Notice will be given in the General and Daily Advertisers.
(Schoelcher 1857, 226; Chrysander, III, 111)

11. Februar 1740
The London Daily Post

At the Theatre-Royal … Thursday next [14. Februar], will be perform'd Acis and Galatea. …
Particular Care has been taken to have the House survey'd and secur'd against the Cold, by having Curtains plac'd before every Door, and constant Fires will be kept in the House 'till the Time of Performance.

14. Februar 1740 (I)
The London Daily Post

Two chief Singers being taken ill, the Serenata call'd Acis and Galatea, that was to be perform'd this Day at the Theatre-Royal in Lincoln's-Inn Fields, must therefore be put off performing a few Days longer, whereof Notice will be given in the London Daily Post, and Daily Advertiser.

14. Februar 1740 (II)
John Walsh weist erneut in der *London Daily Post* auf die Subskriptionsmöglichkeit für die *Twelve Grand Concerto's for Violins in seven Parts* (vgl. 27. Oktober 1739) hin, mit dem Zusatz: „Four of the above Concerto's have been perform'd at the Theatre-Royal in Lincoln's-Inn Fields."
Vgl. 17. November und 13. Dezember (I) 1739

17. Februar 1740
Händel beendet das Orgelkonzert B-Dur, op. 7 Nr. 1.
Eintrag in der autographen Partitur (R. M. 20. g. 12.): „Fine. G. F. Handel. Fevr. 17. 1740. ☉ [Sonntag]"

21. Februar 1740
The London Daily Post

At the Theatre-Royal … this Day …, will be perform'd Acis and Galatea, A Serenata. (Being the last Time of performing in this Season.) With two new Concerto's for several Instruments, never perform'd but twice. To which will be added The last New Ode of Mr. Dryden's, And a Concerto on the Organ …

– Die Aufführung wurde am 28. März 1740 zugunsten des Fund for the Support of Decayed Musicians … wiederholt.
(Smith 1948, 229)

22. Februar 1740
In Hickford's Great Room wird das Oratorium *David's Lamentation over Saul and Jonathan* (Text: John Lockman; Musik: John Christopher Smith jun.) uraufgeführt. Das Werk, das zuvor von William Boyce vertont worden war, hatte in der Vertonung von Händels Schüler größeren Erfolg und wurde bis zum 2. April fünfmal wiederholt.

26. Februar 1740
Im *Dublin Journal* wird für den 29. Februar ein Benefizkonzert in der Dubliner Music-Hall für Signor Dionisio Barbiatelli angezeigt mit „Mr. Handel's favourite Songs in the Oratorio of Hester".

27. Februar 1740
The London Daily Post

Never perform'd before.
At the Theatre-Royal in Lincoln's-Inn Fields, this Day …, will be perform'd L'Allegro il Penseroso ed il Moderato. With two new Concerto's for several Instruments, and a new Concerto on the Organ. … Pit and Galleries to be open'd at Four, and Boxes at Five. Particular Care is taken to have the House secur'd against the Cold, constant Fires being order'd to be kept in the House 'till the Time of Performance.
(Schoelcher 1857, 229)

– Der erste und der zweite Teil des Oratoriums wurden mit je einem Concerto grosso aus Opus 6, der letzte Teil mit dem Orgelkonzert op. 7 Nr. 1 B-Dur eingeleitet.

Besetzung:
Il Penseroso – Elisabeth Duparc, Sopran
L'Allegro – John Beard, Tenor, Thomas Reinhold,
        Baß, und „The Boy", Sopran
Il Moderato – William Savage, Baß
Wiederholungen: 6., 10. und 14. März und
23. April 1740.
Vgl. 31. Januar 1741 und 17. März 1743

15. März 1740
The London Daily Post

This day is publ. Songs in L'Allegro ed il Penseroso. J. Walsh
(Chrysander, III, 137)

– In der Anzeige vom 20. März wurde der Preis
von 4 Schillingen hinzugesetzt. Von dieser ersten
Ausgabe erschienen zwei Auflagen, die erste mit,
die zweite ohne die erste Fassung von „Or let y^e
merry Bells ring round". In der ersten und einer
zweiten Auswahl (vgl. 7. Mai 1740) fehlt im Titel
der Zusatz „ed il Moderato". Die kombinierte
Ausgabe beider Sammlungen hat den vollständigen Titel (vgl. 13. Mai 1740).
(Smith 1960, 93 f.)

17. März 1740
Im Drury Lane Theatre wird William Congreves
Komödie *The Way of the World* erneut aufgeführt.
Darin singt Katherine Clive das von Händel für
sie komponierte Lied „Love's but the frailty of the
mind".
(Smith 1954, 299)

– Die Komödie war 1700 in Lincoln's Inn Fields
mit Musik von John Eccles uraufgeführt worden.
Sie wurde mehrfach sowohl im Drury Lane Theatre als auch im Covent Garden Theatre inszeniert.

21. März 1740
Saul wird im Lincoln's Inn Fields Theatre erneut
aufgeführt, „With a Concerto for several Instru-
ments, never perform'd before" *(London Daily
Post).*
(Schoelcher 1857, 226)

– Außer dem Concerto grosso wurde ein Orgelkonzert gespielt.

26. März 1740
Esther wird im Lincoln's Inn Fields Theatre aufge-
führt, mit denselben Konzerten wie am 21. März
(*The London Daily Post*).
(Schoelcher 1857, 226)

28. März 1740
The London Daily Post

For the Benefit and Increase of a Fund established
for the Support of Decayed Musicians and their
Families.
At the Theatre-Royal in Lincoln's-Inn Fields, this
Day …, will be performed Acis and Galatea, a
Serenata. With the new Concertos, performed in
the same this Season, for several Instruments. To
which will be added, The last new Ode of Mr. Dryden's, and the Concerto on the Organ, that was
composed by Mr. Handel on the same Occasion
this Season. … To begin at Half an Hour after Six
o'Clock. N. B. Each Subscriber's Ticket will admit
one into the Boxes or Pit, or two into the Gallery.
(Burney, II, 1005)
Vgl. 21. Februar 1740

1. April 1740 (I)
Israel in Egypt wird im Lincoln's Inn Fields Theatre
erneut aufgeführt: „For that Day only in this Season" und „With a New Concerto for several Instruments, And a Concerto on the Organ" (*The
London Daily Post*)
(Schoelcher 1857, 211)

1. April 1740 (II)
The London Daily Post

There having been a greater Demand for the Paper in which the following Letter was printed the
last Year, than there were Numbers to supply, the
Writer of it has been prevailed on to suffer it to be
re-publish'd at this Juncture. And as the Entertainment it refers to is to be represented this Evening,
'tis humbly hoped it will not be thought an improper Prelude to it; having a Tendency to excite
a due Solemnity of Mind and Behaviour, with
which such Pieces of sacred Musick ought to be
heard perform'd, either to do Honour to an Audience, or Justice to the Performance. – And, if the
Effects of our late Humiliation did not go off with
the Weather, it may be hoped, that what is therein
said, on the supposal of a General Popish Alliance
against us, may, if attended to, help us forward, in
the right Way, to stand our Ground against those
that have already; and as many more as shall hereafter, think fit to declare against us.

– Der Text wurde dem Wiederabdruck des am
18. April 1739 in der *London Daily Post* anläßlich
der Aufführung von *Israel in Egypt* am 17. April
1739 veröffentlichten Briefes vorangestellt.

2. April 1740
The London Daily Post

The Fourteenth Night.
Two Anthems (O Sing unto the Lord, and my
Song shall be alway) set to Musick by Mr. Han-
del. …
Will be perform'd (this Evening only) at Hick-

ford's Great Room in Brewer street near Golden-
Square, To-day.
The Vocal Parts by Mrs. Arne, Mr. Beard, Mr. Rus-
sel, Mr. Rheinhold, and others.

– Nach den *Chandos Anthems* wurde das Oratorium von Smith (vgl. 22. Februar 1740) zum letzten Mal wiederholt.

21. April 1740 (I)
The London Daily Post

New Musick.
This Day is published, (With his Majesty's Royal
Licence and Protection,) Twelve Grand Concerto's
for Violins, in Seven Parts. Composed by Mr. Handel. N. B. Those Gentlemen who are Subscribers
are desired to send for their Books to the Author;
or J. Walsh.
(Schoelcher 1857, 227; Smith 1960, 222)
Vgl. 29. Oktober 1739

21. April 1740 (II)
Subskribenten-Verzeichnis für Händels *Twelve
Grand Concertos in Seven Parts* (Auszug)

His Royal Highness The Duke of Cumberland
Her Royal Highness The Princess of Orange
Her Royal Highness The Princess Amelia
Her Royal Highness The Princess Caroline
Her Royal Highness The Princess Mary
Her Royal Highness The Princess Louisa
Academy of Musick at Dublin, 2 Sets
Right Hon. Countess of Carlisle
Right Hon. Earl Cowper
Hon. Thos. Carter Esq. Master of the Rolls in Ire-
land
Crown and Anchor Society
Musical Society in Canterbury
Society of Musick at the Castle in Paternoster
Row, 3 Sets
Wm. Freeman
Mr. [William] De Fesch
Hon. B. Granville
James Harris
Charles Jennens, 2 Sets
Sir Windham Knatchbull Bart.
Ladies Concert in Lincoln
Monday Night Musical Society at yᵉ Globe Tavern
Fleet St., 2 Sets
Musical Society at Oxford, 2 Sets
Philarmonic Society at the Crown and Anchor,
3 Sets
Iohn Rich, 3 Sets
Mr. [John] Robinson Organist
Right Hon. Countess Dowager of Shaftsbury
Right Hon. Countess of Shaftsbury
Right Hon. Earl of Shaftsbury, 2 Sets
Swan Society of Musick, 3 Sets
Salisbury Society of Musick

Benjamin Short
Jonathan Tyers, 4 Sets
Charles Weidman
Mr. [Christian Frederick] Zincke

– Dies war das zehnte und letzte Subskribenten-
Verzeichnis. 100 Subskribenten bestellten 122 Exemplare.
Die 12 Concerti grossi waren Händels einzige Instrumentalwerke, die zur Subskription angeboten
wurden.

23. April 1740
The London Daily Post

At the Theatre-Royal … this Day … will be perform'd L'Allegro il Penseroso ed il Moderato.
With Two New Concerto's on several Instruments, never perform'd before. And a Concerto
on the Organ. … To begin at Half an Hour after
Six o'Clock. (Being the last Time of performing
this Season.)
Vgl. 27. Februar 1740

24. April 1740
Saul wird in der Crown and Anchor Tavern für die
Academy of Ancient Music aufgeführt.
(Schoelcher 1857, 205)

April 1740
Anne Donellan an Elisabeth Robinson

London, April 1740
… My present delight is the fine lady who admires
and hates to excess; she doats on the dear little
boy that dances, she detests Handel's Oratorios.
(Montagu 1906, II, 44)
Vgl. 12. April 1734 und Juli 1738

7. Mai 1740
John Walsh kündigt in der *London Daily Post Songs
in L'Allegro ed il Penseroso. 2d Collection* an. Die
Sammlung enthält acht Arien und ein Duett, dar-
unter die 2. Fassung von „Or let yᵉ merry Bells ring
round".
(Chrysander, III, 137; Smith 1960, 93 f.)
Vgl. 15. März 1740

13. Mai 1740
The London Daily Post

Musick.
This Day is published, L'Allegro il Penseroso ed il
Moderato, the Words taken from Milton. Set to
Musick by Mr. Handel.
… Those Gentlemen who have already the first
Collection of this Work, may have the second Part
to compleat it. Price 3s.
(Chrysander, III, 137; Smith 1960, 94)
Vgl. 15. März und 7. Mai 1740

Mai 1740
The Gentleman's Magazine

To Mr. Handel, on hearing 'Alexander's feast',
'L'Allegro, ed il Penseroso', etc.

If e'er Arion's music calm'd the floods,
And Orpheus ever drew the dancing woods;
Why do not British trees and forest throng
To hear the sweeter notes of Handel's song?
This does the falsehood of the fable prove,
Or seas and woods, when Handel harps, would
move.
If music was to touch the heart design'd,
To ease the pain'd, or charm the chearful mind;
And has the ear in this no other part,
Than as it opes a passage to the heart;
How comes it we those artless masters bear,
Who slight the heart, and only court the ear?
And when they use a finer term, they cry
'Tis air, and into air they let it fly.
But Handel's harmony affects the soul,
To sooth by sweetness, or by force controul;
And with like sounds as tune the rolling spheres,
So tunes the mind, that ev'ry sense has ears.

When jaundice jealousy, and carking care,
Or tyrant pride, or homicide despair,
The soul as on a rack in torture keep,
Those monsters Handel's music lulls to sleep.
How, when he strikes the keys, do we rejoice!
Or when he fills a thousand tubes with voice,
Or gives his lessons to the speaking string,
And some to breathe the flute, and some to sing;
To sound the trumpet, or the horn to swell,
Or brazen cylinder to speak compel;
His art so modulates the sounds in all,
Our passions, as he pleases, rise and fall;
Their hold of us, at his command they quit,
And to his pow'r with pride and joy submit.

Thou, sovereign of the lyre, dost so excel,
Who against thee, against thy art rebel.
But uncontested is in song, thy sway;
Thee all the nations where 'tis known obey:
E'en Italy, who long usurp'd the lyre,
Is proud to learn thy precepts and admire.
What harmony she had thou thence didst bring
And imp'd thy genius with a stronger wing;
To form thee, talent, travel, art, combine,
And all the powers of music now are thine.
G. O.
(Chrysander, III, 138 f.)

– Die Initialen stehen möglicherweise für George
Oldmixon (vgl. 11. März 1734/II).

26. Juli 1740
Charles Corbett zeigt in der *London Daily Post* die
zweite Auflage der zweibändigen Sammlung *The
Musical Entertainer* („Musick by Purcell, Handell,
Corelli, Green, And other Eminent Masters"), mit
beziffertem Baß versehen von John Frederick
Lampe, an (vgl. 6. Juni 1738).
(Smith 1960, 183 f.)

19. August 1740
Gloucester Journal

The anniversary meeting of the Three Choirs of
Worcester, Hereford and Gloucester, will be held
at Worcester, on Wednesday and Thursday the
3rd. and 4th. Days of September next. – Mr. Purcell's and Mr. Handel's Te Deums and some select
anthems, with Instruments, will be perform'd in
the Choir: And there will be a concert each Night
by the most Eminent Hands, and Balls as usual.

27. September 1740
Hamburger Relations-Courier

Harlem, 21. Sept. 1740
Der weitberühmte Königl. Gros-Britannische Capellmeister, Hr. Hendel, hat gestern, da er durch
diese Stadt gereiset, die in der hiesigen großen
Kirche neu erbauete sehr künstliche Orgel besehen, und den Organisten Rodecker auf derselben
spielen gehöret, auch nachgehends selber eine
halbe Stunde lang mit vieler Kunst und Fertigkeit
auf gedachter Orgel gespielet, dabeneben über deren schönen Klang sowohl als gute Einrichtung
des Wercks an sich selber sein besonderes Vergnügen bezeuget. Man sagt, daß vorbemeldter
Hr. Hendel sich nach Berlin zu begeben entschlossen sey.
(Becker, 38)

– Über eine Reise Händels nach Berlin in diesem
Jahr gibt es keine Belege.
(Young 1975, 68)

10. Oktober 1740
Händel beendet die Überarbeitung der Oper *Ime-
neo* (vgl. 9.–20. September 1738).
Eintrag in der autographen Partitur (R. M. 20. b. 5):
„Fine Oct: 10. 1740."

20. Oktober 1740
The London Daily Post

This Day are publish'd in Score Handel's Over-
tures from all his Operas and Oratorios. 2. Apollo's
Feast ... 4 vol. In a few Days will be publish'd, a
fifth Volume, which will complete the
Work ... Printed for John Walsh.
(Smith 1960, 280)

– Diese Sammlung enthält 34 Stücke aus zuvor
veröffentlichten Walsh-Ausgaben. Diese Ausgabe
wurde von Walsh auch als sechster Band von
Apollo's Feast angezeigt (*London Evening Post,*
7. März 1741).

27. Oktober 1740
Händel beginnt mit der Komposition von *Deidamia,* seiner letzten Oper.
Eintrag in der autographen Partitur (R. M. 20. a. 11.): „angefangen. ☽ [Montag]. Oct^obr 27. 1740."
Vgl. 20. November 1740

Oktober 1740
The Gentleman's Magazine

On our late Taste in Musick.
By a Gentleman of Oxford.
...
See Handel, careless of a foreign fame,
Fix on our shore, and boast a Briton's name:
While, plac'd marmoric in the vocal grove,[1]
He guides the measures listening throngs approve.
[1] Vaux-hall
(Young 1947, 64)

8. November 1740 (I)
The London Daily Post

New Musick.
This Day is published, A Second Set of Six Concerto's for the Harpsichord or Organ. Compos'd by Mr. Handel. Printed for and Sold by J. Walsh.
(Chrysander, III, 160)

– Während die erste Folge (vgl. 4. Oktober 1738) als Opus 4, die dritte postum als Opus 7 veröffentlicht wurde, erschien die zweite ohne Opuszahl. Die Konzerte 3 – 6 sind Bearbeitungen der Concerti grossi 10, 1, 5 und 6 aus Opus 6, zwei Sätze des ersten Konzertes gehen auf Sätze aus der Triosonate op. 5 Nr. 6 zurück.
(Smith 1960, 229)
In derselben Anzeige kündigt Walsh außerdem an: „Just publish'd in Score. 1. Apollo's Feast in 5 vol... Compos'd by Mr. Handel. 2. The Overtures from all his Operas and Oratorios in Score, which completes the Work."
(Smith 1960, 164ff.)
Vgl. 4. Dezember 1734

8. November 1740 (II)
The London Daily Post

At the Theatre-Royal in Lincoln's-Inn Fields, this Day ... will be perform'd a Serenata, Parnasso in Festa. With Concerto's on the Organ, and several Instruments. ... N. B. Particular Care has been taken to air the House well, and keep it warm. To begin at Six o'Clock.
(Burney, II, 828)

– Mit dieser Aufführung begann Händels zweite und letzte Saison im Lincoln's Inn Fields Theatre.

Die Serenata wurde zu Händels Lebzeiten nur noch einmal aufgeführt (vgl. 14. März 1741).

15. November 1740
Anne Donellan an Elizabeth Robinson

[London,] 15 November [1740].
...Handel next week has a new opera, which those who have heard the rehearsal say is very pretty. Tell Pen the 'Lion Song' is in it.
(Montagu 1906, II, 92)

– Die „new opera" war *Imeneo*. Mit „Pen" ist Mary Pendarves gemeint, mit ‚Lion Song' Argenios Arie „Su l'arena di barbara scena."
In der gedruckten Ausgabe ist der Brief irrtümlich auf 1741 datiert. Die Datierung auf 1740 wird bestätigt durch den im gleichen Brief erwähnten Auftritt von Margaret Woffington in *The Constant Couple* „next monday", der der 21. November war.

20. November 1740
Händel beendet die Oper *Deidamia* (vgl. 27. Oktober 1740).
Einträge in der autographen Partitur (R. M. 20. a. 11.): „G. F. Handel ♄ [Sonnabend] Nov. 1. 1740 [Ende des I. Aktes]"; „Fine dell'Atto 2do G. F. Handel ♀ [Freitag] Novembr 7. 1740."; „[Akt III] angefangen ♀ [Freitag] 14 Oct. [recte November] 1740."; „Fine dell'Opera. G. F. Handel London Novemb^r 20. ♃ [Donnerstag]. 1740."

22. November 1740
The London Daily Post

At the Theatre-Royal ... this Day ... will be perform'd an Operetta, call'd Hymen, ... To begin at Six o'Clock.
(Burney, II, 828)

– Die Textfassung des unbekannten Bearbeiters geht auf das 1723 von Silvio Stampiglia verfaßte Libretto (Musik: Porpora) zurück. Die für den 29. November geplante Wiederholung mußte wegen Indisposition von Elisabeth Duparc auf den 13. Dezember verschoben werden.
Besetzung:
Imeneo – William Savage, Baß
Tirinto – Signor Andreoni, Sopran
Rosmene – Elisabeth Duparc, Sopran
Clomiri – Miss Edwards, Sopran
Argenio – Thomas Reinhold, Baß
Vgl. 18. April 1741 und 24. März 1742
(Strohm 1975/76, 148)

11. Dezember 1740
The London Daily Post

This Day is publish'd, Select Harmony. Collection IV. Being six Concerto's, in seven Parts, for Violins, and other Instruments. Compos'd by Mr. Handel, Veracini and Tartini. In this Set is the celebrated Concerto in Alexander's Feast, never before printed... Printed for and sold by J. Walsh.

– Die ersten drei Konzerte dieser Sammlung sind von Händel, das vierte von Veracini, das fünfte und sechste von Tartini. Concerto I ist das Concerto C-Dur, das vor dem II. Akt von *Alexander's Feast* gespielt wurde (vgl. 25. Januar 1736). (Smith 1960, 240)

13. Dezember 1740
The London Daily Post

By Command of his Royal Highness the Prince of Wales
At the Theatre-Royal ..., this Day ..., will be perform'd a New Operetta, call'd Hymen. ...
Strict Orders have been given for Fires to be kept in the House to make it warm.
To begin at Half an Hour after Six o'Clock.

21. Dezember 1740
Mary Pendarves an ihre Schwester Ann Dewes

Bullstrode, 21 Dec. 1740.
Mr. Handel has got a new singer from Italy. Her voice is between Cuzzoni's and Strada's – strong, but not harsh, her person miserably bad, being very low, and excessively crooked. Donellan approves of her: she is not to sing on the stage till after Xmas, so I shall not lose her first performance.

– Ann Granville hatte 1740 geheiratet. Die neue Sängerin war die Sopranistin Monza, die in *Deidamia* die Partie der Nerea sang.

1740 (I)
Johann Mattheson, Grundlage einer Ehrenpforte, Hamburg 1740

Wir wenden uns hierauf etwas näher zu unserm Vorhaben, und zeigen hiemit an, daß es bereits mehr, als 22 Jahr sind, seitdem die Erbauung einer musikalischen Ehrenpforte aufs Tapet gebracht worden ... Frägt jemand nach der Ursache dieses Aufschubs, so dienet erstlich zu wissen, das damahls die meisten der noch auf Erden wohnenden, oder unlängst-verstorbenen Mitglieder dieser Ehrengesellschaft ihr Leben, so zu reden, nur noch kaum auf die Helffte gebracht hatten, und daß eben diese nothwendige Zusätze, von 20 Jahren und darüber, das Werck so gar anitzo mercklich verzögert haben; sonst wäre es zeitiger erschienen. Hiernächst lag die meiste Hinderniß, und liegt schier biß diese Stunde daran, daß etliche grosse Kunstfürsten mit Einsendung ihrer Nachrichten sehr säumselig gewesen, auch zum Theil noch sind: worüber denn bereits öffters geklaget worden. Ist es, z. E. nicht Schade, daß von

Keiser, von Händel etc. kein umständlicher, eigenhändig- und ordentlich-verfertigter Aufsatz, so wie von dem preiswürdigen Telemann, mitgetheilt werden kann? Sie sind mir beide wortbrüchig geworden. Der eine ist darüber weggestorben: und der andere hat es auch darauf hingesetzt. Nicht nur dergleichen vornehme musikalische Printzen, sondern mittelmäßige Notenhelden und Mixturjunckern sind mir, auf zween oder drey der höflichsten Briefe, die Gewährung, ja, wohl gar die Antwort schuldig geblieben. Sie verdienten, daß man sie nicht mit Kreide, sondern mit Kohlen bezeichnete.   • [S. XXIII]

Händel.
(ex. liter. & familiar.)
Georg Friederich Händel, aus Hall in Sachsen, wird den abgewichenen 23. Febr. 1740. seinen sechs und funfzigsten Geburtstag begangen haben. Er hat die Setz- und Organisten-Kunst von dem berühmten Friedrich Wilhelm Zachau, samt andern Wissenschafften, auf dasiger hohen Schule; die lebendigen Sprachen aber, als Italiänisch, Frantzösisch und Engländisch, auf seinen Reisen gründlich erlernet.
An. 1703. im Sommer kam er nach Hamburg, reich an Fähigkeit und gutem Willen. Er machte fast seine erste Bekanntschafft mit mir, mittelst welcher er auf den hiesigen Orgeln und Chören, in Opern und Concerten herum; absonderlich aber in ein gewisses Haus geführet wurde, wo alles der Musik äuserst ergeben war. Anfangs spielte er die andre Violine im Opern-Orchester, und stellte sich, als ob er nicht auf fünfe zählen könnte, wie er denn von Natur zum dürren Schertz sehr geneigt war.[1] Als es aber einsmahls am Clavierspieler fehlte, ließ er sich bereden, dessen Stelle zu vertreten, und bewies sich als ein Mann; ohne daß es jemand anders, als ich, vermuthet hätte.
Er setzte zu der Zeit sehr lange, lange Arien, und schier unendliche Cantaten, die doch nicht das rechte Geschicke oder den rechten Geschmack, ob wohl eine vollkommene Harmonie hatten; wurde aber bald, durch die hohe Schule der Oper, gantz anders zugestutzet. Er war starck auf der Orgel: stärcker, als Kuhnau, in Fugen und Contrapuncten, absonderlich ex tempore; aber er wuste sehr wenig von der Melodie, ehe er in die hamburgische Opern kam. Hergegen waren alle kuhnauische Sätze überaus melodisch und singbar: auch die zum Spielen eingerichtete. Es wurde im vorigen Seculo fast von keinem Menschen an die Melodie gedacht; sondern alles zielte auf die blosse Harmonie.
Die meiste Zeit ging er damahls bey meinem seeligen Vater zu freiem Tische, und eröffnete mir dafür einige besondere Contrapunct-Griffe. Da ich ihm hergegen im dramatischen Styl keine geringe Dienste that, und eine Hand die andre wusch.

Wir reiseten auch den 17. Aug. desselben 1703. Jahrs zusammen nach Lübeck, und machten viele Doppelfugen auf dem Wagen, da mente, non da penna: Es hatte mich dahin der Geheime Raths-Präsident, Magnus von Wedderkopp, eingeladen: um dem vortrefflichen Organisten, Dieterich Buxtehude, einen künfftigen Nachfolger auszumachen. Da nahm ich Händel mit. Wir bespielten daselbst fast alle Orgeln und Clavicimbel, und fasseten, wegen unsers Spielens, einen besondern Schluß, dessen ich anderswo gedacht habe: daß nehmlich er nur die Orgel, und ich das Clavicimbel spielen wollte. Wir hörten anbey wohlgedachtem Künstler, in seiner Marien-Kirche, mit würdiger Aufmerksamkeit zu. Weil aber eine Heiraths-Bedingung bey der Sache vorgeschlagen wurde, wozu keiner von uns beiden die geringste Lust bezeigte, schieden wir, nach vielen empfangenen Ehrenerweisungen und genossenen Lustbarkeiten, von dannen. Johann Christian Schieferdecker legte sich hernach näher zum Ziel, führte nach des Vaters, Buxtehuden, Tode, die Braut heim, und erhielt den schönen Dienst, welchen anitzo Johann Paul Kuntzen rühmlichst besitzet.

An. 1704. wie ich mich in Holland befand, des Vorsatzes, nach England[2] zu gehen, erhielt ich den 21. Märtz in Amsterdam einen solchen verbindlichen und nachdrücklichen Brief von Händel aus Hamburg, der mich vorzüglich bewog, den Rückweg wieder nach Hause zu nehmen. Besagter Brief ist den 18. Märtz 1704. datirt, und enthält, unter andern, diese Ausdrücke.

„Ich wünsche vielmahl in Dero höchstangenehmen Conversation zu seyn, welcher Verlust bald wird ersetzet werden, indem die Zeit heran kömt, da man, ohne deren Gegenwart, nichts bey den Opern wird vornehmen können. Bitte also gehorsamst, mir dero Abreise zu notificiren, damit ich Gelegenheit haben möge, meine Schuldigkeit, durch deroselben Einholung, mit Mlle Sbülens, zu erweisen." etc. etc. Am 5. Dec. obbesagten Jahres, da meine dritte Oper[3] Cleopatra aufgeführt wurde, und Händel beym Clavicimbel saß, entstund ein Misverständniß; wie solches bey jungen Leuten, die, mit aller Macht und wenigem Bedacht, nach Ehren streben, nichts neues ist. Ich dirigirte, als Componist, und stellte zugleich den Antonius vor, der sich, wohl eine halbe Stunde vor dem Beschluß des Schauspiels, entleibet. Nun war ich bisher gewohnt, nach dieser Action, ins Orchester zu gehen, und das übrige selbst zu accompagniren: welches doch unstreitig ein jeder Verfasser besser, als ein andrer, thun kann; es wurde mir aber diesesmahl verweigert. Darüber geriethen wir, durch einige Anhetzer, im Ausgange aus der Oper, auf öffentlichem Marckte, bey einer Menge Zuschauer, in einen Zweikampf, welcher für uns beide sehr unglücklich hätte ablaufen können; wenn es Gottes Führung nicht so gnädig gefüget, daß mir die Klinge, im Stossen auf einem breiten, metallenen Rockknopf des Gegners, zersprungen wäre. Es geschah also kein sonderlicher Schade, und wir wurden, durch Vermittelung eines der ansehnlichsten Rathsherren in Hamburg, wie auch der damahligen Opern-Pächter, bald wieder vertragen; da ich denn desselben Tages, nehmlich den 30. Dec., die Ehre hatte, Händeln bey mir zu bewirthen, wonächst wir beide, auf den Abend, der Probe von seiner Almira beiwohnten, und bessere Freunde wurden, als vorhin. Syrachs Worte cap. 22. traffen also hier ein: Wenn du gleich ein Schwerdt zückest über deinen Freund, so machst du es nicht so böse, (als mit schmähen.) Denn ihr könnet wohl wieder Freunde werden, wenn du ihn nicht meidest, und redest mit ihm. Ich erzehle diese Begebenheit nach ihren wahren Umständen, deswegen, weil es noch nicht so gar lange ist, daß sie von verkehrten Leuten verkehrt hat ausgeleget werden wollen.

Händel führte darauf, An. 1705. den 8. Jenner,[4] seine besagte erste Oper, Almira, glücklich auf. Den 25. Febr. folgte der Nero. Da nahm ich mit Vergnügen Abschied vom Theatro, nachdem ich, in den beiden letzgenannten schönen Opern, die Hauptperson, unter allgemeinem Beifall, vorgestellet, und dergleichen Arbeit gantzer 15. Jahr, vieleicht schon ein wenig zu lange, getrieben hatte: so daß es Zeit für mich war, auf etwas festeres und daurhafteres bedacht zu seyn; welches auch, Gott Lob! wohl von Statten gegangen ist. Händel blieb indessen noch 4. biß 5. Jahr bey den hiesigen Opern, und hatte daneben sehr viel Scholaren.

Er verfertigte 1708. sowohl den Florindo, als die Daphne; welche jedoch der Almira nicht beikommen wollten. An. 1709. hat er nichts gemacht. Darauf eräugete sich die Gelegenheit, mit dem von Binitz eine freie Reise nach Italien anzutreten: da er denn An. 1710. im Winter zu Venedig, auf dem Schauplatze St. Gio. Crisostomo, seine Agrippine hören ließ: in welcher man, als sie 8. Jahr hernach das hamburgische Theater zierte, verschiedene den Originalien gäntzlich ähnliche Nachahmungen aus Porsenna etc. wahrzunehmen nicht unbillig vermeinte.

Die übrigen Singspiele von Händels Feder, als Rinaldo, 1715; Oriana, 1717; samt der ebenerwehnten Agrippine, 1718; Zenobia, 1721; Muzio Scevola und Floridantes, 1723; Tamerlan, Julius Cäsar und Otto, 1725; Richardus, I. 1729; Admetus, 1730; Cleofida, (sonst mit dem rechten Nahmen Porus genannt) und Judith, 1732; zuletzt die Rodelinda, 1734; sind, in seiner Abwesenheit, hier in Hamburg gespielt, und von aussen eingesandt worden. Eine solche Beschaffenheit hat es auch mit der Brockesischen Paßions-Musik, die er gleichfalls in England verfertiget, und in einer ungemein eng-geschriebenen Partitur auf der Post hieher geschickt hat. Von diesem Oratorio wurde, in einem gedruckten Vorberichte, 1719. folgendes gemeldet:

„Es ist nicht zu verwundern, daß die vier grossen Musici, Herr Keiser, Herr Händel, Herr Telemann und Herr Mattheson,[5] als welche sich, durch ihre viele und treffliche der musikalischen Welt gelieferte Meisterstücke, einen ewigen Ruhm erworben, solches in die Musik zu bringen, für ihr grössestes Vergnügen geschätzet, in welcher Verrichtung es ihnen denn so ungemein wohl gelungen, daß auch der behutsamste Kenner einer schönen Musik gestehen muß, er wisse nicht, was hier an Anmuth, Kunst und natürlicher Ausdrückung der Gemüths-Neigungen vergessen, und wem der Rang, ohne einem gefährlichen Urtheil sich zu unterwerffen, zu geben sey. Des Herrn Keisers Musik ist ehedessen schon unterschiedne mahl, mit der grössesten Approbation, aufgeführet worden. Des Herrn Matthesons dies Jahr zu zweien mahlen gehörte Musik[6] hat den Zuhörern derselben ein unsterbliches Andencken seiner Virtù überlassen. Nun aber ist man Willens, künfftigen Montag (in der Stillen Woche) des Herrn Händels, und Dienstags des Herrn Telemanns Musik aufzuführen etc."

Inzwischen sind die händelschen Opern zum Theil, so wie die meisten abgefaßt, in italienischer Sprache hier aufgeführet worden; zum Theil aber, durch Übersetzungen und Einflickungen, der grössesten Veränderung unterworffen gewesen. Das mag einen jeden Componisten billig abschrekken, nichts von seiner Arbeit an solche Oerter zu verschicken, da man nach eigenem Gutdüncken verfährt, und das absens carens spielet. Auch eine Lehre! In allem werden 19. oder 20. dramatische Stücke alhier in Hamburg von ihm, in London aber vieleicht noch einige andre bekannt seyn, daraus die Arien dort in Kupffer gestochen, und ziemlich theuer sind.

Ums Jahr 1717. war Händel in Hanover, und wurde, wo mir recht, des damaligen Kron- und Chur-Printzens, itzigen Königs von Englands, Capellmeister. Ich erhielt auch zu der Zeit aus gedachtem Hanover Briefe von ihm, über die Zuschrifft der zwoten Eröffnung meines Orchesters, welches das Beschützte genannt wird, und ihm, nebst andern, gewidmet war. In Ansehung dessen sandte er mir 1719. noch umständlicher seine Gedancken darüber aus London, die bereits in der Critica musica pp. 210. 211. T. II. ihren Raum eingenommen haben. Eben damahls versprach er, mir die merckwürdigsten Vorfälle seines Lebens einzusenden: ich beklage aber sehr, daß solches noch gar nicht geschehen: sondern vielmehr, auf mein abermahliges Anhalten, da ich ihm weltbekannter maassen die Fingersprache dedicirte, am 5. August 1735. folgende Antwort eingelauffen ist:

„London den 29. Julius 1735.
Mein Herr,

Vor einiger Zeit habe ich einen von ihren verbindlichen Briefen erhalten; aber itzo empfange ich dero letztern, mit dem Fugen-Wercke selbst.

Ich dancke ihnen, Mein Herr, und versichre sie, daß ich für dero Verdienste alle Hochachtung hege: ich wünschte nur, daß mein Zustand etwas günstiger wäre, um Ihnen zu bezeugen, wie ich in der That geneigt bin, ihnen zu dienen. Dero Werck verdient die Aufmercksamkeit der Kenner, und so viel an mir ist, laß ich ihnen Recht wiederfahren.

Was übrigens die Sammlung meiner Lebens-Vorfälle betrifft, so ist mir unmöglich dieselbe zu bewerckstelligen, wegen der beständigen diesem Hofe und dem Adel zum Dienst gewidmeten Arbeit, die mich von aller andern abhält. Ich bin indessen mit sehr vollkommener Beträchtlichkeit etc."

[Neben seiner deutschen Übersetzung druckt Mattheson Händels Brief auch im französischen Original ab (vgl. 18. Juli 1735).]

Seit der Zeit, und zwar den 10. Nov. 1739., da der Hof und der hohe Adel, ja, die gantze Nation mehr auf den schädlichen Krieg, als auf Schauspiele und andre Lustbarkeiten bedacht, auch daher kein Vorwand zu nehmen war, geschah eine wiederhohlte, so höfliche, als vernünfftige, und mit vielen Bewegungs-Gründen begleitete Anregung; sie ist aber eben so fruchtloß abgegangen, als die vorigen. Man hat mir im Vertrauen melden wollen, es trachte dieser weltberühmte Mann so fleißig nach der Auflösung eines gewissen Canonis clausi, der sich anfängt: Frangit Deus omne superbum &c. daß er alles andre darüber aus den Augen setzet. Allein ich will für die Wahrheit sothanen Berichts im geringsten nicht Bürge werden.

Ich melde also nur was mir bekannt ist, und dessen ich mich gewiß, aus Briefen und Tagebüchern, erinnere, und mit Augen gewahr werde, worunter denn auch verschiedene Anthems oder Kirchenstücke gehören, absonderlich ein sehr berühmtes Te Deum &c. so verschieden mahl mit Ruhm in London aufgeführet; allein es ist, meines Wissens, nicht gedruckt worden. Hergegen hat er, unter andern, 1720. daselbst in Kupffer stechen lassen: VIII. Suites de Pieces pour le Clavecin, die sehr schön, und hernach fortgesetzet oder vermehret worden sind. Diese Sachen aber, samt obigen Opern-Arien, alle zu verschreiben, hat mich der hohe Preiß abgehalten. Inzwischen hätte ein Mann, dem ich so viel gütliches bey seinem ersten, ziemlich schwachen, Ausfluge erwiesen, dem ich auch so gar, nebst schuldigen Ehrenbezeugungen in meinen Schrifften, nicht nur das beschützte Orchester, sondern noch jüngsthin ein beträchtliches Kupfferwerck öffentlich zugeeignet, und ihm, nicht ohne Kosten, als einem hohen Kunst-Fürsten, übergesandt habe, wenigstens wo nicht mir, doch der ihn verehrenden musikalischen Welt, eine oder andre ordentliche Probe, oder nur Nachricht von seinen rühmlichen Profeßions-Geschäfften mittheilen mögen. Denn wir sind gleichwohl Mitglieder einer Oper, Spiel- und Spieß-Gesellen, Reisegefährten und Tischgenossen gewesen, die wir freundlich mit einander waren unter uns, wir wandelten im Hause Gottes zu Hauffen. (in company.)

Einmahl ging die Rede, daß es, wegen der Italiäner Tücke und Verfolgung, sehr mit ihm auf die Neige gerathen wäre. Das war kurtz vor der Zeit, da er mir, obgedachter maassen, seine ungünstigen Umstände[7] im Briefe anführte. Und man schrieb uns von glaubwürdiger Hand, daß, wenn sich der Königliche[8] Beutel selbst seiner nicht angenommen hätte, welches bey Überreichung der Partitur einer neuen Oper geschehen, es vieleicht schlecht würde ausgesehen haben. Er hat übrigens, so viel ich erfahren, ausser der Unterweisung bey den Prinzeßinnen, keine gewisse Bestallung oder Bedienung bey Hofe; sondern führet seinen Staat, und zwar keinen geringen, von Opern, Concerten, ausserordentlichen Krönungs- und andern dergleichen Musiken.

Der König von England hält, als König, keinen ausländischen so genannten Capellmeister; sondern seine gantze Kirchenmusik muß mit einheimischen Leuten, ordentlicher Weise, besetzt seyn. Die Capelle bestehet aus einem vorgesetzten Musikmeister und 23. Untergebenen, die auf Ihro Maj. Unkosten jährlich in besondre Liberey gekleidet werden. Man schrieb an die hiesige Gesandtschafft aus der Königl. Kantzeley, von Whitehall, den 9. 20. August 1729. folgenden gantz sichern Bericht: „Es hat Sr. Maj. gefallen, dem Johann Eccles,[9] Schildknappen, Meistern der Königl. Musik, und 23. andern Königlichen Musikanten, jedem derselben jährlich zur Liberey, so lange sie in Dero Diensten verharren, darreichen zu lassen, 14. engländische Ellen Kamelot, zu einem langen, priesterlichen Oberrock; 3. dergleichen Ellen, schwartz Sammit, solchen Rock zu säumen und einzufassen; 1. Peltzfutter von Lammsfellen; 8. engländische Ellen schwartz Dammast, zum Unterkleide oder Camisol; 8. dito feine Baumseide, zum Unterfutter; 3. dito Sammit zum Wammes, und 3. dito Parchim zu dessen Unterfutter." Da es nun solche Beschaffenheit mit der engländischen Capelle hat, so stehet leicht zu schliessen, daß Händel gar keinen festen Theil daran habe. Ein jeder neuer König in England macht, beym Antritt seiner Regierung, oder nicht lange hernach, eine Verordnung gleichen Inhalts, die sich auf Parlaments-Acten gründet, und worin, ohne dessen Einwilligung, nichts hauptsächliches

geändert werden darff. Ein solches Decret wird von so grosser Wichtigkeit zu seyn erachtet, daß alle auswärtige Gesandten der Krone Nachricht davon bekommen.

Händel that sonst vor einigen Jahren, ich glaube 1729., wie er, aus Betrieb der Welschen, Mangel an Sängern litte, eine Reise nach Dresden etc. um gute Stimmen sich zu bewerben: er soll auch, wie ich vernommen, durch Hamburg gegangen seyn: Heidegger, damahliger Unternehmer der londonschen Singspiele, begab sich in eben der Absicht nach Italien; richtete aber, so viel man weiß, wenig aus. Johann Gottfried Riemschneider, unser bester Baritonist, nunmehro Cantor am hamburgischen Dom, begab sich zwar am Ende des gedachten Jahres nach London, und sang daselbst in den Opern; kam aber im August 1730. wieder hieher.

Bald hat man sagen wollen, Händel sey Licentiatus, bald er sey Doctor der Musik geworden: bald aber, er habe, bey seiner Anwesenheit zu Oxford, diese letztere Würde, in aller Höflichkeit, von sich abgelehnet u.s.w. Allein, ohne seinen Beifall, ist dieserwegen nichts gewisses zu bestimmen. Man hat auch noch nicht vernommen, daß er verheirathet sey: es wäre sonst hohe Zeit; nur dieses ist offt in den engländischen Hof-Zeitungen gemeldet worden, daß ihm von einigen Privat-Personen, in den Gärten zu Vaux-Hall, eine marmorne Ehren- und Bildsäule errichtet worden: welches schon was beträchtliches ist. Es werden in diesen Gärten, dahin jedermann gehen und sich erlustigen kann, viele Concerte für Geld gehalten.

Endlich können die nie zu hoch getriebene Lobsprüche unsers weltberühmten Händels in meinen Schrifften, als z. E. in der Critick, im musikal. Patrioten, im Kern melodischer Wissenschafft, im vollkommenen Capellmeister u. s. w. mittelst der Register, nachgeschlagen und vielfältig angetroffen werden: so daß es nur was überflüßiges seyn würde, selbige hier zu wiederholen.

Dignum laude virum Musa vetat mori.

[1] Ich weiß gewiß, wenn er dieses lieset, er wird im Hertzen lachen: denn äuserlich lacht er wenig. Insonderheit falls er sich des Taubenkrämers erinnert, der mit uns damahls auf der Post nach Lübeck fuhr, ingleichen des Pasteten-Beckers Sohns, der uns beym Spielen die Bälge in der hiesigen Marie-Magdalenen Kirche treten muste. Das war den 30. Jul. 1703. da wir den 15. vorher zu Wasser ausgefahren gewesen. Und hundert dergleichen Vorfälle schweben mir noch in Gedancken.

[2] Der Sinn stand mir immer nach England: und siehe! ich fand es in Hamburg, mit mehr Bequemlichkeit.

[3] Die erste völlige Oper, Plejades, hatte ich schon componirt, dirigirt und die Hauptperson darinnen agirt, wie ich kaum 17. Jahr alt war.

[4] Nicht 1704. wie irrig im musikalischen Patrioten stehet, welches zu ändern bitte.

⁵ Um Anstössigkeiten zu vermeiden, sind diese Nahmen hier in der Ordnung angeführet worden, so wie die Compositiones, der Zeit nach, einander gefolget. (Sind des obigen Vorredners Worte.)

⁶ Ob ich gleich die letzte Composition gemacht, so ist sie doch theils besonders, theils öffentlich, zumahl 1718., vor der händelschen öffters aufgeführt worden; da doch diese längst hie war, so wohl, als die telemannische.

⁷ Ich glaube, er habe gedacht, daß ich etwa ein Geschenck von ihm erwartete. Aber, weit gefehlet! Man kann mich nicht besser regaliren, als wenn man dem Publico Gefälligkeiten erweiset.

⁸ S. den Vorbericht zur kleinen General-Baß-Schule p. 5.

⁹ In Johann Walsch (Königl. Instrumentmachers, zur güldenen Harffe und Oboe, in der Cathrinen-strasse, nahe dem Sommerset-Hause am Strande) Verzeichnissen von musikalischen Schrifften, findet sich unter andern Mr. Eccles's New Musick for opening of the Theatre, ingleichen in seinen Monthly Masks for August, 1706. ein seltsames Löwenlied von demselben Verfasser, welches einen Kehlsprengel von 14 Sangstuffen erfordert. Zu mercken ist, daß ihm, Amtswegen, der Titel Esquire oder Schildknap, welches mehr, als einen gemeinen Edelmann bedeutet, beigeleget wird: ob er gleich sonst bürgerlichen Standes wäre. So eben, da ich dieses schreibe, läufft Zeitung ein, daß im Dec. 1739. der berühmte Gordon, Professor der Musik im Greshamischen Collegio, gestorben, und ihm, wie man vermeinet, der Doctor Barrowby Jun. in solchem Amte nachfolgen werde. Um dieses Professorat wieder zu besetzen, sind seit dem 22. Jan. 1740. 12. Committirte von der Stadt London beschäfftiget gewesen, aus 12. Candidaten erstlich 6., aus diesen 6. hernach 3., und aus denselben ferner 2., nehmlich Mr. Gore und Mr. Broome zu erkiesen, von welchen beiden jeder 6. Stimmen gehabt, und der Ausschlag diesesmahl noch nicht erfolget, sondern biß auf den 27. ausgestellet ist. Es sind 3. Organisten mit auf der Wahl gewesen; aber weggefallen.

Den 23. Jan. dieses Jahres ist auch zu Westmünster im 90. seines Alters gestorben, Doctor Turner, Doctor der Musik.   [S. 93 ff.]

– Matthesons *Ehrenpforte* enthält die Biographien von 149 „ausgesuchten" Musikern. Geplant war das Werk seit 1714. Einige Musiker entsprachen Matthesons Bitten nicht, eine Autobiographie zu übersenden, unter ihnen Bach und Händel. Bach wurde deshalb nicht aufgenommen, Händels Biographie, die erste gedruckte Darstellung seines Lebens, verfaßte Mattheson selbst.

Mit dem „gewissen Haus", in das Händel „geführet wurde, wo alles der Musik äußerst ergeben war", ist das des englischen Residenten John Wyche (vgl. 7. November 1703) gemeint. Mattheson ging nicht nach England, sondern wurde Legationssekretär bei John Wyche. Über Herrn von Binitz, den angeblichen Begleiter Händels auf dessen Italienreise, ist nichts bekannt. Händels Brief vom 24. Februar 1719 wurde 1725 in Matthesons *Critica Musica* veröffentlicht. Matthesons Hinweis auf Händels Rätsel-Kanon zielt auf den Händel vorgeworfenen Hochmut.

(Cannon, 201)

Vgl. 18. Juli 1735

1740 (II)
Michael Richey, Huldigungsgedicht auf Johann Mattheson

Wer auf der Welt, was schreibenswürdig,
      treibet,
Verdient, daß der ihn lobt, der lesenswürdig
      schreibet.
Und dennoch hat es Euch, Ihr hochberühmte
      Geister,
Ihr in der Götter-Kunst unsterblich grosse
      Meister,
An tapfern Federn fast gefehlt,
Die Euch im Musen-Reich den Helden
      zugezählt.
Gerad' als müste sich der Weisheit schönstes
      Stück
Verworfner Eitelkeit zu frohnen nur
      bequemen,
Und dürfte nimmermehr am viel zu eignen
      Glück
Gelehrter Pächter Antheil nehmen.
Gerad' als würd' ein Telemann,
Ein Keiser, Hurlebusch, ein Kuhnau, Händel,
      Hasse,
Und was ich unbenannt / nicht unbewundert
      lasse,
An jedem Ort', in jedem Jahr gebohren / .
Und hätte der, der mehr als ein Pedante, kann,
Bey Ehren-Pforten nichts verlohren.
Nun rächt Apollo sich und Euch;
Indem mein Matheson die güldnen Säulen
      gründet,
Worauf Ihr, nach Verdienst, erhabne Stellen
      findet;
Ein Mattheson, dem wenig Geister gleich,
Der, da Er selbst durch Fleiß, durch
      hochbeliebte Schriften,
Durch reger Fäuste Wunderthat,
Die Ewigkeit vorlängst erworben hat,
Nunmehr auch andern will ein ewigs Denckmal
      stifften.

...

Den 26. August. 1740.
Zu Ehren dem vortrefflichen und unermüdet verdienenden Herrn Mattheson schrieb dieses Michael Richey, P. P.

– Das Gedicht erschien als Einzeldruck nach der Veröffentlichung von Johann Matthesons *Grundlage einer Ehrenpforte*. Es wurde abgedruckt in der *Staats- und Gelehrten Zeitung des Hamburgischen unpartheyischen Correspondenten* (6. September 1740, Nr. 143) zusammen mit dem Hinweis auf das Erscheinen der Ehrenpforte. Matthesons Handexemplar sind beide Drucke beigefügt.
(Mattheson/Schneider Anhang 48 ff.)

1740 (III)

[Louise Gottsched?] Besprechung von: Der Critische Musikus, herausgegeben von Johann Adolph Scheiben ..., Leipzig 1740

Uebrigens freuen wir uns, daß sich der gute Geschmack und sonderlich die Reinigkeit der deutschen Schreibart, auch in der Musik so stark ausbreitet, zumal da Deutschland heute zu Tage in der praktischen Musik es mit allen Ländern der Welt aufnehmen kann. Man verehret einen deutschen Händel in England; Hasse wird von den Italiänern bewundert: Telemann hat sich neulich in Paris nicht wenig Ehre und Beyfall erworben, und Graun machet gewiß unserm Vaterlande bey allen Kennern seiner Stücke viel Ehre. Was soll ich von Bachen und Weißen sagen? Anderer geschickten Männer zu geschweigen, die wir den Ausländern entgegen setzen könnten?   [S. 465]

– Die anonyme Besprechung wird Louise Adelgunde Victorie oder Johann Christoph Gottsched zugeschrieben. Sie ist abgedruckt in: *Beyträge zur Critischen Historie Der Deutschen Sprache, Poesie und Beredsamkeit ... Drey und zwanzigstes Stück.*
(Bach-Dok., II, 387)

1741

3. Januar 1741
Johann Ludwig Krebs, Andere Piece, Bestehend In einer leichten, und nach dem heutigen Gusto, Wohl-eingerichteten Svite, Denen Liebhabern der edlen Music, Besonders des Claviers, Componiret ... Von Johann Ludwig Krebs, Organist bey der Haupt-Kirche zu St. Marien, in Zwickau.

Geneigte Music-Gönner, und Freunde!
Da ich vor nunmehro einem Jahr meine erste Piece in sechs leichten Praeambulis heraus gehen ließ; so ist solche unter Gottes Segen nach Wunsch abgegangen. Dahero ich mich entschlossen, die andere Piece, welche in einer Svite bestehet, wieder heraus zu geben. Es ist mir zwar nicht unbekandt, daß schon sehr viele Clavier-Sachen von grossen Meistern, als Herrn Hof-Compositeur Bach, Herrn D. Händel, und Herrn Capell-Meister Hurlebusch, vieler anderer rechtschaffener Männer zu geschweigen, welche sich durch ihre ausserordentliche Virtu bey nahe unsterblich gemacht haben, heraus gegeben worden; so habe ich doch auch ... das wenige Talent, so ich von der gütigen Hand meines Gottes empfangen, nicht ... vergraben, sondern vielmehr dem Dienste meines Nächsten widmen wollen.
(Bach-Dok., II, 389)

– Die Vorrede ist „Zwickau, den 3. Jan. 1741." datiert.

10. Januar 1741
The London Daily Post

At the Theatre-Royal in Lincoln's Inn Fields, this Day, will be perform'd a New Opera, call'd Deidamia. ... To begin at Half an Hour after Six o'Clock.
(Burney, II, 828, 830 f.)

– Der Text zu Händels letzter Oper stammt von Paolo Antonio Rolli. (Händel und Rolli hatten sich offensichtlich wieder versöhnt.)
Wiederholungen: 17. Januar und 10. Februar 1741.
Das Textbuch trägt den Titel: *Deidamia. Melodrama di P. R. F. R. S.*
Besetzung:
Deidamia – Elisabeth Duparc, Sopran
Nerea – Signora Monza, Sopran
Achille – Miss Edwards, Sopran
Ulisse – Giovanni Battista Andreoni, Sopran
Fenice – William Savage, Baß
Lycomede – Thomas Reinhold, Baß
(Strohm 1975/76, 148 f.; Händel-Hdb., I, 501 f.)

14. Januar 1741
The London Daily Post

In a short Time will be publish'd, The Opera of Deidamia in Score. Compos'd by Mr. Handel. The Price to Subscribers is Half a Guinea, to be paid at the Time of Subscribing.
Subscriptions are taken in by J. Walsh.

– Walshs letzter Subskriptions-Aufruf blieb ohne Erfolg. Am 29. Januar veröffentlichte er den I. Akt, am 21. Februar 1741 dann die annähernd vollständige Partitur.
Ein Subskribentenverzeichnis existiert nicht. Der Preis betrug 10 Schilling, 6 Pence.

28. Januar 1741
The London Daily Post

For the Benefit of Mr. Christopher Smith, Sen.
At the New Theatre in the Hay-market, on Tuesday next [3. Februar], will be perform'd A Grand Concert of Vocal and Instrumental Musick. ... The Vocal Parts to consist of several of Mr. Handel's Chorus's.
Vgl. 3. Februar 1741

29. Januar 1741
John Walsh zeigt in der *London Daily Post* die
„First Collection" mit Arien aus Händels *Deidamia*
zum Preis von 4 Schillingen an.
(Chrysander, II, 455; Smith 1960, 22)

Vgl. 14. Januar und 21. Februar (I) 1741.

31. Januar 1741
The London Daily Post

At the Theatre-Royal...this Day, will be perform'd
L'Allegro, il Penseroso ed il Moderato. With
several New Additions and Concertos on the Organ, and several Instruments. ... The Pit and Gallery Doors will be open'd at Four o'Clock. And the
Boxes at Five. To begin at Half an Hour after Six
o'Clock.
(Schoelcher 1857, 233)
Wiederholungen: 7. und 21. Februar und 8. April
1741.

– Als Einleitung zu den drei Teilen erklangen ein
Orgelkonzert und zwei Concerti grossi. Die Solisten waren die Sänger der *Deidamia*-Aufführung
und der Tenor Corfe.
In der Aufführung am 8. April 1741 erklang anstelle von *Il Moderato* die *Ode on St. Cecilia's Day;*
wahrscheinlich sangen Andreoni und Monza nicht
mehr mit.
(Hall 1969)

2. Februar 1741
In der *London Daily Post* kündigt John Walsh *L'Al-
legro, Il Penseroso ed Il Moderato* an. Die neue Auf-
lage bringt die Stücke in anderer Reihenfolge.
(Smith 1954, 295; Smith 1960, 94)
Vgl. 13. Mai 1740

3. Februar 1741
The London Daily Post

For the Benefit of Mr. Christopher Smith,
sen....At the New Theatre in the Hay-market, this
Day will be perform'd a Grand Concert of Vocal
and Instrumental Musick. ... The Vocal Parts to
consist of several of Mr. Handel's Chorus's.
(Smith 1953, 13)

5. Februar 1741
In einem Benefizkonzert in Hickford's Great
Room für John Lyne werden Ouvertüre und
Trauermarsch aus Händels *Saul* gespielt *(The Lon-
don Daily Post).*

7. Februar 1741
Baron Bielfeld an Baron K... in Berlin

London, den 7. Februar 1741
...Während meiner ersten Reise nach London im
Jahre 1736 fand ich dort zwei italienische Opern-

truppen vor. Der berühmte Mr. Handel leitete die
eine und hatte als wichtigste Sänger Signor Conti-
Giziello und Signora Strada, sowie einen wunder-
baren Baß. Abgesehen davon war sein Opernhaus
bekannt für die Qualität der Musik, welche vollkommen war. Dieser englische Orpheus diktierte
die Harmonie selbst [leitete vom Cembalo aus]. Er
hatte jedoch einen schrecklichen Rivalen, Mr. Heidegger, den Unternehmer einer anderen Operntruppe am Haymarket-Theater. Letzterer bot dem
Publikum die besten Werke der Herren Hasse und
Porpora und ließ sie aufführen von den Herren
Farinelli, Senesino und Madame Cuzzoni. Die
hervorragende Geschicklichkeit der Komponisten,
die außerordentliche Qualität der Stimmen, die
Rivalität in der Aufführung – all dieses machte
damals London zum Zentrum der musikalischen
Welt. Aber heute scheint es, als ob Euterpe die
Küsten Albions verlassen habe, und uns nichts zu-
rückgeblieben ist als das Oratorium, das heißt,
eine Art geistliches Konzert, welches Mr. Hendel
gelegentlich veranstaltet.
(Bielfeld 1765, I, 266 f.)

– Der Diplomat Jakob Friedrich Freiherr von Bielfeld, der sich auch schriftstellerisch betätigte,
wurde 1740 Sekretär der Preußischen Gesandt-
schaften in Hannover und London. 1741 hielt er
sich bis Mai in London auf. Der Brief ist wahrscheinlich an Baron Knobelsdorff gerichtet (vgl.
10. März 1741).
1736 spielte das Händelsche Opern-Ensemble in
Covent Garden, die Opera of the Nobility im
Haymarket Theatre. Der erwähnte Bassist könnte
Waltz oder Reinhold gewesen sein.

10. Februar 1741
Mit der dritten und zugleich letzten Aufführung
von *Deidamia* (vgl. 10. Januar 1741) nimmt Händel
endgültig Abschied von der Opernbühne.

14. Februar 1741
In Dublin werden in der St. Andrew's Church
Händels *Utrecht Te Deum* und *Jubilate* sowie zwei
seiner [Coronation] Anthems aufgeführt (*Dublin
Gazette,* 17. Februar 1741).

– Die Aufführung fand „with the greatest De-
cency and Exactness, for the Support of Mercer's
Hospital" statt. Unter den Zuhörern waren „the
Lord Justices and a great number of Persons of the
First Quality and Distinction". Die Predigt hielt
der Bischof von Ferns, George Stone.
(*Dublin Gazette,* 17. Februar 1741)

21. Februar 1741 (I)
The London Daily Post

This Day is published, The whole Opera of Deidamia in Score. Compos'd by Mr. Handel....Those
Gentlemen, &c. who have the first Act of the

above Work, may have the remaining Part separate to compleat their Opera. Printed for J. Walsh.
(Chrysander, II, 455)

21. Februar 1741 (II)
Die Aufführung von *L'Allegro* (vgl. 31. Januar 1741) findet „By Command of their Royal Highnesses the Prince and Princess of Wales" statt *(The London Daily Post)*.

26. Februar 1741
The London Daily Post

For the Benefit of Mr. Valentine Snow.
At the New Theatre in the Hay-market, this Day, will be perform'd A Grand Concert of Vocal and Instrumental Musick, By the best Hands. Particularly … the Dead March in Saul to be perform'd with the Sackbuts. To which will be added, set to Musick by Mr. Handel, Dryden's Ode on St. Cecilia's Day. The principal Voice-Part to be perform'd by Mrs. Arne.

– Valentine Snow war ein bekannter Trompeter und später Mitglied der englischen Hofmusik, „Sackbut" ist die alte englische Bezeichnung der Posaune.

27. Februar 1741
In einem Konzert in Hickford's Great Room wird „A Concerto of Mr. Handel's on the Harp by Mr. Parry" gespielt *(London Daily Post)*.
(Chrysander, III, 158)

– John Parry, Harfenist von Sir Watkin Williams Wynne, Wynnstay, spielte vermutlich das Concerto B-Dur (op. 4 Nr. 6), das Händel 1735/36 für Mr. Powell jun., wahrscheinlich ein Gründungsmitglied des Fund for the Support of Decayed Musicians, komponiert hatte. Parry, dessen Spiel Händel bewundert haben soll, wiederholte sein Konzert am 13. März 1741.

28. Februar 1741 (I)
The London Daily Post

At the Theatre-Royal…this Day, will be perform'd Acis and Galatea, A Serenata. With Concertos on the Organ, and other Instruments. And a Concerto by Signor Veracini. … To begin at Half an Hour after Six o'Clock.
(Schoelcher 1857, 233)

– Aufgeführt wurde die englisch-italienische Fassung von 1732 (Dean 1959, 178). Das vermutlich von Francesco Veracini gespielte Concerto erklang möglicherweise anstelle der *Ode for St. Cecilia's Day*, die ursprünglich zwar angekündigt worden war *(London Daily Post*, 26. und 27. Februar), aber mit Rücksicht auf die Aufführung am 26. Fe-

bruar im Haymarket Theatre abgesetzt worden sein könnte. Bei der Wiederholung am 11. März wurde die Ode wieder aufgeführt.
(Smith 1948, 229; Dean 1959, 177 ff.)

28. Februar 1741 (II)
Earl of Egmont, Diary

Went … to hear Hendel's mask of Acis and Galatea, with Dryden's Ode.
(Egmont MSS., III, 196)

28. Februar 1741 (III)
John Walsh zeigt in der *London Daily Post* „Acis and Galatea a Serenade; and the Songs in Dryden's New Ode" an.
(Smith 1948, 229)

4. März 1741
Die Academy of Ancient Music führt Purcells *King Arthur* und Händels *Funeral Anthem for Queen Caroline* auf.

– Einziger Beleg für diese Aufführung ist das gedruckte Textbuch (University Library Cambridge. Sammlung Gerald Coke).

10. März 1741
Baron Bielfeld an Baron Knobelsdorff in Berlin

London, den 10. März 1741.
… England hat niemals irgendwelche großen Maler, Bildhauer, Kupferstecher, Musiker oder andere Künstler von außerordentlichem Verdienst hervorgebracht. Sir Godfrey Kneller, der sich in der Porträt-Malerei auszeichnete und in der Westminster-Abtei neben den königlichen Gräbern beigesetzt ist, war Deutscher. Das ist auch der Fall mit Mr. Hendel, von dem ich Ihnen berichtete…
(Bielfeld 1765, I, 306)

– Georg Wenzeslaus von Knobelsdorff war seit 1740 Oberintendant der königlichen Gärten und Schlösser in Preußen. Zu seinen bedeutendsten Bauwerken gehören das Berliner Opernhaus und Schloß Sanssouci bei Potsdam.
Eine ähnliche Haltung kommt auch in Klopstocks Gedicht *Wir und Sie* (1766) zum Ausdruck, dessen Kneller und Händel betreffende Strophen lauten:

> Wen haben sie, der kühnen Flugs,
> Wie Händel Zaubereyen tönt?
> Das hebt uns über sie!

> Wer ist bei ihnen, dessen Hand
> Die trunkne Seel' im Bilde täuscht?
> Selbst Kneller gaben wir!

14. März 1741 (I)
The London Daily Post

Hay-Market.
For the Benefit and Increase of a Fund establish'd

for the Support of Decay'd Musicians and their Families.

At the King's Theatre in the Hay-market, this Day, will be perform'd (with the Original Scenes and Habits) Parnasso in Festa. Compos'd by Mr. Handel for her Royal Highness the Princess of Orange's Wedding. ... To begin at Half an Hour after Six o'Clock.

(Schoelcher 1857, 233 f.)

– Die Serenata war am 13. März 1734 im Haymarket Theatre zum erstenmal und am 9. März 1737 in Covent Garden sowie am 8. November 1740 in Lincoln's Inn Fields erneut aufgeführt worden. In den Pausen spielten die Mitglieder des Fund Carl Friedrich Weidemann, John Clegg, Andrea Caporale, John Miller und Giovanni Battista Sammartini Instrumentalwerke vermutlich anderer Komponisten.

(Chrysander, III, 17)

14. März 1741 (II)
The London Daily Post

Drury-Lane.
By Command of their Royal Highnesses the Prince and Princess of Wales. ... For the Benefit of Mrs. Clive. To-day, March 14. ... The Universal Passion. Alter'd from Shakespeare.
With Entertainments of Singing and Dancing, particularly The favourite Airs out of the L'Allegro il Penseroso compos'd by Mr. Handel, to be sung by Miss Edwards.

(Schoelcher 1857, 235)

– Der Verfasser der Komödie war James Miller. Das Stück wurde seit 1737 im Drury Lane Theatre gespielt (vgl. 28. Februar 1737).
Kitty Clive sang wahrscheinlich das von Händel für sie komponierte Lied „I like the am'rous Youth that's free".

14. März 1741 (III)
Earl of Egmont, Diary

Went to the Haymarket, to a music in favour of poor musicians' widows.
(Egmont MSS., III, 199)
Vgl. 14. März 1741 (I)

18. März 1741
Saul wird im Lincoln's Inn Fields Theatre „With Concertos on the Organ, and several Instruments" aufgeführt (London Daily Post).

4. April 1741
The London Daily Post

To the Author, &c.
Sir,
At a Time when Party runs so high, and Politicks seem to have taken up not only all our publick Papers, but the Attention also of the Bulk of Mankind, it may seem strange to you to receive a Letter on the Subject of Musical Performances. ...

I have been led into this Way of thinking [über die Macht der Musik] by one of Mr. Handel's Bills for Wednesday next [8. April], when we are to have his last Oratorio at Lincoln's-Inn-Fields. He has charmed me from my Childhood to this Day, and as I have been so long his Debtor for one of the greatest Joys our Nature is capable of, I thought it a Duty incumbent upon me at this Time, when it is become a Fashion to neglect him, (unknown as his Person is to me) to recommend him to the public Love and Gratitude of this great City, who have, with me, so long enjoyed the Harmony of his Composition. Cotsoni, Faustina, Cenosini, and Farinelli, have charmed our Ears: We ran mad after them, and entered into Parties for the one or the other with as much Vehemence as if the State had been at Stake. Their Voice indeed was grateful to the Ear; but it was Handel gave the Persuasion; it was his Composition that touched the Soul, and hurried us into the mad Extremes of Party-Rage for the particular Performers. His Influence prevailed, tho' his Power was invisible; and the Singer had the Praise and the Profit, whilst the Merit, unobserved, and almost unrewarded, was the poor, but the proud Lot of the forgotten Master.

Is there any Nation in the World, where the Power of Musick is known, in which Handel is not known? Are we not, throughout the Earth, distinguished by the envied Title of Encouragers of Arts and Sciences? and whilst they talk of the great Genius's which we have either produced or possessed, is Handel ever forgot amongst them? And shall we then, after so many Years Possession, upon a single Disgust, upon a faux Pas made, but not meant, so interely abandon him, as to let him Want in a Country he has so long served? in a Country of publick Spirit, where the polite Arts are in so high Esteem, and where Gratitude and Rewards have so remarkably accompanied the Merit of those who have excelled in them, that the great Genius's of other Countries have often even regretted that Part of their Fate, which gave them Birth in any other Place. It cannot be! if we are not careful for him, let us be for our own long-possessed Credit and Character in the polite World; and if old Age or Infirmity; if even a Pride so inseparable from great Men, a Pride which in Horace produced an Exegi Monumentum, in Ovid a Jamque Opus Exegi; a Pride which placed the Sphere and Cylinder on the Monument of Archimedes, and one of Corelli's Tunes as an Epitaph upon his Tomb-Stone; if even such a Pride has offended, let us take it as the natural Foible of the great Genius, and let us overlook them like Spots upon the Sun, which, Spots as they are, do not eclipse or obscure his great Talent.

You may, by this Time, Sir, easily see what I mean
by this Letter; I wish I could urge this Apology to
its full Efficacy, and persuade the Gentlemen who
have taken Offence at any Part of this great Man's
Conduct (for a great Man he must be in the Musical World, whatever his Misfortunes may now too
late say to the contrary:) I wish I could persuade
them, I say, to take him back into Favour, and re-
lieve him from the cruel Persecution of those little
Vermin, who, taking Advantge of their Displeasure, pull down even his Bills as fast as he has
them pasted up; and use a thousand other little
Arts to injure and distress him. I am sure when
they weigh the Thing without Prejudice, they will
take him back into Favour; but in the mean time,
let the Publick take Care that he wants not: That
would be an unpardonable Ingratitude; and as this
Oratorio of Wednesday next is his last for this Season, and if Report be true, probably his last for
ever in this Country, let them, with a generous
and friendly Benevolence, fill this his last House,
and shew him on his Departure, that London, the
greatest and richest City in the World, is great and
rich in Virtue, as well as in Money, and can pardon and forget the Failings, or even the Faults of a
great Genius.
The Performance itself (the Musick as well as the
Poetry) is noble and elevated, well devised, and of
great Propriety. The Musician and the Poet walk
Hand in Hand, and seem to vie which shall better
express that beautiful Contrast of Mirth and Melancholy, which you have quite thro' the Allegro
and Il Penseroso, and the happy Success which
Mr. Handel has had in the Composition of this
particular Piece, will appear, to any one, who lis-
tens with Attention to it, the strongest Argument
for the Truth of what I have said, That Musick is
really a Language understood by the Soul, tho'
only a pleasing Sound to the Ear.
I heartily wish, that all the polite Part of his disgusted Friends, may do him the Honour of their
Attendance; in which Case, I doubt not but he will
have the Fate of the Swan, who, just under the
Knife of the Cook, was saved by the Sweetness of
his last melancholy melodious Song. This, at least,
I'm sure of, that they will generously consider how
many the Misfortunes are, which the declared Displeasure of so many Gentlemen of Figure and
Weight, must necessarily draw upon a Man in his
publick Way of Life, and that they will reflect
upon the Frog in the Fable, who, whilst the Boys
wantonly pelted him with Stones, cry'd out to
them in his Hoarse Voice, Good Gentlemen forbear, it may be Sport to you, but it is Death to me.
I am, Sir,
Your most humble Servant,
J. B.
(Schoelcher 1857, 234f.; Chrysander, III, 140ff.)
Vgl. 18. April 1739

– Der nicht identifizierte Schreiber J. B., der irrtümlich Farinelli als einen Sänger Händels bezeichnet, war offensichtlich mit den musikalischen Ereignissen der letzten Jahre im einzelnen
nicht vertraut. Gerüchte über eine eventuelle Absicht Händels, England zu verlassen, kursierten
gelegentlich in London. Unklar bleibt, wen Händel beleidigt haben soll und worin diese Beleidi-
gungen bestanden. Wahrscheinlich meint der Verfasser nur die allgemeine Entfremdung zwischen
Händel und dem Londoner Publikum. Nach *L'Allegro, il Penseroso ed il Moderato* (vgl. 9. Februar
1740) hatte Händel kein neues Oratorium komponiert, und seine letzten Opern waren wenig erfolgreich gewesen.

4. April 1741 (II)
Thomas Dampier an Oberst William Windham in
Genf

Amsterdam, 4 April 1741
Mr. [Benjamin] Tate says he won't fail sending
you next post an account of Locatelli. He plays
with so much fury upon his fiddle that, in my
humble opinion, he must wear out some dozen of
them in a year; for my part I look upon him to be
as great a player as Handel, tho' this latter be so
much bigger and taller.
(Ketton, 202; Clemens, 158)

– Reverend Dr. Dampier wurde später Sub-Master
von Eton und Dean von Durham. Er befand sich
1741 zusammen mit Tate und anderen englischen
Gelehrten auf Reisen. Der Violinvirtuose und
Komponist Pietro Locatelli hatte sich spätestens
1729 in Amsterdam niedergelassen. Auch Tate berichtete seinen Freunden brieflich über Locatelli,
sein Brief wurde aber nicht veröffentlicht (Ketton,
203).
(Anecdotes, 44, 46 und 63 f.)

8. April 1741 (I)
The London Daily Post

At the Theatre-Royal … this Day, will be perform'd
L'Allegro, ed il Penseroso. With Concertos on the
Organ, and several Instruments. To which will be
added, Mr. Dryden's last New Ode.
This being the last Time of performing, many Per-
sons of Quality and others, are pleas'd to make
great Demands for Box Tickets, which encourage
me (and hope will give no Offence) to put the Pit
and Boxes together, at Half a Guinea each. First
Gallery 5s. Second Gallery 3s.
To begin at Half an Hour after Six o'Clock.
(Schoelcher 1857, 233 f.)

– Da Andreoni und Signora Monza möglicherweise nach der Aufführung von *Il Parnasso in Festa*
London verlassen hatten (vgl. 14. März 1741/I),
führte Händel *L'Allegro* wieder in der englisch-
sprachigen Fassung auf.

Es war das letzte Konzert Händels in dieser Saison und zugleich sein Abschiedskonzert vor seiner Reise nach Irland.
(Hall 1969, 60 f.)

8. April 1741 (II)
Earl of Egmont, Diary

I went to Lincolns Inn playhouse to hear Hendel's music for the last time, he intending to go to Spa in Germany.
(Egmont MSS., III, 210)

– Händel ging nicht „to Spa" [Aachen?], sondern im Herbst 1741 nach Irland.

11. April 1741
Anne Donellan an Elizabeth Robinson

… The only show we have had since you left us was for Handel, his last night, all the fashionable people were there.
(Montagu 1906, II, 70)

– Elizabeth Robinson hatte sich mit Anne Donellan und der Herzogin von Portland in London aufgehalten.

18. April 1741
The London Daily Post

This day is publish'd, price 4s. The favourite Songs in the Operetta call'd Hymen, in Score, composed by Mr. Handel. J. Walsh.
(Chrysander, II, 454)

– Diese Ausgabe enthält 15 Stücke aus Imeneo.
(Smith 1960, 35 f.)

1. Juli 1741

Händel komponiert das Kammerduett „Quel fior che all'alba ride" für zwei Soprane und Basso continuo.
Eintrag in der autographen Partitur (R. M. 20. g. 9.): „a Londra, a'1 di Luglio 1741. ☿ [Mittwoch] July ye 1. 1741."

3. Juli 1741

Händel komponiert das Kammerduett „No, di voi non vo' fidarmi" für zwei Soprane und Basso continuo.
Eintrag in der autographen Partitur (R. M. 20. g. 9.): „a Londra a'3 di Luglio. 1741. ♀ [Freitag] July ye 3. 1741."
Vgl. 2. November 1742

4. Juli 1741
Eine Londoner Zeitung

Cuper's Gardens.
By Desire of several Gentlemen and Ladies. This evening … will be perform'd the following Pieces of Musick, viz.: The Overture in Saul, with several grand Chorusses, Composed by Mr. Han-

del … the Fifth of Mr. Handel's new Grand Concertos; … The whole to conclude with a new Grand Piece of Musick, an Original Composition by Mr. Handel, called Porto Bello.
(Wroth, 250)

– Cuper's Gardens, um 1690 von Boyder Cuper am südlichen Themse-Ufer gegenüber von Somerset House angelegt, wurden eine Konkurrenz für Vauxhall Gardens und Marylebone, seit Ephraim Evans dort von 1738 bis 1740 Konzerte veranstaltete und seine Witwe das Unternehmen dann erfolgreich fortführte. Ebenso wie Daniel Gough in Marylebone errichtete er ein Podium für das Orchester und ließ von Richard Bridge eine Orgel aufstellen. Konzerte in Cuper's Gardens fanden vorzugsweise sonnabends statt. Im ersten von Evans' Witwe veranstalteten Konzert am 16. Juni 1741 wurde ein neues Orgelkonzert von Burgess gespielt. Das Konzert vom 4. Juli 1741 war vermutlich das erste mit einem Händel-Programm. Allerdings soll der blinde Harfenist Jones bereits bei Ephraim Evans Händel-Arien gespielt haben (Hawkins, V, 357).
Mit dem erwähnten Lied Porto Bello ist die Ballade Hosier's Ghost von Richard Glover gemeint, mit dem Textanfang: „As near Portobello lying". Die Ballade schildert die Einnahme des unverteidigten Porto Bello durch Admiral Vermon im November 1739. Die Melodie des Liedes war seit mindestens 1730 bekannt unter dem Titel The Sailor's Complaint („Come and listen to my ditty"). Mit Glovers Text wurde das Lied als Einzeldruck anonym veröffentlicht; 1754 erschien es in dem Sammelband The Muses' Delight (S. 190) sowie 1757 in der Sammlung Apollo's Cabinet (II, 190) unter Händels Namen.
Vgl. 18. Juli 1741, 25. August 1744, 23. Mai 1748 und 4. September 1749
(Smith 1960, 172; Händel-Hdb., II, HWV 228[6])

10. Juli 1741
Charles Jennens an Edward Holdsworth

Handel says he will do nothing next Winter, but I hope I shall perswade him to set another Scripture Collection I have made for him, & perform it for his own Benefit in Passion Week. I hope he will lay out his whole Genius & Skill upon it, that the Composition may excell all his former Compositions, as the Subject excells every other Subject. The Subject is Messiah. Six extravagant young Gentlemen have subscrib'd 1 000 £ apiece for the Support of an opera next winter. The Chief Castrato is to be Monticelli, the chief Woman Visconti; both of them, I suppose, your Acquaintance.
(Sammlung Gerald Coke)

– Daß Jennens sein Messiah-Textbuch „another Scripture Collection" nennt, könnte bedeuten, der

Text zu *Israel in Egypt* (vgl. 1. November 1738) sei auch von ihm aus dem Alten Testament kompiliert worden. Seine Hoffnung, Händel zur Komposition des *Messiah* bewegen zu können, widerlegt die verbreitete Meinung, dieser sei an der Zusammenstellung des Textes beteiligt gewesen.
(Hicks 1973)
Vgl. 30. Juli 1748

14. Juli 1741
The London Evening Post

This Day is publish'd A Second Edition of Twelve Grand Concertos for Violins, in seven Parts. Compos'd by George Frederick Handel. Opera Sexta ... Printed for and sold by John Walsh.
(Smith 1960, 222)

18. Juli 1741
The London Daily Post

Cupers Gardens.
This is to acquaint all Gentlemen and Ladies, that this Day will be perform'd Several curious Pieces of Musick compos'd by Mr. Handel, Signor Hasse, Mr. Arne, Mr. Burgess, &c. in which will be introduced the celebrated Fire Musick, as originally compos'd by Mr. Handel, in the Opera of Atalanta, with great Applause; the Fire-works consisting of Fire-wheels, Fountains, large Sky Rockets, with an Addition of the Fire-Pump, &c. made by the ingenious Mr. Worman, who projected the same at the above-mentioned Opera, and will be play'd off from the Top of the Orchestra by Mr. Worman himself.
N. B. Having added to the Band of Musick several curious Hands, the usual favourite Pieces will be likewise perform'd, viz. The Overture of Saul. ...
The Widow Evans hopes as her Endeavours are to oblige the Town, they will favour her Gardens with their Company.
(Wroth, 250)

– Das Programm wurde am 25. Juli und 1. August wiederholt. Die Wiederholungen wurden bis zum 28. Juli an jedem Wochentag angezeigt.

30. Juli 1741
Thomas Dampier an Freunde in Genf

Mitcham [Surrey], 30 July 1741.
... Don't you think it odd in him [Benjamin Tate] to trust me with talking of musick and Handel? They have had several conferences together, and I observed [Gasparo] Fritz's musick to lie before them, and that the great man frequently cried Bravo and sometimes bravissimo. He laughs very much at the opera which is preparing for next winter. He has refused to have anything to do in the matter. There are eight subscribers, each one

1,000 l. I can remember the names of some of them: Lord Middlesex, Lord Brooke, Lord Conway, Lord Holderness, Mr. Conway, Mr. Frederick, &c. Lord Middlesex it seems is the chief manager in the affair: the men of penetration give hints that his Lordship's sole aim is to make his mistress, the Muscovita, appear to great advantage upon the stage. With this intent, say they, he has taken care to hire singers with voices inferior to hers; and her's is not worth a farthing. Lord Brooke is quite easy in the matter. I believe he would pay a thousand pounds more rather than have anything to do in it in the character of manager.
(Ketton, 203)

– Der Brief ist an William Windham, dessen Hauslehrer Benjamin Stillingfleet und Thomas, Earl of Haddington, gerichtet.
Vgl. 4. April, 5. November, 19. Dezember (II) und 29. Dezember (II) 1741
Der in Genf geborene Geiger und Komponist Kaspar Fritz lebte zu dieser Zeit in London. Mit dem „great man" (vgl. Rollis „l'Uomo") meint Dampier zweifellos Händel. Außer Tate und Dampier hat vermutlich auch Robert Price (vgl. 19. Dezember 1741/II) an den Zusammenkünften teilgenommen. Lord Middlesex, der seit 1739 das New Theatre am Haymarket geleitet hatte (vgl. 28. November 1739), bezog jetzt das gegenüberliegende „alte" Haus, um dort eine neue Opera of the Nobility zu gründen. Heidegger hielt sich zurück, Rolli blieb jedoch noch mit dem Haymarket Theatre verbunden. Der Dichter Francesco Vanneschi wurde stellvertretender Direktor und Baldassare Galuppi der Komponist des Hauses. Dem Ensemble gehörten an: Signora Visconti (Sopran), die Soprankastraten Angelo Maria Monticelli und Signor Andreoni, der Tenor Angelo Amorevoli sowie Lucia Panichi (La Muscovita; vgl. 10. März 1739) und Signora Tedeschi (Burney, II, 838 f.).
Teilhaber von Lord Middlesex waren Francis Baron Brooke, Francis Seymour Baron Conway und sein Bruder, der Oberstleutnant und spätere Feldmarschall Henry Seymour Conway, Robert d'Arcy, 4. Earl of Holderness, Gouverneur von North Riding (Yorkshire), und John Frederick, ein hoher Steuerbeamter. Walpole nennt noch weitere Namen (vgl. 5. November 1741).
Lord Middlesex soll versucht haben, Giuseppe Tartini für das neue Unternehmen zu gewinnen. Dieser habe jedoch trotz des Angebots von 3 000 £ abgelehnt.

1. August 1741
The Norwich Mercury

[London,] July 28. We hear, that at Cuper's Gardens last Saturday Night [25. Juli], among several favourite Pieces of Musick, Mr. Handel's Fire-

Musick, with the Fire-works, as originally perform'd in the Opera of Atalanta, were receiv'd with great Applause, by a numerous Audience.
(Schoelcher 1857, 184)

22. August 1741
Händel beginnt mit der Komposition des *Messiah.*
Eintrag in der autographen Partitur (R.M.20. f.2.):
„♄ [Sonnabend] angefangen den 22 August 1741"
Vgl. 10.Juli 1741

August 1741
In Braunschweig wird *Giustino* unter dem Titel *Justinus* aufgeführt.
(Loewenberg, Sp. 189)

– Die Texte der Rezitative und Chöre übersetzten Christian Ernst Simonetti und Georg Caspar Schürmann ins Deutsche. Schürmann komponierte die Rezitative und Chöre neu. Die Arien wurden italienisch gesungen.
(Schmidt 1929, 23; Stompor, 86)

7. September 1741
Eine Londoner Zeitung

We hear from Italy that the famous singer, Mrs. C–z–ni is under sentence of death to be beheaded, for poisoning her husband!
(Schoelcher 1857, 78; Smith 1950, 131)

– Diese Nachricht war nur ein Gerücht. Ob Francesca Cuzzoni mit Giuseppe Sandoni oder mit San-Antonio Ferre, oder aber mit beiden verheiratet war, ist nicht erwiesen.
Vgl. 22.Dezember 1722 und 11.Januar 1725 sowie 18.Mai 1750 und 20.Mai 1751

14. September 1741
Händel beendet das Oratorium *Messiah.*
Einträge in der autographen Partitur (R. M. 20. f.2.): „August 28 ♀ [Freitag] 1741" (Teil I); „Fin ☉ [Sonntag] Septemb.ʳ 6. 1741" (Teil II); „S. D. G. Fine dell'Oratorio. G. F. Handel. ♄ [Sonnabend] Septemb.ʳ 12. 1741. Ausgefüllet den 14. dieses."
Vgl. 22.August 1741

8. Oktober 1741
Horace Walpole an Sir Horace Mann in Florenz

Downing Street, Oct. 8, 1741, O.S.
The Opera begins the day after the King's birthday: the singers are not permitted to sing till on the stage, so no one has heard them, nor have I seen Amorevoli to give him the letter. The Opera is to be on the French system of dancers, scenes, and dresses. The directors have already laid out great sums. They talk of a mob to silence the operas, as they did the French players; but it will be

more difficult, for here half the young noblemen in town are engaged, and they will not be so easily persuaded to humour the taste of the mobility: in short, they have already retained several eminent lawyers [Boxer] from the Bear Garden to plead their defence.
(Walpole Letters 1891, I, 75)
Vgl. 30.Juli und 31.Oktober 1741

– Horace Mann war britischer Gesandter in Florenz. Die französischen Schauspieler waren im Oktober 1738, kurz nach Erlaß des Zensurgesetzes, im New Theatre am Haymarket aufgetreten.

29. Oktober 1741
Händel beendet das Oratorium *Samson* (Text: Newburgh Hamilton, nach Miltons *Samson Agonistes* und anderen Miltonschen Dichtungen).
Einträge in der autographen Partitur (R. M. 20. f.6.): „End of the first Act Sept. 29, 1741."; „End of the second Act. ☉ [Sonntag] Octob.ʳ 11. 1741."; „Fine dell'Oratorio [mit Tinte durchgestrichen] London. G. F. Handel. ♃ [Donnerstag] Octoᵇʳ 29. 1741."; nach Ergänzung einiger zusätzlicher Stücke: „S. D. G. G. F. Handel. Octobʳ 12. 1742."

31. Oktober 1741
Händel besucht die Aufführung des Pasticcios *Alessandro in Persia,* mit der die neue Opernsaison am Haymarket Theatre beginnt.
(Townsend 1852, 51)

– Die Bearbeitung stammte wahrscheinlich von Baldassare Galuppi, der die Musik aus Opern von Leo, Hasse, Giuseppe Arena, Pescetti, Lampugnani und Giuseppe Scarlatti zusammenstellte. Das Libretto hatte Francesco Vanneschi 1738 für Lucca (Musik: Pietro Domenico Paradies) verfaßt.
Das Pasticcio wurde 1741/42 21mal aufgeführt. Da die zweite Aufführung erst am 10.November 1741 stattfand, als sich Händel bereits auf der Reise nach Dublin befand, muß er die erste Aufführung besucht haben (vgl. 29.Dezember 1741/II).
(Burney, II, 838ff.; Walker 1951 II, 195)

2. November 1741
Horace Walpole an Sir Horace Mann in Florenz

London, Nov. 2, 1741.
The opera will not tell so well as the two other shows [Bälle im Hause des Bürgermeisters Thomas Robinson sowie bei Hofe aus Anlaß des Geburtstages des Königs], for they were obliged to omit the part of Amorevoli, who has fever. The audience was excessive, without the least disturbance, and almost as little applause; I cannot conceive why, for Monticelli [unlesbar] be able to sing to-morrow.
(Walpole Letters 1891, I, 84)

– Im letzten Satz waren einige Wörter für den Herausgeber der Briefe unlesbar.
Amorevoli trat erst Mitte November auf.
Vgl. 31. Oktober und 29. Dezember (II) 1741

4. November (?) 1741
Händel bricht nach Dublin auf, wohin ihn der Vizekönig von Irland, William Cavendish, 3. Duke of Devonshire, eingeladen hat. Seine Reise führt ihn über Chester und Holyhead. Am 18. November trifft er in Dublin ein.
(Townsend 1852, 31)

– Das Datum von Händels Abreise steht nicht genau fest. Da der Vizekönig von Irland fünf Tage brauchte, um von Dublin nach London zu kommen, kann man annehmen, daß Händel zwei Wochen unterwegs war, umsomehr, da er in Chester aufgehalten wurde und vielleicht auch Charles Legh in Adlington Hall, Cheshire, besuchte. Vermutlich wollte Händel nur den Winter in Dublin verbringen, blieb aber schließlich bis zum 13. August 1742. Ob er den *Messiah* ausdrücklich für Dublin komponiert hat, ist nicht erwiesen, wenn es auch in Dublin offenbar angenommen wurde (vgl. 10. April 1742/II und 27. Dezember 1752).

5. November 1741
Horace Walpole an Sir Horace Mann in Florenz

Downing Street, Nov. 5, 1741, O. S.
Here is another letter … from poor Amorevoli; he has a continued fever, though not a high one. Yesterday, Monticelli was taken ill, so there will be no opera on Saturday; nor was on Tuesday. Monticelli is infinitely admired; next to Farinelli. The Viscontina is admired more than liked. The music displeases everybody, and the dances. I am quite uneasy about the Opera, for Mr. Conway is one of the directors, and I fear they will lose considerably, which he cannot afford. There are eight, Lord Middlesex, Lord Holderness, Mr. Frederick, Lord Conway, Mr. Conway, Mr. Damer, Lord Brook, and Mr. Brand. The five last are directed by the three first; they by the first, and he by the Abbé Vanneschi, who will make a pretty sum. I will give you some instances; not to mention the improbability of eight young thoughtless men of fashion understanding economy: it is usual to give the poet fifty guineas for composing the books – Vanneschi and Rolli are allowed three hundred. Three hundred more Vanneschi had for his journey to Italy to pick up dancers and performers, which was always as well transacted by bankers there. He has additionally brought over an Italian tailor – because there are none here! They have already given this Taylorini four hundred pounds, and he has already taken a house of thirty pounds a-year. Monticelli and the Visconti are to have a thousand guineas a-piece; Amorevoli eight hundred and fifty: this at the rate of the great singers, is not so extravagant; but to the Muscovita (though the second woman never had above four hundred) they give six; that is for secret services. By this you may judge of their frugality! I am quite uneasy for poor Harry [Conway], who will thus be to pay for Lord Middlesex's pleasures!
(Walpole Letters 1891, I, 87 ff.)
Vgl. 30. Juli und 31. Oktober 1741

– Henry Seymour Conway war Walpoles Vetter und Freund. Joseph Damer, später Baron Milton, wurde Earl of Dorchester. Thomas Brand gehörte zu den ersten Mitgliedern der Society of Dilettanti.
Über die Muscovita hatte Walpole am 23. April 1740 an Henry Seymour Conway geschrieben: „Sir, Muscovita is not a pretty woman, and she does sing ill; that's all." (Letters 1891, I, 45). Die Sängerin war am 10. März und am 1. Dezember 1739 in London aufgetreten.

11. November 1741
The London Daily Post

Musick.
This Day is published, Compos'd by Mr. Handel,
1. Twelve Grand Concertos für Violins … in 7 Parts. op. 6
2. Twelve Concertos … op. 3 & 4.
3. Select Harmony, 4th Collection; to which is prefix'd that celebrated Concerto in Alexander's Feast. …
All Composed by Mr. Handel. Printed for and sold by John Walsh.
(Chrysander, III, 156)

– In der Anzeige sind insgesamt 15 Werke Händels verzeichnet, die bereits zu einem früheren Zeitpunkt veröffentlicht worden waren.

14. November 1741
Protokolle des Mercer's Hospital

The Dean of St Patricks consents to let the Gentlemen of Choir attend thereon.

– Dean von St. Patrick's, einer der beiden Dubliner Kathedralen, war Jonathan Swift. Die meisten der „Gentlemen of Choir" (Chorvikare) sangen in beiden Kathedralen. Die Zustimmung galt ihrer Mitwirkung bei dem Gottesdienst am 10. Dezember in der St. Andrew's Church.
Vgl. 23. (III) und 28. Januar 1742

21. November 1741 (I)
The Dublin Journal

Chester, Nov. 5. Yesterday arrived here, on his Way to Dublin, Mr. Maclaine, who was invited to play on our Cathedral Organ this Day, on which he performed so well, to the entire Satisfaction of the whole Congregation, that some of the best Judges in Musick said, They never heard that Organ truly plaid on before; and his Performance was allowed to be very masterly, and in the finest Taste.

[Dublin, 21. November] And last Wednesday [18. November] the celebrated Dr. Handell arrived here in the Packet-boat from Holyhead, a Gentleman universally known by his excellent Compositions in all Kinds of Musick, and particularly for his Te Deum, Jubilate, Anthems, and other Compositions in Church Musick, (of which for some Years past have principally consisted the Entertainments in the Round Church, which have so greatly contributed to support the Charity of Mercer's-Hospital) to perform his Oratorio's, for which Purpose he hath engaged the above Mr. Maclaine, his Wife, and several others of the best Performers in the Musical Way.

(Townsend 1852, 44f.)

– Burney (1785, 26) berichtet über Händels unfreiwilligen Aufenthalt in Chester:

Als Händel auf seiner Reise nach Irland durch Chester kam, war ich in der öffentlichen Schule dieser Stadt, und erinnere mich noch sehr gut, daß ich ihn in dem Kaffeehause bey einer Pfeife Tabak und Kaffee sitzen sah. Weil ich äußerst neugierig auf einen so außerordentlichen Mann war, so gieng ich ihm, so lange er in Chester blieb, überall nach; und er wurde dort durch widrigen Wind einige Tage aufgehalten, da er Willens war, sich zu Parkgate einzuschiffen. Während dieser Zeit wandte er sich an den Organisten, Herrn Baker, meinen ersten Musikmeister, und erkundigte sich, ob es bey der Kathedralkirche Choristen gäbe, die gleich vom Blatte wegsingen könnten, weil er einige in Eil abgeschriebene Stimmen zu den Chören probiren wollte, die er in Irland aufzuführen Willens war. Herr Baker schlug ihm einige von den besten damaligen Sängern in Chester vor, unter andern auch einen Buchdrucker Janson, der eine gute Baßstimme hatte, und einer von den besten Chorsängern war. ... Es wurde zu dieser Privatprobe im goldnen Falken, wo Händel abgetreten war, eine gewisse Zeit bestimmt; leider! aber fehlte der arme Janson, nach wiederholten Versuchen, in dem Chore des Messias, „Und durch seine Wunden sind wir geheilet", so arg, daß Händel ihn aufs derbste anfuhr, in vier bis fünf Sprachen fluchte, und zuletzt im gebrochnen Englisch ausrief: „Du Schuft du, sagtest du nicht, du könntest vom Blatte wegsingen?" – „Ja, Herr Kapellmeister, sagte Janson, das kann ich auch; aber nicht gleich das erstemal." (Burney/Eschenburg, XXXVI)

Edmund Baker, der Organist der Kathedrale von Chester, stellte Händel offenbar den sonst nicht weiter bekannten Organisten Maclaine vor, dessen Frau wahrscheinlich Sopranistin war. Die beiden anderen für die Aufführung des Messiah engagierten Sängerinnen, die Sopranistin Christina Maria Avoglio und die Altistin Susanna Maria Cibber geb. Arne, kamen aus London.

„Round Church" war eine andere Bezeichnung für die St. Andrew's Church.

Ein 1741 in Dublin gedrucktes Textbuch, The Te Deum, Jubilate, Anthems, Odes, Oratorios and Serenatas, as they are performed by the Philharmonic Society in Dublin for the Improvement of Church Musick, and the Further Support of Mercer's Hospital (Trinity College, Dublin), enthält die Texte folgender Händel-Werke: zwei Coronation Anthems, zwei Wedding Anthems, das Chandos Anthem „O sing unto the Lord", Acis and Galatea, L'Allegro, ed Il Penseroso, Alexander's Feast, die Ode for St. Cecilia's Day, Deborah und Esther, außerdem die Texte einer Cäcilien-Ode und des Oratoriums Solomon von William Boyce. Nicht alle diese Werke waren um diese Zeit schon in Dublin aufgeführt worden. Der Solomon von Boyce beispielsweise wurde erst 1743 zum erstenmal aufgeführt.

(Schoelcher 1857, 240)

21. November 1741 (II)

Die Gouverneure von Mercer's Hospital kündigen in Faulkners Dublin Journal für den 10. Dezember 1741 einen Gottesdienst „After the Cathedral Manner" in der St. Andrew's Church zur Unterstützung des Hospitals an, mit einer Predigt des Reverend Dr. Delany und mit Händels Utrecht Te Deum und Jubilate sowie „two new Anthems".

– Dr. Patrick Delany (er heiratete später Händels langjährige Freundin Mary Pendarves, geb. Granville) erkrankte, und an seiner Stelle predigte Dean John Owen.

21. November 1741 (III)
Pue's Occurrences

Wednesday last [18. November] arrived from London, the celebrated Dr. Handell, Universally known by his excellent compositions in all kinds of Musick, he is to perform here this Winter, and has brought over several of the best performers in the Musical Way.

(Townsend 1852, 45)

– Diese Notiz ist eine gekürzte Fassung der in Faulkners Dublin Journal (vgl. 21. November/I) erschienenen Mitteilung.

(Chrysander, II, 312)

21. November 1741 (IV)
Protokolle des Mercer's Hospital

At a Meeting of the Governors ... Novr 21. 1741 Present: John Putland Esqr Dean Owen. Dr Wynne. Ld Bpp of Cork

Order'd That Mr Putland Dean Owen, & Doc^r Wynne be & are hereby desir'd to wait on Mr Handel & ask the favour of him to play on the Organ att the Musical Performance at St Andrew Church.
G. T. Maturin, Secretary.
(Townsend 1852, 46)

– In dieser Versammlung wurde auch beschlossen, den Vizekönig und seine Gattin, den Lordprimas John Hoadly und den Lordkanzler Thomas Wyndham einzuladen.
John Owen war Dean von Clonmacnois und Domherr der Christ Church Cathedral, Reverend John Wynne war Kantor und Sub-Dean der St. Patrick's Cathedral. Bischof von Cork war Robert Clayton. Gabriel Joseph Maturin, der Sekretär von Mercer's Hospital, war Dean von Kildare.
Wenige Tage vor der Aufführung fand eine Probe statt, zu der aber keine Zuhörer zugelassen waren.

28. November 1741
The Dublin Journal

Last Tuesday [21. November] arrived in the Yatcht from Parkgate, Signiora Avolio, an excellent Singer, who is come to this Kingdom, to perform in Mr. Handel's Musical Entertainments.
(Townsend 1852, 47)

– Außerdem kam auch Susanna Maria Cibber nach Dublin, zusammen mit James Quin, mit dem sie im Theatre Royal in Aungier Street auftrat.

2. Dezember 1741
Charles Jennens an Edward Holdsworth

I heard with great pleasure at my arrival in Town, that Handel had set the Oratorio of Messiah; but it was some mortification to me to hear that instead of performing it here he was gone into Ireland with it. However, I hope we shall hear it when he comes back. We have an expensive opera, with only one good voice, Monticelli, a good Singer without a Voice, Amorevoli, & the worst Musick I ever heard.
(Sammlung Gerald Coke)

– Händel hatte den *Messiah* am 14. September 1741 vollendet und führte ihn zuerst in Dublin am 13. April 1742 auf; die erste Aufführung in London war am 23. März 1743.
Die „expensive opera" war das Pasticcio *Alessandro in Persia*.
Vgl. 31. Oktober, 5. November und 29. Dezember (II) 1741

8. Dezember 1741
Heidegger erhält eine neue, vom 8. Dezember 1741 bis 30. Oktober 1745 gültige Lizenz, im Haymarket Theatre Opern aufzuführen.
(Public Record Office: L. C. 5/161, 97)
Vgl. 3. Januar 1739 und 23. März 1749.

12. Dezember 1741 (I)
The Dublin Journal

Last Thursday [10. Dezember] was performed at the Round Church, for the Benefit of Mercer's Hospital, Divine Service after the Cathedral Manner, with the Te Deum, Jubilate, and one of the Coronation Anthems compos'd by Mr. Handel; after which there was a most excellent Sermon, suited to the Occasion, preached by the Revd. Dean Owens, and after Sermon an Elegant and Grand Anthem composed on the Occasion, by Mr. Boyce, Composer to his Majesty, at the Request of several well-wishers to the Charity; the Appearance was numerous, and it is hoped the Performance was so much to the Satisfaction of every Person who heard it, as to bespake the Favour of the Publick on the like Occasion.

– Statt der angekündigten „two new Anthems" von Händel (vgl. 21. November 1741) wurde eines seiner Coronation Anthems sowie ein eigens für dieses Konzert komponiertes Anthem von William Boyce aufgeführt, der seit 1736 Composer to the Chapel Royal war und in freundschaftlicher Verbindung zu Dublin stand. Am 2. Januar 1742 sprachen ihm die Gouverneure des Hospitals ihren Dank für die Komposition des Anthems aus (Protokolle des Mercer's Hospital).

12. Dezember 1741 (II)
The Dublin Journal

On Monday next being the 14th of December (and every Day following) Attendance will be given at Mr. Handel's House in Abbey-street, near Lyffey-street, from 9 o'clock in the Morning till 2 in the Afternoon, in order to receive the Subscription Money for his Six Musical Entertainments in the New Musick-Hall in Fishamble street, at which Time each Subscriber will have a Ticket delivered to him, which entitles him to three Tickets each Night, either for Ladies or Gentlemen. – N.B. Subscriptions are likewise taken in at the same Place.
(Townsend 1852, 47 f.)

– Die Anzeige wurde an den folgenden Tagen wiederholt.
Der neue Konzertsaal war wenige Wochen vor Händels Ankunft, am 2. Oktober 1741, eröffnet worden.
(Flood 1912/13, 52)

12. Dezember 1741 (III)
Protokolle des Mercer's Hospital

Order'd ... that Dr Wynne be desir'd to thank Mr Handel for his attendance.

– Das Wohltätigkeitskonzert war das sechste, das in der St. Andrew's Church stattfand.
Vgl. 21. November 1741 (IV)

19. Dezember 1741 (I)
The Dublin Journal

At the New Musick-hall in Fishamble-street, on Wednesday next, being the 23d Day of December, Mr. Handel's Musical Entertainment will be opened; in which will be performed, L'Allegro, il Penseroso, & il Moderato, with two Concertos for several Instruments, and a Concerto on the Organ. To begin at 7 o'clock. Tickets for that Night will be delivered to the Subscribers (by sending their Subscription Ticket) on Tuesday and Wednesday next, at the Place of Performance, from 9 o'clock in the Morning till 3 in the Afternoon. – And Attendance will be given this Day and on Monday next, at Mr. Handel's House in Abbey-street, near Lyffey-street, from 9 o'clock in the Morning till 3 in the Afternoon, in order to receive the Subscription Money; at which Time each Subscriber will have a Ticket delivered to him, which entitles him to three Tickets each Night, either for Ladies or Gentlemen. – N. B. Subscriptions are likewise taken in at the same Place. Books will be sold at the said Place, Price a British Six-pence.

– Am 29. Dezember erschien die Anzeige mit folgender Ergänzung: „And no body can be admitted without a Subscriber's Ticket. The Subscribers that have not sent in their Subscription Money, are humbly desired to send it To-day or To-morrow morning, in order to receive their Subscription Ticket." Das gedruckte Textbuch (British Library) zeigt, daß tatsächlich alle drei Teile des Oratoriums aufgeführt wurden.
(Townsend 1852, 48; Flood 1912/13, 52)

19. Dezember 1741 (II)
Robert Price an Thomas, Earl of Haddington, in Genf

London, 19 December 1741.
I hope we may be able to get Fritz a little money by it [die Veröffentlichung seiner Trios auf Subskription], but they are such abominable Goths here that I can answer for nothing. They cannot bear anything but Handel, Courelli [sic], and Geminiani, which they are eternally playing ever and ever again at all their concerts. I was at a concert at Lord Brooke's where Carbonelli played the first fiddle; ... Tate and I are of a concert of gentlemen performers where Festing plays the first fiddle. ... We have had a good opera here, but a great many people have not liked it; the singers are Monticelli, a soprano, the finest singer I ever heard, Amorevoli the famous tenor, Visconti the first woman a very good singer, the Muscovinta [La Muscovita] an indifferent one, and two or three great scrubs. The first opera was made up of songs of different authors, among which were some exceeding fine ones; the second opera is composed by Signor Galuppi; I have heard it but once and

therefore will not pretend to decide about it, but it seems to be pretty good.
(Ketton, 205 f.; Clemens, 156)
Vgl. 30. Juli und 31. Oktober 1741

– Von Kaspar Fritz erschienen 1742 bei Walsh sechs Streichquartette op. 1, „published for the author".
Robert Price und Benjamin Stillingfleet waren Freunde von John Christopher Smith jun. John Mainwaring zitiert in seinen Ausführungen über Händels Musik ausführlich Robert Price (Stillingfleet, II, 172: „His comparison of the Italian and German music ... was published in the Life of Handel, and drawn up at the request of the ingenious author.")
Benjamin Stillingfleet ist der Autor der 1771 anonym veröffentlichten Abhandlung *Principles and Power of Harmony*, die auf Giuseppe Tartinis *Trattato di Musica secondo la vera scienza dell'Armonia* (Padua 1754) basiert.
Über Beziehungen Händels zu Fritz und Price ist sonst nichts bekannt (vgl. 30. Juli 1741).
Der Geiger Giovanni Stefano Carbonelli war Konzertmeister in Händels Opernorchester im Haymarket Theatre. 1733 ging er mit dem Geiger Michael Christian Festing zur Adelsoper. Festing wurde 1742 musikalischer Leiter von Ranelagh Gardens.
Die Philarmonic Society oder Apollo Society wurde auch Society of the Gentlemen Performers of Musick genannt; sie war von Greene und Festing gegründet worden und traf sich in der Crown and Anchor Tavern.

24. Dezember 1741
Horace Walpole an Horace Mann in Florenz

Christmas Eve, 1741.
We have got a new opera, not so good as the former; and we have got the famous Bettina to dance, but she is a most indifferent performer. The house is excessively full every Saturday, never on Tuesday: here, you know, we make everything a fashion.
(Walpole Letters 1891, I, 109)

– Die „new opera" war Galuppis am 12. Dezember uraufgeführte *Penelope* (Text: Paolo Antonio Rolli), „the former" war das Pasticcio *Alessandro in Persia* (vgl. 31. Oktober 1741).
Vgl. 29. Dezember 1741 (II)

29. Dezember 1741 (I)
The Dublin Journal

Last Wednesday [23. Dezember] Mr. Handell had his first Oratorio, at Mr. Neal's Musick Hall in Fishamble-Street, which was crowded with a more numerous and polite Audience than ever was seen upon the like Occasion. The Performance was su-

perior to any Thing of the Kind in this Kingdom before; and our Nobility and Gentry to show their Taste for all Kinds of Genius, expressed their great Satisfaction, and have already given all imaginable Encouragement to this grand Musick.
(Townsend 1852, 49)

– Die New Musick Hall wurde hier erstmalig als Neal's Musick Hall bezeichnet. Nach Townsend (1852, 34) war der Musikverleger William Neale (Neal) Schatzmeister der Charitable Musical Society und „incurred some expense in the building of the Music Hall", deren Leitung er 1741 übernahm.
(Humphries/Smith, 242)

29. Dezember 1741 (II)
Händel an Charles Jennens

Dublin Decem^br 29. 1741.
S^r
it was with the greatest Pleasure I saw the Continuation of Your Kindness by the Lines You was pleased to send me, in Order to be prefix'd to Your Oratorio Messiah, which I set to Musick before I left England. I am emboldned, Sir, by the generous Concern You please to take in relation to my affairs, to give You an Account of the Success I have met here. The Nobility did me the Honour to make amongst themselves a Subscription for 6 Nights, which did fill a Room of 600 Persons, so that I needed not sell one single Ticket at the Door. and without Vanity the Performance was received with a general Approbation. Sig^ra Avolio, which I brought with me from London pleases extraordinary, I have form'd an other Tenor Voice which gives great Satisfaction, the Basses and Counter Tenors are very good, and the rest of the Chorus Singers (by my Direction) do exceeding well, as for the Instruments they are really excellent, Mr Dubourgh beeng at the Head of them, and the Musick sounds delightfully in this charming Room, which puts me in such Spirits (and my Health being so good) that I exert my self on my Organ with more than usual Success. I opened with the Allegro, Penseroso, & Moderato and I assure you that the Words of the Moderato are vastly admired. The Audience being composed (besides the Flower of Ladyes of Distinction and other People of the greatest Quality) of so many Bishops, Deans, Heads of the Colledge, the most eminents People in the Law as the Chancellor, Auditor General, &tc. all which are very much taken with the Poetry. So that I am desired to perform it again the next time. I cannot sufficiently express the kind treatment I receive here, but the Politeness of this generous Nation cannot be unknown to You, so I let You judge of the satisfaction I enjoy, passing my time with Honnour, profit, and pleasure. They propose already to have some more

Performances, when the 6 Nights of the Subscription are over, and My Lord Duc the Lord Lieutenant (who is allways present with all His Family on those Nights) will easily obtain a longer Permission for me by His Majesty, so that I shall be obliged to make my stay here longer than I thought. One request I must make to You, which is that You would insinuate my most devoted Respects to My Lord and my Lady Shaftesbury, You know how much Their kind Protection is precious to me. Sir Windham Knatchbull will find here my respectfull Compliments. You will encrease my obligations if by occasion You will present my humble Service to some other Patrons and friends of mine. I expect with Impatience the Favour of Your News, concerning Your Health and wellfare, of which I take a real share, as for the News of Your Opera's, I need not trouble you for all this Town is full of their ill success, by a number of Letters from Your quarters to the People of Quality here, and I can't help saying but that it furnishes great Diversion and laughter. The first Opera I heard my Self before I left London, and it made me very merry all along my journey, and of the second Opera, call'd Penelope, a certain noble man writes very jocosly, il faut que je dise avec Harlequin, nôtre Penelôpe n'est qu'une Sallôpe. but I think I have trespassed too much on Your Patience. I beg You to be persuaded of the sincere Veneration and Esteem with which I have the Honnour to be
S^r
Your most obliged and most humble Servant
George Frideric Handel
(Bis 1973 im Besitz des Earl Howe. Mueller von Asow, 143 ff., mit Faksimile; Hicks 1973)

– Händel dankt Jennens für die Übersendung der Zitate („the Lines") aus Vergils vierter Ekloge („Majora Canamus") und aus Briefen des Apostels Paulus (1. Timotheus 3, 16; Kolosser 2, 3), die auf der Titelseite der Textbücher des *Messiah* abgedruckt wurden.
Der von Händel erwähnte Tenor („an other Tenor Voice") kann James Baileys oder John Church gewesen sein. Beide hatten 1736 in Dublin Händels *Utrecht Te Deum* und *Jubilate* mitgesungen (vgl. 10. April 1736) und sollten im *Messiah* mitwirken. Die „Counter Tenors" waren William Lamb und Joseph Ward, die Bassisten John Hill und John Mason. Das Orchester setzte sich wahrscheinlich aus Berufsmusikern und Liebhabern zusammen.
Das von Händel erwähnte College war das Trinity College. – Die Wiederholung von *L'Allegro, il Penseroso ed il Moderato* fand am 13. Januar 1742 statt. Händels zweite Konzertreihe in Dublin begann am 17. Februar 1742. Aus seiner Bemerkung, er hoffe, vom König die Erlaubnis für eine Verlän-

gerung seines Dubliner Aufenthaltes zu erhalten, geht hervor, daß er als Musiklehrer der Prinzessinnen die königliche Zustimmung für eine längere Abwesenheit aus London brauchte.

„Your Operas" sind das Pasticcio *Alessandro in Persia* und Galuppis *Penelope*, die im Haymarket Theatre aufgeführt wurden.

1741
George Vertue, Note-Books

Mr Rubbilac Sculptor of Marble – besides several works in Marble – moddels in Clay. had Modelld from the Life several Busts or portraits extreamly like Mr Pope. more like than any other Sculptor has done I think Mr Hogarth very like. – Mr Isaac Ware Architect Mr Handel – &c and several others. being very exact Imitations of Nature –
(British Library, Add. MSS. 23 079: Note Book B. 4. Vertue Note Books, 105)
Vgl. 18. April 1738

1742

4. Januar 1742
Protokolle des Mercer's Hospital

Order'd That John Rockfort John Ruthland, & Richd Baldwin Esq^{rs} be desir'd to apply in the name of the Governors of Mercer's Hospital to the Rev^d the Dean & Chapter of St Patricks Dublin for their leave that such of their Choirs as shall be Willing may assist at the Phil-Harmonick Society Performances which are principally intended for the Benefit of the said Hospital and to notifie to them that the Dean & Chapter of Christ Church have been pleas'd to grant them the same request.
(Townsend 1860, 54)
Vgl. 23. und 28. Januar 1742

– Chorvikare der St. Patrick's Cathedral sangen auch in der Christ Church Cathedral.
Die Philharmonic Society in Dublin unterstützte Mercer's Hospital (vgl. 21. November 1741). Sie hatte ihren Sitz in der Fishamble Street nahe der Christ Church Cathedral.
Die Charitable and Musical Society zur Unterstützung inhaftierter Schuldner, die (nach Townsend und Flood) 1741 die New Music Hall erbaut hatte, verlegte ihre Zusammenkünfte vom Bear in College Green in einen der kleineren Räume der neuen Konzerthalle.
Das musikalische Leben in Dublin war zu dieser Zeit sehr rege. Außer den beiden genannten dienten weitere Musikgesellschaften karitativen Zwecken (Townsend 1860, 33).

9. Januar 1742
The Dublin Journal

By their Graces the Duke and Duchess of Devonshire's special Command, at the New Musick-hall in Fishamble-street, on Wednesday next, the 13th Day of January (being the second Night of Mr. Handel's Musical Entertainments by Subscription) will be performed, L'Allegro, il Penseroso, & il Moderato, with several Concertos on the Organ and other Instruments....Printed Books are sold at the same Place, Price a British Six pence. To begin at 7 o'clock.
(Townsend 1852, 52)

16. Januar 1742
The Dublin Journal

By their Graces the Duke and Duchess of Devonshire's special Command, at the New Musickhall ... on Wednesday next, being the 20th ... will be performed, Acis and Galatea; to which will be added, an Ode for St. Cecilia's Day, written by Mr. Dryden, and newly set to Musick by Mr. Handel, with several concertos on the Organ and other Instruments.... To begin at 7 o'clock. N.B. – Gentlemen and Ladies are desired to order their Coaches and Chairs to come down Fishamble-street, which will prevent a great deal of Inconvenience that happened the Night before; and as there is a good convenient Room hired as an Addition to a former Place for the Footmen, it is hoped the Ladies will order them to attend there till called for. – Printed Books are sold at the same Place, Price a British Six pence.
(Townsend 1852, 53)

– Die Anzeige erschien auch in *The Dublin News-Letter* vom gleichen Tag und wurde am 19. Januar mit folgender Anmerkung wiederholt: „N. B. There is another convenient Passage for Chairs made since the last Night."
„The last Night" bezieht sich auf die Aufführung am 13. Januar 1741.
(Smith 1948, 230f.)

22. Januar 1742
Protokolle des Mercer's Hospital

Agreed That the R^t Honble the Lords Mountjoy & Tullamore be desired to wait upon their Excellences the Lord Justices and request the favour of their Company at the Musical performance in St Andrews Church on Tuesday the 8th of February.
That the Honble Major Butler be desired to apply to the Government for a Captains Guard to attend at said Performance & dispose of the Guard to the best advantage.
The Governors of Mercer's Hospital give this publick Notice that there will be a Sermon preached at St Andrews Church, on Tuesday the 8th of February next when Divine Service will be performed as heretofore after the Cathedral manner with Te-Deum, Jubilate, & two new Anthems compos'd by

Mr. Handel – Tickets to be had at the said Hospital at half a Guinea each.

N. B. Benefit arising hereby is the Chief Support of the Hospital.

(Edwards 1903)

– Richard Wesley führte bei dieser Versammlung der Gouverneure den Vorsitz. Die Lords waren William Viscount Mountjoy und Charles Baron Moore of Tullamore.

23. Januar 1742 (I)
The Dublin News-Letter

On Wednesday Evening [20. Januar] the Masque of Acis and Galatea, with one of Mr. Dryden's Odes on St. Cecilia's Day, were performed at the New Musick-Hall…, before a very splendid Audience, so as to give infinite Satisfaction: Being both set to Musick and conducted by that great Master Mr. Handel, and accompanied all along on the Organ by his own inimitable Hand.

23. Januar 1742 (II)
The Dublin Journal

By their Graces the Duke and Duchess of Devonshire's special Command, at the New Musickhall… on Wednesday next [27. Januar] will be performed, Acis and Galatea; to which will be added an Ode for St. Cecilia's Day.

(Townsend 1852, 58)

23. Januar 1742 (III)
Protokolle des Mercer's Hospital

The Gentlemen deputed by this Board to the Chapter of St Patricks reported that they had applied to them according to the Order, Jan^ry 4 1741[–42], & receiv'd the following answer.

The Dean & Chapter of St Patricks are ready to concur with the Dean & Chapter of Christ Church in permitting the Choir to assist at the Musical Performance of the Philharmonick Society, if the Dean & Chapter of Christ Church will concur with them in permitting the Choir to assist at Mr. Handel's. They think that every argument in favour of the one, may be urged with equal strength at least in favour of the other, particularly that which with them is of greatest weight the advantage of Mercer's Hospital, Mr. Handel having offer'd & being still ready in return for such a favour to give the Governors some of his choisest Musick, & to direct & assist at the Performance of it for the benefit of the Hospital, which will in one night raise a considerable Sum for their use, without lessning the Anual Contribution of the Philharmonick Society or any of their other funds. & in order to prevent the permission to be brought into a precedent which some time or other may be of Evil consequence the Dean & Chapter of St Patricks

will concur with the Dean & Chapter of Christ Church in any proper rule to hinder their Voices or other members of the Choir from performing at any publick Musical Performance excepting in Churches without the joint permission of both Deans & Chapters first had & obtained.

The above answer being read and a motion being made that application be made to the Chapter of Christ Church in persuance to the desire of the Chapter of St Patricks – is passed in the negative.

(Townsend 1852, 32 und 54)

Vgl. 4. und 28. Januar 1742

– Sub-Dean der St. Patrick's Cathedral war Dr. John Wynne, ein Gouverneur des Hospitals und Mitglied der Charitable and Musical Society. Dean der Christ Church Cathedral war Dr. Charles Cobbe, später Erzbischof von Dublin (vgl. 17. Februar 1739/I). Er war einer der Kuratoren des Hospitals.

28. Januar 1742
Jonathan Swift an John Wynne und das Kapitel der St. Patrick's Cathedral

[Erste Fassung]

…I do hereby require and request the Very Reverend Sub-Dean, not to permit any of the Vicar Chorals, choristers, or organists, to attende or assist at any public musical performances, without my consent, or his consent, with the consent of the Chapter first obtained.

And whereas it hath been reported, that I gave a licence to certain vicars to assist at a club of fiddlers in Fishamble Street, I do hereby declare that I remember no such licence to have been ever signed or sealed by me; and that if ever such pretended licence should be produced, I do hereby annul and vacate the said licence; intreating my said Sub-Dean and Chapter to punish such vicars as shall ever appear there, as songsters, fiddlers, pipers, trumpeters, drummers, drum-majors, or in any sonal quality, according to the flagitious aggravations of their respective disobedience, rebellion, perfidy, and ingratitude.

I require my said Sub-Dean to proceed to the extremity of expulsion, if the said vicars should be found ungovernable, impenitent, or selfsufficient, especially Taverner, Phipps, and Church, who, as I am informed, have, in violation of my Sub-Dean's and Chapter's order in December last, at the instance of some obscure persons unknown, presumed to sing and fiddle at the club above mentioned.

[Zweite Fassung]

Whereas several of the Vicar Chorals have disobeyed and transgressed some rules and orders made by my Sub-Dean and Chapter for regulating their behaviour and conduct and pretend and give out that they have my licence under my hand to act contrary to the said orders made by my Sub-Dean and Chapter: Now I do hereby declare, that to the best of my remembrance I never did sign any licence to any of the said vicars to perform at any musical society contrary to the said orders nor did I ever design it.

And, if I have been so far imposed upon as to sign any deed or licence to the purposes aforesaid and it be produced to justify their behaviour, I do hereby annul and vacate the same.

(Swift Correspondence, VI, 220 f.)

– Nach dem Protokoll des Hospitals vom 27. Januar 1742 hatte Swift sechs Sängern von St. Patrick's die Erlaubnis zur Mitwirkung an den Aufführungen der Philharmonic Society gegeben. Daß er sich daran nicht mehr erinnert, kann an seinem angegriffenen Gesundheitszustand gelegen haben.

Organist beider Kathedralen war Ralph Roseingrave. John Phipps und John Church waren Chorvikare beider Kathedralen, der Reverend William Taverner nur von St. Patrick.

Vgl. 14. November 1741

30. Januar 1742
The Dublin Journal

By their Graces the Duke and Duchess of Devonshire's special Command, at the New Musickhall … on Wednesday next [3. Februar] will be performed, an Oratorio called Esther, with Additions, and several Concertos on the Organ and other Instruments. … To begin at 7 o'clock. Printed Books are sold at the same Place, Price a British Sixpence. – N. B. It is humbly hoped that no Gentlemen or Ladies will take it ill, that none but Subscribers can be admitted, and that no Single Tickets will be delivered, or Money taken at the Door.

(Townsend 1852, 58)

– Im gedruckten Textbuch (British Library) ist nur ein Orgelkonzert am Ende des zweiten Teiles vermerkt.

3. Februar 1742
Pue's Occurrences

(In the press, and shortly to be published:)
A Poem by Laurence Whyte on the General Effect and Excellency of Musick, particularly, on the famous Mr. Handel's performance, who has been lately invited into this Kingdom, by his Grace the Duke of Devonshire, Lord Lieutenant of Ireland, for the Entertainment of the Nobility and Gentry.

(Townsend 1852, 29)

– Ein Exemplar konnte nicht nachgewiesen werden.

Vgl. 20. April 1742

4. Februar 1742 (I)
Charles Jennens an Edward Holdsworth

A little piece I wrote at Mr. Handel's request to be subjoyn'd to Milton's Allegro & Penseroso, to which He gave the Name of Il Moderato, & which united those two independent Poems in one Moral Design, met with smart censures from I don't know who. I overheard one in the Theatre saying it was Moderato indeed, & the Wits at Tom's Coffee house honour'd it with the Name of Moderatissimo.

(Sammlung Gerald Coke)

– Der Brief belegt, daß Händel den Text zu *Il Moderato* ausdrücklich von Jennens als dritten Teil zu *L'Allegro ed il Penseroso* erbat.

Vgl. 27. Februar 1740

4. Februar 1742 (II)
Charles Jennens an Edward Holdsworth

And as for Motto's in General, I find that many of our best Authors make use of them. For my own part, I own my self to much a Friend to them, that whenever I scribble to the publick, I cannot resist the Temptation of adorning my Title page with any significant motto that comes into my head & seems a propos: nay, I gave Handel a couple before an Oratorio, one Greek & the other Latin; not to show my acquaintance with the two Languages, but to point out more strongly my own Sentiments express'd in some parts of the Oratorio, & to justify them by two considerable Authorytys from the Heathen moralists. If any Critick thought me a Coxcomb for this, 'tis more than I know, or care. …

Handel's Friends were very well pleas'd with Conti, but the Favourers of the opposite Opera lik'd neither him nor any other who sung for Handel, & for that very reason, because they sung for Handel. We consider Him a rising Genius, too young at that time for Perfection, but promising an equality with the first singers in Europe. And by the account you as well as others give of him, I find we are not mistaken.

(Sammlung Gerald Coke)

– Charles Jennens hatte dem Textbuch zu *Saul* ein lateinisches und ein griechisches Zitat als Motto vorangestellt (Faksimile: HHA I/13, S. X). Gioacchino Conti (1714–1761) gehörte von April 1736 bis Juni 1737 zu Händels Ensemble.

6. Februar 1742
The Dublin Journal

By the Desire of several Persons of Quality and Distinction there will be a new Subscription made for Mr. Handel's Musical Entertainments, for Six Nights more, on the same Footing as the last. No more than 150 Subscriptions will be taken in, and

no Single Tickets sold, or any Money taken at the Door. Subscriptions will be taken in at Mr. Handel's House in Abby-street near Lyffee-street, on Monday next, being the 8th Day of February from 9 o'clock in the Morning till 3 in the Afternoon. The Performances are to continue once a Week, till the 6 Nights are over.
N. B. The Tickets for the last Night of the First Subscription, will be delivered to the Subscribers on Tuesday and Wednesday next, at the New Musick hall in Fishamble-street from 10 o'clock in the Morning till 3 in the Afternoon; where Subscriptions are taken in likewise.
(Townsend 1852, 59)

– Jeder Subskribent erhielt drei Eintrittskarten. Im Saal gab es insgesamt 600 Plätze.

8. Februar 1742
Händels *Utrecht Te Deum* und *Jubilate* sowie zwei „neue" Anthems werden in der St. Andrew's Church zugunsten des Mercer's Hospital aufgeführt.
Vgl. 22. Januar 1742

– Nach dem gedruckten Textbuch (Sammlung A. H. Mann) wurden die Anthems „My heart is inditing" und „Zadok the Priest" aufgeführt (Mann, *Early Music in Dublin*). Ob Händel selbst die Orgel spielte, ist nicht bekannt.

9. Februar 1742 (I)
The Dublin Journal

Whereas several of the Nobility and Gentry have been pleased to desire a second Subscription for Mr. Handel's Musical Entertainments, on the same Terms as the first; Mr. Handel being a Stranger, and not knowing where to wait on every Gentleman, who was a Subscriber to his first, to pay his Compliments, hopes that those who have a Mind to subscribe again, will be pleased to send in their Names this Day (being Tuesday the 9th of February) and To-morrow, at the Musick-hall in Fishamble-street, where Attendance will be given from 10 o'clock in the Morning till 3 in the Afternoon, and every following Day at his House in Abby street near Liffey-street.
N. B. To-morrow being the last Night of Performance of his first Subscription, the Tickets will be delivered to the Subscribers this Day and To-morrow at the Musick-hall... where new Subscriptions are taken in likewise.
(Townsend 1852, 59)

– Am 10. Februar 1742 wurde *Esther* wiederholt.

9. Februar 1742 (II)
The Dublin Journal

It is humbly requested that the Ladies will order their Coaches to come down Fishamble-street

every Saturday to the Assembly, as they do to Mr. Handel's Entertainment, which will prevent a great many Inconveniences.
(Townsend 1852, 61)

– Seit dem 24. Oktober 1741 gaben Mrs. Hamilton und Mrs. Walker jeden Sonnabend einen Ball („Assembly") in der New Music Hall.
Noch am 20. Dezember 1743 erwähnt das *Dublin Journal* „Mr. Handell's nights" bei der Ankündigung eines Konzertes.

13. Februar 1742
The Dublin Journal

By their Graces the Duke and Duchess of Devonshire's special Command, at the New Musickhall ... on Wednesday next [17. Februar] will be performed, Alexander's Feast, with Additions and several Concertos on the Organ. Attendance will be given this Day at Mr. Handel's House in Abbystreet, and on Monday, Tuesday, and Wednesday at the Musick-hall ..., in order to deliver to Subscribers their new Subscription Tickets (by sending their Subscription Money) in which Places Subscriptions are taken in likewise. None but Subscriber's Tickets can be admitted to the Publick Rehearsals. –
N. B. For the conveniency of the ready emptying of the House, no Chairs will be admitted in waiting but hazard Chairs, at the new Passage in Copper Alley.
(Townsend 1852, 60)

– Wie in London hatten die Subskribenten Zutritt zur Generalprobe. Der Vizekönig reiste am 16. Februar mit seiner Familie nach London.

20. Februar 1742
The Dublin Journal

At the New Musick-hall ... on Wednesday the 24 Inst. will be performed, Alexander's Feast, with Additions, and several Concerts on the Organ.
(Townsend 1852, 62)

– Die Wiederholung von *Alexander's Feast* wurde auf den 2. März verschoben.

23. Februar 1742
The Dublin Journal

One of Mr. Handel's Principal Singers having fallen Sick, Alexander's Feast, that was to have been performed to Morrow is put off till Tuesday next being the second of March.
(Townsend 1852, 62)

– Vielleicht war Mrs. Cibber bereits erkrankt (vgl. 6. März 1742). Von März 1741 bis Februar 1742 herrschte eine Influenza-Epidemie in England, an der mehr als 7500 Menschen starben (Baker/ Yorke, 425).

27. Februar 1742
The Dublin Journal

At the New Musick-hall ... on Tuesday next [2. März] ... Alexander's Feast. ...

N.B. The Gentlemen of the Charitable Society on College-green, at the Request of Mr. Handel, have put off their weekly Concert until Tuesday the 9th of March.

For the Benefit of Monsieur de Rheiner, a distress'd foreign Gentleman, at the Theatre in Smock-Alley, on Thursday the fourth of March. ... The Constant Couple [von George Farquhar]. ... N.B. Monsieur de Rheiner has been oblig'd to put off his Day, which was to have been on Tuesday next, on account of all the best Musick being engaged to Mr. Handel's Concert.
(Townsend 1852, 62)

4. März 1742 (I)
Horace Walpole an Horace Mann

Thursday evening.
We have got another opera, which is liked. There was to have been a vast elephant, but the just directors, designing to give the audience the full weight of one for their money, made it so heavy, that at the prova it broke through the stage. It was to have carried twenty soldiers, with Monticelli on a throne in the middle. There is a new subscription begun for next year, thirty subscribers at two hundred pounds each. Would you believe that I am one? You need not believe it quite, for I am but half an one; Mr. Conway and I take a share between us. We keep Monticelli and Amorevoli, and to please Lord Middlesex, that odious Muscovita; but shall discard Mr. Vanneschi. We are to have the Barberina and the two Fausans; so, at least, the singers and dancers will be equal to anything in Europe.
(Walpole Letters 1891, I, 139f.)

– Die neue Oper *Scipione in Carthagine* von Galuppi war am 2. März 1742 aufgeführt worden. Primaballerina der kommenden Saison war Signora Sodi.

4. März 1742 (II)
Protokolle des Mercer's Hospital

Whereas Mr Putland reported from a Committee appointed to consider of a Performance design'd for the Benefit of this Hospital the Infirmary & the Prisoner of the Marshalseas That it was the desire of the Gentlemen of that Committee that a deputation from the Trustees for those several Charities shou'd attend the Deans & Chapters of Christ Church & St Patricks to desire their leave that the Choir of both Cathedrals may assist at the said Performance.

Order'd That the Trustees of this Hospital do concur with the Committee provided that the whole benefit of the said Performance & of all Rehearsals previous to it shall be intirely applied to the support of the said Charities, & that Tickets be given out for whatever Rehearsals shall be necessary.
(Townsend 1852, 66)

– Der Eintrag bezieht sich auf die erste Aufführung des *Messiah* am 13. April 1742.

6. März 1742
The Dublin Journal

The new Serenata called Hymen, that was to have been performed on Wednesday next [10. März], at Mr. Handel's Musical Entertainments at the New Musick-Hall in Fishamble-street, is by the sudden illness of Mrs. Cibber, put off to the Wednesday following; and as many of Mr. Handel's Subscribers are obliged to go out of Town soon, it is humbly hoped that they will accept of the Allegro ed il Penseroso for the next Night's Performance, which will be on Wednesday the 10th of March.
(Townsend 1852, 67f.)

– *Hymen (Imeneo)* wurde konzertant nach nochmaliger Verschiebung erst am 24. März aufgeführt, *L'Allegro ed il Penseroso* (ohne *Il Moderato*) am 17. März.

9. März 1742
The Dublin Journal

Several Gentlemen and Ladies Subscribers to Mr. Handel's Musical Entertainments having desired that the Musical Performance should be put off till Wednesday se'night the 17th of March, Mrs. Cibber being in a fair Way of Recovery. The new Serenata called Hymen, will be certainly performed on that Day.
(Townsend 1852, 68)

13. März 1742
The Dublin Journal

At the new Musick-hall ... on Wednesday next [17. März] ... will be performed a new Serenata called Hymen. With Concertos on the Organ and other Instruments.
(Townsend 1852, 69)

16. März 1742
The Dublin Journal

At the new Musick-hall ... To-morrow ... will be performed L'Allegro ed il Penseroso, with Concertos on the Organ; Mrs. Cibber continuing so ill that the new Serenata called Hymen cannot be performed on that Day.
(Townsend 1852, 69)

20. März 1742
The Dublin Journal

At the new Musick-hall... on Wednesday next, being the 24th of March, will be performed ... Hymen.
(Townsend 1852, 69)

– Die Aufführung wurde am 31. März wiederholt.
In der gleichen Zeitung wird berichtet, daß am 19. März der berühmte Hornist „Mr. Charles" eintraf (vgl. 3. März 1738 und 1. Mai 1742).

27. März 1742
The Dublin Journal

For Relief of the Prisoners in the several Gaols, and for the Support of Mercer's Hospital in Stephen's Street, and of the Charitable Infirmary on the Inns Quay, on Monday the 12th of April, will be performed at the Musick Hall in Fishamble Street, Mr. Handel's new Grand Oratorio, call'd the Messiah, in which the Gentlemen of the Choirs of both Cathedrals will assist, with some Concertoes on the Organ, by Mr. Handell. Tickets to be had at the Musick Hall, and at Mr. Neal's in Christ-Church-Yard, at half a Guinea each.
N. B. No Person will be admitted to the Rehearsal without a Rehearsal Ticket, which will be given gratis with the Ticket for the Performance when pay'd for.
(Townsend 1852, 69 f.)

– Mit dieser Anzeige wurde der Messiah zum erstenmal öffentlich angekündigt.
Am gleichen Tag wurde das Werk im Dublin News-Letter als „New Grand Sacred Oratorio" angezeigt mit dem Hinweis: „Books are also to be had at a British sixpence each." Am 30. März wird das Werk im Dublin Journal als „Mr. Handel's New Grand Sacred Oratorio, called the Messiah" angekündigt.
Die Aufführung wurde auf den 13. April verschoben.

30. März 1742
The Dublin Journal

For the Benefit of Signora Avolio at the Musick-Hall... on Monday the 5th of April, will be a Concert of Vocal and Instrumental Musick. As Signora Avolio is a Stranger in this Country, she most humbly hopes, that the Nobility and Gentry, whom she hath had the Honour of performing before, will be pleased to honour her Benefit with their Presence, which she will acknowledge in the most grateful Manner. Tickets to be had at her Lodgings at Mr. Madden's in Strand-street, and the Printer's hereof, at a British Crown each.

März 1742 (I)
Alexander Pope, The Dunciad

... O Cara! Cara! silence all that train:
Joy to great Chaos! let Division reign[1]:...
Strong in new Arms, lo! Giant Handel stands,
Like bold Briareus, with a hundred hands;
To stir, to rouze, to shake the Soul he comes,
And Jove's own Thunders follow Mars's Drums.
Arrest him, Empress; or you sleep no more –
She heard, and drove him to th' Hibernian shore.

[1]Allusion to the false taste of playing tricks in Music with numberless divisions, to the neglect of that harmony which conforms to the Sense, and applies to the Passions. Mr. Handel had introduced a great number of Hands, and more variety of Instruments into the Orchestra, and employed even Drums and Cannon to make a fuller Chorus; which prov'd so much too manly for the fine Gentlemen of his age, that he was obliged to remove his Music into Ireland. After which they were reduced, for want of Composers, to practice the patch-work above mentioned. [Bd. IV, S. 160 f.]
(Burney 1785, 26; Townsend 1852, 103; Schoelcher 1857, 241)

– Die ersten drei Bände der Dunciad waren bereits 1728 veröffentlicht worden, der vierte Band erschien im März 1742.
Pope bezeichnet das Reich der Philister als „Kingdom of the Dull upon earth". „Patch-work" („Flickwerk") bezieht sich wahrscheinlich auf das Pasticcio Alessandro in Persia, das Pope als Beispiel für die italienische Oper anführt (vgl. 31. Oktober 1741).

März 1742 (II)
The Gentleman's Magazine

To Mrs. Cibber, on her Acting at Dublin.
...
Now tuneful as Apollo's lyre,
She stands amid the vocal choir;
If solemn measures slowly move,
Or Lydian airs invite to love,
Her looks inform the trembling strings,
And raise each passion, that she sings;
The wanton Graces hover round,
Perch on her lips, and tune the sound.
...
O wondrous girl! how small a space
Includes the gift of human race!
...
Dublin, Mar. 11. 1742.

– Susanna Maria Cibber, die Schwester Thomas Augustine Arnes und zweite Frau von Theophilus Cibber, trat 1732 zum erstenmal als Sängerin, 1736 zum erstenmal als Schauspielerin auf und war bald als erste Tragödin ihrer Zeit anerkannt.

3. April 1742
The Dublin Journal

At the new Musick Hall ... on Wednesday next, being the 7th of April, will be performed an Oratorio call'd Esther, with Concertos on the Organ, being the last Time of Mr. Handel's Subscription Performance. The Tickets will be delivered to the Subscribers on Tuesday next at Mr. Handel's House in Abby-street, from Ten o'clock in the Morning till Three in the Afternoon, and on Wednesday at the Musick Hall ... from Ten o'clock in the Morning till the Time of the Performance.
On Thursday next being the 8th Inst. at the Musick Hall ... will be the Rehearsal of Mr. Handel's new Grand Sacred Oratorio called The Messiah, in which the Gentlemen of both Choirs will assist: With some Concertos on the Organ by Mr. Handel.
(Townsend 1852, 70f.)

– Die Probe fand erst am 9. April statt.

10. April 1742 (I)
The Dublin News-Letter

Yesterday Morning, at the Musick Hall ... there was a public Rehearsal of the Messiah, Mr. Handel's new sacred Oratorio, which in the opinion of the best Judges, far surpasses anything of that Nature, which has been performed in this or any other Kingdom. The elegant Entertainment was conducted in the most regular Manner, and to the entire satisfaction of the most crowded and polite Assembly.
To the benefit of three very important public Charities, there will be a grand Performance of this Oratorio on Tuesday next [13. April] in the forenoon.
(Townsend 1852, 87)

10. April 1742 (II)
The Dublin Journal

Yesterday Mr. Handell's new Grand Sacred Oratorio, called, The Messiah, was rehearsed ... to a most Grand, Polite and crouded Audience; and was performed so well, that it gave universal Satisfaction to all present; and was allowed by the greatest Judges to be the finest Composition of Musick that ever was heard, and the sacred Words as properly adapted for the Occasion.
N. B. At the Desire of several Persons of Distinction, the above Performance is put off to Tuesday next [13. April]. The Doors will be opened at Eleven, and the Performance begin at Twelve.
Many Ladies and Gentlemen who are well-wishers to this Noble and Grand Charity for which this Oratorio was composed, request it as a Favour, that the Ladies who honour this Performance with their Presence would be pleased to come without Hoops, as it will greatly encrease the Charity, by making Room for more company.
(Townsend 1852, 86f.)

– Daß Händel den *Messiah* für das Mercer's Hospital komponiert habe, wird nur in diesem Bericht gesagt.

13. April 1742
The Dublin Journal

This Day will be performed Mr. Handell's new Grand Sacred Oratorio, called The Messiah. The doors will be opened at Eleven, and the performance begin at Twelve.
The Stewards of the Charitable Musical Society request the Favour of the Ladies not to come with Hoops this Day to the Musick-Hall in Fishamble-Street: The Gentlemen are desired to come without their Swords.
(Townsend 1852, 87f.)

– Die gleiche Anzeige erschien in *The Dublin Gazette* und in *The Dublin News-Letter*.
Besetzung:
Christina Maria Avoglio, Sopran
Susanna Maria Cibber, Mezzosopran
William Lamb, Kontratenor
Joseph Ward, Kontratenor
James Baileys, Tenor
John Hill, Baß
John Mason, Baß
Die Sänger waren Mitglieder der beiden Kathedralchöre, ausgenommen Mason, der nur zur Christ Church Cathedral gehörte.

15. April 1742
Horace Walpole an Horace Mann

April 15, 1742.
Would you believe that our wise directors for next year will not keep the Visconti, and have sent for the Fumagalli? She will not be heard to the first row of the pit.
(Walpole Letters 1891, I, 156)

17. April 1742
The Dublin Journal

On Tuesday last [13. April] Mr. Handel's Sacred Grand Oratorio, the Messiah, was performed at the New Musick-Hall in Fishamble-street; the best Judges allowed it to be the most finished piece of Musick. Words are wanting to express the exquisite Delight it afforded to the admiring crouded Audience. The Sublime, the Grand, and the Tender, adapted to the most elevated, majestick and moving Words, conspired to transport and charm the ravished Heart and Ear. It is but Justice to Mr. Handel, that the World should know, he generously gave the Money arising from this Grand Performance, to be equally shared by the Society

for relieving Prisoners, the Charitable Infirmary, and Mercer's Hospital, for which they will ever gratefully remember his Name; and that the Gentlemen of the two Choirs, Mr. Dubourg, Mrs. Avolio, and Mrs. Cibber, who all performed their Parts to Admiration, acted also on the same disinterested Principle, satisfied with the deserved Applause of the Publick, and the conscious Pleasure of promoting such useful, and extensive Charity. There were about 700 People in the Room, and the Sum collected for that Noble and Pious Charity amounted to about 400 l. out of which 127 l. goes to each of the three great and pious Charities.
(Townsend 1852, 88)

– Der Bericht war vermutlich von Gabriel Joseph Maturin, Sekretär des Mercer's Hospital, verfaßt worden. Er erschien (ohne den letzten Satz) auch in der *Dublin Gazette* und im *Dublin News-Letter*. *Pue's Occurrences* brachten am gleichen Tag einen kurzen eigenen Bericht, in dem Signora Avoglio nicht genannt wird. Mrs. Maclaine wird in keinem Bericht erwähnt.

20. April 1742
The Dublin Journal

On Mr. Handel's Performance of his Oratorio, call'd the Messiah, for the Support of Hospitals, and other pious Uses, at the Musick-hall in Fishamble-street, on Tuesday, April 13th, 1742, before the Lords Justices, and a vast Assembly of the Nobility and Gentry of both Sexes. By Mr. L. Whyte.

What can we offer more in Handel's praise?
Since his Messiah gain'd him groves of Bays;
Groves that can never wither nor decay,
Whose Vistos his Ability display:
Here Nature smiles, when grac'd with Handel's
                                          Art,
Transports the Ear, and ravishes the Heart;
To all the nobler Passions we are mov'd,
When various strains repeated and improv'd,
Express each different Circumstance and State,
As if each Sound became articulate.

None but the Great Messiah cou'd inflame,
And raise his Soul to so sublime a Theme,
Profound the Thoughts, the Subject all divine,
Now like the Tales of Pindus and the Nine:
Or Heathen Deities, those Sons of Fiction,
Sprung from old Fables, stuff'd with Contradic-
                                          tion;
But our Messiah, blessed be his Name!
Both Heaven and Earth his Miracles proclaim.
His Birth, his Passion, and his Resurrection,
With his Ascension, have a strong Connection;

What Prophets spoke, or Sybels could relate,
In him were all their Prophecies compleat,
The Word made Flesh, both God and Man be-
                                          came;

They let all Nations glorify his Name.
Let Hallelujah's round the Globe be sung,
To our Messiah, from a Virgin sprung.
(Townsend 1852, 89f.)

– Möglicherweise ist dieses Gedicht von Laurence Whyte eine Überarbeitung des am 3. Februar 1742 angezeigten. Zeile 6 zeigt eine auffallende Ähnlichkeit zu einer Formulierung in dem Bericht vom 17. April („... transport and charm the ravished Heart and Ear").

27. April 1742
The Dublin Journal

We hear that Mrs. Cibber will perform next Friday [30. April] at the Musick-hall in Fishamble-street to the Charitable and Musical Society.

1. Mai 1742
The Dublin Journal

At the Musick-hall ... on Wednesday the 12th of May will be performed a grand Concert of Musick, by Mr. Charles the Hungarian, Master of the French Horn, with his Second, accompanied by all the best Hands in this City. – First Act, I. An Overture with French Horns, called new Pastor Fido. ... Second Act, I. Handel's Water Musick, with the March in Scipio, and the grand Chorus in Atalanta. ... Third Act, I. The Overture in Saul, with the Dead March, composed by Mr. Handel, but never performed here before. ... The Rehearsal for this grand Performance will be on Wednesday the 5th of May.
(Townsend 1852, 94; Flood 1912/13, 53)
Vgl. 3. März 1738 und 20. März 1742

– Charles spielte auch Klarinette, Oboe d'Amore und Chalumeau (?), Instrumente, die bisher in Irland noch nicht zu hören waren. Der „new Pastor Fido" war Händels Fassung vom Jahre 1734 (vgl. 18. Mai 1734).
Vgl. 11. Mai (II) und 15. Mai 1742

11. Mai 1742 (I)
The Dublin Journal

As several of the Nobility and Gentry have desired to hear Mr. Handel's Grand Oratorio of Saul, it will be performed on the 25th Inst. at the New Musick-hall ... with some Concertos on the Organ. Tickets will be delivered at Mr. Handel's House in Abbey-street, and at Mr. Neal's in Christ-church-yard, at Half a Guinea each. A Ticket for the Rehearsal (which will be on Friday the 21st) will be given gratis with the Ticket for the Performance. Both the Rehearsal and the Performance will begin at 12 at Noon.
(Townsend 1852, 94f., mit der Zitierung einer Anzeige vom 8. Mai)

– Tatsächlich fand die Aufführung am Abend statt.

11. Mai 1742 (II)
The Dublin Journal

For the Benefit of Mr. Will. and Bar. Manwaring, at the Request of the Charitable Musical Society on College-green, on Monday the 17th Inst. will be acted, at the Theatre in Smock-alley, a Comedy. ... At which Mr. Manwaring will play his own Medley Overture; and Mr. Charles, with his Second, will perform the Water Musick, being the first time of his appearing on the Stage, in which he will be accompanied on the Kettle Drum by Mr. Kounty.

– William Manwaring (oder Mainwaring) war Musikalienhändler in College Green und ca. 1740 – 1763 mit Neal assoziiert (Humphries/ Smith 1954, 224). Er war auch Schatzmeister der Charitable Musical Society. Verwandtschaftliche Beziehungen zu John Mainwaring konnten nicht festgestellt werden. Bartholomew (?) Manwaring konnte nicht identifiziert werden. Charles spielte am 12. und 17. Mai und wahrscheinlich am 2. Juni Sätze aus Händels *Water Music*.

14. Mai 1742
Charles Jennens an Edward Holdsworth

Gops., May 14, 1742.
Your Ottobonian Collection will be welcome. The Cardinal was once a Patron of Handel's & I have one or two Pieces compos'd by Handel for his Eminence. This is some argument to me of Taste.
(Sammlung Gerald Coke)

– Holdsworth hatte Jennens Musikalien übersandt.

15. Mai 1742
The Dublin Journal

Mr. Charles' late Concert [12. Mai] having given such general Satisfaction to the Audience, he has been desired to repeat his Performance once more before he leaves this Kingdom: Therefore, on Wednesday next [19. Mai], at the Musick-hall ... will be his second and last Grand Concert of Musick, wherein he will introduce ... by particular Desire the Dead March in Saul.

– Das Konzert wurde vom 19. Mai auf den 2. Juni verlegt.
Charles blieb entweder in Dublin oder kehrte bald dorthin zurück. Seit Anfang 1742 erteilte er Unterricht und spielte im Orchester des Theatre Royal in Aungier Street. Im November 1742 übernahm er Geminianis „Concerts and Great Music Room" (*Dublin Journal*). 1757 erschienen zwölf Duette für Hörner oder Querflöten von Charles in der zweiten Ausgabe von *Apollo's Cabinet* bei John Sadler in Liverpool (vgl. 1754/II).

22. Mai 1742
The Dublin Journal

Yesterday there was a Rehearsal of the Oratorio of Saul at the Musick-Hall ... at which there was a most grand, polite and numerous Audience, which gave such universal Satisfaction, that it was agreed by all the Judges present, to have been the finest Performance that hath been heard in this Kingdom.
[Aufführung am 25. Mai:] To begin at 7 o'clock. Books to be had at the Musick-hall, Price a British Sixpence.
(Townsend 1852, 95)

26. Mai 1742
Horace Walpole an Horace Mann

Downing Street, May 26, 1742.
Our operas are almost over; there were but three-and-forty people last night in the pit and boxes. There is a little simple farce at Drury Lane, called „Miss Lucy in Town", in which Mrs. Clive mimics the Muscovita admirably, and Beard, Amorevoli tolerably. But all the run is now after Garrick, a wine-merchant, who is turned player, at Goodman's-fields.
(Walpole Letters 1891, I, 168)

– Die beiden letzten, wenig erfolgreichen, Opern dieser Saison am Haymarket Theatre waren *Meraspe* (Text: Paolo Antonio Rolli nach Metastasios *Olimpiade,* Musik: Giovanni Battista Pergolesi) und *Cefalo e Procri* (Text/Musik: ?).
Die in Drury Lane gespielte Farce von Henry Fielding, die auch Lieder enthielt, wurde seit dem 6. Mai gespielt, war aber zeitweise auf Befehl des Lord-Oberhofmeisters verboten, wahrscheinlich weil die Zuschauer in „Lord Bauble" den Earl of Middlesex erkannten. Es erschien sogar ein „Letter to a Noble Lord ... occasioned by ... a Farce, called Miss Lucy in Town".

29. Mai 1742
The Dublin Journal

At the particular Desire of several of the Nobility and Gentry, on Thursday next, being the 3d Day of June, at the New Musick-Hall ... will be performed, Mr. Handel's new grand sacred Oratorio, called Messiah, with Concertos on the Organ. Tickets will be delivered at Mr. Handel's House in Abby-street, and at Mr. Neal's in Christ-church-yard, at half a Guinea each. A Rehearsal Ticket will be given gratis with the Ticket for the Performance. The Rehearsal will be on Tuesday the 1st of June at 12, and the Performance at 7 in the Evening. In order to keep the Room as cool as possible, a Pane of Glass will be removed from the Top of each of the Windows. – N. B. This will be

the last Performance of Mr. Handel's during his Stay in this Kingdom.
(Townsend 1852, 95 f.)

8. Juni 1742
The Dublin Journal

On Wednesday the 16th Instant, there will be a Concert of Vocal and Instrumental Musick, at the Musick-Hall ... for the Benefit of Signora Avoglio.... N.B. As she is a Stranger in the Kingdom, she most humbly hopes, that our Nobility and Gentry, who are so remarkable for their great Humanity and Generosity to Strangers, will be pleased to countenance her in this Affair.

– Das zweite Benefizkonzert für Signora Avoglio wurde auf den 23. Juni verschoben.
(Flood 1912/13, 53)
Vgl. 30. März 1742

9. Juni 1742
Warrant Book des Königs

	£	s.	d.	
Royal Academy of Musick	1,000	0	0	Royal bounty towards enabling the undertakers of the Opera to defray expense thereof

(Shaw 1903, 182)

– Für die Jahre 1739 bis 1741 gibt es keine Eintragungen über Unterstützungen der Opern (vgl. 5. Juli 1738). Die Royal Academy of Music wird noch in den Papieren des Schatzamtes genannt, obgleich sie nicht mehr existierte.
Die Zuwendung des Königs erhielt in diesem Jahr das von Lord Middlesex geleitete Opernunternehmen.
Vgl. 22. Juni 1742

15. Juni 1742
The Dublin Journal

On Wednesday the 23d Instant, there will be a Concert of Vocal and Instrumental Musick ... for the Benefit of Signora Avoglio. ... Being the last time of her Performance in this Kingdom.
N.B. The above Concert is put off on account of the Players Arrival from England, who perform that Evening [16. Juni], and have given up the Wednesday following [23. Juni] to Signora Avolio for her Performance.

– Die Schauspieler führten am 16. Juni im Theatre in Smock-Alley mit Miss Margaret Woffington *The Constant Couple* von George Farquhar auf. David Garrick kam mit dieser Truppe nach Irland.

22. Juni 1742
Protokolle des Schatzamtes

Order for the following issues out of the Civil List: –

	£	s.	d.
To the Academy of Music	1,000	0	0

(Shaw 1903, 49)

3. Juli 1742
The Dublin Journal

Last Wednesdy [30. Juni] the ingenious Mr. Arne, Brother to Mrs. Cibber, and Composer of the Musick of Comus, together with his Wife (the celebrated Singer) arrived here from London.

– Thomas Augustine Arne und seine Frau Cecilia blieben bis 1744 in Dublin. Arnes Musik zu John Daltons Bearbeitung des *Comus* von Milton war 1738 in Drury Lane aufgeführt worden. Neal und Manwaring druckten 1741 zwei Sammlungen von Arien aus *Comus*.
Mrs. Cibber sang am 24. Juli im Theatre Royal in Aungier Street die Polly in der *Beggar's Opera*.

13. Juli 1742
The Dublin Journal

At the particular Desire of several Persons of Quality, for the Benefit of Mrs. Arne, at the Theatre-royal in Aungier-street, on Wednesday the 21st Inst. will be performed a Grand Entertainment of Musick, to be divided into three Interludes; wherein several favourite Songs and Duettos will be performed by Mrs. Arne and Mrs. Cibber. – In the first Interlude (after an Overture of Mr. Handel's) ... O beauteous Queen, from Mr. Handel's Oratorio of Esther, by Mrs. Cibber; ... O fairest of ten thousand Fair, a Duetto, from Mr. Handel's Oratorio of Saul, by Mrs. Arne and Mrs. Cibber. – In the second Interlude ... Chi Scherza colle Rose, from Mr. Handel's Opera of Hymen, by Mrs. Cibber; ... Vado e Vivo, a Duetto of Mr. Handel's in Faramondo, by Mrs. Arne and Mrs. Cibber. – In the third Interlude ... Un Guardo solo, from Mr. Handel's Opera of Hymen, by Mrs. Cibber; (by particular Desire) Sweet Bird, from Mr. Handel's Allegro, by Mrs. Arne; and Per le Porte del Tormento, a favourite Duetto from Mr. Handel's in Sosarmes, by Mrs. Arne and Mrs. Cibber.
(Townsend 1852, 68, 100)

– Die gleiche Anzeige erschien im *Dublin News-Letter*. Das Konzert wurde in den „Great Room in Fishamble-Street" verlegt und am 28. Juli wiederholt.

24. Juli 1742
The Dublin Journal

On Wednesday last [21. Juli], at the Great Room in Fishamble-street was performed (for the Benefit of Mrs. Arne the celebrated Singer) a grand Enter-

tainment of Musick, wherein she and Mrs. Cibber sang several favourite Songs and Duettos, with so great an Applause, that the whole Company desired it might be performed again next Wednesday [28. Juli].
(Flood 1912/13, 53)

12. August 1742
David Garrick spielt den Hamlet im Smock-Alley-Theatre. Händel soll diese Aufführung besucht haben.
(Townsend 1852, 97 f.; Flood 1912/13, 53; Myers 1948, 107)
Vgl. Februar 1755

14. August 1742
The Dublin News-Letter

Yesterday the Right Hon. the Lady King, the celebrated Mr. Handel, and several other Persons of Distinction, embarked on board one of the Chester Traders, in order to go to Parkgate.
(Townsend 1852, 100)

– Händel kehrte offensichtlich ohne Zwischenaufenthalt (vgl. 9. September 1742), nach einer Abwesenheit von zehn Monaten, etwa Ende August nach London zurück.
Über Händels Abschiedsbesuch bei Jonathan Swift berichtet M. Laetitia Pilkington in ihren Memoiren (vgl. 1754/III).
In einem Brief an Charles Burney vom 16. Juli 1788 schreibt Dr. W. C. Quin über Händels Aufenthalt in Dublin (Burney, II, 1006 f.): „… There were many noble families here, with whom Mr. Handel lived in the utmost degree of friendship and familiarity. Mrs. Vernon, a German lady, who came over with King George I. was particularly intimate with him, and at her house I had the pleasure of seeing and conversing with Mr. Handel; who, with his other excellencies, was possessed of a great stock of humour; no man ever told a story with more. But it was requisite for the hearer to have a competent knowledge of at least four languages: English, French, Italian, and German; for in his narratives he made use of them all."
Händel besuchte Mrs. Vernon (Dorothy Grahn) in Clontarf Castle, Cork, von Dublin aus und soll für sie eine „Forest Music" komponiert haben, nach Schoelcher (1857, 256 f.) „a little piece for the harpsichord … The first movement is a joyous reveillée, like that of hunters going to the forest. In the second is an imitation of the Irish national music."
(Smith 1960, 235 f.)

In Dublin soll Händel auch den aus Sachsen stammenden Klavierbauer Ferdinand Weber wiederholt besucht haben sowie Samuel Lee, einen angesehenen Musiker und Schüler von Dubourg, der auch eine Musikalienhandlung besaß und 1742 für Händel als Kopist tätig war,
(Flood 1909/10, 40)

17. August 1742
The Dublin Journal

Last Week Lady King, Widow of the late Rt. Hon. Sir Henry King, Bart. and the celebrated Mr. Handel so famous for his excellent Compositions and fine Performance with which he entertained this Town in the most agreeable Manner, embarked for England.
(Townsend 1852, 101)

– Mrs. Cibber und Mr. Arne verließen Dublin am 23. August (*The Dublin Journal*). Arne kehrte später zu seiner Frau nach Dublin zurück.

August 1742
The Gentleman's Magazine

Green-Wood-Hall: or Colin's Description (to his Wife) of the Pleasures of Spring Gardens.
Made to a favourite Gavot from an Organ-Concerto compos'd for Vauxhall. By Mr. Gladwin.

As still, amaz'd, I'm straying
O'er this inchanted grove,
I spy a Harper[1] playing
All in his proud alcove.

I doff my hat, desiring
He'd tune up Buxom-Joan:
But what was I admiring!
Odzooks! a man of stone.

[1] Mr. Handel's statue.

– Das Lied auf eine Melodie von Thomas Gladwin wurde wiederholt als Einzeldruck veröffentlicht. Es beginnt: „O Mary! soft in feature, I've been at dear Vauxhall."
„Buxom Joan of Lymas's [Limehouse] Love to a Jolly Sailer", eine 1693 gedruckte Ballade, deren erste drei Verse aus William Congreves *Love for Love* stammten und die „To an excellent new Playhouse tune" gesungen wurde, war ein bedeutungsloses Stück.

9. September 1742
Händel an Charles Jennens

London Septr 9.th 1742.
Dear S[r]
It was indeed Your humble Servant which intended You a visit in my way from Ireland to London, for I certainly could have given You a better account by word of mouth, as by writing, how well Your Messiah was received in that Country, yet as a Noble Lord, and no less than the Bishop of Elphin (a Nobleman very learned in Musick) has given his Observation in writing of this Oratorio, I

send you here annexed the Contents of it in his own words. – I shall send the printed Book of the Messiah to Mr J Sted for You. As for my Success in General in that generous and polite Nation, I reserve the account of it till I have the Hoñour to see you in London. The report that the Direction of the Opera next winter is comĩtted to my Care, is groundless. The gentlemen who have undertaken to middle with Harmony can not agree, and are quite in a Confusion. Whether I shall do some thing in the Oratorio way (as several of my friends desire) I can not determine as yet. Certain it is that this time 12 month I shall continue my Oratorio's in Ireland, where they are a going to make a large Subscription allready for that Purpose.

If I had know'n that My Lord Guernsey was so near when I pass'd Coventry, You may easily imagine, Sir, that I should not have neglected of paying my Respects to him, since You know the particular Esteem I have for His Lordship. I think it a very long time to the month of November next when I can have some hopes of seeing You here in Town. Pray let me hear meanwhile of Your Health and Wellfare, of which I take a real Share beeng with uncommon Sincerity and Respect
Sr
Your most obliged humble Servant
George Frideric Handel.
To
Charles Jennens Esqr Junior
at Gopsal near Atherstone
Coventry bag-
(Bis 1973 im Besitz des Earl Howe. Rimbault 1850; Christie 1973)

– Händel hatte ursprünglich die Absicht, Jennens während der Rückreise zu besuchen.
Über Mr. Sted ist nichts bekannt. Das Wort „middle" im Zusammenhang mit der Haymarket Opera ist offenbar eine ironische Anspielung auf Lord Middlesex. Seinen Plan, Dublin noch einmal aufzusuchen, verwirklichte Händel nicht.
Vgl. 29. Dezember 1741 (II) sowie 6. Juli 1733 und 19. September 1738

Die von Händel erwähnte Beilage (Sammlung Gerald Coke) hat folgenden Wortlaut:
As Mr. Handel in his oratorio's greatly excells all other Composers I am acquainted with, So in the famous one, called The Messiah he seems to have excell'd himself. The whole is beyond any thing I had a notion of till I Read and heard it. It Seems to be a Species of Musick different from any other, and this is particularly remarkable of it. That tho' the Composition is very Masterly & artificial, yet the Harmony is So great and open, as to please all who have Ears & will hear, learned & unlearn'd.

Without doubt this Superior Excellence is owing in some measure to the great care & exactness which Mr Handel seems to have us'd in preparing this Piece. But Some reasons may be given why He has Succeeded better in this than perhaps He could with all his skill, fully exerted, have done in any other.

1. one is the Subject, which is the greatest & most interesting. It Seems to have inspir'd him.
2. Another is the Words, which are all Sublime, or affecting in the greatest degree.
3. a Third reason for the Superior Excellence of this piece, 'Tis this there is no Dialogue. In every Drame there must be a great deal & often broken into very Short Speeches & Answers, If these be flat, & insipid, they move laughter or Contempt.

Whereas in this Piece the attention of the Audience is Engag'd from one end to the other: And the Parts Set in Recitativo, being Continu'd Sentences, & Some times adorn'd with to[o] much applause, by the audience as the rest. –

They Seem'd indeed throughly engag'd frome one end to the other. And, to their great honour, tho' the young & gay of both Sexes were present in great numbers, their behaviour was uniformly grave & decent, which Show'd that they were not only pleas'd but affected with the performance. Many, I hope, were instructed by it, and had proper Sentiments inspir'd in a Stronger Manner on their Minds.

If these observations be just, they may furnish Mr. Handel with Some hints for any future pieces, which He may undertake to Compose. Instead of giving Rules for this, I'll point out an instance or two.

Plan for an Oratorio
Title the Penitent.
Part 1. To be made up of passages describing the Righteousness of God. That He is of purer Eyes than to behold iniquity – is just to punish Sinners, mercifull to them that repent, loves & cherishes the good, but Shews indignation against them that do evil – a number of particulars will easily offer themselves here.
Part 2d. Two characters to be introduc'd 1. a Good man obedient to the Laws of God, flourishing like a green bay tree, enjoying peace of mind & prosperity, & on a reverse of fortune patient & resign'd in adversity, trusting in God, and by him supported & reliev'd & 2. a wicked man acting in defiance of God, Saying Just I shall never be mov'd Strengthening himself in his wickedness for a time, but at last visited with Evils, under which He falls into Misery & some horrors, at first without any Compunction or thought, of returning to God. These two characters may be mix'd, as the L'Allegro ed il Penseroso are, which would have a very good effect, & it would not be amiss to introduce the wicked man as insulting the good in affliction & tempting him to forsake God. The Book of Job

will furnish variety of fine passages for this purpose.

Part 3. To begin with the good man exhorting the wicked loaded with afflictions, and Sunk under them, to return to God by repentance, then on these Exhortation having their effect, The wicked man to address himself to God, Confess his guilt, beg pardon & forgiveniss. The Psalms commonly Call'd the Penitential Psalms will furnish a variety of fine passages for this Lastly to conclude with the joy of the Penitent on his prayers being heard, and the good man & He joyn in Celebrating y^e. mercy & goodness of God, who pardons Sinners on Sincer Repentance & Reformation. This to be further carried on into the Grand Chorus.

– Der Text stammt von Dr. Edward Synge, Bischof von Elphin (Irland). Am Ende der Abschrift von John Christopher Smith d.Ä. vermerkte Händel für Jennens: „I send you this S^r. only to show you how zealous they are in Ireland for Oratorios. I could send you a number of Instances more from others in Print and in writing."

23. September 1742
The Daily Advertiser

New Musick and Editions of Musick, Just publish'd by J. Walsh.
For a German Flute, Violin, or Harpsichord.
...
Sonatas for Violins and German Flute, in three Parts.
...
Concertos for Violins etc.
...
Musick for the Harpsichord.
...
Vocal Musick, English.

– In dem Angebot sind Werke Händels und anderer Komponisten verzeichnet.

8. Oktober 1742
Im Eröffnungskonzert der zweiten Saison der Charitable and Musical Society wird zum erstenmal die von Händel für die New Music Hall erworbene neue Orgel gespielt (Flood 1912/13, 53).
Townsend (1852, 106ff.) erwähnt zwei weitere Orgeln in Dublin, die Händel gehörten.

29. Oktober 1742
Charles Jennens an Edward Holdsworth

You was misinformed about Mr. Handel, who does not return to Ireland till next Winter; so that I hope to have some very agreeable Entertainments from him this Season. His Messiah by all ac-

counts is his Masterpiece.
(Sammlung Gerald Coke)
Vgl. 9. September 1742

31. Oktober 1742
Händel komponiert das Duett „Beato in ver chi può", eine italienische Fassung von Horaz' „Beatus ille".
Eintrag in der autographen Partitur (R. M. 20. g. 9.): „Fine G. F. Handel London. Oct^obr 31. 1742."

2. November 1742
Händel komponiert die zweite Fassung des Kammerduetts „Nò di voi non vuò fidarmi".
Eintrag in der autographen Partitur (R. M. 20. g. 9.): „G. F. Handel London Nov. 2. ♂ [Dienstag] 1742."
Vgl. 3. Juli 1741

13. November 1742
The Dublin Journal

In the Beginning of December next, at Mr. Johnson's Hall in Crow-street, will be performed a Concert of Vocal and Instrumental Musick, for the Benefit of Miss Davis, a Child of 6 years old, who will perform a Concerto and some other Pieces upon the Harpsichord; particularly she will accompany her Mother to a Song of Mr. Handel's, composed entirely to shew the Harpsichord; the Vocal Parts to be performed by Mrs. Davis, and her Sister Miss Clegg, who never performed in publick before, some new Songs out of the last Operas, and three of the most favourite Duetts of Mr. Handel's to be performed by Mrs. Davis and her Sister.
(Flood 1909/10, 445)

– Das für den 11. Dezember 1742 vorgesehene Konzert fand schließlich am 5. Februar 1743 statt. Miss Clegg und Mrs. Davis waren vermutlich Schwestern des Geigers John Clegg.
Ob Mrs. Davis identisch war mit der Sängerin Davis, die 1732 in London in Aufführungen Händelscher Oratorien mitwirkte (vgl. 2. Mai und 10. Juni 1732), konnte nicht festgestellt werden. Die Dubliner Familie Davis hatte wahrscheinlich nichts zu tun mit den Schwestern Davis in London, obgleich eine Miss Davis am 10. Mai 1745 in London Cembalo spielte. Eine Marianne Davies trat in London am 30. April 1751 als Cembalistin auf.

25. November 1742
Händels *Utrecht Te Deum* und *Jubilate* sowie zwei Anthems werden in der Kathedrale von Salisbury zum Fest der hl. Cäcilia aufgeführt. Wahrscheinlich waren dies die ersten in Salisbury – auf Anregung von James Harris – aufgeführten Werke Händels.
(Husk, 94)

30. November 1742
The Dublin Journal

The Musick for the Benefit of [Mercer's Hospital] at St. Andrew's Church, is put off, till some Time in February.
By Appointment of the Charitable Musical Society, for the Benefit and Enlargement of Prisoners confined for Debt, in the several Marshalseas of this City, on Friday the 17th of December next the Entertainment of Acis and Galatea, composed by Mr. Handel, will be performed at the Musick Hall in Fishamble Street. ...
We hear that on Friday next [3. Dezember] (being particularly desir'd) at the great Room in Fishamble Street, Mrs. Arne will sing the Song Sweet Bird, accompanied on the Violin by Mr. Arne.
(Townsend 1860, 108; Smith 1948, 231)

– Das Benefizkonzert fand am 8. Februar 1743 statt. *Acis and Galatea* wurde am 14. Dezember geprobt; das *Coronation Anthem* „Zadok the Priest" wurde dem Programm hinzugefügt, ebenso ein neues Violinsolo von Mr. Dubourg. Unter den Sängern waren Mrs. Arne, Mrs. Storer und Mr. Colgan (*Dublin Journal*, 11. Dezember). „Many of the Ladies, of great Quality and Distinction, having come to a Resolution not to wear any Hoops ..." (*Dublin Journal*, 14. Dezember)
Im Laufe des Jahres 1742 löste die Charitable and Musical Society 142 dahinsiechende Schuldner durch Zahlung von etwa 1225 £ aus (Townsend 1860, 115). Daß Mr. und Mrs. Arne zwischen den Akten von *Acis and Galatea* komische Einlagen gaben, wie W. H. Grattan Flood (*A History of Irish Music*, Dublin 1905, 283 f.) und andere nach ihm behaupteten, trifft nicht zu.

1742 (I)
Elizabeth Tollet

To Mr. Handell.
The Sounds which vain unmeaning Accents bear,
May strike the Sense and play upon the Ear:
In youthful Breasts inspire a transient Flame;
Then vanish in the Void from whence they came.
But when just Reason animates the Song,
With lofty Style, in Numbers smooth and strong,
Such as young Ammon's Passions cou'd
                                        controul,
Or chear the Gloom of Saul's distemper'd Soul;
To these the Goddess Muse shall tune her Voice:
For then the Muse directs the Master's Choice.
Such Themes are suited to the Hero's Mind:
But rural Lays have Charms for all Mankind.
Whether the Poet paints the native Scene,
Or calls to trip it on the level Green:
Or leads the Wand'rer by the Moon along,
While the sweet Chauntress tunes her Even-Song:

The serious Mind with sudden Rapture glows;
The Gazer sinks into sedate Repose:
And each in Silence doubts, if more to praise
The Pow'r of Handell's Notes, or Milton's Lays.
One Labour yet, great Artist! we require;
And worthy thine, as worthy Milton's Lyre;
In Sounds adapted to his Verse to tell
How, with his Foes, the Hebrew Champion fell:
To all invincible in Force and Mind,
But to the fatal Fraud of Womankind.
To others point his Error, and his Doom;
And from the Temple's Ruins raise his Tomb.
(Poems, 136 f.)

– Elizabeth Tollet starb 1754 im Alter von 60 Jahren; ihre Gedichte erschienen 1755 im Druck. Drei von ihnen wurden von William Boyce, Samuel Howard und Thomas Roseingrave vertont.
In dem hier wiedergegebenen undatierten Gedicht spielt die Dichterin am Beginn auf *Alexander's Feast* und *Saul* an (Brooke), die Zeilen 12–20 beziehen sich auf *L'Allegro*; im letzten Teil wird Händel zur Komposition von Miltons *Samson Agonistes* angeregt (Myers 1956).

1742 (II)
Die Pariser Verleger Boivin und Le Clerc veröffentlichen ca. 1742 *Six Sonates A Deux Flutes Traversiere Sans Basse. Par M.' Handel.*

– Diese unter Händels Namen erschienene Ausgabe ist ein Nachdruck der 1729 in Hamburg veröffentlichten *Six Sonate a due flauti trav. senza basso* von G. Ch. Schultze.
(Meyer 1935; Smith 1960, 329 f.)

1743

10. Januar 1743
John Rich und Händel an William Chetwynd

Jan.ʸ 10 1742–3
S.ʳ
The following Oratorio of Samson is Intended to be perform'd at the Theatre Royal in Cov.ᵗ Garden with your permission I am
S.ʳ
Y.ʳ humble Serv.ᵗ
Jn.º Rich
George Frideric Handel

To
– – – – – Chitwin Esq.ʳ
in Cork Street
Absent
(Huntington Library, San Marino, California; Coopersmith 1943, 64)

– Das Gesuch wurde von Rich auf das erste Blatt eines handschriftlichen Textbuches zu *Samson* geschrieben und von ihm und Händel unterzeichnet. William Richard Chetwynd, Mitglied des Parlaments und später Leiter der Münze, war seit 1737 Theater-Zensor.

Der Vermerk „Absent" zur Adresse ist von anderer Hand geschrieben. Händels Oratorienaufführungen fanden wieder im Covent Garden Theatre statt.

Vgl. Februar 1750

17. Januar 1743
Charles Jennens an Edward Holdsworth

I told you before that one of the Composers in my Box [von Holdsworth übersandte Musikalien] was good, I mean Scarlatti: & I shall not condemn the rest without a fair Trial. Handel has borrow'd a dozen of the Pieces & I dare say I shall catch him stealing from them; as I have formerly, both from Scarlatti & Vinci. He has compos'd an exceeding fine Oratorio, being an alteration of Milton's Samson Agonistes, with which he is to begin Lent. His Messiah has disappointed me, being set in great hast, tho' he said he would be a year about it, & make it the best of all his Compositions. I shall put no more Sacred Words into his hands, to be thus abus'd.

(Sammlung Gerald Coke)

– Der *Messiah* wurde in der Zeit vom 22. August bis 14. September 1741 komponiert – für Händel keine ungewöhnlich kurze Zeit.

Vgl. 29. Oktober 1741 und 18. Februar 1743

4. Februar 1743
The Daily Advertiser

This Day are publish'd ... Handel's select Airs or Sonatas, in four Parts for a German Flute, two Violins, and a Bass, collected from the late Operas ... Printed for J. Walsh.

– Die Sammlung enthielt Stücke aus *Atalanta, Serse, Lotario, Tolomeo* und *Admeto*.

(Smith 1960, 267)

5. Februar 1743
Händel beendet das Orgelkonzert A-Dur (später als op. 7 Nr. 2 gedruckt).
Eintrag in der autographen Partitur (R. M. 20. g. 12.): „Fine. London. Febr. 5 ♄ [Sonnabend] 1743."

8. Februar 1743
Zur Unterstützung von Mercer's Hospital werden in der St. Andrew's Church in Dublin Händels *Utrecht Te Deum* und *Jubilate* sowie zwei „new Anthems" „in the Cathedral manner" aufgeführt.
(Townsend 1860, 108)
Vgl. 30. November 1742

12. Februar 1743 (I)
The Daily Advertiser

By Subscription.
At the Theatre-Royal in Covent-Garden, on Friday the 18th inst. will be perform'd a new Oratorio, call'd Sampson.
Tickets will be deliver'd to Subscribers (on paying their Subscription-Money) this Day, and every Day following (Sunday excepted), at Mr. Handel's House in Brooke-Street, near Hanover-Square.
Attendance will be given from Nine o'Clock in the Morning till Three in the Afternoon....
Note, Each Subscriber is to pay Six Guineas upon taking out his Subscription Ticket, which entitles him to three Box-Tickets every Night of Mr. Handel's first six Performances in Lent. And if Mr. Handel should have any more Performances after the six first Nights, each Subscriber may continue on the same Conditions.
(Rimbault 1853, IV)

– Die Anzeige erschien auch in der *London Daily Post* und wurde bis zum Tag der Erstaufführung wiederholt. Die Subskription wurde nach dem Modell von Händels Dubliner Konzerten ausgeschrieben. Vom 23. Februar an wurde der Titel des Oratoriums in den Zeitungen korrekt mit *Samson* wiedergegeben.

Die Bedeutung von Händels folgender Notiz (Fitzwilliam Museum, Cambridge, MS 259, S. 19) ist unklar:

Samson 140 ... Recit.
Micah 97.
Manoah 76.
Dalilah 31.
Harapha 34.
Messenger 10.
In all   386. [richtig: 388]
(Schoelcher 1857, 280 f.; Mann 1893, 184)

12. Februar 1743 (II)
The Dublin Journal

For the Benefit of Mr. Charles, French-horn Master, by his Majesty's Company of Comedians, at the Theatre Royal in Aungier-street, this Day, will be acted, a Comedy called Love for Love, with a grand Concert of vocal and instrumental Musick, viz. ... At the End of the Play, a grand Concert, 1st. the Overture in Saul with the Dead March. 2d. a Song by Mr. [Joseph] Baildon. 3d. The Water Musick. 4th. The March in Scipio; and 5th, the Grand Chorus in Atalantha, composed by the celebrated Mr. Handel.

– Congreves Komödie war in Dublin sehr beliebt.

16. Februar 1743
Edward Holdsworth an Charles Jennens

I am sorry to hear yr. friend Handel is such a jew.

His negligence, to say no worse, has been a great disappointment to others as well as yr. self, for I hear there was great expectation of his composition. I hope the words, tho' murder'd are still to be seen, and yt I shall have that pleasure when I return. And as I don't understand the musick I shall be better off than the rest of the world.
(Sammlung Gerald Coke)
Vgl. 17. Januar 1743

18. Februar 1743 (I)

Samson wird im Covent Garden Theatre zum erstenmal aufgeführt.
Besetzung:
Samson – John Beard, Tenor
Manoa – William Savage, Baß
Micah – Susanna Maria Cibber, Mezzosopran
Dalila – Catherine Clive, Sopran
Harapha – Thomas Reinhold, Baß
Israelitische Frauen ⎫ Christina Maria Avoglio
Frauen der Philister ⎭ und Miss Edwards, Sopran
Ein Philister ⎫
Ein Israelit   ⎭ Thomas Lowe, Tenor

– *Samson* wurde aufgeführt „with a new concerto on the organ"; seit der vierten Aufführung erklang außerdem „a Solo on the Violin by Mr. Dubourg", der sich vorübergehend in London aufhielt.
Wiederholungen: 23. und 25. Februar und 2., 9., 11., 16. und 31. März 1743; Neuaufführungen: 1744, 1745, 1749, 1752, 1753, 1754, 1755 und 1759.

18. Februar 1743 (II)

Newburgh Hamilton, Vorrede im Textbuch zu Samson

Several Pieces of Milton having been lately brought on the Stage with Success, particularly his Penseroso and Allegro, I was of Opinion that nothing of that Divine Poet's wou'd appear in the Theatre with greater Propriety or Applause than his Samson Agonistes. ... But as Mr. Handel had so happily introduc'd here Oratorios, a musical Drama, whose Subject must be Scriptural, and in which the Solemnity of Church-Musick is agreeably united with the most pleasing Airs of the Stage: It would have been an irretrievable Loss to have neglected the Opportunity of that great Master's doing Justice to this Work; he having already added new Life and Spirit to some of the finest Things in the English Language, particularly that inimitable Ode of Dryden's which no Age nor Nation ever excell'd.
As we have so great a Genius among us, it is a pity that so many mean Artifices have been lately us'd to blast all his Endeavours, and in him ruin the Art itself; but he has the Satisfaction of being encourag'd by all true Lovers and real Judges of Musick; in a more especial manner by that illustrious

Person, whose high Rank only serves to make his Knowledge in all Arts and Sciences as conspicuous as his Power and Inclination to patronize them.
(Schoelcher 1857, 280)

– Hamilton widmete das Libretto Frederick, Prince of Wales. Mit der „inimitable Ode of Dryden's" ist *Alexander's Feast* gemeint, dessen Text Hamilton für Händel bearbeitet hatte.

19. Februar 1743

Lady Francis Hertford an ihren Sohn, Lord George Seymour Beauchamp

[London,] Saturday, February 19, 1743.
Mr. Handel had a new oratorio called Sampson last night, but I have seen nobody who was there, so can give you no account of it.
(Hertford, 242)

– Lady Hertford, eine Freundin von John Hughes, war Kammerfrau der Prinzessin von Wales und späteren Königin Caroline gewesen.
Vgl. 26. Februar 1743 (II)

21. Februar 1743

Charles Jennens an Edward Holdsworth

I am sorry I mention'd my Italian Musick to Handel, for I don't like to have him borrow from them who has so much a better fund of his own. As to the Messiah, 'tis still in his power by retouching the weak parts to make it fit for a publick performance; & I have said a great deal to him on the Subject; but he is so lazy & so obstinate, that I much doubt the Effect. I have a copy, as it was printed in Ireland, full of Bulls; & if he does not print a correct one here, I shall do it my Self, & perhaps tell him a piece of my mind by way of Preface. I am a little out of humour, as you may perceive, & want to vent my Spleen for ease. What adds to my chagrin is, that if he makes his Oratorio ever so perfect, there is a clamour about Town, said to arise from the B^{rs}, against performing it. This may occasion some enlargement of the Preface ... Last Friday Handel perform'd his Samson, a most exquisite Entertainment, which tho' I heard with infinite Pleasure, yet it increas'd my resentment for his neglect of the Messiah. You do him too much Honour to call him a Jew! a Jew would have paid more respect to the Prophets. The Name of Heathen will suit him better, yet a sensible Heathen would not have prefer'd the Nonsense foisted by one Hamilton into Milton's Samson Agonistes, to the sublime Sentiments & expressions of Isaiah & David, of the Apostles & Evangelists, & of Jesus Christ'.
(Sammlung Gerald Coke)
Vgl. 17. Januar 1743

24. Februar 1743 (I)
Horace Walpole an Horace Mann

Arlington Street, Feb. 24, 1743.
Handel has set up an Oratorio against the Operas, and succeeds. He has hired all the goddesses from farces and the singers of Roast Beef from between the acts at both theatres, with a man with one note in his voice, and a girl without ever an one; and so they sing, and make brave hallelujahs; and the good company encore the recitative, if it happens to have any cadence like what they call a tune.
(Walpole Letters 1891, I, 230)

– Mit „goddesses from farces" spielte Walpole vor allem auf Mrs. Clive an (sie und Mr. Lowe kamen vom Drury Lane Theatre), aber auch auf Mrs. Cibber und Mr. Beard.
Die Ballade „The Roast Beef of Old England" wurde häufig vom Galerie-Publikum als Zugabe verlangt.
(Schoelcher 1857, 294; Streatfeild 1909, 174f.)

24. Februar 1743 (II)
Esther wird durch die Academy of Ancient Music aufgeführt.

– Die Aufführung in der „Crown and Anchor" Tavern(?) ist durch einen Eintrag in einem Textbuch (National Library of Scotland) belegt.

26. Februar 1743 (I)
The London Daily Post

Musick.
...
Two celebrated Minuets, with variations and Handel's Water Musick, set for the Harpsichord.
...
Handel's Cantata, with the Recitatives, Songs, and Duets.
...
Printed for J. Walsh.
(Smith 1948, 285)

– Die gleiche Anzeige erschien im *Daily Advertiser* vom 28. Februar 1743.
Der Titel lautet: *Handel's Celebrated Water Musick Compleat. Set for the Harpsicord. To which is added, Two favourite Minuets, with Variations for the Harpsicord, by Geminiani.*
„Handel's Cantata" war ein Nachdruck der Kantate „Cecilia volgi", die Walsh mit *Alexander's Feast* 1738 veröffentlicht hatte.
(Smith 1960, 255f. und 179)
Auf der Titelseite dieser Cembalo-Bearbeitung der *Wassermusik* verweist Walsh auf seine neuen Ausgaben der *Coronation Anthems* und des *Funeral Anthem* (Smith 1960, 150ff.).

26. Februar 1743 (II)
Lady Francis Hertford an ihren Sohn, Lord George Seymour Beauchamp

[London,] Saturday, February 26, 1743.
They say the Ridotto was the worst that has been known. There was very little company of any kind, and not twenty people of distinction among them. The oratorio has answered much better, being filled with all the people of quality in town; and they say Handel has exerted himself to make it the finest piece of music he ever composed, and say he has not failed in his attempt.
(Hertford, 244; Myers 1948, 114)
Vgl. 19. Februar 1743

– Der Ridotto (vgl. 15. Februar 1722) war Heideggers Karneval-Veranstaltung im Haymarket Theatre.

Februar 1743
Händels *Berenice* wird in Braunschweig aufgeführt.
(Loewenberg, Sp. 190)

– Die Oper wurde mit italienischen Arien und deutschen Rezitativen und Chören gesungen; die Musik war von Georg Caspar Schürmann eingerichtet worden.

2. März 1743
Die Königliche Familie besucht die Aufführung von *Samson.*
Vgl. 15. März 1743

3. März 1743
Horace Walpole an Horace Mann

[London,] March 3, 1743.
The Oratorios thrive abundantly – for my part, they give me an idea of heaven, where everybody is to sing whether they have voices or not.
(Walpole Letters 1891, I, 231)
Vgl. 24. Februar 1943 (I)

12. März 1743
The Daily Advertiser

By Subscription.
The Seventh Night.
At the Theatre-Royal in Covent-Garden, on Wednesday next [16. März], will be perform'd ... Samson. Being the last Time of performing in this Season. ...
N. B. The Subscribers to Mr. Handel's Six former Performances, who intend to continue their Subscription on the same Conditions for six Entertainments more, are desir'd to send their Subscription-Money to Mr. Handel's House, in Brooke-Street; where Attendance will be given this Day,

and on Monday and Tuesday next, in order to deliver out their Subscription-Tickets.
(Schoelcher 1857, 279)

– Die Anzeige erschien auch in der *London Daily
Post*. Am 31. März wurde *Samson* noch einmal aufgeführt.

15. März 1743
The Dublin Jounal

Extract of a private Letter from London, March 8.

Our Friend Mr. Handell is very well, and Things
have taken a quite different Turn here from what
they did some Time past; for the Publick will be
no longer imposed on by Italian Singers, and some
wrong Headed Undertakers of bad Opera's, but
find out the Merit of Mr. Handell's Compositions
and English Performances: That Gentleman is
more esteemed now than ever. The new Oratorio
(called Samson) which he composed since he left
Ireland, has been performed four Times to more
crowded Audiences than ever were seen; more
People being turned away for Want of Room each
Night than hath been at the Italian Opera. Mr. Dubourg (lately arrived from Dublin) performed at
the last, and played a Solo between the Acts, and
met with universal and uncommon Applause from
the Royal Family and the whole Audience.
(Townsend 1852, 109)

– Die „Undertakers ..." waren Lord Middlesex
und seine Freunde. Händel hatte den *Samson* bereits vor der Reise nach Dublin komponiert (vgl.
29. Oktober 1741). Dubourg spielte sein Solo zum
erstenmal am 2. März 1743.

17. März 1743
The Daily Advertiser

By Subscription.
The Eighth Night.

At the Theatre-Royal in Covent-Garden, To-morrow, will be perform'd L'Allegro ed il Penseroso.
With Additions. And Dryden's Ode on St. Caecilia's Day. A Concerto on the Organ. And a Solo
on the Violin by Mr. Dubourg. ... To begin at Six
o'Clock.

– Offensichtlich sangen Mr. Beard und Mr. Rein-
hold wieder ihre ursprünglichen Partien. Die erste
Sopranpartie wurde vermutlich von Christina Ma-
ria Avoglio, die zweite von Miss Edwards und die
Altpartie von Susanna Maria Cibber gesungen.
Vgl. 31. Januar 1741

19. März 1743 (I)
The Daily Advertiser

By Subscription.
The Ninth Night.
At the Theatre-Royal in Covent-Garden, on
Wednesday next [23. März] will be perform'd A

New Sacred Oratorio. With a Concerto on the Organ. And a Solo on the Violin by Mr. Dubourg.
Tickets will be deliver'd to Subscribers on Tuesday next, at Mr. Handel's House in Brooke-Street.
... To begin at Six o'Clock.

– Die gleiche Anzeige erschien auch in der *London Daily Post* und wurde am 21., 22. und 23. März
wiederholt. In London wurde der *Messiah* zunächst nur als „Sacred Oratorio" angekündigt und
der originale Titel vermieden (Schoelcher 1857,
257).

19. März 1743 (II)
The Daily Advertiser

New Musick.
This Day are publish'd, ... Songs in the Oratorio
call'd Samson, in Score. Compos'd by Mr. Handel.
Printed for J. Walsh. ... Of whom may be had, just
publish'd,
1. L'Allegro il Penseroso. Compos'd by Mr. Handel. The Second Edition.
(Schoelcher 1857, 279)

– Die gleiche Anzeige erschien in der *London
Daily Post*. Die erste Auswahl aus *Samson* enthielt
nicht die Ouvertüre (vgl. 31. März/II und 8. April
1743).
(Smith 1960, 134 und 94)

19. März 1743 (III)
The Universal Spectator

The following Letter may to many of my Readers,
especially those of a gay and polite Taste, seem
too rigid a Censure on a Performance, which is so
universally approv'd: However, I could not suppress it, as there is so well-intended a Design and
pious Zeal runs through the whole, and nothing
derogatory said of Mr. Handel's Merit. Of what
good Consequences it will produce, I can only
say – Valeat Quantum valere potest.

To the Author of the Universal Spectator.
Sir,
... My ... purpose ... is to consider, and, if possi-
ble, induce others to consider, the Impropriety of
Oratorios, as they are now perform'd.
Before I speak against them (that I may not be
thought to do it out of Prejudice or Party) it may
not be improper to declare, that I am a profess'd
Lover of Musick, and in particular all Mr. Handel's
Performances, being one of the few who never de-
serted him. I am also a great Admirer of Church
Musick, and think no other equal to it, nor any
Person so capable to compose it, as Mr. Handel.
To return: An Oratorio either is an Act of Religion, or it is not; if it is, I ask if the Playhouse is a
fit Temple to perform it in, or a Company of Players fit Ministers of God's Word, for in that Case
such they are made.

Under the Jewish Dispensation, the Levites only might come near to do the Service of the Tabernacle, and no common Person might so much as touch the Ark of God: Is God's Service less holy now?

In the other Case, if it is not perform'd as an Act of Religion, but for Diversion and Amusement only (and indeed I believe few or none go to an Oratorio out of Devotion), what a Prophanation of God's Name and Word is this, to make so light Use of them? I wish every one would consider, whether, at the same Time they are diverting themselves, they ar not accessory to the breaking the Third Commandment. I am sure it is not following the Advice of the Psalmist, Serve the Lord with Fear, and rejoice unto him with Reverence: How must it offend a devout Jew, to hear the great Jehovah, the proper and most sacred Name of God (a Name a Jew, if not a Priest, hardly dare pronounce) sung, I won't say to a light Air (for as Mr. Handel compos'd it, I dare say it is not) but by a Set of People very unfit to perform so solemn a Service. David said, How can we sing the Lord's Song in a strange Land; but sure he would have thought it much stranger to have heard it sung in a Playhouse.

But it seems the Old Testament is not to be prophan'd alone, nor God by the Name of Jehovah only, but the New must be join'd with it, and God by the most sacred the most merciful Name of Messiah; for I'm inform'd that an Oratorio call'd by that Name has already been perform'd in Ireland, and is soon to be perform'd here: What the Piece itself is, I know not, and therefore shall say nothing about it; but I must again ask, If the Place and Performers are fit? As to the Pretence that there are many Persons who will say their Prayers there who will not go to Church, I believe I may venture to say, that the Assertion is false, without Exception; for I can never believe that Persons who have so little regard for Religion, as to think it not worth their while to go to Church for it, will have any Devotion on hearing a religious Performance in a Playhouse. On the contrary, I'm more apt to fear it gives great Opportunity to prophane Persons to ridicule Religion at least, if not to blaspheme it; and, indeed, every Degree of Ridicule on what is sacred, is a Degree of Blasphemy: But if the Assertion was true, are the most sacred Things, Religion and the Holy Bible, which is the Word of God, to be prostituted to the perverse Humour of a Set of obstinate People, on a Supposition that they may be forc'd thereby once in their Lives to attend to what is serious?

How will this appear to After-Ages, when it shall be read in History, that in such an Age the People of England were arriv'd to such a Height of Impiety and Prophaneness, that most sacred Things were suffer'd to be us'd as publick Diversions, and that in a Place, and by Persons appropriated to the Performance not only of light and vain, but too often prophane and dissolute Pieces? What would a Mahometan think of this, who with so much Care and Veneration keep their Alcoran? What must they think of us and our Religion? Will they not be confirm'd in their Errors? Will not they be apt to say, that surely we ourselves believe it no better than a Fable, by the Use we make of it; and may not the Gospel, by this Means (as well as by the wicked Lives of Christians) be hinder'd from spreading? A Thing of no small Consequence, and which ought to be consider'd by us who have the lively Oracles committed to us, and are bound by all the Ties of Gratitude and Humanity, as well as Honour and Conscience, to endeavour to enlarge that Kingdom of Christ, which we pray should come.

Philalethes.

– Herausgeber des Magazins war Henry Baker (vgl. 5. Juli 1735). Beiträge unter dem Pseudonym Philalethes erschienen mehrfach in diesem Magazin. Zu den Mitarbeitern gehörten William Oldys, vielleicht auch John Kelly und John Hawkins. Der Brief macht verständlich, warum Händel in London anfangs den Titel *Messiah* für sein Oratorium vermied.
(Schoelcher 1857, 258; Smith 1948, 105 f.)
Vgl. 24. Februar, 31. März (II) und 16. April 1743

23. März 1743
Händels *Messiah* wird zum erstenmal in London aufgeführt.
Besetzung:
Christina Maria Avoglio – Sopran
Miss Edwards – Sopran
Catherine Clive – Sopran
Susanna Maria Cibber – Alt
John Beard – Tenor
Thomas Reinhold – Baß
Wiederholungen: 25. und 29. März 1743.

– Vermutlich besuchte der König eine dieser Aufführungen; die in England Tradition gewordene Sitte, das „Hallelujah" stehend anzuhören, wird auf ihn zurückgeführt. Dieser Chor war zu Händels Zeit als „For the Lord God Omnipotent reigneth" bekannt.
Während der Aufführungen spielte Dubourg ein Violinsolo und Händel ein Orgelkonzert.
(Shaw 1963, 31)
Vgl. 19. März 1743

24. März 1743
Charles Jennens an Edward Holdsworth

Messiah was perform'd last night, & will be again to morrow, notwithstanding the clamour rais'd against it, which has only occasion'd it's being ad-

vertis'd without its Name; a Farce which gives me as much offence as any thing relating to the performance can give the Bˢ. & other squeamish People. Tis after all, in the main, a fine Composition, notwithstanding some weak parts, which he was too idle & too obstinate to retouch, tho' I us'd great importunity to perswade him to it. He & his Toad-eater Smith did all they could to murder the Words in print; but I hope I have restor'd them to Life, not without difficulty.
(Sammlung Gerald Coke)

31. März 1743 (I)
The Daily Advertiser

Wrote extempore by a Gentleman, on reading the Universal Spectator.

On Mr. Handel's new Oratorio, perform'd at the Theatre Royal in Covent-Garden.

Cease, Zealots, cease to blame these Heav'nly Lays,
For Seraphs fit to sing Messiah's Praise!
Nor, for your trivial Argument, assign,
„The Theatre not fit for Praise Divine."

These hallow'd Lays to Musick give new Grace,
To Virtue Awe, and sanctify the Place;
To Harmony, like his, Celestial Pow'r is giv'n,
T' exalt the Soul from Earth, and make, of Hell, a Heav'n.
(Schoelcher 1857, 258; Smith 1948, 107)
Vgl. 19. März und 16. April 1743

– Autor des Gedichtes war möglicherweise Jennens (Myers 1947 I, 30). Das Gedicht wurde unter der Anzeige der letzten Aufführung von *Samson* gedruckt, die Händels Oratoriensaison beendete. Karten wurden in Händels Haus am 30. März und im Theater am 31. März ausgegeben.

31. März 1743 (II)
The Daily Advertiser

Musick.
On Saturday next [2. April] will be publish'd, A Second Collection of Songs in the Oratorio of Samson; to which is prefix'd the Overture in Score. Price 4s.
Printed for J. Walsh.
Vgl. 19. März und 9. April (I) 1743

– Die gleiche Anzeige erschien in der *London Daily Post*.
(Smith 1960, 134)

9. April 1743 (I)
The London Daily Post
Musick.
This Day are publish'd … The Remaining Songs, which complete the Oratorio of Sampson, with an Index to the whole.

N. B. The first and second Collection of Songs, with the Overture of the Oratorio, may be had separate.
Printed for J. Walsh.
(Schoelcher, 279; Smith 1960, 134)
Vgl. 19. und 31. März (II) 1743

– Die gleiche Anzeige erschien im *Daily Advertiser*. Im *Daily Advertiser* vom 13. April wurde „A Third Collection of Songs …" angekündigt.

9. April 1743 (II)
The Dublin Journal

For the Benefit of the Charitable Infirmary on the Inns-quay, at the Great Musick-hall in Fishamble-street on Wednesday the 4th of May next, at 6 in the Evening, will be performed, the Oratorio of Alexander's Feast. Composed by Mr. Dryden, and set to Musick by Mr. Handel. In which the Gentlemen of the Choirs of both Cathedrals, the celebrated Mrs. Arne, and several other Voices, will assist. There will be a Grand Rehearsal the Monday before, precisely at 12 o'clock.

– Die Aufführung wurde von Mr. Arne geleitet. Die Probe begann bereits um 11.30 Uhr.
(Townsend 1852, 112f.; Flood 1912/13, 53)

14. April 1743
Horace Walpole an Horace Mann

Arlington Street, April 14, 1743.
I really don't know whether Vanneschi be dead; he married some low English woman, who is kept by Amorevoli; so the Abbate turned the opera every way to his profit. As to Bonducci I don't think I could serve him; for I have no interest with the Lords Middlesex and Holderness, the two sole managers. Nor if I had, would I employ it, to bring over more ruin to the Operas. Gentlemen directors, with favourite abbés and favourite mistresses, have almost overturned the thing in England. … We are next Tuesday [19. April] to have the Miserere of Rome. It must be curious! the finest piece of vocal music in the world, to be performed by three good voices, and forty bad ones, from Oxford, Canterbury, and the farces! There is a new subscription formed for an Opera next year, to be carried on by the Dilettanti, a club, for which the nominal qualification is having been in Italy, and the real one, being drunk: the two chiefs are Lord Middlesex and Sir Francis Dashwood, who were seldom sober the whole time they were in Italy.
(Walpole Letters 1891, I, 239f.)

– Mann war in Italien. Vanneschi war nicht gestorben, sondern blieb der Haymarket-Dichter und schrieb oder bearbeitete die Libretti zu Glucks beiden Londoner Opern im Jahre 1746. Amorevoli war der primo uomo der Haymarket-

Oper. Lord Holderness war Partner von Lord Middlesex. Andrea Bonducci, wie Vanneschi ein Abbate, lebte in Florenz und übersetzte The *Rape of the Lock* und andere Werke Popes ins Italienische. Anscheinend hatte er gehofft, Vanneschis Stelle als Librettist in London zu erhalten. „Favourite mistresses" bezieht sich auf die Muscovita (vgl. 30. Juli 1741). Von dem „Miserere mei Deus" von Gregorio Allegri, das während der Karwoche in der Sixtinischen Kapelle gesungen wurde, waren zu dieser Zeit drei Abschriften bekannt sowie, nach Hawkins, eine fehlerhafte handschriftliche Kopie in der Bibliothek der Academy of Ancient Music in London. Im *Daily Advertiser* vom 19. April 1743 wurde das *Miserere* als „The celebrated Piece of Vocal Musick from Rome" angekündigt und zum Schluß eines Konzertes im Haymarket Theatre mit verschiedenen Motetten, Chören und Konzerten „after the manner of an Oratorio" aufgeführt.

Francis Dashwood, Baron Le Despencer, war seit 1736 führendes Mitglied der „Dilettanti Society"; er gehörte dem Hofstaat des Prinzen von Wales an und wurde später Kanzler des Schatzamtes. Die Gesellschaft beschränkte ihre Interessen auf die schönen Künste und führte die Haymarket-Oper nicht fort.

16. April 1743
The Universal Spectator

As I inserted a Letter of my following Correspondent's, on Divine Subjects being exhibited in Theatres, under the Name of Oratorios, I think I am oblig'd, impartially, to give a Place to another Letter on this Subject.

To the Author of the Universal Spectator.
Mr. Spectator,
Accidently taking up the Daily Advertiser of Thursday March 31, at the End of the Advertisement of Mr. Handel's Oratorio, I read the following Lines, said to be wrote Extempore by a Gentleman, on reading the Universal Spectator of March 19.
[Hier folgt das am 31. März veröffentlichte Gedicht.]
As I could not forbear endeavouring to answer this, I send what I wrote for that Purpose, desiring you to dispose of it as you think proper, either to the Flames, or publick Censure.

Mistake me not, I blam'd[1] no heav'nly Lays;
Nor Handel's Art which strives a Zeal to raise,
In every Soul to sing Messiah's Praise:
But if to Seraphs you the Task assign;
Are Players fit for Ministry Divine?
Or Theatres for Seraphs there to sing,
The holy Praises of their Heav'nly King?
Ah no! for Theatres let Temples rise,

Thence sacred Harmony ascend the Skies;
Let hallow'd Lays to Musick give new Grace;
But when those Lays have sanctify'd the Place,
To Use Prophane, oh! let it ne'er be given,
Nor make that Place a Hell, which Those had
                              made a Heav'n.

I apprehend the Word Theatre to be of a great Latitude, and may be us'd in a figurative Sense for any Place, where an Action, or Oration, is made publick; Or, if confin'd to a particular Form of Building, there might be a sacred Theatre for sacred Uses: And since so splendid a [2]Place has lately been erected for a mere trifling Entertainment, why can't the Lovers of sacred Harmony build one for theirs, then might they also have fit Persons to perform it as it ought (if it be perform'd at all), as an Act of Religion.
But since the Poet can here be understood to mean no other than those of Drollery and ludicrous Mirth, the Play-houses, I must again assert, that being such, they are for that Reason very unfit for sacred Performances. Nor can it be defended as Decent, to use the same Place one Week as a Temple to perform a sacred Oratorio in, and (when sanctify'd by those hallow'd Lays) the next as a Stage, to exhibit the Bufoonries of Harlequin.
…
I am, Sir,
Yours, much oblig'd,
Philalethes.

[1] Not the Poetry or Musick, the Place and Performers only, are found Fault with. See Universal Spectator, March 19, 1743.
[2] The Amphitheatre in Ranelagh Gardens at Chelsea.
(Smith 1948, 107 f.)
Vgl. 19. März (III) und 31. März (I) 1743

– John Rich trat unter dem Namen Lun als Harlekin auf.

18. April 1743
The Daily Advertiser

This Day is publish'd, The Oratorio of Samson, in Score. Compos'd by Mr. Handel. N. B. The first, second, and third Collection of Songs in the Oratorio, with the Overture, may be had separate. Printed for J. Walsh.
(Smith 1960, 134 f.)

– Im *Daily Advertiser* vom 20. April 1743 wurde die Sammlung als „The Overture and all the Songs in the Oratorio of Samson" angekündigt.

29. April 1743
Charles Jennens an Edward Holdsworth

I hear Handel has a return of his Paralytick Disorder, which affects his Head & Speech. He talks of

spending a year abroad, so that we are to expect no Musick next year; & since the Town has lost it's only Charm, I'll stay in the Country as long as ever I can.
(Sammlung Gerald Coke)
Vgl. 4. Mai 1743

4. Mai 1743
Horace Walpole an Horace Mann

May 4, 1743.
We are likely at last to have no Opera next year: Handel has had a palsy, and can't compose; and the Duke of Dorset has set himself strenuously to oppose it, as Lord Middlesex is the impressario, and must ruin the house of Sackville by a course of these follies. Besides what he will lose this year, he has not paid his share to the losses of the last; and yet is singly undertaking another for next season, with the almost certainty of losing between four or five thousand pounds, to which the deficiencies of the Opera generally amount now. The Duke of Dorset has desired the King not to subscribe; but Lord Middlesex is so obstinate, that this will probably only make him lose a thousand pounds more.
(Walpole Letters 1891, I, 244)

– Lionel Cranfield (Sackville), Duke of Dorset, Oberhofmeister des Königs, war der Vater von Lord Middlesex. Die Subskription des Königs war die Zuwendung von 1000 £ an die Royal Academy of Music. Die letzten Zahlungen erfolgten für die Spielzeiten 1742/43 und 1743/44.
(Mainwaring, 134)
Vgl. 13. April 1737

Juni 1743
John Branson an John Russell, Duke of Bedford

[London,] June 1743.
The Opera is a bankrupt. The Directors have run out £ 1,600, and called this General Meeting to get the consent of the subscribers to take this debt upon themselves. This I opposed, as they seemed to look upon it as a right, and by the great weight and interest I appeared with I reduced their motion, I think, to nothing, which, as it now stands, is that a letter should be wrote to every one of the two hundred pounds subscribing to desire them to pay their share of this deficiency if they think proper. Thus this important affair ended.
But the distress of the Directors is the most diverting thing I ever saw. The Duke of Rutland, whose name is signed to every contract, is as pale as death and trembles for his money. Lord M: importance is retired into the country to think of ways and means and Mr. Frederick is absconded. Lord Middlesex is only afraid that the credit of the English Operas should be hurt, and, though his name

is to no contract would be glad to pay a share with the other four.
(Thomson, 289 f.)

– John Branson war Haushofmeister des Herzogs von Bedford. Der Herzog war Subskribent des Opernunternehmens von Lord Middlesex.
Vgl. 4. März 1742 und 14. August 1743

3. Juni–4. Juli 1743
Händel komponiert *Semele*.
Einträge in der autographen Partitur (R. M. 20. f. 7.): „♃ [Donnerstag] angefangen den 3. June 1743"; [Ende des ersten Aktes:] „☽ [Montag] Juny. 13. 1743."; „Fine dell'Atto 2do. ☽ [Montag] 20 June 1743."; „G. F. Handel London ☽ [Montag] July 4. 1743. Völlig geendiget."

15. Juli 1743
John Walsh kündigt im *Daily Advertiser* „new editions of the following Pieces of Musick" an:
1. Concertos for Violins, etc. by Handel, etc.
2. Sonatas for German Flutes etc. ... by Handel.
...
4. Harpsicord Lessons, by Handel, etc.
5. The Oratorios of Samson, Saul, Deborah, Athalia, and Esther, in Score.

17. Juli 1743
Händel beginnt das *Dettingen Te Deum*.
Eintrag in der autographen Partitur (R. M. 20. h. 6.): „☉ [Sonntag] angefangen July 17 1743."

– Am 27. Juni hatte König Georg II. die Franzosen bei Dettingen am Main besiegt. England kämpfte als Alliierter Österreichs für die Anerkennung der Thronfolge Maria Theresias.
Vgl. 27. November 1743

19. Juli 1743
The Daily Advertiser

New Musick. This Day are publish'd, Handel's Six Overtures for Violins, &c. in eight Parts, from the Operas and Oratorios of Samson, the Sacred Oratorio, Saul, Deidamia, Hymen and Parnasso in Festa. The eighth Collection. ... Printed for J. Walsh.
(Smith 1948, 83; Smith 1960, 295 f.)

– Eine ähnliche Anzeige erschien in der *London Evening Post* vom 23. Juli. Auf der Titelseite der Ausgabe wird der *Messiah* als „The Sacred Oratorio" bezeichnet, die Ouvertüre selbst ist jedoch „Overture in Messiah" überschrieben.
Weitere Ausgaben erschienen um 1750 und 1760.

28. Juli 1743
John Christopher Smith an Anthony Ashley Cooper, 4. Earl of Shaftesbury
London. July 28th, 1743.
My Lord,
It is with your Lordship's kind permission that I

take the liberty to acquaint your Lordship with Mr. Handel's health and what passes in musical affairs, which I should have done a month sooner if it had not been that I would stay to know what Resolution He would take in what I am going to relate to your Lordship. It seems that Mr. Handel promised my Lord Middlesex that if he would give him for two new operas 1 000 guineas and his health would permit, He would compose for him next Season, after which He declined his promise and said that He could – or would do nothing for the Opera Directors, altho' the Prince of Wales desired him at several times to accept of their offers, and compose for them, and said that by so doing He would not only oblige the King and the Royal Family but likewise all the Quality.

When my Lord Middlesex saw that no persuasion would take place with Him, and seeing himself engaged in such an undertaking without a Composer He sent for one from Italy, of whom nobody has any great opinion. Nevertheless He would still make some fresh proposals to Mr. Handel, and let Him know how much regard He had for his composition, and that he would put it in his power to make it as easy to Himself as He pleased. I was charged with the Commission, and the offer was that He should have 1000 Guineas for two, or 500 Guineas for one new opera, and if his health would not permit Him to compose any new one at all, and would only adjust some of His old operas, that He should have 100 Guineas for each: But in case Mr. Handel should refuse all these offers, that my Lord would have some of his old operas performed without Him and to let the Publick know in an advertisement what offers was made to Mr. Handel and that there was no possibility to have anything from Him.

I could not in Duty but let Him know My Lord's new offers and proceedings, for fear things might be carry'd to far; I wrote the contents to Mr. Goupy with the desire to communicate it to Mr. Handel (for it seems he has taken an aversion to see me, for having been to much his friend) and to have his answer, which He said He would give to the Principale, but has given none since, and has been composing for himself this two months, and finished (as I hear) a piece of Music from Drydens words, the subject unknown to me, tho' they tell me that I was to do for Him as I did before, but my Son is to see Him and take his instructions.
He is now upon a new Grand Te Deum and Jubilate, to be performed at the King's return from Germany (but He keeps this a great secret and I would not speak of it to any Body but to your Lordship) and by the Paper he had from me I can guess that it must be almost finished. This I think perfectly well Judg'd to appeace and oblige the Court and Town with such a grand Composition and Performance.
But how the Quality will take it that He can compose for Himself and not for them when they offered Him more than ever He had in His life, I am not a judge and could only wish that I had not been employed in it either Directly or Indirectly, for He is ill-adviced and thinks that all I do now is wrong, tho' I may say that He is persuaded in His heart to the contrary for He had too many proofs of my fidelity within this 24 years, and I shall never be wanting to do Him still all the Services that lies in my power, for I think it is better to suffer than to offend. I know I have trespassed too much upon your Lordships goodness and must beg humbly for pardon and I am with profound respect
Your Lordship's Most dutiful and most obliged humble servant
Christopher Smith.
(Matthews 1959, 262 ff.)
Vgl. 9. September 1742

30. Juli–3. August 1743
Händel komponiert das *Dettingen Anthem* „The King shall rejoice".
Einträge in der autographen Partitur (Add. MSS. 30 308): „angefangen den 30 July 1743" und „S. D. G. G. F. Handel. London Agost. 3. ☿ [Mittwoch]. 1743 völlig geendiget"

14. August 1743
Horace Walpole an Horace Mann

Arlington Street, Aug. 14, 1743.
I am sorry you are engaged in the Opera. I have found it a most dear undertaking! I was not in the management: Lord Middlesex was chief. We were thirty subscribers, at two hundred pounds each, which was to last four years, and no other demands ever to be made. Instead of that, we have been made to pay fifty-six pounds over and above the subscription in one winter. I told the secretary in a passion, that it was the last money I would ever pay for the follies of directors.
(Walpole Letters 1891, I, 264)
Vgl. Juni 1743

24. August 1743
The Daily Advertiser

Musick.
This Day is publish'd, Number I. of The entire Masque of Acis and Galatea, in Score, as it was originally compos'd, with the Overture, Recitativos, Songs, Duets, and Chorusses, for Voices and Instruments. Set to Musick by Mr. Handel.
I. This Work will be printed in a neat and correct Manner, and the Price to Subscribers is Half a Guinea.

II. A Number will be publish'd every Fortnight, at One Shilling, till the whole is finish'd.

N.B. This is the only Dramatick Work of Mr. Handel which has yet been publish'd entire.

Subscriptions are taken in by J. Walsh in Katherine Street in the Strand; [John] Simpson, and [Elizabeth] Hare, in Cornhill; [John] Johnson, in Cheapside; [John] Barret, and [Peter] Wamsley, in Piccadilly; Mr. [William] Cross, at Oxford; and Mr. [Francis] Hopkins, at Cambridge.

Just publish'd, The Oratorio of Samson, in Score.
(Smith 1948, 231 f.; Smith 1960, 82 f.)

– Eine ähnliche Anzeige erschien in der *London Evening Post* am 3. September. Es war die sechste Ausgabe von *Acis and Galatea*. Sie bestand aus insgesamt zehn Nummern, deren letzte am 19. November angekündigt wurde. Am 28. November bot Walsh die Ausgabe in einem Band an. Ein Subskribentenverzeichnis ist nicht erhalten.

Normalerweise arbeitete Walsh nicht mit anderen Musikalienhändlern zusammen.

August – September 1743
Händel komponiert das Oratorium *Joseph and his Brethren.*

Einträge in der autographen Partitur (R. M . 20. e. 10.): „London. G. F. Handel ♀ [Freitag] August 26. 1743 völlig geendiget" nach dem Chor „Swift our numbers" (HWV 59, Nr. 15); „Fine della parte 2do ⊃ [Montag] September 12, 1743. völlig".

13. September 1743
The Gloucester Journal

Worcester, Sept. 9. Yesterday and the Day preceeding was held here the Annual Meeting of the Three Choirs of Worcester, Gloucester and Hereford. Mr. Purcell's and Mr. Handel's Services were perform'd as usual: the Anthem was entirely new; the Words suited to the Occasion, and set to Musick by the celebrated Mr. Boyce.

– Anläßlich dieses Drei-Chöre-Treffens soll im September 1743 auch Händels *Athalia* in Worcester aufgeführt worden sein. An die Aufführung soll sich eine Diskussion über Kirchenmusik angeschlossen haben, die nur durch den bibliographischen Nachweis einer 1743 in London erschienenen Schrift belegt ist (Daniel Brooke, *A Sermon Preached at Worcester at the Meeting of the Three Western Choirs in September 1743: a discourse on the Music of the Church on the occasion of the performance of Handel's oratorio Athalia).*
(Dean 1959, 261 und 633)

15. September 1743
Charles Jennens an Edward Holdsworth

I hear Handel is perfectly recover'd, & has compos'd a new Te Deum & a new Anthem against the return of his Master from Germany. I don't yet despair of making him retouch the Messiah, at least he shall suffer for his negligence; nay I am inform'd that he has suffer'd for he told Ld. Guernsey that a letter I wrote him about it contributed to the bringing of his last illness upon him; & it is reported that being a little delirious with a Fever, he said he should be damn'd for preferring Dagon (a Gentleman he was very complaisant to in the Oratorio of Samson) before the Messiah. This shews that I gall'd him: but I have not done with him yet.
(Sammlung Gerald Coke)

– Die neuen Werke waren das *Dettingen Te Deum* (vgl. 17. Juli 1743) und das *Dettingen Anthem* (vgl. 3. August 1743), die beide am 26. September zum erstenmal aufgeführt wurden.

27. September 1743
The London Evening Post

Yesterday a fine new Anthem and Te Deum, compos'd by Mr. Handel, to be perform'd on his Majesty's safe Arrival in his British Dominions, was rehears'd in the Chapel-Royal at St. James's before their Royal Highnesses the Princesses.

– Die Notiz wurde auch im *Ipswich Journal* vom 1. Oktober abgedruckt.

1. Oktober 1743
The London Daily Post

For the Benefit of Mr. Clement.
At Ruckholt-House, near Low-Layton in Essex, on Monday next [7. Oktober] will be perform'd Mr. Dryden's Ode, call'd Alexander's Feast. Compos'd by Mr. Handel. The Vocal Parts by Mr. Lowe, Mr. Baildon, Mr. Brett, and others. Tickets 3s. which entitles each Person to a Breakfast, as usual, and a Book of the Entertainment. To begin at Eleven o'Clock in the Morning. In the Afternoon will be Singing by the same Persons, and several Solo's and Concerto's on different Instruments. Admittance after Two o'Clock One Shilling. ... This will be the last for this Season. The Marsh-Gate and Temple-Mills will be free for that Day.
(Smith 1948, 189)

– Ruckholt-House war ursprünglich der Wohnsitz der Familie Hickes. Im September 1743 und im Mai und Juni 1744 wurde Boyces Oratorium *Solomon* dort aufgeführt (vgl. 11. Juni 1744). Der Tenor Thomas Lowe sang regelmäßig in Ruckholt House. Baildon, ein Bruder des Komponisten Joseph Baildon, sang später in Händels Oratorien in London. Über Mr. Brett ist nichts bekannt.

3. Oktober 1743
John Walsh kündigt im *Daily Advertiser* „A Second

Edition of Alexander's Feast, an Ode, for Voices
and Instruments, By Mr. Handel" an.
(Smith 1960, 91)
Vgl. 17. Februar 1738

25. Oktober 1743
The Dublin Journal

Mr. Dubourg and Mr. Arne are to have six Orato-
rios of Mr. Handell's performed this Season, by
Subscription, in which Mr. Lowe, Mrs. Arne,
Mr. Colgan und Mrs. Storer perform the vocal
Parts.

– Dubourg war nach Dublin zurückgekehrt.
Lowe (vgl. 1. Oktober) traf am 20. Oktober hier
ein. James Colgan war Chorvikar an der Kathedrale von St. Patrick. Das Vorhaben kam offensichtlich nicht zustande.
(Musical Antiquary, Juli 1910, 220)
Vgl. 3. Dezember 1743

28. Oktober 1743
Edward Holdsworth aus Florenz an Charles Jennens

Pardon my speaking so freely of Leicestershire;
but in truth I am angry with it. You have staid too
long there already; it has had an ill effect upon
you, and made you quarrel with your best friends,
Virgil & Handel. You have contributed, by yr.
own confession, to give poor Handel a fever, and
now He is pretty well recover'd, you seem resolv'd
to attack him again; for you say you have not yet
done with him. This is really ungenerous, & not
like Mr. Jennens. Pray be merciful; and don't you
turn Samson, & use him like a Philistine.
(Sammlung Gerald Coke)
Vgl. 15. September 1743

8. November 1743
The Daily Advertiser

At the King's Theatre in the Hay-Market, on Tues-
day Se'nnight [15. November], will be reviv'd an
Opera, call'd Roxana: or, Alexander in India.
Compos'd by Mr. Handel. With Dances and other
Decorations entirely new. ... To begin at Six
o'Clock.
(Schoelcher 1857, 308)

– Die Oper *Alessandro* (vgl. 5. Mai 1726) wurde
1743, 1744 und 1748 mit dem Titel *Rossane* ohne
Mitwirkung Händels aufgeführt. Auch das Text-
buch erschien unter diesem Titel (London
1743).
Für diese Aufführung wurden nur Teile aus der
Originalpartitur übernommen und durch Arien
aus Oratorien Händels und Kompositionen von
Giovanni Battista Lampugnani ergänzt.
Burney (II, 842), Nicoll (1925, 398) und Münster

(MGG, VIII, Sp. 156) schreiben die Musik überhaupt Giovanni Battista Lampugnani zu, dem
Nachfolger Galuppis am Haymarket Theatre, und
verzeichnen weitere Aufführungen in den Jahren
1746 und 1747, während sie die Aufführungen
von 1744 und 1748 nicht erwähnen. 1746 und
1747 wurde das von Lampugnani zusammenge-
stellte Pasticcio *Alessandro nell' Indie* (Musik: Lampugnani und Gioacchino Cocchi) aufgeführt.
Walsh veröffentlichte 1744 *The Favourite Songs in
Roxane or Alexander in Indie. Compos'd by M̲r̲ Handel*
und 1748 *The Opera of Roxana,* ebenfalls unter
Händels Namen (Smith 1960, 14).
1746 veröffentlicht Walsh Arien aus Lampugnanis
Pasticcio.

10. November 1743 (I)
The Daily Advertiser

Yesterday Mr. Handel's new Anthem and Te
Deum, to be perform'd in the Chapel Royal at
St. James's as soon as his Majesty arrives, was re-
hears'd at Whitehall Chapel.

10. November 1743 (II)
Mary Delany an ihre Schwester Ann Dewes

Charges Street, 10 Nov. 1743
That night [am vergangenen Dienstag] Mrs. Percival came to invite us to dine with her yesterday,
and to go in the morning to Whitehall Chapel to
hear Mr. Handel's new Te Deum rehearsed, and an
anthem. It is excessively fine, I was all rapture and
so was your friend D. D. as you may imagine;
everybody says it is the finest of his compositions;
I am not well enough acquainted with it to pronounce that of it, but it is heavenly.
(Delany, II, 222; Streatfeild 1909, 179)

– Mary Pendarves, geb. Granville, hatte am 9. Juni
1743 Patrick Delany geheiratet. Sie nannte ihn
„D. D.", was Doctor of Divinity oder Dr. Delany
bedeuten konnte.
Vgl. 2. April 1734

15. November 1743
Im Haymarket Theatre wird *Rossane* aufgeführt.
Vgl. 8. November 1743
Besetzung:
Alessandro – Angelo Maria Monticelli, Sopran
Rossane – Caterina Visconti, Sopran
Lisaura – Rosa Mancini
Tassile –Giulia Frasi, Sopran
Clito – Signora Fratesanti
Leonato – ?
Cleone – ?

– Giulia Frasi sang hier ihre erste Händel-Partie.
Sie wirkte später regelmäßig bei Oratorienaufführungen mit.

Wiederholungen: 19., 26., 29. November, 3., 6., 10., 13., 17., 20., 27. und 31. Dezember.
Wiederaufführungen: 6. März 1744 und 20. Februar 1748.
(Burney, II, 842)

17. November 1743
Horace Walpole an Horace Mann

London, Nov. 17, 1743.
The Opera is begun, but is not so well as last year. The Rosa Mancini, who is second woman, and whom I suppose you have heard, is now old. In the room of Amorevoli, they have got a dreadful bass, who, the Duke of Montagu says he believes, was organist at Aschaffenburgh.
(Walpole Letters 1891, I, 278)

– Clito, die einzige Baßpartie in *Alessandro,* wurde von Signora Fratesanti gesungen. Ob ein Bassist dem Ensemble in dieser Saison überhaupt angehörte, ist nicht bekannt.

18. November 1743
Mary Delany an ihre Schwester Ann Dewes

Charges Street, 18 Nov. 1743
I was at the opera of Alexander, which under the disguise it suffered, was infinitely better than any Italian opera; but it vexed me to hear some favourite songs mangled.
(Delany, II, 227)

19. November 1743 (I)
The Daily Advertiser

Yesterday a Te Deum and Anthem, composed by Mr. Handel for his Majesty, were rehearsed before a splendid Assembly at Whitehall Chapel, and are said by the best Judges to be so truly masterly and sublime, as well as new in their kind, that they prove this great Genius not only inexhaustible, but likewise still rising to a higher Degree of Perfection.
(Townsend 1852, 113; Schoelcher 1857, 283)

– Der Bericht erschien auch im *Dublin Journal* vom 26. November. Die Proben fanden am 26. September in der Chapel Royal in St. James's, am 9. und 18. November (nach Schoelcher auch am 25. November) in der Whitehall Chapel statt.

19. November 1743 (II)
The Dublin Journal

By Appointment of the Charitable Musical Society, for the Benefit and Enlargement of Prisoners confined for Debt in the several Marshalseas of this City, at the Great Musick-Hall in Fishamble-street, on Friday the 16th Day of December next, in the Evening, will be performed, The Messiah, composed by Mr. Handell. And on Monday the 12th of December, at Noon, there will be a Rehearsal of the said Performance.
Vgl. 6. Dezember 1743

27. November 1743
In der Chapel Royal, St. James's, werden das *Dettingen Te Deum* und das *Dettingen Anthem* aufgeführt.

– Im Autograph (R. M. 20. h. 6.) des Te Deum sind „Mr Gates" und „Mr Abbot" als Sänger verzeichnet, im Autograph des Anthems nur Abbot.
Vgl. 14. März 1734 und 17. Dezember 1737

28. November 1743 (I)
The Daily Advertiser

Yesterday his Majesty was at the Chapel Royal at St. James's, and heard a Sermon preach'd by the Rev. Dr. Thomas; when the new Te Deum, and the following Anthem, both set to Musick by Mr. Handel, on his Majesty's safe Arrival, were perform'd before the Royal Family.
[Es folgt der Text „The King shall rejoice"]

– Der Bericht erschien auch im *Dublin Journal* vom 6. Dezember 1743.
John Thomas war Kaplan des Königs.
Der besondere Erfolg des *Dettingen Te Deum* führte dazu, daß es von 1744 bis 1843 fast ausnahmslos zum Jahresfest der Corporation of the Sons of the Clergy in St. Paul's Cathedral anstelle der bisher in jährlichem Wechsel aufgeführten Werke von Händel (*Utrecht Te Deum* und *Jubilate*) und Purcell (*Te Deum* und *Jubilate*) erklang.

28. November 1743 (II)
The Daily Advertiser

Musick.
This Day are publish'd, ... sold by J. Walsh ... Of whom may be had, just publish'd.
1. The entire Masque of Acis and Galatea, in Score, with the Songs, Recitativo, and Choruses, compos'd by Mr. Handel.
2. The Oratorio of Samson, in Score; also set for a German Flute and Bass, in two Collections.
3. Apollo's Feast; containing 500 choice Songs in Score from all the Operas compos'd by Mr. Handel, in five Volumes.
(Smith 1948, 233)
Vgl. 24. August 1743, 4. Dezember 1734 und 11. November 1741
(Smith 1960, 164)

2. Dezember 1743 (I)
The Daily Advertiser

Last Night there was a Meeting of the Prussian Garde du Corps Royal, at the Cardmakers Arms in Gray's Inn Passage, Red-Lyon-Square, and a grand

Entertainment on that Occasion, when the Healths of the Kings of Great Britain and Prussia, the Prince and Princess of Wales, the Duke of Cumberland, and all the rest of the Royal Family, were drunk; but in particular, Bumpers were drunk three times to his Majesty's King George, on account of the glorious Victory gain'd over the French at the Battle of Dettingen. The whole concluded with a grand Concert of Musick by the best Masters in England, and several fine Pieces of Mr. Handel's were perform'd, and finish'd with Britons strike home.
(Chrysander 1863 II, 394)

– Friedrich II. war ein Neffe Georgs II.
Vgl. 27. Oktober 1739

2. Dezember 1743 (II)
The Daily Advertiser

This Day are publish'd, Handel's Six Overtures from the Operas and Oratorios of·Samson, The Sacred Oratorio, Saul, Deidamia, Hymen, and Parnasso in Festa, set for the Harpsichord. The eighth Book, Printed for J. Walsh. Of whom may be had… Handel's Bass Songs from all his Operas for Voices or Violoncello. Price 5s.

– Wieder wird der *Messiah* auf der Titelseite als „The Sacred Oratorio" bezeichnet, die Ouvertüre selbst ist „Overture in Messiah" überschrieben.
(Smith 1948, 83; Smith 1960, 284 und 168)

3. Dezember 1743
The Dublin Journal

Mr. Arne proposes to exhibit, at the Theatre-Royal in Aungier-street, Four Performances in the Manner of the Oratorios in London.
(Cummings 1912, 27 f.)
Vgl. 25. Oktober 1743 und 14. Februar 1744

6. Dezember 1743
The Dublin Journal

From the Charitable Musical Society.
The said Society having obtained from the celebrated Mr. Handell, a Copy of the Score of the Grand Musical Entertainment, called the Messiah, they intended to have it rehearsed on the 12th, and performed on the 16th of December Inst. for the Benefit and Enlargement of Prisoners confined for Debt, pursuant to their Advertisements; and in order to have it executed in the best Manner, they had prevailed on Mr. Dubourg to give them his Assistance, and also applyed by a Deputation of the Society to the Members of the Choirs of the two Cathedrals to assist therein (the necessary Approbation of their so doing being first obtained on due Application) which several of them promised; and at a Meeting for that Purpose

chose, and received their Parts; but after Preparations had been made, at considerable Expense, to the Surprize of the Society, several of the Members of the said Choirs (some of whom had engaged as before mentioned) thought fit to decline performing, and returned their Parts, for Reasons that no way related to or concerned the said Society; they are therefore obliged to postpone that Entertainment until Friday the 3rd Day of February next, to the great Detriment and Delay of their Charitable Intentions, the good Effects whereof have been manifested for several Years past. By that Time the Society will provide such Performers as will do Justice to that Sublime Composition, and for the future will take such Measures as shall effectually free them from Apprehensions of a second Disappointment to the Publick or themselves.
(Townsend 1852, 114)
Vgl. 19. November und 27. Dezember 1743 sowie 14. Januar 1744

– Der Urheber der Enttäuschung mag John Church gewesen sein, gegen den sich mehrere Herren im *Dublin Journal* vom 17. Dezember 1743 wandten. Er war Mitglied der Chapel Royal, danach Chorvikar an beiden Dubliner Kathedralen.

27. Dezember 1743 (I)
The Dublin Journal

From the Charitable Musical Society.
Whereas it has been reported that the Messiah will not be performed on the 3d of February next, for the Enlargement of Prisoners confined for Debt, the said Society think it proper to assure the Publick, that there is no just Foundation for such said Report, and that particular Care will be taken by them, that the Performance shall be compleat, under the Direction of Mr. Dubourg, without the aid of those, who refused to assist therein, as mentioned in a former Advertisement.
Vgl. 6. Dezember 1743

27. Dezember 1743 (II)
Catherine Talbot an Elizabeth Carter

Cuddesdon, 27 December 1743.
… I will own the having been highly delighted with several songs in Sampson, and especially with the choruses. I heard that oratorio performed this winter in one of the College Halls, and I believe to the full as finely as it ever was in town: and having never heard any oratorio before, I was extremely struck with such a kind of harmony as seems the only language adapted to devotion. I really cannot help thinking this kind of entertainment must necessarily have some effect in correcting or moderating at least the levity of the age; and let an audience be ever so thoughtless, they can scarcely

come away, I should think, without being the better for an evening so spent. I heartily wish you had been with me when I heard it.
(Carter/Talbot, I, 43f.; Streatfeild 1909, 176f.)

1743 (I)
Händel subskribiert bei John Walsh auf *Solomon. A Serenata, in Score, taken from the Canticles* von William Boyce (Text: Edward Moore). Auf die ebenfalls in diesem Jahr von Walsh veröffentlichten *Forty Select Anthems in Score* von Maurice Greene subskribierte Händel nicht (Bumpus, I, 250).

1743 (II)
In Paris erscheint 1743 eine Ausgabe der *Six Ouvertures des Opera d'Ariane, Pastor Fido, Othon, Rodelinde, d'Alexandre, et Alcine Pour les Violons, Flutes et Hautbois. En Quatre Parties separées. Par M.ʳ Handel* als gemeinsame Veröffentlichung der Verleger Jean Vincent, Madame Boivin und Le Clerc.
(Hopkinson, 244; Smith 1960, 304)

1743 (III)
Constantin Bellermann, Programma in quo Parnassus Musarum ... Ennarantur, Erfurt 1743

Bene igitur, & praeclare in Anglica Academia Oxonii usu receptum legimus, & Baccalaureos, & Magistros, & Doctores hac in arte non sine pompa academicis solennibus adsueta, ibi creari; quem honorem sicut Pepuschio scio habitum, ita eundem magnus magnae Britanniae Regis Melopoëta aulicus, totius Angliae, forte & Germaniae in arte musica miraculum Haendelius paucis abhinc annis feliciter obtinuit. ...
Bachius Lips. profundae Musices auctor his modo commemoratis non est inferior, qui, sicut Haendelius apud Anglos, Lipsiae miraculum, quantum quidem ad Musicam attinet dici meretur, qui, si Viro placet, solo pedum ministerio, digitis aut nihil, aut aliud agentibus, tam mirificum, concitatum, celeremue (sic) in Organe ecclesiastico movet vocum concentum, ut alii digitis hoc imitari deficere videantur.   [S. 19 und 39]
Vgl. 23. Juni und 14. Juli 1733

1743 (IV)
Inventarverzeichnis der „Concert-Stube" des Zerbster Schlosses, aufgestellt im Jahre 1743.

Vorrath
...
II. An Musicalien.
Nach einer von dem Capellmeister H. Faschen verfertigten Spezification.
...

Ouverturen von verschiedenen Meistern.
...
5) . . . . . à 2 Hautb. 2 Violini Viola Fagotti et
    Cembalo   di Hendel.
...
8)
9) . . . . . à 2 Hautbois 2 Violini, Viola, Fa-
10) gotto et Cembalo   di Hendel.
...
Hautbois-Concerten.
...
2) . . . . . à Hautbois Conc. Violino conc.
    2 Violini, Viola et Cembalo   di Hendel.
...
Sonaten à 3.
1) . . . . . à Flûte à bec, Violino et Cembalo
                                           di Hendel.
2) . . . . . à Hautbois, Violino et Cembalo
                                           di Hendel.
3) . . . . . à 2 Hautbois et Cembalo   di Hendel.
...
Hautbois Solo.
1) . . . . di Hendel.
(Engelke)   [S. 62 ff.]

1744

9. Januar 1744
The London Daily Post

By Particular Desire, Mr. Handel proposes to Perform by Subscription, Twelve Times during next Lent, and engages to play two New Performances (and some of his former Oratorios, if Time will permit).
Each Subscriber is to pay Four Guineas at the Time he subscribes, which entitles him to one Box Ticket for each Performance.
Subscriptions are taken in at Mr. Handel's House in Brook-street, near Hanover square; and at Mr. Walsh's, in Catherine-street in the Strand.
Those Gentlemen and Ladies who have already favour'd Mr. Handel in the Subscription are desired to send for their Tickets, at his House in Brook-street, where Attendance will be given every Day (Sunday excepted) from Nine o'Clock in the Morning untill Three in the Afternoon.
(Schoelcher 1857, 286)

– Die Zahl der Oratorienaufführungen im Covent Garden Theatre erhöhte sich von sechs auf zwölf.
Vgl. 20. Oktober 1744

14. Januar 1744
The Dublin Journal

From the Charitable Musical Society.
The said Society think themselves obliged to give the Publick an Account, that, in the Year 1742,

they released out of the several Marshalseas in and about this City, 142 Prisoners, whose principal Debts and Fees amounted to the Sum of 1225 l. 17s. 1d. besides 33 l. 16s. given to poor Creditors and out-going Prisoners: And they take this Occasion to return their humble Thanks to their kind Benefactors at their last Year's Entertainment of Acis and Galatea, and hope for the Continuance of their Favour for their ensuing Entertainment of the sacred Oratorio, call'd Messiah, and set by Mr. Handell, in the Performance whereof, at the usual Season, they were, by an Artifice (as is now well known to the Town) unhappily disappointed; with this advantage however to the Audience, that the same will, upon the 1st and 3d of February next, be rehearsed, and executed to greater Perfection, under the Direction of Mr. Dubourg.

N. B. The Tickets given out for the 12th and 16th of December last, will be taken on the 1st and 3d of February next.
(Townsend 1852, 115)

Vgl. 30. November 1742 und 6. Dezember 1743

24. Januar 1744 (I)
The Dublin Journal

The Rehearsal of Mr. Handell's sacred Oratorio, called the Messiah, will certainly be on Wednesday the 1st Day of Feb. next, at 12 o'Clock at Noon, at the Musick-hall in Fishamble-street; and, if Lord Netterville's Trial should come on the Friday following, the Performance will be postponed to a further Day, of which Notice will be given at the Rehearsal.

– Nicholas, Viscount Netterville of Dowth, war wegen Mordes angeklagt. Er wurde am 3. Februar 1744 vom Oberhaus verhört und freigesprochen.
Vgl. 4. Februar 1744

24. Januar 1744 (II)
Mary Delany an ihre Schwester Ann Dewes

Clarges Street, 24 Jan. 1743–4.
I was yesterday morning at Mr. Handel's to hear the rehearsal of Semele. It is a delightful piece of music, quite new and different from anything he has done: but I am afraid I shall hear no more music this year, and that will be a loss to me, – but the harmony of friendship must make up that loss. As we have a prospect of meeting soon I defer a particular account of it till we meet. Francesina is improved, and sings the principal part in it.
(Delany, II, 254)

– Die Sopranistin Elisabeth Duparc (La Francesina) sang von 1738 bis 1741 und von 1744 bis 1746 für Händel.
(Dean 1959, 654)

30. Januar 1744
Theatrical Properties and Scenery at Covent Garden in 1743

A list of Scenes ... (Back flats in Scene room) ... back Arch of Ariodante's pallace ... (Wings in the Scene Room) 4 Ariodante's pallace ... do. [12?] Atalanta's garden ... (Wings in Painters Room) 2 of Ariodante's pallace, but are rubbed out and not painted ... (Painted pieces in the Scene Room) ... front of gallery in Ariodante, a small palace border in do., a frontispiece in do. (Do. in Great room) ... a ground peice of Atalanta's garden. (Do. in Yard) ... the falling rock in Alcina, four peices, the compass border to Atalanta's garden. (Painted peices in Top Flies) ... a peice of a falling rock in the Operas ... (Do. in painting Room) ... 6 columns to Fame's temple [in *Giustino*] (Do. in Shop) ... a large border of Ariodante's pallace, and small transparent in Atalanta ... two oxen in Justin ... a border to frontispiece in Ariodante, four furrows in Justin ... (Properties on the Stage) ... a pyramid in Atlanti's garden. ...
(British Library: Add. MSS. 12 201, Bl. 30. Wyndham, II, 309 ff.)

– Diese 1743 in Covent Garden vorhandenen Dekorationen sind von 1735 bis 1737 für die Aufführungen der Händel-Opern *Ariodante* (8. Januar 1735), *Alcina* (16. April 1735), *Atalanta* (12. Mai 1736) und *Giustino* (16. Februar 1737) angefertigt worden.
(Eisenschmidt, II, 110; Wolff 1968, 16)

31. Januar 1744 (I)
The Dublin Journal

We hear that the Oratorio called the Messiah was privately rehearsed last Night in the Presence of some of the best Judges, who expressed the utmost Satisfaction on that Occasion. This fine Piece is to be publickly rehearsed on Wednesday next [1. Februar] at Noon, for the Benefit and Enlargement of Performers [? – Prisoners] confined for Debt; and as the Audience will be very numerous, we hear, the Ladies have resolved to come without Hoops, as when the same was performed by Mr. Handel.
(Townsend 1852, 115 f.)
Vgl. 4. Februar 1744

31. Januar 1744 (II)
John Walsh kündigt im *Daily Advertiser* folgende Ausgabe an: *The Delightful Musical Companion, or select Duets for two German Flutes or Violins Compos'd by Mr. Handel and other eminent Authors.*
(Smith 1960, 262 f.)

4. Februar 1744
The Dublin Journal

From the Charitable Musical Society for the Relief of poor Prisoners.
... On Account of Lord Netterville's Tryal, the Grand Performance of the sacred Oratorio of the Messiah is put off to Tuesday the 7th Inst. to begin at 6 o'Clock in the Evening precisely. ...
We hear from all Hands of the great Satisfaction given last Wednesday [1. Februar] to a crowded Audience at the Rehearsal of the sacred Oratorio of the Messiah; nothing can come up to the choice of the Subject, the Words are those of the sacred Text, the Musick extremely well adapted, and the Execution, under Mr. Dubourg's Direction, by the most celebrated Band of Vocal and Instrumental Musick, was carried on thro' all the Parts, with universal Applause.
(Townsend 1852, 115 f.)

7. Februar 1744 (I)
Warrant Book des Königs

	£	s.	d.	
Royal Academy of Musick	1,000	0	0	Royal bounty to the undertakers of the Operà

(Shaw 1903, 604)

– Die Zahlung erfolgte offensichtlich für die Saison 1742/43; am 2. August 1744 wurde eine weitere Zahlung angeordnet.
Vgl. 9. Juni 1742, 4. Mai 1743 und 16. Februar 1744 (I)

7. Februar 1744 (II)
Mary Delany an ihre Schwester Ann Dewes

Clarges Street, 7 Feb. 1743–4.
Semele is to be performed next Friday; D. D. subscribes for me, and I hope not to miss one of the charming oratorios, except when I give up my ticket to him.
(Delany, II, 260)
Vgl. 10. November 1743

9. Februar 1744 (I)
The London Daily Post

For the Benefit of Mr. Edmund Larken. At Stationers-Hall, in Ludgate Street, to-day ... will be perform'd the Masque of Acis and Galatea. With all the Chorus's composed by Mr. Handel. The Songs of Galatea to be perform'd by a celebrated Young Lady, being the first Time of her appearing in any Publick Concert. The other Parts, viz. Acis, Polypheme, &c. by the most eminent Performers. The First Violin by Mr. Brown. ... The whole to conclude with the Coronation Anthem, God save the King. The Trumpet by Mr. Valentine Snow. ...

Printed Books of the Masque will be given Gratis at the Place of Performance.
(Smith 1948, 234)

– Die Aufführung war bereits am 4. Februar angekündigt worden, jedoch ohne Erwähnung von Händels *Coronation Anthem.* Über Mr. Larken ist nichts bekannt und von der „Young Lady" nur, daß sie eine neunjährige Schwester hatte, die in diesem Konzert eine englische sowie eine italienische Arie sang. „Mr. Brown" (Abraham Browne oder Abram Brown) war „leader of the King's Musicians", später Musikdirektor in Ranelagh Gardens als Nachfolger von Michael Festing. 1754 und 1758 war er Konzertmeister der *Messiah*-Aufführungen im Foundling Hospital, um 1755 im Orchester des Three Choirs Festival.
Stationers' Hall (die Buchhändler-Börse) wurde nur selten als Konzertraum benutzt (vgl. 13. März 1713 und 22. Februar 1714).

9. Februar 1744 (II)
In Dublin findet in der Music Hall, Crow-Street, ein Benefizkonzert für eine Miss Davis (vgl. 13. November 1742 und 10. Mai 1745) statt.

– In der Ankündigung des *Dublin Journal* vom 4. Februar heißt es, sie spiele „some of the most difficult and favourite Concerto's of Mr. Handell's and other Authors upon the Harpsichord, accompanyed with many other Instruments, and will accompany her Mother in a favourite Song of Mr. Handell's composed particularly for the Harpsichord".

10. Februar 1744
The London Daily Post

By Subscription.
At the Theatre-Royal in Covent-Garden, this Day ..., will be perform'd Semele. After the Manner of an Oratorio, Set to Musick by Mr. Handel.
(Schoelcher 1857, 287)

– Das Libretto, dessen Bearbeiter unbekannt ist, basiert auf William Congreves wahrscheinlich 1706 entstandenem Operntext, den John Eccles vertont hat. Eine öffentliche Aufführung dieser 1707 für das Haymarket Theatre angekündigten Oper (*The Muses Mercury,* Januar 1707) hat offenbar nicht stattgefunden. Zu welchem Anlaß 1752 ein Textbuch gedruckt wurde (Hall Handel Collection, Princeton University Library), ist nicht bekannt.
Als Textbearbeiter für Händel kommt in erster Linie Newburgh Hamilton in Frage (Dean). Das Textbuch für Händels Oratorium wurde am 10. Februar in der *London Daily Post* angezeigt: „This Day is published, Price 1s. (As it will this Evening be perform'd at the Theatre-Royal in Covent-Garden;) The Story of Semele; Alter'd from the Se-

mele by Mr. Congreve. Set to Musick by Mr. Handel. Printed for J. and R. Tonson, in the Strand."
Besetzung:

Semele – Elisabeth Duparc, Sopran

Jupiter
Apollo } – John Beard, Tenor

Athamas – Daniel Sullivan, Kontratenor

Juno
Ino } – Esther Young, Alt

Iris – Christina Maria Avoglio, Sopran

Cadmus
High Priest } – Thomas Reinhold, Baß
Somnus

Sullivan sang in Händels Ensemble in London nur 1744, außerhalb Londons auch in anderen Jahren. Esther Young war eine der Schwestern von Cecilia Arne, geb. Young. Zu Händels Ensemble gehörte sie nur 1744.
Wiederholungen: 15., 17. und 22. Februar.
Vgl. 1. Dezember 1744
(Dean 1959, 359f. und 365ff.; Smith 1960, 141)

11. Februar 1744
Mary Delany an ihre Schwester Ann Dewes

Feb. 11th, 1743–4.

I was yesterday to hear Semele; it is a delightful piece of music. Mrs. Donnellan desires her particular compliments to all but to my brother; she bids me say „she loses half her pleasure in Handel's music by his not being here to talk over the particular passages". There is a four-part song that is delightfully pretty; Francesina is extremely improved, her notes are more distinct, and there is something in her running-divisions that is quite surprizing. She was much applauded, and the house full, though not crowded; I believe I wrote my brother word that Mr. Handel and the Prince had quarelled, which I am sorry for. Handel says the Prince is quite out of his good graces! there was no disturbance at the play-house and the Goths were not so very absurd as to declare, in a public manner, their disapprobation of such a composer.
(Delany, II, 262)

– Der Bruder der beiden Schwestern war Bernard Granville. Der Prince of Wales unterstützte weiterhin Händels Gegner.
Der „four-part song" ist das Quartett „Why dost thou thus untimely grieve" (HWV 58, Nr. 8).
Der Earl of Egmont war ebenfalls bei dieser Aufführung anwesend (Egmont MSS., III, 284).

13. Februar 1744
The London Daily Post

Musick.
This Day is publish'd, Proposals for Printing by Subscription, Semele, as it is performed at the Theatre-Royal in Covent-Garden, with the Overture, Symphonies, Songs, and Duet, Set to Musick by Mr. Handel.
1. The Price to Subscribers is Half a Guinea to be paid at the Time of Subscribing.
2. The Musick will be printed in a neat and correct Manner, and ready to deliver to the Subscribers by the 8th of March next.
Subscriptions are taken in by J. Walsh.

– Die in drei Teilen veröffentlichte Partitur erschien ohne Subskribenten-Verzeichnis.
Vgl. 25. Februar (I), 2. und 10. März 1744
(Smith 1954, 296; Smith 1960, 141)

14. Februar 1744 (I)
The Dublin Journal

The Stage will be disposed in the same Manner as at Mr. Handel's Oratorios in London. ... Ladies are required to sit in the Pit, as well as Boxes, as is the Custom at the Operas and Oratorios in London, for which purpose the Pit will be made thoroughly clean.
(Cummings 1912, 30f.)

– Dieser Hinweis findet sich in der Ankündigung von Thomas Arnes Oratorium *The Death of Abel* für den 18. Februar im Theatre Royal in Smock Alley.
Vgl. 25. Oktober und 3. Dezember 1743

14. Februar 1744 (II)
Händel zahlt 650 £ auf sein Konto ein.

16. Februar 1744 (I)
Protokolle des Schatzamtes

Order for the following issues out of the Civil List revenues:

	£	s.	d.
To the Opera	1,000	0	0

(Shaw 1903, 452)
Vgl. 7. Februar 1744

16. Februar 1744 (II)
Messiah wird von der Academy of Ancient Music in der Crown and Anchor Tavern aufgeführt.
(Smith 1950, 132)
Vgl. 30. April 1747 und 11. Mai 1758

21. Februar 1744 (I)
The Dublin Journal

For the Support of the Charitable Infirmary on the Inn's Quay at the Great Musick-hall in Fishamble-street on Monday the 27th of this Instant February, will be performed the sacred Oratorio called the Messiah, as it has been lately performed with general Applause, under the Direction of Mr. Dubourg. There will be a grand Rehearsal the Thurs-

day before, precisely at Twelve o'Clock at Noon. ...
N.B. A Rehearsal Ticket will be delivered with the Performance Ticket, and a Book at the Rehearsal.
Vgl. 4. Februar 1744

21. Februar 1744 (II)
Händel zahlt von seinem Konto 650 £ an [Mr.?] Chambers.

21. Februar 1744 (III)
Mary Delany an ihre Schwester Ann Dewes

Clarges Street, 21 Feb. 1744.
Semele is charming; the more I hear it the better I like it, and as I am a subscriber I shall not fail one night. But it being a profane story D. D. does not think it proper for him to go; but when Joseph or Samson is performed I shall persuade him to go – you know how much he delights in music. They say Samson is to be next Friday, for Semele has a strong party against it, viz. the fine ladies, petit maîtres, and ignoramus's. All the opera people are enraged at Handel, but Lady Cobham, Lady Westmoreland, and Lady Chesterfield never fail it.
(Delany, II, 266 f.; Young 1947, 73)

– *Semele* wurde von den Anhängern der Oper wie des Oratoriums zwiespältig aufgenommen. Händels neues Oratorium *Joseph and his brethren* wurde am 2. März 1744 uraufgeführt. Die von Mary Pendarves erwähnten Ladies Cobham und Westmoreland waren die Ehefrauen von Generälen, Lady Chesterfield war Händels frühere Schülerin Petronilla Melusina von der Schulenburg (vgl. 6. November 1719).

22. Februar 1744
John Walsh zeigt in der *London Daily Post* das Erscheinen von *The Favourite Songs in Roxana or Alexander in India. Compos'd by M.ʳ Handel* an.
(Smith 1960, 14)
Vgl. 8. November 1743

24. Februar 1744
The London Daily Post

By Subscription.
The Fifth Night.
At the Theatre-Royal in Covent-Garden, this Day, will be perform'd an Oratorio, call'd Samson. With a Concerto on the Organ. ... To begin at Six o'Clock.
Vermutliche Besetzung:
Samson – John Beard, Tenor
Dalila – Elisabeth Duparc, Sopran
Micah – Daniel Sullivan, Kontratenor

Manoa ⎫
Harapha ⎬ – Thomas Reinhold, Baß

Israelite Woman – Christina Maria Avoglio, Sopran
Wiederholung: 29. Februar 1744.
(Dean 1959, 351)

25. Februar 1744 (I)
John Walsh kündigt in der *London Daily Post* „Songs in Semele; to which is prefix'd the Overture in Score. Price 4s." an.

– Es handelt sich um den ersten Teil der von Walsh zur Subskription angebotenen dreiteiligen *Semele*-Ausgabe (vgl. 13. Februar 1744). Die anderen Teile erschienen am 2. und 10. März 1744.
(Smith 1960, 141)

25. Februar 1744 (II)
Mary Delany an ihre Schwester Ann Dewes

Clarges Street, Feby 25th, 1743–4.
I was last night to hear Samson. Francesina sings most of Mrs. Cibber's part and some of Mrs. Clive's: upon the whole it went off very well, but not better than last year. Joseph, I believe, will be next Friday, but Handel is mightily out of humour about it, for Sullivan, who is to sing Joseph, is a block with a very fine voice, and Beard has no voice at all. The part which Francesina is to have (of Joseph's wife) will not admit of much variety; but I hope it will be well received; the houses have not been crowded, but pretty full every night.
(Delany, II, 271)

– Bei der Uraufführung hatte Susanna Maria Cibber die Partie der Micah, Catherine Clive die Partie der Dalila gesungen.
Vgl. 18. Februar 1743

29. Februar 1744
The London Daily Post

To-morrow will be publish'd, ... Joseph and his Brethren. A Sacred Drama. By the Reverend Mr. Miller. Set to Musick by Mr. Handel. As it is perform'd at the Theatre-Royal in Covent-Garden.
Printed for and sold by J. Watts ... and by B. Dodd.

– James Miller widmete sein Libretto dem Generalfeldzeugmeister John, Duke of Montague (vgl. 28. März 1749). In diesem Druck markierte Abschnitte wurden „omitted in the Representation, on account of the Length of the Piece".

1. März 1744 (I)
James Miller, Widmung des Textbuches zu *Joseph and his Brethren* an John, Duke of Montague

May it please your Grace,
I have no other Apology to make for presuming to lay the following Performance at Your Grace's Feet, than the Countenance you are pleased to give to the Refined and Sublime Entertainments of this Kind, and the generous Patronage you manifest towards the Great Master, by whose Divine Harmony they are supported. A Master meritorious of such a Patron, as he may be said, without the least Adulation, to have shewn a higher degree of Excellence in each of the various kinds of Composition, than any one who has preceded him ever arrived at in a single Branch of it; and to have so peculiar a Felicity in always making his Strain the Tongue of his Subject, that his Music is sure to talk to the Purpose, whether the Words it is set to do so, or not. 'Tis a pity however, My Lord, that such a Genius should be put to the Drudgery of hammering for Fire where there is no Flint, and of giving a Sentiment to the Poet's Metre before he can give one to his own Melody.
(Schoelcher 1857, 286 f.)
Vgl. 18. Februar 1743

1. März 1744 (II)
The London Daily Post

By Subscription.
The Seventh Night.
At the Theatre-Royal in Covent-Garden, To-morrow will be perform'd a New Oratorio, call'd Joseph and his Brethren. With a Concerto on the Organ. ... To begin at Six o'Clock.
Besetzung:
Joseph – Daniel Sullivan, Kontratenor
Asenath – Elisabeth Duparc, Sopran
Simeon ⎫
Judah ⎭ – John Beard, Tenor
Pharaoh ⎫
Reuben (?) ⎭ – Thomas Reinhold, Baß
Benjamin – The Boy [Samuel Champness?]
Phanor – Esther Young, Alt, oder Caterina Galli, Mezzosopran
Wiederholungen: 7., 9. und 14. März; Wiederaufführungen 1745, 1747, 1755 und 1757.
(Dean 1959, 407)

1. März 1744 (III)
Earl of Egmont, Diary

In the evening, I went to Mr. Handel's Oratorio, called „Joseph in Egypt", an inimitable composition.
(Egmont MSS., III, 290)

– Die Uraufführung fand am 2. März statt. Der Earl besuchte auch die Aufführung am 7. März (III, 291).

2. März 1744
John Walsh zeigt in der *London Daily Post* „A Second Set of Songs in Semele in Score. Price 4s." an.
(Smith 1960, 141)
Vgl. 25. Februar und 10. März 1744

6. März 1744 (I)
The London Daily Post

For the Benefit of Signor Monticelli.
At the King's Theatre in the Hay-Market, this Day, will be perform'd an Opera, call'd Roxana. The Musick compos'd by Mr. Handel. ...
Vgl. 8. November 1743
Wiederholungen: 10., 13. und 17. März 1744.

6. März 1744 (II)
Händel zahlt 250 £ auf sein Konto ein.

10. März 1744 (I)
John Walsh zeigt in der *London Daily Post* „A Third Set of Songs in Semele in Score, which completes the whole, with an Index" an.
(Smith 1960, 141)
Vgl. 25. Februar und 2. März 1744

10. März 1744 (II)
Mary Delany an ihre Schwester Ann Dewes

Clarges Street, March 10, 1743–4
The oratorios fill very well, not withstanding the spite of the opera party: nine of the twelve are over. Joseph is to be performed (I hope) once more, then Saul, and the Messiah finishes; as they have taken very well, I fancy Handel will have a second subscription; and how do you think I have lately been employed? Why, I have made a drama for an oratorio, out of Milton's Paradise Lost, to give Mr. Handel to compose to; it has cost me a great deal of thought and contrivance; D. D. approves of my performance, and that gives me some reason to think it not bad, though all I have had to do has been collecting and making the connection between the fine parts. I begin with Satan's threatenings to seduce the woman, her being seduced follows, and it ends with the man's yielding to the temptation; I would not have a word or a thought of Milton's altered; and I hope to prevail with Handel to set it without having any of the lines put into verse, for that will take from its dignity. This, and painting three pictures, have been my chief morning employment since I came to town.
(Delany, II, 279 f.; Young 1947, 74)

– *Joseph* wurde am 14. März, *Saul* am 16. und 21. März aufgeführt, der *Messiah* 1744 überhaupt nicht. Die nächsten Oratorien-Aufführungen auf Subskription begannen im November 1744.
Mary Delany war Mitte Januar 1744 nach London zurückgekehrt, gerade rechtzeitig zur Eröffnung von Händels Oratoriensaison. Ob sie ihr auf Miltons *Paradise Lost* basierendes Libretto vollendet und Händel übergeben hat, ist unbekannt.

13. März 1744

John Walsh zeigt im *General Advertiser* „Semele in Score. 10s. 6d." an, mit dem Vermerk, daß die einzeln erschienenen Teile (vgl. 25. Februar, 2. und 10. März 1744) „may be had separately".
(Smith 1960, 141)

16. März 1744
The General Advertiser

By Subscription.
The Eleventh Night.
At the Theatre-Royal…this Day, will be perform'd an Oratorio, call'd Saul. With a Concerto on the Organ.
Vgl. 16. Januar 1739
Wiederholung: 21. März 1744.

22. März 1744
Mary Delany an ihre Schwester Ann Dewes

Clarges Street, March 22, 1743–4.
Last night, alas! was the last night of the oratorio: it concluded with Saul: I was in hopes of the Messiah. I have been at ten oratorios, and wished you at every one most heartily…the oratorios took up two days in the week.
(Delany, II, 284)

– Der Earl of Egmont war ebenfalls bei dieser Aufführung anwesend (Egmont MSS, III, 293).

3. April 1744
Mary Delany an ihre Schwester Ann Dewes

Clarges Street, April 3, 1744.
To-day I shall have a treat that I shall most ardently wish you and my mother your share of. Handel, my brother, and Donnellan dine here, and we are to be entertained with Handel's playing over Joseph to us. how often and how tenderly shall I think of my Benjamin!
(Delany, II, 290)
Vgl. 12. April 1734

– Mary Delanys Bruder Bernard Granville war ebenfalls mit Händel befreundet. Mit „Benjamin" ist Mary Delanys jüngere Schwester Ann (analog zu Josephs jüngstem Bruder Benjamin) gemeint.

5. April 1744
Händel zahlt von seinem Konto £ 226:5:6 an [Mr.?] Chambers.

6. April 1744
John Walsh kündigt im *Daily Advertiser* als „Just publish'd" an: „The Overture of Semele, and forty-eight Overtures from all Mr. Handel's Operas for Violins in eight Parts."
(Smith 1960, 142)

– Eine Einzelausgabe der *Semele*-Ouvertüre ist nicht bekannt. Enthalten ist sie jedoch in der Ausgabe von *Six Overtures for Violins &c. in Eight Parts… Ninth Collection,* die Walsh am 25. Oktober 1746 im *General Advertiser* anzeigte (Smith 1960, 296).

10. April 1744
Händel kauft „by certificates" für 1 300 £ dreiprozentige Aktienpapiere.

– Diese Aktienpapiere gab es von 1743 bis 1760.

17. April 1744 (I)
The General Advertiser

For the Benefit of Mr. Leveridge.
At the Theatre-Royal in Covent-Garden, this Day, will be perform'd a Comedy, call'd The Miser. … With Entertainments of Singing and Dancing, particularly…[Ende von] Act III. The favourite Song in Il Penseroso, &c. beginning, The Trumpets loud Clangor excites us to Arms, compos'd by Mr. Handel, sung by Mr. Beard.
(Chrysander 1863 II, 304f.)

– Die Komödie hatte Henry Fielding nach Molières *L'Avare* geschrieben (Uraufführung: 1733). Die Arie „The trumpet's loud clangor" ist aus Händels *Cäcilien-Ode.*

17. April 1744 (II)
Händel hebt £ 23:14:6 von seinem Konto ab.

April 1744
The London Magazine

Hearing Mr. Handel's Sampson, at the Theatre in Covent-Garden.

Rais'd by his subject, Milton nobly flew,
And all Parnassus open'd to our view:
By Milton fir'd, brave Handel strikes our ear,
And every power of harmony we hear.

When two such mighty artists blend their fire;
Pour forth each charm that genius can inspire,
The man whose bosom does not raptures feel,
Must have no soul, or all his heart be steel.

On viewing Mr. Handel's Statue.

The stones obey'd when sweet Amphion sung,
And to his soft persuasion mov'd along.
Could his own statue hear his Handel's strain,
The life infus'd would beat in ev'ry vein,
And the dead stone appear the very man.

– *Samson* war am 24. und 29. Februar 1744 aufgeführt worden. „Handel's Statue" von Louis François Roubiliac war im April 1738 in Vauxhall Gardens aufgestellt worden.

4. Mai 1744
The General Advertiser

New Musick.
This Day is publish'd, Price 4s. The First Act of Jo-
seph and his Brethren, an Oratorio. Compos'd by
Mr. Handel. The Remainder will be publish'd with
all Expedition. Printed for J. Walsh.
(Smith 1954, 280; Smith 1960, 110f.)

7. Mai 1744
Charles Jennens an Edward Holdsworth

Handel has promis'd to revise the Oratorio of
Messiah. He and I are very good Friends again.
The reason is he has lately lost his Poet Miller, &
wants to set me at work for him again.
(Sammlung Gerald Coke)

– James Miller schrieb den Text für Händels *Joseph
and his Brethren* (vgl. 29. Februar 1744).

19. Mai 1744
The Daily Advertiser

This Day are publish'd. The Second and Third
Act, which complete the whole, of Joseph and his
Brethren. An Oratorio, in Score. Compos'd by
Mr. Handel. Price 6s. 6d. Printed for J. Walsh.
(Smith 1954, 280; Smith 1960, 110 f.)

24. Mai 1744
The Daily Advertiser

This Day is publish'd, … The Oratorio of Joseph,
in Score. Compos'd by Mr. Handel … Printed for
J. Walsh.

– Eine weitere (nicht identifizierte) Ausgabe kündigte Walsh am 14. Mai 1745 in der *General Evening
Post* an. Die nächste nachweisbare Ausgabe erschien ca. 1747.
(Smith 1954, 280; Smith 1960, 110f.)

25. Mai 1744
Händel an Lorenz Christoph Mizler

[London,] 25. May 1744.
… Ich habe das Doctorat wegen überhäufter Ge-
schäfte nicht annehmen können oder wollen.
(Mizler, III, 567f.)

– Händel hat den Brief wahrscheinlich in französischer Sprache geschrieben. Mizler zitiert nur
den einen, vermutlich von ihm ins Deutsche übersetzten Satz.
Vgl. 20. Juni und 18. Juli 1733

9. Juni 1744
Händel an Charles Jennens

London Juin 9th 1744
Dear Sir,
It gave me great Pleasure to hear Your safe arrival
in the Country, and that Your Health was much
improved. I hope it is by this time firmly estab-
lishd, and I wish You with all my Heart the Continuation of it, and all the Prosperity.
As You do me the Honour to encourage my Musicall Undertakings, and even to promote them with
a particular Kindness, I take the Liberty to trouble
You with an account of what Engagement I have
hitherto concluded. I have taken the Opera House
in the Haymarketh. engaged, as Singers, Sig[ra]
Francesina, Miss Robinson, Beard, Reinhold, Mr
Gates with his Boyes's and several of the best Chorus Singers from the Choirs, and I have some
hopes that Mrs Cibber will sing for me. She sent
me word from Bath (where she is now) that she
would perform for me next winter with great
pleasure if it did not interfere with her playing,
but I think I can obtain M[r] Riches's permission
(with whom she is engaged to play in Covent Garden House) since so obligingly he gave Leave to
M[r] Beard and M[r] Reinhold.
Now should I be extreamly glad to receive the
first Act, or what is ready of the new Oratorio
with which you intend to favour me, that I might
employ all my attention and time, in order to
answer in some measure the great obligation I lay
under. this new favour will greatly increase my
Obligations.
I remain with all possible Gratitude and Respect
S[r]
Your most obliged and most humble Servant
George Frideric Handel
(Bis 1973 im Besitz des Earl Howe. Mueller von
Asow, 155; Christie, 12)

– Der ohne Anschrift erhaltene Brief wurde offensichtlich nach Gopsall gesandt. In früheren
Veröffentlichungen dieses Briefes wurde anstelle
von „my Musicall Undertakings" „my Messiah Undertakings" gelesen. Aus diesem Grunde veröffentlichte auch William Horsley den Brief in seinem Vorwort zum Klavierauszug des *Messiah*
(London 1842). Bernard Gates war Master of the
Children der Chapel Royal. Mit den „Chorus Singers from the Choirs" sind die Sänger der Chapel
Royal, der Westminster Abbey und der St. Paul's
Cathedral gemeint. Susanna Maria Cibber sang

von 1741 bis 1745 in Händels Oratorien, in dieser Saison aber erst seit dem 12. Januar 1745. John Rich war Direktor des Covent Garden Theatre. Das „new Oratorio", an dessen Text Jennens arbeitete, war *Belshazzar*.

11. Juni 1744
The General Advertiser

At Ruckholt-House, Low-Layton, in Essex, on this Day will be performed Alexander's Feast; the Vocal Parts by Mr. Brett, Signiora Avolio, Mr. Waltz, Mr. Barrow, &c. and several Concertos on the German Flute by Mr. Burk Thumoth. The Breakfasting to begin at 10 o'Clock, each Person to pay Two Shillings Admittance. – There will be Singing in the Afternoon, by the Persons above mentioned; each Person to pay (after Two o'Clock) One Shilling Admittance. The Evening Entertainments to begin at Four o'Clock, and continue 'till Eight at Night. – Proper Cooks are provided every Day in the Week, and Plenty of Fish; and the Doors free, except Monday. A Book of the Entertainment will be given to each Person at the Place of Performance. The Gates at Hummerton and Temple-Mills will be Toll-free.
(Smith 1948, 189 f.)
Vgl. 1. Oktober 1743

– Die von der Familie Hicks jeweils montags veranstalteten Konzerte dieser Saison hatten am 7. Mai begonnen. Händels *Alexander's Feast* wurde am 11., 18. und 25. Juni aufgeführt. Der Kontratenor Thomas Barrow hatte 1732 als Chorknabe bei der *Esther*-Aufführung am 23. Februar mitgewirkt und gehörte zu den Gentlemen der Chapel Royal. Mit „Mr. Brett" könnte der Kontratenor Brent gemeint sein, der 1752 im *Jephtha* die Partie des Hamor und 1758 in *Alexander's Feast* sang. Der irische Flötist Burk Thumoth gab am 14. Mai 1744 ein Konzert in London. Esther Young und Thomas Lowe sangen im Mai sowie am 4. Juni 1744 in Ruckholt House.
(Ameln, 29; Dean 1959, 618 f., 651 ff.)

22. Juni 1744
Lady Etheldreda Townshend an Isabella, Countess of Denbigh

Monticelli and all the singers and dancers of the opera go away next week, there being no more of these entertainments next winter, Mr. Hendell having taken the House at the Hay Market to perform his Oratorios in all the next season.
(Denbigh, 250)

– Die Opern-Saison am Haymarket Theatre endete am 16. Juni 1744. Händel pachtete das Theater und eröffnete dort seine Oratorien-Saison am 3. November 1744. Der Kastrat Angelo Maria Monticelli verließ England möglicherweise nicht.

Er übernahm wahrscheinlich die Partie des Athamas in *Semele* bei den Aufführungen im Dezember 1744; nachweislich trat er 1746 wieder in London auf. Italienische Opern wurden in London erst wieder seit Januar 1746 aufgeführt.
(Schoelcher 1857, 291; Dean 1959, 393)

30. Juni 1744
Gloucester Journal

For the benefit of Mr. J. Stephens, On the Eleventh day of July next, (Being the Wednesday in the Assize Week) will be perform'd at the Bell Great Room a Concert of Vocal and Instrumental Musick, By several good Hands. Divers of Mr. Handel's Organ Concertos will be perform'd on the Harpsichord, by Mr. Stephens.

19. Juli 1744 (I)
Händel beginnt mit der Komposition des „Musical drama" *Hercules*.
Eintrag in der autographen Partitur (R. M. 20. e. 8.): „angefangen July 19. ♃ [Donnerstag] 1744."
Vgl. 17. August 1744

19. Juli 1744 (II)
Händel an Charles Jennens

July 19. 1744
Dear Sir
At my arrival in London, which was yesterday, I immediately perused the Act of the Oratorio with which you favour'd me, and, the little time only I had it, gives me great Pleasure. Your reasons for the Length of the first act are intirely Satisfactory to me, and it is likewise my Opinion to have the following Acts short. I shall be very glad and much obliged to you, if you will soon favour me with the remaining Acts. Be pleased to point out these passages in t[h]e Messiah which You think require altering –
I desire my humble Respects and thanks to My Lord Guernsey for his many Civility's to me – and believe me to be with the greatest Respect
S^r
Your Most obedient and most hum^ble Servant
George Frideric Handel

To Charles Jennens (junior) Esqr.
at Gopsal near Atherstone
Leicestershire
(Bis 1973 im Besitz des Earl Howe. Schoelcher 1857, 288 f.; Mueller von Asow, 160; Christie, Faksimile als Frontispiz, 13)
Vgl. 9. Juni 1744

– Charles Jennens hatte Händel den ersten Akt des *Belshazzar*-Textes gesandt. Lord Guernsey, der spätere 3. Earl of Aylesford, ein Verwandter Charles Jennens', war mit Händel seit 1733 bekannt und einer seiner Bewunderer (vgl. 19. September 1738).

Es ist nicht bekannt, wo Händel sich von Mitte Juni bis Mitte Juli 1744 aufgehalten hat.

2. August 1744
Warrant Book des Königs

	£	s.	d.	
Royal Academy of Musick	1,000	0	0	Royal bounty to the undertakers of the Opera

(Shaw 1903, 628)

– Ein entsprechender Eintrag im Protokollbuch des Schatzamtes fehlt.
Vgl. 7. Februar 1744 (I)

9. August 1744
James Brydges, 1. Duke of Chandos (vgl. 25. September 1717), stirbt. In Cannons, seinem Landsitz, waren die *Chandos Anthems,* das *Chandos Te Deum* sowie *Acis and Galatea* und *Esther* aufgeführt worden.

16. August 1744
Horace Walpole an Sir Horace Mann

London, Aug. 16, 1744.
Lord Middlesex's match is determined, and the writings signed. She proves an immense fortune; they pretend a hundred and thirty thousand pounds – what a fund for making operas!
(Walpole Letters 1891, I, 321)

– Der Earl of Middlesex heiratete Grace Boyle, Tochter und einzige Erbin von Richard Viscount Shannon. Das von ihm geleitete Opernunternehmen am Haymarket Theatre war gescheitert (vgl. 22. Juni 1744).

17. August 1744
Händel beendet das Oratorium *Hercules.*
Einträge in der autographen Partitur (R. M. 20. e. 8.): „geendiget dies. 1. Akt Juli 30 ☽ [Montag] 1744."; „Fine dell'Atto 2ᵈᵒ Agost 11. 1744. ♄ [Sonnabend]" „Fine. London. Agost: 17. ♀ [Freitag] 1744. völlig geendiget [Das Datum ist beim Beschneiden der Handschrift verloren gegangen.]"
(Dean 1959, 429)
Vgl. 19. Juli 1744 (I)

21. August 1744
Händel an Charles Jennens

Dear Sir
The Second Act of the Oratorio I have received Safe, and own my self highly obliged to You for it. I am greatly pleased with it, and shall use my best endeavours to do it Justice. I can only Say that I impatiently wait for the third Act and desire to believe me to be with great Respect
Sʳ
Your most obliged and most humble Servant
George Frideric Handel.

London
Agost y 21. 1744.

To Charles Jennens (Junior) Esqʳ at Gopshall near Atherstone
Leicestershire
(Bis 1973 im Besitz des Earl of Howe. Schoelcher 1857, 289; Mueller von Asow, 162; Christie, 14, Faksimile nach 14)

– Jennens hatte Händel den zweiten Akt seines *Belshazzar*-Librettos geschickt (vgl. 19. Juli 1744/II).

23. August bis 15. September 1744
Händel komponiert den ersten und zweiten Akt des Oratoriums *Belshazzar.*
Einträge in der autographen Partitur (R. M. 20. d. 10.): „angefangen den 23. Agost 1744 ♃ [Donnerstag]"; „Fine della parte prima. ☽ [Montag] Septembʳ 3. 1744. den 15 dieses völlig"; „Fine della Parte 2ᵈᵃ ☽ [Montag] Septembʳ 10. 1744."
Vgl. 23. Oktober 1744

25. August 1744
The Daily Advertiser

Cuper's Gardens.
The Widow Evans ... is resolv'd to entertain [the Town]. ... Her Band of Musick (which is by the best Judges allow'd to be inferior to none) will perform ... Mr. Handel's grand Chorusses out of several of his Oratorios.
Vgl. 4. und 18. Juli 1741

28. August 1744
The Daily Advertiser

For the Benefit of Mr. Blogg.
At Lord Cobham's Head, Cold-Bath-Fields, Tomorrow, the 29th instant, will be perform'd a Concert of Vocal and Instrumental Musick. The Vocal Parts by Mr. Blogg, Mr. Jenkin Williams, and others; particularly several favourite Songs out of Saul and Samson, by Mr. Blogg. ... To conclude with the Coronation Anthem, set by Mr. Handel. After the Concert a Ball.
(Chrysander 1863 II, 395)

– Jenkyn Williams ist identisch mit dem Tenor Williams, den Händel im März 1740 mit der Partie eines der Israeliten in *Esther* betraut hatte.
Das Coronation Anthem war „Zadok the Priest"; es war so populär geworden, daß es häufig am Ende eines Konzertes erklang.

12. September 1744
Eine Londoner Zeitung

At the Green House at Windsor, this Day, a
Grand Concert, to conclude with the Coronation
Anthem of „God save the King".
(Sammlung A. H. Mann. Chrysander 1863 II,
395)

– Arthur Henry Mann nennt als Quelle den *Daily
Advertiser*. Weder in dieser Zeitung noch im *General Advertiser* oder in der *Daily Post* ist der Text zu
finden.
Vgl. 28. August 1744

13. September 1744
Händel an Charles Jennens

Dear S^r
Your most excellent Oratorio has given me great
Delight in setting it to Musick and still engages
me warmly. It is indeed a Noble Piece, very grand
and uncommon; it has furnished me with Expressions, and has given me Opportunity to some very
particular Ideas, besides so many great Choru's. I
intreat you heartily to favour me Soon with the
last Act, which I expect with anxiety, that I may
regulate my Self the better as to the Length of it. I
profess my Self highly obliged to You, for so generous a Present, and desire You to believe me to
be with great Esteem and Respect
S^r
Your most obliged and most humble Servant
George Frideric Handel
London
Sept^br 13. 1744
To Charles Jennens (Junior) Esqr
at Gopsal near Atherstone
Leicestershire
(Bis 1973 im Besitz des Earl of Howe. Schoelcher
1857, 289; Mueller von Asow, 163; Christie, 15,
Faksimile der ersten Seite nach 14)
Vgl. 21. August und 23. August – 15. September
1744

26. September 1744
Charles Jennens an Edward Holdsworth

I have been prevaild with once more to expose
my self to the Criticks, to oblige the Man who
made me but a Scurvy return for former obligations; the truth is, I had a farther view in it; but if
he does not mend his manners I am resolv'd to
have no more to do with him. But the reason of
my mentioning this was to excuse my delay of
answering your letter dated almost 4 months ago.
For my Muse is such a Jade, & Handel hurry'd her
so, that I could not find time fot writing letters.
Our Operas are at an end, & He has taken the Opera House to perform Oratorios in this next Season. In your Letter of May 16 you suppose him in

Ireland, where indeed he met with encouragement, but has had so much better since in England, that I believe he has had no inclination yet to
go into Ireland again.... We have lately lost the famous Pope; who has left all his M^ss to L^d. Bolingbroke, to publish or suppress as he shall think
proper. Not long after follow'd his Corrector Theobald whom Pope depos'd last year from his
Duncical Kingdom, & exalted Cibber the Laureate
in his Room.
(Sammlung Gerald Coke)

– Alexander Pope starb am 30. Mai 1744.

2. Oktober 1744
Händel an Charles Jennens

Dear S^r
I received the 3^d Act, with a great deal of pleasure,
as You can imagine, and You may believe that I
think it a very fine and sublime Oratorio, only it is
realy too long, if I should extend the Musick, it
would last 4 Hours and more.
I retrench'd already a great deal of the Musick,
that I might preserve the Poetry as much as I
could, yet still it must be shortned. The Anthems
come in very proprely. but would not the Words
(tell it out among the Heathen that the Lord is
King.) sufficient for one Chorus? T[h]e Anthem (I
will magnify thee O God my King, and I will
praise thy name for ever and ever, vers). the Lord
preserveth all them that love him, but scattreth
abroad all the ungodly. (vers and chorus) my
mouth shall speak the Praise of the Lord and let all
flesh give thanks unto His holy name for ever and
ever Amen.) concludes well the Oratorio. I hope
you will make a visit to London next Winter. I
have a good Set of Singers. S. Francesina performs
Nitocris, Miss Robinson Cyrus, Mrs Cibber Daniel, Mr Beard (who is recoverd) Belshazzar, Mr
Reinhold Gobrias, and a good Number of Choir
Singers for the Chorus's. I propose 24 Nights to
perform this Season, on Saturdays, but in Lent on
Wednesday's or Fryday's. I shall open on 3^d of No-
vemb^r next with Deborah [?]. I wish You heartily
the Continuation of Your health, and professing
my grateful [?] acknowledgments for your gen-
erous favours, and am with great Esteem and Re-
spect
Sr
Your most obliged and most humble Servant
George Frideric Handel
London
Octo.^br 2 1744.

To Charles Jennens Esqr.
Gopsall
Leicestershire.
(Sammlung Max Reis, Zürich. Schoelcher 1857,
289; Mueller von Asow, 165; Christie, 16, Faksi-

mile der ersten Seite nach 14; Dean 1982, 59: Faksimile der ersten Seite)

– Im 2. Abschnitt wurde bisher „it may be short-ned" gelesen, Händel hat aber eindeutig „must" geschrieben. Die beiden durch Fragezeichen gekennzeichneten Wörter sind nicht eindeutig.
Jennens hatte Händel den letzten Akt seines *Belshazzar*-Librettos geschickt (vgl. 19. Juli, 21. August und 13. September 1744).
Die beiden letzten Chöre des Werkes gehen auf die *Chandos Anthems* HWV 253 und HWV 250a zurück.
(Dean 1959, 434 f. und 645; Händel-Hdb., II, 282)

20. Oktober 1744
The Daily Advertiser

By particular Desire.
Mr. Handel proposes to perform by Subscription, Twenty-Four Times, during the Winter Season, at the King's Theatre in the Hay-Market, and engages to exhibit two new Performances, and several of his former Oratorios. The first Performance will be on Saturday the 3d of November, and continue every Saturday till Lent, and then on Wednesdays and Fridays. Each Subscriber is to pay Eight Guineas at the Time he subscribes, which entitles him to one Box Ticket for each Performance.
Subscriptions are taken in at Mr. Handel's House in Brooke-Street, near Hanover-Square; at Mr. Walsh's, in Katherine-Street in the Strand; and at White's Chocolate-House in St. James's Street.
Those Gentlemen and Ladies who have already favoured Mr. Handel in the Subscription, are desired to send for their Tickets at his House in Brooke-Street, where Attendance will be given every Day (Sunday excepted) from Nine o'Clock in the Morning till Three in the Afternoon.
(Schoelcher 1857, 291; Smith 1948, 150 ff.)

– Die Anzeige erschien auch im *General Advertiser* und wurde am 3. November wiederholt. Die beiden neuen Oratorien waren *Hercules* und *Belshazzar*. Von den 24 vorgesehenen Aufführungen fanden nur 16 statt, die letzte am 23. April 1745 (vgl.

9. Januar 1744 und 17. Januar 1745).

23. Oktober 1744
Händel beendet das Oratorium *Belshazzar*.

– Eintrag Charles Jennens' in seinem Exemplar von John Mainwarings Händel-Biographie: „print. 1745. Beg. Act. 1. Aug. 23, 1744. Sept. 3, end. end of Act 2. Sept. 10. 1744. fin. Oct. 23, 1744."
(Dean 1972, 161)
Vgl. 23. August – 15. September 1744

Oktober 1744 bis Frühjahr 1745
Die Philharmonic Society Dublin führt in der New Music Hall in der Fishamble Street *Acis and Galatea, Alexander's Feast, Athalia, Esther* und *Israel in Egypt* auf.
(Townsend 1852, 116)

1. November 1744 bis 20. August 1745
Records der Manchester Subscription Concerts

[Im Bestand der Musikalien-Sammlung:]
Handel's Overtures, compleat.
(Harland, 66 f.)
Vgl. 21. Januar 1745 (III)

2. November 1744
Records der Manchester Subscription Concerts

[aufgeführt:]
Overture to Otho.
(Harland, 66 f.)

– Händels Werke nahmen in diesen Konzerten einen hervorragenden Platz ein. Bis zum 20. August 1745 wurden 24 Ouvertüren, die *Water Music,* die Orgelkonzerte op. 4 Nr. 3 – 6 sowie das Concerto op. 6 Nr. 5 aufgeführt, teilweise mehrmals.

3. November 1744 (I)
The Daily Advertiser

By Subscription.
The first Night,
At the King's Theatre in the Hay-Market, This Day … will be perform'd an Oratorio, call'd Deborah. With a Concerto on the Organ. Pit and Boxes to be put together … tickets will be delivered … at the Opera-Office … at Half a Guinea each. The Gallery Five Shillings. The Gallery to be opened at Four o'Clock, Pit and Boxes at Five. To begin at Six o'Clock.
(Schoelcher 1857, 291)

– Die Anzeige erschien auch im *General Advertiser.*
Besetzung:
Deborah – Elisabeth Duparc, Sopran
Barak – Miss Robinson, Mezzosopran
Jael – Susanna Maria Cibber, Alt
Sisera – John Beard, Tenor
Abinoam – Thomas Reinhold, Baß
Priest of Baal – Mr. Corfe, Tenor
Bei der Wiederholung am 24. November 1744 waren die Partien von Barak und Sisera wahrscheinlich mit italienischen Sängern besetzt.
(Dean 1959, 238 f., 243 f., 632, 654 und 658)

3. November 1744 (II)
Händel zahlt 500 £ auf sein Konto ein.

5. November 1744
The Daily Advertiser

As the greatest Part of Mr. Handel's Subscribers are not in Town, he is requested not to perform till Saturday the 24th Instant; but the Subscription is continued to be taken in at Mr. Handel's House in Brooke-Street, near Hanover-Square; at Mr. Walsh's ...; and at White's Chocolate-House.

– Die Notiz erschien auch im *General Advertiser*.
(Schoelcher 1857, 291; Smith 1948, 151)

9. November 1744
Händel zahlt 100 £ auf sein Konto ein.

10. November 1744
Protokolle des Mercer's Hospital

Agreed that the Cathedral Service for the benefit of the Sd. Hospital at the Conclusion Hilary Term....
N. B., Mr. Handel's Grand Te Deum Composed on the Victory att Dettingen and performed before His Majesty upon his arrival, is intended to be performed at the same time.

– Die Aufführung fand am 14. Februar 1745 in St. Michan's Church statt. Bisher waren Gottesdienste zugunsten des Mercer's Hospital in dieser Kirche nicht erlaubt worden. Auf der 1724 gebauten Orgel von St. Michan's soll Händel während seines Dubliner Aufenthaltes (1741/42) gespielt haben.
Händels Name erscheint in den Protokollen erst wieder am 5. April 1749.

13. November 1744
Records der Manchester Subscription Concerts

[aufgeführt:]
Overture to Samson.
2nd Act. Overture to Alcina.
3rd Act ... Overture to Saul.
(Harland, 66 f.)

27. November 1744
Records der Manchester Subscription Concerts

[aufgeführt:]
Overture to Rodelinda ...
(Harland, 66 f.)

1. Dezember 1744
The Daily Advertiser

By Subscription.
The Third Night.
At the King's Theatre ... this Day ... will be perform'd Semele. After the Manner of an Oratorio,
set to Musick by Mr. Handel. ... To begin at Six o'Clock.
(Schoelcher 1857, 292)
Vgl. 10. Februar 1744

– Die Anzeige erschien auch im *General Advertiser*. Nach dieser Aufführung (Wiederholung: 8. Dezember 1744, vgl. Egmont MSS., III, 304) wurde *Semele* zu Händels Lebzeiten nicht mehr aufgeführt.
Vermutliche Besetzung:
Semele – Elisabeth Duparc, Sopran

Jupiter
Apollo   } – John Beard, Tenor

Athamas – Angelo Maria Monticelli, Mezzosopran
Juno – Caterina Galli, Mezzosopran
Ino – Miss Robinson, Mezzosopran
Cadmus
High Priest   } – Thomas Reinhold, Baß
Somnus

Iris – ? [Christina Maria Avoglio, Sopran?]
Miss Robinson, Tochter des Organisten John Robinson und der 1741 verstorbenen Ann Turner-Robinson, gehörte Händels Ensemble nur 1744/45 an; über ihre spätere Tätigkeit ist nichts bekannt.
Für Angelo Maria Monticelli und Caterina Galli wurden fünf italienische Arien (aus *Alcina*, *Arminio* und *Giustino*) eingefügt.
(Dean 1959, 393 ff., 635, 652 und 654)

11. Dezember 1744 (I)
Händel zahlt 50 £ auf sein Konto ein.

11. Dezember 1744 (II)
Records der Manchester Subscription Concerts

[aufgeführt:]
Overture to Acis and Galatea. ...
2nd Act. Overture to Radamistus. ...
Handel's water music.
(Harland, 66 f.)

12. Dezember 1744
The Suffolk Mercury (?)

At the Assembly Room in Bury, on Wednesday, the 12th of December, will be performed a Grand Concert of Vocal and Instrumental Musick, by Mr. Charles and Mr. Leander, Masters of Musick from London, accompanied by several other hands. ...
Third Act.
1. The Overture in Saul, with the Dead March.
...
5. Mr. Handel's Water Musick, with the March in Scipio and the Chorus in Atalanta.
(Sammlung A. H. Mann; Dean 1959, 301)

1744 (I)

James Harris, Three Treatises ... The Second Concerning Music, Painting, and Poetry ..., London 1744

And hence the genuine Charm of Music, and the Wonders which it works, thro'its great Professors (b). A Power, which consists not in Imitations, and the raising Ideas, but in the raising Affections, to which Ideas may correspond. There are few to be found so insensible, I may even say so inhumane, as when good Poetry is justly set to Music, not in some degree to feel the Force of so aimable an Union. But to the Muses Friends it is a Force irresistible, and penetrates into the deepest Recesses of Soul. Such, above all, is George Frederick Handel; whose Genius, having been cultivated by continued Exercise, and being itself far the sublimest and most universal now known, has justly placed him with out an Equal, or a Second. This transient Testimony could not be denied so excellent an Artist, from whom this Treatise has borrowed such eminent Examples, to justify its Assertions in what it has offer'd concerning Music.   [S.99]

– James Harris (vgl. 19. April 1737) untersucht in dieser Abhandlung die ästhetischen Grundlagen der verschiedenen Künste und ihre gegenseitigen Beziehungen. Das Zitat ist dem 6. Kapitel, „On Music considered not as an Imitation but as deriving its Efficacy from another Source", entnommen. Der Verfasser weist darin auf die über die Nachahmung hinausgehenden Kräfte der Musik hin, deren Gewalt „penetrates into the deepest Recesses of the Soul". Die Abhandlung enthält keine Musikbeispiele, aber Hinweise auf bestimmte Stellen in Händels Werken: für die Nachahmung von Bewegungen das Gehen des Polyphem in *Acis and Galatea,* für die Rufe einer Volksmenge die „God save the King"-Rufe im Coronation Anthem „Zadok the Priest", für den Ausdruck der Angst den Chor der Baalspriester „Doleful Tidings, how ye wound" aus *Deborah.*
(Darenberg 1952; Darenberg 1960; Darenberg 1961/62)

1744 (II)

Händel subskribiert folgende Werke:
Thomas Chilcot, *Twelve English Songs with their Symphonies. The Words by Shakespeare, and other Celebrated Poets* (John Johnson, London)
William Felton, *Six Concerto's for the Organ or Harpsichord with Instrumental Parts* (John Johnson, London)
Musgrave Heighington, *Six Select Odes of Anakreon in Greek and Three of Horace in Latin* (John Simpson, London)

– Thomas Chilcot war von 1733 bis zu seinem Tode (1766) Organist an der Abbey Church in Bath. Händel hatte schon seine 1734 in London erschienenen *Six suites of lessons for the harpsicord* subskribiert.
William Felton war Geistlicher in Hereford. Er veröffentlichte insgesamt 24 Orgelkonzerte. Händel soll abgelehnt haben, die zweite Sammlung seiner Orgelkonzerte zu subskribieren, weil ein Geistlicher nach seinem Dafürhalten lieber Predigten als Kompositionen drucken lassen sollte (Burney 1785, 32 f.; Chrysander, III, 165 f.).

1744 (III)

Jean Vincent, Madame Boivin und M. Le Clerc veröffentlichen in Paris *Six Grand Concerto pour les Violons &c. En sept parties separées par M.ʳ Handel. Parte prima del Opera Sesta Prix 24tts.*

– Die Ausgabe enthält die Konzerte 5, 6, 1, 7, 11 und 12 aus Opus 6. Auf der Titelseite ist außerdem angezeigt: „On trouvera aux mêmes adresses six Ouvertures en quatre parties des Opera du même Auteur".
(Hopkinson, 243 f.; Smith 1960, 223)

1744 (IV)

Francesco Saverio Quadrio, Della Storia, e della Ragione d'ogni Poesia, Milano 1744

Giorgio Federico Hendel, Inglese, fioriva circa il 1710, nel qual anno pose in musica l'Agrippina d'Incerto.   [Bd. III, S. 519]
(Chrysander, I, 190)

– *Agrippina* (Text: Vincenzo Grimani) wurde nach venezianischem Kalender zu Beginn des Jahres 1710, nach gregorianischem Kalender Ende 1709 oder Anfang 1710 in Venedig uraufgeführt. Der Librettist ist seit der von Zeno erweiterten Neuauflage von Allacis *Drammaturgia* (Venedig 1755) bekannt.
Vgl. Ende Dezember 1709/Anfang Januar 1710 und Winter 1710

1744 (V)

Johann Mattheson, Die neueste Untersuchung der Singspiele, nebst beygefügter musikalischen Geschmacksprobe, Hamburg 1744

§. 26. „Hieher gehören noch die Anfangsnoten der Kirchenlieder: Es ist das Heil uns kommen her etc. Es ist gewißlich an der Zeit etc. Es woll uns Gott genädig seyn etc. Gott sey gelobet und gebenedeyet etc. Herr Christ, der einge Gottes Sohn etc. Herr Jesu Christ, meins Lebenslicht etc. Herr Jesu Christ, ich weiß gar wohl etc. Hört auf mit Trauren etc. Nun laßt uns Gott dem Herrn etc. Singen wir aus Herzensgrund etc. Wacht auf ihr Christen alle etc. Christus, der uns selig macht etc. Wend ab deinen Zorn etc. Wenn wir in höchsten Nöthen etc. Nun laßt uns den Leib begraben etc.

für welche sich ein galanter Componist allerdings zu hüten hat, daß er ja keine Fugen daraus mache: denn es sind nur halbgute Melodien, wobey er unmöglich einer von den größesten Tonkünstlern bleiben kann; wenn er es sonst auch lange schon gewesen wäre. Wie es Krieger, Kuhnau, Händel und Walther verantworten wollen, daß sie bisweilen solche seltsame Fugenthemata unbesonnener Weise gebraucht haben, die sich nicht nur mit einer Quart, sondern wohl gar mit einer bloßen Terz, zum Sprengel begnügen, dazu mögen sie sehen. Die Beyspiele davon stehen leider! im vollkommenen Capellmeister S. 431, 440. 444 und anderswo offenbar zu Buche.   [S. 134]

1745

5. Januar 1745 (I)
The General Advertiser

By Subscription.
The Fifth Night.
At the King's Theatre ... this Day, will be perform'd Hercules, A new Musical Drama. Compos'd by Mr. Handel. ... To begin at Half an Hour after Six o' Clock.

– Diese Ankündigung erschien auch im *Daily Advertiser.*
Das Libretto zu *Hercules* (vgl. 19. Juli und 17. August 1744) von Reverend Thomas Broughton basiert auf den *Trachinierinnen* von Sophokles und dem IX. Buch der *Metamorphosen* von Ovid. Das Textbuch (J. und R. Tonson und S. Draper) wurde am gleichen Tag im *General Advertiser* und im *Daily Advertiser* angezeigt.
Die Aufführung wurde am 12. Januar 1745 wiederholt.
Bei der Wiederaufführung im Jahre 1749 wurde das Werk als „Oratorio" angekündigt.
Besetzung:
Hercules – Thomas Reinhold, Baß
Dejanira – Miss Robinson, Mezzosopran
Iole – Elisabeth Duparc, Sopran
Hyllus – John Beard, Tenor
Lichas – Susanna Maria Cibber, Alt
Susanna Maria Cibber war bei der Uraufführung indisponiert (vgl. 9. Januar 1745), in der Aufführung am 12. Januar sang sie ihre Partie. Mit wem Händel die Partie am 5. Januar besetzt hat oder ob die Arien vielleicht ausfielen und die wenigen Rezitative von einem Chorsänger übernommen wurden, ist nicht bekannt.
(Dean 1959, 429 ff., 652 ff., 658; Smith 1948, 151 f.)

5. Januar 1745 (II)
Händel zahlt 50 £ auf sein Konto ein.

8. Januar 1745 (I)
John Walsh zeigt im *Daily Advertiser* an: „Hercules, in Score, will speedily be publish'd by Subscription, at Half a Guinea."

– Die Ausgabe erschien am 9. Februar 1745 ohne Subskribentenverzeichnis.
(Smith 1960, 107)

8. Januar 1745 (II)
Records der Manchester Subscription Concerts

[aufgeführt:]
Overture to Atalanta ... 2nd Act. Overture to Ariodante ...
(Harland, 66 f.)

9. Januar 1745
The Daily Advertiser

Mrs. Cibber being perfectly recover'd of her late Indisposition, will certainly perform on Saturday next, in Hercules.
(Smith 1948, 152)

– Die Notiz ist der Ankündigung der Aufführung des *Hercules* am 12. Januar beigefügt.

17. Januar 1745 (I)
The Daily Advertiser

Sir.
Having for a Series of Years received the greatest Obligations from the Nobility and Gentry of this Nation, I have always retained a deep Impression of their Goodness. As I perceived, that joining good Sense and significant Words to Musick, was the best Method of recommending this to an English Audience; I have directed my Studies that way, and endeavour'd to shew, that the English Language, which is so expressive of the sublimest Sentiments is the best adapted of any to the full and solemn Kind of Musick. I have the Mortification now to find, that my Labours to please are become ineffectual, when my Expences are considerably greater. To what Cause I must impute the loss of the publick Favour I am ignorant, but the Loss itself I shall always lament. In the mean time, I am assur'd that a Nation, whose Characteristick is Good Nature, would be affected with the Ruin of any Man, which was owing to his Endeavours to entertain them. I am likewise persuaded, that I shall have the Forgiveness of those noble Persons, who have honour'd me with their Patronage, and their Subscription this Winter, if I beg their Permission to stop short, before my Losses are too great to support, if I proceed no farther in my Undertaking; and if I intreat them to withdraw three Fourths of their Subscription, one Fourth Part only of my Proposal having been perform'd.

I am, sir,
Your very humble Servant,
G. F. Handel.

Attendance will be given at Mr. Handel's House in
Brook's Street, near Hanover-Square, from Nine
in the Morning till Two in the Afternoon, on
Monday, Tuesday, and Wednesday next, in Order
to pay back the Subscription Money, on returning
the Subscription Ticket.
(Smith 1948, 152 f.)

– Das erste der geplanten 24 Subskriptionskon-
zerte der Saison 1744/45 fand am 3. November
1744 statt.
Vgl. 20. Oktober 1744 und 25. Januar 1745

17. Januar 1745 (II)
Ein Benefizkonzert für die Witwe Farmborough
in der Swan Tavern in Exchange Alley, Cornhill,
wird mit Händels Coronation Anthem „Zadok the
Priest" (in der Ankündigung im *Daily Advertiser*
vom 15. Januar als Coronation Anthem „God save
the King" bezeichnet) beschlossen.
(Chrysander 1863 II, 395)

– „Zadok the Priest" wurde wegen seines Schluß-
teils, der mit „God save the King" beginnt, oft als
„Anthem ‚God save the King'" bezeichnet. Es war
sehr populär und wurde häufig in öffentlichen
Konzerten aufgeführt.

18. Januar 1745
The Daily Advertiser

To the Author.
Sir,
Upon Reading Mr. Handel's Letter in your Paper
this Morning I was sensibly touch'd with that great
Master's Misfortunes, failing in his Endeavours to
entertain the Publick; whose Neglect in not at-
tending his admirable Performances can no other-
wise be made up with Justice to the Character of
the Nation, and the Merit of the Man, than by the
Subscribers generously declining to withdraw the
Remainder of their Subscriptions.
I would lament the Loss of the Publick in Mr. Han-
del, in Strains equal to his if I was able, but our
Concern will be best express'd by our Generos-
ity.
We are, Sir,
Your obedient Servants,
Subscribers.
St. James's,
Jan. 17, 1744–5.
(Smith 1948, 153)

19. Januar 1745
Händel hebt 200 £ von seinem Konto ab.

21. Januar 1745 (I)
The Daily Advertiser

To Mr. Handel.
„Tu ne cede malis, sed contra audentior ito."

While you, Great Master of the Lyre;
Our Breasts with various Passions fire;
The Youth to Martial Glory move,
Now melt to Pity, now to Love;
While distant Realms Thy Pow'r confess,
Thy happy Compositions bless,
And Musical Omnipotence
In adding solemn Sounds to Sense;
How hard thy Fate! that here alone,
Where we can call thy Notes our own;
Ingratitude shou'd be thy Lot,
And all thy Harmony forgot!
Cou'd Malice, or Revenge take Place,
Thou'dst feel, alas! the like Disgrace
Thy Father Orpheus felt in Thrace.
There, as dear Ovid does rehearse,
(And who shall question Ovid's Verse?)
The Bard's enchanting Harp and Voice
Made all the Savage Herd rejoice,
Grow tame, forget their Lust and Prey,
And dance obsequious to his Lay.
[1] The Thracian Women 'tis wellknown,
Despis'd all Music, but their own;
[2] But chiefly one, of envious Kind,
[3] With Skin of Tyger capuchin'd,
Was more implacable than all,
And strait resolv'd poor Orpheus Fall;
Whene'er he play'd, she'd make [4] a Drum,
Invite her Neighbours all to come;
At other Times, wou'd send about,
And dreg'em to a Revel-Rout:
Then she: [5] Behold, that Head and Hand
Have brought to scorn the Thracian Band;
Nor ever can our Band revive,
While that Head, Hand, or Finger live.
She said: [6] The wild and frantic Crew
In Rage the sweet Musician slew:
[7] The Strains, which charm'd the fiercest Beasts,
Cou'd move no Pity in their Breasts.

Here Ovid, to the Sex most civil,
Says, in their Cups they did this Evil,
When nightly met to sacrifice
To Bacchus, as his Votaries:
The Deed the God so much provokes,
He turn'd the Wretches into Oaks.

But Handel, lo! a happier Fate
On thee, and on thy Lyre, shall wait;
The Nation shall redress thy Wrong
And joy to hear thy Even Song:
The Royal Pair shall deign to smile;
The Beauties of the British Isle,
The noble Youth, whom Virtue fires,
And Martial Harmony inspires,

Shall meet in crouded Audiences:
Thy Foes shall blush; and Hercules
Avenge this National Disgrace,
And vanquish ev'ry Fiend of Thrace.

Ov. Met. l. 11.

[1] Ecce Nurus Ciconum.

[2] E quibus una, levem jactato crine per auram.

[3] Tectae lymphata ferinis
Pectora velleribus.

[4] Tympanaque plaususque, et Bacchei ululatus
Obstrepuere sono Citharae.

[5] En, ait, en, hic est nostri Contemptor.

[6] Tum denique Saxa
Non exauditi rubuerunt sanguine Vatis.

[7] Nec quicquam voce moventem
Sacrilegae perimunt.
(Smith 1948, 153 ff.)

– Das dem Gedicht vorangestellte Motto ist Vergils *Aeneis* (6. Buch, Vers 95) entnommen, der Vermerk am Ende verweist auf Ovids *Metamorphosen* (11. Buch).
Der mittlere Teil des Gedichts, der sich auf „female machinations" (Smith 1936, und H. C. Colles *The Times,* 18. Juli 1936) bezieht, zielt offensichtlich auf Lady Brown, die erstmals von Burney (II, 1013) namentlich als Gegnerin Händels erwähnt wird. Mainwaring (134 f.) meint sie offensichtlich, nennt aber ihren Namen nicht. Horace Walpole erwähnt sie in seinem Brief an Horace Mann vom 13. Februar 1743 (1891, I, 229) als Frau von Sir Robert Brown, vormals Kaufmann und britischer Gesandter in Venedig, der 1732 zum Baronet erhoben wurde und bis 1743 Paymaster of His Majesty's Works war. Lady Margaret Cecil Brown, Enkelin des 3. Earl of Salisbury, veranstaltete sonntagabends Privatkonzerte, was als Mißachtung des Feiertages galt. Ihre Konzerte waren „foreign musicians in general, of the new Italian style" gewidmet und wurden von dem mysteriösen „Count St. Germain", der um 1745 in London lebte, geleitet.
(Burney, II, 1013; Chrysander, III, 217; Franco)

21. Januar 1745 (II)
The Daily Advertiser

After reading Mr. Handel's Letter to the Public in this Paper on Thursday last

An Epigram.

Romans, to shew they Genius's wou'd prize,
Gave rich Support; and dead, did Bustos rise:
But wiser we, the kindred Arts to serve.
First carve the Busts[1]; then bid the Charmers
starve.

[1] Mr. Handel's elegant Marble Statue in Vaux-Hall Gardens.
(Smith 1948, 156)

21. Januar 1745 (III)
Records der Manchester Subscription Concerts

[Neuerwerbung für die Musikalien-Sammlung:]
48 Overtures of Handel, £ 2. 7s.
[aufgeführt:]
… 2nd Act. Overture to Ariadne.
(Harland, 66 f.)

– Bei den Ouvertüren handelt es sich offensichtlich um von Walsh veröffentlichte Ausgaben in Stimmen.
(Smith 1960, 297 ff.)

25. Januar 1745
The Daily Advertiser

Sir,
The new Proofs which I have receiv'd of the Generosity of my Subscribers, in refusing upon their own Motives, to withdraw their Subscriptions call upon me for the earliest Return, and the warmest Expressions of my Gratitude; but natural as it is to feel, proper as it is to have, I find this extremely difficult to express. Indeed, I ought not to content myself with bare expressions of it; therefore, though I am not able to fulfil the whole of my Engagement, I shall think it my Duty to perform what Part of it I can, and shall in some Time proceed with the Oratorios, let the Risque which I may run be what it will.
I am, Sir,
Your very humble Servant,
G. F. Handel.
(Smith 1948, 156)

1. Februar 1745
Händel zahlt 150 £ auf sein Konto ein.

5. Februar 1745
Records der Manchester Subscription Concerts

[aufgeführt:]
Overture to Lothario … 2nd Act. Overture to Mutius Scaevola …
(Harland, 66 f.)

9. Februar 1745
The General Evening Post

This Day is publish'd Hercules in Score. As it is perform'd at the King's Theatre in the Hay-Market. Compos'd by Mr. Handel. Printed for J. Walsh.

– Walsh hatte schon am 8. Januar 1745 im *Daily Advertiser* auf das baldige Erscheinen dieser Ausgabe hingewiesen. Eine zweite Auflage der Ausgabe erschien noch im gleichen Jahr, eine weitere um 1748 (vgl. 24. Februar 1749).
(Smith 1954, 295; Smith 1960, 107)

11. Februar 1745
The Daily Advertiser

By Subscription.
The seventh Night.
At the King's Theatre ... on Saturday next, the
16th instant, will be perform'd a new Musical
Drama, call'd Hercules, Compos'd by Mr. Han-
del.
Vgl. 5. Januar 1745

– Die Aufführung kam nicht zustande, vielleicht
infolge einer erneuten Indisposition von Mrs. Cibber (vgl. 9. Januar 1745). Sie wurde zunächst auf
den 1. März verschoben, an dem dann aber Händels *Samson* aufgeführt wurde.
Händel führte *Hercules* erst wieder 1749 und 1752
auf. Am 6. Oktober 1756 wurde das Oratorium anläßlich des Cäcilien-Festes in Salisbury aufgeführt.
(Dean 1959, 431 ff. und 635)

16. Februar 1745
The Dublin Journal

Last Thursday [14. Februar] Mr. Handel's New Te-
Deum on the Victory at Dettingen, his Jubilate
and two Anthems, were perform'd at St. Michan's
Church, for the Support of Mercer's Hospital;
some Persons of Quality, and many Gentlemen,
obliged the Governors with their Assistance in the
Performance. ... The whole Performance was con-
ducted with the greatest Decency and Solemnity,
and Five hundred Persons of the first Quality and
Distinction were present thereat.
(Townsend 1860, 117)
Vgl. 10. November 1744

– Offenbar erklang nach dem *Dettingen Te Deum*
anstelle des *Dettingen Anthem* das in Dublin sehr
beliebte *Utrecht Jubilate*.

19. Februar 1745
Records der Manchester Subscription Concerts

[aufgeführt:]
Overture to Scipio... 2nd Act. Overture to Tamer-
lane ...
(Harland, 66 f.)

20. Februar 1745
Im *General Advertiser* wird für den gleichen Tag ein
Benefizkonzert für die Trompeter Valentine Snow
und William Douglas im New Theatre in the
Haymarket angekündigt: „... The whole to con-
clude with the Coronation Anthem, God save the
King!"
(Chrysander 1863 II, 395)

– Das Coronation Anthem war „Zadok the Priest"
(vgl. 17. Januar 1745).

21. Februar 1745
Charles Jennens an Edward Holdsworth

Handel has had worse success than ever he had
before, being forc'd to disist after performing but
6 of the 24 Entertainments he had contracted for,
& to advertise that the Subscribers might have 3
4ths of their money return'd. Most of them refus'd
to take back their Money, upon which he resolv'd
to begin again in Lent. His ill success is laid
chiefly to the charge of the Ladies [unleserlich]
than a certain Anglo-Venetian Lady [unleserlich]
you may have been acquainted [unleserlich] former Expeditions. But I believe it is in some measure owing to his own imprudence in changing
the profitable method he was in before for a new
& hazardous Experiment. For the two last years
he had perform'd Oratorios in Covent-Garden
Playhouse on Wednesdays & Fridays in Lent only,
when there was no publick Entertainment of any
consequence to interfere with him: & his gains
were considerable, 2 100 £ one year, & 1 600 £ the
other, for only 12 performances. Flush'd with this
success, the Italian Opera being drop'd, he takes
the Opera-house in the Hay-market, for this Season at the rent of 400 £, buys him a new organ, &
instead of an Oratorio produces an English Opera
call'd Hercules, which he performs on Saturdays
during the run of Plays, Concerts, Assemblys,
Drums, Routs, Hurricanes, & all the madness of
Town Diversions. His Opera, for want of the top
Italian voices, Action, Dresses, Scenes & Dances,
which us'd to draw company, & prevent the Undertakers losing above 3 or 4 thousand pounds,
had scarce half a house the first night, much less
than half the second; & he has been quiet ever
since. I mention Hercules, because it was his first
new Piece, tho' he had perform'd the Oratorio of
Deborah [hier fehlen einige Zeilen] which it may
very easily be by its own merit, being a very hasty
abortive Birth, extorted out of due time by Handel's importunate Dunning Letters; & certainly
would have been, if I had staid in the Country, on
account of the additional Nonsense he had loaded
it with under pretence of shortening it. I mean, if
Nonsense can damn a musical performance, which
I think I have good reason to [qu]estion.
(Sammlung Gerald Coke)

– *Hercules* wurde am 5. Januar 1745, *Deborah* am
3. November 1744 aufgeführt.
Vgl. 19. Juli, 21. August und 2. Oktober 1744 und
17. Januar 1745

1. März 1745
The Daily Advertiser

By Subscription.
The Seventh Night.
At the King's Theatre ... this Day, will be per-

form'd an Oratorio, call'd Samson. ... To begin at
Half an Hour after Six o'Clock. Proper Care will
be taken to keep the House warm.

– Dies war die erste Aufführung seit dem 12. Ja-
nuar, nachdem sich Händel zur Fortsetzung der
Subskriptionsaufführungen entschlossen hatte
(vgl. 17. und 25. Januar sowie 11. Februar 1745).
Eine Wiederholung fand am 8. März statt (Egmont
MSS., III, 309).
Die Besetzung ist nicht bekannt. Vermutlich sang
Miss Robinson die Partie der Micah, die zuvor
Mrs. Cibber gesungen hatte.
(Dean 1959, 351 f.)

4. März 1745
The Daily Advertiser

To Mr. Handel.
Sir,
It was with infinite Pleasure I read the Advertisement of your Intention to perform the Oratorio of
Samson, and waited with Impatience till the Day
came; but how great was my Disappointment to
see the most delightful Songs in the whole Oratorio took from one, who, by her Manner of singing them charm'd all the Hearers; Was she once
instated in the Part she always used to perform,
your Samson would shine with the greatest Lustre,
and be justly admir'd by all.
I am, Sir,
Your Friend and Well-Wisher,
A. Z.
(Smith 1948, 157)

– Der Schreiber spielt wahrscheinlich auf die in-
disponierte Mrs. Cibber an.
(Dean 1959, 349 ff., 653 und 658)

11. März 1745
The Daily Advertiser

... just publish'd, Printed for J. Walsh. A Second
Book of select Minuets collected from the late Op-
eras, Balls at Court and Masquerades for the Harp-
sichord, German Flute or Violin, compos'd by
Mr. Handel, St. Martini, Pasquali, and Hasse ...
Price 3s. 6d.

– Die Anzeige erschien am selben Tag auch im
General Advertiser. Ein erstes Buch mit Select Minuets hatte Walsh 1739 veröffentlicht (vgl. 31. Oktober 1739).
(Smith 1960, 273)

13. März 1745 (I)
The Daily Advertiser

By Subscription.
The ninth Night.
At the King's Theatre ... this Day, will be per-

form'd an Oratorio, call'd Saul. ... To begin at Half
an Hour after Six o'Clock.
(Dean 1959, 299 f.)

13. März 1745 (II)
The Daily Gazetteer

After hearing (last Spring) Mr. Handel's
Oratorio of Saul.

The Doctrine taught Us by the Samian [1]Sage,
That Spirits transmigrate from Age to Age;
Successively thro' various Bodies glide,
(The Soul the same, the Frame diversify'd;)
At last, tho' long exploded, Credit gains;
For lo! convinc'd by sweetly-magic Strains,
With Extasy th' Opinion We allow,
Since, – Proof that Orpheus was, is Handel now.

Too faint's the Hint; the Muse her Voice must
                                        raise,
And, from a nobler Source, our Lyrist praise.

Ye purer Minds, who glow with sacred Fire;
Who, to th' eternal Throne, in Thought aspire;
For Dissolution pant, and think each Day
An Age, till You th' Aetherial Climes survey;
Who long to hear the Cherubs mingled Voice
Exult in Hymns, and bid the Stars rejoyce;
Bid universal Nature raise the Theme
To Boundless Goodness, Majesty supreme:
O listen to the Warblings of his Shell,
Whose wondrous Power can fiercest Grief dispell!
O to his Sounds be due Attention given
Sweet Antepast of Harmony in Heaven!

[1]Pythagoras.
(Chrysander, III, 57 f.)

– Saul war zuletzt am 16. und 21. März 1744 aufgeführt worden.

15. März 1745
The Daily Advertiser

By Subscription.
The tenth Night.
At the King's Theatre ... this Day, will be per-
form'd an Oratorio, call'd Joseph. ... To begin at
Half an Hour after Six o'Clock.
Vgl. 2. März 1744

– Die Aufführung wurde am 22. März wiederholt.
Die Besetzung ist nicht bekannt.
Am 20. März und 3. April 1745 wurde im Covent
Garden Theatre Willem de Feschs Oratorium Jo-
seph zu herabgesetzten Eintrittspreisen mit gerin-
gem Erfolg aufgeführt. (Hogarth' gelegentlich als
Handel's Chorus bezeichneter satirischer Stich mit
Oratoriensängern ist die Karikatur einer Probe zu
de Feschs Oratorium Judith.)
(Smith 1948, 146 f.; Dean 1959, 407 f.)

20. März 1745
The General Advertiser

For the Benefit of Mrs. Arne.
At the Theatre Royal in Drury-Lane, this Day ...
will be perform'd an Historical Musical Drama,
call'd Alfred the Great, King of England. ... The
Musick by Mr. Arne. ... This Day is fix'd on to
avoid interfering with Mr. Handel.
(Smith 1948, 157)

– Cecilia Arne gehörte 1734–1736, 1739 und 1740
zu Händels Ensemble. In den Jahren 1742–1744,
1748–1749 sowie 1755–1762 wirkte sie in Dublin
bei Aufführungen Händelscher Werke mit.
The Masque of Alfred (Text: James Thomson und
David Mallet; Musik: Thomas Augustine Arne;
darin das populär gewordene „Rule Britannia")
war zuerst 1740 privat in Clivedon House für den
Prince of Wales aufgeführt worden. In der ersten
Ankündigung der Aufführung von 1745 am
2. März wird das Stück *The Distress of King Alfred
the Great, with his Conquest over the Danes* genannt.
Auch die Wiederholung (3. April 1745) wurde auf
einen Tag gelegt, an dem keine Händel-Aufführ-
rung stattfand.

26. März 1745
The General Advertiser

This Day is published, Price 1s. Belshazzar, an
Oratorio. As it is to be perform'd on Wednesday
next [27. März] at the King's Theatre in the Hay-
market. The Musick by Mr. Handel.
Grave & immutabile Sanctis
Pondus adest Verbis, & Vocem Fata sequuntur.
                                    Stat. Theb. Lib. I.
Printed by and for J. Watts, and sold by him ... and
B. Dod.

– Das Zitat aus dem I. Buch des Epos *Thebais* von
Statius steht als Motto auf der Titelseite des ange-
kündigten Textbuches.
(Dean 1959, 457 f. und 635)

27. März 1745
The Daily Advertiser

By Subscription.
The twelfth Night.
At the King's Theatre ... this Day, will be perform'd a new Oratorio, call'd Belshazzar. ... To begin at Half an Hour after Six o'Clock.

– Das Libretto zu Händels *Belshazzar* verfaßte
Charles Jennens (vgl. 9. Juni, 19. Juli, 21. August,
13. September und 2. Oktober 1744). Händels
Komposition entstand in der Zeit vom 23. August
bis 23. Oktober 1744.
Im *Daily Advertiser* erschienen Vorankündigungen
der Aufführung am 23., 25. und 26. März.
Besetzung:

Belshazzar ⎱ – John Beard, Tenor
Gobrias   ⎰

Nitocris – Elisabeth Duparc, Sopran
Cyrus – Thomas Reinhold, Baß
Daniel – Miss Robinson, Mezzosopran
Händel hatte ursprünglich folgende Besetzung
vorgesehen, die er mit Rücksicht auf Mrs. Cibbers
Indisposition aufgeben mußte:
Belshazzar – John Beard
Nitocris – Elisabeth Duparc
Cyrus – Miss Robinson
Daniel – Susanna Maria Cibber
Gobrias – Thomas Reinhold
Wiederholungen: 29. März und 23. April 1745;
Wiederaufführungen: 1751 und 1758.
(Dean 1959, 452 ff.; Smith 1960, 98)

2. April [?] 1745
Elizabeth Carter an Catherine Talbot

London, 2 March 1745
Handel, once so crowded, plays to empty walls in
that opera house, where there used to be a constant audience as long as there were any dancers
to be seen. Unfashionable that I am, I was I own
highly delighted the other night at his last oratorio. 'Tis called Belshazzar, the story the taking
of Babylon by Cyrus; and the music, in spite of all
that very bad performers could do to spoil it, equal
to any thing I ever heard. There is a chorus of Bab-
ylonians deriding Cyrus from their walls that has
the best expression of scornful laughter imaginable. Another of the Jews, where the name, Jehovah, is introduced first with a moment's silence,
and then with a full swell of music so solemn, that
I think it is the most striking lesson against common genteel swearing I ever met with.
(Carter/Talbot, I, 89 f.)

– Die Datierung des Briefes auf den 2. März muß
ein Versehen der Schreiberin oder des Herausgebers sein, da der Besuch einer der drei Aufführungen des *Belshazzar* erwähnt wird.

9. April 1745
The Daily Advertiser

By Subscription.
The fourteenth Night.
At the King's Theatre ... this Day, will be per-
form'd A Sacred Oratorio. With a Concert on the
Organ. ... To begin at Half an Hour after Six
o'Clock.
(Smith 1948, 158)

– Im *Daily Advertiser* vom 6. April und im *General
Advertiser* vom 8. April wird der *Messiah* als „The
Sacred Oratorio" angekündigt.
Besetzung:
Elisabeth Duparc, Sopran
„a boy treble"

Miss Robinson, Mezzosopran
John Beard, Tenor
Thomas Reinhold, Baß
Die Aufführung wurde am 11. April 1745 wiederholt.
(Shaw 1963, 38)

10. April 1745
The Daily Advertiser

For the Benefit and Increase of a Fund establish'd for the Support of decay'd Musicians or their Families.

At the Theatre Royal in Covent-Garden, this Day, will be perform'd an Entertainment of Vocal and Instrumental Musick, as follows.
First Part.
The Overture of Samson.
Total Eclipse, in the Oratorio of Samson, by Mr. Beard.
...
Return, O God of Hosts, in Samson, by Miss Robinson.
Myself I shall adore, in Semele, by Signora Francesina.
Del Minacciar del Vento, in Otho, by Mr. Reinhold.
Second Part.
O ruddier than the Cherry, in Acis and Galatea, by Mr. Reinhold.
O Sleep, in Semele, by Signora Francesina.
...
Third Part.
...
Why does the God of Israel sleep, in Samson, by Mr. Beard.
...
Trio in Acis and Galatea, by Signora Francesina, Miss Robinson, and Mr. Reinhold.
Mr. Handel's Grand Sonata.
...
To begin exactly at Six o'Clock.
Vgl. 23. April 1738.

– Das „Trio in Acis and Galatea" ist das Terzett „The flocks shall leave the mountains".

16. April 1745
Records der Manchester Subscription Concerts

[aufgeführt:]
Overture to Flavius ... third organ concerto of Handel ... 2nd Act. Overture to Richard the First.
...
(Harland, 66 f.)

23. April 1745
Händels Oratorienzyklus endet vorzeitig mit der dritten Aufführung des Belshazzar (The Daily Ad-

vertiser). Von den 24 geplanten Aufführungen fanden nur 16 statt.
Vgl. 20. Oktober 1744 und 27. März 1745
(Burney, II, 843; Smith 1948, 158)

29. April 1745
The Daily Advertiser

For the Benefit of Miss Robinson.
At the King's Theatre in the Hay-Market, this Day ... will be perform'd an Entertainment of Vocal and Instrumental Musick, as follows.
First Part.
The Overture in Pharamond.
...
Del Minacciar del Vento, in the Opera of Otho, by Mr. Reinhold.
...
Mi Lucina, in Alcina, by Miss Robinson.
Second Part.
The Overture in Alcina.
...
Honour and Arms, in the Oratorio of Samson, by Mr. Reinhold.
...
A Concerto Grosso.
Third Part.
The new Overture of Pastor Fido.
Si l'Intendesti, in Pharamond, by Mr. Beard.
...
Trio in Acis and Galatea, by Miss Robinson, Mr. Beard; and Mr. Reinhold.
...
To begin at half an Hour after Six.

– Das Konzert sollte ursprünglich schon am 24. April stattfinden. Neben den drei Sängern aus Händels Ensemble (vgl. 10. April 1745) wirkte auch Giulia Frasi mit. Sie sang Arien aus Lampugnanis Oper Alceste.
Die Arie aus Alcina ist Ruggieros „Mi lusinga il dolce affetto". Das Concerto grosso war vermutlich von Händel. Die „new Overture of Pastor Fido" war die F-Dur-Ouvertüre vom Jahre 1734.
(Burney, II, 843)

29. April 1745
John Walsh kündigt im General Advertiser an: das „celebrated Oratorio, call'd Belshazzer will be published in a short Time."

– Walsh hatte die Ausgabe zum erstenmal bereits am 9. April im Daily Advertiser angekündigt.
Vgl. 18. Mai 1745

30. April 1745
Records der Manchester Subscription Concerts

[aufgeführt:]
Overture to Esther ... fourth organ concerto of
Handel ... 2nd Act. Overture to Atalanta.
(Harland, 66 f.)

2. Mai 1745 (I)
The Daily Gazetteer und The General Advertiser

This Day is Published, ... An Ode, to Mr. Handel.
...

Printed for R. Dodsley, at Tully's Head, in Pall-
Mall; and sold by M. Cooper, at the Globe in Paternoster Row.

2. Mai 1745 (II)
An Ode, to Mr. Handel, London 1745

τῷ γαρ ὄντι τὸ πρῶτον αὐτῆς καὶ κάλλιστον ἔργον ἡ
εἰς τοὺς θεοὺς εὐχάριστός ἐστιν ἀμοιβή, ἑπόμενον δὲ
τούτῳ καὶ δεύτερον τὸ τῆς ψυχῆς καθάρσιον καὶ ἐμμε-
λὲς καὶ ἐναρμόνιον σύστημα. Plutarch, περὶ
Μουσικῆς (Cap. 42).

O decus Phoebi & dapibus supremi
Grata testudo Jovis: o laborum
Dulce lenimen!   Hor.

Printed for R. Dodsley at Tully's Head in Pall-mall.

While you, great Author of the sacred song,
With sounds seraphic join the seraph host,
Who, wond'ring with delight,
Hear numbers like their own,

And hail the kindred lay; forgive the Muse,   5
That in unhallow'd, humble measure strives
With them to praise, with them
Too impotent to sing:

Yet her's the task to from the myrtle wreath,
And twine the vernal treasures of the grove,   10
Whose mingling honours crown
The fav'rites of the Nine.

For thee, most favour'd of the sacred train,
The choicest flow'rs shall breathe, for thee
                              the bloom
Whose beauty longest boasts   15
The freshness of the spring:

Whether by thee the rural reed inspir'd,
And wak'd to blythe simplicity, beguiles
The labour'd shepherd's toil,
In soft Sicilian strain,   20

Sweet'ning the stillness of the grove,
                              whose shades
Fond fancy paints enlivened by the lay;
Or whether taught the flow
Of some smooth-gliding stream,

The melting flute in liquid warbles sooths,   25
And feigns to bubble, tuneful to the tale
Of Acis, injur'd boy,
Chang'd to a murm'ring rill:

Or, kindling courage in the glowing breast,
The voice of Battle breathes the big alarm,   30
The Trumpet's clangor fills,
And thunders in the Drum.

Or mid' the magic of successive sounds,
That rule alternate passions as they rise,
Again Timotheus lives,   35
Again the victor yields

To sacred Melody: while those sweet gales
That breathe fresh odours o'er Elysian glades,
And amaranthine bow'rs
(Where now the golden harps   40

Of blissful bards are strung) the numbers waft
To Dryden's laurel'd shade; he yet more blest,
Smiles, conscious of the charms
Of heav'n-born Harmony,

That prove the pow'r he sings, and grace
                              the song: 45
Nigh whom, supreme amidst the tuneful train,
In lovely greatness shines
The Bard, who fearless sprung

Beyond the golden sphere that girts the world,
And sung embattled Angels: He too hears   50
Enchanting accents, him
Delights the lovely lay,

Responsive to his own; in pensive thought
Now lowly languid to the lulling lute,
That suits the Cypress Queen   55
And makes deep sadness sweet;

Or to the plaintive warbles of the wood,
Whose wanton measure, in the gentle flow
Of soft'ned notes, returns
Wild echoes to the strain.   60

But hark! the Dryad Mirth with cheering horn
Invites her mountain-sister to the chace,
The jocund rebecks join
The merriment of May

That to the tabor trips, and treads the round   65
Of rustic measures to the sprightly pipe,
Mingled with merry peals
That fill the festal joy.

But O! great master of ten thousand sounds,
That rend the concave in exulting song,   70
And round anointed Kings
In shouting Paeans roll:

Master of high Hosannahs, that proclaim
In pomp of Martial Praise the God of Hosts,
Who treads to dust the foe,   75
And conquers with the sling:

O! taught the deep solemnity of grief,
That swells the sullen slowness of the trump,
And gives the gentler woe
Of soothing flutes to join　　　　　　　80

In sweet response the thunder of the field:
What breath divine first blending with thy soul,
Infus'd this sacred force
Of magic Melody,

Nor here confin'd? for higher yet the strain,　　85
That suits thy Lay, mellifluous Ambrose, rais'd
To mighty shouts return'd
By hymning Hierarchies,

Who sound thrice Holy! round the saphire throne
In solemn jubily; the strain that fills　　　　90
With force of pleasing dread
The seraphs awful blast,

'Till fervent Faith and smiling Hope behold
The dawn of endless day: or speaks the God
Whose Vengeance widely spreads　　　　95
The Darkness palpable,

And kindles half the storm, with thunder hail,
Hail mixt with Fire; divides the deep Abyss,
And to the vast profound
The horse and rider hurls;　　　　　　100

Tremendous theme of song! the theme of love
And melting mercy He, when sung to strains,
Which from prophetic lips
Touch'd with ethereal fire,

Breath'd balmy Peace, yet breathing in
　　　　　　　　　the charm　　105
Of healing sounds; fit prelude to the pomp
Of choral energy,
Whose lofty accents rise

To speak Messiah's names; the God of Might,
The Wond'rous and the Wise – the Prince
　　　　　　　　　of Peace.　　110
Him, feeder of the flock
And leader of the lambs,

The tuneful tenderness of trilling notes
Symphonious speaks: Him pious pity paints
In mournful melody　　　　　　　115
The man of sorrows; grief

Sits heavy on his soul, and bitterness
Fills deep his deadly draught – He deigns to
　　　　　　　　　die　–
The God who conquers Death,
When, bursting from the Grave,　　　120

Mighty he mounts, and wing'd with rapid winds,
Thro' Heav'ns wide portals opening to
　　　　　　　　　their Lord,　　125
To boundless realms return'd,
The King of Glory reigns.

Pow'rs, dominations, thrones resound
　　　　　　　　　He Reigns,　　130
High Hallelujah's of empyreal hosts,
And pealing Praises join
The thunder of the spheres.

But whither Fancy wafts thy wanton wing,
That trembles in the flight? oh! whither
　　　　　　　　　stretch'd
Pursues the lofty lay,　　　　　　135
Worthy the Master's name,

Whose Music yet in airy murmurs plays
And vibrates on the ear? – Preserve, ye gales,
Wrapt in the sweet'ned breeze,
Each dying note: Ye winds,　　　　140

Be hush'd, while yet the sacred numbers live.
But hence! with ideot leer, thou dim-ey'd form
Of Folly, taught to list
In shew of senseless glee

To empty trills, enervate languishment　　145
And mimic'ry of sounds: hence! blast of Hell,
That lov'st, with venom'd breath,
To taint the ripening bloom

That merit boasts; thee, Envy, black Despair,
Thee kindred fiends to native realms recall,　150
There dart the livid glance,
And howling bite the chain.

Ver. 53. See Il Penseroso set to Music by Mr. Handel.
Ver. 57. Alluding to the Song, Sweet Bird, &c.
Ver. 61. See L'Allegro.
Ver. 73. See the Epinicion in Saul.
Ver. 77. Alluding to the Dead March in Saul.
Ver. 86. St. Ambrose, stiled Doctor Mellifluus.
Ver. 92. Alluding to the symphony of the words
We believe that thou shalt come to be our Judge,
in the new Te Deum.
Ver. 100. See the Oratorio of Israel in Egypt.
Ver. 102 to v. 114. See the sacred Oratorio of Messiah, Part I.
Ver. 106 to v. 120. See Messiah, Part II.

(Bodleian Library, Oxford; University of Texas, Austin/Texas. Sammlung Gerald Coke: Fotokopien)

– Der unbekannte Autor behauptet in seiner Vorbemerkung, das Metrum der Ode erstmals seit Milton wieder angewendet zu haben. Möglicherweise ist Thomas Warton oder – wahrscheinlicher – dessen Bruder Joseph Warton der Verfasser.
Vgl. 1746 (II) und 1756 (II)

4. Mai 1745
Händel läßt von seinem Konto 210 £ an Miss Robinson zahlen.
Vgl. 11. Mai 1745

9. Mai 1745
Händel zahlt 100 £ auf sein Konto ein.

10. Mai 1745
The Daily Advertiser

For the benefit of Miss Davis. A Child of eight Years of Age, lately arriv'd from Ireland. At Mr. Hickford's Room in Brewer-Street, this Day, the 10th instant, will be perform'd a Concert of Vocal and Instrumental Musick. Several favourite Organ Concertos and Overtures of Mr. Handel's ... with two remarkable Songs, Composed by Mr. Handel, entirely for the Harpsichord, accompanied by Miss Davis, with some select Songs to be perform'd by Mrs. Davis a Scholar of Bononcini's ... Note, Miss Davis is to perform on a Harpsichord of Mr. Rutgerus Plenius's making, Inventor of the new deserv'd famous Lyrichord.
(Smith 1948, 159)
Vgl. 2. Mai und 10. Juni 1732 sowie 13. November 1742 und 9. Februar 1744

– Roger Plenius erfand das 1741 in London patentierte Lyrichord, ein „harpsichord strung with wire and catgut ... actuated by moving wheels ... the bow of the violin and organ ... imitated"
(Grove, *Dictionary*, 1. Aufl., III, 639).

11. Mai 1745
Händel läßt an Signora Francesina von seinem Konto 400 £ zahlen.
Vgl. 4. Mai 1745

13. Mai 1745
Händel läßt 140 £ von seinem Konto an [Mr. ?] Jordan zahlen.

– Der Empfänger war vermutlich der Orgelbauer Abraham Jordan jun.
Vgl. 1. August 1745

14. Mai 1745 (I)
The General Evening Post

This Day was published, A Second Edition of
I. Forty Select Anthems ... Composed by Dr Greene.
II. Handel's Coronation and Funeral Anthems, Grand Te Deum and Jubilate, in Score.
III. Hercules in Score, and Oratorios of Joseph, Sampson, Saul, Athalia, Esther, and Deborah.
IV. Galliard's Hymn, from Milton, of Adam and Eve.
Printed for J. Walsh.

14. Mai 1745 (II)
Records der Manchester Subscription Concerts
[aufgeführt:]
Overture to Alexander ... 2nd Act. First overture to Admetus ... Handel's water music.
(Harland, 66 f.)

18. Mai 1745
John Walsh zeigt in der *General Evening Post* die Partitur von Händels *Belshazzar* zum Preis von 10s. 6d. an.

– Die Anzeige erschien am 20. Mai auch im *General Advertiser.* Walsh druckte die Ausgabe mit geringfügigen Änderungen im gleichen Jahre nach. Eine veränderte Auflage erschien um 1747 und wurde um 1750 nachgedruckt.
(Smith 1960, 98 f.)

25. Mai 1745
Horace Walpole an George Montague

Arlington Street, May 25, 1745.
The Master of the House [der Bruder von Horace, Edward Walpole, in Englefield Green] plays extremely well on the bass-viol, and has generally other musical people with him ... he is perfectly master of all the quarrels that have been fashionably on foot about Handel.
(Walpole Letters 1891, I, 363)

28. Mai 1745
Records der Manchester Subscription Concerts

[aufgeführt:]
Overture to Parthenope ... fifth organ concerto, Handel ... 2nd Act. Overture to Julius Caesar.
(Harland, 66 f.)

18. Juni 1745
Benjamin Martyn an Anthony Ashley Cooper, 4. Earl of Shaftesbury

London, June 18th, 1745.
... Not having heard from Mr. Noel I have had no account of the proceedings at Exton but from the Ladies in George Street and as I cannot make Mr. Handel's Maid hear me I hear nothing of his coming to Town. As he's promised however to call on me at his coming I hope I shall see him before I go to Longford which I propose about the middle of next month and then I'll endeavour to turn his Face Westward and will give your Lordship some account of what he has been doing and intends to do.
(Archiv des Earl of Shaftesbury, St. Giles House, Dorset. Matthews 1959, 265 f.)

– Benjamin Martyn (1699–1763) hatte vom 4. Earl of Shaftesbury den Auftrag erhalten, eine Biographie des 1. Earl zu schreiben. Longford war wahrscheinlich der nahe Salisbury gelegene Sitz des 1. Viscount Folkestone, der am 28. März 1751 für 1 350 £ vierprozentige Annuitäten von Händel kaufte.

23. Juni 1745
James Noel an Anthony Ashley Cooper, 4. Earl of Shaftesbury

Exton, June the 23rd, 1745.
My dear Lord,
I was made happy by your letter of the last post and have now taken the first opportunity of obeying your Lordship's Commands.
We had a Theatrical Entertainment here about a fortnight ago which was performed in Celebration of an Anniversary Festival. The piece was Comus; but Dalton and Arne were judged not altogether equal to Handel and Milton in which opinion I am pretty sure your Lordship will concur. To do Mr. Dalton justice he has certainly done his part extremely well; but as we could not take him without admitting his Musical Companion too, we determined to stick as close as we could to the original Author [? and words]. We borrowed indeed the help of a second Spirit which was necessary to open the Drama more Theatrically than in the original; and [? took] in two speeches in that part of Mr. Dalton's play where the Lady is set at liberty.
As Handel came to this place for Quiet and Retirement we were very loath to lay any task of Composition upon him. Selfishness however prevailed; but we determined at the same time to be very moderate in our requests. His readiness to oblidge soon took off all our apprehensions upon that account. A hint of what we wanted was sufficient and what should have been an act of Compliance he made a voluntary Deed. We laid our plan accordingly and reserved his Musick for an [Epilogue?] at the close of this entertainment. We likewise intermix'd the Poem with several of his former Compositions, as your Lordship will see by the copy I have sent you, which I think gave it great life and beauty. The whole scheme was concerted and executed in five Days; and that I believe your Lordship will allow was good Dispatch. It was intended to have been performed in the Garden, but the weather would not favour that design. We contrived however to entertain the Company there afterwards with an imitation of Vaux Hall: and, in the style of a news-paper, the whole concluded with what variety of fireworks we could possibly get. I shall take care to have the Musick exactly transcribed, as I have my Brother Gainsborough's Orders to get it done by the Musick-Master here.
Mr. Handel left us about ten days ago. He is gone to Scarborough and will visit us again in his return back, which he believ'd would not be long.
We propose to be Fellow-Travellers to St. Giles, where I long to have the pleasure of kissing your Hands.
I heartily wish your Lordship Health and Happy-

ness and am, with great Truth, my dear Lord, Your most affectionate Friend and Brother Ja. Noel.
(Archiv des Earl of Shaftesbury, St. Giles House, Dorset. Matthews 1959, 264 f.)

– *Comus* war eine masque von John Dalton nach Milton, mit Musik von Arne. Händel komponierte drei Arien und einen Chor hinzu, der nach jeder der Arien gesungen wurde. Eine Abschrift dieser Stücke ist in der Newman Flower Collection in Manchester erhalten.
Exton in Rutland war der Landsitz des Earl of Gainsborough; James Noel war sein Bruder.
(Zimmerman 1974; Hicks 1976)
Vgl. 1. August 1748

25. Juni 1745
Records der Manchester Subscription Concerts

[aufgeführt:]
Overture to Rodelinda ... sixth organ concerto, Handel ... 2nd Act. Overture to Otho.
(Harland, 66 f.)

– Die beiden Ouvertüren waren schon am 2. bzw. 27. November 1744 aufgeführt worden.

9. Juli 1745
Records der Manchester Subscription Concerts

[aufgeführt:]
Overture to Tamerlano ... water music.
(Harland, 66 f.)
Vgl. 11. Dezember 1744 und 19. Februar 1745

13. Juli 1745
John Walsh zeigt im *Daily Advertiser A Grand Collection of Celebrated English Songs from all the late Oratorios Compos'd by M.: Handel* an.

– Die am 8. August erneut angezeigte Ausgabe enthält 15 Arien aus *Belshazzar, Hercules, Joseph and his Brethren, Semele, Samson, Deborah* und *Esther*.
(Smith 1948, 159; Smith 1960, 176 f.)

23. Juli 1745
Records der Manchester Subscription Concerts

[aufgeführt:]
First overture to Admetus ... 2nd Act. Fifth grand concerto, Handel.
(Harland, 66 f.)
Vgl. 14. Mai 1745

Juli 1745
Während Georg II. sich in Hannover aufhält, landet der Kronprätendent Charles Edward Stuart mit einem Heer in Schottland und besiegt den englischen Heerführer in Schottland, Sir John Cope.

1. August 1745
The Daily Advertiser

To be Sold a Pennyworth, At the Opera-House, Two Second-hand Chamber Organs. Enquire of Mr. Jordan in Budge-Row, near London-Stone.
(Smith 1948, 159)

– „Pennyworth" bedeutet „wohlfeil". Die Zahlung an Jordan (vgl. 13. Mai 1745) läßt vermuten, daß Händel die beiden Orgeln erwerben wollte, der Orgelbauer sie nun aber zum Kauf anbot, weil Händel offenbar noch nicht den vollen Preis gezahlt hatte.

20. August 1745
Records der Manchester Subscription Concerts

[aufgeführt:]
1st Act. Overture to Esther ... fifth organ concerto, Handel ... 2nd Act. Overture to ye sacred oratorio ... overture to Deidamia.
(Harland, 66f.)
Vgl. 30. April und 28. Mai 1745

29. August 1745
William Harris an seine Schwägerin, Mrs. Thomas [?] Harris, in Salisbury

Grosvenor Square, August 29, 1745.
I met Handel a few days since in the street, and stopped and put him in mind who I was, upon which I am sure it would have diverted you to have seen his antic motions. He seemed highly pleased, and was full of inquiry after you and the Councillor. I told him I was very confident that you expected a visit from him this summer. He talked much of his precarious state of health, yet he looks well enough. I believe you will have him with you ere long.
(Malmesbury 1870, I, 3; Streatfield 1909, 188)

– William Harris, ein Bruder von Händels Freund James Harris (vgl. 19. April 1737), war Kaplan und Sekretär des Bischofs von Salisbury. Er wohnte in London am Grosvenor Square. Thomas Harris, der dritte der Brüder, war Direktor im Lordkanzleramt (Master in Chancery).
Händel ist wahrscheinlich mehrmals Gast der Familie Harris in Salisbury gewesen.

30. August 1745
Charles Jennens and Edward Holdsworth

Gops[all]. Aug. 30. 1745.
... I shall show you a collection I gave Handel, call'd Messiah, which I value highly, & he has made a fine Entertainment of it, tho' not near so good as he might & ought to have done. I have with great difficulty made him correct some of the grossest faults in the composition, but he retain'd his Overture obstinately, in which there are some passages far unworthy of Handel, but much more unworthy of the Messiah.
(Sammlung Gerald Coke. Townsend 1852, 118f.)

31. August 1745
Händel komponiert das Kammerduett „Ahi, nelle sorti umane" (Textautor unbekannt) für 2 Soprane und Basso continuo, wahrscheinlich das letzte seiner italienischen Duette.
Eintrag in der autographen Partitur (R. M. 20. g. 9.): „Fine ♄ [Sonnabend] August 31. 1745."

9. September 1745 (I)
The Daily Advertiser

Last Saturday [7. September] Evening the Entertainments of the Spring-Gardens, Vaux-Hall, ended for this Season.
After hearing Mr. Handel's God save the King, sung and play'd in Vaux-Hall-Gardens during the Thunder and Lightening, last Saturday.

Whilst grateful Britons hymn the sacred Lay,
And, for their Sovereign, every Blessing pray;
Consenting Jove bids awful Light'nings rise,
And thunders his great Fiat from the Skies.
(Chrysander 1863 II, 395f.)

– „God save the King" ist das Coronation Anthem „Zadok the Priest". Eine Woche zuvor war in Vauxhall Gardens Arnes Ode auf die glückliche Ankunft des Königs aufgeführt worden, der wegen der Landung des Kronprätendenten in Schottland früher als vorgesehen aus Hannover zurückgekehrt war.

9. September 1745 (II)
The General Advertiser

They write from Gloucester, that they have had a great Resort of Gentry, at the Meeting of the Choirs of Worcester, Hereford, and Gloucester in that City: The Collection at the Church on Wednesday last [4. September] amounted to 70 l. and it was expected that on Thursday it would be very large, the Musical Performance being the best ever-known upon the like Occasion.

– Das Programm des ersten Abends ist nicht bekannt; am zweiten Abend wurde in der Boothall *Acis and Galatea* aufgeführt. (Der Eintritt kostete 2s. 6d.) Dirigent war wahrscheinlich William Boyce.
(Lysons/Amott, 22; Dean 1959, 179 und 630)

28. September 1745
Nach einer Aufführung von Ben Jonsons Komödie *The Alchymist* im Drury Lane Theatre singen Mrs. Cibber, Mr. Beard und Mr. Reinhold die neue volkstümliche Hymne „God save the King" (Textdichter und Komponist unbekannt) in einer Bearbeitung von Arne.

– Die Hymne wurde später zur englischen Nationalhymne. Sie sollte an diesem Abend wohl eine Treuekundgebung für den König sein, da Mr. Lacy, „Master of His Majesty's Company of Comedians", gerade im Drury Lane Theatre eine Kompanie von Gentlemen Volunteers aufstellte.
In diesem Herbst fanden in London weder Opern- noch Oratorienaufführungen statt.
(Scholes, 8 ff.)

1. Oktober 1745
George Faulkner an William Bowyer in London

Dublin, October 1, 1745.
... I shall finish the volume [Band 8 von Swifts Werken] with a cantata of the Dean, set to music, which in my opinion, will have a greater run with the lovers of harmony than any of the Corelli's, Vivaldi's, Purcell's, or Handel's pieces. When Arne, the famous composer, was last in Ireland, he made application to me for this cantata, which I could not then procure, to set it to music. Perhaps he may do it now, and bring it on the stage, which, if he does, will run more than the Beggar's Opera, and therefore I would have you get it engraved in folio, with scores for bass, etc., which will make it sell very well. I believe you might get something handsome for it from Rich, or the managers of Drury-lane, for which I shall send you the original manuscript. I am thus particular, that you may have the profit to yourself, as you will have the trouble.
(Swift Correspondence, VI, 223 f.)

– Jonathan Swift, seit 1713 Dekan der St. Patrick's Cathedral in Dublin, starb am 19. Oktober 1745.
Faulkner war Verleger in Dublin, Bowyer in London. Die „cantata of the Dean" war die satirische Kantate „In Harmony wou'd you Excel".
Sie wurde nicht von Arne, sondern von John Echlin vertont. Faulkner veröffentlichte die vermutlich nie aufgeführte Komposition 1746.
John Rich war Direktor des Covent Garden Theatre.

16. Oktober 1745
Charles Jennens an Edward Holdsworth

I am sorry to hear of Mr. Handel's illness, & heartily wish his recovery; but he has acted so mad a part of late, I fear voluntarily, that I don't at all wonder if it brings a real unavoidable madness upon him, of which I am inform'd he discover'd some very strong Symptoms in his travels about the Country this last Summer.
(Sammlung Gerald Coke)
Vgl. 29. August 1745

24. Oktober 1745
Anthony Ashley Cooper, 4. Earl of Shaftesbury, an seinen Vetter James Harris

London, October 24, 1745.
Poor Handel looks something better. I hope he will entirely recover in due time, though he has been a good deal disordered in his head.
(Malmesbury 1870, I, 9; Streatfeild 1909, 188)
Vgl. 12. April 1734 und 29. Juni 1736 sowie 19. April 1737

26. Oktober 1745
The Daily Advertiser [?]

At the late Wells, the bottom of Lemon Street, Goodman's Fields, on Monday next [28. Oktober] will be performed a Concert of Vocal and Instrumental Musick. Divided into two Parts. The Concert to conclude with the Chorus of Long live the King.
(Chrysander 1863 II, 406)

– Der „Chorus of Long live the King" bezeichnet vermutlich das gesamte Coronation Anthem „Zadok the Priest", nicht nur dessen Schlußteil (vgl. 28. September 1745). Nach Chrysander wurde das Konzert im Goodman's Fields Theatre noch zweimal im Oktober (der 30. Oktober war der Geburtstag des Königs) und fünfundzwanzigmal im November wiederholt und vermutlich mit Händels Coronation Anthem beendet. Im Covent Garden Theatre soll bis zur Niederwerfung des schottischen Aufstandes jeden Abend am Schluß der Vorstellung die neue Hymne „God save the King" gesungen worden sein.
(Scholes)

14. November 1745
The General Advertiser

By His Majesty's Company of Comedians, At the Theatre-Royal in Drury-Lane, this Day will be presented a Comedy, call'd The Relapse; or, Virtue in Danger. ... With Entertainments, viz. ... End of the Play. A Chorus Song, set by Mr. Handel, for the Gentlemen Volunteers of the City of London by Mr. Lowe and others. To begin exactly at Six o'Clock.

– Autor der Komödie war Sir John Vanbrugh.
Den Song for the Gentlemen Volunteers, „Stand round my brave boys" (Textautor unbekannt), komponierte Händel wahrscheinlich für die von Mr. Lacy, dem Direktor des Drury Lane Theatre, aufgestellte Freiwilligen-Kompanie (vgl. 28. September 1745). Das Lied wurde „by particular Desire" auch am 15., 16., 18., 19. und 20. November gesungen.
(Chrysander 1863 II, 406)

15. November 1745
The General Advertiser

New Musick.
This Day is published, A Song made for the
Gentlemen Volunteers of the City of London, and
sung by Mr. Lowe, at the Theatre-Royal in Drury-
Lane. Set to Musick by Mr. Handel. Printed for
John Simpson.

– Das Lied wurde im *London Magazine,* November 1745, nachgedruckt. Im gleichen Jahr erschien
außerdem ein anonymer Nachdruck; um 1750 veröffentlichte es William Mainwaring in Dublin.
(Smith 1954, 300; Smith 1960, 188f.)

26. November 1745
The General Evening Post

Musick
[Einladung zur Subscription für John Travers'
Eighteen Canzonets for two, and three voices, unter-
zeichnet von John Walsh, John Johnson, Benjamin
Cooke, John Simpson und Walmesley & Co.]
Of whom may be had, this Day publish'd, A Song
made for the Gentlemen Volunteers of the City of
London, and sung by Mr. Lowe, at the Theatre
Royal in Drury-lane, with universal Applause. Set
to Musick by Mr. Handel.
(Chrysander 1863 II, 406)
Vgl. 14. und 15. November 1745

14. Dezember 1745
The Dublin Journal

On Thursday last [12. Dezember] Cathedral Service, with Mr. Handel's Te Deum Jubilate and Coronation Anthem, and Mr. Boyce's Anthem, were
performed as usual at St. Michan's Church, for the
Benefit of Mercer's Hospital.

– Die Händelschen Kompositionen waren vermutlich das *Dettingen Te Deum,* das *Utrecht Jubilate*
und das Coronation Anthem „Zadok the Priest".

17. Dezember 1745
John Walsh zeigt in der *London Evening Post* erneut
die „Second Edition of twelve Grand Concertos
for Violins in seven Parts Compos'd by Mr. Handel" an.
Vgl. 14. Juli 1741 und 11. August 1746 (I)

21. Dezember 1745
Mary Delany an ihre Schwester Ann Dewes

Delville, 21 Dec., 1745.
Last Monday [16. Dezember] the Dean and I went
to the rehearsal of the Messiah, for the relief of
poor debtors; it was very well performed, and I
much delighted. You know how much I delight in
music, and that piece is very charming; but I had

not courage to go to the performance at night, the
weather was so excessively bad, and I thought it
would be hazardous to come out of so great crowd
so far, that is my kind guardian thought so for
me.
(Delany, II, 408)

– Dr. Patrick Delany war im Mai 1744 zum Dekan
von Down ernannt worden. Die Familie lebte
jetzt in Delville (Irland), wo sich der Amtssitz des
Dekans befand. Mary Delany besuchte jetzt die
Aufführungen in Dublin.

1745 (I)
Richard Powney, Templum Harmoniae, London
1745

Multa quidem documenta sibi vocisque lyraeque,
Harmoniae studiosa diu, dabit Itala tellus;
Harmoniae genetrix tellus, magnique Corelli.

Neve peregrinae solito novitatis amore
Percitus, interea patrium aspernabere morem
Cantandique modos; si quid Purcellius olim
Lusit amabiliter; vel si quid Greenius audet
Et templi super esse choris dignatus & aulae.
Handelium nostrâ merito miraberis urbe
Donatum, terris quo gratior advena nunquam
Appulit Angliacis, modulandi aut clarior arte:
Sive juvat scenae juveniles prodere curas
Virgineosque ignes; majori aut pandere plectro
Heroas veteres & amico numine gentem
Dignatam, summique juga exsuperare Sionis.
Agminis ipse sui princeps, ac tempore certo
Sceptra manu vibrans, chordas centum, oraque
                                                    centum
Dirigit; aure avidâ excipiunt plebesque patresque
Concentum altisonum, ingeminantque sedilia
                                                    plausus.
Qualis Parnassi aut Pindi de vertice sacro
Musarum exultat coetu stipatus Apollo,
Coelestesque choros attentaque sidera mulcet.

– Die Zeilen 9ff. des wiedergegebenen Aus-
schnitts (Buch II, 20f.) beziehen sich wahrscheinlich auf Händels Naturalisierung im Jahre 1727.

1745 (II)
Der Londoner Verleger Henry Waylet veröffent-
licht *Instructions For the Hautboy In a more Familiar
Method than any extant. Together with A Curious Col-
lection of Marches, Minuets, Rogadoons and Opera Airs
By Mr. Handel, and other Eminent Masters.*

– Die Sammlung enthält von Händel eine Musette, „A Favourite Air" und „Water Peice".
(Smith 1960, 268)

1745 (III)
Händel wird zum Ehrenmitglied der Korrespon-

dierenden Sozietät der musikalischen Wissenschaften ernannt.

– Der Bachschüler Lorenz Christoph Mizler hatte diese Gesellschaft „mit Unterstützung des Grafen Giacomo de Lucchesini und des Ansbacher Hofkapellmeisters Georg Heinrich Bümler (MGG, IX, Sp. 389) 1738 gegründet. Sie bestand bis 1754. Mizler fungierte als ihr Sekretär. Die von Mizler herausgegebene *Neu eröffnete musikalische Bibliothek oder gründliche Nachricht nebst unparteiischem Urteil von musikalischen Schriften und Büchern,* Leipzig 1736–1754, wurde zum Organ dieser Sozietät. Die Sozietät sah 20 Mitglieder vor, vier Plätze waren ausländischen Musikern, sechs Plätze Ehrenmitgliedern (darunter auch Mäzenen) vorbehalten.
Mitglieder der Mizlerschen Sozietät waren u. a. seit 1739 Bokemeyer, Telemann und Stölzel, seit 1746 Carl Heinrich Graun, seit Juni 1747 Johann Sebastian Bach.

1745 (IV)

Johann Adolph Scheibe, Critischer Musikus, Leipzig 1745

… Bach, [Heinrich] Bokemeyer, Fux, [Johann Gottlieb] Graun, [Carl Heinrich] Graun, [Christoph] Graupner, Hasse, Händel, [Johann David] Heinichen, Kayser [richtig: Keiser], [Balthasar] Schmidt, [Gottfried Heinrich] Stölzel, Telemann. … Alle diese Namen wurden mit goldenen Buchstaben in das Buch der Ewigkeit gezeichnet.
[S. 147 f.]

Wenn wir es in Deutschland so weit bringen werden, lauter Odenmelodien zu singen, und die Singespiele ganz und gar von der Bühne zu verbannen: so können wir auch versichert seyn, daß wir alsdann auch niemals weder einen Hassen, noch einen Graun, noch einen Telemann, Händel, oder Bach, wieder erblicken werden. Männer, die zum Ruhme unsers Vaterlandes alle andere ausländische Componisten, sie mögen auch seyn, wo sie wollen, beschämen.   [S. 591, Fußnote]

Joh. Kuhnau, Reinhard Kaiser, Telemann und Händel sind insonderheit diejenigen Männer, mit welchen unser Vaterland den Ausländern Trutz biethen kann; weil von ihnen am meisten die erweiterte Ausbreitung des guten Geschmacks, und diejenige vernünftige Tonkunst herstammet, welche unter den Händen eines Hassens, und eines Grauns, die Bewunderung Welschlandes geworden ist. Doch diese Männer verdienen sämmtlich, daß ich von ihnen ausführlicher rede.
Kuhnau war vornehmlich ein starker Componist für die Kirche, und für das Clavier. Alle seine Arbeiten sind melodisch, und ungemein lieblich, ja

sie besitzen gleichsam eine recht natürliche Anmuth, dennoch aber fehlet es ihnen nicht an Kunst, Ernsthaftigkeit und Nachdruck. Kaisern seine Sätze sind galant, verliebt, und zeigen alle Leidenschaften, deren Gewalt das menschliche Herz am meisten unterworfen ist. Wir sehen also an ihm die Melodie in ihrer natürlichen und wesentlichen Gestalt. Sie ist feurig, ohne Zwang, und die Liebe selbst. Gewiß, wenn einer von diesen beyden Männern des andern Eigenschaften hätte annehmen, oder den seinigen hinzufügen wollen, die Tonkunst würde keine weitere Hülfe nöthig gehabt haben, zu ihrer völligen Reife zu gelangen: so groß sie also auch gewesen sind, so werden sie doch einem Telemann, und einem Händel weichen müssen. Diese beyden großen Männer nahmen also dasjenige über sich, was jene beyde zum Theil angefangen, aber noch nicht gänzlich ausgeführet hatten. Und man kann von einem jeden unter ihnen sagen, daß die Eigenschaften eines Kuhnaus, und eines Kaisers sich in ihm vereiniget haben. So singbar, so neu und so lebhaft und überhaupt so natürlich auch die Arbeiten eines Telemanns sind, so harmonisch, und oftmals so künstlich sind sie auch; vornehmlich wenn man seine Kirchensachen, und einige seiner Instrumentalsachen, zumal seine Quadros, betrachtet. Händel, ob er schon vielmal, nicht seine eigenen Gedanken, sondern sehr oft auch fremde, sonderlich aber die Erfindungen Reinhard Kaisers ausgearbeitet hat, hat doch allemal einen großen Verstand, und starke Ueberlegung bewiesen, und in allen seinen Stücken auf das gewisseste gezeiget, wie gereinigt und wie fein sein Geschmack in den schönen Wissenschaften seyn muß.   [S. 762 ff.]

Man halte dieses alles gegen die Eigenschaften eines Telemanns, und eines Händels. Wer wird mir nicht zugeben müssen, daß in den Arbeiten dieser beyden berühmten Männer, ein weit reinerer und geläuterter Geschmack ist, und daß sie dahero allerdings einen großen Vorzug vor jenen beyden verdienen? Zu verwundern ist es, daß Telemann fast alle Gattungen der musikalischen Stücke so wohl, als die Musikarten aller Nationen, mit einerley Leichtigkeit und Nachdruck ausübet, ohne seinen Geschmack im geringsten zu verwirren oder zu verderben, als welcher allemal schön, vortrefflich, und eben derselbe bleibt. Seine Schreibart ist körnicht, den Sachen gemäß, und überhaupt zu allen Ausdrückungen vollkommen geschickt. Händel scheint hingegen eine größere Anmuth zu besitzen. Seine italienischen Singesachen und Opern hat Italien längst bewundert, und seine Claviersachen sind unvergleichlich, und den Kennern des Claviers fast unentbehrlich. Endlich wissen wir, welche Aufmerksamkeit sich dieser vortreffliche Tonkünstler bey einer weisen und tiefsinnigen Nation zugezogen, so wie Telemann

die Bewunderung Frankreichs geworden. Doch
wie weit können es nicht Männer von so fähigem
Gemüthe, von so feinem Geschmacke, und von so
aufgeklärtem Verstande bringen, wenn sie sich
derjenigen schönen Wissenschaft wiedmen, zu
welcher sie gleichsam gebohren sind?   [S.765f.]

1745 (V)

Johann Adolph Scheibe, Beantwortung der unparteyischen Anmerkungen über eine bedenkliche
Stelle in dem sechsten Stücke des critischen Musikus. Ausgefertigt von dem Verfasser des critischen Musikus. Hamburg, im Jahre 1738.

Ein großer Künstler auf dem Clavier und auf der
Orgel ist im eigentlichen Verstande noch kein
großer Componist. Es kann aber auch beydes bey-
sammen stehen. Und hiervon sehen wir ein offen-
bares Beyspiel an dem berühmten Herrn Bach, wie
auch an dem geschickten Herrn Händel.
                                    [S.873, Anmerkung 11]

Der ungenannte Verfasser der sinnreichen Anmerkungen fährt in seinen geschickten Untersuchungen fort. Er kann nunmehr auch nicht vertragen, daß mein Briefsteller dem Herrn Capellmeister Bachen einen großen Mann entgegen setzt,
mit dem er auf dem Clavier und auf der Orgel um
den Vorzug streiten könnte. Es ist auch dieses
Lob nicht groß genug. Es soll vielmehr, seinem
Vorgeben nach, kein einziger Musikant in der
Welt seyn, der ihm nur gleich kommen, vielweniger mit dem er um den Vorzug streiten sollte.
Das ist in den Lobeserhebungen zu stark ausgeschweifet. Mein Briefsteller hat sich ohnedieß in
seinem Schreiben vergangen, da er dem Herrn Bachen nur allein den Herrn Händel entgegen setzet. Wer sich nur einigermaßen in der musikalischen Welt umgesehen hat, wird ohne Zweifel
mehr als einen gefunden haben, der mit diesem
dennoch großen Manne zu vergleichen steht. ...
Man kann auch endlich in keiner Wissenschaft
oder Kunst sagen: Es ist nur einer der vortreff-
lichste darinnen. Man findet allemal noch andere,
die von gleicher Vortrefflichkeit sind, oder die es
auch noch wohl höher gebracht haben.
Niemand wird aber deßwegen dem Herrn Hof-
compositeur den Ruhm absprechen, daß er auf
dem Clavier und auf der Orgel so groß ist, daß es
kaum zu glauben steht, wenn man ihn nicht selbst
gesehen oder gehört hat. Mein Briefsteller hat ihm
dahero auch keinen würdigern Mann, als den berühmten Herrn Händel entgegen setzen können.
Der Beyfall, welchen dieser letztere von allen
Kennern noch täglich erhält, und seine sonderbare
Annehmlichkeit zu spielen, wodurch er die Herzen seiner Zuhörer auf das zärtlichste rühret, können auch den besten Musikverständigen ungewiß
machen, welcher von diesen beyden großen Männern dem andern vorzuziehen ist[15].

[15] Ich will das unparteyische Urtheil einiger sehr
vernünftigen und wahren Kenner der Musik, die
beyde große Männer gehört haben, hersetzen.
„Herr Händel", heißt es, „spielet rührender und
angenehmer; Herr Bach aber künstlicher u. wun-
derswürdiger." Und sie setzen noch hinzu: indem
sie einen oder den andern hörten, so schiene es
ihnen allemal den größten Mann in dieser Kunst
zu hören.   [S.874ff.]
(Scheibe 1745. Bach-Dok., II, 417ff.)

1745 (VI)

[Johann Adolph Scheibe,] M. Johann Abraham
Birnbaums Vertheidigung seiner unparteyischen
Anmerkungen über eine bedenkliche Stelle in
dem sechsten Stücke des critischen Musikus, wider Johann Adolph Scheibens Beantwortung derselben. 1739. Von dem Verfasser des critischen
Musikus aufs neue zum Drucke befördert, und
mit Anmerkungen erläutert.

Es wird zwar dem Herrn Hofcompositeur der
Herr Capellmeister Händel ausdrücklich entgegen
gesetzt. Allein ich habe in meinen unparteyischen
Anmerkungen die Ursachen zulänglich angeführet, welche mich bewogen haben, dem erstern vor
dem letztern ein Vorrecht zu gönnen. Das daselbst befindliche Urtheil ist nicht meine Erfindung. Es gehöret denenjenigen unparteyischen
Kennern der Musik zu, die beyde große Männer
gehört haben, und von beyden ein gründliches Urtheil zu fällen im Stande waren. Deren Worte
habe ich, so, wie ich sie gehöret, aufrichtig und
ohne Zusatz, daselbst mitgetheilet. Mein Gegner
aber, der den Herrn Capellmeister Händel wohl
niemals, den Herrn Hofcompositeur hingegen niemals ohne vorgefaßte Meynungen, spielen hören,
scheint nicht undeutlich dem erstern vor den letztern, wegen der Annehmlichkeit, das Vorzugs-
recht zuzueignen, wenn er vorgiebt: „Daß des
Herrn Händels sonderbare Annehmlichkeit zu
spielen, wodurch er die Herzen seiner Zuhörer
auf das zärtlichste rühre, auch den besten Musikverständigen ungewiß machen könnte, wer von
diesen beyden großen Männern dem andern vorzuziehen sey[103]."
Mein Gegner beschuldiget sogar seinen so genannten Briefsteller, daß er sich in seinem Schreiben etwas vergangen, da er dem Herrn Hofcompositeur allein den Herrn Capellmeister Händel
entgegen gesetzt. Er aber selbst vergeht sich bey
dieser Gelegenheit noch weit mehr, da er den zu
führenden Beweis, daß der Herr Hofcompositeur,
in Ansehung der Orgel und des Claviers, mit noch
mehrern um den Vorzug streiten könne, mit uner-
wiesenen Vermuthungen und Möglichkeiten endiget. Frankreich, sagt er, werde insonderheit
Männer aufweisen, die sowohl auf der Orgel, als
dem Clavier, keine gemeine Geschicklichkeit be-

sitzen. ... So lange davon keine gewisse Nachricht gegeben wird, beweiset eine solche Möglichkeit nichts[105].

[103] In der 11ten Anmerkung zur Beantwortung der unparteyischen Anmerkungen habe ich dasjenige unparteyische Urteil berühmter Musikverständigen von Wort zu Wort angeführt, auf welches ich meinen Ausspruch gegründet hatte. Daß ich aber dem Herrn Händel den Vorzug sollte ertheilet haben, ist eine Birnbaumische Wahrheit, die ihren Erfinder verrät.

[105] Die Gründe werden wohl auf beyden Seiten gleich stark seyn. ... Ich werde aber freylich niemals läugnen, daß zur Zeit niemand dörfte gefunden werden, der ausser dem Herrn Händel mit dem Herrn Bach um den Preis streiten könne.

[S. 979 ff.]

(Scheibe 1745. Bach-Dok., II, 340 ff.)

1745 (VII)

Madame Boivin veröffentlicht um 1745 in Paris gemeinsam mit Le Clerc und anderen Verlegern *Pieces de Clavecin de M*. *Handel Tirées par Lui même, de ces meilleurs Opera; Et ajustées avec des Variations. Œvre VIII.* *Prix douze Livres. Graviés par Le S*. *Hue.*

– Es handelt sich um eine Neuauflage der 1717 in London von William Babell bei Walsh und Hare herausgegebenen *Suits of the most Celebrated Lessons Collected and fitted to the Harpsicord or Spinnet ... with Variety of Passages by the Author* (vgl. 31. Januar 1717).

(Hopkinson, 246; Smith 1960, 329 und 278)

1746

7. Januar 1746
The General Advertiser

At the King's Theatre in the Hay-Market, this Day, will be perform'd a Musical Drama, in Two Parts, call'd La Caduta de Giganti, The Fall of the Giants. With Dances and other Decorations Entirely New. ... To begin at Six o'Clock.

– Die Musik für seine erste in London aufgeführte Oper hatte Gluck teils neu komponiert, teils aus älteren Werken zusammengestellt. Vanneschis Libretto spielte auf die Besiegung der Jakobiten an. Die Oper wurde in Anwesenheit des „Duke of Cumberland, in compliment to whom the whole was written and composed", aufgeführt (Burney, II, 844).
Gluck soll von Lord Middlesex nach London eingeladen worden sein, der nach Händels Oratorien-Jahr wieder das Haymarket Theatre leitete, oder zusammen mit seinem Gönner, dem Fürsten Lobkowitz gekommen sein, mit dem er im September 1745 in Frankfurt am Main der Krönung Kaiser Franz' I. beigewohnt hatte. Der Fürst blieb noch

zwei Jahre in London und wohnte bei dem Herzog von Newcastle, der Großbritannien bei der Krönung vertreten hatte, während Gluck England vermutlich im Frühjahr 1746 wieder verließ.
Walsh veröffentlichte bald nach der Aufführung der Oper eine Ausgabe von sechs Arien: *The favorite Songs in the Opera call'd La Caduta de' Giganti.*
Händels von Burney (1785) überlieferte, angeblich gegenüber Mrs. Cibber geäußerte Bemerkung über Gluck, „He knows no more of contrapunto as mein cook" (Burney/Eschenburg, XLII: „Er versteht eben so viel vom Kontrapunkt, als mein Koch Waltz!"), kann zwar im Zusammenhang mit Glucks Aufenthalt in London gesehen werden, nach W. C. Smith (1948, 166 ff.) gibt es aber keinen Grund zur Annahme, daß der Bassist Gustavus Waltz jemals Händels Koch war.
Vgl. 4. und 25. März 1746

14. Januar 1746
The Dublin Journal

For the Benefit of the Hospital for poor distressed Lying in Women in George's-lane, on Thursday the 13th of February next, will be performed Mr. Handel's grand Oratorio of Hester. The Rehearsal will be on Monday the 10th of February.
For the Support of the Charitable Infirmary on the Inns Key, on Thursday the 23th of January, will be performed Mr. Handel's Grand Oratorio of Deborah, at the Musick-Hall, in Fishamble-Street. The Rehearsal will be on Monday the 20th of January.

– Die Probe von *Esther* wurde auf den 17. Februar, die Aufführung auf den 20. Februar verschoben; die Probe von *Deborah* war am 21. Januar.
Die Proben fanden in Dublin gewöhnlich mittags statt, die Aufführungen abends 18.30 Uhr.

25. Januar 1746
Mary Delany an ihre Schwester Ann Dewes

Delville, 25 Jan. 1745–6.
On Tuesday last [21. Januar] I went to hear Deborah performed, for the support of one of the infirmaries. It is a charming piece of music, and was extremely well performed; we have a woman here, a Mrs. Storer, who has a very sweet and clear voice, and though she has no judgment in music, Dubourg manages her so well in his manner of accompanying her, as to make her singing very agreeable.
(Delany, II, 415 f.)
Vgl. 25. Oktober 1743

31. Januar 1746
The General Advertiser

We hear, that Mr. Handel proposes to exhibit

some Musical Entertainments on Wednesdays or Fridays the ensuing Lent, with Intent to make good to the Subscribers (that favoured him last Season) the Number of Performances he was not then able to complete in order thereto he is preparing a New Occasional Oratorio, which is design'd to be perform'd at the Theatre-Royal in Covent-Garden.
(Schoelcher 1857, 301f.)

– Von Händels geplanten Oratorienaufführungen auf Subskription in den Jahren 1744 und 1745 waren acht nicht zustande gekommen. Er führte das angekündigte neue Oratorium nur dreimal auf, am 14., 19., und 26. Februar 1746. Danach forderte er nie mehr zur Subskription für seine Aufführungen auf.
(Smith 1948, 160)
Die Ankündigung läßt darauf schließen, daß Händel um diese Zeit schon mit dem *Occasional Oratorio* beschäftigt war. Die einzige Datierung des Werkes ist Händels Eintrag am Beginn der autographen Partitur (R. M. 20. f. 3.): „Ouverture the occasional Oratorio Anno 1746."

3. Februar 1746
Charles Jennens an Edward Holdsworth

The Oratorio, as you call it, contrary to custom, raised no inclination in me to hear it. I am weary of nonsense and impertinence; & by the Account Ld. Guernsey gives me of this Piece I am to expect nothing else. Tis a triumph for a Victory not yet gain'd, & if the Duke does not make hast, it may not be gain'd at the time of performance. 'Tis an inconceivable jumble of Milton & Spencer, a Chaos extracted from Order by the most absurd of all Blockheads, who like the Devil takes delight in defacing the Beauties of Creation. The difference is, that one does it from malice, the other from pure Stupidity…
NB. Semele was call'd an Oratorio by many: but says the great Critick Thomas Rouneius, lege meo periculo Bawdatorio[?].
(Sammlung Gerald Coke. Christie, 27)

– Händels neues Oratorium wurde am 14. Februar aufgeführt, erst am 16. April 1746 schlug der Herzog von Cumberland das Heer des Kronprätendenten.
In seinem Exemplar von Mainwarings *Memoirs* notiert Jennens zu *Semele* „No Oratorio, but a baudy Opera", und Mainwarings Fußnote „An English Opera, but called an Oratorio…" ergänzt er durch „by fools" (Dean 1972, 162).

8. Februar 1746
William Harris an Mrs. Thomas Harris in Salisbury

Lincoln's Inn, February 8, 1746.
Yesterday morning I was at Handel's house to hear the rehearsal of his new occasional Oratorio. It is extremely worthy of him, which you will allow to be saying all one can in praise of it. He has but three voices for his songs – Francesina, Reinholt, and Beard; his band of music is not very extraordinary – Du Feche is his first fiddle, and for the rest I really could not find out who they were, and I doubt his failure will be in this article. The words of his Oratorio are scriptural, but taken from various parts, and are expressive of the rebels' flight and our pursuit of them. Had not the Duke carried his point triumphantly, this Oratorio could not have been brought on. It is to be performed in public next Friday [14. Februar].
(Malmesbury 1870, I, 33f.; Streatfeild 1909, 191)

– Lincoln's Inn könnte auch auf Thomas Harris als Schreiber des Briefes deuten, doch ist auch in der Brief-Ausgabe William Harris als Absender genannt (vgl. 29. August 1745 und 28. März 1747).
Willem de Fesch war 1745 als Oratorienkomponist mit Händel in Konkurrenz getreten (vgl. 15. März 1745).
Unter den mitwirkenden Geigern könnte auch Charles Burney gewesen sein, der Händels Oratorien-Proben in diesen Jahren miterlebte: „Ich selbst sah Händel'n theils in seinem Hause, in der Brookstraße und im Carleton-House, wo er seine Oratorien probirte …" (Burney/Eschenburg, XLIII).
Die „Gelegenheit", für die Händel sein neues Oratorium komponierte, war der erwartete Sieg des Herzogs von Cumberland über die gegen London vordringenden Rebellen. Kompilator des Textes war Newburgh Hamilton (vgl. 3. März 1746).

14. Februar 1746
The General Advertiser

At the Theatre-Royal in Covent-Garden, this Day, will be perform'd A New Occasional Oratorio. With a New Concerto on the Organ. … To begin at Half an Hour after Six o'Clock.
The Subscribers, who favour'd Mr. Handel last Season with their Subscription, are desired to send to the Office at Covent-Garden Theatre, on the Day of Performance, where Two Tickets shall be deliver'd to each Gratis in Order to make good the Number of Performances subscrib'd to last Season.
(Schoelcher 1857, 302; Smith 1948, 160)
Wiederholungen: 19. und 26. Februar 1746. Neuaufführung im März 1747.
Besetzung:
Sopran I – Elisabeth Duparc
Sopran II – ?
Tenor – John Beard
Baß – Thomas Reinhold

19. Februar 1746
Charles Jennens an Edward Holdsworth

Every thing that has been united with Handel's
Composition becomes sacred by such a union in
my eyes, unless it be profane in its own nature,
like „Semele".
(Sammlung Gerald Coke)
Vgl. 3. Februar 1746

22. Februar 1746
The Dublin Journal

Last Thursday [20. Februar] Evening the Oratorio
of Hester was performed to a most polite and numerous Audience for the Benefit of the Lying-in
Hospital in George's Lane, which his Excellency
the Earl of Chesterfield honoured with his Presence, as did many Persons of the greatest Nobility
and Distinction; the Numbers of which amounted
to above five hundred. The whole Entertainment,
both vocal and instrumental, was universally allowed to be as well performed, as ever was known,
and to the entire Satisfaction of all the Audience.
... N. B. The Gentleman, who gave a Messiah
Ticket for this Performance, is desired to send a
genuine Ticket or the Money, or else he will be
called upon.
Vgl. 14. Januar 1746

– Philip Dormer Stanhope, 4. Earl of Chesterfield, war 1745–1746 Vizekönig von Irland. Die
teuersten Eintrittskarten kosteten eine halbe
Guinee.

23. Februar 1746
Anthony Ashley Cooper, 4. Earl of Shaftesbury, an
seinen Vetter James Harris

London, 23 February 1755/6
Handel call'd on me this morning, his spirit and
genious [sic] are astonishing. He rather gets than
loses by his Houses [?]. However, as he has
obliged his former subscribers without detriment
to himself he is contented. Next Wednesday is his
last of performing this season. This new composition is indeed excellent.
(Sammlung Malmesbury. Matthews 1961, 129)

– Die bereits von Betty Matthews angezweifelte
originale Datierung des Briefes ist falsch. Er muß
1746 geschrieben worden sein, als Händel am
Mittwoch, dem 26. Februar, die letzte seiner drei
Oratorien-Aufführungen gab. Die „neue Komposition" war das Occasional Oratorio.
(Dean, Music & Letters 1961, 395)

3. März 1746
Charles Jennens an Edward Holdsworth

You are mistaken as to the Occasional Oratorio,
which is most of it transcrib'd from Milton &

Spencer, but chiefly from Milton, who in his Version of some of the Psalms wrote so like Sternhold
& Hopkins that there is not a pin to choose betwixt 'em. But there are people in the world who
fancy every thing excellent which has Milton's
name to it. I believe Hamilton has done little more
than tack the passages together, which he has
done with his usual judgément & cook'd up an
Oratorio of Shreds & patches. There is perhaps
but one piece of Nonsense in all Spenser's Works,
& that Hamilton has pick'd out for his Oratorio:
O who shall pour into my Swollen Eyes
A Sea of Tears – a brazen Voice –
And iron sides? or An iron Frame as Hamilton has
it. I thought he had left out Something necessary
to the connection, having observ'd some instances
of the same kind in his Samson; but to my great
surprize I found it as I give it to you in Spenser's
Tears of the Muses.
(Sammlung Gerald Coke)
Vgl. 3. Februar 1746

– Mit diesem unvollständigen Brief bricht die
Korrespondenz zwischen Jennens und Holdsworth ab. Er beweist, daß Newburgh Hamilton
den Text des Occasional Oratorio zusammenstellte.
Holdsworth starb am 28. Juni 1746.

4. März 1746
Artamene, Glucks zweite Londoner Oper (Text
von Bartolomeo Vitturi, bearbeitet von Francesco
Vanneschi) wird am Haymarket Theatre aufgeführt, „With Dances and other Decorations Entirely New" (The General Advertiser).

– Die Oper wurde bis zum 12. April achtmal aufgeführt. Walsh druckte wieder eine Auswahl von
sechs Arien (The favourite Songs in the Opera call'd
Artamene).

25. März 1746
The General Advertiser

For the Benefit and Increase of a Fund establish'd
for the Support of Decay'd Musicians, or their
Families.
At the King's Theatre in the Hay-Market, this
Day, will be performed an Entertainment of Vocal
and Instrumental Musick, as follows.
Part I.
Overture. Della Caduta de Giganti, compos'd by
Signor Gluck.
Air. Care Pupille in La Caduta de Giganti, sung by
Signor Jozzi.
Air. Men Fedele, by Mr. Handel, sung by Signor
Monticelli.
...
Part II.
Air. Return, O God of Hosts, in the Oratorio of
Samson, sung by Signora Frasi.

Air. Il Cormeo, by Mr. Handel, sung by Signor Monticelli.
Air. Pensa che il Cielo trema, in La Caduta, sung by Signor Ciacchi.
Air. Mai l'Amor mio verace, in ditto, sung by Signora Imer.
...
Part III.
...
Air. Volgo Dubbiosa, in La Caduta, sung by Sign. Pompeati.
Air. The Prince unable to conceal his Pain, in Alexander's Feast, sung by Signora Frasi.
...
A Grand Concerto of Mr. Handel's.
...
To begin at Six o'Clock.

– Diese Veranstaltung bot die Gelegenheit für ein Zusammentreffen von Gluck und Händel. Bemerkenswert ist, daß für dieses Wohltätigkeitskonzert den Sängern der Operntruppe von Lord Middlesex erlaubt war, Händelsche Arien zu singen, obgleich diese nicht zu ihrem Repertoire gehörten. Die Arien aus Glucks *La Caduta dei Giganti* wurden natürlich von den gleichen Sängern gesungen wie in den Aufführungen dieser Oper. Die erste dieser Arien war dem Programm erst am 22. März in der zweiten der vier Ankündigungen des Konzerts eingefügt worden. Von Händels Arien stammen „Men fedele" und „Il Cor mio" (entstellt als „Il Cormeo" verzeichnet) aus der Oper *Alessandro*. Giulia Frasi und Angelo Maria Monticelli hatten 1743/44 in der Aufführung der *Rossane*-Fassung des *Alessandro* gesungen (vgl. 15. November 1743); in einem Händelschen Oratorium hatte Signora Frasi bisher jedoch noch nicht mitgewirkt.

28. März 1746
Horace Walpole an Horace Mann

Arlington-Street, March 28, 1746.
The operas flourish more than in any latter years; the composer is Gluck, a German: he is to have a benefit, at which he is to play on a set of drinking-glasses, which he modulates with water: I think I have heard you speak of having seen some such thing.
(Walpole Letters 1891, II, 14)

– In John Simpsons im November 1746 erschienener Ausgabe seiner *Six Sonatas for two Violins and a Thorough Bass* wird Gluck als „Composer of the Opera" bezeichnet. In seinem Konzert am 23. April 1746 im New Theatre spielte er „on 26 drinking glasses tuned with spring water, accompanied with the whole band, being a new instrument of his own invention".
In Dublin hatte aber schon am 3. Mai 1743 ein un-

genannter „Inventor" im Smock Alley Theatre ein Konzert „upon Glasses" gegeben (Faulkners *Dublin Journal*): Richard Pockrich, der vor 1759 auch Händels *Water Music* in Dublin gespielt zu haben scheint (*The Real Story of John Carteret Pilkington*, London 1760, 60). Aus den „musical glasses" ging die Glasharmonika hervor (vgl. 30. April 1751).

16. April 1746
Der Herzog von Cumberland besiegt bei Culloden die Streitkräfte des Kronprätendenten.
Vgl. 26. Mai 1746

26. April 1746 (I)
The General Advertiser

New Musick.
This Day is published, The Occasional Oratorio in Score, compos'd by Mr. Handel.
...
Next Week will be published, Twelve Duets for two Voices from the late Oratorios. Compos'd by Mr. Handel.

– Die Partitur des Oratoriums war am 3. April zum erstenmal angezeigt worden (Smith 1954, 281). Weitere Ausgaben folgten 1747 und 1748 (Smith 1960, 129 f.)
Vgl. 1. Mai 1746

26. April 1746 (II)
Mary Delany an ihre Schwester Ann Dewes

Delville, 26 April, 1746.
On Thursday [24. April] I went to the music for the benefit of the Hospital of Incurables, which was crowded – the piece performed was Alexander's Feast; and yesterday went to see the Beggar's Opera.

1. Mai 1746
The General Advertiser

This Day is published, ... Twelve English Duets for two Voices, with a Thorough Bass for the Harpsichord or Violoncello, Compos'd by Mr. Handel. Printed for J. Walsh.

– Diese Ausgabe mit zwölf Duetten aus Oratorien Händels erschien mit dem Titel *Twelve English Duets... from the late Oratorios... Book the 2.* Eine andere Ausgabe von zwölf Oratorienduetten erschien als „Book I" 1764 (*Public Advertiser*, 1. Oktober 1764). Das ursprüngliche „Book I" war eine Sammlung aus Opern (vgl. 30. August 1735); diese erschien später als „Book II" (1. Oktober 1764).
(Smith 1960, 174 f.)

26. Mai 1746
John Walsh zeigt im *General Advertiser* an: „Just publish'd. Two Songs in Honour of his Royal

Highness, the Duke of Cumberland and sung by Mr. Beard and Mr. Lowe at Ranelagh and Vauxhall Gardens."

– Das eine der beiden Lieder ist „From Scourging Rebellion", das zuerst als Einzeldruck mit folgendem Titel erschienen war: *A Song on the Victory obtain'd over the Rebels, by His Royal Highness the Duke of Cumberland. The Words by Mr Lockman. Set by Mr Handel. Sung by Mr Lowe &c. in Vauxhall Gardens.*
Das Lied, das von der Schlacht von Culloden handelt, wurde auch in *The London Magazine* vom Juli 1746 abgedruckt. Weitere Nachdrucke erschienen noch im gleichen Jahr und noch einmal 1750 (Smith 1960, 189 f.). Die Melodie beginnt ähnlich wie die Arie „Volate amori" aus *Ariodante*. Auch Händels *Song for the Gentlemen Volunteers of the City of London* war von Lowe gesungen worden (vgl. 14. November 1745).
(Squire 1909, 432 f.)

8./9. Juli 1746
Händel beginnt mit der Komposition des Oratoriums *Judas Maccabaeus.*
Eintrag in der autographen Partitur (R. M. 20. e. 12.): „Ouverture Oratorio Judah Maccabeus. angefangen den 9 July ♂ [Dienstag] 1746. od. den 8 ☽ [Montag] dieses."
Vgl. 11. August 1746 (II)

Sommer 1746
Aus einer Londoner Zeitung

We hear that at Cuper's Gardens last Night, among several Pieces of Musick, Mr. Handel's Fire Musick, with the Fireworks as originally performed in the Opera of Atalanta, was received with great Applause by a numerous Audience.
(Schoelcher 1857, 184)
Vgl. 18. Juli 1741

11. August 1746 (I)
Walsh wiederholt im *General Advertiser* seine Anzeige von Händels *Twelve Grand Concertos... Opera Sexta. 2d Edition.*
Vgl. 21. April 1740, 14. Juli 1741, 17. Dezember 1745 und 19. November 1746

11. August 1746 (II)
Händel beendet das Oratorium *Judas Maccabaeus.*
Einträge in der autographen Partitur (R. M. 20. e. 12.): „Fine dell Atto primo G. F. H. July 21. ☽ [Montag] 1746. 22 ♂ [Dienstag] völlig."; (auf der ersten Seite von „Fall'n is the foe":) „♀ [Freitag] 25 July. 17[46]"; „Fine dell'atto 2.^d G. F. H. ♄ [Sonnabend] Agost 2. 1746. völlig"; „S. D. G. Fine del. Oratorio G. F. H. Agost 11 ☽ [Montag] 1746 völlig geendiget."
Vgl. 8./9. Juli 1746

– Im Zusammenhang mit den Kompositionsdaten gibt Händel auch die Aufführungsdauer an: I. und II. Akt je 40 Minuten, III. Akt 25 Minuten.

5. September 1746
Elizabeth Carter an Catherine Talbot

Deal, Sept. 5, 1746.
I seldom hear an agreeable air but it recalls to my mind almost every pleasing occurrance of my life, and gives me a new enjoyment of it. Every body I either love or admire, every conversation that struck me with peculiar pleasure, and every fine passage of a favourite author, the powerful magic of Mr. Handel conjures up to my thoughts.
(Myers 1948, 144; Carter/Talbot, I, 165)

9. Oktober 1746
Johann Friedrich Lampes zur Feier der Niederwerfung des Stuart-Aufstandes komponierte *Musick on the Thanksgiving Day* wird in der Kapelle des Savoy Hospital von den „Churchwardens and all the Gentlemen belonging to the German Lutheran Church... in their native language" aufgeführt.
(Smith 1948, 191)

– Auf dem Gelände des Savoy Hospital standen auch ein Palast und eine Kapelle. Diese, die Deutsche oder Lutherische Kapelle genannt, bestand von etwa 1730 bis gegen Ende des 19. Jahrhunderts (John Loftie, *Memorials of the Savoy,* London 1878).

17. Oktober 1746
In der Kathedrale von Salisbury wird Händels *Dettingen Te Deum* aufgeführt.
(Husk, 95)

– James Harris und John Stevens, der neue Organist in Salisbury, leiteten hier eine lange Tradition von Händel-Aufführungen ein.

25. Oktober 1746
The General Advertiser

This Day is publish'd by John Walsh... Collection the Ninth. Price Six Shillings.
Handel's Six Overtures for Violins, &c. in eight Parts, from the Oratorios of Belshazzar, Joseph, Occasional Oratorio, Hercules, Semele, Saul 2d.
Also a new Edition of 48 Overtures, which with the above six, compleat all the Overtures from Mr. Handel's Operas and Oratorios for Concerts.

– Weitere Ausgaben folgten um 1750 und 1760. Ausgaben mit 48 Ouvertüren mit gemeinsamer Titelseite erschienen nicht, aber Ausgaben von „XXIV Overtures".
(Smith 1960, 296)

19. November 1746

John Walsh zeigt im *General Advertiser* die dritte Ausgabe von Händels Concerti grossi op. 6 zum Preis von einer Guinee an.

Vgl. 11. August 1746

1746 (I)

Tobias Smollett, Advice, London 1746

Poet.

Again shall Handel raise his laurel'd brow,
Again shall harmony with rapture glow!
The spells disolve, the combination breaks,
And rival Punch no more in terror squeaks.
Lo, R–ss–l[1] falls a sacrifice to whim,
And starts amaz'd in Newgate from his dream:
With trembling hands implores their promis'd aid;
And sees their favour like a vision fade!

[1] The person here meant, by the qualifications above described, had insinuated himself into the confidence of certain Ladies of Quality, who engaged him to set up a puppet-shew, in opposition to the oratorio's of H–d–l, against whom they were unreasonably prejudiced. But the town not seconding the capricious undertaking, they deserted their manager whom they had promised to support, and let him sink under the expence they had entailed upon him: He was accordingly thrown into prison, where his disappointment got the better of his reason, and he remain'd in all the ecstasy of despair; till at last, his generous patronesses, after much solicitation, were prevailed upon, to collect five pounds, on the payment of which, he was admitted into Bedlam, where he continues still happily bereft of his understanding. [S. 13]

(Sammlung Gerald Coke. Musical Times, 1. Oktober 1895)

– Smolletts Satire, ein Dialog zwischen dem Dichter und einem Freund, wurde auf 16 Seiten anonym gedruckt.
Der erwähnte Schauspieler und Sänger Russell ist wahrscheinlich identisch mit dem Tenor Russell, der 1739 den Part des David in Händels *Saul* sang und in dem Konzert am 2. April 1740 in Hickford's Great Room mitwirkte (Dean 1959, 659). Die Damen waren vermutlich Lady Brown und ihre Freundinnen (vgl. 21. Januar 1745).

Vgl. 16. Januar 1739 und 2. April 1740

1746 (II)

Joseph Warton, Odes on Various Subjects, London 1746

Ode to a Lady who hates the Country

Come wildly rove thro' desart dales,
To listen how lone nightingales
In liquid lays complain;

Adieu the tender, thrilling note,
That pants in Monticelli's throat,
And Handel's stronger strain.   [S. 39]

Wartons Oden wurden 1746 von Robert Dodsley anonym veröffentlicht und 1747 nachgedruckt.

Vgl. 2. Mai 1745

1746 (III)

Lorenz Christoph Mizler, Musikalische Bibliothek, Leipzig 1746

Das dritte Stück [von Matthesons Musikalischem Patrioten] sagt, daß wie die Musik zu unsern Zeiten gestiegen, also solche noch weiter steigen könne mit der Zeit. Lobt Herr Händeln, Herr Hassen, die beyden Herren Graune und Herrn Telemann und spricht in Wahrheit daß die Ausländer von den Deutschen in der Musik lernen können, und bemerket kurz den Unterschied der ietzigen Musik von der vor ohngefehr zwanzig Jahren.   [S. 142]

Die Societät der musikalischen Wissenschafften in Deutschland, wovon im folgenden Theile ausführliche Nachricht vorkommen soll, wächset immer mehr und mehr an. Es sind im vergangenen Jahr abermal vier neue Mitglieder darzu getreten, nemlich der weltberühmte Händel in Engelland, der Herr Prior Spieß, der Herr P. Weiß und der berühmte gelehrte und fleisige Herr Recktor Ventzky in Prenzlau.   [S. 168]

In den welschen dreystimmigen Sachen schlägt der Herr Verfasser [Mattheson im *Vollkommenen Capellmeister*] Corelli und Fux zum Muster vor, in den französischen aber den Lully und unsern Herrn Telemann, in den dreystimmigen Singsachen den Steffani, Attilio Ariosti, Marcello und Händel, dem man neulich eine marmorne Ehrensäule in den Londonschen Gärten zu Vauxhall aufgerichtet.   [S. 281 f.]

Ausführliche Nachricht von der Societät der musikalischen Wissenschaften in Deutschland, vom Jahre 1738, ihrem Anfange, bis zu Ende des 1745 Jahres.
Die sämtlichen Mitglieder der Gesellschaft folgen in dieser Ordnung aufeinander.
…
11. Georg Friedrich Händel Sr. Königl. Majestät von Großbritannien Capellmeister. Ist von den sämtlichen Mitgliedern aus eigener Bewegung erwählet, und solchem die erste Ehrenstelle eingeräumt worden im Jahre 1745.   [S. 357]

– 1746 gab die Sozietät ein Medaille mit der Inschrift „Societät: Scientiar: Music: in Germ. Instavr." in Gold, Silber und Kupfer heraus.

Vgl. 1745 (III) und Juni 1756

1746 (IV)
Wöchentliche Hallische Anzeigen 1746

Nachdem Hr. Gottfried Kirchhof [sic], Dir. Mus. und Organist zu U. L. Fr., am 21. Jenner d. J. sel. verstorben: so sind dessen hinterlassene Erben entschlossen, den Vorrath von seinen Musicalien zu verkaufen. Und zwar sind an Kirchen-Stücken vorhanden:

…

13) Eine gantze Partie von Concerten, Sonatinen usf. von Hrn. Graun, Schafftroth [Schaffrath], Telemann, Händel, Förster, Kirchhof, u. a. m.

14) Ist von gedachten Hrn. Händel ein kostbar musicalisch Werk vorhanden, so er 1739 zu London herausgegeben, unter der Aufschrift: Twelve grand Concertos in seven parts for four violins, a Tenor Violin, a Violoncello with a thorough Bass for the Harpsicord.
[S. 195]
(Serauky 1939, 497 f.)

– Die reiche Musikaliensammlung des hallischen Marien-Organisten Gottfried Kirchhoff wurde von seinem Schwiegersohn Johann Gottfried Mittag zum Verkauf angeboten.

1747

17. Januar 1747
Im Haymarket Theatre wird *Phaeton,* Oper von Domenico Paradies auf einen Text von Francesco Vanneschi, zum erstenmal aufgeführt.
(Burney, II, 846)

– Das Libretto, mit einem einleitenden „Discourse on Operas" gedruckt, ist Lord Middlesex gewidmet.

20. Januar 1747
Anthony Ashley Cooper, 4. Earl of Shaftesbury, an seinen Vetter James Harris

London, 20 January 1746/7.
Mr. Handel call'd on me tother day. He is now in perfect health and I really think grown young again. There is a most absurd and ridiculous opera going forward at present and as it is not likely to meet with success he is delighted.
(Im Besitz des Earl óf Malmesbury. Matthews 1961, 127)

– James Harris war der Vater des 1. Earl of Malmesbury.
Vgl. 17. Januar 1747

21. Januar 1747
Mary Delany an ihre Schwester Ann Dewes

Pall Mall, 21 Jan. 1746–7.
…Just as I came to this place, in came Mr. Handel, and he has prevented my adding any more. … "The Allegro" is a drawing, I have imagined in imitation of Mr. Handel's Let me wander, etc., and I have brought in all the images as well I could. "The Penseroso" is in embryo.
(Delany, II, 451)

– Die Delanys weilten zu Besuch in London. „To this place" bedeutet „bis zu dieser Stelle [des Briefes]". Mrs. Delany, eine Amateurmalerin, setzte Arien aus Händels *L'Allegro ed il Penseroso* in Gemälde um.

28. Januar 1747
John Walsh veröffentlicht auf Kosten des Komponisten *Twelve Sonatas for two Violins with a Bass* von William Boyce.

– Die abgedruckte Subskribentenliste enthält auch Händels Namen.

Januar 1747 (I)
The Gentleman's Magazine

A Hunting Song. By C. L. Esq;
…
Hark the lively tun'd horn, how melodious it sounds,
To the musical notes of the merry mouth'd hounds.
…
See, see where she goes, and the hounds have a view,
Such harmony Handel himself never knew.
…

– „C. L." steht für Charles Legh von Adlington Hall in Macclesfield, Cheshire, den Bruder der verstorbenen Elisabeth Legh. Sein „Jagdlied" wurde zuerst von einem „Gentleman of Wygan" vertont, womit Mr. Ridley, Organist in Prestbury, Cheshire, gemeint war. Händel, der das dilettantische Gedicht später auch vertonte, schenkte sein Autograph 1751 Charles Legh (*Musical Times,* Dezember 1942). Händels Komposition fand später Verwendung in dem „dramatic pastoral" von John Stanley, *Arcadia, or The Shepherd's Wedding* (Text von Robert Lloyd), das am 26. Oktober 1761 anläßlich der Vermählung König Georgs III. im Drury Lane Theatre aufgeführt wurde.

Januar 1747 (II)
In Paris wird die Pasticcio-Oper *Le triomphe de l'amour et de l'hymen* (Text: M. de Séré) aufgeführt, mit Arien auch von Händel, mit Instrumentalmusik vor allem von Jean Baptiste Morin.
(Manuskript in der Bibliothèque Nationale, Paris)

7. Februar 1747
The Dublin Journal

On Thursday last [5. Februar] Cathedral Service, with Mr. Handel's Te Deum, Jubilate, and Coronation Anthem, were performed (as usual) at St. Michan's Church, for the Benefit of Mercer's Hospital.

21. Februar 1747
The General Advertiser

This Day is published by J. Walsh ... Six Overtures, set for the Harpsichord or Organ, viz. Belshazzer, Occasional Oratorio, Joseph, Hercules, Semele, Saul 2.^{d} 9 Collection. Compos'd by Mr. Handel.

– Spätere Auflagen erschienen um 1749 (oder später) und 1758.
(Smith 1960, 285)

28. Februar 1747
Händel zahlt 400 £ auf sein Konto ein.

6. März 1747
The General Advertiser

At the Theatre-Royal in Covent-Garden, this Day ... will be perform'd The Occasional Oratorio. ... To begin at Half an Hour after Six o'Clock.
Vgl. 14. Februar 1746

– Mit dieser Aufführung, die am 11. und 13. März wiederholt wurde, begann eine Fastenspielzeit mit Oratorien Händels ohne Subskription oder besondere Ankündigung, aber auch ohne gesenkte Eintrittspreise.

7. März 1747
Händel zahlt 100 £ auf sein Konto ein.

16. März 1747
The General Advertiser

At the Theatre-Royal ... on Wednesday next [18. März], will be perform'd an Oratorio, call'd Joseph, and His Brethren. ... To begin at Half an Hour after Six o'Clock.
Vgl. 2. März 1744

– Die Aufführung wurde auf den 20. März verschoben.

17. März 1747
Anthony Ashley Cooper, 4. Earl of Shaftesbury, an seinen Vetter James Harris

London, March 17, 1747.
The trial [gegen Lord Lovat] interrupts our harmonious system extremely. To-morrow Handel has advertised 'Joseph', though I hope he will not perform, for nothing can be expected whilst the trial lasts. The week after, we flatter ourselves that 'Judas' will both give delight to the lovers of harmony and profits to the fountain whence it flows. However, I am not certain that 'Judas' will be performed next week.
(Malmesbury 1870, I, 58 f.)

– Am 16. März 1747 begann der Prozeß gegen Simon Fraser, Baron Lovat, einen jakobitischen Verschwörer, der wegen Hochverrats verurteilt und enthauptet wurde.
Judas Maccabaeus wurde erst am 1. April aufgeführt.

18. März 1747
The General Advertiser

The Oratorio of Joseph and His Brethren, which was to have been performed this Night, at the Theatre-Royal ..., is put off, upon Account of the Trial of Lord Lovat.

19. März 1747
Händel kauft für 1700 £ dreiprozentige Annuitäten.

20. März 1747
Joseph and his Brethren wird am Covent Garden Theatre neu aufgeführt und am 25. März wiederholt.
Vgl. 16. März 1747
Weitere Neuaufführungen im Februar 1755 und März 1757.

21. März 1747
Händel zahlt 100 £ auf sein Konto ein.

24. März 1747
Im Haymarket Theatre wird die Oper *Bellerofonte* von Domingo Terradellas zum erstenmal aufgeführt.
(Burney, II, 847)

28. März 1747
William Harris an seinen Bruder James Harris in Salisbury

Lincoln's Inn, March 28, 1747.
Handel's 'Judas Maccabaeus' certainly comes on next Wednesday [1. April].
(Malmesbury 1870, I, 63)
Vgl. 8. Februar 1746)

1. April 1747
The General Advertiser

At the Theatre-Royal ... this Day ... will be perform'd a New Oratorio, call'd Judas Macchabaeus. With a New Concerto. ... To begin at Half an Hour after Six o'Clock.

– Den Text schrieb der Reverend Dr. Thomas Morell. Er berichtet um 1770 in einem Brief über das Zustandekommen seiner Zusammenarbeit mit Händel und die Entstehung des Librettos (Hodgkin MSS.; Dean 1959, 461): „... The plan of Judas Maccabaeus was designed as a compliment to the Duke of Cumberland, upon his returning victorious from Scotland."; „Handel applied to me, when at Kew, in 1746, and added to his request the honour of a recommendation from Prince Frederic ... and within 2 or 3 days carried him the first Act ..., which he approved of."
Besetzung:
Judas Maccabaeus – John Beard, Tenor
Simon/Eupolemus – Thomas Reinhold, Baß
1. Israelitin – Elisabetta de Gambarini, Sopran
2. Israelit/Israelit/Priester – Caterina Galli, Mezzosopran
Wiederholungen: 3., 8., 10., 13. und 15. April 1747, seit dem 8. April angekündigt „with Additions". Wiederaufnahme im Februar 1748.
Signora Gambarini gehörte Händels Ensemble nur kurze Zeit an (vgl. 1748/II). Caterina Galli, die vorwiegend männliche Rollen sang, gehörte zur Haymarket Opera. Anscheinend waren Händels Beziehungen zum Haymarket Theatre sehr freundschaftlich geworden. (Die beiden Händel-Pasticcios *Rossane* und *Lucio Vero* wurden 1743 bzw. 1747 dort aufgeführt.)
(Schoelcher 1857, 303 ff.; Dean 1959, 460 ff.)

2. April 1747
John Watts zeigt im *General Advertiser* das Textbuch von *Judas Maccabaeus* an.

– Morell widmete das Libretto dieses „Sacred Drama" „To His Royal Highness Prince William, Duke of Cumberland, This Faint Portraiture of a Truly Wise, Valiant, and Virtuous Commander, As to the Possessor of the like Noble Qualities ...".
1747 erschienen mehrere Auflagen des Textbuches, mit ergänzten Arien auf eingelegten Blättern. In der ersten Auflage, in welcher „See the conqu'ring Hero comes" noch nicht enthalten und auch der „March" nicht erwähnt ist, steht auf S. 14, beim Auftritt des Boten in Akt III: „Several Incidents were introduced here by way of Messenger, and Chorus, in order to make the Story more compleat; but it was thought they would make the Performance too long, and therefore were not Set, and therefore not printed; this being design'd not as a finish'd Poem, but merely as an Oratorio."
(Schoelcher 1857, 303 f.)

4. April 1747
Der *General Advertiser* meldet, daß Mrs. Storer aus Dublin in London eintraf, um in der folgenden Woche in Händels Oratorium mitzuwirken.

9. April 1747
Händel zahlt 250 £ auf sein Konto ein.

14. April 1747
The General Advertiser

For the Benefit and Increase of a Fund establish'd for the Support of Decay'd Musicians, or their Families.
At the King's Theatre in the Hay-Market, this Day ... will be perform'd an Entertainment of Vocal and Instrumental Musick, as follows.
First Part.
...
O Placido il Mare, in Siroe, sung by Signora Casarini.
Second Part.
...
O Sleep, in Semele, sung by Signora Frasi.
...
La Dove, in Admetus, sung by Signor Casarini.
...
Third Part.
...
To Song and Dance, in Samson, sung by Signora Frasi.
...
Dica il Falso, in Rossane, sung by Signora Casarini.
A Grand Concerto of Mr. Handel's.
...
To begin exactly at Six o'Clock.

– Wie schon 1746 hatten die Sänger der Haymarket-Oper die Erlaubnis erhalten, nicht nur aus ihrem eigenen Repertoire, sondern auch aus Opern und Oratorien Händels zu singen. Die Arie aus *Admeto* wurde selbstverständlich auch von Signora (nicht Signor) Casarini gesungen.

18. April 1747
Catherine Talbot an Elizabeth Carter

... This play [eine Farce von Garrick], and one oratorio, are the sum of the public places I have been at, unless you will add two very moderate drums, and one concert. Those oratorios of Handel's are certainly (next to the hooting of owls) the most solemnly striking music one can hear. I am sure you must be fond of them, even I am who have no ear for music, and no skill in it. In this last oratorio he has literally introduced guns, and they have a good effect.
(Carter/Talbot, I, 203; Streatfeild 1909, 197)

– Das „eine Oratorium" war vermutlich eine Aufführung des *Judas Maccabaeus*, das „eine Konzert" wahrscheinlich das am 14. April zugunsten des Musikerfonds veranstaltete. Die „guns", wie die früher erwähnten „cannons", waren Pauken. Dreißig Jahre später erklärt Richard Brinsley Sheridan

in *The Critic* und auch schon in dessen frühem
Entwurf mit dem Titel *Jupiter* zu Kanonenschüs-
sen hinter der Bühne: „This hint I took from Handel."

24. April 1747

Händel zahlt 150 £ auf sein Konto ein.

29. April 1747

Händel hebt 1 000 £ von seinem Konto ab.

30. April 1747 (I)
The General Advertiser

The Rehearsal of the Musick for the Feast of the
Sons of the Clergy, will be at St. Paul's, on Tuesday
the 5th of May, and the Feast on Thursday follow-
ing. ...
N. B. Mr. Handel's New Te Deum, Jubilate and
Coronation Anthem, with a New Anthem by
Dr. Green, will be Vocally and Instrumentally per-
form'd.

– Das Fest der Sons of the Clergy wurde alljährlich begangen. Anscheinend wurde wie in Dublin
das *Dettingen Te Deum* zusammen mit dem *Utrecht
Jubilate* aufgeführt.

30. April 1747 (II)
The London Evening Post

This Day is publish'd, ... Judas Maccabaeus, an
Oratorio in Score. Compos'd by Mr. Handel.
Printed for J. Walsh.

– Weitere Auflagen erschienen noch im selben
oder im folgenden Jahr sowie 1749.
(Smith 1954, 280; Smith 1960, 113 f.)

30. April 1747 (III)

In einer Veranstaltung der Academy of Ancient
Music werden Ausschnitte aus Händels *Messiah*
aufgeführt.
Das gedruckte Libretto (Exemplar in der Samm-
lung Schoelcher) nennt weder das Werk noch den
Komponisten.
(Smith 1950, 132)
Vgl. 16. Februar 1744 und 11. Mai 1758

20. Mai 1747

In der Kongliga Svenska Skådeplatsen in Stockholm wird eine Pasticcio-Oper mit dem Titel *Sy-
rinx, or the Waternymph transformed into Reed* aufgeführt.

– Handschriftliche Partitur in der Kungl. Musikaliska Akademiens Bibliotek, Stockholm. Das Libretto wurde 1747 gedruckt und 1748 und 1770
wieder aufgelegt.
Die großen Baßarien stammten von Händel, die
großen Sopranarien von Carl Heinrich Graun;

einige Arien, Duette und Rezitative waren von
Ohl, dem Organisten an der niederländischen Kirche in Stockholm, der vermutlich das Pasticcio zusammengestellt hatte.
(Einzelheiten in F. A. Dahlgrens Verzeichnis
schwedischer Bühnenstücke 1737–1863, Stockholm 1886, 357 f.)

1. Juni 1747

Händel beginnt das Oratorium *Alexander Balus*.
Eintrag in der autographen Partitur (R.M. 20. d. 3.):
„angefangen den 1. June. 1747."
Vgl. 4. Juli 1747

Juni 1747
Rechnungsbücher des Covent Garden Theatre

Reced of Mr. Handell for Rent of his 10 Oratorio's
210 – –
(British Library: Egerton MS. 2 268, Bd. II, Bl. 167ᵛ
bzw. 169ᵛ)

– Die vorangehende Seite des Bandes ist auf den
1. Juni 1747 datiert. Tatsächlich führte Händel an
elf Abenden dreimal das *Occasional Oratorio* auf,
zweimal *Joseph and His Brethren* und sechsmal *Judas
Maccabaeus.*

In den Jahren 1735 und 1736 zahlte Händel für
seine Aufführungen im Covent Garden Theatre
an Mittwoch- und Freitagabenden während der
Fastenzeit jeweils £ 19 5s. 8d.

4. Juli 1747

Händel beendet das Oratorium *Alexander Balus.*
Einträge in der autographen Partitur (R. M.
20. d. 3.): „Fine della parte 2ᵈ völlig geendiget ☿
[Mittwoch] Juin. 24. 1747."; „S. D. G. G. F. Handel.
London yᵉ 30 Juin. ♂ [Dienstag] 1747. völl: 4 July
♄ [Sonnabend] 1747".
Vgl. 23. März 1748

19. Juli–19. August 1747

Händel komponiert das Oratorium *Joshua.*
Einträge in der autographen Partitur (R. M.
20. e. 11.): „19. July 1747. ☉ [Sonntag] angefangen."
„30. July 1747" am Ende des ersten Aktes; „Fine
dellᵃ parte 2ᵈᵃ agost. 8 ♄ [Sonnabend] 1747";
„S. D. G. G. F. Handel London Agost. 18. 1747 ♂
[Dienstag] Agost 19. ☿ [Mittwoch] 1747 völlig geendiget."

30. Oktober 1747
The General Advertiser

Whereas a Subscription is begun for an Italian Op-
era this Season, at the King's Theatre in the Hay-
Market, which will open November the 14th,
Gentlemen and Ladies who please to subscribe,
are desir'd to send to the Opera-Office of the said
Theatre. Where Attention will be given to take in
Subscriptions.

13. November 1747
The General Advertiser

Yesterday was Rehears'd, at the King's Theatre in the Haymarket, the Opera of Lucius Verus: This Drama Consists of Airs, borrow'd entirely from Mr. Handel's favourite Operas: and so may (probably) be justly styl'd the most exquisite Composition of Harmony, ever offer'd to the Publick. The Lovers of Musick among us, whose Ears have been charm'd with Farinello, Faustina, Senesino, Cuzzoni, and other great Performers will now have an Opportunity of Reviving their former Delight; which, if not so transporting as then, may yet prove a very high Entertainment. Mr. Handel is acknowledged (universally) so great a Master of the Lyre; that nothing urg'd in Favour of his Capital Performances, can reasonably be considered as a Puff.
(Rockstro, 324)

– Die Haymarket-Oper wurde noch von Lord Middlesex und seinen Freunden geleitet.

14. November 1747
The General Advertiser

At the King's Theatre in the Hay-Market, this Day, will be perform'd an Opera, call'd Lucius Verus. ... To begin exactly at Six.
(Burney, II, 847f.; Schoelcher 1857, 307)
Wiederholungen: jeden Sonnabend bis zum 26. Dezember 1747, 2. und 9. Januar und 19. März 1748.
Besetzung:
Lucio Vero – Signora Pirker, Sopran
Berenice – Signora Casarini, Sopran
Lucilla – Giulia Frasi, Sopran
Vologeso – Caterina Galli, Mezzosopran
Flavio – Sibilla, Sopran
Aniceto – Signor Ciacchi, Tenor (?)

– 1748 sang Signora Frasi den Part des Vologeso. Sybilla [Sibilla], geb. Gronemann, war die Tochter eines deutschen Pfarrers; sie heiratete um 1745 den Geiger Thomas Pinto und starb um 1766. *Lucio Vero, Imperatore di Roma* war ein Pasticcio mit Arien aus Händels Opern *Siroe, Tamerlano, Serse, Rodelinda, Lotario, Giulio Cesare* und *Poro*; der Text war Apostolo Zenos seit 1700 wiederholt vertontes Libretto, das 1727 für Attilio Ariostis am Haymarket Theatre aufgeführte Oper (vgl. 7. Januar 1727) sowie 1733 für ein Pasticcio aus Werken von Händel und anderen Komponisten verwendet worden war.
Händel hatte weder mit dem Pasticcio und seiner Aufführung noch mit der Veröffentlichung der „Favourite Songs" etwas zu tun, die bei Walsh in zwei Ausgaben im Druck erschienen: am 24. November 1747 *The Favourite Songs in the Opera Call'd Lucius Verus The Musick by Mͬ Handel*, am 1. Dezember 1747 *A 2ͩ Set of the Favourite Songs in the Opera Call'd Lucius Verus.*
Es ist bezeichnend für Walshs verlegerische Gepflogenheiten, daß er diese beiden Ausgaben von den Stichplatten seiner Ausgaben der genannten Opern Händels drucken ließ, aus denen die Musik für das Pasticcio kompiliert worden war. Die Ausgaben zeigen drei verschiedene Seitenzählungen, da ein Teil der Stichplatten inzwischen auch für Walshs Ausgaben von *Apollo's Feast* verwendet worden war; auf der ersten Seite eines jeden Stükkes stehen nun außer dem Namen der ursprünglichen Sänger der Titel des Pasticcios und der Name des Sängers in dessen Aufführung (nur Ciacchi wird nicht genannt).
(Smith 1954, 290; Smith 1960, 38f.)

1. Dezember 1747
The General Advertiser

This Day is publish'd ... A Second Set of favourite Bass Songs for a Voice or two Violoncellos, collected from the late Oratorios. Compos'd by Mr. Handel. Printed for J. Walsh.

– Die 14 Nummern der Sammlung sind dem *Occasional Oratorio, Belshazzar, Hercules, Joseph, Semele, Deborah* und *L'Allegro* entnommen.
(Smith 1960, 168f.)

5. Dezember 1747 (I)
The General Advertiser

Several Airs in the Opera of Lucius Verus, now performing at the King's Theatre ... will be chang'd for others; all compos'd by Mr. Handel.

5. Dezember 1747 (II)
The Dublin Journal

On Thursday last [3. Dezember] Mr. Handel's Great Te Deum, Jubilate, and Anthems, were performed at St. Andrew's Church, for the Benefit of Mercer's Hospital.

– Der „Cathedral Service", der zuvor in der St. Michan's Church gehalten worden war, war also wieder in die St. Andrew's Church zurückverlegt worden.

1747 (I)
Die Musical Society in der Castle Tavern in der Paternoster Row führte 1747 Händels *Acis and Galatea* auf.
(Smith 1948, 236)

– Nur durch das für John Watts gedruckte Textbuch belegt. Die Castle Society führte *Acis and Galatea* auch 1755 auf.

1747 (II)
Händel subskribiert auf die *Eight Setts of Lessons for*

the Harpsichord von James Nares, die 1747 von John Johnson verlegt werden.

1747 (III)
An Account of All the Plays printed in the English Language ... to the Year 1747, London 1747

Mr. Hill's Dramatic Pieces are, ...
Rinaldo; an Opera, after the Italian Manner, performed at the Queen's Theatre in the Hay-market, in the Year 1714, of which Theatre Mr. Hill, was, for that Year, Master himself, having farmed it of Mr. Collier.
The Music was set by Mr. Handel, who then made his first Appearance in England, and accompanied the voices himself on the Harpsichord in the Orchestre, and performed his Part in the Overture, wherein his Execution seemed as astonishing as his Genius in the Composition.   [S. 248]

– Die Übersicht wurde als Anhang zu Thomas Whincops Tragödie *Scanderbeg* gedruckt. Händels *Rinaldo* ist irrtümlich auf 1714 statt 1711 datiert. Vgl. 3. Mai 1711

1747 (IV)
Lorenz Christoph Mizler, Musikalische Bibliothek, Leipzig 1747

Doch muß man bey der Probe der Abkürzung derer Sylben, wie sie in der italienischen Poesie gebräuchlich ist, ebenfalls kundig seyn, dieweil die meisten Texte nach italienischen Arien gemacht sind. Wem dieses alles nicht geläufig ist, kann nicht anders als ein übeles Urtheil davon fällen, ich wünschete aber, daß ich ihn von dem Nutzen und der Möglichkeit dieser Arbeit durch meinen geringen Vorrath überzeugen könnte. Er würde daselbst unter andern zween vollständige* Kirchenjahrgänge sehen, einen zu zwo Stimmen und einem dazugehenden Instrumente nebst dem Basse, den andern aber nur zu einer Singstimme und Basse ohne Instrumenten, welche für meinen sonntäglichen Gebrauch auf dem Lande verfertiget; ja ich würde nebst diesem ihm verschiedene bekannte und berühmte Duetten von großen Meistern mit biblischen Sprüchen unterleget, zeigen können, worinnen nichts in der Musik geändert, und denen Worten keine Sylbe weder zugesetzt noch abgenommen worden, das sich doch alles ungezwungen schicken müssen, wie viele Sprüche aber, bis einer gelungen, probirt worden, das wäre eine andere Frage.

* Hierunter ist derjenige, dessen Texte im 1726 Jahre auf Herzogl. Braunschweigischen Befehl in 8. gedruckt worden, nicht mit begriffen, als welcher, wie leichte zu denken, keine Parodien gewesen. Was aber hier von händelischen Duetten erwähnet ist, kann insonderheit an dem vielleicht überall bekannten nahmhaft gemacht werden, dessen italienische Worte folgende sind: troppo cruda, troppo fiera è la legge &c. vornehmlich aber an dem darinn befindlichen Andante: a chi spera &c. worunter die Worte des 38ten Psalms v. 10. Herr, vor dir ist alle meine Begierde, und mein Seufzen ist dir nicht verborgen etc. ohne einige Verdrehung, wie nicht weniger ohne Veränderung derer Noten, obengemeldeter Melodie unterleget worden. Imgleichen ist das bekannte händelische Duetto: Va speme infida pur &c. auf gleiche Art mit denen Worten Sprw. 3. v. 13. vereinbaret worden: Wohl dem Menschen, der Weisheit findet, und dem Menschen, der Verstand hat, denn es ist besser um sie handthieren, weder um Silber und Gold etc. und andere dergleichen mehr.
[S. 379 f.]

(„Johann Friedrich von Uffenbach, von der Würde derer Singgedichte, oder Vertheidigung der Opern.")

Zu Ende dieses Capitels erwähnet der Herr Verfasser [Mattheson] noch die größten Meister, auf der Orgel. Die zwey größten in der Welt sind ohne allem Streit Händel in Engelland, u. Bach in Leipzig, welchen keiner beykommt, er müßte denn ein Schüler Herr Händels, Nahmens Babel seyn, von dem man sagt, daß er seinen Meister überträfe.   [S. 531]

Der Herr Verfasser redet ferner seinem Endzwecke gemäß kurz u. gut vom Kirchen-Theatralu. Kammerstyl, u. lobt die in Engelland eingeführte Gewohnheit, daß man in der Musik Baccalaureos, Magistros u. Doctores macht, welche Ehre dem Pepusch u. dem Fürsten der Componisten, dem treflichen Händel wiederfahren ist. Was Herr Händel anlangt, so muß ich Herr Bellermannen widersprechen, weil ich es besser weiß. Es schreibt dieser vortrefliche Mann in der Tonkunst, aus welchem man so wohl sechs Doctores der Musik machen könnte, in einem Briefe vom 25. May 1744. folgende Worte an mich: Ich habe das Doctorat wegen überhäufter Geschäfte nicht annehmen können oder wollen.   [S. 567 f.]

Unter den Franzosen sind berühmt Lully, Tourcroix, Noyers, Petit, Mouton, Gallat, Gautier, St. Luc, Joh. Baptist. Besard, nebst andern. In Engelland stehen in gutem Rufe, Butler, Doulcond, Morley, Bacon, Bridlington u. andere, der Fürst aber aller heutigen Componisten in Engelland ist Händel, von Geburt ein Deutscher. Unter den Deutschen sind die berühmtesten Mattheson, Reinh. Kaiser, Telemann, Bach, Hasse, die beyden Graune, die beyden Weise, Baron, Stölzel, Bümler, Pfeifer, nebst gar vielen andern, die der Herr Rector zum Theil genennet, zum Theil aber, u. zwar die meisten, ausgelassen.   [S. 571]
(Bach-Dok., II, 445 f.)

Aus Mizlers Besprechungen von Matthesons *Voll-kommenem Capellmeister* (25. Hauptstück: „Von der Spielkunst") und Bellermanns *Programma in quo Parnassus Musarum*.
Vgl. 1739, 1743 und 25. Mai 1744

1747 (V)
Georg Andreas Sorge, Vorgemach der musicali-schen Composition, Lobenstein 1747

Dieses aber will ich anrathen: Daß man in der lincken Hand nebst dem Basse (wenn man sol-chen dem Pedal nicht allein überlassen kan) eine Mittelstimme führen lerne. Zu dem Ende will die-jenigen Hand-Sachen angepriesen haben, in wel-chen die lincke Hand 2. Stimmen führen muß, wie uns hierinnen der berühmte J. S. Bach, wie auch dessen Herr Sohn C. Ph. E. B, Froberger, Hendel, Kuhnau, Mattheson, Walther in Weymar etc. gute Muster hinterlassen haben.   [S. 404]

In dieser überaus nützlichen Spiel-Art geübter zu werden, so nehme man gute Hand-Sachen vor sich die von guten Meistern gesetzt sind, und in wel-chen die lincke Hand mehr als den blosen Baß zu spielen hat, als etwa Kuhnauens, Hendels, J. S. Bachs, Walthers etc. und von den Neuern meine 24. grosse Praeludia, des jüngern Bachs in Berlin, Nichelmanns, Krebsens, Tischers etc. Clavier-Sa-chen vor sich, ziehe einen General-Baß heraus, und sehe mit Fleiß zu, wie die lincke Hand bey diesem oder jenem Gange sich verhält, denn da findet man Sätze, da viele Nonen, Septimen, ge-bundene Quinten, Quarten, Secunden etc. hinter einander hergehen.   [S. 416]

Unser Vorgemach wolte zu weitläufftig werden, wenn wir uns in diese Materie einlassen wolten. Sie gehöret auch nicht ins Vorgemach, sondern vielmehr in das Auditorium musicum. Diese herr-liche Sache wird auch mehr durch gute Muster als durch Regeln erlernet, deren wir denn in Kuhnau-ens, Bachs, Hendels, Matthesons, Walthers und verschiedener andern wackerer Künstler-Arbeit zur Gnüge finden, worauf ich mich beruffe,...
(Bach-Dok., II, 440 f.)   [S. 425]

– Sorge (1703–1778) war seit 1721 Hof- und Stadtorganist in Lobenstein; Mitglied der Mizler-schen Sozietät. Die Dedikation seines Buches ist auf den 30. November 1747 datiert.

1747 (?)
Letter on the Power of Musick

... Timotheus could move Alexander's Passion as he pleas'd, and drive him into the greatest Fury; but upon the Alteration of a Note could moderate it, and bring him to himself again. I am very glad, Mr. Spectator, for the Honour of my Country, that I have Occasion here to mention Mr. Dryden's Ode upon that Subject, which I look upon to be the finest that ever was written in any Language; and Mr. Handell's Composition has done Justice to the Poetry. I defy any one, who is attentive to the Performance of it, to fortify himself so well, as not to be mov'd with the same Passions, with which the Hero is transported.
(Myers 1947, 409; Myers 1956, 35 f.)

– Der anonyme, im *Universal Spectator* mit der Un-terschrift „Phil-Harmonicus" abgedruckte Brief, dessen zitierter Abschnitt sich auf *Alexander's Feast* (vgl. 17. Januar und 19. Februar 1736) be-zieht, kann nicht genau datiert werden. Er ist erst-malig enthalten in der zweiten Ausgabe (1747) der in Buchform veröffentlichten „selected Es-says" aus dem *Universal Spectator* (IV, 183). Wann er ursprünglich in dem Magazin abgedruckt wor-den war, das bis Februar 1747 erschien, ist nicht bekannt.

1748

14. Januar 1748

Während eines Benefizkonzertes für den Sänger, Cembalisten und Komponisten Putti in der Music Hall in der Fishamble Street in Dublin wird auch eine Ouvertüre von Händel gespielt (*The Dublin Journal*, 12. Januar 1748).

26. Januar 1748
The Dublin Journal

Last Thursday [21. Januar] Il Allegro, Il Penseroso, written by Mr. Milton, and set to Musick by Mr. Handell, was performed at the Musick-Hall in Fishamble-street, to a very numerous and polite Audience, for the Benefit of the Hospital for Incurables.
The Governors of the Lying-in-Hospital in George's-lane give Notice, that they have fixed on the 11th Day of February next, for the Perform-ance of Mr. Handel's last and grand Oratorio called Judas Maccabaeus, for the Support of the said Hospital.

2. Februar 1748
The Dublin Journal

We are informed that the Oratorio called Samson, which is to be performed on Thursday next [4. Februar] at the Great Room in Fishamble-street, is the Masterpiece of that great Man Mr. Handel; and as it is the first Time of its being performed in Ireland, will be honour'd by great Numbers of the first Rank, and all true Lovers of Musick.

13. Februar 1748
The Dublin Journal

Last Thursday [11. Februar) Evening the celebrated Oratorio of Judas Maccabaeus ... was performed to a most grand and polite Audience ...
under the Conduct of Mr. Dubourg, to the entire
Satisfaction of all the Company.
(Flood 1912/13, 54)
Vgl. 26. Januar 1748

– Das Textbuch für diese Benefizaufführung zu-
gunsten der Entbindungsanstalt in der George's
Lane wurde von James Hoey gedruckt (British Li-
brary: 841. d. 20).
Am 26. Januar wurde Händels Freund Matthew
Dubourg im *Dublin Journal* „Chief Composer and
Master of the Music attending his Majesty's State
in Ireland" genannt.

20. Februar 1748
The General Advertiser

At the King's Theatre in the Hay-Market, this
Day, will be perform'd an Opera, call'd Roxana.
Compos'd by Mr. Handel. ... To begin at Six
o'Clock.

– Wie 1743 und 1744 wird Händels Oper *Alessandro* wieder mit dem Titel *Rossane (Roxana)* aufgeführt, doch ohne Beteiligung Händels.
Wiederholungen: 27. Februar, 8. und 12. März
1748.
Vgl. 15. November 1743 und 6. März 1744

23. Februar 1748
The Dublin Journal

By particular Desire of several Persons of Quality
and Distinction. For the Benefit of Mr. Bar. Manwaring.
At the great Musick-Hall in Fishamble-street, this
Evening ... will be performed Mr. Handell's most
celebrated Masque of Acis and Galatea. Made for
the Entertainment, and at the Request of the
Duke of Chandos. With all the proper Chorus's,
Recitatives, &c. and performed by the best Voices
in the Kingdom. ... Printed Books of this Entertainment will be delivered the above Night gratis.
Vgl. 22. November 1748
Vgl. 11. Mai 1742 (II)

26. Februar 1748
The General Advertiser

At the Theatre-Royal in Covent-Garden, this
Day ... will be perform'd an Oratorio, call'd Judas
Maccabaeus. With a Concerto. ... To begin at Half
an Hour after Six o'Clock.
(Schoelcher 1857, 305)

– Die Aufführung leitete eine neue Oratoriensaison in der Fastenzeit ein.
Wiederholungen: 2. und 4. März und, „With Additions", 1., 4. und 7. April 1748.
In derselben Zeitung zeigten Walsh nochmals
seine Partitur des Oratoriums an (vgl. 30. April
1747/II) und Watts das Textbuch (vgl. 2. April
1747).

27. Februar 1748
Händel zahlt 300 £ auf sein Konto ein.

1. März 1748
John Walsh kündigt im *General Advertiser* „The
Opera of Roxana or Alexander in India Compos'd
by M[r]. Handel. London Printed for & Sold by
J: Walsh" an.
Vgl. 8. und 15. November 1743

– *The Favourite Songs in Roxana or Alexander in India* hatte Walsh (zusammen mit einer Arie aus *Admeto* und zwei Arien aus *Siroe*) am 22. Februar
1744 veröffentlicht.
(Smith 1960, 14)

3. März 1748
Händel zahlt 200 £ auf sein Konto ein.

5. März 1748
Händel zahlt 100 £ auf sein Konto ein.

8. März 1748
The General Advertiser

For the Benefit of Signora Galli.
At the King's Theatre in the Hay-Market, this
Day ... will be perform'd an Opera, call'd Roxana.
Compos'd by Mr. Handel.
Signora Galli will sing the Part of Alexander, with
all the Original Songs of Signor Senesino.
Wiederholung: 12. März 1748.

– Die Partie des Alessandro sang bei der ersten
Aufführung von *Rossane* (vgl. 15. November 1743)
Angelo Maria Monticelli, Senesino in den Aufführungen der Oper *Alessandro* 1726 und 1732 (vgl.
5. Mai 1726 und 25. November 1732).

9. März 1748
The General Advertiser

At the Theatre-Royal in Covent-Garden, this Day,
will be perform'd a New Oratorio, call'd Joshua.
And a New Concerto. ... To begin at Half an Hour
after Six o'Clock.
(Schoelcher 1857, 305)
Wiederholungen: 11., 16. und 18. März 1748.

– Das Libretto verfaßte Thomas Morell; das Textbuch verlegten Jacob und Richard Tonson und
Somerset Draper.

Besetzung:
Joshua – Thomas Lowe, Tenor
Caleb – Thomas Reinhold, Baß
Othniel – Caterina Galli, Mezzosopran
Achsah – Domenica Casarini, Sopran
Engel – ? (Tenor)
Die Sängerinnen waren wieder von der Haymarket-Oper (vgl. 1. April 1747).

10. März 1748

Händel zahlt 250 £ auf sein Konto ein.

13. März 1748
Minute Book des Board of Ordnance

That when Mr. Handel sends to the Tower for the Train (of Artillery) Kettle Drums, they must be delivered to his Order, and his Indent taken to return them.
(Public Record Office: W. O. 47/34. Farmer 1950 II, 90)

– Händel entlieh die Pauken vermutlich für seine Aufführungen von *Joshua* (9. März – ?), *Alexander Balus* (23. März) und *Judas Maccabaeus* (1. April). Vgl. 11. Januar 1739

15. März 1748 (I)
Händel an Mrs. Francis Brerewood

Madame
I gave order that you and Mr Brerewood should be free of the House in my oratorios all this season. I am glad of this Opportunity to shew you the true Esteem and Regard with which I am
Madam   .
Your very humble Servant
G. F. Handel
March. 15. 1748.
(Vormals Sammlung Dr. Edward Brooks Keffer, Philadelphia. Coopersmith 1943, 64)

– Francis Brerewood gehörte zu den Subskribenten der Partitur von *Alessandro* (vgl. 6. August 1726). Er war ein Sohn von Thomas Brerewood aus Harton. Die Familie Brerewood stammte aus Chester; ein anderer Francis war um 1710 Schatzmeister des Londoner Christ Hospital.

15. März 1748 (II)

Händel zahlt 140 £ auf sein Konto ein.

19. März 1748

Händel hebt 990 £ von seinem Konto ab.

21. März 1748

Im Covent Garden Theatre werden Shakespeares *The Merry Wives of Windsor* mit Colley Cibbers „Masque of Music in two Interludes" *Venus and Adonis* zum Benefiz für John Beard aufgeführt.

– Die Ankündigung der Aufführung im *General Advertiser* enthält den Hinweis „the Stage (for the better Accommodation of the Ladies) will be form'd into an Amphitheatre, illuminated, and enclos'd, as at an Oratorio".

23. März 1748
The General Advertiser

At the Theatre-Royal in Covent-Garden, this Day, will be perform'd a New Oratorio, call'd Alexander Balus. And a new Concerto. ... To begin at Half an Hour after Six o'Clock.
Besetzung:
Alexander Balus – Caterina Galli, Mezzosopran
Ptolomy – Thomas Reinhold, Baß
Jonathan – Thomas Lowe, Tenor
Cleopatra – Signora Casarini, Sopran
Aspasia – Signora Sibilla, Sopran

– Zwei Sängerinnen waren wieder von der Haymarket-Oper engagiert worden. Die Namen der Sänger werden auch in Walshs Ausgabe genannt (vgl. 19. April 1748).
Wiederholungen: 25. und 30. März 1748 (Wiederaufführungen im März 1754).
Das Oratorium schließt inhaltlich an den Stoff des *Judas Maccabaeus* an. Autor des Textes war wieder Thomas Morell, der das von John Watts und Benjamin Dod vertriebene Textbuch William Freeman widmete, dessen „particular Affection for Music, and true Taste of Harmony" er besonders rühmt.

In einem um 1770 geschriebenen Brief an einen unbekannten Empfänger schreibt Morell:
The next year he desired another and I gave him Alexander Balus, which follows the history of the foregoing in the Maccabees. In the first part there is a very pleasing Air, accompanied with the harp, Hark, Hark he strikes the Golden Lyre. In the 2d, two charming duets, O what pleasure past expressing, and Hail, wedded Love, mysterious Law. The 3d begins with an incomparable Air, in the affettuoso style, intermixed with the chorus Recitative that follows it. And as to the last Air, I cannot help telling you, that, when Mr Handell first read it, he cried out "D–n your Iambics". "Dont put yourself in a passion, they are easily Trochees." "Trochees, what are Trochees?" "Why, the very reverse of Iambics, by leaving out a syllable in every line, as instead of
Convey me to some peaceful shore,
Lead me to some peaceful shore."
"That is what I want." "I will step into the parlour, and alter them immediately." I went down and returned with them altered in about 3 minutes; when he would have them as they were, and set them most delightfully accompanied with only a quaver, and a rest of 3 quavers.

Freeman war einer der treuesten Subskribenten
von Händels Partituren; sein Name erscheint in
den Subskribentenlisten aller zehn Ausgaben, die
Walsh 1725–1740 auf Subskription veröffentlichte. Seine Familie wohnte seit etwa 1740 in Hamels bei Braughing in Hertfordshire.
Vgl. 30. September 1749

26. März 1748
Händel zahlt 300 £ auf sein Konto ein.

28. März 1748
Während einer Aufführung von Ben Jonsons Komödie *The Silent Woman* im Covent Garden Theatre als Benefizvorstellung für Colley Cibber singen
nach dem zweiten Akt Mrs. Storer „'Tis Liberty"
und Miss Falkner „Smiling Liberty" („Come, ever
smiling Liberty") aus *Judas Maccabaeus.*

– „Miss Falkner" ist wahrscheinlich nicht mit der
Sopranistin Faulkner identisch, die 1750 und 1751
in Händels Oratorien sang.

31. März 1748 (I)
Händel zahlt 100 £ auf sein Konto ein.

31. März 1748 (II)
In einer Pause während der Benefizvorstellung
von George Farquhars Komödie *The Recruiting Officer* für Richard Leveridge im Covent Garden
Theatre singt Miss Falkner die Arie „Liberty"
(„Come, ever smiling Liberty" aus *Judas Maccabaeus).*

2. April 1748
John Walsh kündigt im *General Advertiser* „Joshua:
An Oratorio in Score. Composed by Mr. Handel"
an.

– Am 7. April ergänzt Walsh die Anzeige durch
den Zusatz „With His Majesty's Royal Licence". In
der Partitur sind das Privileg vom 31. Oktober
1739 sowie *A Catalogue of Vocal and Instrumental
Musick, Printed for and Sold by J. Walsh* abgedruckt.
(Smith 1960, 112)

5. April 1748 (I)
The General Advertiser

For the Benefit and Increase of a Fund establish'd
for the Support of Decay'd Musicians or their
Families.
At the King's Theatre in the Hay-Market, this
Day … will be perform'd an Entertainment of Vo-
cal and Instrumental Musick.
…
Second Part.
…
Heart, thou Seat of soft Delight, in Acis and Gala-
tea, by Signora Frasi.
…

Third Part.
…
The Prince unable to conceal his Pain, in Alexan-
der's Feast, by Sig. Frasi.
Come, ever smiling Liberty, in Judas Maccabeus,
by Signora Casarini.
…
A Grand Concerto of Mr. Handel's.
…
To begin exactly at Six o'Clock.

5. April 1748 (II)
Händel zahlt 200 £ auf sein Konto ein.

7. April 1748
Händels Oratoriensaison während der Fastenzeit
endet mit einer Aufführung von *Judas Maccabaeus.*

8. April 1748
The General Advertiser

The Morning Concert.
Sig. Pasquali's Bath Lyrick-Ode, will be perform'd
on Wednesday Morning, April 27,
At Hickford's Room in Brewer Street,
With the other following Songs, &c. sung by Si-
gnora Galli.
1. He was despised, in the Messiah, by Mr. Han-
del. … 5. Powerful Guardians, &c. in Alexander
Balus.
To begin at 12 o'Clock in the Morning.
The Ladies are desired to come in their Capu-
chins. The Words of the Ode, and of the other
Songs will be printed together, and deliver'd in
the Room.

– Nicolò Pasquali lebte 1748–1751 in Edinburgh.

13. April 1748
Während einer Aufführung von Charles Shadwells
Komödie *The Fair Quaker of Deal* im Covent Garden Theatre zum Benefiz für Mr. und Mrs. Dun-
stall, Mrs. Lampe und Miss Young singt
Mrs. Lampe nach dem vierten Akt „Myself I shall
adore" aus *Semele.*

– Isabella Lampe war eine Schwester von Esther
Young und Cecilia Arne, geb. Young.

15. April 1748
Bei einer Aufführung der Komödie *The Wonder*
von Susannah Centlivre im Covent Garden Theatre zum Benefiz für Mrs. Storer singt diese in einer
Pause „The Smiling Hours, a Song of Mr. Handel's" aus *Hercules.*

19. April 1748
The General Advertiser

New Musick.
This Day is Publish'd, ... (With His Majesty's Licence,) Songs in the Oratorio of Alexander Balus.
In which is contain'd Powerful Guardians. The Remainder of the Oratorio will be publish'd next
week.
Printed for J. Walsh.

– Die Auswahl zeigt auf der Titelseite die Datie-
rung „April 19th 1748". Vielleicht kopierte der
Stecher irrtümlich einen zu persönlichem Ge-
brauch bestimmten Vermerk von Walsh, dessen
Ausgaben sonst nicht datiert sind.
Die Arie „Powerful guardians" wurde sehr popu-
lär (vgl. 8. April).
Vgl. 5. Mai 1748 (I)

20. April 1748
Während einer Aufführung der Tragödie *Oroonoko*
von Thomas Southerne im Covent Garden Theatre zum Benefiz für Mr. Lalanze singt Mrs. Storer
in den Pausen „Consider fond Shepherd" aus *Acis
and Galatea* und „'Tis Liberty alone" aus *Judas Maccabaeus*.

21. April 1748
In einer Pause der Aufführung von John Vanbrughs Komödie *The Pilgrim* im Covent Garden
Theatre zum Benefiz für Mr. James, Mr. Stoppelaer
und Mrs. Bland singt Miss Falkner die Arien
„Come ever smiling Liberty" und „'Tis Liberty"
aus *Judas Maccabaeus*.

– Stoppelaer ist vermutlich der Tenor, der 1735
(und 1736?) sowie 1739 für Händel sang.

27. April 1748
Bei einer Aufführung von *Hamlet* im Covent Garden Theatre zum Benefiz für Mr. Marten und den
Schatzmeister Mr. White singt Miss Falkner in
einer Pause dieselben zwei Arien aus *Judas Maccabaeus* wie am 21. April.

– Im Covent Garden Theatre wurden im März
und April nicht nur für die wichtigsten Schauspieler, sondern auch für leitende Angestellte des
Hauses Benefizvorstellungen gegeben.

28. April 1748
Lady Luxborough an William Shenstone

Barrels, 28 April 1748.
Our friend Outing ... went ... to the Oratorio of
Judas Maccabaeus, where he was highly entertained; and he speaks with such ecstasy of the music, as I confess I cannot conceive any one can feel
who understands no more of music than myself;
which I take to be his case. But I suppose he sets

his judgment true to that of the multitude; for if
his ear is not nice enough to distinguish the harmony, it serves to hear what the multitude say of
it.
(Luxborough, 20; Streatfeild 1909, 194f.)

– Lady Henrietta, die Freundin des Dichters
Shenstone, war mit Robert Knight aus Barrels verheiratet, der seit 1746 als Baron Luxborough dem
irischen Adel angehörte. Outing war Luxboroughs
Verwalter.

2. Mai 1748
Händel hebt 600 £ von seinem Konto ab.

5. Mai 1748 (I)
The General Advertiser

New Musick.
This Day is Publish'd, Price 10s. 6d. Alexander Balus, an Oratorio in Score. Compos'd by Mr. Handel. Those Gentlemen, &c. who have the first Part
of the above Oratorio, may have the second and
third Act separate to compleat it. Price 6s. 6d.
Printed for J. Walsh.
(Smith 1960, 89)
Vgl. 19. April 1748

5. Mai 1748 (II)
Händel beginnt das Oratorium *Solomon*.
Eintrag in der autographen Partitur (R.M. 20.h.4.):
„angefangen den 5 Mai ♃ [Donnerstag] 1748."
Vgl. 13. Juni 1748

6. Mai 1748
Händel verkauft für 3000 £ dreiprozentige Annuitäten und zeichnet 4500 £ vierprozentige Annuitäten.
Vgl. 10. April 1744 und 22. Januar 1749

23. Mai 1748
The General Advertiser

Cupers-Gardens.
Is Open'd for the Season, with a good Band of Vocal and Instrumental Musick. Which will be Divided every Evening into two Acts. The Vocal by
Signora Sibilla. In the first set this Evening, She
sings Powerful Guardians in Alexander Balus,
Mr. Handel ... in the second Act May Balmy Peace,
Occasional Oratorio, Mr. Handel. ... To conclude
with the Fireworks ... the Company ... own they
never saw any Thing in Fireworks so beautiful picturesque.
(Musical Times, 1. Februar 1894, 88, datiert auf
1743 statt 1748)

– Die Haymarket-Oper hatte am 14. Mai ihre Saison beendet.
Vgl. 4. Juli 1741, 4. September 1749 und 14. November 1747

13. Juni 1748
Händel beendet das Oratorium *Solomon*.
Einträge in der autographen Partitur (R. M.
20. h. 4.): „Fine della parte prima May 23. ☽ [Montag] 1748. völlig 26 may ♃ [Donnerstag] 1748";
„S. D. G. G. F. Handel. Juin 13. ☽ 1748. aetatis 62.
völlig geendiget" (nach Beschneiden der Handschrift nicht mehr vollständig erhalten)

[Juni] 1748
Rechnungen des Covent Garden Theatre

Reced by D° M͏ʳ Handel for 10 Oratorio's

£ 111.2.8

Rent £ 200

(British Library: Eg. MS. 2 269. Wyndham, I, 60)
Vgl. Juni 1747

– Händel veranstaltete in der Fastensaison
13 Oratorienaufführungen, zehn bereits bis April.
Die Rechnung kann schon vor Juni ausgestellt
oder die Miete mit einer Pauschalsumme im Juni
bezahlt worden sein.

9. Juli 1748
Während des Oxford Act wird der neue Konzertsaal in Holywell mit einer Aufführung von *Esther*
eröffnet.
(Mee, 8)

– Das einzige bekannte Exemplar des für diese
Aufführung gedruckten Textbuches ist in der Yale
University.

11. Juli–24. August 1748
Händel komponiert das Oratorium *Susanna*.
Einträge in der autographen Partitur (R. M.
20. f. 8.): „angefangen den 11 July ☽ [Montag]
17[48]"; „Fine della parte prima geendiget July 21
♃ [Donnerstag] 1748"; „fine della parte 2ᵈᵃ völlig
Agost 21"; „S. D. G. Fine dell'Atto 3ᶻᵒ G. F. Handel.
Agost 9. ♂ [Dienstag] 1748. aetatis 63. völlig geendiget Agost 24 ☿ [Mittwoch] 1748."

1. August 1748
Benjamin Martyn an Anthony Ashley Cooper,
4. Earl of Shaftesbury

Exton, August 1st, 1748.
... Last Friday evening a little before sun-set we
were all summonned to a Grove in the Garden
which for a fortnight before had been forbidden
ground to Lady Bath, Mrs. Noel and myself.
After a little winding walk in it we found ourselves in the midst of a Theatre at one end of
which was a Box with four rows of benches raised
above one another and 20 feet in front. The intermediate space between that and the stage was
bounded on the sides by high trees. The Orchestra
was full and opened with an Overture of Handel's
after which Comus was presented, not as it is
acted upon the Stage but with a little variation
from the original: two or three songs of Arne's
were in it which were well sung by one Mr. Randall (Organist of King's College) in the Character
of a Bacchanal.
Lord Gainsborough was Comus and spoke his part
excellently as did Mr. Noel in the Charades as the
Elder Brother and Lady Betty in the Lady's part.
Lady Jenny was Sabrina and Lady July one of the
Spirits and they and Lord Gainsborough sang the
three songs made by Mr. Handel for this entertainment with the Chorus at the end of each of them.
Lord Campden was a little Bacchanal and a pretty
figure in it.
There could not be a more lucky choice of a
proper place for the Representation, it being so sequestred and answering so well Milton's description of it; and I do not think one can see it afterwards with any pleasure in the Playhouse.
But I must not forget one circumstance which was
extremely well contrived and the most pleasing to
the sight and imagination: When Comus bad the
Revels begin, the Back Scene was drawn up and
behind it was another space of the same bigness as
that where the Box and Theatre were, with a high
tree in the middle and surrounded by high ones
which were filled with lights in the most agreeable
manner; so that the stage filled with Actors who
lin'd the side scenes (which are prettily painted) a
Row of Lemon Trees with large fruit tied on the
boughs, just behind the Stage, and the illuminated
Grove beyond it made the most Romantick Fairy
Scene imaginable.
O'Saturday morning was performed the Oratorio
of Deborah and in the evening Comus again – after which we came into supper and then returned
to the Garden, which was illuminated all round in
a very pretty manner under the Direction of
Mr. Noel, and Fire-works played off for above two
hours from every part of the Garden. Between one
and two we left the Garden and (which may perhaps surprise Ladies Shaftesbury and your Lordship) without one person's catching a cold.
(Archiv des Earl of Shaftesbury, St. Giles House,
Dorset. Matthews 1959, 266 f.)
Vgl. 23. Juni 1745

– James Noel war der Bruder von Lord Gainsborough und von Susan, Countess of Shaftesbury.
Lord Campden war Gainsboroughs ältester Sohn,
Ladies Elizabeth, Jane und Juliana waren seine
Töchter.

14. und 15. September 1748
Während des Three Choirs Meeting werden in
Gloucester am ersten Vormittag Händels *Dettingen
Te Deum* und *Utrecht Jubilate*, am zweiten Vormittag eines der Coronation Anthems in der Kathedrale aufgeführt, an den Abenden „Several grand

pieces by Mr. Handel, particularly the Oratorio, Samson" in der Boothall *(Gloucester Journal)*. (Lysons/Amott, 22)

– Die gleiche Zeitung vermerkt: „The date of the Festival was altered to avoid clashing with Burford Races."

7. Oktober 1748 (*18. Oktober 1748*)
Der Friede von Aachen beendet den österreichischen Erbfolgekrieg.

16. Oktober 1748
Lady Luxborough an William Shenstone

Barrels, Sunday, October 16th 1748.
The great Handel has told me that the hints of his very best songs have several of them been owing to the sounds in his ears of cries in the street.
(Luxborough, 58; Chrysander, III, 189)

– Der autographe Sammelband MS 263 (30. H. 13) im Fitzwilliam Museum, Cambridge, enthält Händels Niederschrift eines solchen Londoner Straßenrufes, „buoy any matches, my matches buoy", mit folgender Anmerkung: „John Shaw, near a brandy shop St. Giles's in Tyburn Road, sells matches about" (Mann 1893, 217).
Young (1947, 138) spricht in diesem Zusammenhang von Elviros „flower-selling song" in *Serse*. (Die Figur des komischen Ausrufers begegnet auch schon in älteren Hamburger Opern; Wolff 1957 I, 171.)

19. und 20. Oktober 1748
In Salisbury werden anläßlich des Festes der hl. Cäcilia *Alexander's Feast* und *Acis and Galatea* aufgeführt.
(Husk, 96)

5. November 1748
The Dublin Journal

Philharmonic Room, Fishamble-street.
For the Support of Incurables, on Thursday next, being the 10th Inst. November, will be performed Alexander's Feast, in which Miss Oldmixon (being requested) will perform.
On Friday next, at the Musick-hall in Fishamble-street, will be performed the celebrated Oratorio of Ester, composed by Mr. Handel. Mrs. Arne being recovered from her late Illness will certainly perform in the above Oratorio.
For the Benefit of Miss Oldmixon, at the Philharmonick Room in Fishamble-street, on Thursday the 17th of this Inst. November, will be performed Mr. Handel's celebrated Oratorio of Samson. The Whole will be conducted by Mr. Dubourg. Tickets… at an English Crown each. To begin at 7 o'Clock.

– Die drei Anzeigen folgten in der gleichen Ausgabe der Zeitung unmittelbar aufeinander.

22. November 1748
The Dublin Journal

Acis and Gallatea was performed last Friday [18. November] Evening at the great Musick-Hall in Fishamble-street, to a most crowded Audience, in which Mrs. Arne (tho' but just recovered out of a violent Fever) gave entire Satisfaction, and it was at the same time unanimously requested to be performed again next Friday, the 25th Instant. (Cummings 1912, 38)

– Cecilia Arne hielt sich vorübergehend wieder in Dublin auf. In diesem Monat wurden hier an fünf Abenden Oratorien von Händel aufgeführt.

9. Dezember 1748
The General Advertiser

For the Benefit of Mr. Waltz.
At the New Theatre in the Haymarket, this Day, will be perform'd a Concert of Vocal and Instrumental Musick. The Vocal Parts by Signora Sybilla, Miss Young, Mr. Waltz, Mr. Hague and Mr. Messing, jun. The first Violin by Mr. Freak. And the rest of the Instruments by the best Masters.
Act I. The Overture in Otho. … Two Songs by Signora Sybilla, viz. Powerful Guardians, and Come ever Smiling Liberty, compos'd by Mr. Handel. …
Act II.
…
Concluding, with the Water-Musick of Mr. Handel's, accompanied with Four Kettle-Drummers.
(Smith 1948, 191)

– Einer der vier Pauker war John Mitcheal Axt. John George Freak (Freake) gab ein eigenes Konzert am 9. Dezember 1748. Er wirkte mit bei den Aufführungen des *Messiah* 1754 und 1758.

13. Dezember 1748
The Dublin Journal

As it has been maliciously insinuated that the Musical Entertainment of Acis and Galatea, which is to be performed on Tuesday the 13th Inst. at the Great Musick-hall in Fishamble-street, for the Benefit of a young Gentleman in Distress, who has taken his Master's Degree in Trinity College, Dublin, would be postponed. This is to give Notice that the said Entertainment will positively be performed as above mentioned, many of the Nobility and Gentry having according to their usual Benevolence, most generously contributed to the Relief of this unfortunate Gentleman, by taking a large Number of Tickets, and the best Musical

Hands and Voices will perform on this generous Occasion.
Vgl. 22. November 1748

– Das am 16. Dezember aufgeführte Oratorium *Solomon* war (entgegen Cummings 1912, 38) nicht von Händel, sondern von William Boyce.

20. Dezember 1748

John Walsh kündigt in der *London Evening Post* an: „Handel's Songs, selected from all his latest Oratorio's, for Violins. In Six Parts. The Song Part, with the Words, for a Voice, a Hautboy, German Flute or Harpsichord."

– Dies war die erste von zwölf Folgen, die von Walsh, später von Randall bis 1786 in fünf Bänden und in Sammelausgaben veröffentlicht wurden. (Smith 1960, 190 ff.)

23. Dezember 1748

Händel zahlt 112 £, 9 Schillinge, 5 Pence auf sein Konto ein.

1748 (I)

[John Henley,] The Oratory Magazine, Nr. III, London [1748]

A spiritual Excellency is greater than a sensitive one; there was more Perfection in Pythagoras's finding his celebrated Proposition, than there was in Faffy's making a Mouse-trap, or an Oratorio on Saul from my Lecture proposing Saul as the best Theme of that Kind, in Honour of St. Cecilia's Day; numerous other Hints and Pieces have been taken from this Plan and Performance, not only not own'd, but ungratefully us'd for it.   [S. 10]
(Chrysander, III, 20)

– Der Text ist einer Rede Henleys entnommen. Händels *Saul* wurde am 16. Januar 1739 zum erstenmal aufgeführt. Henley verfaßte auch *The History of Queen Esther: A poem in four books,* bevor Händel sein Oratorium *Esther* komponierte.

1748 (II)

Händel subskribiert auf Elizabeth Gambarinis *Six Sets of Lessons for the Harpsichord* (London 1748) und *Lessons for the Harpsichord, intermix'd with Italian and English Songs, Opera 2ᵈᵃ* (London 1748).
(Dean 1959, 656)
Vgl. 1. April 1747

1748 (III)

M. Laetitia Pilkington, Memoirs, Dublin 1748

Mr. P–n ... the Husband of my Youth ... took an invincible Aversion to Counsellor Smith, because he excelled him on the Harpsichord. It happened one Evening that this Gentleman sang and played to us the Oratorio of Queen Esther; unfortunately

for me I was so charmed with it, that at the Conclusion of the Music I wrote the following Lines. ... I then was continually told with a contemptuous jibing Air, O my Dear! a Lady of your Accomplishments! why Mr. Smith says you write better than I.
(Pilkington, I, 116; Myers 1947 I, 10f.)

– Der Reverend Matthew Pilkington (vgl. Oktober 1729) und sein Freund John Smith lebten um 1733, zur Zeit des geschilderten Ereignisses, in Dublin. Die „following Lines" von Mrs. Pilkington waren ein an Smith gerichtetes Gedicht.

1748 (IV)

[Christian Gottfried Krause (?),] Lettre à Mons. le Marquis de B. sur la différence entre la musique italienne et française, Berlin 1748

Die Deutschen haben keinen ihnen eigenen Geschmack in der Musik. Aber unser Händel und Telemann kommen wenigstens den Franzosen, und Hasse und Graun den Italiänern bey.   [S. 22]

– Der Text ist nur in der deutschen Übersetzung in Marpurgs *Historisch-Kritischen Beyträgen* (Bd. I, Nr. 1, 1754, 1–46) bekannt. Krauses Autorschaft ist nicht sicher.

1748 (V)

Johann Gottfried Mittag, Hallischer Schul-Historie 3. Theil, Halle 1748

Hr. Georg Frieder. Händel, ein Mann, dessen sich Halle nicht zu schämen, sondern vielmehr zu gratuliren hat, daß dieser Virtuose allhier geboren und erzogen worden.   [S. 36 f.]
(Serauky 1939, 515)

1749

3. Januar 1749

Anthony Ashley Cooper, 4. Earl of Shaftesbury, an seinen Vetter James Harris

London, 3 January 1748/9.
... The old Buck is excessively healthy and full of spirits. He says he saw my cousin Thos. Harris the day before he left town who can tell all about him and his designs. ... I hear Susanna much commended by some who heard Galli and Frasi's parts. I understand there are no less than seven parts in this, that I fear the lower ones will go off bad enough, but this by the by.
(Im Besitz des Earl of Malmesbury. Matthews 1961, 127)

– Mit „the old Buck" ist möglicherweise Händel gemeint (vgl. 28. März 1751).
Vgl. 10. Februar 1749
In einem undatierten Brief an James Harris schreibt Anthony Ashley Cooper vermutlich we-

nig später: „I am afraid Handel will be under some difficulties if it is true that Galli is dead which we heard from a Ly. who lives in the same street and opposite to her lodging in Town." (Matthews 1961, 128)

17. Januar 1749
Händel zahlt 50 £ auf sein Konto ein.

22. Januar 1749
Händel verkauft in sieben Anteilen für 7750 £ vierprozentige Annuitäten.
Vgl. 6. Mai 1748 und 22. Februar, 7. April, 7. September und 9. November 1749

7. Februar 1749
The Dublin Journal

For the Benefit of Mrs. Arne, at the Great Musick-Hall in Fishamble-street, on Tuesday the 7th February 1748 will be performed the celebrated Masque of Acis and Galatea. In which will be introduced several favourite Songs and Duets by Mrs. Arne and Mrs. Lampe, never performed here. The whole will be attended by all the Voices of the Society, and conducted by Mr. Lampe. Tickets ... at an English Crown each.
N. B. Diana, a new Cantata (in the Hunting Style) composed by Mr. Lampe will be sung by Mrs. Lampe.
(*The Musical Antiquary*, Juli 1910, 225)
Vgl. 22. November und 13. Dezember 1748

9. Februar 1749
Händel zahlt 75 £ auf sein Konto ein.

10. Februar 1749
The General Advertiser

At the Theatre-Royal in Covent-Garden, This Day ... will be perform'd a New Oratorio, call'd Susanna. With a Concerto. ... To begin at Half an Hour after Six o'Clock.
Vgl. 11. Juli bis 24. August 1748
Wiederholungen: 15., 17. und 22. Februar 1749; Neuaufführung am 9. März 1759.

– Der Autor des Librettos ist unbekannt. Nach Dean (1959, 537f.) wurden die Texte von *Susanna* und *Solomon* von demselben Autor verfaßt. Das Textbuch wurde von Jacob und Richard Tonson und Somerset Draper vertrieben.
Besetzung:
Susanna – Giulia Frasi, Sopran
Dienerin – Signora Sibilla, Sopran
Daniel – „the Boy", Sopran
Joacim – Caterina Galli, Mezzosopran
Erster Ältester – Thomas Lowe, Tenor
Zweiter Ältester / Chelsias } – Thomas Reinhold, Baß
Richter – ?, Baß
(Dean 1959, 535ff.)

11. Februar 1749 (I)
Händel zahlt 235 £ auf sein Konto ein.

11. Februar 1749 (II)
Susan, Countess of Shaftesbury an James Harris in Salisbury

[London,] February 11, 1749
My sister went with me last night to hear the Oratorio, where we wished much for the agreeable company of our Salisbury friends.
I cannot pretend to give my poor judgment of it from once hearing, but believe it will insinuate itself so much into my approbation as most of Handel's performances do, as it is in the light operatic style; but you will receive an opinion of it from much better judges than myself, as I saw both my cousins Harris peeping out of a little box, and very attentive to the music. I think I never saw a fuller house. Rich told me that he believed he would receive near 400 l.
(Malmesbury 1870, I, 74; Streatfeild 1909, 199f.)

– James Harris war der Vetter von Lord Shaftesbury; seine Brüder Thomas und William lebten in London. Rich, der Leiter von Covent Garden, sprach offenbar von Händels Einnahmen.

14. Februar 1749
Tobias Smollett an Alexander Carlyle

I have wrote a sort of Tragedy on the Story of Alceste, which will (without fail) be acted at Covent Garden next Season and appear with such magnificence of Scenery as was never exhibited in Britain before.
(Meikle)

– Smollett übergab sein Manuskript im Herbst 1749, Händel komponierte die Musik im Dezember 1749 und Januar 1750; das Stück wurde jedoch niemals aufgeführt, und Smolletts Text ging verloren.
Vgl. 27. Dezember 1749 und 8. Januar 1750

17. Februar 1749
Händel zahlt 227 £ 10s 7d auf sein Konto ein.

21. Februar 1749
Sir Edward Turner an Sanderson Miller

[London,] February 21st, 1748 [= 1749].
Will not the sedate Raptures of Oratorical Harmony attract hither an Admirer of the sublime in music? Why was not Susannah attended by the Elder of Radway? Solomon is the next new piece (for so Guernsey informs us, and Handell always verifyes the Prophecys of Guernsey) that will be exhibited. Glorious Entertainment! Divine Efficacy of Music!
(Sanderson Miller, 131 f.)

– Miller war in Radway, Warwickshire, beheimatet. Lord Guernsey war ein gemeinsamer Freund von Händel und Jennens.
Vgl. 10. Februar und 17. März 1749

22. Februar 1749
Händel zahlt 115 £ auf sein Konto ein und kauft auf Subskription 7700 £ vierprozentige Annuitäten.
Vgl. 22. Januar 1749

24. Februar 1749 (I)
The General Advertiser

At the Theatre-Royal in Covent-Garden, This Day, will be perform'd an Oratorio, call'd Hercules. With a Concerto. ... To begin at Half an Hour after Six o'Clock.
Vgl. 5. Januar 1745

– Die Aufführung wurde am 1. März wiederholt.
Vermutliche Besetzung:
Hercules – Thomas Reinhold, Baß
Dejanira – Caterina Galli, Mezzosopran
Iole – Giulia Frasi, Sopran
Hyllus – Thomas Lowe, Tenor
Händel führte das Oratorium erheblich gekürzt auf. (Die Partie des Lychas wurde nach 1745 nicht mehr besetzt.)
(Dean 1959, 431)

24. Februar 1749 (II)
The General Advertiser

This Day is published, Price 10s. 6d. Hercules in Score as it is to be performed this Evening at Covent Garden Theatre. Composed by Mr. Handell. Printed for J. Walsh.
(Smith 1960, 107)
Vgl. 8. Januar 1745

25. Februar 1749
Händel zahlt 185 £ auf sein Konto ein.

26. Februar 1749
Vertrag des Board of Ordnance mit Händel

This Indenture made the Twenty Sixth Day of Febry 1749 in the Twenty Third Year of the Reign of our Sovereign Lord George the Second, by the Grace of God, King of Great Britain, France and Ireland, Defender of the Faith, Ec. Between the Rt. Honble the Lieut^t General ... of His Majesty's Ordnance, and the rest of the Principal Officers of the same, on the behalf of the King's most Excellent Majesty on the one Part; And George Frederick Handell Esqr on the other Part; Witnesseth, That the said George Frederick Handell Esqr hath received out of His Majesty's Stores, within the Office of Ordnance, at the Tower the Train Kettle Drums undermentioned, the same being directed to be lent him for use of the Oratorio's, and to be returned when the same is ended, By Order of the Board dated the 13th Inst^t
Train Kettle Drums Comp^t Pair – 1
Need not to be En^d in the Book
it been returned Serv^bl
Fred: Smith
(Farmer 1950 II, 91)

– Obwohl in dem Dokument nur seine Oratorien genannt sind, nahm Farmer an, Händel habe die Pauken für die *Fireworks Music* am 27. April 1749 ausgeliehen.

Februar 1749
Aus Anlaß des Friedens von Aachen (vgl. 7. Oktober 1748) wird im Theatre Royal in Smock Alley in Dublin die anonyme Masque *The Temple of Peace* mit Musik von Arne, Boyce, Galliard, Händel, Pasquali und Purcell aufgeführt.
(Textbuch in der British Library)

– Die Arie des Bacchus (Nr. VIII, S. 12) ist „Let the deep bowl my praise confess" aus *Belshazzar*; der folgende Chor „See the God of Drinking comes" ist vermutlich eine Variante des Chores „See the conquering hero comes" aus *Judas Maccabaeus.*
Die Musik war wahrscheinlich von Pasquali arrangiert worden.

3. März 1749 (I)
The General Advertiser

At the Theatre-Royal in Covent-Garden, This Day, will be perform'd an Oratorio, call'd Samson. With a Concerto. ... To begin at Half an Hour after Six o'Clock.
Vgl. 18. Februar 1743 und 1. März 1745

Wiederholungen: 8., 10. und 15. März.
Besetzung:
Samson – Thomas Lowe, Tenor
Manoa
Harapha } – (?) Thomas Reinhold, Baß

Micah
Israelitin } – Caterina Galli, Mezzosopran
Philisterin

Dalila, Israelit,
Israelitin, Philisterin } – Giulia Frasi, Sopran

(Dean 1959, 352)

3. März 1749 (II)
The General Advertiser

This Day is published, Samson, an Oratorio in Score 2d Edit.

– In dieser Ausgabe wird für „My faith and truth" jetzt Signora Frasi anstelle von Mrs. Clive als Sängerin genannt.
(Smith 1960, 136)

4. März 1749
[Friedrich Wilhelm Marpurg,] Der Critische Musicus an der Spree.

Erstes Stück. Berlin, Dienstags, den 4. Martii 1749

Die Wercke des unschätzbaren Händels, eines Mannes, der in den Schulen unsrer Nachkommen ein Vorbild der wahren und unverfälschten Harmonie werden wird, sind ja längstens an dem Ufer der Tyber bekandt, und die gelehrten Bachen, bey denen die tiefste Einsicht in die verstecktesten Geheimniße der Musick sich durch Erbgangsrecht fortzupflantzen scheinet, und welche durch ihre sinnreichen Thöne das ausgearbeiteste Ohr mit Vernunft zu überraschen, allein berechtigt sind, haben die Welt ja längst überführt, daß das kunstreiche auch disseits der Gebürge hervorzukeimen wisse.
Bey einer so großen Anzahl vortreflicher deutschen Musicorum, dürfte nur die deutsche Sprache durchgängig den Singespielen gewidmet seyn. Es würde ja einem vorgedachten Graun, einem Händel, einem Haßen, ihnen, die in einer fremden Sprache Meisterstücke machen, in ihrer Muttersprache nicht minder gelingen.   [S. 3]
(Crit. Mus., Bd. I, 1750. Bach-Dok., II, 454 f.)

6. März 1749
Händel zahlt 190 £ auf sein Konto ein.

8. März 1749 (I)
John Walsh zeigt im *General Advertiser* „Susanna, an Oratorio in Score, Composed by Mr. Handell. Printed for J. Walsh" an.
Auf der Titelseite dieser Ausgabe kündigt er „Sixty Overtures" an.
(Smith 1960, 143 f.)

– Am gleichen Tag veröffentlicht Walsh auch *Six Overtures Set for the Harpsicord or Organ viz. Solomon Susanna Alexander Balus Joshua Judas Maccabeus Solomon 2.ᵈ Composed by M.ʳ Handel. Tenth Collection.* Eine spätere Ausgabe erschien um 1760.
(Smith 1960, 285 f.)

8. März 1749 (II)
William Duncombe an Elizabeth Carter

Soho, 8th March, 1749.
...
P. S. The following Epigram, addressed to Mr. Mason, of Cambridge, was writ by my son, who is now at his College. –

Soft harmony has Handel crown'd
Titian for painting is renown'd,
And Dryden for poetic ease:
These all with different beauty please.

But Mason can at once inspire
The pen, the pencil, and the lyre;

And Dryden's ease the Nine impart,
With Titian's skill and Handel's art.
(Pennington, 99)

– William Duncombe war später Vikar in Hearne bei Canterbury. Er übersetzte Texte von Horaz. Sein Sohn, der Reverend John Duncombe, 1745–1748 am Corpus Christi College, war auch ein vielseitiger Schriftsteller. William Mason, der Freund von Thomas Gray (vgl. 11. Juni 1736), war am St. John's College; er war Amateurmaler und -musiker.

11. März 1749
Händel zahlt 400 £ auf sein Konto ein.

13. März 1749
The General Advertiser

To Mr. H–
Sir,
A Number of your Friends have wished to see performed the Oratorio of Joshua, which, if you would direct to be performed this Season, would be much gratified, and in particular
Your Humble Servant,
A. Virtuoso.
Vgl. 15. März 1749

15. März 1749
In der Music Hall in der Fishamble Street in Dublin wird Händels *Joshua* mit großem Erfolg aufgeführt.
(Flood 1912/13, 54)

– In London wurde das Oratorium nach der ersten Aufführung im März 1748 erst 1752 wieder aufgeführt (vgl. 14. Februar 1752).

17. März 1749
The General Advertiser

At the Theatre-Royal in Covent-Garden, This Day, will be perform'd a New Oratorio, call'd Solomon. With a Concerto. ... (To begin at Half an Hour after Six o'Clock.)
(Schoelcher 1857, 312)

– Die Aufführung wurde am 20. und 22. März wiederholt. Im März 1759 wurde das Oratorium wieder aufgeführt.
Die Zuschreibung des Textes an Thomas Morell ist unrichtig; der unbekannte Textdichter ist identisch mit dem Autor des Textes von *Susanna* (Dean 1959, 514, 537 f.).
Besetzung:
Solomon – Caterina Galli, Mezzosopran
Zadok – Thomas Lowe, Tenor
Ein Levit – Thomas Reinhold, Baß

Pharaos Tochter, König ⎫
Salomons Frau   ⎪ – Giulia Frasi,
Nicaule, Königin von Saba ⎬   Sopran
Erste Dirne (Erstes Weib) ⎭

Zweite Dirne (Zweites Weib) – Signora Si-
                               billa, Sopran

(Dean 1959, 511 ff.)

18. März 1749
Händel zahlt 300 £ auf sein Konto ein.

21. März 1749
The General Advertiser

For the Benefit and Increase of a Fund, estab-
lished for the Support of Decay'd Musicians or
their Families.
At the King's Theatre in the Hay-Market. This
Day ... will be perform'd an Entertainment of Vo-
cal and Instrumental Musick.
...
Part II.
...
Provè Sono; composed by Mr. Handel, sung by Si-
gnora Galli.
Part III.
...
Heroes, when with Glory burning; compos'd by
Mr. Handel, sung by Signora Galli.
O Sleep; compos'd by Mr. Handel, sung by Signora
Frasi.
...
O Lovely Peace; compos'd by Mr. Handel, sung by
Signora Frasi and Signora Galli.
A Grand Concerto of Mr. Handel's.
...
To begin at Six o'Clock.

– „Prove sono di grandezza" ist aus *Alessandro*;
„Heroes, when with glory burning" ist aus *Joshua*,
„O sleep" aus *Semele,* „O lovely peace" aus *Judas
Maccabaeus.*

23. März 1749 (I)
The General Advertiser

At the Theatre-Royal in Covent-Garden, This
Day, will be perform'd an Oratorio, call'd Messiah.
With a Concerto. ... (To begin at Half an Hour af-
ter Six o'Clock.)
(Schoelcher 1857, 258, 275, 311)

– Eine Vorankündigung wie bei Händels anderen
Oratorienaufführungen war diesmal nicht erschienen. Nach den ersten drei Aufführungen im
März 1743 (vgl. 19. und 23. März 1743) war das
Werk in London inzwischen nur einmal 1744 (vgl.
16. Februar 1744) und zweimal 1745 (vgl. 9. April
1745) aufgeführt worden. Jetzt wurde es auch hier
wie in Dublin *Messiah* genannt, nicht mehr „A Sacred Oratorio". (In diesem Zusammenhang mag

von Interesse sein, daß 1748 Thomas Sherlock als
Nachfolger von Edmund Gibson Bischof von London geworden war.) Am 22. März 1749 hatte John
Watts im *General Advertiser* für „To-morrow" das
gedruckte Textbuch angekündigt, das er am Tag
der Aufführung nochmals anzeigte.

23. März 1749 (II)
Mr. Louis Monnet erhält die Erlaubnis und Lizenz, im „Little Theatre in St. James's Haymarket"
französische und italienische Komödien und komische Opern aufzuführen.
(Public Record Office: L. C. 5./161, S. 301)

– Nach Burney (II, 848 f.) verließ die italienische
Truppe unter Dr. Croza das Haymarket Theatre
und ging im November 1749 an das Neue Theater, wo sie spielte, bis Croza im April 1750 durch-
brannte.

28. März 1749
John, 2. Duke of Montague, an Charles Frederick

I don't see any kind of objection to the reharsal of
the [fireworks] musick at Voxhall being advertised, and when that is done, if any questions are
asked how it comes to be there, the true reason
must be given.
I think Hendel now proposes to have but 12 trumpets and 12 French horns; at first there was to
have been sixteen of each, and I remember I told
the King so, who, at that time, objected to their
[there] being any musick; but, when I told him the
quantity and nomber of martial musick there was
to be, he was better satisfied, and said he hoped
there would be no fidles. Now Hendel proposes
to lessen the nomber of trumpets, &c. and to have
violeens. I dont at all doubt but when the King
hears it he will be very much displeased. If the
thing war [was] to be in such a manner as certainly
to please the King, it ought to consist of no kind
of instrument but martial instruments. Any other I
am sure will put him out of humour, therefore I
am shure it behoves Hendel to have as many trumpets, and other martial instruments, as possible,
tho he dont retrench the violins, which I think he
shoud, tho I beleeve he will never be persuaded to
do it. I mention this as I have very lately been told,
from very good authority, that the King has,
within this fortnight, expressed himself to this
purpose.
(The Gentleman's Magazine, Mai 1856, 477 f.)

– Zum Nachdruck in *The Leisure Hour* vom
11. August 1877 wird angemerkt, das Schreiben sei
nicht „from State Papers", sondern nach Aufzeichnungen des verstorbenen Edward Rimbault wiedergegeben. Trotz ihrer mehrmaligen Veröffentlichung blieben dieser und andere Händels *Fireworks Music* betreffende Briefe den Händelbiogra-

phen weitgehend unbekannt. Nur Schoelcher erwähnt im französischen Manuskript seiner Händelbiographie den Abdruck von 1856, und Romain Rolland (1910, 127) kannte ihn aus Schoelchers Manuskript im Conservatoire Paris.
John, 2. Duke of Montague (vgl. 29. Februar 1744), war als Nachfolger des Herzogs von Argyll zum zweitenmal Master General of the Ordnance; Charles Frederick, später Sir Charles, war „Comptrollor of his Majesty's Fireworks as well as for War as for Triumph" und später Surveyor-General of the Ordnance.
Leider veröffentlichte der Herausgeber des *Gentleman's Magazine*, der wie seine Vorgänger und Nachfolger unter dem Pseudonym Sylvanus Urban schrieb, die jetzt verlorene Korrespondenz nur teilweise, man darf aber wohl annehmen, daß er die wesentlichen Teile auswählte.
Das Feuerwerk wurde schon nach dem im Mai 1748 beschlossenen Waffenstillstand geplant und im Juli für eine Aufführung in Lincoln's Inn Fields vor dem Haus des Herzogs von Newcastle vorbereitet, wobei die Kosten auf 8000£ geschätzt wurden. Nachdem am 7. Oktober 1748 der Frieden von Aachen geschlossen worden war, wurde am 7. November mit den Aufbauten im Green Park (oder St. James's Upper Park) begonnen, die am 25. April 1749, einen Tag vor dem Feuerwerk, vollendet waren.
Wann Händel den Auftrag für die Komposition der *Feuerwerksmusik* erhielt und wann er sie schrieb, ist nicht bekannt. Die Probe fand (ohne Feuerwerk) am 21. April 1749 in Vauxhall Gardens statt.
Händel schreibt in der autographen Partitur (R. M. 20. g. 7.) je neun Trompeten und Hörner vor, 24 Oboen, zwölf Fagotte und ein Kontrafagott sowie drei Paar Kesselpauken, die mit Sicherheit aus dem Zeughaus geliehen waren; die Anweisungen für die Streicherstimmen trug er erst später ein.

30. März 1749
Händel zahlt 280 £ auf sein Konto ein.

5. April 1749 (I)
The General Advertiser

The Rehearsal of the Musick, composed by Mr. Handel for the Royal Fireworks, will be at the Spring Gardens, Vauxhall, on Monday se'night the 17th Instant.
Vgl. 28. März 1749

– Die zuerst auf den 24. April verschobene Probe fand am 21. April statt.

5. April 1749 (II)
Protokolle des Mercer's Hospital, Dublin

On Application of the Dean and Chapter of Christ Church to the Governors of this Hospital to lend them the Scores & Parts both Vocal & Instrumental of Mr Handels Te-Deum Jubilate, and one Coronation Anthem to be performed before the Government in their Cathedral on the 25th Instant April, being the Thanksgiving day for ye Peace.

– Der Bitte wurde stattgegeben.

7. April 1749
Händel hebt 2012£ 10 s von seinem Konto ab und kauft für 2000 £ vierprozentige Annuitäten.

9. April 1749 (I)
John, 2. Duke of Montague, an Charles Frederick

I think it would be proper if you woud write an other letter to Hendel, as from yourself, to know his absolute determination, and if he wont let us have his overture we must get an other, and I think it woud be proper to inclose my letter to you in your letter to him, that he may know my centiments; but don't say I bid you send it to him.
(The Gentleman's Magazine, Mai 1856, 478)

– Der Briefwechsel zwischen Händel und Frederick ist nicht erhalten. Offenbar sollte Montagues im folgenden wiedergegebener am gleichen Tag geschriebener Brief an Mr. Frederick dessen Schreiben an Händel beigelegt werden. Mit „overture" ist die gesamte Musik gemeint, die das Feuerwerk einleiten sollte.

9. April 1749 (II)
John, 2. Duke of Montague, an Charles Frederick

Sunday, 9 April, 1749.
Sir, – In answer to Mr. Hendel's letter to you (which by the stile of it I am shure is impossible to be of his inditing) I can say no more but this, that this morning at court the King did me the honor to talke to me conserning the fireworks, and in the course of the conversation his Majesty was pleased to ask me when Mr. Hendel's overture was to be rehersed; I told his Majesty I really coud not say anything conserning it from the difficulty Mr. Hendel made about it, for that the master of Voxhall, having offered to lend us all his lanterns, lamps, &c. to the value of seven hundred pounds, whereby we woud save just so much money to the office of Ordnance, besides thirty of his servants to assist in the illuminations, upon condition that Mr. Hendel's overture shoud be rehersed at Voxhall, Mr. Hendel has hetherto refused to let it be at Foxhall, which his Majesty seemed to think he was in the wrong of; and I am shure I think him extreamly so, and extreamly indifferent whether we have his overture or not, for it may very easily be suplyed by another, and I shall have the satisfaction that his Majesty will know the reason why

we have it not; therefore, as Mr. Hendel knows the reason, and the great benefit and saving it will be to the publick to have the rehersal at Voxhall, if he continues to express his zeal for his Majesty's service by doing what is so contrary to it, in not letting the rehersal be there, I shall intirely give over any further thoughts of his overture and shall take care to have an other.

I am, S[r]

Your most humble servant,

Montague.

(The Gentleman's Magazine, Mai 1856, 478)

– Anscheinend hatte Frederick nicht Montagues Brief zusammen mit seinem eigenen an Händel übersandt. Alle uns bekannten Briefe blieben in Fredericks Privatbesitz. „Master" von Vauxhall war Händels Freund Tyers.

Möglicherweise war auch der Green Park für die Probe der *Feuerwerksmusik* in Betracht gezogen und von Händel vielleicht den Vauxhall Gardens vorgezogen worden.

10. April 1749
The General Advertiser

For the Benefit of Miss Cassandra Frederick, a Child of Five Years and a Half old, and a Scholar of Mr. Paradies,

At the New Theatre in the Hay-market, this Day ... will be performed a Concert of Vocal and Instrumental Musick.

This Child will perform on the Harpsichord ... a Concerto of Mr. Handel's. ... To begin precisely at Seven o'Clock.

– Das Mädchen (offenbar nicht mit Charles Frederick verwandt) lebte mit seiner Mutter in Soho.

Pietro Domenico Paradies (Paradisi, 1707–1791), Cembalist und Komponist, lebte seit 1747 als Lehrer in London (Burney, II, 846).

13. April 1749
The General Advertiser

The Public are desired to take Notice, that the Rehearsal of the Music for the Royal Fireworks, which was to have been in the Spring-Gardens, Vauxhall, on Monday next [17. April], is put off.

Vgl. 17.–19. April 1749

15. April 1749
The General Advertiser

We hear from Oxford, that on Wednesday [12. April] Afternoon the Oratorio of Esther was performed there to a crouded Audience with great Applause, the Vocal Parts by the Gentlemen of the several Choirs in the University, and the Instrumental by near Fifty Hands from London, and other Places.

– Mit den Aufführungen von Händels Oratorien *Esther* (12. April), *Samson* (13. April) und *Messiah* (14. April) wurde die Eröffnung der Bibliothek von Dr. John Radcliffe gefeiert.

(Dean 1959, 221, 353, 632 und 634)

17. April 1749 (I)
The General Advertiser

On Thursday last [13. April] Dr. Radcliffe's Library at Oxford was opened. ... [In the theatre] the Overture in the occasional Oratorio was play'd ... [and finally] the following Anthem, compos'd by Mr. Handel, was vocally and instrumentally performed:

Let thy Hand be strengthened, and thy Right Hand be exalted.

Let Justice and Judgment be the Preparation of thy Seat; Money and Truth shall go before thy Face.   Hallelujah.

... In the Afternoon the Oratorio of Sampson was perform'd in the Theatre, with great Applause, to a crowded Audience, by the same Persons who perform'd Esther the Day before. ...

Friday [14. April]. ... In the Afternoon the Sacred Oratorio was perform'd in the Theatre to a full Audience. The Band of Musick was under the Direction of Dr. Hayes.

– Das Anthem, dessen Text in der Ausgabe vom 18. April noch einmal korrigiert wiedergegeben wurde („Mercy and Truth"), ist das zweite der Coronation Anthems; ein weiteres wurde am Freitag vormittag aufgeführt. William Hayes wurde bei dieser Gelegenheit der Titel eines Ehrendoktors der Musik verliehen.

17. April 1749 (II)
Im *General Advertiser* zeigt John Walsh *Solomon* von „Mr. Handell" an.

(Smith 1960, 142)

17. April 1749 (III)
John, 2. Duke of Montague, an Charles Frederick

The Duke [of Cumberland], as I told you, intends to hear the rehersal of Hendel's musick. You was saying you thought Munday woud be a good day for it. Munday is a drawing-room day and therefore, may be, woud not be agreable to the Duke. Woud Saturday be a good day? Tuesday woud be too near the firework day, I believe. But I think it woud be quite right and well taken to know of the Duke what day he woud lyke best, and ill taken if you do not; and I wish you coud contrive to see C. Napier to-morrow morning and talke to him about it, and get him to know of the Duke what day he woud lyke to have it. If there is but a day or two's notice in the news there will be people enough there; but it shoud certainly not be adver-

tised tyll you know what day the Duke woud lyke it on.
(The Gentleman's Magazine, Mai 1856, 478)

– Mr. Napier gehörte wahrscheinlich zum Gefolge des Herzogs von Cumberland.

18. April 1749
The General Advertiser

The Publick may be assured, that the Rehearsal of the Musick composed by Mr. Handel, for the Royal Fireworks, is now fixed for Monday next the 24th Inst. at the Spring Garden, Vauxhall. To begin at 12 o'Clock at Noon. – No Persons to be admitted without Tickets, (at Half a Crown each, and to admit one Person only) which are ready to be delivered ... – N. B. Tickets given out for the 17th Instant, will be taken the 24th.
Vgl. 13. und 19. April 1749

19. April 1749
The General Advertiser

By Special Desire, the Rehearsal (in the Spring Garden, Vauxhall) of Mr. Handel's Musick for the Royal-Fireworks, which was advertis'd for Monday the 24th Instant, is now appointed for Friday next the 21st, and to begin at 11 o'Clock in the Morning. ... N. B. Any Persons who have already taken out Tickets for the abovesaid Rehearsal, and cannot conveniently come to it on Friday next, may have their Money return'd, any Time before that Day, at the several Places where they purchased their Tickets.
Vgl. 18. April 1749

21. April 1749
The General Advertiser

For the Benefit of Miss Oldmixon
At Hickford's Room in Brewer street, this Day ... will be perform'd Acis and Galatea. Compos'd by Mr. Handel. The Performance will be conducted by Mr. Dubourg who will Play a Solo. The Vocal Parts by the best Performers. To begin at Half an Hour after Seven o'Clock. Tickets ... at Five Shillings each.
(Musical Times, 1. September 1906, 604; Dean 1959, 179)

– Miss Oldmixon kam wie Dubourg aus Dublin. Die Sänger waren Miss Oldmixon, Caterina Galli, John Beard und Thomas Reinhold.
Um 1750 wurde *Acis and Galatea* wiederholt in Hickford's Room aufgeführt. In der Anzeige einer dieser Aufführungen, zum Benefiz für die Schwester des verstorbenen Robert Hiller von der Westminster-Abtei, heißt es: „The Public may be assured that Justice will be done to this excellent composition, as the capital Performers in England

have generously engaged their Assistance on this Occasion."
(Dean 1959, 179 und 630)

22. April 1749 (I)
The General Advertiser

Yesterday there was the brightest and most numerous Assembly ever known at the Spring Garden, Vauxhall; on Occasion of the Rehearsal of Mr. Handel's Music, for the Royal Fire Works.
Several Footmen who attended their Masters, &c. thither, behaved very sausily, and were justly corrected by the Gentlemen for their Insolence.
(Schoelcher 1857, 313 f.)
Vgl. April 1749 (II)

22. April 1749 (II)
The Whitehall Evening Post

This Day [22. April] there was a Practice of a new Anthem and Te Deum in St. James's Chapel, which is to be performed on the Thanksgiving Day before his Majesty and the Royal Family.
(Burrows 1973, 1230)

27. April 1749 (I)
The Whitehall Evening Post

Tuesday [25. April] being the Day appointed by Royal Proclamation, for a General Thanksgiving on Account of the late Peace, his Majesty and the Royal Family went to the Chapel Royal, where a new Te Deum and Anthem, the Musick whereof was composed by Mr. Handel, was performed, and also heard a Sermon preached by the Rev. Dr. Denne, one of his Chaplains, and Archdeacon of Rochester, from the 29th Psalm, and the 10th Verse.
(Burrows 1973, 1230)

27. April 1749 (II)
A Description of the Machine for the Fireworks ... exhibited in St. James's Park, Thursday, April 27, 1749, on account of the General Peace, Signed at Aix La Chapelle, October 7, 1748

After a grand Overture of Warlike Instruments, composed by Mr. Handel, a Signal is given for the Commencement of the Firework, which opens by a Royal Salute of 101 Brass Ordnance.
(Sammlung Gerald Coke: das Manuskript und ein Exemplar des Druckes)

– Dieses offizielle Programm wurde von Gaetano Ruggieri (einem von zwei für ihre Feuerwerke berühmten Brüdern) und Giuseppe Sarti aus Bologna herausgegeben, von William Bowyer „by Order of his Majesty's Board of Ordnance" mit einem auf den 21. April 1749 datierten Privileg gedruckt und von Robert Dodsley und Mary Cooper verkauft.

Die Maschinerie für das Feuerwerk hatte der berühmte „Chevalier" Servandoni, Architekt und Bühnenbildner des französischen Hofes, entworfen (vgl. 8. Januar 1750).

27. April 1749 (III)
John Byrom an seine Frau Elizabeth

Green Park, 7 o'Clock, Thursday night, before Squib Castle.

Walking about here to see sights I have retired to a stump of a tree to write a line to thee lest anything should happen to prevent me by and by ... they are all mad with thanksgivings, Venetian jubilees, Italian fireworks, and German pageantry. I have before my eyes such a concourse of people as to be sure I never have or shall see again, except we should have a Peace without a vowel. The building erected on this occasion is indeed extremely neat and pretty and grand to look at, and a world of fireworks placed in an order that promises a most amazing scene when it is to be in full display. His Majesty and other great folks have been walking to see the machinery before the Queen's Library; it is all railed about there, where the lords, ladies, commons, &c. are sat under scaffolding, and seem to be under confinement in comparison of us mobility, who enjoy the free air and walks here.

It has been a very hot day, but there is a dark overcast of cloudiness which may possibly turn to rain, which occasions some of better habits to think of retiring; and while I am now writing it spits a little and grows into a menacing appearance of rain, which, if it pass not over, will disappoint expectations. My intention, if it be fair, is to gain a post under one of the trees in St. James's Park, where the fireworks are in front, and where the tail of a rocket, if it should fall, cannot but be hindered by the branches from doing any mischief to them who are sheltered under them, so I shall now draw away to be ready for near shelter from either watery or fiery rain.

11 o'clock: all over, and somewhat in a hurry, by an accidental fire at one of the ends of the building, which, whether it be extinguished I know not, for I left it in an ambiguous condition that I might finish my letter, which otherwise I could not have done. I saw every fine show in front, and I believe no mischief was done by the rockets, though some pieces of above one pound and a half fell here and there – some the next tree to my station, and being on the watch I perceived one fall, and after a tug with four or five competitors I carried it off.

My dear, I shall be too late if I don't conclude; I am all of a sweat with a hasty walk for time to write; and now I'll take some refreshment and drink all your healths.

(Byrom Selections, 257f.)

Vgl. 3. März 1724

– Wie auch in einem Brief von Horace Walpole an Horace Mann vom 3. Mai 1749 (Letters, 1891, II, 151) wird Händels Musik überhaupt nicht erwähnt.

Die Queen's Library wurde im 19. Jahrhundert zerstört. Nach Hawkins (V, 410f.) wurden hier unter Händels Leitung Konzerte veranstaltet, bei denen die Prinzessinnen und ihre Freunde mitwirkten.

29. April 1749
The Daily Advertiser

His Majesty and the Duke of Cumberland, attended by the Dukes of Montague, Richmond, and Bedford, and several others of the Nobility, were at the Library to see the Fireworks, from whence they walk'd about 7 o'Clock into the Machine, after visiting which his Majesty made a present of a Purse to the Officers employ'd in the different Branches. The whole Band of Musick (which began to play soon after 6 o'Clock) perform'd at his Majesty's coming and going, and during his Stay in the Machine.

(The Gentleman's Magazine, April 1749, 186)

– Am Abend des 29. April wurde im Haymarket Theatre die „Serenade" *Peace in Europe* eines unbekannten Komponisten aufgeführt.

April 1749 (I)
A View of the Public Fire-Works ..., London 1749

... The Steps, which go up to a grand Area before the Middle Arch, where a Band of a hundred Musicians are to play before the Fire-Works begin; the Musick for which is to be composed by Mr. Handel.

(British Library: 1889. b. 10)

– Dieses inoffizielle Programm erschien als Einzeldruck.

April 1749 (II)
The Gentleman's Magazine, April 1749

Friday, 21.

Was performed, at Vauxhall Gardens the rehearsal of the music for the fireworks, by a band of 100 musicians, to an audience of above 12,000 persons (tickets 2s. 6d.). So great a resort occasioned such a stoppage on London Bridge, that no carriage could pass for 3 hours. – The footmen were so numerous as to obstruct the passage, so that a scuffle happen'd, in which some gentlemen were wounded.

Tickets were delivered for places erected by the government for seeing the fireworks; each member of the privy council had 12, every peer 4, every commoner 2, and a number was dispersed to the lord mayor, aldermen, and directors of the trading companies. ...

While the pavilion was on fire, the Chevalier Servandoni, who designed the building, drawing his sword and affronting Charles Frederick, Esq; Comptrollor of the Ordnance and Fireworks, he was disarmed and taken into custody, but discharg'd the next day on asking pardon before the D. of Cumberland.
(Schoelcher 1857, 314)

– Der zweite Abschnitt ist einem unter Verwendung des offiziellen Programms geschriebenen Bericht entnommen.
Mr. Frederick wurde nicht ernstlich verletzt.
Nach McNaught (Musical Times, Mai 1950) wurde wahrscheinlich die Ouvertüre der *Feuerwerksmusik* vor dem Feuerwerk gespielt, während die Bourrée, „La Paix" und „La Réjouissance" zu allegorischen Feuerbildern erklangen; in den zeitgenössischen Dokumenten wird jedoch nichts darüber ausgesagt, ob Händels Musik während des Feuerwerks gespielt wurde.

April 1749 (III)
In April 1749. Mr Wm Hayes, Batchelor and Professor of Musick to the University of Oxford, hat the honorary Degree of Doctor in musick conferred on him. In the afternoon the sacred Oratorio was perform'd in the Theatre to a full audience, Mr Handel being present. But the Band of Musick was under the Direction of Dr. Hayes, above mentioned.
London Evening Post No. 3 347.

– Handschriftliche Einlage Matthesons in seinem Handexemplar der *Grundlage einer Ehrenpforte* zu S. 100.
(Mattheson/Schneider, Anhang, 6)
Vgl. 17. April 1749 (I)

7. Mai 1749
Protokolle des General Committee des Foundling Hospital

At the Hospital, May 7, 1749
Mr. Handel being present and having generously and charitably offered a performance of vocal and instrumental musick to be held at this Hospital, and that the money arising therefrom should be applied to the finishing the chapel of the Hospital.
Resolved – That the thanks of this Committee be returned to Mr. Handel for this his generous and charitable offer.
Ordered – That the said performance be in the said Chapel on Wednesday, the 24th inst., at eleven in the forenoon.
Resolved – That the gentlemen present and the rest of the members of the General Committee, or

any two of them be a Committee to carry into execution this intention with the advice and direction of Mr. Handel.
Resolved – That George Frederick Handel Esq. in regard to this his generous proposal be recommended to the next General Court to be then elected a Governor of this Hospital.
(Brownlow 1847; Brownlow 1858, 72)

– Mit diesem Angebot Händels begann sein Patronat über das „Hospital for the Maintenance and Education of Exposed and Deserted Young Children", das neun Jahre zuvor von Kapitän Thomas Coram gegründet worden war und mit gleichem Eifer auch von Hogarth unterstützt wurde. Es war und ist besser bekannt als „Foundling Hospital".
Die Generalversammlung trat vierteljährlich zusammen. Nichols/Wray (1935, 202) datieren die Versammlung, auf der Händel sein Angebot unterbreitete, auf den 4. Mai 1749.

10. Mai 1749
Protokolle des General Committee des Foundling Hospital

The Minutes of the last Meeting were Read and Approved. The Secretary acquainted the Committee That Mr. Handell called upon him last Saturday [6. Mai], and returned his Thanks to the Committee for the Honour intended him of being a Governor of this Hospital; But he desired to be excused therefrom, for that he should Serve the Charity with more Pleasure in his Way, than being a Member of the Corporation.
The Treasurer acquainted the Committee That the 24th instant being Prince George's Birth Day, Mr. Handel desires his intended Performance may be on Tuesday the 23rd instant, and that thereupon he had Stopped the Printing of the Tickets and the Advertizement.
Ordered
That 1,300 Tickets be printed off for the said Performance on Tuesday the 23rd instant, and that the Advertizement ordered, the last Meeting be published for the first time in the Daily Advertizer tomorrow.

– Trotz seines Protestes wurde Händel am 9. Mai 1750 als Governor gewählt.
Prinz Georg war der spätere König Georg III.

15. Mai 1749
The General Advertiser

This Day ... will be exhibited the Entertainments of Musick at Cuper's-Gardens, and to continue the Summer Season; to conclude every Evening with an exact Representation of the Magnificent Edifice, with its proper Ornaments, viz. Emblematic Figures, Transparencies, etc. and the Fireworks to imitate, as near as possible, the Royal ones, ex-

hibited (on Account of the Peace) in the Green
Park. – N. B. Great Care will be taken to keep out
Persons of ill Repute. – The Fireworks have al-
ready given the greatest Satisfaction to a Number
of Gentlemen and Ladies, who declared them ex-
ceeding beautiful, and nearly representing the
Royal ones.
(Wroth, 251)
Vgl. 23. Mai 1748 und 4. September 1749

19. Mai 1749
The General Advertiser

Hospital for the Maintenance and Education of
Exposed and Deserted Young Children, May 10,
1749.
George-Frederick Handell,
Esq; having generously offered his Assistance to
promote this Charity, on Thursday the 25th Day
of this Instant May, at Twelve o'Clock at Noon,
there will be a Grand Performance of Vocal and
Instrumental Musick. Under his Direction, consisting of several Pieces composed by him.
First. The Musick for the late Royal Fireworks and
the Anthem on the Peace.
Second. Select Pieces from the Oratorio of Solomon, relating to the Dedication of the Temple.
Third. Several Pieces composed for the Occasion,
the Words taken from Scripture, and applicable to
this Charity and its Benefactors.
The Performance will be in the Chapel, which will
be sash'd, and made commodious for the Purpose … printed Tickets … are … delivered at Half
a Guinea each, at the Hospital.
N. B. There will be no Collection; and Mr. Tonson
having printed the Words of the Performance, for
the Benefit of this Charity, Books may be had … at
One Shilling each.
By Order of the General Court,
Harman Verelst. Sec.

– In dem gedruckten Textbuch (*A Performance of
Musick … The Musick compos'd by Mr. Handel*), auf
dem der 25. Mai als Tag der Aufführung genannt
wird, ist das Programm wie folgt beschrieben: „I.
The Musick as composed for the Royal Fire-
Works. The Anthem composed on the Occasion
of the Peace. II. Symphony. Chorus (Your Harps).
Air, etc. III. A Concerto. The Anthem composed
on this Occasion [*Foundling Hospital Anthem*.
HWV 268]. Chorus (Blessed are they) and
Verse."
Der in diesem Textbuch abgedruckte vollständige
Text (Duett „How beautiful are the feet" – Chor
„Break forth into joy" – Chor „Glory and worship" – Solo und Chor „The Lord hath given
strength" – Chor „Blessing and glory") ermög-
lichte die Rekonstruktion des Anthems, das Händel aus der neu komponierten Duett/Chor-Fas-
sung „How beautiful" (R. M. 20. g. 6.) und

Rückgriffen auf das Anthem für die Royal Chapel
„I will magnify thee", das *Occasional Oratorio* und
Messiah zusammenstellte.
Die von Händel in den Autographen von „How
beautiful" sowie des frühen Te Deum D-Dur
HWV 280 eingetragenen Namen der Sänger
„Mr Bayly" und „Mr Menz" lassen vermuten, daß
dieses neben dem *Peace Anthem* aufgeführt wurde
(vgl. 22. April: „a new Anthem and Te Deum",
und 27. April/I: „a new Te Deum and Anthem").
(Burrows 1973)

23. Mai 1749
The General Advertiser

Hospital for the Maintenance … of … Young
Children, in Lamb's Conduit Fields, May 19,
1749.
Notice is hereby given that Alterations being necessary to be made for the Reception of some Persons of High Distinction, the Musick, which was
advertised for Thursday the 25th, to be performed
in the Chapel, is deferred till Saturday the 27th, at
Twelve at Noon, and the Tickets for the 25th will
be then received.

– Lamb's Conduit Fields, auch Red Lions Fields,
ist jetzt Coram Fields am Brunswick Square.
Vgl. 31. Mai 1749

26. Mai 1749
The General Advertiser

We are assured, that their Royal Highnesses the
Prince and Princess of Wales, and the young
Princes and Princesses will Honour the Foundling
Hospital with their Presence To morrow, at the
Grand Performance of Musick, composed by
Mr. Handel, for the Benefit of that Charity; and
that above One Hundred Voices and Performers
have engaged to assist upon that Laudable and
Charitable Occasion.
(Edwards 1902 I)
Vgl. 31. Mai 1749

30. Mai 1749
The London Evening Post

Last Saturday [27. Mai] several curious Pieces of
Musick, composed by Mr. Handel, were perform'd
in the new Chapel at the Foundling-Hospital, at
which were present their Royal Highnesses the
Prince and Princess of Wales, some others of the
Royal Family, and a prodigious Concourse of the
Nobility and Gentry.
(Edwards 1902 I)

– Edwards zitiert aus einem nicht identifizierten
Bericht: „… the performance was most complete
and solemn."

31. Mai 1749
Protokolle des General Committee des Foundling Hospital

The Secretary acquainted the Committee That on the 19th instant he had seen a Letter from Mr. Schrader to Mr. Handel signifying the Desire of His Royal Highness the Prince of Wales for deferring Mr. Handel's Musical Performance to Saturday the 27th instant, which he had communicated to Mr. Waple and Mr. White, and by their Directions had wrote the following answer to Mr. Handel.

Sir,
I have communicated to the Governor's Mr. Schrader's Letter to you, who are extreamly sensible of His Royal Highnesses Goodness in promoting your Charitable Intentions, by Honouring your Performance with His Presence: And I am commanded to acquaint you That they have given orders for deferring the Performance until Saturday the 27th instant at Twelve at noon, and have given Directions for erecting a Seat in the Hospital for the Reception of their Highnesses and Family, which will be made commodious and private, and to which there is a private way through the garden without passing through the Body of the Chapel.
[Ordered]
That the Secretary do write to the President, Vice Presidents and Noblemen of the General Committee and acquaint them That their Royal Highnesses the Prince and Princess of Wales do intend to Honour the Hospital with their Presence at Mr. Handel's Musical Performance on Saturday next, at which time the Committee hope They will favour the Corporation with their Company.
Resolved
That the Earl of Macclesfield, Lord Charles Cavendish, Sir William Heathcote, and the Treasurer, be desired to conduct Their Royal Highnesses to and from their Seat in the Chapel.
...
Resolved
That the Thanks of this Committee be returned to George Frederick Handel Esq[r] for the generous Assistance he gave to this Charity by his most excellent Performance of Musick on Saturday last [27. Mai]; and that Mr. Handel be desired to return the Thanks of this Committee to the Performers who voluntarily assisted him upon that occasion.
Resolved
That the Thanks of this Committee be returned to the Master of the Children of the King's Chapel for his and their Attendance at the said Performance.
Ordered
That the Treasurer do Pay the Secretary Fifty Pounds for Mr. Handel to dispose of in such manner as he shall think fit.
(Edwards 1902 I)

– Mr. Schrader gehörte wahrscheinlich zum Gefolge des Prinzen. Die Herren Wapple und White waren Gouverneure des Hospitals. Nur der zweite Absatz ist eine Wiedergabe des Briefes an Händel. Der dritte Absatz müßte „ordered" überschrieben sein – „angeordnet" von den beiden Gouverneuren, nicht von dem Committee.
Master of the Children war Bernard Gates.
Die zur Verteilung unter die Mitwirkenden bestimmten 50 £ waren vermutlich das Geschenk eines unbekannten Freundes des Hospitals (vgl. Mai 1749 und 4. Mai 1750).

Mai 1749
The Gentleman's Magazine

Saturday 27. The Pr. and Prss of Wales, with a great number of persons of quality and distinction were at the chapel of the Foundlings' Hospital; several pieces of vocal and instrumental musick, compos'd by George Frederick Handel, Esq; for the benefit of the foundation.
1. The musick for the late fire-works, and the anthem on the peace.
2. Select pieces from the oratorio of Solomon, relating to the dedication of the Temple, and
3. Several pieces composed for the occasion, the words taken from Scripture, and applicable to the charity, and its benefactors.
There was no collection, but the tickets were at half a guinea, and the audience above a thousand, besides a gift of 2000l. from his majesty, and 50l. from an unknown.
(Clark 1852; Edwards 1902 I)

2. Juni 1749
The General Advertiser

New Musick.
Printed for J. Walsh. ... By whom will Speedily be published, The Musick for the Royal Fireworks, composed by Mr. Handell, for Violins, Hoboys, French Horns, Trumpets, &c.

– Es ist bemerkenswert, daß die hinzugefügten Streicherstimmen, die die Oboen- und Fagottstimmen verdoppeln, bereits erwähnt werden.
Vgl. 19. Mai 1749

24. Juni 1749
The General Advertiser

New Musick.
Printed for J. Walsh. ... Of whom may be had just published
For Concerts
Eighty Songs selected from Mr. Handel's latest

Oratorios, for Violins, &c. in 6 Parts; the Song Part with the Words for a Voice, Hoboy, German Flute or Harpsichord, done in the Original Keys, to be performed either by Voice or Instruments; being the most Capital Collection of Songs ever published, with an Index to the Whole.
The Song Part may be had separate, without the Instrumental Parts, which is intended for the Improvement of young Ladies and Gentlemen in Singing on the Harpsichord.
(Chrysander, III, 170)
Vgl. 20. Dezember 1749

28. Juni 1749
Händel beginnt das Oratorium *Theodora.*
Eintrag in der autographen Partitur (R.M. 20. f. 9.):
„angefangen den 28 June ♃ [Donnerstag] 174[9]"

– Der 28. Juni war ein Mittwoch.
Vgl. 31. Juli 1749

22. Juli 1749
The General Advertiser

This Day is Publish'd. ... The Musick for the Royal Fireworks, in all its Parts, viz. French Horns, Trumpets, Violins, Hautboys, Bassoons, &c. Composed by Mr. Handel. N.B. The same Musick may be also had, set for a German Flute or Harpsichord, Price 3s. Printed for J. Walsh.
Vgl. 2. Juni 1749

– Weitere Auflagen der Ausgabe folgten im gleichen und im nächsten Jahr. Die Flöten-Ausgabe (... *Set for the German Flute Violin or Harpsichord* ...) enthält außer der „Musick for the Royal Fireworks" verschiedene Märsche Händels sowie zwei nicht identifizierte Airs „by Mr. Handel" (?).
(Smith 1960, 233 f.)

31. Juli 1749
Händel beendet das Oratorium *Theodora.*
Einträge in der autographen Partitur (R. M. 20. f. 9.): „End of the first Part. geendiget July 5. ☿ [Mittwoch] 1749"; „End of the 2ᵈ Part geendiget 11 July ♂ [Dienstag] 1749"; „S.D.G. G.F. Handel London den 17 Julij ☽ [Montag] 1749 den 31 July ☽ [Montag] 1749. völlig ausgefüll[t]. End of the Oratorio."
Vgl. 28. Juni 1749 und 16. März 1750

Juli 1749
Händel schließt mit Dr. Jonathan Morse aus Barnet einen Vertrag über den Bau einer Orgel, die er dem Foundling Hospital für seine Kapelle zum Geschenk machen will.
(Edwards 1902 I)
Vgl. 2. Mai 1750

19. August 1749
Boddely's Bath Journal

Arriv'd here, Mr. Handell, Mr. Quin.

– Händel besuchte Bath vermutlich mit James Quin und wohnte vielleicht auch in dessen Haus in der Pierrepont Street.

4. September 1749
The General Advertiser

At Cupers-Gardens, the Entertainments of Vocal and Instrumental Musick will, during the short Remainder of the Summer Season, begin at Five, and end at Nine, (with several favourite Songs by Signora Sybilla, particularly, My Faith and Truth, out of the Oratorio of Sampson) and to conclude with a Curious and Magnificent Firework ... N. B. The Entertainments of this Place End on Thursday next, the 7th Instant.
Vgl. 23. Mai 1748 und 15. Mai 1749

6. September 1749
The General Advertiser

Yesterday Morning, and not before, died at his House at Richmond, aged 85, John-James Heidegger, Esq; whose well known Character wants no Encomium; of him, it may be truly said, what one Hand received from the Rich, the other gave to the Poor.
(Edward Croft-Murray, The Painted Hall in Heidegger's House at Richmond, in: Burlington Magazine, April/Mai 1941; No. 4, Maids of Honour Road, Richmond Green, Surrey, in: Antique Collector, September/Oktober 1941)

7. September 1749
Händel kauft für 1000 £ vierprozentige Annuitäten.

13. September 1749
William Hughes, The Efficacy and Importance of Musick. A Sermon Preach'd in the Cathedral-Church of Worcester at the Annual Meeting of the Three Choirs ... September 13, 1749, London 1749

... Far be it from me to cast the least injurious Reflection upon those, whom Nature has denied the Pleasure, of relishing the engaging Measures, either of Handel,[1] or of Purcel.

[1] To do justice in all respects to the Character of Mr. Handel, who has open'd such uncommon Scenes of Delight, who in the greatest Variety of Instances has long since prov'd himself the most perfect Master of Harmony that any Age ever produc'd, would rather require a Volume, than this poor, and imperfect Sketch.   [S. 10 f.]

– Hughes war Hilfsgeistlicher an der Kathedrale von Worcester.

19. September 1749
The General Advertiser

Last Week was held at Worcester the Annual Meeting of the Three Choirs of Gloucester, Hereford and Worcester, at which were present a great Number of Nobility, Gentry, and Ladies. Mr. Purcell's Te Deum and Jubilate were Vocally and Instrumentally perform'd on Wednesday [13. September]; and Mr. Handell's on Thursday, at the Cathedral.

19. und 20. September 1749
In Salisbury werden zum Fest der hl. Cäcilia am 19. September am Vormittag in der Kathedrale ein Te Deum und zwei (Coronation) Anthems von Händel und am Abend im Assembly Room *Acis and Galatea* aufgeführt, am folgenden Tag vormittags in der Kathedrale sein anderes Te Deum und abends im Assembly Room die *Fireworks Music* und die *Ode for St. Cecilia's Day.*
(Husk, 96f.)

30. September 1749
Händel an Charles Jennens

Sir
Yesterday I received Your Letter, in answer to which I hereunder specify my Opinion of an Organ which I think will answer the Ends You propose, being every thing that is necessary for a good and grand Organ, without Reed Stops, which I have omitted, because they are continually wanting to be tuned, which in the Country is very inconvenient, and should it remain useless on that Account, it would still be very expensive althou' that may not be Your Consideration. I very well approve of Mr Bridge who without any Objection is a very good Organ Builder, and I shall willingly (when He has finished it) give You my Opinion of it. I have referr'd You to the Flute Stop in Mr Freemans Organ being excellent in its kind, but as I do not referr you in that Organ, The System of the Organ I advise is, (Vizt
The Compass to be up to D and down to Gamut, full Octave,   Church Work.
One Row of Keys, whole Stops and none in halves.
Stops
An Open Diapason – of Metal throughout to be in Front.
A Stopt Diapason – the Treble Metal and the Bass Wood.
A Principal – of Metal throughout.
A Twelfth – of Metal throughout.
A Fifteenth – of Metal throughout.
A Great Tierce – of Metal throughout.

A Flute Stop – such a one is in Freemans Organ. I am glad of the Opportunity to show you my attention, wishing you all Health and Happiness, I remain with great Sincerity and Respect
Sir
Your most obedient and most humble Servant
George Frideric Handel.
London, Sept. 30. 1749.
(Moldenhauer Archives, Spokane, Washington. Musical Times, 1. August 1904; Mueller von Asow, 178f.)

– Richard Bridge war ein bekannter Orgelbauer, der 1730 in der Christ Church, Spitalfields, die damals größte Orgel in England gebaut hatte. Wahrscheinlich baute er auch die Orgel für Händels Bewunderer William Freeman in Hamels bei Braughing in Hertfordshire.
Jennens beabsichtigte, die neue Orgel in seinem Landsitz in Gopsall aufzustellen, der gerade in fürstlicher Art restauriert wurde.

6. November 1749
Boddely's Bath Journal

For the Benefit of Mr. Andrews, lately arriv'd from Ireland; and Mr. Leander, from the Opera-House, London. At Mr. Wiltshire's Room, This present Monday … will be a Grand Concert of Vocal and Instrumental Musick. …
To conclude with Mr. Handell's celebrated Fire Musick. The Concert to begin exactly at Seven o'Clock. After the Concert there will be a Ball.

– Dies scheint das erste Konzert in Bath gewesen zu sein, in dem Musik Händels gespielt wurde. Über die Künstler, zu deren Bestem das Konzert veranstaltet wurde, ist nichts bekannt. Händels Musik könnte Thomas Chilcot, der Organist der Abbey Church, der auch ein Cembalokonzert spielte, dirigiert haben. Die „Fire Musick" könnte Musik aus *Atalanta* gewesen sein (vgl. 13. Mai und 27. November 1736); es kann aber auch Händels *Fireworks Music* gespielt worden sein, deren Ausgabe in Stimmen einige Monate zuvor erschienen war (vgl. 22. Juli 1749). (Am 8. Mai 1749 war die Titelseite des *Bath Journal* einer Beschreibung des Feuerwerks im Green Park gewidmet.)

9. November 1749
Händel hebt sein Guthaben von 157 £ 10 s ab und kauft für 250 £ vierprozentige Annuitäten.

18. November 1749
The Newcastle Courant

St. Caecilia's Day, will be perform'd, Vocally and Instrumentally, at the Assembly Room in Durham, Alexander's Feast; being an Ode wrote on that Day by Mr. Dryden, and set to Musick by Mr. Handell; when all who being subscribers to the Durham Concerts will be admitted Gratis.

25. November 1749
The Newcastle Courant

We hear from Durham, that on Wednesday [22. November] Evening most of the Gentlemen and Ladies of that County, and a great Number from Yorkshire and Northumberland, were present at the performing of the Ode call'd Alexander's Feast, in the Assembly Room of that City, which gave Universal Satisfaction, being allowed, by several of the best Judges, to equal, if not exceed the annual Performance of it in London, especially in some of the great Chorus'.

– Ähnlich lautende Mitteilungen erschienen auch im *Newcastle Journal.*

2. Dezember 1749

Im Drury Lane Theatre wird das erfolgreiche „musical entertainment" *The Chaplet* von William Boyce (Text: Moses Mendez) aufgeführt.
(Loewenberg, Sp. 212)

9. Dezember 1749
The Dublin Journal

On Thursday last [7. Dezember], Dr. Purcell's Grand Te Deum, Mr. Handel's Jubilate and Anthems, were performed as usual, at St. Andrew's Church, for the Benefit of Mercer's Hospital. Several Gentlemen of Quality and Distinction assisted at the Performance, which was Conducted with the greatest Decency and Order. There was a numerous Audience of the Nobility and principal Persons of this Kingdom.

– Der „Cathedral Service" fand, nach einigen Veranstaltungen in St. Michan's Church, wieder in der Round Church statt.

27. Dezember 1749

Händel beginnt mit der Bühnenmusik zu Tobias Smolletts Schauspiel *Alceste.*
Eintrag in der autographen Partitur (R. M. 20. e.6.): „angefangen den 27. Decembr. 1749. ☿ [Mittwoch]"
Vgl. 14. Februar 1749 und 8. Januar 1750

1749 (I)

In Paris veröffentlicht 1749 Jean Vincent gemeinsam mit Madame Boivin und Le Clerc: *Second Recüeil de Six Ouvertures des Opera de Xerces. Pharamond. Radamiste. Rinaldo. Berenice. et Ptolomée. Pour les Violons, Flutes et Hautbois. En Quatre parties separées. Par Mr. Handel.*
(Hopkinson 1957, 244f.; Smith 1960, 304f.)

1749 (II)

Henry Fielding, The History of Tom Jones, London 1749

It was Mr. Western's Custom every Afternoon, as soon as he was drunk, to hear his Daughter [Sophia] play on the Harpsichord: for he was a great Lover of Music, and perhaps, had he lived in Town, might have passed for a Connoisseur: for he always excepted against the finest Compositions of Mr. Handel. He never relished any Music but what was light and airy; and indeed his most favourite Tunes, were Old Sir Simon the King, St. George, he was for England, Bobbing Joan, and some others.
His Daughter tho' she was a perfect Mistress of Music, and would never willingly have played any but Handel's, was so devoted to her Father's Pleasure, that she learnt all those Tunes to oblige him.

– Die hier erwähnten volkstümlichen Lieder sind „Old Simon the King", „St. George for England" und „Bobbing Joe", auch „Bobbing Joane" genannt, die schon vor 1700 bekannt waren.

1749 (III)

[Eliza Haywood,] Epistles for the Ladies, London 1749

From Eusebia to the Bishop of + +, on the Power of Divine Music.

It is a vulgar Aphorism, that those who are untouched with Music, have no Souls. ...
I was led into these Reflections by being last Night at Mr. Handel's fine Oratorio of Joshua, where, though the Words were not quite so elegant, nor so well as I could have wished adapted to the Music, I was transported into the most divine Exstasy. – I closed my Eyes, and imagined myself amidst the angelic Choir in the bright Regions of everlasting Day, chanting the Praises of my great Creator, and his ineffable Messiah. – I seemed, methought, to have nothing of this gross Earth about me, but was all Soul! – all Spirit!
... I should be glad there were Oratorios established in every City and great Town throughout the Kingdom... to be given gratis.   [Bd. I, S. 79f.]
(Myers 1948, 125f.)

1749 (IV)

Georg Vertue, Note Books, 1749

a Model of Clay baked done by Mr Roubilliac of Mr Handel Musician... the Model in clay baked. of Mr Handel done by Mr Roubillac – the same from which the statue in Foxhall Gardens – was done as big as the life – in marble by Mr Rubillac an ex-

cellent statue – this modell near 2 foot high is in posses̄ of Mͬ Hudson painter –
(British Library, Add. MSS. 23 074. Vertue Note Books, 144)

– Dieses Modell der Händel-Statue in Vauxhall Gardens befindet sich jetzt im Fitzwilliam Museum, Cambridge.
Vgl. 18. April 1750

1749 (V)
Thomas Newton, Vorwort zu John Miltons Paradise Lost, London 1749

As this work [*Samson Agonistes*] was never intended for the stage, the division into acts and scenes is omitted. Bishop Atterbury had an intention of getting Mr. Pope to divide it into acts and scenes, and of having it acted by the King's Scholars at Westmister: but his commitment to the Tower put an end to that design. It has since been brought upon the stage in the form of an Oratorio; and Mr. Handel's music is never employed to greater advantage, than when it is adapted to Milton's words. The great artist has done equal justice to our author's L'Allegro and Il Penseroso, as if the same spirit possessed both masters, and as if the God of music and of verse was still one and the same.   [Bd. I, S. X]

– Thomas Newton (1704–1782) war Bischof von Bristol. Unter den Subskribenten seiner zweibändigen Ausgabe von *Paradise Lost,* „A New Edition, with Notes of Various Authors", waren auch Charles Jennens und sein Bruder William. 1752 erschien seine Ausgabe von *Paradise Regained* und anderer Dichtungen Miltons.
(Myers 1956, 59 f. und 69)

1749 (VI)
Johann Christoph und Johann David Stößel, Kurtzgefaßtes Musicalisches Lexicon ... Neue Auflage, Chemnitz 1749

In dem 16ᵗᵉⁿ Jahr-Hundert haben folgende berühmte Musici gelebet, welche sich für andern ein sonderbares Lob und Ruhm erworben: ...
Im 18ᵗᵉⁿ Jahrhundert:
Alberti, Albinoni, Aldrovandini, Allegri, Ariosti, Arnoldi, Bach, Battistini, Beer, Bernhardi, Brossardus, Buttstett, Campra, Casini, Conti, Corelli, Crousseur, Dreesius, Eisenbuet, Fedele, Gentili, Graunius, Heinichen, Hendelius, Hoffmann, Kegel, Krieger, Maire, Masson, Matthei, Mattheson, Monteclair, Pezold, Pfeiffer, Printz, Qverini, Reinhardt, Silbermann, Stöltzel, Telemann, Torri, Veracini, Ziegler.   [S. 30 f.]
Hendel (Georg Friedrich) oder Händel, ein anjetzo hochberühmter, in England sich aufhaltende Capellmeister, von Halle im Magdeburgischen gebürtig, und ein Scholar des sel. Zachau ums Jahr

1694. ist gebohren An. 1685. den 23. Febr. ward Anno 1733. in London zum Doctor in der Music creiret.   [S. 179]

– Das in erster Auflage 1737 von den Chemnitzer Verlegern veröffentlichte Lexikon, „denen Liebhabern musicalischer Wissenschaften zu fernern Nachdenken wohlmeynend vorgestellet", ist eine fehlerhaft gekürzte Bearbeitung von Walthers Lexikon (MGG, VIII, Sp. 690).
Vgl. 1732

1749 (VII)
Johann Georg Hoffmann, Ode: An den T. S. Herrn Hof- und Stadt-Organisten Sorge in Lobenstein über die Ausgabe seiner Anweisung zur Rational-Rechnung

Ihr grösten Meister in dem Setzen,
     Graun, Hasse, Hendel, Telemann.
     Hört man von euch ein Singspiel an,
Folgt ein bezauberndes Ergötzen:
     Wie reizend wuste Kayser nicht
     Durch seine Lieder das Gesicht
Jetzt Thrän- jetzt Freuden-voll zu machen;
     Wer rühmt nicht Hurlebusches Fleiß?
Und die Geschicklichkeit der Bachen
     Behält den wohl-verdienten Preiß.

                                    [Strophe 3]
(Georg Andreas Sorge, Ausführliche und deutliche Anweisung zur Rational-Rechnung, Lobenstein 1749. Bach-Dok., II, 466)

– Johann Georg Hoffmann (1700–1780) war seit 1742 Organist in Breslau.

1750

8. Januar 1750
Händel beendet die Komposition der Musik zu Tobias Smolletts Schauspiel *Alceste.*
Eintrag in der autographen Partitur (Add. MSS. 30 310): „Fine G. F. Handel völlig geendiget den 8. January ☉ [Sonntag] 1750."
Vgl. 14. Februar und 27. Dezember 1749

– Smolletts auf Euripides' *Alkestis* zurückgehende Tragödie sollte zu Beginn des Jahres 1750 im Covent Garden Theatre aufgeführt werden. John Rich hatte dem Dichter den Auftrag für dieses Schauspiel bereits 1748 erteilt. Mit der Ausstattung hatte er den berühmten französischen Bühnenarchitekten Servandoni betraut. Die Aufführung des Stückes kam jedoch nicht zustande. Von Smolletts Dichtung sind nur die von Händel vertonten Texte erhalten. (Einige Textstellen werden Thomas Morell zugeschrieben.)
Händel hatte für die Vokalpartien folgende Sänger vorgesehen (vgl. seine Einträge in der autographen Partitur):

Calliope – { Cecilia Young-Arne, 1. Sopran
             Miss Faulkner, 2. Sopran

Syrene – Esther Young, Alt bzw. Mezzosopran
Apollo – Thomas Lowe, Tenor
Charon – Gustavus Waltz, Baß
Admet, Alceste und wahrscheinlich Pluto, Hercules (Alcides), Thetis, Lykomedes und die übrigen Musen waren Sprechrollen. Den größten Teil der *Alceste*-Musik übernahm Händel für *The Choice of Hercules* (vgl. 28. Juni bis 5. Juli 1750). Mehrere Stücke verwendete Händel für die Bearbeitungen von *Alexander Balus* (1751), *Hercules* (1752) und *Belshazzar* (1754). Die Ouvertüre zu *Jephtha* (1751) hatte Händel ursprünglich für *Alceste* komponiert.
(Schoelcher 1857, 318f.; Rockstro, 319f.; Deutsch 1948, 77f.; Smith 1960, 8; Wolff 1968, 56; Händel-Hdb., I, HWV 45)

22. Januar 1750
Händel zahlt 8 000 £ auf sein Konto ein.

31. Januar 1750
Händel beendet das Orgelkonzert g-Moll op. 7 Nr. 5.
Eintrag in der autographen Partitur (R. M. 20. g. 12.): „Fine. Jan. 31. 1750."

7. Februar 1750
Protokolle des General Committee des Foundling Hospital

[Resolved] That it be referred to the Sub-committee to consider the manner of opening the Chapel, and having a performance of musick, and that they do consult Mr. Handel thereupon.
[Ordered] That the Secretary do wait upon Mr. Handel to propose a performance of musick and voices on Tuesday, the first of May next.
(Edwards 1902 II)

– Der Unterausschuß (Sub-committee) des Foundling Hospital war für die schon genutzte, aber noch nicht ganz fertiggestellte Kapelle verantwortlich. Deren offizielle Einweihung sollte am 3. Mai 1750 sein, wurde jedoch immer wieder verschoben und fand erst am 16. April 1753 statt.
Händels *Messiah* wurde in der Kapelle des Foundling Hospital am vorgesehenen Tag (vgl. 1. Mai 1750) aufgeführt. Diese Frühjahrsaufführung wurde zu einer ständigen Einrichtung in der Geschichte des Foundling Hospital.

13. Februar 1750 (I)
Händel zahlt von seinem Konto 50 £ an eine unbekannte Person.
Der Vermerk „To Cash Receipt" besagt, daß das Geld abgeholt wurde.

13. Februar 1750 (II)
Anthony Ashley Cooper, 4. Earl of Shaftesbury, an seinen Vetter James Harris

London, February 13, 1750.
I have seen Handel several times since I came hither, and think I never saw him so cool and well. He is quite easy in his behaviour, and has been pleasing himself in the purchase of several fine pictures, particularly a large Rembrandt, which is indeed excellent. We have scarce talked at all about musical subjects, though enough to find his performances will go off incomparably.
(Malmesbury 1870, I, 77; Streatfeild 1909, 204)

– Händel besaß zwei Gemälde von Balthasar Denner, die er Charles Jennens vermachte, sowie zwei Rembrandt-Landschaften, die er Bernard Granville hinterließ, der ihm eines dieser Bilder geschenkt hatte. Von diesen Rembrandt-Bildern fehlt jede weitere Spur. Ob sie möglicherweise unter dem Namen des Rembrandt-Schülers Philips Koninck erhalten sind, ist bisher nicht untersucht worden. Händel gab vermutlich etwa 8 000 £ für die Bilder aus, falls die Bewegungen auf seinem Bankkonto vom 22. Januar und 22. Februar 1750 mit deren Erwerb in Zusammenhang stehen.
Vgl. 4. August 1757 (II)

22. Februar 1750 (I)
Händel hebt 7 926 £ und die Restsumme von 24 £ von seinem Konto ab.

22. Februar 1750 (II)
In Dublin wird in der Music Hall, Fishamble Street, zum Besten des Hospital for poor distressed Lying-in Women, George's Lane, Händels *Judas Maccabaeus* aufgeführt.

– Diese zweite Aufführung des Oratoriums in Dublin ist durch das von James Hoey gedruckte Textbuch (Sammlung Gerald Coke) belegt.
(Dean 1959, 477)

22. Februar 1750 (III)
Christian August Rotth, Beischrift zu einer von ihm verfaßten Ode auf Händel

Das ermunterte Musen-Chor wolte als Tit. Herr George Friedrich Händel im Jahre 1750. den 22. [sic!] Februar. Seinen erfreulichen Geburts-Tag in London glücklich erlebet hatte mit folgender Ode aus treuester Freundschaft zu Halle glückwünschend vorstellen M. Christian August Roth.
(Händel 1935, X)

– Die von Händels Vetter Rotth verfaßte, bei Johann Friedrich Grunert in Halle gedruckte Ode scheint mit Ausnahme der Titelseite, die diese Beischrift trägt, verloren zu sein.

24. Februar 1750
Händel an den Aufseher des Ordnance Office

S[r]

I having received the Permission of the Artillery
Kettle Drums for my use in the Oratorio's in this
Season; I beg you would consign them to the
Bearer of this Mr. Frideric Smith
I am
Your very humble Servant
G. F. Handel
Saturday Febr: 24 1750.
(British Library: Add. MSS. 24 182, fol. 15. Cum-
mings 1904, 37; Mueller von Asow, 180)

– Händel hatte sich schon 1739 und 1748 die großen Kessel-Pauken (eine Oktave tiefer gestimmt
als die gewöhnlichen Instrumente) für seine Oratorienaufführungen aus dem Tower geliehen und
entlieh sie nochmals 1753 und 1756 (vgl. 13. Januar 1739 und 26. Februar 1749). Jetzt entlieh er
sie für die Dauer seiner Oratorien-Saison in der
Fastenzeit, wahrscheinlich für die Aufführungen
von *Saul* und *Judas Maccabaeus*. Über Frederick
Smith, der am 26. Februar 1750 den Empfang der
Pauken quittierte, ist nichts bekannt. „Principal
Storekeeper of the Ordnance" war Andrew Wilkinson.
(Dean 1959, 275)

Februar 1750
Notiz Händels auf Morells Textbuch-Manuskript
des Oratoriums *Theodora*

I intend to perform this Oratorio at the Theatre
Royal in Covent Garden.
George Frideric Handel.
(Sammlung Newman Flower, Manchester Public
Libraries. Cummings 1904, 37; Flower 1923, Faksi-
mile zwischen 314 und 315; Walker 1972, 59 f.)

– Händels Vermerk ist an den Zensor für Theater-
stücke (Inspector of Stage-Plays) gerichtet.
Vgl. 10. Januar 1743 und 10. Februar 1752

Um 1770 schrieb Thomas Morell in einem Brief an
einen unbekannten Empfänger:
The next I wrote was Theodora (in 1749), which
Mr Handell himself valued more than any Performance of the kind; and when I once ask'd him,
whether he did not look upon the Grand Chorus
in the Messiah as his Master Piece? "No", says he,
"I think the Chorus at the end of the 2d part in
Theodora far beyond it. He saw the lovely youth
&c."
(Hodgkin, 91)

1. März 1750 (I)
Rechnungen des Covent Garden Theatre

Thursday 1 March Advanc'd to'wards purchasing
Mr Smollet's copy of Alceste   . . . .   100 – –

(British Library, Egerton MS. 2 269, Vol. III,
fol. 121r)
Vgl. 14. Februar 1749 und 8. Januar 1750

– Smollett schrieb bereits am 14. Februar 1749 von
der Vollendung seines Stückes, doch „Donnerstag,
1. März" beweist, daß die Eintragung tatsächlich
erst 1750 erfolgte.

1. März 1750 (II)
Mary Delany an ihre Schwester Ann Dewes

St. James's Place, 1 March, 1749–50.
To-morrow oratorios begin – Saul, one of my be-
loved pieces – I shall go.
(Delany, II, 541; Chrysander, III, 57)

2. März 1750
The General Advertiser

At the Theatre Royal in Covent-Garden, this Day,
will be performed an Oratorio, called Saul. ... To
begin at half an Hour after Six o'Clock.

– Die Aufführung, die am 7. März wiederholt
wurde, war die erste seit dem 13. März 1745. Danach wurde *Saul* in London erst wieder 1754 aufgeführt (vgl. 15. März 1754).
(Dean 1959, 304)

3. März 1750

Händel zahlt 200 £ auf sein Konto ein.

9. März 1750 (I)
The General Advertiser

At the Theatre Royal in Covent-Garden, this Day
will be performed an Oratorio, called Judas Maccabeus. ... To begin at half an Hour after Six
o'Clock.

– Wiederholungen: 14., 28. und 30. März 1750.
Vgl. 1. April 1747 und 26. Februar 1748
(Dean 1959, 476 f.)

9. März 1750 (II)
Händel zahlt 200 £ auf sein Konto ein.

10. März 1750

Elizabeth Pappett erhält eine fünf Jahre geltende
Lizenz, am Haymarket Theatre Opern aufführen
und andere Veranstaltungen stattfinden zu lassen.
(Public Record Office: L. C. 5/161, 327)

– Miss Pappett war eine natürliche Tochter des
vorigen Pächters, John James Heidegger, der am
5. September 1749 gestorben war. Sie heiratete
später den Vizeadmiral Baronet Sir Peter Denis.
Vgl. 17. Januar 1751

12. März 1750
Händel zahlt 100 £ auf sein Konto ein.

15. März 1750
Händel zahlt 200 £ auf sein Konto ein.

16. März 1750
The General Advertiser

At the Theatre Royal in Covent-Garden, this Day will be performed a New Oratorio, called Theodora. With a New Concerto on the Organ. ... To begin at half an Hour after Six o'Clock.

– Der Text von Händels neuem Oratorium stammt von Thomas Morell, dessen literarische Quelle das 1687 anonym veröffentlichte Buch *The Martyrdom of Theodora and of Didymus* von Robert Boyle (1627–1691) war.
Besetzung:
Valens – Thomas Reinhold, Baß
Didymus – Gaetano Guadagni, Alt
Septimius – Thomas Lowe, Tenor
Theodora – Giulia Frasi, Sopran
Irene – Caterina Galli, Mezzosopran
ein Bote – ?, Tenor
Wiederholungen: 21. und 23. März 1750.
Die einzige Wiederaufführung zu Lebzeiten Händels war am 5. März 1755.
(Dean 1959, 556 ff.)

1782 veröffentlichte William Mason eine Sammlung mit Anthem-Texten, der er einen *Critical and Historical Essay on Cathedral Music* (1795 unter dem Titel *Essays, historical and critical on English Church Music* nachgedruckt) voranstellte. Darin schreibt er, nachdem er Rousseau zitiert hat, folgendes:
„This is Rousseau's idea of a good Preluder, and if any of my Readers are old enough to recollect how the great Handel executed that kind of Capriccio, which he usually introduced upon the Organ between one of the Acts of his Oratorios in Covent-Garden Theatre, he will, I believe, agree with me, that words cannot more perfectly express the supreme excellency of that performance, than these which I have translated from this Swiss Critic. For myself, I own that the superior manner, in point both of Vocal and Instrumental Performers, by which his Oratorios have been since executed in Westminster Abbey and elsewhere, cannot compensate for the want of that Solo, now alas! to be heard no more."   [S. 45]
Vgl. 25. Dezember 1755

17. März 1750
Händel zahlt 100 £ auf sein Konto ein.

21. März 1750
Prinzessin Amelia besucht die zweite Aufführung von *Theodora* und moniert, daß die Zuhörerschaft „very thin" gewesen sei.
(Macfarren 1873)

– Prinzessin Amelias Anwesenheit bei dieser Aufführung erwähnt auch Morell in einem um 1770 geschriebenen Brief:
The 2d night of Theodora was very thin indeed, tho' the Princess Amelia was there. I guessed it a losing night, so did not go to Mr Handell as usual; but seeing him smile, I ventured, when, „Will you be there next Friday night", says he, „and I will play it to you?" I told him I had just seen Sir T. Hankey, „and he desired me to tell you, that if you would have it again, he would engage for all the Boxes." „He is a fool; the Jews will not come to it (as to Judas) because it is a Christian story; and the Ladies will not come, because it [is] a virtuous one."
(Hodgkin, 91)

23. März [?] 1750
Elizabeth Montagu an ihre Schwester, Sarah Robinson

I was not under any apprehension about the earthquake, but went that night to the Oratorio, then quietly to bed. ... The Wednesday night the Oratorio was very empty, though it was the most favourite performance of Handel's.
(Montagu 1906, II, 274; Streatfeild 1909, 204 f.)

– Die bisherige Datierung des Briefes auf den 20. Februar 1750 kann nicht richtig sein, weil im Februar dieses Jahres keine Oratorien-Aufführungen in London stattfanden. Im Februar 1751 kann der Brief nicht geschrieben worden sein, da es 1751 in London keine Erdstöße gab. Diese begannen (nach einem Brief Walpoles an Horace Mann) am 5. Februar 1750 und erreichten am 19. Februar ihren Höhepunkt. Wahrscheinlich begann Händel deshalb seine Oratorien-Saison in diesem Jahr erst am 2. März.
Mrs. Montagu könnte den Brief am Freitag, dem 23. März 1750, geschrieben und am Mittwoch, dem 21. März, die erste Wiederholung der *Theodora* besucht haben. (Die Mittwoch-Aufführungen vor dem 21. März waren *Saul* am 7. März und *Judas Maccabaeus* am 14. März.)

24. März 1750
Anthony Ashley Cooper, 4. Earl of Shaftesbury, an seinen Vetter James Harris

London, 24 March 1749/50.
I cant conclude a letter and forget Theodora. I have heard it three times and will venture to pronounce it, as finished, beautifull and labour'd a composition, as ever Handel made. To my knowledge, this took him up a great while in composing. The Town don't like it at all, but Mr. Kelloway and several excellent Musicians think as I do.
(Earl of Malmesbury. Matthews 1961, 128)
Vgl. 16. März 1750

– Joseph Kelway war Organist an St. Martin's-in-the-Fields und Cembalist. Händel schätzte sein Orgelspiel. Er unterrichtete Königin Charlotte, und auch Ann Granvilles Schwester, Mary Pendarves, nahm bei ihm Unterricht.

29. März 1750 (I)
The General Advertiser

For the Benefit of Miss Cassandra Frederick, a Child of Six and a Half Old, a Scholar of Mr. Paradies. At Hickford's Room in Brewer street, This Day ... will be performed a Concert of Vocal and Instrumental Musick. This Child will perform on the Harpsichord ... two Concertos of Mr. Handel's.

– Cassandra Frederick hatte schon am 10. April 1749 ein Händelsches Konzert öffentlich gespielt.

29. März 1750 (II)
Händel zahlt 150 £ auf sein Konto ein.

29. März 1750 (III)
In einer Aufführung der Komödie *Rule a Wife and have a Wife* von Francis Beaumont und John Fletcher im Covent Garden Theatre zum Besten von Richard Leveridge singen Thomas Lowe und Miss Falkner das Duett „O lovely Peace" aus Händels *Judas Maccabaeus*.

30. März 1750
In Wien wird im Theater an der Hofburg die Pasticcio-Oper *L'Andromaca* mit Musik von Girolamo Abos, Andrea Bernasconi, Händel, Hasse, Jommelli und Wagenseil aufgeführt.

– Textgrundlage war wahrscheinlich das 1724 von Caldara vertonte gleichnamige Libretto von Zeno.

31. März 1750
The Student: or, Oxford Monthly Miscellany

Trin. Coll., Cambridge, 8 March 1750. ... Must we not ... with some concern see so many Students, who are equally destin'd to the common task of learning, debauch'd by Sound, neglecting Locke and Newton for Purcell and Handel, and instead of Philosophers commencing (O ridicule! O shame to common sense!) downright Fiddlers. ... In a word, ... our books, I expect, will be changed into fiddles, our schools will be turned into musick-rooms, and Aristotle kick'd out for Corelli. Cantab.   [Bd. I, Nr. 3, S. 72]
(Deutsch 1942 II)

– Das Magazin erhielt später den Titel *The Student or Oxford and Cambridge Monthly Miscellany*, erschien aber nur kurze Zeit. Der zitierte Artikel

aus Cambridge ist überschrieben: „Fiddling considered, as far as it regards an University."
Die Problematik erinnert an die Tagebuchaufzeichnungen von Thomas Hearne aus der Zeit vom 5. Juli bis 8. August 1733.
Vgl. 30. April 1750

4. April 1750
The General Advertiser

At the Theatre Royal in Covent-Garden, this Day, will be performed an Oratorio, called Sampson. ... To begin at half an Hour after Six o'Clock.
Vgl. 18. Februar 1743 und 3. März 1749

– Die Aufführung wurde am 6. April 1750 wiederholt.
Die vollständige Besetzung ist nicht bekannt. Der Altkastrat Gaetano Guadagni sang die Partie der Micah, Caterina Galli die des Philisters. Die übrigen Partien waren möglicherweise wie 1749 besetzt (Dean 1959, 352).
Burney (II, 875) schreibt: „Gaetano Guadagni ... came first into this country ... 1748. ... the excellence of his voice attracted the notice of Handel, who assigned him the parts in his oratorios of the Messiah and Samson, which had been originally composed for Mrs. Cibber; in the studying which parts, as I often saw him at Frasi's, whom I then attended as her master, he applied to me for assistance."

11. April 1750
Rechnungsbücher der Edinburgh Musical Society

Handell's Overtures at Mr Clark's sale – 10s.
(Hamilton, 20)

12. April 1750
The General Advertiser

At the Theatre Royal in Covent-Garden, this Day, will be performed a sacred Oratorio, called Messiah. (Being the Last This Year.) ... To begin at half an Hour after Six O'Clock.

– „Being the Last This Year" bedeutet die letzte Aufführung der Oratorien-Saison. John Watts zeigte das Textbuch des *Messiah* am 10. und am 24. April an.
Guadagni sang in diesem Jahr wahrscheinlich zum ersten Mal im *Messiah* mit. Händel schrieb für ihn neue Fassungen von „But who may abide" und „Thou art gone up on high".

14. April 1750
Philip Dormer Stanhope, 4. Earl of Chesterfield, an Solomon Dayrolles in Den Haag

London, 14 April O. S. 1750
I could not refuse this recommendation of a virtuoso to a virtuoso. The girl is a real prodigy. ... The

great point is to get the Princess of Orange to hear her, which she thinks will make her fortune. Even the great Handel has designed to recommend her there; so that a word from your Honour will be sufficient.

(Chesterfield, IV, 1524, Nr. 1698)

– Der Diplomat Dayrolles, ein Patensohn Chesterfields, war derzeit englischer Resident in Den Haag. Das ihm empfohlene Wunderkind könnte Cassandra Frederick (vgl. 10. April 1749 und 29. März 1750) gewesen sein. Prinzessin Anne war Händels Schülerin gewesen.

15. April 1750
Anne-Marie Fiquet du Bocage an ihre Schwester, Madame du Perron

A Londres ce 15 Avril 1750
L'Oratorio, ou Concert pieux nous plaît beaucoup. Les paroles Angloises[1] y sont chantées par des Italiens, & accompagnées d'une multitude d'instruments. Hendel en est l'ame: il y paroît précédé de deux flambeaux qu'on pose sur son orgue. Mille mains l'applaudissent; il s'assied, aussi-tôt le coup d'archer le plus précis se fait entendre. Dans les intermedes il joue seul ou avec l'orchestre des Concerto de sa composition, admirables par l'harmonie & l'exécution. L'Opera Italien en trois actes nous amuse moins …
[1] Cette langue paroît fort propre à la Musique. L'ingénieux Adisson dit que sa brièveté convient au peu de goût que ses compatriotes ont pour les longs discours, que son siflement est comme un instrument à cordes, & les sons prononcés des autres langues comme des instruments à vent.
(Fiquet du Bocage 1762/64, I, 14f.; Fiquet du Bocage/Myers, 149)

– Die französische Dichterin hielt sich mit ihrem Gatten besuchsweise in London auf. Im Haymarket Theatre wurde seit dem 20. Februar 1750 Legrenzio Vincenzo Ciampis Oper *Adriano in Siria* aufgeführt; am 27. April folgte Pergolesis *La serva padrona*. Nach dieser Saison gab es über einen längeren Zeitraum keine Opernaufführungen in London.

16. April 1750
The General Advertiser

The Rehearsal of the Musick for the Feast of the Sons of the Clergy, will be perform'd at St. Paul's on Tuesday the 24th of this Instant April, and the Feast the Thursday following. … Feast Tickets at Five Shillings each. … N. B. Mr. Handel's new Te Deum, Jubilate and Coronation Anthem, with a new Anthem by Dr. Green, will be vocally and instrumentally perform'd.

– Welche Werke Händels außer dem *Dettingen Te Deum* aufgeführt werden sollten, bleibt unklar.

Ob tatsächlich das *Utrecht Jubilate* und nicht das *Dettingen Anthem* gemeint war? Von den Coronation Anthems war zwar „Zadok the Priest" das populärste, doch könnte ebensogut eines der anderen aufgeführt worden sein, da „Zadok the Priest" meist als Anthem „God save the King" bezeichnet wurde.

18. April 1750 (I)
Protokolle des General Committee des Foundling Hospital

The Secretary acquainted the Committee that Mr. Handel had agreed to the following Advertizement to be published for his intended Performance.
Hospital for the Maintenance and Education of Exposed and Deserted Young Children in Lamb's Conduit Fields, April 18th, 1750.
George Frederick Handel, Esq. having presented this Hospital with a very fine Organ for the Chapel thereof, and repeated his offer of assistance to promote this Charity; on Tuesday the First Day of May 1750 at Twelve o'Clock at noon Mr. Handel will open the said Organ; and the sacred Oratorio called 'Messiah' will be performed under his direction.
Tickets … at half a Guinea each.
Ordered – That the said Advertizement be published in the Daily Advertiser, on Friday next, and every day after to Tuesday the first of May; Twice a week in the General Advertiser, twice a week in the Gazetteer and twice a week in some evening papers.
(Edwards 1902 I)

– Seit dem 21. April erschienen die Anzeigen mit dem Hinweis: „There will be no collection."
Die Orgel baute Dr. Jonathan Morse aus Barnet (vgl. 19. September 1738, Juli 1749 und 2. Mai 1750/II). Sie war schon 1766 reparaturbedürftig und wurde 1769 durch eine neue, von Thomas Parker erbaute Orgel ersetzt.

18. April 1750 (II)
Protokolle des General Committee des Foundling Hospital

[Der Schatzmeister berichtet:] That Mr. Hudson had offered to present the Hospital with Mr. Handel's picture, and that Mr. Handel had consented to sit for it.
(Edwards 1902 I)

– Thomas Hudson malte mehrere Öl-Porträts von Händel; für eines hat ihm Händel wahrscheinlich Modell gesessen. Es ist aber nichts darüber bekannt, daß er eines dieser Bilder dem Foundling Hospital geschenkt hätte. Vielleicht war das im Besitz der Royal Society of Musicians befindliche Porträt eigentlich für das Foundling Hospital bestimmt. Ein anderes, ebenfalls von Hudson gemaltes und auf 1756 datiertes Händel-Porträt, das Charles Jennens gehört hat, gelangte in den Besitz des Earl Howe und befindet sich heute in der National Portrait Gallery, London.

19. April 1750 (I)
Händel hebt von seinem Konto 950 £ ab und kauft für 1 100 £ vierprozentige Aktienpapiere.

19. April 1750 (II)
Bei einer Aufführung von William Congreves Komödie *The Double Dealer* im Covent Garden Theatre zum Besten von Miss Falkner singt diese nach dem zweiten Akt die Arie „ O sleep, why dost thou leave me?" aus Händels Oratorium *Semele*.

30. April 1750
The Student: or, Oxford Mothly Miscellany

C. C. C. [Corpus Christi College], Cambridge, April 5, 1750. ... I see no reason why our schools may not be frequented as well as our musick-meetings, and Newton and Locke still have their followers as well as Handel and Corelli. ...
Granticola.   [Bd. I, Nr. 4, S. 131]
(Deutsch 1942 II)
Vgl. 31. März 1750

– Diese unter der Überschrift „Musick no improper part of an University Education" erschienene Notiz eines musikliebenden Studenten war die Replik auf einen in der gleichen Zeitschrift veröffentlichten Angriff auf die Musikpflege an der Universität. Die Auseinandersetzung wurde mit einem Sonett *On the Power of Musick* beendet, das nur mit „A" signiert war.

1. Mai 1750 (I)
Gedruckte Einladung für die *Messiah*-Aufführung im Foundling Hospital

At the Hospital For the Maintenance and Education of exposed and deserted Children in Lambs Conduit Fields,
On *Tuesday* y^e *first* day of *May 1750* at *12* o'Clock *at Noon* there will be Performed in the Chapel of the said Hospital, a Sacred Oratorio called *„The Messiah"*
Composed by George Frederick Handel Esqr
The Gentlemen are desired to come without Swords, and the Ladies without Hoops.
N. B. There will be no Collection. Tickets may be had of the Steward of the Hospital, at Arthur's Chocolate House in St James's Street, at Batson's Coffee House in Cornhill & at Tom's Coffee House in Devereux Court at half a Guinea each.
(Rockstro, 298; Nichols/Wray, Faksimile gegenüber 203)

– Die für diese Einladung gestochene Platte sollte ursprünglich auch für andere Aufführungen geistlicher Oratorien verwendet werden. Sie wurde dann aber nur für den *Messiah* benutzt, wobei die hier kursiv wiedergegebenen Wörter und Zahlen jeweils handschriftlich eingesetzt wurden.
Die Platte ist mit dem von Hogarth entworfenen Wappen des Foundling Hospital verziert, das durch einen merkwürdigen Zufall einen Teil des Wappens von Händels Geburtsstadt Halle enthält.
Im ursprünglichen Text der Anzeige war auch White's Coffee House (später White's Club) erwähnt.

1. Mai 1750 (II)
William Stukeley, Tagebuchaufzeichnung

1 May, 1750. An infinite croud of coaches at our end of the town to hear Handel's music at the opening of the Chapel of the Foundlings.
(Stukeley, III, 9; Myers 1948, 138)

– Der Grundstein für den Bau der Kapelle des Foundling Hospital war am 1. Mai 1747 gelegt worden.

2. Mai 1750 (I)
Protokolle des General Committee des Foundling Hospital

Resolved
That the Thanks of this Committee be given to George Frederick Handel Esqr for his Performance in the Chapel Yesterday, of the Oratorio called „Messiah", to a very numerous Audience, who expressed the greatest Satisfaction at the Excellency thereof, and of his great Benevolence, in thus promoting this Charity; which the Chairman accordingly did.
Ordered
That a Copy of the said Minute be signed by the Secretary & given to Mr. Handel.
Mr. Handel attending and having generously offered another Performance of ye Oratorio called Messiah on Tuesday the 15th instant,
Resolved
That the Thanks of this Committee be given to Mr. Handel for his said kind Offer, and the Comittee do accept hereof.
Resolved
That the following Advertizement be published.
[Es folgt der Text der Anzeige im *General Advertiser* am 4. Mai.]
(Nichols/Wray, 203 f.)

– Der Reinertrag der *Messiah*-Aufführung am 1. Mai betrug 728 £ 3s. 6d.
Vgl. 4. Mai 1750 (I)

2. Mai 1750 (II)
Protokolle des General Committee des Foundling Hospital

Mr. Handel acquainting the Committee that Dr. Morse, of Barnet, had not finished the organ for the Chapel of this Hospital pursuant to the contract he made with him in July last for that purpose.
Ordered – That the Secretary do write to Dr. Morse to press his finishing the organ for immediate use, and that he may find able persons to have as many stops as he can, for chorus's, before Tuesday, the 15th inst.
(Edwards 1902 I)

– Anscheinend wurde die Orgel bis zum 15. Mai nicht fertig. Aus späteren Protokollen geht hervor, daß Jonathan Morse bei einer Versammlung am 30. Mai 1750 anwesend war und daß ihm am 6. Februar 1751 „for the diapason stop", nachdem er „delivered all the pipes", 20 £ gezahlt wurden. Morse starb am 20. Oktober 1752 im Alter von 62 Jahren.

4. Mai 1750 (I)
The General Advertiser

Hospital ... in Lamb's Conduit Fields, May 2, 1750.
A Computation was made of what Number of Persons the Chapel of this Hospital would conveniently hold, and no greater Number of Tickets were delivered to hear the Performance there on the First Instant. But so many Persons of Distinction coming unprovided with Tickets and pressing to pay Tickets, caused a greater Number to be admitted than were expected; and some that had Tickets not finding Room going a way. To prevent any Disappointment to such Persons, and for the further Promotion of this Charity, this is to give Notice, that George-Frederick Handel, Esq; has generously offered, that the Sacred Oratorio called Messiah, shall be performed again under his Direction, in the Chapel of this Hospital on Tuesday the 15th Instant, at Twelve of the Clock at Noon, and the Tickets delivered out, and not brought in on the 1st Inst. will be then received. ...
Harman Verelst, Se.
(Schoelcher 1857, 269)

4. Mai 1750 (II)
Quittung über den Empfang der Gesamthonorarsumme für die Messiah-Aufführung am 1. Mai 1750

May 4, 1750.
Received of Taylor White, Esq., Treasurer to the Hospital for the Maintenance and Education of exposed and deserted young Children, Thirtyfive pounds for the Performers in the Oratorio of Messiah on Tuesday the 1st instant in the Chapel of the said Hospital to be Distributed and paid over persuant to the Directions of my Master George Frederick Handel, Esq., by me.
£ 35 – –
Christopher Smith.
(Edwards 1902 I)

– Die Quittung hat Händels Sekretär und Freund, John Christopher Smith sen., unterzeichnet. Von den 35 £ erhielt der Tenor Beard zwei Guineen, John Christopher Smith und „Peter [le Blond], Mr. Handel's servant" je eine. Beard und Smith gaben ihr Honorar dem Fonds des Hospitals. Das übrige Geld wurde vielleicht unter die Musiker verteilt.
Vgl. 13. Juni 1750

9. Mai 1750 (I)
Protokolle der Zusammenkünfte der Governors des Foundling Hospital

George Frederick Handel, Esq., having presented this Hospital with an Organ, for the Chapel thereof ...
Resolved – That the thanks of this General Court be severally given to the said Mr. Handel ... for the same, which the Vice-President accordingly did.
Resolved – That they [Händel und andere Förderer des Hospitals] be now Balloted for, to be Elected Governors and Guardians of this Hospital, and the said George Frederick Handel [und die anderen Wohltäter] were accordingly elected by Ballot.
(Edwards 1902 I)

– Die Governors des Hospitals traten vierteljährlich zusammen. Wahrscheinlich war Händel bei der Versammlung, wenn auch nicht bei der Abstimmung anwesend.
Vgl. 7. Mai 1749

9. Mai 1750 (II)
Register of Governors des Foundling Hospital

[Gewählt:] George Frederick Handel, Esq. – Great Brook Street
(Nichols/Wray, 363)

14. Mai 1750
Rechnungen des Covent Garden Theatre

Reced by D° [mit dem gleichen Saldo] Mr Handell's Rent for 12 Oratorio's 76. 18. 2.
(British Library: Egerton MS. 2269, Vol. III, fol. 161 v. Wyndham, I, 60 und 117)

– Händel hatte im Covent Garden Theatre vom 2. März bis zum 12. April zwölf Oratorien aufgeführt.

15. Mai 1750
In der Foundling Hospital Chapel wird die Messiah-Aufführung wiederholt.
Vgl. 1. und 4. Mai (I) 1750

18. Mai 1750

In Hickford's Room in der Brewer Street wird ein Benefizkonzert für die nach London zurückgekehrte Francesca Cuzzoni veranstaltet (*General Advertiser*).

– Francesca Cuzzoni, Händels Primadonna aus der Zeit der ersten Opernakademie, hatte ihren Ruhm überlebt. Sie soll bald nach diesem Konzert wieder auf den Kontinent zurückgekehrt sein, wo sie in Armut lebte. Möglicherweise war sie auch in London geblieben, denn ein Jahr darauf trat sie hier noch zweimal auf (vgl. 16. April und 20. Mai 1751).
Nach Burney (II, 849f.) soll in dem am 18. Mai 1750 veranstalteten Konzert der Geiger Felice de Giardini zum ersten Mal in London aufgetreten sein, und zwar mit einem Violinsolo von Giovanni Battista Sammartini (nach Pohl, *Mozart in London*, 171f., geschah das erst am 27. April 1757). De Giardini wurde 1752 als Nachfolger des verstorbenen Michael Christian Festing Leiter des Orchesters der italienischen Oper und 1756 dort Unternehmer.
Daß Francesca Cuzzoni in der *Messiah*-Aufführung vom 18. Mai 1750, wie Flower (1923, 315) meint, mitgesungen habe, läßt sich nicht belegen und ist auch wenig glaubhaft.
Am 2. August 1750 schrieb Horace Walpole in einem Brief an Horace Mann: „Another celebrated Polly has been arrested for thirty pounds, even the old Cuzzoni. The Prince of Wales baled her – who will do as much for him?"
(Walpole Letters 1857, II, 219)

1. Juni 1750
Händels Testament

In the Name of God Amen.
I George Frideric Handel considering the Uncertainty of human Life doe make this my Will in manner following
viz.
I give and bequeath unto my Servant Peter le Blond, my Clothes and Linnen, and three hundred Pounds sterl: and to my other Servants a Year Wages.
I give and bequeath to Mr Christopher Smith my large Harpsicord, my little House Organ, my Musick Books, and five hundred Pounds sterl:
Item I give and bequeath to Mr James Hunter [mehrere Wörter unleserlich durch Ausstreichung] five hundred Pounds sterl:
I give and bequeath to my Cousin Christian Gottlieb Handel of Coppenhagen one hundred Pounds sterl:
Item I give and bequeath to my Cousin Magister Christian August Rotth of Halle in Saxony one hundred Pounds sterl:
Item I give and bequeath to my Cousin the Widow

of George Taust, Pastor of Gibichenstein near Halle in Saxony three hundred Pounds sterl: and to Her six Children each two hundred Pounds sterl:
All the next and residue of my Estate in Bank Annuity's 1746. 1st sub. or of what soever Kind or Nature,
I give and bequeath unto my Dear Niece Johanna Friderica Floercken of Gotha in Saxony (born Michäelsen in Halle) whom I make my Sole Exec^trix of this my last Will
In wittness Whereof I have here unto set my hand this 1 Day of June 1750.
George Frideric Handel.
(Probate Registry, Somerset House, London; Sammlung Gerald Coke. Musikalischer Anzeiger, Frankfurt 1827; Clark 1836, 18; Cummings 1904, 66ff.; Deutsch 1942 I; Mueller von Asow, 187; Smith 1953; Sasse 1958, 32 und 148f.)

– Von Händels Testament sind zwei autographe Exemplare überliefert; die vier Kodizille (vgl. 6. August 1756, 22. März und 4. August 1757 sowie 11. April 1759) wurden von Kopisten geschrieben und von Händel unterzeichnet.
Das Exemplar in der Sammlung Coke (möglicherweise Händels erste Niederschrift) weist folgende Abweichungen auf: „… Smith Senior" – „Senior" ausgestrichen; „South Sea Annuity's" gestrichen und durch „Bank Annuity's" ersetzt; „Giebichenstein"; „Floerken".
„Mr Christopher Smith" ist John Christopher Smith sen., der 1716 aus Ansbach nach London gekommen war.
James Hunter, nach Hawkins (V, 410f.) ein Scharlach-Färber aus Old Ford, kopierte einige Partituren Händelscher Werke (Granville Collection).
Christian Gottlieb Händel (geb. 1714) war ein Enkel von Händels Halbbruder Carl. Der Verwandtschaftsgrad zwischen Händel und dem nahezu gleichaltrigen Magister Christian August Rotth ist bis jetzt nicht geklärt (vgl. Dezember 1730 und 22. Februar 1750). Die Witwe Georg Tausts, des jüngsten Bruders von Händels Mutter (vgl. 23. April 1683 und 8. April 1685), Dorothea Elisabeth, war eine Tochter von Händels Halbschwester Sophie Rosine Pfersdorff (Fehrsdorf). Johanna Friderica Floerke, Händels Patenkind, war die zweite Tochter seiner Schwester Dorothea Sophia Michaelsen. Zu ihrer Taufe am 23. November 1711 war Händel nach Halle gekommen. Johanna Friderica Michaelsen hatte am 6. Dezember 1731 Dr. Johann Ernst Floerke geheiratet (vgl. 17. August 1731/II).
Händels großes Cembalo, 1612 von Johannes Ruckers gebaut, kam durch John Christopher Smith jun. in den Besitz Georgs III.; das kleine, 1651 von Andreas Ruckers gebaut, steht heute im Victoria and Albert Museum.

13. Juni 1750
Protokolle des General Committee des Foundling Hospital

The Secretary acquainted the Committee, that Mr. Gates the Master of the Children of the King's Chapel, having received, by Mr. Handel's order, Seven Guineas for their Performance, in the Chapel of this Hospital on the 1st and 15th May last, had brought to the Secretary Five pounds Nineteen shillings thereof, chusing only to be reimbursed the One Pound Eight shillings he paid for the Two Days Coach hire for the said children to and from the Hospital, which the Secretary paid to the Treasurer as the Benefaction of the said Mr. Gates to this Hospital.
Ordered
That the Secretary do return the Thanks of this Committee to Mr. Gates for the same, and sign a Copy of this Minute for that purpose.
(Tobin 1950, 133)
Vgl. 1. und 4. Mai (II) 1750

17. Juni 1750
Mary Delany an ihren Bruder Bernard Granville in London

Delville, 17 June 1750.
I am glad the Foundling Hospital was so full, and carried on with such decency; I am sure it pleased our friend Handel, and I love to have him pleased.
(Delany, II, 556)

28. Juni bis 5. Juli 1750
Händel schreibt das Musical Interlude *The Choice of Hercules*.
Einträge in der autographen Partitur (R. M. 20. e. 6.): „angefangen den 28. Juni ☿ [Mittwoch] 1750"; „G. F. Handel völlig geendiget July. 5. ♃ [Donnerstag] 1750."

– Das Libretto, dessen Bearbeiter vermutlich Thomas Morell war, geht zurück auf die gleichnamige, 1747 in Joseph Spences *Polymetis* veröffentlichte Dichtung von Robert Lowth. Händel verwendete für *The Choice of Hercules* große Teile aus seiner Schauspielmusik zu Smolletts nicht aufgeführter *Alceste* (vgl. 8. Januar 1750)
Vgl. 1. März 1751

28. Juli 1750
Johann Sebastian Bach stirbt in Leipzig.

– Bach und Händel sollen mehrmals vergeblich ein Zusammentreffen versucht haben (vgl. Mai 1719 und 24. Juni 1724). Eine gegenseitige Wertschätzung muß bestanden haben. Für Bach wird sie dokumentiert durch die Abschriften, die er sich von einigen Händelschen Werken (Partitur der *Brockes-Passion*: S. 1–23 von Bach, die übrigen Teile von Anna Magdalena geschrieben; Stimmen

der Sopran-Kantate *Armida abbandonata* sowie Stimmen des Concerto grosso op. 6 Nr. 3) angefertigt hat.

2. August 1750
Händel verkauft vierprozentige Aktienpapiere im Wert von 300 £.

9. August 1750
Händel kauft für 150 £ vierprozentige Aktienpapiere.

21. August 1750
The General Advertiser

Mr. Handel, who went to Germany to visit his Friends some Time since, and between the Hague and Harlaem had the Misfortune to be overturned, by which he was terribly hurt, is now out of Danger.
(Schoelcher 1857, 317)

– Vermutlich hatte Händel diese Reise, bei der er seine Verwandten in Deutschland wahrscheinlich zum letzten Mal besuchte, bald nach dem 9. August angetreten. Über seinen Unfall bei Haarlem sind keine Einzelheiten bekannt.

28. August 1750
[Johann Friedrich Agricola (?),] Sendschreiben an die Herren Verfasser der freyen Urtheile in Hamburg, das Schreiben an den Herrn Verfasser des kritischen Musikus an der Spree betreffend, Berlin 1750

Wahr ist es, Perti ist gegenwärtig einer der geschicktesten Männer in Italien, und zwar hat er den Ruhm, daß er sehr gründlich arbeitet; allein in Deutschland werden wir verschiedene nicht nur seines Gleichen, sondern, die ihn weit übertreffen, finden. Man nehme nur die Messen eines nur kürzlich verstorbenen Stölzels, die Messen und Magnificat des vor wenig Tagen in Leipzig verstorbenen Bachens, die vielen und unzählbaren Kirchenarbeiten, und zwar vornehmlich die Chöre eines noch lebenden ehrwürdigen Telemanns, die Psalmen eines Händels, und vieler anderer geschickter Männer: so wird man finden, daß wir in Deutschland Männer haben, denen es etwas leichtes ist, es mit einem Perti aufzunehmen. Ueberdieses versichern Kenner, daß Perti noch lange kein Hexenmeister in den Fugen ist. Fux, Telemann, Bach, Händel, Graun und andere unter den Deutschen haben es viel weiter gebracht. Alle diese Componisten bleiben in den Fugenarbeiten bey der Stange, sie sind nicht so leichtsinnig, wie die Italiener, die nur Scheinfugen zu machen pflegen.   [S. 7 f.]
Wir haben unter denen deutschen Organisten mehr als einen geschickten Mann, dem es ein leichtes seyn wird, es mit einem Martini aufzunehmen; ob es ihnen schon an einem prächtigen

Lobredner oder Ausrufer mangelt. Ich will nicht einmal derer vortrefflichen Bache und eines großen Händels gedenken; denn diese Männer sind viel zu groß, als daß man sie einem Pater Martini entgegen setzen sollte.   [S.8]
Aber erkennt man hieraus nicht handgreiflich die wahren Eigenschaften eines aus ganzem Herzen schreibenden Italieners, der alles Gute bey andern Nationen unterdrücket, wenn er sich nur dadurch groß machen kann? Darum hat auch der gute Herr die zuvor erwehnten berühmten Deutschen auf die Rechnung Italiens gesetzet. Allein, ich mögte wissen, ob er ausser jenen berühmten Männern nicht noch einige kennte, die gewiß nicht weniger von grossen Verdiensten sind? Wie? er lebet mit einem Telemann in einen Mauern, und er kennet seine Verdienste nicht? Händel, ein Mann, den ganz Engeland noch gegenwärtig bewundert, so wie er ehemals in Italien in großem Ansehen war, ist ihm auch unbekannt?   [S.14f.]
Andere und wahre italienische Stücke, die einen guten Geschmack, Natur, Ordnung und Regel beweisen, sind alle gegenwärtige italienische Notenschmiede nicht vermögend zu verfertigen. Graune, Hassen, Telemanns, Händels, Bache, Pfeiffer, Bendas, Quanze u. s. f. haben wir nur unter denen Deutschen. Italien wird nur vergeblich darauf denken, uns solche Männer, die diesen an die Seite zu setzen sind, aufzuweisen. Noch zur Zeit gehört der wahre gute Geschmack, den man mißbrauchsweise den italienischen nennet, in Deutschland zu Hause, und die Italiener, so hochmütig sie auch sind, gehen darauf beständig zu Gaste.   [S.16]
(British Library, London, Sammlung Hirsch. Bach-Dok., II, 484f.)

– Aus einer mit „A." unterzeichneten, Agricola zugeschriebenen Streitschrift.

August 1750
Im *Gentleman's Magazine* wird ein Lied, *The Address to Silvia*, der Melodie von „Lascia la spina" aus Händels Oratorium *Il Trionfo del Tempo e della Verità* unterlegt, abgedruckt.

– Einzeldrucke des Liedes erschienen gegen 1740 sowie 1745 und 1750.
(Smith 1960, 147)

September 1750
Mitte des Monats wird unter der Leitung von William Boyce in der College Hall in Hereford während des Three Choirs Festival Händels *Messiah* aufgeführt.
(Williams, 392)

– In Hereford erschien keine Zeitung, und in *Berrow's Worcester Journal* wird die Aufführung nicht erwähnt.
Boyce leitete das Festival seit etwa 1737.

4. und 5. Oktober 1750
In Salisbury werden anläßlich des Cäcilientages am Vormittag des 4. Oktober in der Kathedrale ein Te Deum von Händel sowie zwei seiner Anthems aufgeführt; am Abend desselben Tages wird in der New Assembly Hall anläßlich der Einweihung einer neuen Orgel der *Messiah* aufgeführt. Am Vormittag des 5. Oktober erklingen ein anderes Te Deum von Händel sowie zwei weitere Anthems, am Abend dieses Tages wird anstelle der ursprünglich vorgesehenen *Ode for St. Cecilia's Day* das Oratorium *L'Allegro, il Penseroso, ed il Moderato* aufgeführt.
(Husk, 97f.)

18. Oktober 1750
The General Advertiser

For the Benefit of a Gentleman who has wrote for the Stage.
At the New Theatre in the Hay-market, This Day… will be a Concert of Musick. Particularly, in the Concert will be performed the March in Judas Maccabaeus, the Side Drum by Mr. J. Woodbridge, late Kettle-Drummer to the Hon Admirable Boscawen.
And also, a Preamble on the Kettle-Drums, ending with Handel's Water-Musick.

– Der „Admirable" war Admiral Edward Boscawen.

30. November 1750
Mary Delany an ihre Schwester Ann Dewes

Delville, Nov. 30, 1750.
Yesterday we were at a charitable music, performed in the round church of Dublin; we had Corelli's 8th Concerto, Mr. Handel's Te Deum [and] Jubilate, and two anthems; I cannot say there was so great a crowd as I wished to see on the occasion.
(Delany, II, 620)

– Die „round church" war St. Andrew's. Die Aufführung fand zugunsten von Mercer's Hospital statt. Die Werke wurden „with the greatest Decency and Exactness" aufgeführt (*Dublin Journal*, 1. Dezember 1750).

3. Dezember 1750
Ann Dewes an ihren Bruder Bernard Granville in London

Welsbourne, 3rd Dec' 1750.
I hope you find Mr. Handel well. I beg my compliments to him: he has not a more real admirer of his great work than myself; his wonderful Messiah will never be out of my head; and I may say my heart was raised almost to heaven by it. It is only those people who have not felt the leisure of devotion that can make any objection to that per-

formance, which is calculated to raise our devotion, and make us truly sensible of the power of the divine words he has chose beyond any human work that ever yet appeared, and I am sure I may venture to say ever will. If anything can give us an idea of the Last Day it must be that part – "The trumpet shall sound, the dead shall be raised". It is few people I can say so much to as this, for they would call me an enthusiast; but when I wish to raise my thoughts above this world and all its trifling concerns, I look over what oratorios I have, and even my poor way of fumbling gives me pleasing recollections, but I have nothing of the Messiah, but He was despised, &c. Does Mr. Handel do anything new against next Lent? surely Theodora will have justice at last, if it was to be again performed, but the generality of the world have ears and hear not.
(Delany, II, 623 f.)

– Dieser Brief beweist, daß Ann Dewes eine echte Schwester von Mary und Bernard Granville war – drei glühende Bewunderer Händels. (Bernard Granvilles Haus stand in der Park Street, in der Nähe des Grosvenor Square.)
Es ist nicht bekannt, wann Händel aus Deutschland zurückkehrte, aber wahrscheinlich besuchte ihn Bernard Granville um diese Zeit zum erstenmal nach dem Unfall, den er auf der Hinreise gehabt hatte (vgl. 21. August 1750).
Ann Dewes besaß vermutlich eine Abschrift der Arie „He was despised" aus dem *Messiah*; denn sie wurde nicht, wie man nach diesem Brief vermuten könnte, separat veröffentlicht. Walshs Partiturausgabe der *Songs in Messiah*, die etwa 1749 erschienen ist, mag zu dieser Zeit nicht greifbar gewesen sein.
Von Händels am 16. März 1750 erstmals aufgeführter *Theodora* erschien 1751 eine Partiturausgabe bei Walsh. Wiederaufgeführt wurde das Oratorium erst 1755 (vgl. 5. März 1755).
(Smith 1948, 87; Smith 1960, 116 ff.)

10. Dezember 1750
Mary Delany an ihre Schwester Ann Dewes

Delville, 10 Dec. 1750.
On Tuesday morning next [11. Dezember], the rehearsal of the Messiah is to be for the benefit of debtors – on Thursday evening it will be performed. I hope to go to both; our new, and therefore favourite performer Morella is to play the first fiddle, and conduct the whole. I am afraid his French taste will prevail; I shall not be able to endure his introducing froth and nonsense in that sublime and awful piece of music. What makes me fear this will be the case, is, that in the closing of the eighth concerto of Corelli, instead of playing it clear and distinct, he filled it up with frippery and graces which quite destroyed the effect of the sweet notes, and solemn pauses that conclude it.
(Delany, II, 626)

– Die Aufführung des *Messiah* fand am 14. Dezember statt.
Der neue Konzertmeister und Dirigent, Nachfolger von Matthew Dubourg, war Giovanni Battista Marella (Morella). 1756 veröffentlichte er in Dublin sechs Sonaten für Violine und Baß. op. 1.
Corellis Concerto grosso op. 6 Nr. 8 war am 29. November 1750 in der St. Andrew's Church in Dublin gespielt worden.

11. Dezember 1750
The Dublin Journal

The Rehearsal of the Messiah will begin this Morning at twelve o' Clock. The Performance will be on Friday next, and will begin at six o'Clock. Tickets ... at Half a Guinea each.
To-morrow the 12th Inst. the Society for the Support of Incurables will have the following Pieces performed. – Act I. Overture in Esther ... Act III. ... Songs, Let me wander, in Penseroso. ... N. B. On Thursday the 31st of January next, the Grand Oratorio of Joshua will be performed, for the Support of the Hospital for Incurables.

14. Dezember 1750
Händel an Georg Philipp Telemann in Hamburg

à Londres ce $\frac{25}{14}$ de Decem[bre] 1750.

Monsieur
J'etois sur le point de partir de la Haye pour Londres, lorsque Votre tres agreable Lettre me fut rendüe par Mr Passerini. J'avois justement le tems de pouvoir entendre chanter son Epouse. Votre Appuy et recommandation suffisoit a exiter ma curiosité non seulement, mais aussi a Luy accorder toute l'approbation, cependant j'étoit bientôt convaincu moy meme de son rare merite. Ils s'en vont pour l'Ecosse, a remplir le devoir d'un Engagement qu'ils ont pour des Concerts, pendant une saison de six mois. Là Elle pourrà se perfectioner dans la Langue Angloise, et alors (comm'ils ont intention a sejourner pour quelque tems a Londres) je ne manquerai pas de Leur rendre toutes les services qui dependront de moy.
D'ailleurs j'etois fort touché de Vos expressions polies et toutes remplies d'Amitié, Vos manieres obligeantes et Votre Reputation m'ont fait trop d'impression sur mon Coeur et sur mon Esprit, pour ne pas Vous rendre le Reciproque due a Votre gentilesse. Soyez sûr que Vous trouverai toujours en moy un retour plein de sincerité et de veritable Estime.
Je Vous remercie du bel Ouvrage du Sisteme d'intervalles que Vous avez bien voulu me communi-

quer, il est digne de Vos Occupations et de Votre Scavoir.

Je Vous felicite de la parfaite Santé que Vous jouissez dans un Age assez avancé, et je Vous souhaite de bon Coeur la Continuation de toute sorte de prosperité pendant plusieurs Ans a l'avenir. Si la passion pour les Plantes exotiques & pourroit prolonguer Vos jours, et soutenir la vivacité qui Vous est naturelle, Je m'offre avec un sensible plaisir a y contribuer en quelque maniere. Je Vous fais donc un Present, et je Vous envoye (par l'adresse cy jointe) une Caisse de Fleurs, que les Connoisseurs de ces Plantes m'assurent d'etre choisies et d'une rareté charmante, s'il medisent le vray, Vous aurez des Plantes les meilleures de toute l'Angleterre, la saison est encore propre pour en avoir des Fleurs, Vous en serez le meilleur Juge, j'attens Vôtre decision la dessus. Cependant ne me faites pas languir longtems pour Votre agreable Reponse a celle cy, puisque je suis avec la plus sensible Amitie, et passion parfaite
Monsieur
Votre tres humble et tres obeissant Serviteur
George Frideric Handel.
(Universitätsbibliothek Tartu. Mueller von Asow, 181 f.)

– Aus Händels Brief geht hervor, daß er auch den Rückweg seiner Deutschlandreise, die er im August angetreten hatte (vgl. 21. August 1750), über Den Haag nahm und im Spätherbst von dort abgereist sein muß (vgl. 3. Dezember 1750).
Der Geiger Giuseppe Passerini kam 1752 mit seiner Frau nach London. Die Sopranistin Christina Passerini sang 1753/54 in der Oper und seit 1754 in Händels Oratorien. Beide machten sich sehr um die Pflege der Händelschen Oratorien in den englischen Provinzen verdient.
Das „bel Ouvrage du Sisteme d'intervalles", das Telemann Händel übersandt hatte, war Telemanns *Das neue musikalische System*, das Mizler 1752 in seiner *Neu eröffneten musikalischen Bibliothek* (III, 713 ff.) veröffentlichte.
Der Überbringer der exotischen Pflanzen war der Kapitän Jean Carsten (vgl. 20. September 1754).
(Chrysander 1896, 14; Dean 1959, 657 f.)

15. Dezember 1750 (I)
The Dublin Journal

Last Night there was a most polite and very numerous Audience at the Musick Hall in Fishamble-street, at the Oratorio of the Messiah, the Performance of which gave universal Satisfaction to the whole Audience.

15. Dezember 1750 (II)
Mary Delany an ihre Schwester Ann Dewes

Delville, 15 Dec. 1750.
This week I have had a feast of music. At the re-

hearsal on Tuesday morning [11. Dezember], and last night at the performance, of the Messiah, very well performed indeed, and the pleasure of the music greatly heightened by considering how many poor prisoners would be released by it. ... We go this afternoon to the Bishop of Derry's, to hear Morella; he conducted the Messiah very well – surprizingly so, considering he was not before acquainted with such sublime music.
(Delany, II, 628)

– Bischof von Derry war William Barnard.
Vgl. 10. Dezember 1750.

18. Dezember 1750
Mary Delany an ihren Bruder Bernard Granville in London

Delville, Dec. 18, 1750.
I was at the rehearsal and performance of The Messiah, and though voices and hands were wanting to do it justice, it was very tolerably performed, and gave me great pleasure – 'tis heavenly. Morella conducted it, and I expected would have spoiled it, but was agreeably surprized to find the contrary; he came off with great applause. I thought it would be impossible for his wild fancy and fingers to have kept within bounds; but Handel's music inspired and awed him. He says (but I don't believe him) that he never saw any music of Handel's or Corelli's till he came to Ireland. I heard him play at the Bishop of Derry's a solo of Geminiani's which he had never seen; he played it cleverly, as his execution is extraordinary, but his taste in the adagio part was ill suited to the music. He is young, modest, and well-behaved, as I am told, and were he to play under Mr. Handel's direction two or three years, would make a surprizing player. We are so fond of him here, that were it known I gave this hint, I should be expelled all musical society, as they so much fear he should be tempted to leave us.
…Pray make my compliments to Handel. Is Theodora to appear next Lent?
(Delany, II, 629 ff.)
Vgl. 3. und 15. Dezember 1750

1750 (I)
The Scandalizade, London 1750

Ho! there, to whom none can forsooth hold
                              a candle,
Called the lovely-faced Heidegger out to
                              George Handel,
In arranging the poet's sweet lines to a tune,
Such as God save the King! or the famed Tenth
                              of June.
(Bodleian Library, Oxford; Yale University, New Haven, Con. Cummings 1902, 42)

– Das satirische Gedicht, aus dem hier die auf Heidegger und Händel bezügliche Strophe wiedergegeben ist, wird Macnamara Morgan und William Kenrick zugeschrieben. Es wurde 1760 in der in London veröffentlichten Sammlung *Remarkable Satires* (oder *Satires on several Occasions*) nachgedruckt (ein Exemplar in der Library of Congress, Washington).

Der Theaterunternehmer John James Heidegger war 1749 gestorben.

1750 (II)

[Johann Christoph von Dreyhaupt,] Pagus Neletici et Nudzici, Oder: Ausführliche diplomatisch= historische Beschreibung des ... Saal=Creyses ... Zweyter Theil, Halle 1750

194. Georg Friedrich Handel
Ein hochberühmter Musicus, und seit geraumer Zeit in Engelland sich aufhaltender Capellmeister, gebohren den 23 Febr. 1685. zu Halle, allwo sein Vater Georg Haendel, Fürstl. Sächs. Cammer=Diener und Leib=Chirurgus, die Mutter aber dessen zweyte Ehegattin, Dorothea, Georg Tausts, Pastoris zu Giebichenstein Tochter gewesen. Er hatte von Jugend auf grosse Lust zur Music, frequentirte das Gymnasium zu Halle, und war dabey ums Jahr 1694 ein Schüler des damahls berühmten Zachau, der ihn im Clavierspielen und der Composition getreulich unterwieß, so daß er es in beyden sehr hoch gebracht und auf seiner Reise in Italien wegen seiner grossen Fertigkeit und Manieren im Spielen des Claviers selbst von denen Italiaenern sehr bewundert, ja von einigen Aberglaubigen solches geheimen Teuffelskünsten zugeschrieben worden. Er hat sich nachher zu Hamburg, auch an verschiedenen Höfen mit Ruhm aufgehalten, ist unverehelicht, und lebt anietzo zu London, allwo er deshalb eine starcke Pension geniesset, als Director der Opera. Von seiner Composition sind auf dem Hamburgischen Theatro folgende Opern auffgeführet worden: Almira, 1704. Nero, 1705. Florindo und Daphne, 1708. Rinaldo, 1715. Oriana, 1717. Agrippina, 1718. Zenobia, 1721. Muzio Scevola, und Floridantes, 1723. Tamerlan und Julius Caesar in Egypten 1725. Otto, König in Teutschland 1726. Er hat auch viele Suite vor das Clavecin, und die Fleute traversiere, samt andern Musicalien in Kupfer gestochen herausgegeben.
[S. 625]

– Der Lebensabriß ist im 23. Buch *(Lebens=Beschreibungen gelehrter und berühmter Leute, welche entweder zu Halle gebohren, oder daselbst in Ehren=Aemtern und Bedienungen gestanden haben)* enthalten. Dreyhaupt stützt sich auf Matthesons *Ehrenpforte*, teilweise wohl auch auf mündliche Aussagen von Verwandten.
Händels Opern *Amadigi* und *Radamisto* waren in Hamburg als *Oriana* bzw. *Zenobia* aufgeführt worden.

1750 (III)

Song on a Goldfinch flying out at the Window while a Lady was playing and singing Dear Liberty, London ca. 1750

To Handel's pleasing Notes as Chloe sang
The Charms of heaven'ly Liberty,
A gentle Bird, 'till then with Bondage pleas'd,
With Ardour panted to be free;
His Prison broke, he seeks the distant Plain,
Yet e'er he flies tunes forth this parting Strain ...
Liberty, dear Liberty,
Forgive me, Mistress, since by thee
I first was taught sweet Liberty.   [1. Strophe]
(British Library; Sammlung Gerald Coke)

– 1756 wurde das Lied, dessen Textautor und Komponist unbekannt sind, mit geringfügig verändertem Titel im *Literary Magazine* (I, 480) nachgedruckt. Die Musik zitiert für die entsprechende Zeile Händels Melodie aus dem *Judas Maccabaeus:* "'Tis liberty, dear liberty alone".

1750 (IV)

Das St. Caecilia Concert führt in der Crown Tavern hinter der Royal Exchange um 1750 Händels „Serenata" *Acis and Galatea* auf.
(Smith 1948, 236)

1750 (V)

David Rutherford veröffentlicht 1750 in London *Musicae Spiritus or a Collection of the choicest Airs Selected out of M*r*. Handel's works and other Celebrated Masters. Being one of the finest Compositions for taste now Extant. Neatly Engrav'd, Corrected, & Transpos'd into proper Keys for two German Flutes. ... Price 3*s*.*
(Smith 1960, 274 f.)

– Die Sammlung enthält 17 Stücke von Händel („Minuet in Saul", „The Dead March", „Gavot in Justin" u. a.).

1751

1. bis 4. Januar 1751
Händel komponiert das Orgelkonzert B-Dur op. 7 Nr. 3.
Einträge in der autographen Partitur (R. M. 20. g. 12.): „Concerto per l'Organo ed altri stromenti. angefangen January 1. 1751"; „Fine G. F. Handel January 4. 1751. geendiget."

12. Januar 1751
Mary Delany an ihre Schwester Ann Dewes

Delville, 12 Jan., 1750–51.
Next Tuesday [15. Januar] we propose going to the rehearsal of Judas Maccabeus, for the Infirmary of Incurables.
(Delany, III, 5 f.)

– Die Aufführung fand am 17. Januar unter der Leitung von Giovanni Battista Morella in der Dubliner Music Hall, Fishamble Street, zum Besten des Lying-In Hospital, George's Lane, statt.
(Dean 1959, 479 und 636)

17. Januar 1751
Domenico Paradies und Francesco Vanneschi erhalten die Lizenz zur Aufführung italienischer Opern am Haymarket Theatre.
(Public Record Office: L. C. 5/161, 343)

– Die Lizenz war zeitlich nicht begrenzt. Heideggers Tochter, Elisabeth Pappett, hatte im Vorjahr (vgl. 10. März 1750) eine auf fünf Jahre begrenzte Lizenz für das gleiche Theater erhalten. Am 16. Mai 1757 erhielt Vanneschi allein die Lizenz für die Zeit vom 1. Juli 1757 bis zum 1. Juli 1758.

21. [?] Januar 1751
Händel beginnt mit der Komposition des Oratoriums *Jephtha*.
Eintrag in der autographen Partitur (R. M. 20. e. 9.): „angefangen den 21 Jan.ʳ 1751. ☉ [Sonntag]"
(Jephtha Faksimile – Ausgabe, 9)

– Der 21. Januar war ein Montag. Händel hat also entweder am Sonntag, dem 20. Januar 1751, oder am Montag, dem 21. Januar 1751, mit der Komposition begonnen.
Vgl. 30. August 1751

23. Januar bis 18. Februar 1751
Aufführungen Händelscher Oratorien in Dublin (nach dem *Dublin Journal* vom 22. Januar 1751):
23. Januar: *Acis and Galatea*, Philharmonic Room, Fishamble Street, Society for the Support of Incurables
25. Januar: *Acis and Galatea*, Philharmonic Room, Fishamble Street, Charitable Musical Society
31. Januar: *Joshua*, Music Hall, Fishamble Street, unter Leitung von Bartholomew Manwaring, zugunsten des Hospital of Incurables, Textbuch gratis (Probe am 29. Januar)
14. Februar: *Deborah*, Music Hall, Fishamble Street (?), zum Besten der Charitable Infirmary am Inns Quay (Probe am 11. Februar)
18. Februar: *Esther*, Philharmonic Room, Fishamble Street, Benefizveranstaltung für Bartholomew Manwaring (unter den Sängern Miss Oldmixon)

– Am 17. Januar hatte Marella in der Music Hall, Fishamble Street, eine Aufführung von *Judas Maccabaeus* zum Besten des Lying-In Hospital, George's Lane, geleitet. Am 21. März folgte *Samson* (Fishamble Street, Music Hall?), am 22. März eine Wiederholung von *Acis and Galatea*.
(Dean 1959, 629 ff.)
Vgl. 5. und 9. November 1751

2. Februar 1751 (I)
Händel beendet den ersten Akt des Oratoriums *Jephtha*.
Eintrag in der autographen Partitur (R. M. 20. e. 9.): „geendiget den 2 Febr ♄ [Sonnabend] 1751"
Vgl. 21. Januar und 13. Februar 1751

2. Februar 1751 (II)
Mary Delany an ihre Schwester Ann Dewes

Delville, 2 Feb. 1750–51.
We went to the rehearsal of Joshua last Tuesday [29. Januar]; were charmed with it – never heard it before, but it was so cold on Thursday I had not courage to go to the night performance of it.
(Delany, III, 12 f.)

Um den 9. Februar 1751
Mary Delany an ihre Schwester Ann Dewes

Delville, Feb. 1751.
Next Monday [11. Februar] we go to the rehearsal of Deborah; it is to be performed on Thursday for the benefit of an hospital.
(Delany, III, 16)

Nach dem 11. Februar 1751
Mary Delany an ihre Schwester Ann Dewes

Delville, Febʸ, 1750–51.
Last Monday [11. Februar] we went to the rehearsal of Deborah, which was delightful.
(Delany, III, 18)

13. Februar 1751
Händel muß die Arbeit an der Partitur von *Jephtha* infolge Versagens seines linken Auges unterbrechen.
Eintrag in der autographen Partitur: „biß hierher komen den 13. Febr. ☿ [Mittwoch] 1751 verhindert worden wegen [ausgestrichen: relaxation] des Gesichts meines linken Auges so relaxt"
(Engel, I, 182; Faksimile-Ausgabe, 182; King, Abb. IX)

16. Februar 1751
Anthony Ashley Cooper, 4. Earl of Shaftesbury, an seinen Vetter James Harris

Belshazar is now advertised and Smith tells me the parts will go off excellently. Handel himself is actually better in health and in a higher flow of genius than he has been for several years past. His late journey has help'd his constitution vastly.
(Matthews 1961, 128)

– Wahrscheinlich wußte Shaftesbury noch nichts von Händels Augenleiden.

22. Februar 1751 (I)
The General Advertiser

At the Theatre Royal in Covent-Garden, This Day … will be perform'd an Oratorio call'd Bel-

shazzar. With a Concerto on the Organ. ... To begin at Half an Hour after Six o'Clock.

– Händel führte das Oratorium bei dieser ersten
Wiederaufnahme seit der Uraufführung (vgl.
27. März 1745) in einer gekürzten Fassung auf.
(Die Kürzungen belegt das von Watts und Dod
gedruckte Textbuch.) Eine Wiederholung der
Aufführung fand am 27. Februar 1751 statt.
Die Besetzung ist nicht genau bekannt; Nitocris
wurde von Giulia Frasi gesungen, Daniel von Caterina Galli, Belshazzar wahrscheinlich von Thomas Lowe, Cyrus vermutlich von Gaetano Guadagni.
(Dean 1959, 452 ff., 455 und 635)

22. Februar 1751 (II)
The General Advertiser

New Musick. This Day is published, Price 10s. 6d.
Belshazzar, an Oratorio in Score. Composed by
Mr. Handell. Printed for J. Walsh.

– Die angezeigte Ausgabe ist ein Nachdruck der
früheren Ausgabe mit neuer Titelseite (vgl.
18. Mai 1745).
(Smith 1960, 98 f., in der 2. Aufl. 1970 außerdem
334)

23. Februar 1751 (I)
Händel zahlt 445 £ auf sein Konto ein.

23. Februar 1751 (II)
Händel nimmt die Arbeit an der Komposition seines Oratoriums *Jephtha* wieder auf.
Eintrag in der autographen Partitur (R. M. 20.
e. 9.): „den 23 ♄ [Sonnabend] dieses etwas besser
worden wird angegangen."
(Engel, I, 183; Faksimile-Ausgabe, 183)

– Das vorletzte Wort der Eintragung las Smith als
„wieder" (Catalogue of the Handel Exhibition,
Edinburgh 1948, 9).

27. Februar 1751
Händel beendet den zweiten Akt von *Jephtha*.
Eintrag in der autographen Partitur (R. M. 20.
e. 9.): „Fine della Parte seconda. geendiget den 27
dieses Febr ☿ [Mittwoch] 1751."
(Faksimile-Ausgabe, 193)

– Händel arbeitet an dem Oratorium erst am
18. Juni 1751 weiter.

1. März 1751
At the Theatre Royal in Covent-Garden, This Day,
will be perform'd Alexander's Feast. And an Additional New Act, call'd The Choice of Hercules.
With a New Concerto on the Organ. ... To begin
at Half an Hour after Six o'Clock.
Wiederholungen: 6., 8. und 13. März 1751.

– Im für diese Aufführung gedruckten Textbuch
ist *The Choice of Hercules* als „Act the Third" von
Alexander's Feast bezeichnet. Das neue Konzert
war op. 7 Nr. 3.
Vermutliche Besetzung:
Pleasure – Giulia Frasi, Sopran
Virtue – Caterina Galli, Mezzosopran
Hercules – Gaetano Guadagni, Alt
(Dean 1959, 586 und 638 f.)

2. März 1751
Händel zahlt 305 £ 9s auf sein Konto ein.

6. März 1751
The General Advertiser

This Day is published. Alexander's Feast in Score.
... The Second Edition ... Printed for J. Walsh.

– John Walsh hatte bereits am 17. Februar 1739
und erneut am 3. Oktober 1743 „A Second Edition" von *Alexander's Feast* angekündigt, das er
zuerst am 11. März 1738 (vgl. 8. und 11. März
1738) veröffentlicht hatte. Es ist nicht nachgewiesen, ob mit den Ankündigungen von 1743 und
1751 Nachdrucke der Ausgabe von 1739 angezeigt
wurden, oder ob Walsh jeweils eine veränderte
„Second Edition" veröffentlichte.
(Smith 1960, 90 und 91)

7. März 1751
Händel zahlt 300 £ auf sein Konto ein.

8. März 1751
The London Advertiser, and Literary Gazette

We are credibly informed, that a Handkerchief
was very unluckily stained last Wednesday
[6. März] Night in one of the Side Boxes at the
Oratorio, from the Lady's not understanding the
Difference between the antiquated French fashion
of Painting, and the modern English custom of
Enamelling.
At the same Time a formidable Attack was made
in an opposite Box, by a very dangerous Lover, on
a very sensible and worthy Heart. The Hero
seemed to conceive himself, through the whole
Performance, the Alexander, to whom the Power
of the Music was addressed; and appeared particularly moved at the Expression,
Lovely Thais sits beside thee,
Take the Good the Gods provide thee.
...
On Wednesday Night several Coaches in waiting
at the Oratorio, at Covent Garden, had their Coronets and other Ornaments at the Top, unscrewed
and carried off.

– Die gleiche Zeitung zeigte für den 8. März, an
dem *Alexander's Feast* und *The Choice of Hercules*
wiederholt wurden, versehentlich eine Auffüh-

rung von Händels „Sampson" an. Der *General Advertiser* zeigte am 9. März 1751 irrtümlich die nächste Wiederholung dieses Konzerts für den 11. statt für den 13. März an.
Vgl. 1. März 1751

9. März 1751
Händel zahlt 200 £ auf sein Konto ein.

14. März 1751 (I)
Händel zahlt 140 £ auf sein Konto ein.

14. März 1751 (II)
Sir Edward Turner an Sanderson Miller

London, March 14th, 1750[−51].
Noble Handel hath lost an eye, but I have the Rapture to say that St. Cecilia makes no complaint of any Defect in his Fingers.
(Miller, 165; Myers 1948, 150)

− In der Ausgabe der Millerschen Korrespondenz ist der Brief ohne Erklärung auf 1750 datiert.
Vgl. 13. und 23. Februar sowie 15. Juni 1751

15. März 1751
The General Advertiser

At the Theatre Royal in Covent-Garden, This Day, will be perform'd an Oratorio, call'd Esther. With a Concert on the Organ. ... To begin at Half an Hour after Six o'Clock.
Besetzung:
Esther − Giulia Frasi, Sopran
Ahasverus − Gaetano Guadagni, Alt
Priester ⎱
Mordecai ⎰ − Thomas Lowe oder John Beard, Tenor
Israelit − Caterina Galli, Mezzosopran
Haman − Thomas Reinhold, Baß
Habdonah − (John?) Cox, Baß
(Dean 1959, 213 und 632)

16. März 1751 (I)
Die Musical Society in der Castle Tavern in der Paternoster Row führt Händels *Samson* auf.
(Dean 1959, 634)

16. März 1751 (II)
Mary Delany an ihre Schwester Ann Dewes

Delville, 16 March, 1750−51.
Tuesday [12. März] ... in the afternoon, went to hear "Samson" murdered most barbarously; I never heard such a performance called music in my life! what should be grave we turned to merriment.
(Delany, III, 28)

− Diese Dubliner Aufführung des *Samson* fand wahrscheinlich in der Music Hall in der Fishamble Street statt.

18. März 1751
The Caledonian Mercury

For the Benefit of Mr. Macdougall.
At the New Concert-Hall in the Canongate, on Tuesday the 26th of March, will be performed the celebrated Mask of Acis and Galatea, Set to Musick by Mr. Handel. The Vocal Parts by Mrs. Lampe and Mrs. Storer, and others, and the Instrumental Parts by the best Masters. To begin precisely at Six o'Clock. ... Pit and Boxes 2s. 6d. Gallery 1s. 6d.
(Harris 1911, 267; Young 1950, 52)

− John Frederick Lampe − er starb im Juli 1751 − dirigierte die Aufführung. Mrs. Lampe und Mrs. Storer sangen vermutlich die Partien von Galatea und Damon; die übrige Besetzung ist nicht bekannt. Die Zeitungsnotiz ist der erste datierte Beleg für die Aufführung eines Händelschen Werkes in Edinburgh.
Vgl. März 1728

20. März 1751
The General Advertiser

At the Theatre Royal in Covent-Garden, This Day, will be perform'd an Oratorio, call'd Judas Macchabaeus. With a Concerto on the Organ. ... To begin at Half an Hour after Six o'Clock.

− Vermutliche Besetzung:
Judas Maccabaeus − Thomas Lowe, Tenor
Simon ⎱
Eupolemus ⎰ − Thomas Reinhold, Baß
Israelit − Gaetano Guadagni, Alt
Erste Israelitin − Giulia Frasi, Sopran
Zweite Israelitin − Caterina Galli, Mezzosopran
Die für den 22. März angekündigte Wiederholung mußte wegen des Todes des Prince of Wales am 20. März ausfallen (vgl. 22. März 1751/I).
(Dean 1959, 460ff. und 636)

21. März 1751
Händel zahlt 400 £ auf sein Konto ein.

22. März 1751 (I)
The London Advertiser

Last Night an Order came to both Theatres to forbid their Performance on the Account of his Royal Highness the Prince of Wales's Death; and we hear all public Diversions will be discontinued during his Majesty's Pleasure. There was no Music at Ranelagh Yesterday Morning, nor any Concert at the King's Arms in Cornhill last Night.

− Diese Anordnung zwang Händel, seine Oratorien-Saison vorzeitig zu beenden. Das für den 26. März im Haymarket Theatre angekündigte Konzert zugunsten des Musicians' Fund wurde zunächst auf den 2. April, dann auf den 16. April verschoben.

Die Beisetzung des Prinzen fand am 13. April statt.

Anscheinend hatte Händel auch eine Wiederaufführung des *Alexander Balus* (vgl. 23. März 1748) vorgesehen, für die John Watts bereits ein Textbuch gedruckt hatte. Die Aufführung kam nicht zustande, und das Oratorium wurde erst 1754 (vgl. 1. März 1754) wiederaufgeführt.
(Dean 1959, 494)

22. März 1751 (II)

Die Charitable Musical Society führt im Philharmonic Room in der Fishamble Street in Dublin *Acis and Galatea* auf (*The Dublin Journal,* 19. März 1751). Das Werk war in Dublin 1751 bereits am 23. und 25. Januar aufgeführt worden (vgl. 23. Januar – 18. Februar 1751).
(Dean 1959, 630)

28. März 1751 (I)

Händel hebt von seinem Bankkonto 1790 £ 9s ab und kauft für 1350 £ vierprozentige Annuitäten.

28. März 1751 (II)

Anthony Ashley Cooper, 4. Earl of Shaftesbury, an seinen Vetter James Harris

As to Harmony here, that is over for this season, but the Buck is now so well that I much hope it will flourish yet another year in renewed vigour.
(Sammlung Malmesbury. Matthews 1961, 128)

– Mit „Buck" ist wahrscheinlich Händel gemeint (vgl. 3. Januar 1749).

4. April 1751

Händel zahlt 250 £ auf sein Konto ein.

6. April 1751
The London Advertiser

The Rehearsal of the Music for the Feast of the Sons of the Clergy, will be performed at St. Paul's Cathedral, on Tuesday the 30th of this Month; and the Feast will be held at Merchant-Taylors-Hall, on Friday, May 3, 1751. ...
N. B. Mr. Handel's new Te Deum, Jubilate and Coronation Anthem, with a new Anthem by Dr. Boyce, will be Vocally and Instrumentally performed.
(Schoelcher 1857, 336)

– Das „new Te Deum" war das *Dettingen Te Deum.* Welches der vier Coronation Anthems erklang, ist nicht bekannt.

10. April 1751
The General Advertiser

New Musick. This Day is published, Handel's Second Set of eighty Songs selected from his Orato-

rios, for the Harpsichord, Voice, German Flute, or Hoboy. –
The Instrumental Parts to these celebrated [songs] may be had to complete them for Concerts.
Printed for J. Walsh. ...
Now printing, and speedily will be published, The Choice of Hercules, composed by Mr. Handel.

– Diese zweite Folge hatte Walsh bereits 1749 veröffentlicht (vgl. 20. Dezember 1748 und 3.–5. Januar 1749). *The Choice of Hercules* erschien im Mai (vgl. 4. Mai 1751).
(Smith 1960, 191 und 99)

15. April 1751
The General Advertiser

Hospital ... in Lamb's Conduit Fields, April 11, 1751.
George Frederick Handel, Esq; having repeated his offer to promote this Charity, The Sacred Oratorio, call'd Messiah, will be perform'd under his Direction, on Thursday the 18th Instant, at Twelve o'Clock at Noon precisely, in the Chapel of this Hospital; and he will perform on the Fine Organ, which he has given to the Corporation.
...
By Order of the General Committee,
Harman Verelst, Sec.
Note. The Doors of the Chapel will be open at Ten o'Clock, and there will be no Collection.

– Das für die Aufführung gedruckte Textbuch zeigte John Watts am 13. April an.
Vgl. 9. Mai 1750 (I) und April 1751

16. April 1751
The General Advertiser

For the Benefit and Increase of a Fund established for the Support of Decay'd Musicians, or their Families.
At the King's Theatre in the Haymarket, This Day ... will be perform'd an Entertainment of Vocal and Instrumental Musick. As follows,
Part I. ...
Air. Why does the God of Israel sleep, composed by Mr. Handel. sung by Mr. Beard. ...
Air. Falsa imagine, composed by Mr. Handel, sung by Sig. Cuzzoni. ...
Part II. ...
Air. Father of Heaven, composed by Mr. Handel, sung by S. Galli. ...
Air. Benche mi sia crudele, composed by Mr. Handel, sung by Sig. Cuzzoni. ...
Part III. ...
Air. Return, O God of Hosts, composed by Mr. Handel, sung by Sig. Frasi. ...
Air. Tune your Harps, composed by Mr. Handel, sung by Mr. Beard.

Duetto. Piu amabile belta, composed by Mr. Handel, sung by Sig. Cuzzoni and Sig. Guadagni.
A Grand Concerto of Mr. Handel's. ...
To begin exactly at Six o'Clock.

– Dieses Benefizkonzert sollte ursprünglich am 26. März stattfinden, wurde aber wegen des Todes des Prince of Wales verschoben (vgl. 22. März 1751).
Die in diesem Konzert gesungenen Arien und das Duett stammen aus *Samson, Ottone, Judas Maccabaeus, Esther* und *Giulio Cesare.* Mit der Partie der Teofane hatte Francesca Cuzzoni am 12. Januar 1723 in *Ottone* ihr Debüt in London gegeben.
Vgl. 18. Mai 1750 und 20. Mai 1751

18. April 1751
The General Advertiser

We hear that the Ladies who have Tickets for the Oratorio of Messiah at the Foundling-Hospital, this Day the 18th Instant, intend to go in small Hoops, and the Gentlemen without Swords, to make their Seats more convenient to themselves.
(Edwards 1902 I)

19. April 1751
The London Daily Advertiser

Yesterday there was a very numerous Appearance of Gentlemen and Ladies at the Oratorio of Messiah, for the Benefit of the Foundling Hospital.

23. April 1751 (I)
The General Advertiser

For the Benefit of Master Jonathan Snow, a Youth of Ten Years of Age.
At the New-Theatre in the Haymarket, This Day ... will be performed a Concert of Vocal Musick. Viz. Part I. A grand Concerto for Trumpets and French Horns. To which will be added, The Dead March in Saul. Air. The Song and Chorus of Happy Pair in Alexander's Feast compos'd by Mr. Handel ... Trio. The Flocks shall leave the Mountains, compos'd by Mr. Handel. ... The Whole to conclude with the Coronation Anthem, both Vocal and Instrumental, of God save the King.

– Jonathan Snow, wahrscheinlich ein Sohn des Trompeters Valentine Snow, wurde später Organist und Komponist. „The Flocks shall leave the Mountains" stammt aus Händels *Acis and Galatea.* Das Coronation Anthem „God save the King" ist „Zadok the Priest".
Vgl. 22. April 1757

23. April 1751 (II)
Bei einer Aufführung von Nicholas Rowes Tragödie *Jane Shore* in Covent Garden, die zum Besten

der Sopranistin Miss Falkner stattfindet, singt diese die Arien „Softly sweet in Lydian measures" und „The Prince unable to conceal his pain" aus *Alexander's Feast.*

30. April 1751
Die siebenjährige Marianne Davies spielt in ihrem Konzert in Hickford's Room ein Händelsches Konzert auf dem Cembalo (*General Advertiser*).

– Zu den Mitwirkenden dieses Konzerts, in dem Marianne Davies auch Querflöte spielte und einige Arien sang, gehörten außerdem Giulia Frasi, John Beard und der junge Arne. In London trat Marianne Davies erneut am 19. März 1753 und am 28. April 1756 auf. Marianne Davies wurde später eine gefeierte Virtuosin auf der Glasharmonika, dem von Benjamin Franklin (wahrscheinlich ihr Onkel) erfundenen Instrument. In den sechziger und siebziger Jahren bereiste sie mit ihrer jüngeren Schwester Cecilia, einer Sängerin, den Kontinent. In Wien trafen sie 1768 mit Anton Mesmér sowie mit der Familie Mozart zusammen.
Vgl. 13. November 1742 und 19. März 1753
(Pohl, I, 61; Abert, I, 299 und 504; Dean 1959, 654)

April 1751
The Gentleman's Magazine

Thursday 18.
Was performed in the chapel of the Foundling Hospital, the sacred oratorio Messiah, under the direction of G. F. Handel, Esq; who himself play'd a voluntary on the organ; the amount of the sum for the tickets delivered out was above 600 l.
(Clark 1852)

– Ob Händel bei dieser Aufführung das neue Orgelkonzert B-Dur op. 7 Nr. 3 (vgl. 1.–4. Januar 1751) gespielt oder auf der Orgel improvisiert hat, ist nicht nachzuweisen.
(Chrysander, III, 161)

4. Mai 1751
The General Advertiser

The Choice of Hercules in Score, composed by Mr. Handel. Printed for J. Walsh.

– Diese Ausgabe enthält ein Blatt mit „Proposals for Printing by Subscription Theodora", datiert: „London, May 4, 1751" und einem Verzeichnis mit „Musick Compos'd by Mr. Handel. Printed for J. Walsh". Nach 1751 oder wenig später erschien eine weitere Auflage von *The Choice of Hercules.*
(Smith 1960, 99 f.)
Vgl. 20. Juni 1751

9. Mai 1751
The General Advertiser

Hospital ... in Lamb's Conduit-Fields, May 8, 1751.

At the Request of several Persons of Distinction, George Frederick Handel, Esq; has been applied to for a Repetition of the Performance of the Sacred Oratorio, call'd Messiah, which he having very charitably agreed to, This is to give Notice, That the said Oratorio will be performed in the Chapel of this Hospital on Thursday the 16th Inst. (being Ascension-Day) at Twelve o'Clock at Noon precisely. ...
Harman Verelst, Sec.
(Schoelcher 1857, 269f.)

17. Mai 1751
The London Daily Advertiser

Yesterday the Oratorio of Messiah was performed at the Foundling Hospital, to a very numerous and splendid Audience; and a Voluntary on the Organ played by Mr. Handel, which met with the greatest Applause.

– Eine ähnliche Notiz erschien am gleichen Tage im *General Advertiser.*
(Schoelcher 1857, 270)

20. Mai 1751 (I)
The General Advertiser

For the Benefit of Signora Cuzzoni.
At Mr. Hickford's in Brewer-street, on Wednesday next [22. Mai] will be a Concert of Musick. The Vocal Parts by Sig. Guadani, Sig. Palma, and Signora Cuzzoni, who, by particular Desire, will sing Affenai del Pensier, Return O God of Hosts, Falsa Imagine, and Salve Regina; and the Instrumental Parts will consist of Mr. Handel's and Mr. Geminiani's Concertos. To beginn exactly at Seven o'Clock.

20. Mai 1751 (II)
The General Advertiser

I am so extremely sensible of the many Obligations I have already received from the Nobility and Gentry of this Kingdom (for which I sincerely return my most humble Thanks) that nothing but extreme Necessity, and a Desire of doing Justice, could induce me to trouble them again, but being unhappily involved in a few Debts, am extremely desirous of attempting every Thing in my Power to pay them, before I quit England; therefore take the Liberty, most humbly to intreat them, once more to repeat their well-known Generosity and Goodness, and to honour me with their Presence at this Benefit, which shall be the last I will ever trouble them with, and is made solely to pay my Creditors; and to convince the World of my Sincerity herein, I have prevailed on Mr. Hickford to receive the Money, and to pay it to them.
I am, Ladies and Gentlemen,

Yours very much obliged, and most devoted humble Servant
F. Cuzzoni.

– Das Benefizkonzert für Francesca Cuzzoni fand erst am 23. Mai statt. Ihr Brief wurde am 21. und 23. Mai nochmals veröffentlicht. Die Arien „Affanni del Pensier" und „Falsa imagine" stammen aus *Ottone,* die Arie „Return O God of Hosts" aus *Samson.* Die Concerti grossi waren op. 6 Nr. 5 von Händel und op. 3 Nr. 6 von Geminiani. Außerdem traten Angelo Morigi (Violine), John Miller (Fagott) und Mr. Beneki (Violoncello) mit Solostücken auf.
Vgl. 18. Mai 1750

29. Mai 1751
Protokolle des General Committee des Foundling Hospital

The Secretary acquainted the Committee, That Mr. Bernard Gates the Master of the King's Singing Boys, brought to him Five pounds and Seven shillings, the Surplus of Six Guineas he had received, by Order of Mr. Handel, for the Boys Performances, Twice, in the Oratorio of Messiah in the Chapel of the Hospital, after deducting Nineteen Shillings for their Coach hire; which he desired the Committee to accept of as his Benefaction to this Hospital; which the Secretary paid to the Treasurer.
Ordered
That the Secretary do return the Thanks of this Committee to Mr. Gates, for the same.
Vgl. 13. Juni 1750

Mai 1751
The Gentleman's Magazine

Thursday 16.
The Oratorio of Messiah was again performed at the Foundling hospital, under the direction of George Frederick Handel, Esq; who himself play'd the organ for the benefit of the charity: there were above 500 coaches besides chairs, &c. and the tickets amounted to above 700 guineas.
(Schoelcher 1857, 270; Edwards 1902 I)

3. Juni 1751
The Bath Journal

Arriv'd here, Mr. Handel, Mr. Smith.
(Hall 1955, 133)
Vgl. 15. Juni 1751

13. Juni 1751
Händel hebt 250 £ von seinem Konto ab.

15. Juni 1751
The General Advertiser

On Thursday last [13. Juni] Mr. Handel arrived in

Town from Cheltenham Wells, where he had been to make use of the Waters.
(Streatfeild 1909, 208)

– Die genaue Dauer von Händels Kuraufenthalt in Cheltenham Wells ist unbekannt.
Nach seiner Rückkehr begab er sich in die Behandlung von Samuel Sharp, seit 1733 Chirurg am Guy's Hospital: „In the beginning of the year 1751 he was alarmed by a disorder in his eyes, which upon consulting with Mr. Samuel Sharp, Surgeon of Guy's Hospital, he was told was an incipient Gutta serena" (Hawkins, II, 910).

18. Juni 1751
Händel nimmt die Arbeit an *Jephtha* wieder auf und beginnt mit der Komposition des dritten Aktes.
Eintrag in der autographen Partitur (R. M. 20. e. 9.): „♂ [Dienstag] Act 3 Jephta. Juin 18."
Händel unterbricht die Arbeit Mitte Juli erneut. Den dritten Akt beendet er Ende August (vgl. 30. August 1751).
(Faksimile-Ausgabe, 194, 244 und 268)

20. Juni 1751
The General Advertiser

Theodora, an Oratorio, in Score. Price 10s. 6d. Composed by Mr. Handel. Printed ... by J. Walsh.

– Diese Ausgabe enthielt wieder ein Verzeichnis der „Musick Compos'd by M⸰ Handel. Printed for J. Walsh". Ein Subskribentenverzeichnis ist nicht erhalten.
(Smith 1960, 144 f.)
Vgl. 4. Mai 1751

27.–29. Juni 1751
John Walsh zeigt im *General Advertiser* an: „A Complete Set of all Mr. Handel's Oratorios may be had neatly bound in eleven volumes."
(Smith 1948, 85)

8. August 1751
Händel zahlt 175 £ auf sein Konto ein.

14. August 1751
Das Benefizkonzert der Edinburgh Musical Society für Christina Passerini am 14. August wird mit folgendem Hinweis angekündigt: „A Duetto of the famous Handel ... besides several English and Scots tunes ... Also Mr Passerini will exhibit a new instrument, called the Viole d'Amour".
(Hamilton, 20)

28. und 29. August 1751
In Gloucester werden in der Kathedrale am Vormittag des 28. August eines der Händelschen Coronation Anthems, am Vormittag des 29. August

ein Händelsches Te Deum, an den Abenden in der Booth Hall *Alexander's Feast* und *L'Allegro ed il Penseroso* aufgeführt (*Gloucester Journal*).

29. August 1751
Händel hebt 50 £ von seinem Konto ab.

30. August 1751
Händel beendet *Jephtha,* sein letztes Oratorium.

– Bedingt durch das beginnende Augenleiden erstreckte sich die Arbeit an diesem Werk über einen ungewöhnlich langen Zeitraum, der durch Händels Einträge in der autographen Partitur (R. M. 20. e. 9.) belegt ist: Akt I: „Oratorio Jephtha angefangen den 21 Jan⸰ 1751 ☽ [Montag]"; „geendiget den 2 Febr ♄ [Sonnabend] 1751. völlig Agost 13. 1751"; Akt II: „biß hierher komen, den 13 Febr. ☿ [Mittwoch] 1751 verhindert worden wegen des Gesichts meines linken Auges so relaxt"; „den 23 ♄ [Sonnabend] dieses etwas beßer worden, wird angegangen"; „Fine della Parte seconda. geendiget den 27 dieses Febr. ☿ [Mittwoch]. 1751"; Akt III: „♂ [Dienstag] Juin 18"; „July 15 or 17 1751 ☽ [Montag] or ☿ [Mittwoch]"; „G. F. Handel. aetatis 66. Finis ♀ [Freitag] Agost 30. 1751."

5. September 1751
Händel hebt 25 £ von seinem Konto ab.

3. Oktober 1751
The General Advertiser

Salisbury, Sept. 30. ... The Anniversary Festival of Music was celebrated here on the 26th and 27th Instant. The Performance in the Church on the first Day consisted of Mr. Handel's Te Deum, compos'd for Duke Chandos, and two of his celebrated Coronation Anthems. On the second Day, his Te Deum, compos'd for his present Majesty, together with the remaining two Coronation Anthems. At the Assembly-Room on the first Evening was perform'd Alexander's Feast; on the Second the Oratorio of Samson, both set to Music by the same great Composer. The Performers were more than Forty in Number, among which were several, as well vocal as instrumental from Oxford, Bath, and London. The Performance itself was accurate and just (there being scarce an Error throughout the Whole) and met with general Applause from a very polite and numerous Audience.
(Schoelcher 1857, 336; Husk, 99)

– Initiator dieses Festes war James Harris.

23. Oktober 1751
Händel hebt 60 £ von seinem Konto ab.

25. Oktober 1751
The London Daily Advertiser

Wednesday [23. Oktober] Evening the Masque of Acis and Galatea, a celebrated Composition of Mr. Handel's, was performed at the Castle Tavern in Pater-noster Row, in which Mr. Beard and Signora Frasi met with universal Applause from a numerous and polite Audience.

– Die Castle Society führte Händels *Acis and Galatea* bereits 1747 und erneut 1755 auf.
(Dean 1959, 179 und 630)

5. und 9. November 1751
Im *Dublin Journal* werden die für den Winter 1751/52 geplanten Aufführungen von Oratorien Händels angekündigt:
8. November: *Acis and Galatea* (anstelle der zuvor angekündigten *Athalia*), durch die Charitable Musical Society im Philharmonic Room, Fishamble Street.
15. November: *Athalia*, Leitung Giovanni Battista Morella, für die Charitable Musical Society im Philharmonic Room, Fishamble Street.
16. November: *Deborah*, für die Charitable Infirmary, wahrscheinlich in der Music Hall.
21. November: *Alexander's Feast* und ein „Grand Coronation Anthem" („My heart is inditing"), Leitung Matthew Dubourg, für die neue Dubliner Charity for Decayed Musicians and their Families in der Music Hall, Fishamble Street.
29. November: *Messiah*, Leitung Giovanni Battista Marella, für „Relief and Enlargement" von Schuldgefangenen in der Music Hall; Probe am 27. November, Textbücher kostenlos.
5. Februar 1752: *Joshua*, für das Hospital of Incurables, in der Music Hall.

14. November 1751
Mary Delany an ihre Schwester Ann Dewes

Delville, 14th Dec. 1751.
Yesterday we heard the rehearsal of "Deborah". What a charming oratorio it is!
(Delany, III, 67)

– Mary Delany kann den Brief nur am 14. November geschrieben haben, da es im Dezember 1751 keine *Deborah*-Aufführung in Dublin gab.

16. November 1751
Mary Delany an ihre Schwester Ann Dewes

Delville, 16th Nov., 1751.
I have got Theodora, and have great pleasure in thrumming over the sweet songs with Don. [Anne Donellan], who sings every evening. ... Did you hear that poor Handel has lost the sight of one of his eyes? I am sure you (who so truly taste his merit) will lament it: so much for England!
(Delany, III, 59 und 61)

– Mary Delany hatte offensichtlich im Sommer 1751 die gedruckte *Theodora*-Partitur bekommen.

7. Dezember 1751
The Dublin Journal

On Thursday last [5. Dezember] Mr. Handel's grand Te Deum, Jubilate, and two Anthems were performed at St. Andrew's Church, with the greatest decency and exactness possible, for the support of Mercer's Hospital. His Grace the Duke of Dorset Lord Lieutenant, favour'd the Hospital with his Presence, and above four Hundred Persons of the first Quality and Distinction were at this Performance.

– Lionel Cranfield Sackville, 1. Duke of Dorset, war 1730–1737 und 1750–1755 Vizekönig von Irland.

20. Dezember 1751
Händel hebt 20 £ von seinem Konto ab.

27. Dezember 1751
The General Advertiser

This Day ... will be exhibited At the New Theatre in the Haymarket, a Grand Concert of Vocal and Instrumental Musick, by Gentlemen. ... To be divided into Three Acts. Act I. will contain, 1. A grand Piece with Kettle-Drums and Trumpets. ... 3. Overture by Mr. Handell. ... Act the Second, ... 2. Overture to Ariadne. ... 5. March in Judas Maccabeus, with the Side-Drum. Act the Third, ... 5. Handel's Water-piece.

– Mit „Water-piece" wurde zumeist der erste Satz der D-Dur-Suite der *Water Music* bezeichnet. Das Konzert wurde am 30. Dezember mit geringfügig geändertem Programm wiederholt.
Vgl. 21. Januar und 6. Februar 1752

28. Dezember 1751
The London Daily Advertiser

At the Great-Room in Dean-street, Soho, This Day ... will be performed the Third Night of the Subscription Concerts. ... First Act. Overture, Esther ... But oh sad Virgin, Handel, Signora Francesina.
(Sammlung Harris)

– Die Arie stammt aus *L'Allegro ed il Penseroso*.

Dezember 1751
The Universal Magazine

An Account of the Foundling Hospital.
... And the fine Organ, is the gift of the inimitable Mr. Handel, whose admirable compositions and excellent performances of sacred music have been

of the greatest benefit to this charity, on which occasions, not only the skill, but the charity of the Gentlemen of the King's chapel, and of the Choirs of St. Paul's and Westminster have always been remarkable.

1751 (I)

Madame Boivin und Le Clerc veröffentlichen in Paris eine Stimmen-Ausgabe von Händels Concerti grossi: *XII Concerti A Quattro Violini, Alto Viola, Violoncello, e Basso del Signor Hendel. Opera Sesta. Prix 24ts.*
(Hopkinson, 245; Smith 1960, 223 f.)

1751 (II)

Henry Fielding, The History of Amelia, London 1751
... Upon the evening... the two ladies went to the oratorio, and were there time enough to get the first row in the gallery... Amelia... being a great lover of music, and particularly of Mr. Handel's compositions. Mrs. Ellison was, I suppose, a great lover likewise of music. ...
Though our ladies arrived full two hours before they saw the back of Mr. Handel; yet this time of expectation did not hang extremely heavy on their hands. ...   [Buch IV, Kapitel IX]
What happened at the Masquerade.
... At this instant a great noise arose near that part where the two ladies were. This was occasioned by a large assembly of young fellows, whom they call bucks, who were got together, and were enjoying, as the phrase is, a letter, which one of them had found in the room ... one of the bucks ... performed the part of a publick orator, and read out the following letter. ...
'And so ends the dismal ditty.' ...
'Tom,' says one of them, 'let us set the ditty to musick; let us subscribe to have it set by Handel; it will make an excellent oratorio.'
'D–n me, Jack,' says another, 'we'll have it set to a psalm tune, and we'll sing it next Sunday at St. James's church, and I'll bear a bob, d–n me.'
[Buch X, Kapitel II]

– Die Maskerade fand im Haymarket Theatre statt.

1751 (III)

[William Hayes,] The Art of Composing Music by a Method Entirely New, Suited to the Meanest Capacity ..., London 1751

As Music is become not only the Delight but the Practice also of most People of Fashion, and as Italian Music in particular beyond all other is countenanced and encouraged, I cannot but with the utmost Satisfaction, congratulate this my native Country thereupon.
Music, till of late, has been thought a very diffi-

cult, abstruse Kind of Study: But then, every one knows Music itself was not what it now is, nay, we ourselves are proportionably altered since then. And what is the Alteration owing to? Truly, to this happy Relish of the pathetic Tenderness which breathes in every Strain of the modern Italian Music. It would formerly have sweated a Man in a frosty Morning, to have executed properly a Song or a Lesson: but the gentle Strains we now boast require no such Labour.
There are remaining still among us some indeed who contend for the more manly Strokes of Handel; but alas! I pity them. For why should it not be in this Particular as in all other polite Things, where nothing is so much required as Ease and Negligence?
As for your manly Things (as these oldfashioned Folks are pleased to call them) I hate and detest them! For what can be more disagreeable and impertinent, than when you are soothed and lulled into a pleasing Reverie, to be roused, to be awakened (if it be not too vulgar an Expression) by one of those manly Things? In my Opinion nothing could be more impertinent and unpolite; and therefore justly exploded by the modern Adepts.
There was a Time when the Man-Mountain, Handel, had got the Superiority, notwithstanding many Attempts had been made to keep him down; and might have maintained it probably, had he been content to have pleased People in their own Way; but his evil Genius would not suffer it: For he, imagining forsooth that nothing could obstruct him in his Career, whilst at the Zenith of his Greatness, broached another Kind of Music; more full, more grand (as his Admirers are pleased to call it, because crouded with Parts) and, to make the Noise the greater, caused it to be performed, by at least double the Number of Voices and Instruments than ever were heard in a Theatre before: In this, he not only thought to rival our Patron God, but others also; particularly Aeolus, Neptune, and Jupiter: For at one Time, I have expected the House to be blown down with his artificial Wind; at another Time, that the Sea would have overflowed its Banks and swallowed us up: But beyond every thing, his Thunder was most intolerable – I shall never get the horrid Rumbling of it out of my Head – This was (literally you will say) taking us by Storm: hah! hah! but mark the Consequence – By this Attempt to personate Apollo, he shared the Fate of Phaëton; Heidegger revolted, and with him most of the prime Nobility and Gentry. From this happy Aera we may date the Growth and Establishment of Italian Music in our Island: Then came the healing Palm of Hasse and Vinci, Lampugnani, Piscetti [Pescetti], Gluck, etc. etc.
(Myers 1948, 48)

– Der wiedergegebene Abschnitt ist der Anfang des anonym erschienenen Pamphlets von William Hayes. Es war gegen Barnabas Gunn (vgl. 1736/III) gerichtet, der darauf in seiner nächsten Veröffentlichung (*Twelve English Songs, Serious and Humorous,* London 1752) auf der Titelseite und dem Frontispiz mit einer amüsanten Anspielung antwortete.

William Hayes war 1731–1734 Organist an der Kathedrale von Worcester, 1734–1737 am Magdalen College in Oxford. 1741 wurde er Professor of Music an der Oxford University, wo er 1749 den Grad eines Doctor of Music erhielt.

Sein Sohn Philip Hayes erwähnt zwar in der Einleitung zu der von ihm herausgegebenen *Cathedral Musick* (1759) seines Vaters dieses Pamphlet nicht, berichtet aber über dessen Anwesenheit bei dem Oxford Act 1733: „He was present at the memorable public Act in 1732, and a Visitant at the Warden's of Merton College, highly gratified by the excellent Performances he heard under the Direction of the immortal Handel, from whose great Powers and Spirit he caught those Sparks of Fire that flew from this great Luminary, which proved a further Incitement to his musical Studies."

(Deutsch 1952; Croft-Murray, 14)

1752

11. Januar 1752
The General Advertiser

At the Great-Room in Dean-street, Soho, This day … will be performed the Fifth Night of the Subscription Concerts. Which will be continued every Saturday Night till the whole are compleated. First Act. Overture, Alexander. To Song and Dance, Handel, Miss Sheward.
Vgl. 28. Dezember 1751 und 11. April 1752

– Außer Miss Sheward, die die Arie „To song and dance" aus *Samson* sang, wirkten in diesem Konzert Elisabeth Duparc, Caterina Galli, Felice de Giardini (Violine), Pasqualini (Violoncello), Richard Vincent (Cembalo), Ogle (Oboe) und Samuel Baumgarden (Fagott) mit. Das Billett für einen Abend kostete eine halbe Guinee, für die ganze Konzertserie drei Guineen, ein Doppelbillett hingegen nur fünf Guineen. Ein Doppelbillett war entweder für zwei Herren oder für einen Herrn und zwei Damen bestimmt.

14. Januar 1752
In Hickford's Great Room in Brewer Street findet ein Benefizkonzert für den Oboisten Charles Barbandt statt, das mit „Samson's Overture, by Mr. Handel" beginnt (*General Advertiser*).
(Sammlung Harris)

21. Januar 1752
The General Advertiser

This Day … will be exhibited, At the Castle Tavern in Pater-noster Row, a Grand Concert of Musick. … Act I. … 5. Mr. Handel's Water-Piece, with a Preamble on the Kettle-Drums. … Act the Third, … 5. March in Judas Maccabeus, with the Side-Drum.
(Sammlung Harris)
Vgl. 27. Dezember 1751 und 6. Februar 1752

26. Januar 1752
Mary Delany an ihre Schwester Ann Dewes

Delville, Jan. 26th, 1752.
Last Saturday [25. Januar] we were invited to the Primate's to hear music. …
Our music was chiefly Italian – the Stabat Mater, sung by Guadagni (whom you heard sing in Mr. Handel's oratorios) and Mrs. Oldmixon; Dubourg the principal violin.
(Delany, III, 80 f.)

– Primas von Irland war George Stone, Erzbischof von Armagh. Das *Stabat Mater* war vermutlich Pergolesis bekanntes Werk.

27. Januar 1752
The General Advertiser

By Desire, For the Benefit of Miss Thompson, At the King's Arms Tavern, Cornhill, this Day… will be perform'd a Concert of Vocal and Instrumental Musick. The principal Parts as follows, … two Songs of Mr. Handel's, by Mrs. Thompson in the first Act. In the Second Act will be the most favourite Songs and Chorusses in Acis and Galatea; the Part of Galatea to be performed by Miss Thompson, and the Rest of the Parts by Performers of the first Class. Tickets to be had at Mr. Walsh's.
(Sammlung Harris)

6. Februar 1752
The General Advertiser

The Tenth Day.
At the particular Desire of several Persons of Quality. For the Benefit of Benjamin Hallet, A Child of Nine Years of Age.
At the New Theatre in the Hay-market, This Day will be exhibited a Grand Concert of Musick. By Gentlemen mask'd after the Manner of the Grecian and Roman Comedy. … To be divided into Three Acts. Act the First, will contain … 5. Mr. Handel's Water-piece, with a Preamble on the Kettle Drums. Act the Second … 5. Overture in Otho. … Act the Third … 5. March in Judas Maccabeus, with the Side-Drum.

– Das New Theatre am Haymarket veranstaltete eine Reihe von Subskriptionsabenden.

Benjamin Hallet, der dem weiteren Text der Anzeige zufolge drei Jahre zuvor an fünfzig Abenden im Drury Lane Theatre Flöte geblasen und
ein Jahr darauf Violoncello gespielt hatte, trug
einen Prolog und einen Epilog vor.

7. Februar 1752
In Dublin wird in der Music Hall, Crow Street,
zum Besten des Lying-In Hospital, George's Lane,
Händels *Judas Maccabaeus* unter der Leitung von
Giovanni Battista Marella aufgeführt.
(Dean 1959, 636)

– Die Besetzung ist nicht bekannt, ebensowenig
ein für diese Aufführung bestimmtes Textbuch.

10. Februar 1752
Händel reicht beim Inspector of Stage-Plays
(Theaterzensor) ein Manuskript des *Jephtha*-Textes ein, das am Ende folgenden autographen Eintrag enthält:
George Frederic Handel
London Covent Garden
February 10th 1752
(Huntington Library, San Marino, California)
Vgl. 10. Januar 1743 und Februar 1750 (I)

14. Februar 1752
The General Advertiser

At the Theatre-Royal in Covent-Garden, This Day
will be performed an Oratorio, call'd Joshua. ... To
begin at Half an Hour after Six o'Clock.
Vgl. 9. März 1748

– Mit dieser Aufführung (Wiederholung am
19. Februar) begann Händel seine Oratoriensaison. Ein Textbuch für diese Aufführungen erschien bei Jacob und Richard Tonson und Somerset Draper.
(Dean 1959, 507, 509 und 637)

21. Februar 1752
The General Advertiser

At the Theatre-Royal in Covent-Garden, This Day
will be performed Hercules. ... To begin at Half
an Hour after Six o'Clock.
Vgl. 5. Januar 1745 und 24. Februar 1749

– Das Textbuch druckte James Roberts.
Vermutliche Besetzung:
Hercules – Mr. Wass, Baß
Dejanira – Caterina Galli, Mezzosopran
Iole – Giulia Frasi, Sopran
Hyllus – John Beard, Tenor
(Dean 1959, 429, 431, 433 und 635)

22. Februar 1752
The General Advertiser

At the Great-Room in Dean-street, Soho, This

Day ... will be performed the Eleventh Night of
the Subscription Concerts. First Act. Overture,
Handel. Let me wander, Handel, Miss Sheward.
Dimmi caro, Handel, Signora Francesina. ... Dica
il falso, Handel, Signora Francesina. ... Second
Act. Si l'intendesti si, Handel, Signora Francesina.

– Die Arien waren aus *L'Allegro, Scipio, Alessandro*
und *Faramondo* ausgewählt.

26. Februar 1752
The General Advertiser

At the Theatre-Royal in Covent-Garden, This
Day, will be performed a new Oratorio, call'd
Jeptha. ... To begin at Half an Hour after Six
o'Clock.
Wiederholungen: 28. Februar und 4. März 1752.

– Das Libretto zu *Jephtha* verfaßte Thomas Morell. Sein Name wird im Textbuch (*Jephtha, an Oratorio. or, Sacred Drama. As it is Perform'd at the Theatre-Royal in Covent Garden. Set to Music by
Mr. Handel...*, gedruckt von John Watts und Benjamin Dod) nicht genannt.
Händel führte sein letztes Oratorium insgesamt
siebenmal auf (vgl. 16. März 1753, 2. April 1756
und 1. März 1758).
Besetzung:
Jephtha – John Beard, Tenor
Storgè – Caterina Galli, Mezzosopran
Iphis – Giulia Frasi, Sopran
Hamor – Mr. Brent, Kontratenor
Zebul – Mr. Wass, Baß
Engel – Knabensopran
Die Sänger werden auch in Walshs Partiturausgabe genannt (vgl. 4. April 1752/II).
(Dean 1959, 617 ff. und 638)

27. Februar 1752
Händel zahlt 600 £ auf sein Konto ein.

2. März 1752
The General Advertiser

By particular Desire of several Persons of Quality.
For the Benefit of Miss Isabella Young, Scholar of
Mr. Waltz.
At the New Theatre in the Haymarket. This
Day ... will be performed a Concert of Vocal and
Instrumental Musick. The Vocal Part by Miss [Isabella jun.] Young. And the Instrumental Parts by
the best Masters. And one of Mr. Handel's Organ
Concertos will be also performed by Miss
Young.

– Isabella Young war eine Nichte der drei Schwestern Cecilia, Esther und Isabella Young. In Händels Ensemble nahm sie von 1755 bis zu Händels
Tod Caterina Gallis Stelle ein.
(Sands; Dean 1959, 660 f.)

4. März 1752
Protokolle des General Committee des Foundling
Hospital

The Secretary acquainted the Committee, that
George Frederick Handel Esqr had, again, offered
his generous Assistance to this Charity, by the per-
formance of "Messiah" in the Chapel of this Hos-
pital, on Thursday the Ninth of next Month.
Resolved
That the thanks of this Committee be returned to
Mr. Handel for his said Intention, and that the
Secretary do acquaint him, that the Committee
think themselves under great obgligations for the
same.
(Nichols/Wray, 204)

6. März 1752
The General Advertiser

At the Theatre-Royal in Covent-Garden, This Day
will be perform'd an Oratorio, call'd Samson. ...
To begin at Half an Hour after Six o'Clock.
Vgl. 18. Februar 1743 und 4. April 1750
Wiederholungen: 11. und 13. März 1752.

– Das Textbuch druckten Jacob und Richard Ton-
son und Somerset Draper.
Vermutliche Besetzung:
Samson – John Beard, Tenor
Dalila – Giulia Frasi, Sopran
Micah – Caterina Galli, Mezzosopran, oder
　　　　　Mr. Brent, Kontratenor
Manoah ⎫
Harapha ⎬ – Mr. Wass, Baß
(Dean 1959, 352 und 634)

10. März 1752
The Dublin Journal

Last Saturday [7. März] Morning died, aged 84, the
celebrated Signor Petro Castrucci, last Scholar of
Corelli, who was for 25 Years first Violin to the
Opera in London, and at five this Evening is to be
interred at St. Mary's; and, on Account of his great
Merit, will be attended by the whole Band of Mu-
sick from the New Gardens in Great Britain
Street, who will perform the Dead March in Saul,
composed by Mr. Handel.
(Flood 1904, 640)

– Ein Bericht über Castruccis Begräbnis erschien
im *Dublin Journal* vom 14. März. Flood (1912/13,
54) schreibt: „He died in dire poverty on 29th February and had a splendid funeral on 3rd March,
Dubourg being chief mourner."
Pietro Castrucci war Geiger und Kopist des Marchese Ruspoli in Rom, wo er auch Werke Händels
kopierte. Als Siebenundvierzigjähriger war er mit
Lord Burlington nach England gekommen und
viele Jahre in London als Konzertmeister in Hän-

dels Opernorchester tätig. Als er 1737 aus dem
Ensemble des Haymarket Theatre ausschied, zog
er sich nach Dublin zurück.

12. März 1752
Händel zahlt 430 £ auf sein Konto ein.

14. März 1752
The General Advertiser

London Hospital.
The Anniversary Feast of this Charity is appointed
to be held at Merchant-Taylors Hall, on Thursday
the 19th of March, 1752, after a Sermon preached
before his Grace the Duke of Devonshire, President, and the rest of the Governors, by... the Lord
Bishop of Lichfield and Coventry, at Christ-
Church in Newgate-Street. Prayers will begin at
Eleven o'Clock.
N. B. The Te Deum, and two Anthems composed
by Mr. Handel, with the Jubilate, &c. will be Vocally and Instrumentally performed at Church.

– Präsident des London Hospital war William Cavendish, 3. Duke of Devonshire und Lord Lieutenant von Derby; Bischof von Lichfield, Chester
und Coventry war Frederick Cornwallis.
Händels aufgeführte Kompositionen sind nicht
genauer bekannt; das Jubilate kann nur das *Utrecht
Jubilate* gewesen sein.

17. März 1752
In ihrem Benefizkonzert singt die Sopranistin
Miss Sheward im Great Room in Dean Street u. a.
die Arie „L'amor, che per te sento" aus *Alessandro.*

18. März 1752
The General Advertiser

At the Theatre-Royal in Covent-Garden, This Day
will be performed an Oratorio, call'd Judas Macchabaeus. ... To begin at Half an Hour after Six
o'Clock.
Vgl. 1. April 1747 und 20. März 1751
Wiederholung: 20. März 1752.

– Das vermutlich für diese Aufführungen gedruckte (undatierte) Textbuch entspricht den
1749–1751 von John Watts und Benjamin Dod gedruckten Textbüchern.
(Dean 1959, 472, 477 und 636)

19. März 1752
Händel zahlt 300 £ auf sein Konto ein.

24. März 1752 (I)
The General Advertiser

For the Benefit and Increase of a Fund established
for the Support of Decay'd Musicians, or their
Families.

At the King's Theatre in the Haymarket, This Day... will be performed an Entertainment of Vocal and Instrumental Musick. As follows,
Part I. ...
Air. Thro' the Land so lovely blooming; composed by Mr. Handel, sung by Mr. Beard.
...
Air. Honour and Arms; ..., sung by Mr. Wass.
Part II. ...
Air. Father of Heaven; ..., sung by Sig. Galli.
Air. Revenge, Timotheus cries; ..., sung by Mr. Wass.
...
Air. See, Hercules, how smiles yon Myrtle Plain; ..., sung by Signora Frasi.
Air. The Trumpets loud Clangor; ..., sung by Mr. Beard.
Part III. ...
Air. Love in her Eyes sits playing; ..., sung by Mr. Beard.
Trio. The Flocks shall leave the Mountains; ..., sung by Signora Frasi, Mr. Beard, and Mr. Wass.
A Grand Concerto of Mr. Handel's. ...
To begin exactly at Six o'Clock.

– Die Arien waren aus *Athalia, Samson, Judas Maccabaeus, Alexander's Feast, The Choice of Hercules, Ode for St. Cecilia's Day* und *Acis and Galatea,* das „Trio" aus *Acis and Galatea.*
Vgl. 23. April 1738

24. März 1752 (II)
Händel zahlt 640 £ auf sein Konto ein.

25. März 1752
The General Advertiser

At the Theatre-Royal in Covent-Garden, This Day will be performed a sacred Oratorio, call'd Messiah. ... To begin at Half an Hour after Six o'Clock.
Vgl. 12. April 1750
Wiederholung: 26. März 1752 („Being the Last [Oratorio] this Year").

31. März 1752
The Covent-Garden Journal

... When Mr. Handel first exhibited his Allegro and Penseroso, there were two ingenious Gentlemen who had bought a Book of the Words, and thought to divert themselves by reading it before the Performance begun. Zounds (cried one of them) what damn'd Stuff it is! Damn'd Stuff indeed, replied his Friend. God so! (replied the other, who then first cast his Eyes on the Title-Page) the Words are Milton's.
S.

– Das Sigel „S." steht für Henry Fielding, der das Journal vom 4. Januar bis zum 25. November 1752

unter dem Pseudonym „Sir Alexander Drawcansir, Knt. Censor of Great Britain" herausgab.

1. April 1752
The General Advertiser

Hospital ... in Lamb's Conduit-Fields, March 31, 1752.
George Fredrick Handel, Esq; having repeated his Offer to promote this Charity, the Sacred Oratorio, call'd Messiah, will be perform'd under his Direction, on Thursday the 9th of April, 1752, at Twelve o'Clock at Noon precisely, in the Chapel of the Hospital; and he will perform on the fine Organ which he gave to the Corporation. ...
By Order of the General Committee,
Harman Verelst, Sec.
N. B. There will be no Collection.

2. April 1752
Händel zahlt 320 £ auf sein Konto ein.

4. April 1752 (I)
The General Advertiser

At the Great-Room in Dean-street, Soho, This Day, will be performed the Seventeenth Night of the Subscription Concerts. First Act. Overture of Rodelinda, Handel. ... Second Act ... With ravish'd Ears, Handel, Miss Sheward.

– Die Arie stammt aus *Alexander's Feast.*
Vgl. 17. März 1752

4. April 1752 (II)
John Walsh kündigt im *General Advertiser* „Jephtha. The last new Oratorio, in Score. Composed by Mr. Handell" an.

– Eine entsprechende Anzeige erschien auch in der *London Evening Post,* 2.–4. April 1752. Die Ausgabe enthielt ein Verzeichnis „Musick Compos'd by M: Handel. Printed for J. Walsh."
(Smith 1960, 109)

7. April 1752
The General Advertiser

The Rehearsal of the Musick for the Feast of the Sons of the Clergy, will be performed at St. Paul's Cathedral, on Tuesday April 14, and the Feast will be held at Merchant-Taylors Hall, on Thursday April 16, 1752. ...
N. B. Mr. Handel's new Te Deum, Jubilate and Coronation Anthems, with a new Anthem by Dr. Boyce, will be Vocally and Instrumentally performed. ... N. B. Two Rehearsal and two Choir Tickets will be given with each Feast Ticket.

– Das „new Te Deum" ist das *Dettingen Te Deum,* das Jubilate wahrscheinlich das *Utrecht Jubilate.*

11. April 1752
The General Advertiser

At the Great-Room in Dean-street, Soho, This Day, will be performed the Eighteenth Night of the Subscription Concerts. First Act. Overture, Handel. ... Second Act. ... Ye verdant Plains, Handel, Miss Sheward.

– Miss Sheward sang nach dem Rezitativ „Ye verdant Plains" vermutlich auch die Arie „Hush, ye pretty warbling choir" aus *Acis and Galatea*.

15. April 1752
Protokolle des General Committee des Foundling Hospital

The Secretary acquainted the Committee, That he had paid Mr. Christopher Smith, Fifty One Pounds two shillings and Six pence, the amount of the distributions and Gratuities, for the Performance of Messiah on the 9th instant; and that Mr. Beard agreeing to perform gratis, no Distribution was set against his Name.
Resolved
That the Thanks of this Committee, be given to George Frederick Handel Esq[r] for his excellent Performance in the Chapel of this Hospital, on the 9th instant, of the Sacred Oratorio called Messiah, to a most Noble and Grand Audience, who expressed the greatest satisfaction at the Exquisiteness of the Composition, the completeness of the Performance, and the great Benevolence of Mr. Handel, in thus promoting this Charity.
(Nichols/Wray, 204)

22. April 1752 (I)
The General Advertiser

For the Benefit of a Publick Charity.
At the King's Theatre in the Haymarket, This Day ... will be performed an Entertainment of Vocal and Instrumental Musick. As follows.
Part I. ...
Air. Thro' the Land so lovely blooming, compos'd by Mr. Handel, sung by Mr. Beard.
...
Air. Oh! ruddier than the Cherry, ... sung by Mr. Wass.
...
Part III. ...
...
Trio. The Flocks shall leave the Mountains, ... sung by Signora Frasi, Mr. Beard, and Mr. Wass.
A grand Concerto of Mr. Handel's.
...
To begin exactly at Half an Hour after Six.

– Die „Publick Charity" war das 1746 gegründete Lock Hospital für notleidende Frauen, das von Händel regelmäßig unterstützt wurde.

Vgl. 4. November 1752, 7. Mai 1753 und Frühjahr 1759
Aufführungen zur Unterstützung des Hospitals wurden alljährlich im Haymarket Theatre, im Covent Garden Theatre von John Rich, im Drury Lane Theatre von David Garrick veranstaltet.
Die Arien waren aus *Athalia* und *Acis and Galatea*, daraus auch das „Trio".

22. April 1752 (II)
Catherine Talbot an Elizabeth Carter

Cuddesden, April 22, 1752.
I had vast pleasure in carrying my mother this year for the first time to hear the Messiah at the Foundling. She was as much charmed as I expected.
(Carter/Talbot, II, 75)

27. April 1752
In einer Benefizaufführung von Händels *Samson* für Miss Oldmixon in Dublin, die Matthew Dubourg leitet, tritt der Altist Gaetano Guadagni vor seiner Rückkehr nach London (im Oktober 1752) zum letzten Mal in Irland auf.
(Flood 1912/13, 54)

29. April 1752
Protokolle des General Committee des Foundling Hospital

The Treasurer acquainted the Committee, That he had received Six hundred and forty Two Pounds one shilling and Six pence, for 1 223 Tickets at the Oratorio the 9th instant; – that he had paid Fifty four pounds five shillings and Six pence for the Charges thereof; and that he had paid into the Bank of England the residue, being fivehund[d] and Eighty Seven pounds Sixteen shillings.

April 1752
The Gentleman's Magazine

Thursday 9.
Was perform'd at the Foundling chapel Mr Handel's oratorio of the Messiah, and the number of tickets given out was 1 200, each 10s. 6d.

12. Mai 1752
Händel hebt 2 140 £ und 2 Schilling von seinem Konto ab und erwirbt für 2 000 £ vierprozentige Annuitäten.

17. August 1752
The General Advertiser

We hear that George-Frederick Handel, Esq; the celebrated Composer of Musick was seized a few Days ago with a Paralytick Disorder in his Head, which has deprived him of Sight.

2./3. September 1752

In der Nacht vom 2. zum 3. September 1752 wird der alte englische Kalender durch den in den meisten Ländern des Kontinents gültigen gregorianischen Kalender ersetzt: Der 3. September 1752 wird zum 14. September, und das neue Jahr beginnt nun auch in England mit dem 1. Januar.

14. September 1752
Berrow's Worcester Journal

On Wednesday [20. September] will be perform'd, at the Cathedral, in the Morning, Purcel's Te Deum and Jubilate, an Anthem by Dr. Boyce, and Mr. Handel's celebrated Coronation Anthem; and at the Town-Hall, in the Evening, A Concert of Vocal and Instrumental Musick. On Thursday will be perform'd, at the Cathedral, in the Morning, Mr. Handel's Te Deum and Jubilate, a New Anthem by Dr. Boyce, and the same Coronation Anthem; and at the Town-Hall, in the Evening, The Oratorio of Samson.

– Purcells „Te Deum and Jubilate" ist das 1694 komponierte in D-Dur, Händels Jubilate ist das *Utrecht Jubilate*.

25. September 1752
The Salisbury Journal

St. Cecilia's Festival, will be celebrated at Salisbury, on the 27th and 28th of September Instant. There will be Musick, Vocal and Instrumental, in the Cathedral-Church each Day, in the Morning. – At the Assembly-Room, the two Night's Entertainments will be the Oratorios of Samson and Judas Maccabaeus, both composed by Mr Handel; with a Ball, after each. N.B. There will be Performers, Vocal and Instrumental, from London, Oxford, and Bath.
(Mee, 70)

30. September 1752
The Salisbury Journal

The Anniversary Musical Festival was celebrated here on the 27th and 28th Instant: The Musick in the Cathedral-Church, on the first Day began with an Overture; then followed a Te Deum set for Voices and Instruments; then an Anthem taken from the first and second Acts of the Messiah, or sacred Oratorio; and at the Conclusion of the Service, the famous Coronation Anthem of God save the King.
On the second Day, a different Overture; the same Te Deum; an Anthem from the third Act of the Messiah, or sacred Oratorio; the Conclusion as before, God save the King. At the Assembly Room, on the first Night, was performed Samson, on the second, Judas Maccabaeus, both of them Oratorios of the greatest Merit. All the above-

mentioned excellent Pieces, were the Compositions of one and the same Author, Mr Handel, whose fertile and transcendent Genius has justly acquired him a continued and universal Admiration, for more than forty Years past. The vocal Performers were eighteen in Number, among whom the Principal were Dr. Hayes, Professor of Musick at Oxford, his two sons, and Mr. Freeman. The Instrumental Performers consisted of sixteen Violins, two Hautboys, two Tenor-Violins, a Bassoon, a Harpsichord, four Violoncellos, two double Bases [sic], together with French Horns, Trumpets and Drums. The Musick was performed with great Spirit and Exactness; and was received with Applause by a numerous and brilliant Audience; among whom were their Graces the Duke and Dutchess [sic] of Queensbury, Lord Drumlanrig … [es folgt eine Aufzählung weiterer Namen] etc. etc. The Ball was open'd each Night by Lord Drumlanrig, and the Countess of Effingham, and the Whole pass'd off with the greatest Decorum and good Order.
(Husk, 100 f.; Mee, 70 f.; Dean 1959, 106 und 636)

– „God save the King" ist das Coronation Anthem „Zadok the Priest".

25. Oktober 1752
Protokolle des General Committee des Foundling Hospital

Ordered
That the Secretary do apply to Mr. Handel, Dr. Boyce, and Mr. Smith, for their Assistance, in a Musical Performance in the Chapel, on that Day [28. Dezember].
(Nichols/Wray, 207)

– „Mr. Smith" war Händels Schüler John Christopher Smith jun.

4. November 1752
The General Advertiser

Yesterday George-Frederick Handel, Esq; was couch'd by William Bromfield, Esq; Surgeon to her Royal Highness the Princess of Wales, when it was thought there was all imaginable Hopes of Success by the Operation, which must give the greatest Pleasure to all Lovers of Musick.

– Die Notiz wurde zuerst von Schoelcher nach Burneys *Theatrical Register* zitiert, aber irrtümlich auf den 4. Mai 1752 datiert. Diese falsche Datierung übernahmen u. a. Rockstro, Cummings und Flower. Rolland gibt dagegen als erster das richtige Operationsdatum an.
Bromfield, der Chirurg des Prince of Wales, war am Lock Hospital und am St. George's Hospital tätig.
James vermutet, daß Bromfield Händel am grauen

Star operierte und daß die innerhalb von neun
Monaten eingetretene Erblindung die Folge eines
nach der Operation aufgetretenen Glaukoms war.
Nach Smith ist Händel „selbst am Ende seines Le-
bens ein Teil der Sehkraft erhalten geblieben".
(Schoelcher 1857, 321; Rockstro, 351; Cummings
1904, 39; Flower 1923, 323; Rolland 1910 II, 123;
Coats, 8f.; James, 168; Smith 1950, 127ff.; Smith
1959, 73ff.)
Vgl. 27. Januar 1753 (II)

13. November 1752
Boddely's Bath Journal

The Lovers of Musick here have always wished for
the Performance of an Oratorio: This therefore is
to inform them, that on Monday next, November
the 20th, will be performed Alexander's Feast, so
justly admir'd for its Excellence in the Musical
Way, set to Musick by our British Orpheus
Mr. Handel, with all the Recitativos, Songs, Symphonies, and Chorus's, as performed at the Theatre-Royal in Covent-Garden. – As Nothing of this
Kind was ever performed here, and as the Managers will be at a great Expence in getting such a
Number of Voices and Instruments, 'tis hoped
they will have Encouragement, as they flatter
themselves the Performance will please.
(Wright)

20. November 1752
Boddely's Bath Journal

By Desire. At Mr. Simpson's Theatre, This present
Monday ... will be perform'd that Celebrated Entertainment, call'd Alexander's Feast. In the Manner of an Oratorio, As Perform'd at the Theatre-
Royal in Covent-Garden. ... (To begin at Six
o'Clock.)
As nothing of this kind was ever performed here,
the Managers will spare no Expence in collecting a
sufficient Number of proper Voices and Instruments, as they have Nothing more at Heart than
the Desire of pleasing.
Tickets ...; where Books of Alexander's Feast are
sold.

25. November 1752
Mary Delany an ihre Schwester Ann Dewes

Delville, 25th Nov., 1752.
Poor Handel! how feelingly must he recollect the
"total eclipse". I hear he has now been couched,
and found some benefit from it.
(Delany, III, 177; Streatfeild 1909, 212)

– Im April 1753 spielte Händel in der Sam-
son-Aufführung, und das Publikum bezog die
Worte „total eclipse! no sun, no moon! ..." nun
auch auf ihn.
Vgl. 4. November 1752 und 4. April 1753

5. Dezember 1752
Händels Vetter Christian August Rotth (Roth)
stirbt in Halle. Er war sechs Monate jünger als
Händel.
Vgl. 20. Februar 1719, Dezember 1730 und 11. Fe-
bruar 1750

6. Dezember 1752
Protokolle des General Committee des Foundling
Hospital

Resolved
That there be a Rehearsal of Sacred Music in the
Chapel of this Hospital, on Thursday the 25th
next Month, and That Twelve hundred Tickets be
prepared for that Purpose, at half a Guinea
each.
Resolved
That Twelve hundred Tickets for admitting Per-
sons into the Chapel, at the Opening thereof the
Second of Febr^y next, be prepared, to be delivered
without Money; and that there be a Note on the
said Tickets, giving Notice, That there will be a
Collection for this Charity, at the Chapel, on that
Day.
Resolved
That it be referred to the Sub-Committee, to consider of the disposal of the Tickets for admittance
at the Opening of the Chapel.
(Nichols/Wray, 207)

– Der Unterausschuß beschäftigte sich nur mit
der Kapelle, deren Einweihung ursprünglich für
den 3. Mai 1750 vorgesehen war und nach einer
nochmaligen Verschiebung (2. Februar 1753)
schließlich am 16. April 1753 erfolgte.

15. Dezember 1752
Im *Dublin Journal* werden für den Winter 1752/53
geplante Aufführungen von Oratorien Händels
angekündigt:
19. Dezember: *Messiah,* Leitung Giovanni Battista
Marella, für Schuldgefangene in Dubliner Gefäng-
nissen, in der Great Music Hall, Fishamble Street,
durch die Charitable Musical Society; Probe am
15. Dezember, Textbücher kostenlos.
23. Januar 1753: *Deborah,* Music Hall, für die
Charitable Infirmary am Inn's Quay; Probe am
19. Januar.
13. Februar 1753: *Joshua,* Music Hall, für das Hospital of Incurables.
Vgl. 13. Februar 1753

16. Dezember 1752
Mary Delany an ihre Schwester Ann Dewes

Delville, 15. Dec., 1752
Yesterday morning we went to the rehearsal of the
"Messiah", it was very tolerably performed. I was a
little afraid of it, as I think the music very affect-

ing, and I found it so – but am glad I went, as I felt great comfort from it, and I had the good fortune to have Mrs. Bernard sit by me, the Primate's sister, a most worthy sensible woman, of an exalted mind; it adds greatly to the satisfaction of such an entertainment to be seated by those who have the same relish for it we have ourselves. The babblers of my acquaintance were at a distance, indeed I took care to place myself as far from them as I could. Do you remember our snug enjoyment of Theodora? I could not help thinking with great concern of poor Handel, and lamenting his dark and melancholy circumstances; but his mind I hope will still be enlightened for the benefit of all true lovers of harmony.
(Delany, III, 184)

– In der Ausgabe ist der Brief auf den 15. Dezember datiert. Da im *Dublin Journal* die *Messiah*-Probe für den 15. Dezember angekündigt war, kann der Brief erst am 16. Dezember geschrieben worden sein.

27. Dezember 1752
Benjamin Victor aus Dublin an William Rothery in Chelsea

December 27, 1752.
… You must be a lover of music – If Handel's Messiah should be performed in London, as it undoubtedly will in the lent season, I beg it as a favour to me, that you will go early, and take your wife with you, your time and money cannot be so well employed; take care to get a book of the oratorio some days before, that you may well digest the subject, there you will hear glad tidings and truly divine rejoicings at the birth of Christ, and feel real sorrows for his sufferings – but, oh! when those sufferings are over, what a transporting full chorus! where all the instruments, and three sets of voices are employed to express the following passage, which I must quote –
"Lift up your heads, O ye gates! and be ye lift up ye Everlasting doors, and the king of glory shall come in.
Who is the king of glory? The Lord strong and mighty,
He is the king of glory!
And he shall reign for ever, King of Kings, Lord of Lords."
How truly poetical is the diction of the Oriental writers.
Mr. Handel, when he was here, composed this excellent oratorio, and gave it to a charitable musical society; by whom it is annually performed, for the relief of poor debtors, and very well, as we have good cathedral singers, to whom this music is chiefly adapted – the performance is just over, and you will conclude I am never absent. As much as I detest fatigue and inconvenience, I would ride

forty miles in the wind and rain to be present at a performance of the Messiah in London, under the conduct of Handel – I remember it there – He had an hundred instruments, and fifty voices! O how magnificent the full chorusses.
(Victor, I, 189 f.; Myers 1947 I, 35 f.)

– Wie andere Iren glaubte Benjamin Victor fest daran, daß Händel den *Messiah* für Dublin komponiert hatte.

1752 (I)
Händels *Esther* wird in der Castle Tavern, Paternoster Row, aufgeführt.

– Einziger Beleg ist das von Henry Woodfall für diese Aufführung gedruckte Textbuch (Sammlung Schoelcher).
(Dean 1959, 221 und 632)

1752 (II)
Händels *Messiah* wird in Oxford aufgeführt.

– Die Aufführung ist nur durch ein auf 1752 datiertes gedrucktes Textbuch belegt, das den Titel trägt: *The Sacred Oratorio, Set to Music by Mr. Handel* (Bodleian Library, Oxford; Sammlung Schoelcher).

1752 (III)
Charles Avison, An Essay on Musical Expression, London 1752

… To these [Corelli, Domenico Scarlatti, Caldara und Rameau] we may justly add our illustrious Handel; in whose manly Style we often find the noblest Harmonies; and these enlivened with such a Variety of Modulation, as could hardly have been expected from one who hath supplyed the Town with musical Entertainments of every Kind, for thirty Years together.[1]

[1] The celebrated Lulli of France, and the old Scarlatti at Rome, may be considered in the same Light with Handel. They were both voluminous Composers, and were not always equally happy in commanding their Genius. Yet, upon the whole, they have been of infinite Service in the Progress of Music: And if we take away from their numerous Works, all that is indifferent, there will still enough remain that is excellent, to give them a distinguished Rank. It is pretty remarkable, that the three Masters here mentioned, have, perhaps, enjoyed the highest local Reputation, having all been the reigning Favourites among the People, in the several Countries where they resided: and thence have been regarded as standing Models of Perfection to many succeeding Composers.
The Italians seem particularly indebted to the Variety and Invention of Scarlatti; and France has produced a Rameau, equal, if not superior to Lulli.

The English, as yet, indeed, have not been so successful: But whether this may be owing to any Inferiority in the Original they have chose to imitate, or to a want of Genius, in those that are his Imitators (in distinguishing, perhaps, not the most excellent of his Works) it is not necessary here to determine. ...

I have chosen to give all my Illustrations on this Matter from the Works of Mr. Handel, because no one has exercised this Talent more universally, and because these Instances must also be most universally understood. ...

What shall we say to excuse this same great Composer, who, in his Oratorio of Joshua, condescended to amuse the vulgar Part of his Audience, by letting them hear the Sun stand still.   [S.53 ff.]

– Die zweite Auflage des Avisonschen Essays erschien 1753 „with alterations and large additions" (auch mit einer Erwiderung auf die Kritik von William Hayes – vgl. Januar und 22. Februar 1753/I).

Avison war seit 1736 Organist in Newcastle. Er war ein Schüler von Geminiani, den er in seinem Essay auf Kosten Händels als großes Vorbild in der Komposition herausstellte.

1752 (IV)

Johann Carl Conrad Oelrichs, Historische Nachricht von den akademischen Würden in der Musik, Berlin 1752

Endlich muß ich hier annoch des in der Tonkunst vortreflichen H. Georg Friedrich Händels in London mit wenigen gedenken, von dem man zwar gemeldet hat, daß er die Doctorwürde in der Musik erhalten[1]. Allein, ob er solche gleich vorlängst verdienet, und sie ihm auch angetragen worden, hat er sie dennoch immer von sich abgelehnet; wenigstens ist er im 1744ten J. noch nicht Doctor gewesen; wie solches aus einem Briefe, so er den 25ten May 1744 an H. Lorentz Christoph Mizlern abgelassen, erhellet[2]. Indessen sind dem wohlverdienten H. Händel andere viele Ehrenbezeugungen wiederfahren; wie ihm denn unter andern von einigen Privatpersohnen in dem Garten zu Vaux Hall eine marmorne Ehren- und Bildsäule errichtet worden[3].

[1] Constantin Bellermanns Progr. in quo parnassus musarum, voce, fidibus, tibiisque resonans, sive musices, divinae artis, laudes, diversae species, singulares effectus atque primarii auctores succincte, praestantissimique melopoetae cum laude enarrantur.

[2] Er meldet darin ausdrücklich: ich habe das Doctorat wegen überhäufter Geschäfte nicht annehmen können oder wollen. S. Mizlers musikalische Bibliothek im 3. Bande 3. Tb. a. d. 568. S. Mithin fällt dasienige, so man von H. Händeln in dem kurzgefasten musikalischen Lexikon, welches zu Chemnitz 1737 und 1740 in 8vo herausgekommen, a. d. 178. S. lieset: er sey im 1733ten J. zu London zum Doctor in der Musik gemacht worden, gänzlich hinweg.

[3] Solches ist in den Engländischen Hofzeitungen gemeldet worden; wie H. Mattheson in der angef. Grundlage einer musikalischen Ehrenpforte a. d. 101. S. berichtet.

1752 (V)

Johann Joachim Quantz, Versuch einer Anweisung die Flöte traversiere zu spielen, Berlin 1752

Eine Ouvertüre, welche zum Anfange einer Oper gespielet wird, erfordert einen prächtigen und gravitätischen Anfang, einen brillanten, wohl ausgearbeiteten Hauptsatz, und eine gute Vermischung verschiedener Instrumente, als Hoboen, Flöten, oder Waldhörner. Ihr Ursprung kömmt von den Franzosen her. Lülly hat davon gute Muster gegeben. Doch haben ihn einige deutsche Componisten, unter andern vornehmlich Händel und Telemann, darinne weit übertroffen. Es geht den Franzosen mit ihren Ouvertüren fast, wie den Italiänern mit ihren Concerten. Nur ist, wegen der guten Wirkung welche die Ouvertüren thun, zu bedauern, daß sie in Deutschland nicht mehr üblich sind.   [S.300 f.]

1752 (VI)

Lorenz Christoph Mizler, Musikalische Bibliothek, Leipzig 1752

Doch kann man auch niemand verwehren, wenn er seine Stücke auf eine andere Art einkleiden, u. die eingeführte Mode in etwas auf eine vernünftige Art verändern will. Die Freyheit, die sich hierinn Lulli genommen, die kann sich auch ein anderer vorragender Componist nehmen. Hat nicht Sethus Calvisius, Bononcini, Marcelli, Lotti es eben so gemacht? Hat nicht Händel was prächtiges u. nachdenkendes vor andern, u. einen eigenen Geschmack? Hat nicht unser Hasse was anmuthiges u. leicht in die Sinnen fallendes, u. einen von andern unterschiedenen Geschmack? Unterscheidet sich nicht unser Graun durch sein gründliches Denken von andern. Es ist allezeit erlaubt gewesen, u. wird auch allezeit erlaubt seyn, daß man in der äußerlichen Einkleidung musikalischer Stücke, als einem Nebendinge, sich nicht schlechterdings nach andern richten darf.   [S.610]

Ja viele große Herren sind von dem Vorurtheile eingenommen, daß die italienischen Virtuosen viel besser als die Deutschen wären, welches keineswegs an dem ist. Ein trefflicher Händel, ein angenehmer Hasse, ein gründlicher Graun, ein lieblicher Stölzel, ***, ein sein Orchester vortrefflich wohl regierender Pisendel, ein auf seiner Orgel verwundernswürdiger Bach, können allen Ausländern die Spitze bieten, vieler braven Männer wegen Enge des Raums gar nicht zu gedenken. [S. 627]

Mit Vergnügen lieset man, daß Kuhnau, Kaiser, Telemann, Händel u. Heinichen diejenigen Männer sind, mit welchen unser Vaterland den Ausländern Trutz biethen kann: weil von ihnen am meisten die erweiterte Ausbreitung des guten Geschmacks u. diejenige vernünftige Tonkunst herstammet, welche unter den Händen eines Hassens, u. eines Grauns, die Bewunderung Welschlandes geworden ist.   [S. 748]
(„C. G. Schröters Beurtheilung der zweyten Auflage des critischen Musici.")

1753

2. Januar 1753
Händel tauscht 12 000 £ vierprozentige Annuitäten (1746) in 12 000 £ reduzierte dreiprozentige Annuitäten ein.

– Die „reduzierten dreiprozentigen Annuitäten" gab es von 1752 bis 1789.

13. Januar 1753
The Cambridge Chronicle

Mr. Handel has so much recovered his sight that he is able to go abroad.
(Sammlung A. H. Mann)

25. Januar 1753
Probe für das Konzert anläßlich der Einweihung der Kapelle des Foundling Hospital.
Vgl. 6. Dezember 1752 und 16. April 1753

27. Januar 1753 (I)
The London Daily Advertiser

At the Great Room in Dean-street, Soho... Saturday the 27th Instant, will be performed the second Night of the Subscription Concerts.
... Act I. ... My Faith and Truth, Handell, Sig. Frasi ... Act II. ... Myself I shall adore, Handell, Miss Turner.

– Die Arien waren aus *Samson* und *Semele*. Eine Miss Turner (nicht zu verwechseln mit Ann Turner-Robinson) sang wiederholt in Händel-Aufführungen, 1755 auch bei dem Three Choirs Meeting.

27. Januar 1753 (II)
Aus einer Zeitung

Mr. Handel has at length, unhappily, quite lost his sight. Upon his being couch'd some time since, he saw so well, that his friends flattered themselves his sight was restored for a continuance; but a few days have entirely put an end to their hope.
(Schoelcher 1857, 321)

– Die von Schoelcher zitierte Notiz („a journal announced ...") konnte weder in einer Londoner Zeitung noch im *Theatrical Register* nachgewiesen werden.
Vgl. 4. November 1752

Januar 1753
[William Hayes,] Remarks on Mr. Avison's Essay on Musical Expression

... If these [Duette von Stradella und Steffani] are excelled by any, they are by Mr. Handel's twelve Chamber Duets, composed for the late Queen: Who did him the Honour to perform a Part in them. ...
I can see no Business Rameau has in Company with Men whose Works have been thoroughly proved, and have stood the never-failing Test of Time [d. h. Corelli, Domenico Scarlatti und Caldara], unless it be purely for the sake of mortifying his Contemporary Mr. Handel; and if this be his Aim, he certainly will miss of it. But it manifestly appears to be his principal Design, by his ridiculous Fondness and Partiality to some Masters, to draw a Veil over, and eclipse his great and glorious Character: Poor Creature! He might just as easily with the Palm of his Hand stop the Current of the most rapid River; or persuade a Man with his Eyes wide open, that the Sun affordeth no Light, when shining in it's full meridian Lustre. To evince the Truth of this Assertion, let us consider what immediately follows: "To these we may justly add our illustrious Handel ... who hath supplied the Town with musical Entertainments of every Kind, for thirty (he might have said forty) Years together." What an akward Compliment is this; (as could hardly have been expected! &c.) with what Reluctance it seemeth to come; and at best amounts to little more than if he had said, – considering what a Quantity of Music of every Kind, he hath supplied the Town with for so many Years; it is well it is no worse. ... And all this [viele Einzelheiten über Rameaus Vorzüge], industriously placed directly under the little he says of Mr. Handel, or as it were in his very Face. ... Were a thousand of these puny Performances [von Rameaus Opernchören] opposed to one Oratorio Chorus of Mr. Handel, it would swallow them up, even as the Rod of Aaron converted into a Serpent, devoured those of the Magicians.
In the next Paragraph of the Annotations, the celebrated Lulli and the old Scarlatti are to be considered in the same Light with Handel: Why? because they were both voluminous Composers; and were not always equally happy in commanding

their Genius. He does indeed acknowledge they have been of infinite service in the Progress of Music. ... Likewise, that they were the reigning Favourites among the People in the several Countries where they resided. ... This seems to be owning rather too much: For a stronger Proof there cannot be of real superior Merit, than a Man's being universally admired and esteemed, in the Country where he resides, and imitated by his successors as the standing Model of Perfection: But all this mighty yielding, is only for the sake of an Opportunity of sneering both Handel and his Brethren the Musicians of our own Country; which will evidently appear by the subsequent Paragraph.

"The Italians seem indebted to ... Scarlatti; and France has produced a Rameau, equal if not superior to Lulli. The English, as yet indeed, have not been so successful. ..." What a saucy Piece of Insinuation is here! – If I have been any way severe in my Reflections, this surely, is sufficient for my Justification. ... I believe no reasonable Person, or Judge of Words and Music, will deny that the beautiful, picturesque Scenes, which Milton describes [in *L'Allegro il Penseroso*], are greatly heightened and assisted, by the Music Mr. Handel has adapted to them: And yet it consisteth chiefly of the mimetic or imitative Kind; not that it is defective, either in Air or Harmony. The characters of Chearfulness and Melancholy are nevertheless finely supported: And therefore I must insist upon it, there cannot be a more complete Model of true musical Expression, notwithstanding it abounds with Imitation. And this is the Method, which not only Mr. Handel, but all other sensible Composers, make their Study and Practice, although Mr. Avison insinuates to the contrary. ...

There is not a Scene which Milton describes, were Claude Lorrain or Poussin to paint, could possibly appear in more lively Colours, or give a truer Idea of it, than our Great Musician has by his pictoresque Arrangement of musical Sounds; with this Advantage, that his Pictures speak. Let it here be noted, I mention not this Work as the most capital of his Performances; but, as I said before, on account of it's consisting chiefly of Imitation, and as a perfect Piece in it's Kind; his Symphonies forming the most beautiful Scenery, copied from simple Nature. But if you are inclined to drink more copious Draughts of this divine Art, look into, or rather hear, if possible, his Oratorio of Israel in Egypt; there you will find he has exerted every Power human Nature is capable of. In this truly sublime Composition, he has discovered an inexhaustible Fund of Invention, the greatest Depth of Learning, and the most comprehensive Talent in expressing even inarticulate Nature, as well as things which are obvious to our Sense of Hearing only, by articulate Sounds; not to mention such an

Assemblage of Vocal and Instrumental Parts, blended with such Purity and Propriety; which alone would render this Work infinitely superior to any Thing the whole musical World hath hitherto produced. ...

This brings me within sight of our Author's main Drift and Design, in depreciating and lowering the Characters of Handel and Corelli; which very clearly is to aggrandize two Masters, whom he boldly affirms to have excelled all the Moderns; one in Vocal the other in Instrumental Music. But his Spleen is more particularly vented against Handel, for no other Reason, but his being universally admired, on account of both these Excellencies being united in Him. We must not therefore be surprized, that his transcendent Merit, and the Applause he has met with as the natural Consequence of it, should create Envy, Jealousy, and Heart-burning in the Breasts of those who are less conspicuous; however excellent in a particular Branch: Nor if, failing to meet with a Share of public Acknowledgment equal to their Expectations, they descend to the mean Practice, of puffing one another at the Expence of his Reputation. Perhaps Mr. Avison may think himself in Duty, or upon the Principle of Gratitude, bound to compliment Geminiani: – But what can induce Geminiani to set Avison in Competition with Handel? Surely nothing but to gratify Pique, and to magnify his own Performances; and that this has frequently been the Case, is too notorious to need an Instance. ...

But for the truly Great and Heroic, he must yield to Handel, even in the Application of the above Instruments [Violinen und andere Streichinstrumente]. And as the Style of these two Masters is different, although each excellent in the Kind, so also is their Method of Study: The one slow, cautious, and elaborate; the other, rapid, enterprizing, and expeditious. The one frequently revising, correcting, altering, and amending until his Piece be completely polished; the other having once committed his to Writing, resteth satisfied, and transmitteth it to his Copiest; who being accustomed to write after him, may perchance transcribe it in as little Time as he was making it; but I would defy any other Man to accomplish it in less than double that Time. In short, Geminiani may be the Titian in Music, but Handel is undoubtedly the Rubens. To conclude:

Perhaps, as I have been so particular in delivering my sentiments concerning the Hero of the Essay, You may expect me to give you a Detail of the various Excellencies, which still remain unmentioned in Handel; and to point out wherein he excels all others of his Profession: The Man, who hath so bravely withstood the repeated Efforts of Italian Forces: – Who hath maintained his Ground against all Opposers: – Who at the Age of Seventy, with a broken Constitution, produced such a Composition,[1] which no Man mentioned in the Essay beside, either is, or ever was (so far as it hath appeared to us) equal to, in his highest Vigour; – And, to the Astonishment of all Mankind, at the same Period of Life, performed Wonders on the Organ, both set Pieces and extempore; – I say, perhaps you may expect me to enter into Particulars, to defend and characterize this Man: – but the first would be an endless Undertaking; – his Works being almost out of Number. – The second, a needless one, the Works themselves being his best Defence: – And the third, I must acknowledge is above my Capacity; and therefore once more refer you to his Works, where only his true character is to be found; except in the Hearts of Thousands his Admirers. Thus far as a Musician only: As a moral, good, and charitable Man, let Infants, not only those who feel the Effects of his Bounty, but even such who are yet unborn, chaunt forth his Praise, whose annual Benefaction to an Hospital for the Maintenance of the Forsaken, the Fatherless, and those who have none to help them, will render Him and his Messiah, truly Immortal and crowned with Glory, by the King of Kings and Lord of Lords.   [S.57ff]

[1] The Oratorio of Jephtha.

– Autor der wahrscheinlich im Januar 1753 anonym erschienenen Schrift ist William Hayes. Avison antwortete mit einem weiteren Pamphlet (vgl. 22. Februar 1753/I).

8. Februar 1753 (I)
The World

To Mr. Fitz-Adam.
Totum mundum agit histrio.
Sir,
... I myself remember, how ... the great Senesino, representing Alexander at the siege of Oxydracae, so far forgot himself in the heat of the conquest, as to stick his sword into one of the pasteboard stones of the wall of the town, and bore it in triumph before him as he entered the breach; a puerility so renowned a General could never have committed, if the ramparts had been built, as in this enlightened age they would be, of actual brick and stone.
Will you forgive an elderly man, Mr. Fitz-Adam, if he cannot help recollecting another passage that happened in his youth, and to the same excellent performer? He was stepping into Armida's enchanted bark; but treading short, as he was more attentive to the accompanyment of the orchestra than to the breadth of the shore, he fell prostrate, and lay for some time in great pain, with the edge of a wave running in his side. In the present state of things, the worst that could have happened to

him, would have been drowning; a fate far more becoming Rinaldo, especially in the sight of a British audience!
(Schoelcher 1857, 75f.)

– Adam Fitz-Adam war das Pseudonym des Herausgebers Edward Moore. Der Verfasser des anonymen Briefes war Horace Walpole.
Senesino sang den Alessandro zur ersten Aufführung der Oper am 5. Mai 1726 und in den Wiederaufführungen 1727, 1728 und 1733. Den Rinaldo sang er zum ersten Mal am 6. April 1731.

8. Februar 1753 (II)
John Walsh zeigt im *Public Advertiser* die Partituren von 22 Oratorien Händels in zwölf Bänden an.
(Smith 1948, 85)
Vgl. 27.–29. Juni 1751

13. Februar 1753
Im *Dublin Journal* werden weitere Aufführungen von Oratorien Händels angekündigt (vgl. 15. Dezember 1752):
13. Februar: *Joshua*, Music Hall, Leitung Bartholomew Manwaring, von der Charitable Musical Society für das Hospital for Incurables on Lazer's Hill; Probe am 8. Februar, Textbücher kostenlos.
20. Februar: *Judas Maccabaeus*, Music Hall, Leitung Giovanni Battista Marella, für das Lying-in Hospital in George's Lane; Probe am 16. Februar, Textbücher kostenlos.
26. Februar: *Esther*, Music Hall, Leitung Giovanni Battista Marella, zum Benefiz von Miss Oldmixon.

22. Februar 1753 (I)
Charles Avison, Reply to the Author of Remarks on the Essay on Musical Expression

... The Heat of his Rage seems to be kindled at the Affront which he would insinuate I have put upon the English Composers. And to draw their severest Resentment upon me, he hath also as falsely insinuated that I have equally injured the great Original which they have imitated.
Then he produces the following Passage. – "The Italians seem particularly indebted to ... Scarlatti ... it is not necessary here to determine." – This he calls a saucy Insinuation. But saucy to whom? If to his Doctorship only, I am entirely unconcerned about it. But if to Mr Handel, I would be the first to condemn it, and erase it from my Essay: This, however, I believe, none but our Critic will suspect; though every one will easily perceive his Reason for quoting and perverting it, viz. to take off the Odium from such meagre Composers as himself, and to throw it all upon the Character of Mr Handel.

I could wish to know whence this unnatural Conjunction comes, and what Mr Handel has done, that he deserves to be treated with that Air of Familiarity which our Author puts on, when he calls him his Brother. – Poor Doctor! I know not what Tables of Affinity or Consanguinity can prove you even his Cousin-German. Is Mr Handel an Englishman? Is his very Name English? Was his Education English? Was he not first educated in the Italian School? Did he not compose and direct the Italian Operas here many Years? It is true, he has since deigned to strengthen the Delicacy of the Italian Air, so as to bear the rougher Accent of our Language. But to call him, on that Account, Brother to such Composers as our Doctor, I am persuaded, is an Appellation, that he would reject with the Contempt it deserves. ...
I will beg Leave to deliver my Sentiments of Mr Handel, which, I am sure will contradict nothing I have said in my Essay; and, I flatter myself, will be assented to by the rational Part of our musical Judges.
Mr Handel is in Music, what his own Dryden was in Poetry; nervous, exalted, and harmonious; but voluminous, and, consequently, not always correct. Their Abilities equal to every Thing; their Execution frequently inferior. Born with Genius capable of soaring the boldest Flights; they have sometimes, to suit the vitiated Taste of the Age they lived in, descended to the lowest. Yet, as both their Excellencies are infinitely more numerous than their Deficiencies, so both their Characters will devolve to latest Posterity, not as Models of Perfection, yet glorious Examples of those amazing Powers that actuate the human Soul.

– Avison veröffentlichte seine Antwort auf Hayes' *Remarks* in Form eines offenen Briefes an einen Freund in London als Anhang zu der zweiten Ausgabe seines *Essay* (London 1753); das Datum des Briefes läßt auf eine gesonderte Veröffentlichung schließen.
(Kingdon-Ward)
Vgl. Januar 1753

27. Februar 1753 (II)
John Walsh zeigt im *Public Advertiser* neue Ausgaben von *Alexander's Feast, Acis and Galatea* und *Jephtha* an.

– Die Ankündigung vom 15. März 1753 nennt außerdem *The Choice of Hercules*.

2. März 1753
The Public Advertiser

At the King's Theatre in the Haymarket, This Day will be performed Alexander's Feast. By Mr. Handel. With a Concerto on the Organ, by Mr. Stanley, who is to conduct this Performance. Before the President, Vice-Presidents, and Governors of the Small-Pox Hospital.
This being a Morning's Entertainment, it is not expected that the Ladies should come Full-dressed.
Books of the Ode will be delivered gratis at the Theatre.
(Schoelcher 1857, 323 f.)

– Der seit seinem zweiten Lebensjahr blinde Organist und Komponist John Stanley leitete zum erstenmal ein Händel-Oratorium.
Händel begann seine Oratorien-Saison am Covent Garden Theatre eine Woche später (vgl. 9. März 1753) auch mit *Alexander's Feast*. In den vorangegangenen Anzeigen der Aufführung am Haymarket wird Stanley nicht erwähnt, aber darauf verwiesen, daß die Aufführung mittags beginnen und ihr ein „anniversary dinner" in der Merchant Taylors Hall folgen soll, zu dem die teilnehmenden Herren „join the procession from the Theatre".

3. März 1753
The Public Advertiser

At the Great Room in Dean-street, Soho, This Day, will be perform'd the Seventh Night of the Subscriptions Concerts. Act I. ... Our Fruits, Handel, Miss Turner; ... O Sleep, Handel, Sig. Frasi. ... Act II. Overture in Saul, Handel; Return, O God of Hosts, Handel, Sig. Guadagni.

– Die Arien sind aus *Joseph and his Brethren, Semele* und *Samson*.

22. Februar 1753 (II)
Esther wird von der Academy of Ancient Music aufgeführt.

– Die Aufführung ist nur durch ein gedrucktes Textbuch belegt (National Library of Scotland, Edinburgh; Sammlung Schoelcher).
(Dean 1959, 221 und 632)

27. Februar 1753 (I)
Protokollbuch des Board of Ordnance

27th February 1753. Mr. Christopher Smith having on behalf of Mr. Handel desired by Letter of this date that the Board would permit him to have the use of His Majesty's Kettle Drums during the performance of his Oratorios.
Ordered: That he have the use of them as desired but that he indent for them.
(Public Record Office: W. O. 47/41, 47. Farmer 1950 II, 92)

– Die Kesselpauken wurden für die Aufführung des *Judas Maccabaeus* (vgl. 23. März 1753) verwendet.

5. März 1753
Im Great Room in Dean Street wird zum Benefiz für den Geiger John George Freake ein Konzert gegeben, dessen zweiter Teil mit der Ouvertüre zu Händels *Samson* eingeleitet wird.

– Freake, von dem auch Kompositionen bekannt sind, wirkte 1754 und 1758 in Aufführungen des *Messiah* mit.

9. März 1753
The Public Advertiser

At the Theatre Royal in Covent Garden, This Day will be performed Alexander's Feast. With an Interlude, call'd The Choice of Hercules. ... To begin at Half an Hour after Six o'Clock.
(Schoelcher 1857, 322)

– Mit dieser Aufführung, die am 3. März zum erstenmal angekündigt worden war, begann Händels Oratoriensaison. Die Aufführung wurde am 14. März 1753 wiederholt.

13. März 1753
Countess of Shaftesbury an James Harris

[London,] March 13, [1753]
My constancy to poor Handel got the better of ... my indolence, and I went last Friday [9. März] to 'Alexander's Feast'; but it was such a melancholy pleasure, as drew tears of sorrow to see the great though unhappy Handel, dejected, wan, and dark, sitting by, not playing on the harpsichord, and to think how his light had been spent by being overplied in music's cause. I was sorry to find the audience so insipid and tasteless (I may add unkind) not to give the poor man the comfort of applause; but affectation and conceit cannot discern or attend to merit.
(Malmesbury 1870, I, 3)

– Der Brief ist in der Ausgabe auf 1745 datiert. In diesem Jahr wurde jedoch Händels *Alexander's Feast* nicht aufgeführt. Lady Shaftesbury kann sich nur auf die Aufführung am Freitag, dem 9. März 1753, beziehen. Auch die Schilderung von Händels Zustand trifft für dieses Jahr zu.
(Dean 1959, 586)

16. März 1753
The Public Advertiser

At the Theatre Royal in Covent Garden, This Day, will be performed an Oratorio, call'd Jephtha. ... To begin at Half an Hour after Six o'Clock.
Wiederholung: 21. März.

– Das für diese Aufführung gedruckte Textbuch weicht von dem für 1752 ab; es wurde wahrscheinlich auch 1756 (vgl. 2. April) und 1758 (vgl. 1. März) verwendet.
(Dean 1959, 619, 620f. und 638)

19. März 1753
The Public Advertiser

For the Benefit of Miss Davies, (A Child of Nine Years old)
At the Great Room in Dean-street, Soho, This Day, will be a Concert of Vocal and Instrumental Musick. The first Violin by Signor Chabran. Act I. ... Concerto Harpsichord, IV. Handel, Miss Davies. Act II. ... Powerful Guardians, Handel, Sig. Galli; ... by Desire, Song, Return, O God of Hosts, Handel, Sig. Guadagni; ... Song, The smiling Dawn of happy Days, Jeptha, Handel, Miss Bennet.

– Über Signor Chabran und Miss Bennet ist nichts bekannt. Die Arien sind aus *Alexander Balus, Samson* und *Jephtha*.
Vgl. 30. April 1751

23. März 1753
The Public Advertiser

At the Theatre Royal in Covent Garden, This Day, will be performed an Oratorio, call'd Judas Macchabaeus. ... To begin at Half an Hour after Six o'Clock.
Wiederholungen: 28. und 30. März 1753.
(Dean 1959, 477 und 636)

31. März 1753
Protokolle des Sub-Committee für die Kapelle des Foundling Hospital

In pursuance of the Reference from the last General Court relating to the Sermon to be preached on Monday the 16th of next month by the Bishop of Worcester in the Chapel of this Hospital at the Opening thereof for Divine Service, and to the Performance at the same time of the Te Deum Jubilate and Anthem on this occasion composed by George Frederick Handel Esq[r]
Resolved
That 800 printed Tickets be made out and delivered at half a Guinea each ... in the following Form, viz[t]
In the Chapel of the Hospital
... On Monday the 16th Day of April 1753 will be a Sermon ...
And the Te Deum Jubilate and an Anthem on this Occasion composed by George Frederick Handel Esq[r] will be performed under his Direction.
Prayers to begin at Eleven o'Clock in the Forenoon.
Resolved
That Notice be published in the Daily and Publick Advertisers alternating every day beginning on Tuesday the 3[d] of next month.
(Nichols/Wray, 208)

– Die Predigt hielt Isaac Maddox, Bischof von Worcester, einer der Gouverneure des Hospitals.

2. April 1753
The Public Advertiser

For the Benefit of Signora Frasi.
At the New Theatre in the Haymarket, this Day...
will be performed Acis and Galatea. By Mr. Han-
del. With a Concerto on the Organ by Mr. Stanley.
First Violin, with a Solo, by Sig. Giardini.
(Loewenberg, Sp. 171; Smith 1948, 23)

3. April 1753 (I)
The Public Advertiser

Yesterday was rehearsed at St. Margaret's Church,
Westminster, to a numerous Audience, Mr. Handel's Grand Te Deum; the Coronation Anthem,
and an Anthem of Dr Boyce's, which met with
great Applause, and it will be performed this Day
at the same Church for the Benefit of the Westminster Infirmary.

3. April 1753 (II)
Anthony Ashley Cooper, 4. Earl of Shaftesbury, an
seinen Vetter James Harris

... Handel's playing is beyond what even He ever
did.
(Im Besitz des Earl of Malmesbury. Matthews
1961, 128)

4. April 1753 (I)
The Public Advertiser

On Monday se'nnight [16. April] the new Chapel
at the Foundling Hospital will be preached in, for
the first time, by the Lord Bishop of Worcester;
and at the same Time will be performed an Anthem, under the Direction of Mr. Handel, for the
Benefit of the said Hospital.

4. April 1753 (II)
The Public Advertiser

At the Theatre Royal in Covent Garden, This Day
will be performed an Oratorio, call'd Samson. ...
To begin at Half an Hour after Six o'Clock.

Wiederholungen: 6. und 11. April 1753.
(Dean 1959, 352 und 634)

11. April 1753 (I)
Charles, Duke of Grafton, an den Direktor des Covent Garden Theatre

These are strictly to charge and command you not
to act any Plays, Oratorios or any other Theatrical
Performance in Passion Week for the Future on
any Pretence whatsoever. Given under my hand
this 11th day of April 1753 in the Twenty-sixth
year of his M[ty's] reign.
Grafton.
(Public Record Office: L. C. 5/162, 2f.)

– Entsprechende Anordnungen ergingen an das
Haymarket Theatre, an das Theatre Royal in Drury
Lane und an das New Theatre in the Haymar-
ket.
Charles, Duke of Grafton, war Lord Chamberlain
of the Household. Direktor des Covent Garden
Theatre war John Rich.
Aufführungen Händelscher Oratorien in der Kar-
woche sind nur für 1737 (vgl. 22. Februar) be-
kannt.

11. April 1753 (II)
Protokolle des General Committee des Foundling
Hospital

The Committee taking Notice of an extraordinary
Paragraph, in three of the Daily Papers on Tues-
day the 3rd Instant, relating to a Funeral Anthem
preparing by Geo. Frederick Handel Esq[r] to be
performed in the Chapel of this Hospital after his
Death, and expressing their surprize thereat.
Resolved
That the Secretary do acquaint Mr. Handel, That
the said Paragraph has given this Committee great
Concern; they being highly sensible, that all Well-
wishers to this Charity must be desirous for the
Continuance of his Life, who has been and is so
great and generous a Benefactor thereto.
(Brownlow 1847, 145; Brownlow 1858, 74)

– Die Notiz ließ sich in keiner Londoner Zeitung
ermitteln. Vielleicht bestand ein Zusammenhang
zwischen diesem Gerücht und der angekündigten
Aufführung eines Anthems von Händel „for the
Benefit of the said Hospital" (vgl. 4. April 1753/I)
zur Weihe der Kapelle des Foundling Hospital am
16. April 1753.
Die Notiz in der *Hallischen Zeitung* (vgl. Frühjahr
1753) geht möglicherweise auf die nicht überlieferte Notiz in den Londoner Zeitungen zurück.
Vgl. 31. März 1753 und 14. Mai 1759

13. April 1753
The Public Advertiser

At the Theatre Royal in Covent Garden, This Day,
will be performed a Sacred Oratorio, call'd Messiah. ... To begin at Half an Hour after Six
o'Clock.

16. April 1753
Die Kapelle des Foundling Hospital wird geweiht.
Zu dieser Feier wird ein Anthem von Händel auf-
geführt, wahrscheinlich das *Foundling Hospital An-
them* von 1749.
(Nichols/Wray, 207)
Vgl. 6. Dezember 1752, 25. Januar und 31. März
1753

19. April 1753
The London Daily Advertiser

On Tuesday the 1st of next Month, the sacred

Oratorio called Messiah, is to be performed in the Chapel of the Foundling Hospital, George Frederick Handel, Esq; the exquisite Composer thereof, having repeated his Offer of Assistance to promote that Charity, to which he has been so great an annual Benefactor.

– Die gleiche Ankündigung erschien im *Public Advertiser*.

30. April 1753 (I)
The Public Advertiser

For the Benefit and Increase of a Fund establish'd for the Support of Decay'd Musicians, or their Families.
At the King's Theatre in the Haymarket, This Day... will be performed an Entertainment of Vocal and Instrumental Musick. As follows:
Part I. ... Return, O God of Hosts, composed by Mr. Handel, sung by Sig. Guadagni. ...
Part III. ... Quella fiamma,... sung by Sig. Frasi; ... Trio, The Flocks shall leave the Mountains, ... sung by Sig. Frasi, Mr. Beard, Mr. Wass. Grand Concerto, composed by Mr. Handel.

– Die Arien sind aus *Samson* und *Arminio*, das Terzett ist aus *Acis and Galatea*.

30. April 1753 (II)
The Public Advertiser

For the Benefit of Miss Isabella Young, Scholar of Mr. Waltz.
At the New Theatre in the Haymarket, This Day... will be performed a Concert of Vocal and Instrumental Musick. The Vocal Parts by Miss Young; and the Instrumental Parts by several of the Best Masters; (and by particular Desire) several of Mr. Handel's Organ Concertos will be performed by Miss Young.
(Smith 1948, 193)
Vgl. 2. März 1752

30. April 1753 (III)
The Public Advertiser

Hospital for the Maintenance and Education of exposed and deserted young Children.
This is to give Notice, That towards the Support of this Charity, the Sacred Oratorio called Messiah, will be performed in the Chapel of this Hospital, To morrow the First of May 1753, at Twelve o'Clock at Noon precisely. ...
By Order of the Committee,
Harman Verelst, Sec.

Frühjahr 1753
Hallische Zeitung

London den 10. April.
Ohngeachtet der bekannte Händel, dieser gross-

brittannische Lully, das Unglück gehabt, sein Gesicht zu verlieren, so lässt er dennoch, gleich dem Homer und Milton, seine Muse nicht ungeschäftigt bleiben. Vielleicht wird aber das Stück so er itzo schmiedet seine letzte Opera seyn. Es soll sein Echo werden, welches nach seinem Tode in dem Hause der Fündel Kinder abgesungen werden soll, und den Gewinst, der davon gezogen wird, hat er diesem Hause vermachet.

– Die Zeitung erschien ohne Angabe des jeweiligen genauen Datums. Die Notiz wurde in Nr. 65 abgedruckt. 1758 zitiert sie Jakob Adlung in seiner *Anleitung zu der musikalischen Gelahrtheit*. Vgl. 11. April 1753 (II) und 1758 (V)

2. Mai 1753
The Public Advertiser

Yesterday the Sacred Oratorio, call'd Messiah, was perform'd in the Chapel at the Foundling Hospital, under the Direction of the inimitable Composer thereof, George Frederick Handel Esq; who, in the Organ Concerto, play'd himself a Voluntary on the fine Organ he gave to that Chapel.
(Schoelcher 1857, 271 und 323)

3. Mai 1753
The Public Advertiser

The Rehearsal of the Musick for the Feast of the Sons of the Clergy, will be performed at St. Paul's Cathedral, on Tuesday May 8, and the Feast will be held at Merchant-Taylors Hall, on Thursday May 10, 1753. ...
Mr. Handel's new Te Deum, Jubilate and Coronation Anthem, with an Anthem by Dr. Boyce, will be Vocally and Instrumentally performed. ...
Two Rehearsal and Two Choir Tickets will be given with each Feast Ticket.

4. Mai 1753
The London Daily Advertiser

... We have in none of the polite Arts so conspicuous, and one is sorry to add, that there are in none so frequent Instances, of the Effect of this little Cunning, as in the modern Music. Whether we look upon the Composers, or the Performers, in this Light, those who are in the Secret will have Reason to lament, and those who are out of it to wonder, at the constant and unalterable Preference that is given to every foreign, against every English Name, in the Lists of Performances: Nay, if we look into the greater Part of them, we shall find, that even Handel is become so near an Englishman, by his having lived long among us, that his Pieces are given but very sparingly in the Entertainment; and Compositions which of all others are most calculated for the English Ear are seldom allowed an Hearing. ...

It would not be easy to persuade the Man of true Judgment that the Composers of any Nation at this Time are superior to our own; suffering us to claim Mr. Handel as naturalis'd, and making it a Fashion to encourage but a little, those who have been born among us.

– Der *London Daily Advertiser* brachte regelmäßig einen wahrscheinlich vom Herausgeber (Dr. John Hill) verfaßten Leitartikel unter der Überschrift „The Inspector". Der hier zitierte, der sich mit „Modern Music" befaßte, endete mit der Empfehlung eines Wohltätigkeitskonzertes mit englischer Musik, das am folgenden Tag in Hickford's Room stattfinden sollte.

7. Mai 1753
The Public Advertiser

Towards the Increase of a Fund for Extending the Building of a Public Charity.
At the King's Theatre in the Haymarket, This Day ... will be performed an Oratorio, call'd Judas Macchabaeus. Composed by Mr. Handel.

– Die nicht namentlich genannte Wohltätigkeitseinrichtung war wieder das Lock Hospital, das Händel zu einem seiner Gouverneure wählte. Die Einnahmen betrugen £ 84 2s. 6d.
Das Konzert mag auf Anregung von William Bromfield veranstaltet worden sein, der ein an Musik und Literatur gleichermaßen interessierter Kunstliebhaber war.
(*A Short History of the London Lock Hospital and Rescue Home*, 1906, 5; Dean 1959, 472 und 636)
Vgl. 22. April 1752 (I) und 4. November 1752

8. Mai 1753
Protokolle des General Committee des Foundling Hospital

The Treasurer reported, that on the 16th of April, the Sum of £ 148.11.6. was received for Tickets at the Opening the Chapel, whereout was paid for Charges £ 45.4. and the Net Produce amounted to £ 103.7.6; and that on the 1st May, the Sum of £ 558.1.6. was recd. for Tickets at the Oratorio of Messiah, whereout was paid for Charges £ 62.1.6, and the Net Produce amounted to £ 496, making together £ 599.7.6.

Mai 1753
The London Magazine

Tuesday, May 1. The sacred oratorio, called the Messiah, was performed at the chapel to the Foundling-hospital, under the direction of George Frederick Handel, Esq; the composer of that solemn piece of musick, for the benefit of that noble charity; there were above 800 coaches and chairs, and the tickets amounted to 925 guineas.
Vgl. 8. Mai 1753

28. Juni 1753
The World

... Those who have studied the works of Corelli among the modern-ancients, and Handel in the present age, know that the most affecting passages of the former owe their excellence to Simplicity alone; and that the latter understands it as well, and attends to it as much, though he knows when to introduce with propriety those niceties and refinements which, for want of propriety, we condemn in others.
[Joseph Warton]

– Diese Nummer der Zeitschrift enthält nur den Essay über „Simplicity", dem die hier zitierte Passage entnommen ist. Die Edward Moores Mitherausgeber Lord Chesterfield gewidmete Buchausgabe der Zeitschrift enthält auch einen Schlüssel für die Namen der Mitarbeiter (1772, I, 162 f.)
Vgl. 2. Mai 1745

7. Juli 1753
Jackson's Oxford Journal

Oxford, July 7.
On Monday last [2. Juli] was celebrated here, the annual Solemnity of commemorating all the benefactors to the University, according to the Institution of Lord Crewe, Bishop of Durham ... in the Evening Alexander's Feast was performed to a crowded Assembly.

12. und 13. September 1753

Während des in Hereford veranstalteten Three Choirs Meeting werden unter der Leitung von William Boyce an den Vormittagen in der Kathedrale Händels Coronation Anthem „Zadok the Priest", das *Dettingen Te Deum* und das *Utrecht Jubilate* und am Abend des zweiten Tages *Samson* in der College Hall aufgeführt.
Die Probe fand am 10. September 5 Uhr nachmittags statt (*Berrow's Worcester Journal*).
(Lysons/Amott, 22 f.)

19. und 20. September 1753

In Salisbury werden zum Fest der hl. Cäcilia wie im Vorjahr ausschließlich Werke von Händel aufgeführt: an den Vormittagen in der Kathedrale die Ouvertüren zu *Saul* und dem *Occasional Oratorio*, Te Deum-Vertonungen und die vier Coronation Anthems, am Abend des ersten Tages im Assembly Room *L'Allegro*, am Abend des zweiten Tages *Judas Maccabaeus*.
(Husk, 101)

29. September 1753
The Newcastle Journal

Durham Subscription Concerts will begin on Tuesday the 2d of October 1753; with Some Choruses composed by Mr. Handell Etc. Tickets for the Season at 10s 6d each, to be had at William Paxton's, and at William Eggleston's.

10. November 1753
The Dublin Journal

The celebrated Oratorio of Sampson will be performed for the Benefit of Miss Oldmixon, at the Great Musick Hall in Fishamble Street, on Monday the 19th of November, Conducted by Mr. Dubourg; and we hear that his Grace the Duke of Dorset, will Honour the Performance with his Presence.

24. November 1753
The Gray's Inn Journal

True Intelligence

...

I cannot help wondering, that, while we have Handel, Arne, and Boyce, the English will lavish Sums upon a false and depraved Taste, merely to be thought Judges of what they do not understand. (Bredenförder)

14. Dezember 1753

Die jährliche Aufführung des *Messiah* in der Music Hall in der Fishamble Street, Dublin, leitet wieder Giovanni Battista Marella.
(Flood 1912/13, 54)

Dezember 1753
Gouverneur und Direktoren der Edinburgh Musical Society an Händel

Sir, The Gentlemen of our Musical Society who have been Greatly indebted to your excellent Compositions, for their Success in Pleasing the Publick these many years past, have lately attempted two of your Entertainments; Acis and Galatea, and Alexanders feast. The first in July last, and the other on St. Cecilia's Day.
The Great Satisfaction expressed by the Audience on both these Occasions as it did Justice to the inimitable Genius and Expression of the Composer, has Encouraged these Gentlemen to Exhibite in this place a further Specimen of these admirable Works, that have so long been the delight and Wonder of those who have been so happy as to hear them performed under your management and Direction. This design however is impossible for our Society to carry into Execution without being obliged to you for a copy of the Recitatives and Choruses to some of your oratorios, which indeed they would not ask, were they not informed that you have allowed such copys to other Societys that have applyed for them. The Performers of our Society have hitherto been confined to the Compositions of Corelli, Geminiani and Mr Handel.

We are already posest of most of your Oratorios and other works that are published, and we have particularly all the Recitatives and songs of the Messiah excepting one namely (How beautiful are the feet of them that preach the Gospell of peace, and Bring Glad tidings of good things) and therefore could we obtain your order to Mr Smith, for writing out for us that Song and the Choruses to that Sacred Oratorio, and the Recitative and Choruses of any other of your works. We would ever retain the most Grateful Sense of the favour, and with pleasure reward Mr Smith to his Satisfaction: at the same time we can give you the strongest assurance that whatever you are pleased to favour us with in that way shall never be Communicated to others or Suffered to go any further, and we flatter our selves that you will not have any Difficulty of obliging in this matter a numerous Society of Persons of the first Distinction in North Britain, and particularly, Sir, yours,
[Unterzeichnet vom Gouverneur und den Direktoren]

P. S. – Please send any return you give to this to the Earl of Morton's House in Upper Brook Street.

– Händels Antwort lautete: „Mr Christopher Smith at the Blue Periwig in Dean Street Soho, has Mr Handels orders to let the Gentlemen of the Musical Society at Edinburgh have any of his Compositions that they want, if they write to Mr Smith he will obey their Commands."
Vgl. 22. Januar und 27. April 1754
Für das Kopieren von *Deborah* erhielt Smith £ 7 17s., von *Judas Maccabaeus* £ 5 7s.
1757 wurden für 12s. 6d. 50 Kopien von *Solomon* erworben, 1758 300 Kopien von *Acis and Galatea*.
(Hamilton, 20 f.)

1753 (I)

Händel subskribiert die vierbändige Ausgabe von *The Works of the late Aaron Hill*.

– Hill, Händels erster englischer Librettist, war 1750 gestorben. Die Ausgabe wurde zum Besten seiner Familie herausgegeben.

1753 (II)

Lacombe, Dictionnaire Portatif des Beaux Arts, Nouvelle Edition, Paris 1753

Handel ... celèbre Musicien Saxon d'origine, mort depuis peu d'années ...   [S.331]

– Eventuell besteht ein Zusammenhang zwischen dieser falschen Angabe und der offenbar auf einem Mißverständnis beruhenden Londoner Zeitungsnotiz vom Frühjahr dieses Jahres.
Vgl. 11. April 1753

1753 (III)
Friedrich Wilhelm Marpurg, Abhandlung von der Fuge, Berlin 1753

Eine freye Fuge, fuga libera, soluta, sciolta, heißt diejenige Fuge, wo in dem Stücke nicht durchgehends mit dem Hauptsatze gearbeitet wird, das ist, wo zwar derselbe nicht allezeit Satz auf Satz, jedoch ofte genung zum Vorschein kömmt, und wo, wenn man denselben verläßt, ein wohlausgesuchter kurzer Zwischensatz, der mit der Natur des Hauptsatzes, oder der bey der ersten Wiederhohlung desselben dem Gefährten entgegen gesetzten

Harmonie eine Aehnlichkeit hat, und wohl zusammen hänget, ob er gleich nicht daraus allezeit entspringet, vermittelst der Nachahmung und Versetzung durchgeführt wird. So sind die meisten Händelischen Fugen beschaffen.   [S. 20]
Tab. XII. Fig. 1. und 2. Der Sprung, den hier die Octave der Hauptnote in die Unterquinte thut, wurde bey den Alten deßwegen verboten, weil er die Tonart ungewiß macht. Wie schön sich aber solche Sätze ausnehmen, ist aus den Ausarbeitungen der beyden Meister, von welchen diese Exempel sind, zu ersehen.   [S. 41]
(Bach-Dok., III, 28)

Tab. XIII. Fig. 6. Die Secunde g–as wird in die Terz c–es verwandelt, und dadurch der Gesang erweitert, damit selbiger hernach der Tonart der

Dominante gemäß weiter fortgeführet werden könne.   [S. 45]

Da nun der erste chromatische halbe Ton auf die Stuffe c und der andere auf die Stuffe d im Führer fällt: so ahmet man diese beyden halben Töne im Gefährten auf denjenigen Stuffen, die hierinn das c und d vorstellen, auf eine ähnliche Art nach. Diese Stuffen sind das f und g im Gefährten, und da kommen alsdenn die beyden Sätze folgendergestalt gegeneinander zustehen:

Führer   a | c–cis–d–dis | e
Gefährte   e | f–fis–g–gis | a

Auf diese Weise hat man es mit allen chromatischen Sätzen anzufangen, in was für einem Tone es sey, und ob die Intervallen darinnen auf- oder abwärts gehen. Sonst merke man noch bey Gelegenheit dieses Exempels, daß, wenn die zweyte Note c im Führer, die gegen die Anfangsnote a eine Terz machet, eine Octave heruntergesetzt würde, und folglich als eine Sexte gegen das a un-

terwärts zu stehen käme: alsdenn bey ähnlicher Heruntersetzung der zweyten Note f im Gefährten es sich finden würde, daß eine Sexte als ^a_c in eine Septime, nemlich in ^c_f verwandelt seyn würde, so wie Tab. XXIII. Fig. 7. in einem Exempel vom Herrn Capellmeister Händel die Septime ^c_f zur Sexte ^a_c gemacht ist.   [S. 76]

Tab. XXIII. Fig. 7, Der Sprung von der Dominante in die Unterseptime wird im Gefährten durch den Sprung der Haupttonsnote in die Untersexte nachgemachet. Hätte der Gefährte den Sprung der Septime wollen nachmachen: so hätte dieses mit a–b geschehen müssen, und dadurch wäre der Gesang ins d moll hinein gerathen, da er gleichwohl im e moll seyn muste. Man lese zurück was am Ende des §. 4. in diesem Abschnitte hievon gesagt worden.   [S. 81]

Herr Händel hat sogar eine Fuge mit einem Septimensprunge zwischen der ersten und zweyten Note angehoben, wie man Tab. XXIII. Fig. 7. gesehen hat.   [S. 91]

Drittes Exempel.

In den beyden vorigen Exempeln hatten wir es nur mit einem einzigen Satz zu thun. Hier kommen ihrer zwey zugleich in Betrachtung, und siehet man selbige bey Fig. 1. Tab. XXXIII. mit Ziefern bemerkt. Aus diesem Haupt- und Gegensatze ist das bey Fig. 2. befindliche Exempel vermittelst der Verkürzung und Zergliederung entstanden. Kaum fängt der Baß das erste Thema an: so folget ihm die Diskantstimme vermittelst der Nachahmung desselben nach. Weder die eine noch die andere Stimme aber vollführen es, indem sie nur den Anfang davon durcharbeiten. Währender Zeit der Baß die vier Viertheile aus dem zweyten Tacte des ersten Fugensatzes vermittelst der Versetzung

durchnimmet: so hält sich die Oberstimme an den fünf ersten Noten desselben, und arbeitet diese dagegen vermittelst der Versetzung durch. Es ist hier also der erste und andere Tact des Hauptsatzes zergliedert und unter sich durchgeführet worden. Gegen diese beyden Stimmen läßt der Alt ein aus dem andern oder dem Gegensatze entlehntes Förmelchen vermittelst der Versetzung hören. Das gantze Hauptthema kömmt endlich erst wieder im sechsten Tact in der ersten Diskantstimme durch einen unvermutheten Eintritt und zwar in enger Nachahmung zum Vorschein, nachdem es nemlich die zweyte Diskantstimme zum Anfange dieses Tacts kurz vorher angehoben. Aus dem vierten Tact des Hauptfugensatzes bey Fig. 1. ist annoch das bey Fig. 3. befindliche Exempel, welches eigentlich zur Zwischenharmonie gehöret, entstanden. Die höchste Stimme nimmt die daraus entlehnte Clausel, und treibt sie vermittelst der Versetzung durch, und weichet dabey nach den Regeln der Tonwechselung in verschiedene Ton-arten aus. Die Baßstimme arbeitet dagegen mit dem schon bekannten Förmelchen aus dem zweyten Satze, und setzen beyde Partien diesen Streit unter sich vier Tacte lang fort, worauf sich das Blat wendet, und in dem folgenden Tacte die Oberstimme dieses Förmelchen in der Gegenbewegung ergreift, der Baß hingegen die aus dem ersten Hauptsatze entlehnte Passage auf eine freye Art vermittelst der Versetzung bey noch immer fortdauernder Tonwechselung dagegen nachmachet.   [S. 118 f.]

Man kann alle Sätze, ohne einen jeden besonders vorher zu arbeiten, sogleich nach einander und zwar auf folgende Art einführen.
(*) Man brauchet nicht so lange zu warten, bis die anhebende Stimme ihr Thema durchgeführet hat; sondern man kann den Satz schon vorher eintreten lassen. So sind die meisten Händelischen Doppelfugen beschaffen.

[S. 133]

Sechstes Exempel.
Es stehet dasselbe Tab. XXXIX. Fig. 1. und enthält den Anfang einer vierstimmigen Fuge mit zwey nach dem Contrapunct in der Octave unter sich verkehrten Subjecten. Der Gegensatz tritt, wie man siehet, schon vorher ein, ehe die anhebende den Hauptsatz vollendet; und in eben dieser Entfernung läßt sich der Gefährte des Gegensatzes gegen den Gefährten des Hauptsatzes in achten Tacte hören. Im zwölften Tacte neiget sich die Harmonie zu einer Cadenz ins cis, die aber durch die Fortschreitung des Basses, als welcher auf dem gis das Thema anhebt, aber nicht vollführet, vermieden wird. Die Mittelstimme hingegen, die in enger Nachahmung einen halben Tact nachhero das Thema anhebt, vollendet auch dasselbe, wobey aber zu merken, wie der Baß abermahls, nachdem diese Mittelstimme kaum das Thema recht angefangen, derselben in Arsi gleich darauf mit verkürztem Hauptsatze nachfolget, doch nach einigen Zwischennoten das andere Subject in der ordentlichen Entfernung dagegen macht. Bey Fig. 2. dieser Tabelle, ist das erste vermittelst einer canonischen Nachahmung in Arsi und Thesi auf

eine künstliche Art erst dreystimmig, hernach zweystimmig, durchgearbeitet zu finden. Sowohl der eigentliche Anfang des drey- als zweystimmigen Canons ist mit Zeichen bemerket worden. Nach vollendtem Canon tritt endlich die Hälfte des ersten Subjects im Basse im zwölften Tacte wieder ein, und wird dieselbe in der Tonleiter h im vierzehenten Tact mit eben derselben beantwortet, worauf im sechszehnten Tact die Mittelstimme mit dem Gegensatze bey vollständigerer Harmonie zu spielen anfängt. etc.   [S. 138]

Vgl. 1754 (VI)

1754

22. Januar 1754
Die Edinburgh Musical Society an John Christopher Smith

Sir, I am again to make a Demand in consequence of Mr. Handell's permission, in favour of the Musicall Society. That is to beg you'l cause write out for us in the Same manner as we had the former, the Recitatives and Choruses in the oratorio of Sampson, so soon as it is done please apply to Messrs Innes & Clerk for the money and the sooner you favour us with it the more you'l oblige,
Sir your etc.
Willm Douglas, Treasurer
Edinr. 22nd Jan. 1754
N. B. Please to remember to lett this be wrote on paper of the Size of the printed Score in Such a manner as it may be put in the proper place in the Score.
(Hamilton, 21)
Vgl. Dezember 1753 und 27. April 1754

9. Februar 1754
The Gray's Inn Journal

... We may also boast an equal Excellence in Music; for though Mr. Handell is not an Englishman, it is however a convincing Proof of our national Taste, that we have made it worth his while to fix his Residence among us.
X.
(Myers 1948, 231)

– Der anonyme Artikel erschien als Entgegnung auf Voltaires Behauptung, die Engländer seien zwar in der Philosophie erfolgreich, nicht jedoch in den schönen Künsten: in Malerei, Musik und Schauspielkunst.

13. Februar 1754
The Public Advertiser

For the Benefit of Sig. Galli.
At the New Theatre in the Haymarket, This Day ... will be perform'd Acis and Galatea. Composed by Mr. Handel.
(Smith 1948, 237 f.; Dean 1959, 630)

– In dieser Aufführung spielten Salvadore Lanzetti ein Violoncello-Solo, Pieter Hellendaal (d. Ä.) ein Violin-Solo; Caterina Galli sang eine italienische Arie.

23. Februar 1754
Jackson's Oxford Journal

Oxford, Feb. 23
On Monday Night next [25. Februar] at the Musick Room in Holliwell will be performed L'Allegro & Il Penseroso, set to Musick by Mr. Handel.

25. Februar 1754
The Public Advertiser

For the Benefit of Signora Frasi.
At the King's Theatre in the Haymarket, on Tuesday, April 2, will be performed, Samson, an Oratorio by Mr. Handel. With a Concerto on the Organ by Mr. Stanley.

– Diese Aufführung fand nicht statt. Am 29. März wurde Samson im Covent Garden Theatre aufgeführt.
In den Monaten Februar und März 1754 kündigten drei Londoner Theater Werke von Händel an.

28. Februar 1754
The Public Advertiser

For the Benefit and Increase of a Fund established for the Support of Decayed Musicians, or their Families.
At the King's Theatre in the Haymarket, This Day ... will be performed an Entertainment of Vocal and Instrumental Musick. As follows; ... Part II. ... Song, Endless Pleasure, composed by Mr. Handel, sung by Mr. Beard. ... Grand Concerto composed by Mr. Handel.

– Die Arie ist aus Semele. Matthew Dubourg spielte ein Violinkonzert.

1. März 1754 (I)
The Public Advertiser

At the Theatre-Royal in Covent Garden, This Day, will be perform'd an Oratorio, call'd Alexander Balus. ... To begin at Half an Hour after Six.

Wiederholung: 6. März 1754.
Besetzung:
Alexander Balus – Christina Passerini, Sopran (?)
Ptolemy – Mr. Wass, Baß
Jonathan – John Beard, Tenor
Cleopatra – Giulia Frasi, Sopran
Aspasia – Caterina Galli, Sopran

– Das für die Aufführung von 1751 gedruckte Textbuch fand jetzt Verwendung.
(Dean 1959, 494, 496 und 637)
Vgl. 23. März 1748 und 22. März 1751

1. März 1754 (II)
John Walsh zeigt im Public Advertiser „Alexander Balus, an Oratorio in Score, as it is performed at the Theatre-Royal, Covent Garden" an.

8. März 1754
The Public Advertiser

At the Theatre-Royal in Covent-Garden, This Day, will be perform'd an Oratorio, call'd Deborah. ... To begin at Half an Hour after Six.

Wiederholung: 13. März 1754.
Vermutliche Besetzung:
Deborah – Giulia Frasi, Sopran
Barak – Caterina Galli, Sopran
Abinoam – Mr. Wass, Baß
Sisera – John Beard, Tenor
Jael – Christina Passerini, Sopran
Priester – Mr. Wass, Baß
(Dean 1959, 237 f., 244 f., 632)
Vgl. 3. November 1744

12. März 1754
The Public Advertiser

At the King's Theatre in the Haymarket, This Day,
will be presented an Opera, called Admeto. The
Music composed by Mr. Handel. And New Decorations. ... To begin at Half an Hour after Six precisely.

Wiederholungen: 16., 19. und 23. März sowie
6. April 1754.
Besetzung:
Admeto – Signor Serafini
Alceste – Caterina Visconti
Ercole – Ottavio Albuzio
Trasimede – Christina Passerini, Sopran
Antigona – Giulia Frasi, Sopran
Meraspe – Signor Ranieri
– Diese Aufführungen waren die letzten einer
Oper Händels zu seinen Lebzeiten.
Veranlaßt durch die Neuaufführung der Oper in-
seriert John Walsh am gleichen Tag im *Public Ad-
vertiser* „The favourite Songs in the Opera of Ad-
meto".
(Burney, II, 852; Loewenberg, Sp. 157; Smith 1960,
6; Händel-Hdb., I, 285)
Vgl. 31. Januar 1727

15. März 1754
The Public Advertiser

At the Theatre-Royal in Covent Garden, This Day,
will be perform'd an Oratorio, call'd Saul. ... To
begin at Half an Hour after Six.

Wiederholung am 20. März 1754.

– Mr. Wass sang die Partie des Saul, John Beard
den Jonathan, Giulia Frasi die Michal; die weitere
Besetzung ist nicht bekannt.
(Dean 1959, 298 ff., 633)
Vgl. 2. März 1750

21. März 1754
Die Händel-Karikatur von Joseph Goupy er-
scheint als Kupferstich.
(Schoelcher 1857, 142 f.)

– Nach Goupys Original, einer Kreidezeichnung
mit dem Titel „The Charming Brute" (Fitzwilliam
Museum, Cambridge), wurden zwei mit der Vorlage wie auch untereinander nicht übereinstim-
mende Stiche veröffentlicht. Der auf 1754 datierte
zeigt als Text die Verse:

> The Charming Brute
> The Figure's odd – yet who wou'd think?
> Within this Tunn of Meat & Drink
> There dwells the Soul of soft Desires,
> And all that Harmony inspires:

> Can Contrast such as this be found?
> Upon the Globe's extensive Round;
> There can – you [= yon] Hogshead is his Seat,
> His sole Devotion is – to Eat.

Auf einem Spruchband am unteren Rand des Bil-
des ist zu lesen: „I am myself alone."
Auf dem anderen Kupferstich blickt das orgelspie-
lende Monstrum nach rechts, und auf dem
Spruchband zu seinen Füßen stehen die Worte:
„Pension. Benefit. Nobility. Friendship." Der Text
unter dem Bild lautet hier:

> Strange Monsters have Adorn'd the Stage,
> Not Afric's Coast produces more,
> And yet no Land nor Clime nor Age,
> Have equal'd this Harmonious Boar.

L'ira e lodovole [lodevole] quando giuesta [giusta]
e la Cagione.
Plinio.

Dieser Stich kann 1749 (oder etwas später) entstanden sein. Die Kanonen im Hintergrund sind
möglicherweise eine Anspielung auf die Aufführung von Händels *Fireworks Music* und den „Royal
Salute of 101 Brass Ordnance" (vgl. 27. April
1749/I).
Daß die originale Karikatur 1733 entstand (Hawkins 1822, 196 f.), ist nicht erwiesen. Von dem auf
1754 datierten Stich existieren farbige Drucke,
von denen sich einer im Fitzwilliam Museum,
Cambridge, befindet.
Die von Laetitia-Matilda Hawkins erzählte Anekdote, nach der die um diese Zeit zwischen Händel
und Goupy eingetretene Entfremdung in Händels
Unfreundlichkeit als Goupys Gastgeber ihre Ursache hatte, scheint weniger glaubhaft als die von
Whitley erzählte, daß die Karikierung Händels als
gefräßiges Monstrum Goupy ein Legat in Händels
Testament kostete.
(Hawkins 1822, 196 f.; Whitley, I, 72)

22. März 1754
The Public Advertiser

At the Theatre-Royal in Covent-Garden, This
Day, will be perform'd an Oratorio, call'd Joshua.
... To begin at Half an Hour after Six.

– Die genaue Besetzung ist nicht bekannt; die
Hauptpartien sangen wahrscheinlich John Beard,
Giulia Frasi, Caterina Galli und Mr. Wass.
(Dean 1959, 507, 509 und 637)
Vgl. 14. Februar 1752

27. März 1754
The Public Advertiser

At the Theatre-Royal in Covent Garden, This Day, will be perform'd an Oratorio, call'd Judas Macchabaeus. ...To begin at Half an Hour after Six.

Wiederholung am 3. April 1754.
(Dean 1959, 447f. und 636)
Vgl. 23. März 1753

29. März 1754
The Public Advertiser

At the Theatre-Royal in Covent Garden, This Day, will be perform'd an Oratorio, call'd Samson. ...To begin at Half an Hour after Six.
(Dean 1959, 352, 360 und 634)
Vgl. 4. April 1753 (II)

5. April 1754
The Public Advertiser

At the Theatre-Royal in Covent Garden, This Day, will be perform'd a Sacred Oratorio, call'd Messiah. Being the Last This Season. ... To begin at Half an Hour after Six.

– Mit dieser Aufführung wurde Händels Oratoriensaison abgeschlossen.
Vgl. 13. April 1753

26. April 1754
John Walsh kündigt im *Public Advertiser* an: „A Third Set of Bass Songs from Mr. Handel's Operas for two Violoncellos & Voice."

– Diese Ausgabe enthielt 13 Stücke aus *Atalanta, Imeneo, Giustino* und anderen Opern Händels.
(Smith 1960, 169)

27. April 1754
Die Edinburgh Musical Society an John Christopher Smith

Sir, Mr Handel has been so good as to allow the Musical Society of Edinr. the Favour of a Copy of such of his Compositions which are not published, as they shall call for, and has Directed them to apply to you for the Same: You will therefore make out for them in Score, the Recitatives, Chorus & Such other parts of his Oratorio of Deborah as are not printed. Let them be wrote upon paper of the Same Size with the printed Score, in such a manner as to be put in the proper place of the Score, so that a Compleat Copy thereof may be bound up altogether. We Should be Glad to have this as soon as your Conveniency can allow, and you will afterwards get the trouble of making out some others of Mr Handells works which he has allowed us. And in the mean time I have ordered Messrs. Innes and Clerk Mercht. in Lime Street

Square, to satisfie you for this Copy, which you'l please deliver them to be sent here. You will please also give Messrs Innes and Clerk a printed Copy of the Words of th. Oratorio of Deborah to be sent along with the Musick.
I am Sir, yr most humb Sert.
Willm Douglas, Treasurer.
Edinr. 27 April 1754.
(Hamilton, 21)

2. Mai 1754
The Public Advertiser

Hospital for the Maintenance and Education of exposed and deserted young Children.
...
Note, Mr. Handel's Sacred Oratorio of Messiah will be performed in the Chapel of the Hospital on Wednesday the 15th of May.

– Das Textbuch für diese Aufführung zeigte John Watts am 11. Mai an.

3. Mai 1754
Während der Aufführung von Richard Steeles Komödie *The Conscious Lover* im Covent Garden Theatre zum Benefiz für Mr. Legg und Miss Young (Mrs. Isabella Lampe) singt Charles Legh am Ende des dritten Aktes „Honour and Arms" aus Händels *Samson*.

– Charles Legh sang auch in der Aufführung des *Messiah* am 15. Mai 1754 im Foundling Hospital.

8. Mai 1754
John Walsh zeigt im *Public Advertiser* an: „A Tenth Set of Handel's Songs selected from His Latest Oratorios For the Harpsicord, Voice, Hoboy or German Flute ..."
(Smith 1960, 195)

– Von diesem Druck ist kein Exemplar nachweisbar.
Vgl. 20. Dezember 1748

11. Mai 1754
Jackson's Oxford Journal

Oxford, May 11.
On Monday next [13. Mai], Acis and Galatea, an Oratorio, will be performed at the Musick Room in this City.
(Smith 1948, 239; Dean 1959, 188 und 630)

15. Mai 1754
Händel dirigiert zum letztenmal den *Messiah* bei der Aufführung in der Kapelle des Foundling Hospital.
Vgl. 5. und 25. Juni 1754

16. Mai 1754
Mary Delany an ihre Schwester Ann Dewes

Suffolk Street, 16th May, 1754.
D.D. [Patrick Delany] gave Miss Mulso a ticket for the "Messiah", and I took her with me – my brother [Bernard Granville] called for us both; the music was too fine, I never heard it so well performed. The chapel is fine, and the sight of so many poor children brought up (I hope to good purpose), was a pleasant sight.
(Delany, III, 272)

– Die Delanys hielten sich zu Besuch in London auf. Miss Hester Mulso war mit ihnen befreundet.
Vgl. 10. November 1743

18. Mai 1754
Jackson's Oxford Journal

Oxford, May 18.
We are assured, that on Monday next [20. Mai] the Oratorio of Esther will be performed at the Musick Room in Holliwell.
(Dean 1959, 222 und 632)

23. Mai 1754
The Public Advertiser

At the particular Desire of several Persons of Quality. At the Theatre Royal in Covent Garden, This Day... will be performed L'Allegro il Penseroso, of Milton. To which will be added An Ode on St. Cecilia's Day, by Dryden. The Music of both composed by Mr. Handel. The First Violin with a Concerto, by Sig. Giardini.

– Die Ankündigung von Giardinis Spiel wurde erst in den späteren Anzeigen hinzugefügt. Das Textbuch für diese Aufführung enthält Ergänzungen gegenüber der Ausgabe von 1740 sowie *A Song for St. Cecilia's Day*.

29. Mai 1754
Protokolle des General Committee des Foundling Hospital

The Treasurer reported, that the Net Money arising from the Performance of the Oratorio of the Messiah in the Chapel of this Hospital the 15th instant, amounted to the sum of £ 607.17.6. ...

To wit ...

	£	s.	d.
For 1 219 Tickets, and by Cash received	666.	15.	0
Paid for Musicians, Constables, etc.,	58.	17.	6
as by the following Account	£ 607.	17.	6

		£		
	Messrs. Brown	1.	1.	–
	Collet		15.	–
	Freek		15.	–
	Claudio		10.	–
	Scarpettini		10.	–
	Wood		10.	–
	Wood Jnr.		10.	–
Violins	Jackson		10.	–
	Abbington		10.	–
	Dunn		10.	–
	Stockton		10.	–
	Nicholson		10.	–
	Neal		8.	–
	Davis		8.	–
	Rash		8.	–
	Smith		8.	–
	Warner		8.	–
Tenors	Warner Jnr.		8.	–
	Rawlins		8.	–
	Ebelin		8.	–
	Gillier		10.	6
Violoncelli	Haron		10.	6
	Hebden		10.	6
Contra Bassi	Dietrich		15.	–
	Thompson		15.	–
	Baumgarden		10.	–
Bassoons	Jarvis		8	–
	Goodman		8.	–
	Dyke		8.	–
	Eyford		10.	–
Hautboys	Teede		10.	–
	Vincent		10.	–
	Simpson		8.	–
	Adcock		10.	6
	Willis		8.	–
	Fr. Smith		10.	6
	Trova		10.	6
	Miller		10.	6
Carried up,		£ 19.	8.	6

		£	s.	d.
	Brt. forwd.	19.	8.	6
	Christ°. Smith Org.			
	Beard			
	Frasi	6.	6.	–
	Galli	4.	14.	6
	Passerini	4.	14.	6
	Wass	1.	11.	6
	Boys	3.	3.	–
	Baildon		10.	6
	Barrow		10.	6
	Cheriton		10.	6
Singers	Ladd		10.	6
	Baildon Junr.		10.	6
	Vandenon		10.	6
	Champness		10.	6
	Courtney		10.	6
	Wilder		10.	6
	Dupee		10.	6
	Walz		10.	6
	Cox		10.	6
	Legg		10.	6
	Le Blanc	1.	1.	–
	Gundal		10.	6
Serv^ts	Prince		10.	6
	Lee		10.	6
	Shepherd		10.	6
	Musick Porters	1.	1.	–
		£50.	18.	6
	Presented Mr. Ch. Smith	5.	5.	–
		£56.	3.	6
	To the Constables	2.	2.	–
	Organ Blowers 4/– Porterage of Tickets 8/–		12.	–
		£58.	17.	6

(Tobin 1950)

– Dies ist die erste der im Foundling Hospital aufbewahrten Listen mit Mitwirkenden der *Messiah*-Aufführungen, in denen die Namen zahlreicher Londoner Musiker genannt werden. Die Geiger waren Abram (Abraham) Brown(e), John Collet(t), John George Freake, Signor Claudio, Gaetano Scarpettini, Thomas Wood, Wood junior, William Jackson, Joseph Abbington, Dunn, Thomas Stockton, Nicholson, Neal, Richard Davi(e)s und Rash. Von den Viola-Spielern konnte nur Thomas Rawlins identifiziert werden. Die Violoncellisten waren wahrscheinlich Peter Gillier, Claudius Heron und John Hebden. Von den beiden Kontrabaßspielern ist nur (Christian?) Dietrich bekannt. Die Fagottisten waren Samuel Baumgarden, Jarvis, Adam Goodman und Dyke, die Oboisten Philip Eiffort, William Teede, (Richard?) Vincent und Redmont Simpson (Dubourgs Schwiegersohn). Abraham Adcock und Justice Willis bliesen Trompete, Joseph Trova und John Miller Horn, Frederick Smith bediente die Kesselpauken.

John Christopher Smith, der statt Händel die Orgel spielte, und der Tenor Beard nahmen keine Bezahlung an; Smith scheint vielmehr dem Hospital Geld gespendet zu haben.

Die übrigen Sänger waren Giulia Frasi, Caterina Galli, Christina Passerini, Mr. Wass (Baß), Mr. Gates' „Knaben" von der Königlichen Kapelle, Joseph Baildon und Mr. Baildon jun., Thomas Barrow (Alt), David Cheriton, Thomas Vandernan (die beiden letztgenannten waren Mitglieder der Königlichen Kapelle), Samuel Champness (Baß), Gustavus Waltz (Baß, jetzt nicht mehr Solist), Charles Legh (wahrscheinlich Baß) und einige andere, die nicht identifiziert werden konnten.

Von den Dienern war „Le Blanc" offensichtlich Händels Diener Peter Le Blond.

Vgl. 1. Mai (II) und 2. Mai 1758 und 10. Mai 1759

5. Juni 1754
Protokolle des General Committee des Foundling Hospital

This Committee having experienced the great Benefit which have arose to this Corporation from Mr. Handel's charitable Performances of Sacred Music; and that it may be very proper to put such Performances under proper Regulations
Resolved   That Mr. Handel be consulted thereupon, and that the Treasurer and Mr. Fauquier be desired to wait on Mr. Handel for that Purpose.

– Taylor White war Schatzmeister des Hospitals, Francis Fauquier einer der Gouverneure.
Vgl. 25. Juni 1754

15. Juni 1754
Jackson's Oxford Journal

Oxford, June 15.
We can assure our Readers, from very good Authority, that at the next Commemoration of Founders and Benefactors to the University, viz. on the 2d of July, the Right Hon. the Earl of Westmorland, the present High Steward, and Lady Westmorland, intend to honour that Solemnity with their Presence. ... And that in order to welcome the High Steward on his first Appearance there since he accepted that Office, several Oratorios will be perform'd in the Theatre; a numerous Band of Vocal and Instrumental Performers being already engaged for that Purpose.

22. Juni 1754
Jackson's Oxford Journal

Oxford, June 22.
On Wednesday the 3d, Thursday the 4th, and Friday the 5th of July, being the three Days following the Commemoration of Founders and Benefactors to the University, L'Allegro il Penseroso, &c. Judas Macchabaeus, and Messiah will be performed in the Theatre. The principal Vocal Parts by Signora Frasi, Mr. Beard, Mr. Wass, and others; and the Instrumental Parts by many of the most excellent Performers of every Kind from London. Further Particulars will be specified in the Bills of each Day's Performance.
Vgl. 29. Juni und 6. Juli 1754

25. Juni 1754
Protokolle des General Committee des Foundling Hospital

Mr. Fauquier reported, that Mr. White being ill he had waited on Mr. Handel in pursuance of a Minute of the 5th instant; and that Mr. Handel approved of the Committee's appointing Mr. Smith Organist to the Chapel, to conduct his Musical Compositions; but that on Acco^t of his Health he excused himself from giving any further Instructions relating to the Performances.
(Nichols/Wray, 205)

– John Christopher Smith war von 1754 bis 1770 Organist an der Kapelle des Foundling Hospital.
Vgl. 29. Mai 1754

29. Juni 1754
Jackson's Oxford Journal

On Wednesday the 3d, Thursday the 4th, and Friday the 5th of July, being the three Days following the Commemoration of Founders and Benefactors to the University.
L'Allegro il Penseroso, &c. Judas Macchabaeus, and Messiah, will be perform'd in the Theatre at Oxford. The principal Vocal Parts by Signora Frasi, Mr. Beard, Mr. Wass, and others; and the Instrumental Parts by many of the most excellent Performers of every Kind from London. – The whole Number of Performers will amount to near an Hundred. – From so numerous and well-chosen a Band, it is not doubted but these Performers will, at least, equal in Grandeur and Elegance, any of the Kind that have been exhibited in this Kingdom: And it is hoped they will not fail of affording entire Satisfaction to the splendid and polite Audience which is expected on this Occasion.
(Dean 1959, 472 und 636)
Vgl. 22. Juni und 6. Juli 1754

6. Juli 1754
Jackson's Oxford Journal

Oxford, July 6.
… On Wednesday [3. Juli] … in the Afternoon L'Allegro, il Penseroso, and il Moderato, were perform'd in the Theatre; and on Thursday Afternoon Judas Macchabaeus.
Yesterday … in the Afternoon the Oratorio of Messiah was perform'd in the Theatre. These three Musical Entertainments have been attended with very crouded Audiences, and have done Honour to the Professor of Music [Dr. William Hayes], the Conductor of them.

19. Juli 1754
Händel kauft für 1 500 £ reduzierte dreiprozentige Annuitäten.

11.–13. September 1754
Während des Three Choirs Meeting werden in Gloucester abends in der Booth Hall am 11. September *L'Allegro ed il Penseroso* und am 12. September *Judas Maccabaeus* aufgeführt. Am 13. September vormittags wird *Judas Maccabaeus* wiederholt.
Vgl. 21. September 1754

20. September 1754
Händel an Georg Philipp Telemann

Monsieur
Il y a quelque temps que j'ay fis preparer une provision de plantes exotiques pour vous les envoyer, quand Jean Carsten le Capitain (a qui je fis parler pour vous les faire tenir) me fit dite qu'il avoit apri que vous etiez defunt; vous ne doutez pas que ce rapport m'affligea extremement. Vous Jugeréz donc de la Joye que je dois avoir d'entendre que vous vous trouvez en perfaite Santé. Le même Capitain Jean Carsten qui vient d'arrive icy de retour de vos quartiers, me mandes par un amy cette bonne nouvelle, et que vous lui avoit Consignè une Liste de plantes exotiques, pour vous les procurer, j'ay embrassé cette occasion avec beaucoup de plaisir, et j'ay eû Soin de faire trouvér cettes plantes, et vous les auréz presque toutes; Come le Capitain Ca[r]sten ne doit pas partir d'icy qu'au mois de Decembre prochain, il a bien voulû ce Charger de les envoyer par le premier vaisseau qui partira d'icy, dont vous trouverez dans cet Billet cy joint le nom du Capitain et du vaisseau. Je souhaite que ce petit present que j'ose vous offrir vous soit agreable; Je vous supplié a me vouloir donner des nouvelle de vôtre Santé que je vous souhaite trè perfaite et toute Sorte de proscrité qui suis avec un estime inviolable,

Monsieur
vôtre tres humble et tres obeissant serviteur
G: F: Händel
a Londres ce 20 Sepr. 1754.
(Universitätsbibliothek Tartu [Dorpat]; Kitzig;
Arro; Mueller von Asow, 185f.)

– Ausgefertigt in fremder Handschrift, von Händel unterzeichnet.
Vgl. 14. Dezember 1750

21. September 1754
Jackson's Oxford Journal

Gloucester, Sept. 14. On Wednesday [11. September] and Thursday last [12. September] the annual Meeting of the Three Choirs of Gloucester, Worcester, and Hereford, was held here: at which was a very numerous and splendid Appearance of Gentlemen and Ladies. On Wednesday Morning was preach'd a Sermon suitable to the Occasion; the Musical Performances each Day met with a general Applause, and the Charity Collection amounted to 187 l. And, to promote the laudable Undertaking of erecting a County Hospital here, the Oratorio of Judas Maccabeus, which was the Entertainment for Thursday Evening, was performed also Yesterday Morning [13. September], when upwards of Fifty Pounds was collected.

22. Oktober 1754
Charles Burney spielt die neue, von John Snetzler gebaute Orgel in der St. Margaret's Church in King's Lynn in Norfolk bei ihrer Weihe. Die Feierlichkeit schließt mit einem Coronation Anthem („Zadok the Priest"?) von Händel.

– Burney hatte 1750 London verlassen und war von 1751 bis 1760 Organist in King's Lynn.

26. Oktober 1754
The Newcastle Courant

We hear that Charles and Son will perform, at the next Subscription Concert, Part of Handel's Water Music, with several other Pieces for French Horns.
Vgl. 3. März 1738 und 12. Februar 1743

9. November 1754
Jackson's Oxford Journal

For the Benefit of Mr. Orthman, On Friday 15th Inst. November, 1754, Will be performed at the Music Room Alexander's Feast. In which Signor Passerini who was first Violin, and Signora Passerini a principal Singer at the Opera last Winter, will perform in each Capacity. To begin exactly at Seven o'Clock.

– E. C. Orthman war ein Sänger aus Oxford.
Vgl. 19. November 1757

3. (?) Dezember 1754
Im *Caledonian Mercury* wird die Aufführung von *Deborah* durch die Edinburgh Musical Society mit dem Hinweis angekündigt: „The Company to the St Cecilia's Concert, to be held Tomorrow in the Assembly Hall, is expected to be so numerous that we are assured the Ladies will appear without hoops."
(Hamilton, 22)

7. Dezember 1754
The Dublin Journal

On Thursday last [5. Dezember] Mr. Handel's Grand Te Deum Jubilate and two Anthems, were performed at St. Andrew's Church ... for the Support of Mercer's Hospital. Their Excellencies the Lords Justices favoured the Hospital with their Presence.

1754 (I)
Entwurf einer Petition der Gouverneure des Foundling Hospital an das Parlament

... That in order to raise a further sum for the benefit of the said charity, George Frederick Handel, esq;, hath been charitably pleased to give to this Corporation a composition of musick, called 'The Oratorio of the Messiah' composed by him the said George Frederick Handel, reserving to himself the liberty only of performing the same for his own benefit during his life: and whereas the said benefaction cannot be secured to the sole use of your petitioners except by the authority of Parliament, your petitioners, therefore, humbly pray, that leave may be given to bring in a Bill for the purpose aforesaid.
(Brownlow 1847, 144; Brownlow 1858, 73 f.)

– Die dem Gesuch zugrunde liegende Idee der Sicherung eines privaten Rechts zur Aufführung des *Messiah* mag das Resultat eines Mißverständnisses zwischen Händel und dem Foundling Hospital gewesen sein. Händel verwahrte sich dagegen: „the same did not seem agreeable to Mr. Handel for the present", heißt es in einem Protokoll. Er schenkte je eine Partiturabschrift des *Messiah* dem Mercer's Hospital, das er als erstes mit Aufführungen dieses Werkes unterstützt hatte, und dem Foundling Hospital, ohne aber seine Rechte aufzugeben oder an ein Aufführungsvorrecht für nur eine Wohltätigkeitseinrichtung gedacht zu haben.

1754 (II)
Von der Sammlung *The Muses Delight. An Accurate Collection of English and Italian Songs, Cantatas and Duetts* erscheinen 1754 zwei Ausgaben, die eine in London („Printed by Henry Purcell, Handel's Head, Wood Street"), die andere in Liverpool („Printed and Sold by John Sadler").

– Henry Purcell war ein Londoner Drucker. Spätere Ausgaben der Sammlung, die acht Stücke von Händel (oder ihm zugeschriebene) enthielt, erschienen mit etwas abweichendem Inhalt als *Apollo's Cabinet: or The Muses Delight* 1756 und 1757 bei John Sadler in Liverpool.
(Smith 1960, 183)

1754 (III)
M. Laetitia Pilkington, Memoirs, Dublin 1754

[Swift] fell into a deep Melancholy, and knew no body; I was told the last sensible Words he uttered, were on this Occasion: Mr. Handel, when about to quit Ireland went to take his leave of him: The Servant was a considerable Time, e'er he could make the Dean understand him; which, when he did, he cry'd, "Oh! a German, and a Genius! A Prodigy! admit him." The Servant did so, just to let Mr. Handel behold the Ruins of the greatest Wit that ever lived along the Tide of Time, where all at length are lost. [Bd. III, S. 170 f.]

– Mrs. Pilkingtons Memoiren erschienen in drei Bänden 1748–1754; nach ihrem Tod (1751) wurden sie von ihrem Sohn herausgegeben. Der Abschnitt wurde zum erstenmal in der *Monthly Review, or Literary Journal* vom Dezember 1754 (XI, 409) zitiert, später in *Jackson's Oxford Journal* vom 29. Januar 1791 und zuletzt 1832 in den *Records of my Life* (I, 334) von John Taylor d. J.
Vgl. 14. August 1742

1754 (IV)
Friedrich Wilhelm Marpurg, Historisch-Kritische Beyträge zur Aufnahme der Musik, Band I, Berlin 1754

Schreiben an den Herrn Marquis von B. über den Unterschied zwischen der italiänischen und französischen Musik.
…
Die Deutschen haben keinen ihnen eigenen Geschmack in der Musik (33). Aber unser Händel und Telemann kommen wenigstens den Franzosen, und Hasse und Graun den Italiänern bey.
…   [S. 22]
Man muß nicht Länder und Zeiten vermischen, und wer der heutigen Musik in Welschland über die heutige in Frankreich den Vorzug geben wollte, der müßte, meines Erachtens, original welsche Exempel dazu wählen, und diese nicht einmahl von solchen Italiänern, die entweder schon einige Zeit in Deutschland gewesen, oder sich in Italien aus den Werken eines Graun, Hasse, Telemann oder Händel den Geschmack schon gebildet haben. Die Frage ist nemlich, ob die Franzosen oder Italiäner, nach unsern Begriffen von der Schönheit des Geschmackes, einen bessern Geschmack haben, und nicht, ob der in Berlin, Dresden, Gotha, Hanover, u. s. w. anietzt herrschende Geschmack besser sey oder nicht, als der französische.   [S. 37 f.]

– Marpurg schreibt (S. 23): „Dieses Schreiben, welches unter dem Titel: Lettre à Mons. le Marquis de B. 1748. zu Berlin in französischer Sprache herausgekommen, scheint mit dem Tractat von der musikalischen Poesie einerley Verfasser zu haben, und folglich von einer sehr geschickten Feder zu seyn."
Das französische Original ist bisher nicht wieder aufgefunden worden.

Herr Johann Friedrich Agricola ist am 4 Januar des 1720 Jahres, in Dobitschen, einem im Fürstenthume Altenburg gelegenen Freyherrlichen Bachofischen Rittergute, geboren worden. Sein Vater war Herr Johann Christoph Agricola, Herzoglicher Sachsen Gothaischer Kammer-Agent, im Fürstenthum Altenburg, und dabey Gerichtsverwalter auf den, im gedachten Fürstenthume liegenden Freyherrlichen Bachofischen Rittergüthern. Die Mutter ist Frau Maria Magdalena, Herrn Martin Mankens ehemahligen Kornschreibers auf dem Amte Giebichenstein, jüngste Tochter; eine Befreundin des Herrn Capellmeisters Händel in London.
…
Nachdem Herr Agricola drey und ein halb Jahr mit den nur gemeldeten Beschäftigungen in Leipzig zugebracht, … | … begab er sich im Herbste des 1741 Jahres nach Berlin.
Hier fieng er an mit der Vocalmusik und der theatralischen Composition sich immer näher bekannt zu machen; und übte sich einige Jahre hindurch in Verfertigung einzelner Arien und Cantaten. So wie ihm die Opern des Herrn Capellmeisters Graun, welche er in der Ausführung hörete, und des Herrn Obercapellmeisters Hasse in Dresden, in dessen Partituren er sich fleißig umsahe, zu vollkommenen Mustern der theatralischen Schreibart dieneten; so brachten ihm die scharfsinnigen Beurtheilungen des Herrn Quanz, welchem er jederzeit, seine musikalischen Ausarbeitungen zu zeigen, die Erlaubniß hatte, nicht weniger besondern Vortheil. Hrn. Telemanns und Hrn. Händels Werke waren schon seit langer Zeit ein angenehmer und lehrreicher Vorwurf seiner Betrachtungen gewesen.   [S. 148 ff.]
(Bach-Dok., III, 76 ff.)

1754 (V)
Lorenz Christoph Mizler, Musikalische Bibliothek, Band IV, Leipzig 1754

Von den ältesten Zeiten her, hat man die Musik unter die mathematischen Wissenschafften gerechnet. Das kann sich weder Poesie, noch Schauspielkunst, noch Malerey rühmen; ob wir gleich der letztern nicht absprechen, daß sie viel von der Sehekunst entlehne. Das hat sich noch niemand unterfangen, ihre Künste in Form einer Wissenschafft vorzutragen. Aber das ist iedermann bekannt, daß man unsere Kunst, in höhern Facultäten aufgenommen, weil der in unsern Tagen berühmte Hendel Doctor der Musik geworden.*

* Es ist ein Fehler in der musikalischen Historie, wenn man den grosen Hendel zum Doctor der Musik macht. Er hat diese Ceremonie niemals mit sich wollen machen lassen. Siehe Mus. Bibl. III. Bandes III. Th. p. 567.   [S. 12]

Wenn man die Namen eurer Meister hoch hält, wenn man, ihr Poeten, eure Dichter mit Ehrfurcht nennt, so werden wir in der Musik eben so viel grosse Meister zehlen können, deren Andenken uns bis auf den heutigen Tag heilig ist, ob ihr sie gleich nicht kennet, weil ihr euch wenig um gründliche Sachen bekümmert. Ein Orpheus, ein Arion, ein Amphion, ein Timotheus, ein Aretin, ein Casati, Marini, Frescobaldi, Lulli, ein Hendel, ein Telemann,* eine unzehlige Menge von Meistern, an welchen keine Zeit iemals als die ietzige fruchtbarer gewesen ist, sind noch biß ietzo nicht zu vergessen, und die Zukunft wird ihre Kunst verewigen, wenn gleich ihre Leyer nicht mehr, wie des Amphions unter die Sterne versetzt wird.

* Der Hr. Verfasser hätte noch zur Ehre der deutschen Nation hinzusetzen können: Ein Hasse, ein Graun, ein Bach, ein Weise, ein Pantalon ein Heinichen, ein Quanz, ein Pisendel, ein Stölzel, ein Bümmler etc. welche alle nach ihrer Art grosse Meister heissen.   [S. 18 f.]
(„M. Wolfgang Ludwig Gräfenhahns, Lehrers an dem Collegio illustri Christian-Ernestino, Rede der Musik von dem Vorzug derselben für der Malerey, Poesie und Schauspielkunst.")

Wir wollen alle andere Wissenschafften bey Seite setzen und nur allein kurz von der Music reden, in welcher nun die Deutschen alle Nationen übertreffen. In Italien wird der Herr Capellmeister Hasse in Dreßden für den stärcksten Componisten gehalten, und seine Opern haben in diesem Lande mehr Beyfall als anderer Italienischer Componisten, welche diesem Deutschen selbsten den Vorzug einräumen müssen. In Engelland ist der weltberühmte Händel, ein rechtschaffener Deutscher, für allen dasigen Componisten billich hochgeachtet und in solchen Ehren gehalten, daß man ihm zum Andencken eine Statue gesetzet. Die Franzosen haben an Herrn Telemann gesehen, daß Deutsche auch selbst im Französischen Styl sie übertreffen können, und sie bewundern ihn deßwegen; Vor andern grosen Deutschen Meistern als den beyden Herrn Graun, Stölzel, Bach,

Pisendel, Quanz, Bümmler und verschiedener andern wegen Enge des Raums nichts zu gedencken. So weit es aber diese Virtuosen durch ihre natürlichen Gaben gebracht, so gewiß ist es, daß man es mit der Zeit noch höher bringen kan wenn die Music nach allen ihren Theilen durch die Wissenschafften ie mehr und mehr verbessert und in ein zusammenhangendes System gebracht wird.
        [S. 105 f.]
(Andreas Vestner, „Historische Erläuterung der Medaille, auf die Stiftung der Societät der musikalischen Wissenschafften in Deutschland.")

1.
Was ist ein rechter Componist?
Der nach den steifen Schulgesetzen,
Die so Verstand als Ohr verletzen,
Sein noch weit steifres Machwerk mißt;
Der von den welschen Modelappen,
Ein Bettlerkleid zusammenflickt,
Wodurch es ihm nicht selten glückt
Der Thoren Beyfall zu erschnappen.

2.
Der seine Noten selber preißt
Sie ausposaunt vor allen Thüren
Ja sich mit aufgeblaßnen Schwühren,
Den grösten Virtuosen heist:
Der andrer Ehrenglanz bekleistert,
Des Afterredners Zung entlehnt
Selbst den Corell und Lulli höhnt
Selbst einen Haß und Händel meistert.
        [S. 121 f.]
(„Im 17ten Stück der Hamburgischen Berichte des Jahrs 1744, wird der Componist von Hr D. Agricola Philippi poetisch oder vielmehr satyrisch beschrieben …")

– Von Band IV der *Musikalischen Bibliothek* ist nur der erste Teil erschienen.

1754 (VI)
Friedrich Wilhelm Marpurg, Abhandlung von der Fuge, Teil II, Berlin 1754

Ich sollte nun noch billig einen kleinen Plan zur Anlegung einer Fugenbibliothek hinzufügen. Es würde zum wenigsten vielen nicht undienlich seyn, und wäre es mir gar leichte, ein halb hundert Auctores herzunennen. Da selbige aber nicht alle von gleichem Schrot und Korne sind: so halte ich dafür, daß es besser sey, sich mit den guten vorzüglich und zuerst bekannt zu machen, um den Wehrt der andern nach diesen zu beurtheilen; und unter diesen guten sind besonders zu merken: Bach, Battiferri, Danglebert, Jo. Casp. Ferd. Fischer, Frescobaldi, Froberger, Fux, Händel, Heinichen, Casp. Kerl, Joh. Krieger, Joh. Christoph Schmidt, (ehemal. Dresden. Capellm.) Stölzel, und Telemann, ohne den übrigen guten von dieser Classe, die mir entweder nicht im Augenblicke

beyfallen, oder die ich nicht kenne, weil ich nichts von ihnen gesehen habe, zum Nachtheile zu sprechen.   [S. XIX f.]
Vgl. 1753 (III)

1755

29. Januar 1755
The Public Advertiser

This Day is published. Handel's Songs selected from all his Oratorios for the Harpsichord and Voice. Bound in three volumes, or in twelve Collections unbound, at 5s. each. The Instrumental Parts may be had separately, to compleat them for Concerts. Printed for J. Walsh.

– Die Sammlung enthielt 240 Arien.
(Smith 1960, 196)
Vgl. 20. Dezember 1748

Januar 1755
Benjamin Martin, Miscellaneous Correspondence in Prose and Verse

To Mr. Handel. On the Loss of Sight

Homer and Milton might complain
They roll'd their sightless orbs in vain;
Yet both have wing'd a daring flight,
Illumin'd by celestial light.
Then let not old Timotheus[1] yield,
Or, drooping, quit th' advent'rous field;
But let his art and vet'ran fire
Call forth the magic of his lyre;
Or make the pealing organ speak
In sounds that might the dead awake:
Or gently touch the springs of woe,
Teach sighs to heave, or tears to flow:
Then with a more exalted rage
Give raptures to the sacred page,
Our glowing hearts to heaven raise
In choral songs and hymns of praise.

[1] A musician, in the times of Philip of Macedon, banish'd by the Spartans for adding a tenth string to the lyre.
(Bishop, VIII)

– Die *Miscellaneous Correspondence,* „containing a Variety of Subjects, relative to Natural and Civil History", war eine von Benjamin Martin herausgegebene Monatsschrift. Das Gedicht erschien auch in der Buchausgabe 1759 (I, 5).
Burney schreibt über Händels Orgelspiel in seinen letzten Lebensjahren: „In den letzten Jahren seines Lebens traf Händel'n eben so, wie die großen Dichter Homer und Milton, das Unglück, blind zu werden. So sehr ihn dieß aber zur andern Zeit kränken und niederschlagen mochte, so hatte es doch bey öffentlichen Gelegenheiten keinen Ein-

fluß auf seine Nerven oder Seelenkräfte. Denn immer noch bis an sein Ende spielte er Concerte und Fantasien zwischen den Theilen seiner Oratorien mit aller der Stärke der Gedanken und des Vortrags, durch die er mit Recht so berühmt geworden war. Äußerst traurig und kläglich aber war es doch für Leute von Empfindung, wenn man diesen damals fast siebenzigjährigen Greis zur Orgel hin, und hernach wieder gegen die Zuhörer hinführen sah, um ihnen seine gewöhnliche Verbeugung zu machen; und das Vergnügen ihn spielen zu hören, wurde dadurch sehr vermindert."
(Burney/Eschenburg, XXXIX)

3. Februar 1755
Die Oper *The Fairies* von John Christopher Smith d. J. wird in Drury Lane zum erstenmal aufgeführt.

– Den Text schrieb Smith selbst nach Shakespeares *A Midsummer Night's Dream.* Odells Zuschreibung des Librettos an David Garrick widerlegte Loewenberg aufgrund der Briefe von Garrick an James Murphy French vom Dezember 1756 und Horace Walpole an Richard Bentley vom 23. Februar 1755. Garrick brachte diese englische Oper in Opposition zur italienischen heraus.
(Odell, I, 358; Loewenberg, Sp. 228)
Vgl. Februar 1755

14. Februar 1755
The Public Advertiser

At the Theatre-Royal in Covent-Garden, This Day will be presented Alexander's Feast. With an Interlude call'd The Choice of Hercules.... To begin exactly at Six o'Clock.

Wiederholung: 19. Februar 1755.

– Mit diesen Aufführungen begann eine neue Oratoriensaison.
Im *Public Advertiser* vom 8. Februar 1755 wurden Aufführungen von „Mrs. Midnight's Route. In which will be introduced a Burlesque Ode, after the Manner of Alexander's Feast" im New Theatre in the Haymarket angekündigt.
Vgl. 9. März 1753

21. Februar 1755
The Public Advertiser

At the Theatre-Royal in Covent-Garden, This Day will be performed L'Allegro ed il Penseroso. With Dryden's Ode on St. Cecilia's Day. ... To begin exactly at Half an Hour after Six o'Clock.
Vgl. 17. März 1743 und 23. Mai 1754

22. Februar 1755 (I)
Jackson's Oxford Journal

Oxford, Feb. 22. On Monday next [24. Februar] at the Music Room L'Allegro Il Penseroso will be perform'd.

22. Februar 1755 (II)
Mary Delany an ihre Schwester Ann Dewes

Bolton Row, 22 Feb., 1755.
My brother and Mr. Thynne dined with us at Ba-
bess's and at six went to the Oratorio Penseroso,
&c. – very well performed. I hope you will come
time enough for an oratorio or two.
(Delany, III, 334)

22. Februar 1755 (III)
The Newcastle Courant

At the Assembly Room in Durham, on the 26th
inst. will be perform'd A Concert of Music; consisting chiefly of Verses and Choruses out of the
Messiah, by the whole Choir of Durham, for the
Benefit of the Widow and many Orphans of
Henry Marshall, late Singing-Man in that Cathedral.
Tickets 2s 6d each. To begin at Six in the Evening.

26. Februar 1755
The Public Advertiser

At the Theatre-Royal in Covent-Garden, This Day
will be performed an Oratorio, call'd Samson. …
To begin exactly at Half an Hour after Six
o'Clock.

Wiederholung am 7. März 1755.
Vermutliche Besetzung:
Samson – John Beard, Tenor
Dalila, Israelitin, Philisterin – Giulia Frasi, Sopran
Micah – Isabella Young, Mezzosopran
Manoa, Harapha – Samuel Champness, Baß
(Dean 1959, 352 f., 360, 634)
Vgl. 29. März 1754

28. Februar 1755
The Public Advertiser

At the Theatre-Royal in Covent-Garden, This Day
will be performed an Oratorio, call'd Joseph and
His Brethren. … To begin exactly Half an Hour
after Six o'Clock.

– Die Besetzung ist nicht genau bekannt; vermutlich wurde Phanor von Christina Passerini (Sopran) gesungen, Asenath von Giulia Frasi (Sopran), Simeon und Judah von John Beard, Pharao
und Reuben (?) von Samuel Champness (Baß).
(Dean 1959, 407 f., 411 f. und 635)
Vgl. 20. März 1747

Februar 1755
The Gentleman's Magazine

Prologue to the Fairies. An Opera.
Written and spoken by Mr. Garrick.
…

Three nights ago, I heard a Tête a Tête
Which fix'd, at once, our English opera's fate:
One was a youth born here, but flush from Rome.
The other born abroad, but here his home;
And first the English foreigner began,
Who thus address'd the foreign Englishman:
An English opera! 'tis not to be borne;
I, both my country, and their music scorn,
Oh, damn their Ally Croakers, and their Early-
                                         Horn.
Signor si – bat sons – wors recitativo:
Il tutto, è bestiale e cativo,
This said, I made my exit, full of terrors!
And now ask mercy, for the following errors:

Excuse us first, for foolishly supposing,
Your countryman could please you in composing;
An op'ra too! – play'd by an English band,
Wrote in a language which you understand –
I dare not say, who wrote it – I could tell ye,
To soften matters – Signor Shakespearelli: …
But why would this rash fool, this Englishman,
Attempt an op'ra? – 'tis the strangest plan!

Struck with the wonders of his master's art,
Whose sacred dramas shake and melt the heart,
Whose heaven-born strains the coldest breast
                                         inspire,
Whose chorus-thunder sets the soul on fire!
Inflam'd, astonish'd! at those magic airs,
When Samson groans, and frantic Saul despairs,
The pupil wrote – his work is now before ye,
And waits your stamp of infamy, or glory.
Yet, ere his errors and his faults are known,
He says, those faults, those errors, are his own;
If thro' the clouds appear some glimm'ring rays,
They're sparks he caught from his great master's
(Schoelcher 1857, 335)   blaze!

– Auch Garricks Prolog deutet auf John Christopher Smith als Autor von Text und Musik der
Oper. Er war ebenso wie Händel naturalisiert.
Nach Walpole befanden sich in der Besetzung neben den Kapellknaben auch zwei Italiener und
eine Französin.
Vgl. 12. August 1742 und 3. Februar 1755

1. März 1755
Anthony Ashley Cooper, 4. Earl of Shaftesbury, an
seinen Vetter James Harris

1 March 1754/5:
I only write to give you notice that 'Theodora' is
to be performed next Wednesday and very prob-
ably no more than that day. The singers Frasi and
Guadagni do incomparably this season.
(Im Besitz des Earl of Malmesbury. Matthews
1961, 129)
Vgl. 5. März 1755

3. März 1755
Mary Delany an ihre Schwester Ann Dewes

Bulstrode, 3rd March, 1755.
I wrote you a letter last week with a full account of
my travels to and in London. The oratorio was
miserably thin; the Italian opera is in high vogue,
and always full, though one song of the least worthy of Mr. Handel's music is worth all their frothy
compositions.
(Delany, III, 338 f.)

– Mary Delany bezieht sich wahrscheinlich auf
die Aufführung von *Joseph and his Brethren* am
28. Februar. Die italienische Oper im Haymarket
Theatre hatte mit Regina Mingotti einen neuen
Star verpflichtet.
Vgl. 22. Februar 1755 (II)

5. März 1755
The Public Advertiser

At the Theatre-Royal in Covent-Garden, This Day
will be performed an Oratorio, call'd Theodora. ...
To begin exactly at Half an Hour after Six
o'Clock.

– Anläßlich dieser Aufführung druckte John
Walsh wahrscheinlich eine neue Auflage der Partitur (vgl. 20. Juni 1751) mit einer neuen Titelseite.
(Dean 1959, 572, 574 f. und 638; Smith 1960,
145)
Vgl. 16. März 1750

11. März 1755
The Public Advertiser

For the Benefit of Miss Turner. At the Great
Room in Dean-street, Soho, This Day ... will be
performed Esther. An Oratorio. Composed by
Mr. Handel. The Vocal Parts by Miss Turner,
&c.

12. März 1755
The Public Advertiser

At the Theatre-Royal in Covent-Garden, This Day
will be performed an Oratorio, call'd Judas Macchabaeus. ... To begin exactly at Half an Hour
after Six o'Clock.

Wiederholung am 14. März 1755.
(Dean 1959, 472 und 636)
Vgl. 27. März 1754

15. März 1755
Jackson's Oxford Journal

On Monday, the 17th of March, will be perform'd
at the Music-Room in Holywell, the Oratorio of
Judas Maccabeus, being the Last Performance in
the Old Subscription. The First Performance in

the New Subscription, on the 31st of March, will
be the two last Parts of The Messiah.
(Dean 1959, 472 und 636)

17. März 1755
The Public Advertiser

For the Benefit and Increase of a Fund establish'd
for the Support of Decay'd Musicians, or their
Families.
At the King's Theatre in the Haymarket, This Day
will be perform'd a Grand Entertainment of Vocal
and Instrumental Musick ... Part III. ... Song, Return, O God of Hosts, compos'd by Mr. Handel,
sung by Signora Frasi. ... Grand Concerto, compos'd by Mr. Handel.

– Die Arie ist aus *Samson*.

19. März 1755
The Public Advertiser

At the Theatre-Royal in Covent-Garden, This Day
will be performed a Sacred Oratorio, call'd Messiah. ... To begin exactly at Half an Hour after Six
o'Clock.

– Eine weitere Aufführung fand am 21. März statt.
Mit ihr wurde die Saison beendet.
Vgl. 5. April 1754

30. März 1755
William Shenstone an Henrietta Luxborough

The Leasowes, March the 29, 1755.
...'Tis now Sunday March the thirtieth. ...
I was shewn a Letter yesterday from Sʳ Harry
Gough to Mr. Pixell, which said Sir H. laments that
the Town at Present is much fonder of Arne than
Handel.
(Shenstone/Williams, 438)

– Sir Henry Gough aus Edgbaston war ein Freund
des Reverend John Pixell, eines Amateurkompo-
nisten.
Am 12. März 1755 führte Thomas Augustine Arne
sein erstes Oratorium *Abel* auf, aus dem Evas Lob-
gesang besonders bekannt wurde.

18. April 1755
The Public Advertiser

Hospital for the Maintenance and Education of
exposed and deserted young Children.
This is to give Notice, That towards the Support
of this Charity, the Sacred Oratorio called Messiah, will be performed in the Chapel of this Hospital on Thursday the 1st of May 1755, at Twelve
o'Clock at Noon precisely. ...
By Order of the General Committee,
S. Morgan, Sec.

– In den Anzeigen der Aufführungen des *Messiah*

im Foundling Hospital aus den Jahren 1755 und 1756 wird Händel nicht genannt. An seiner Stelle leitete John Christopher Smith die Aufführungen.

26. April 1755
Jackson's Oxford Journal

At the Musick-Room, in Oxford, On Monday, the fifth of May, will be performed The Oratorio of Athalia.

– *Athalia* war am 10. Juli 1733 in Oxford zuerst aufgeführt worden.
(Dean 1959, 633)

28. April 1755
Boddely's Bath Journal

On Wednesday, the 30th of this Instant April, At the Theatre in Orchard-Street, Will be perform'd the Oratorio of Judas Maccabeus. The principal Vocal Parts by Signiora Passerini, Mr. Sullivan, and Mr. Champness, With several good Voices from London, Salisbury, Gloucester, and other Cathedrals. The Instrumental Parts by Signior Passerini, and several additional Performers. The Whole conducted by Mr. Chilcot, who will play a Concerto on the Organ. And on Saturday, the 3d of May, will be perform'd The Oratorio of Sampson.

– Der Komponist und Dirigent Thomas Chilcot war seit 1733 Organist der Abbey Church in Bath.
(Dean 1959, 473 und 636)

April 1755
The London Magazine

From the Inspector, April 5.
To the Author.
Sir,
A Pamphlet was delivered to me some few days since, containing the Plan of an Academy for the Encouragement of Genius, and the Establishment of Painting, Sculpture, and Architecture in Britain. … In musick we have seen the composer of the Messiah, rewarded by the universal voice, with honourable advantages, continued to him many years; and such as even caprice itself could never supersede more than for some short interval. As life declines in him, we see the master who has given examples of his abilities for succeeding him, distinguished much to his advantage, and yet more to his honour: The most warmly, by the most judicious.

– Der Artikel erschien zuerst im *London Daily Advertiser* vom 5. April 1755 und wurde im *London Magazine* nachgedruckt. „The Inspector" war der Titel des regelmäßigen Leitartikels der Zeitung,

wahrscheinlich vom „author" oder Herausgeber (Dr. John Hill) geschrieben. Im März 1755 hatte das *London Magazine* bereits ein Gedicht von William Boyce veröffentlicht, das sich auch mit der Idee einer englischen Akademie der Schönen Künste befaßte.

2. Mai 1755
The Public Advertiser

Yesterday the Messiah, composed by Mr. Handel, was performed at the Foundling Hospital for the Benefit of that Charity to a very numerous and polite Audience.

3. Mai 1755
Jackson's Oxford Journal

Notice is hereby given, That the Performance of the Oratorio of Athalia, which is intended on Monday the 5th Instant, will, for the Convenience of the Subscribers and others, begin soon after Six o'Clock.
(Dean 1959, 633)

12. Mai 1755
Boddely's Bath Journal

At Mr. Wiltshire's Room, On Wednesday, the 14th of May, will be perform'd the Oratorio of Alexander's Feast. And on Saturday, the 17th of May, will be perform'd The Messiah. … The principal Vocal Parts by Signiora Passerini, Mr. Coaff, Mr. Norris, Mr. Ofield, and Mr. Champnes or Mr. Hays; with some other Voices from several Cathedrals. Those Ladies and Gentlemen who intend to honour them with their Presence, are desired to send their Names to Sig. Passerini. …
N. B. Those Ladies and Gentlemen … may have Books of the Oratorio. … After the Performance will be a Ball.
(Wright; Myers 1948, 161)

– Die Aufführung leitete Dr. William Hayes. Die Sänger waren Christina Passerini (Sopran), Joseph Corfe (Tenor), (Thomas?) Norris, Mr. Offield, Samuel Champness und Dr. Hayes (Baß). Giuseppe Passerini war der Konzertmeister und vielleicht der Initiator dieser frühen Aufführungen von Händels Oratorien in Bath.

14. Mai 1755
Händel kauft für 500 £ reduzierte dreiprozentige Annuitäten.

21. Juni 1755
Jackson's Oxford Journal

On Monday the 23d Instant, will be performed the Masque of Acis and Galatea; being instead of the Choral Music for May last.

Choral Music for Monday the 30th Instant, will be Alexander's Feast.

Likewise on Wednesday the 2d of July will be performed the Oratorio of Judas Maccabaeus; being instead of the Choral Music for August next.

To each of these Performances, the Annual Subscribers will be admitted, by Virtue of their Tickets: Gentlemen and Ladies, without Tickets, to pay two Shillings and Six-pence each.
(Dean 1959, 179, 472, 630, 636)
Vgl. 15. März 1755

27. Juni 1755
Aus Anlaß des Todes ihres Gouverneurs, Lord Drummore, führt die Edinburgh Musical Society Ausschnitte aus *Samson*, *Deborah*, *Messiah* und *Judas Maccabaeus* auf.
(Hamilton, 22)
Vgl. März 1728

28. Juni 1755
Jackson's Oxford Journal

Oxford, June 28, 1755
The Subscribers to the Musical Performances are desired to take Notice, That the Choral Music for Monday the 30th Instant, is, Alexander's Feast; and that on Wednesday the 2d of July, will be performed the Oratorio of Judas Maccabaeus, being instead of the Choral Music for August next. ...
N. B. As these Performances come so near to each other, it is intended to improve them with the following additional Instruments; viz. An Hautboy, Trumpet, and Bassoon.

2. August 1755
Jackson's Oxford Journal

On Monday the 4th Instant, at the Music Room, will be perform'd L'Allegro il Penseroso, &c.
N. B. There will be no other Choral Performance till October.
Vgl. 23. Februar 1754 und 22. Februar 1755 (I)

28. August 1755
Berrow's Worcester Journal

Mr. Handel's New Te Deum and Jubilate, Mr. Purcell's Te Deum and Jubilate with Dr. Boyce's Additions, with a New Anthem composed for the last Meeting of the Corporation of the Sons of the Clergy at St. Paul's by Dr. Boyce, and Mr. Handel's Coronation Anthem, will be performed in the Cathedral Church.
The Oratorio of Sampson by Mr. Handel, and Dr. Boyce's Solomon with several other Pieces of Musick, will, in the Evenings of the said Days, be performed in the Great Hall in the College of Worcester. ... Care has been taken to engage the best Masters that could be procured. – The Vocal

Parts (beside the Gentlemen of the Three Choirs) will be performed by Mr. Beard, Mr. Wasse, Mr. Denham, Mr. Baildon, Miss Turner and Others. The Instrumental Parts by Mr. Brown, Mr. Miller, Mr. Adcock, Mr. Messing, &c &c – the Musick to be conducted by Dr. Boyce.

– Das Three Choirs Meeting fand in Worcester am 10. und 11. September statt.
(Lysons/Amott, 30 f.)

30. August 1755
Jackson's Oxford Journal

Worcester, April 28. From the general Preparation already making, there is the greatest Likelihood of a very grand and numerous Appearance at our Musick-Meeting, which begins on Wednesday se'nnight, the 10th of September.

– „April" steht irrtümlich für August.

20. September 1755
Jackson's Oxford Journal

Worcester, Sept. 11. At the Triennial Meeting here, last Week, of the Three Choirs (Worcester, Glocester, and Hereford) the two Days Collection at the Cathedral amounted as follow, viz.

	l.	s.	d.	
On Wednesday,	192	5	0	Halfpenny
On Thursday,	56	1	6	
Sent in afterwards	3	3	0	
Total	251	9	6	Halfpenny

Which is 67 l. 17 s. 6 d. Halfpenny more than was collected here this Time three Years, and upwards of 64 l. more than was collected last Year at Gloucester. – So considerable an Increase in this charitable Collection, must needs be a very pleasing Reflection to every noble and compassionate Mind.

22. November 1755
Jackson's Oxford Journal

On Monday next, the 24th Instant, At the Music Room, will be performed, Dryden's Ode on St. Cecilia's Day, And Handell's Te Deum.

6. Dezember 1755
The Dublin Journal

On Thursday last [4. Dezember] Mr. Handel's Grand Te Deum Jubilate and two Anthems, were performed at St. Andrew's Church ... for the Support of Mercer's Hospital; his Excellency the Lord Lieutenant honoured the Hospital with his Presence.

11. Dezember 1755
Mary Delany an ihre Schwester Ann Dewes

Spring Gardens, 11 Dec. 1755.
I had two musical entertainments offered me yesterday – a concert at Lady Cowper's, and Mr. Handel at Mrs. Donnellan's. She has got a new harpsichord of Mr. Kirkman's, but public calamities and private distress takes up too much of my thoughts to admit of amusement at present.
(Delany, III, 383)

– Spring Gardens war das neue Haus der Familie Delany, das Mrs. Delany 1754 erworben hatte. Countess Georgina Cowper veranstaltete regelmäßig Konzerte in ihrem Haus. Jacob Kirkman, von deutscher Herkunft, war ein angesehener Cembalobauer. Vielleicht hatte Mrs. Donellan Händel eingeladen, das neue Instrument zu spielen.
Vgl. 12. April 1734

20. Dezember 1755
Felix Farley's Bristol Journal

On Wednesday, the 14th of January, 1756, will be open'd the New Musick Room with the oratorio of the Messiah, the band will be composed of the principal performers, (vocal and instrumental) from London, Oxford, Salisbury, Gloucester, Wells, Bath, &c. Between the acts will be performed a concerto on the organ, by Mr. Broderip, and a solo on the violin, by Mr. Pinto.
(Latimer, 308; Myers 1948, 161)

– Der neue Konzertsaal war 1754/55 in der Prince's Street erbaut worden. Zwei mit „Laicus Philalethes" unterzeichnete Briefe im Bristol Journal vom 10. und 17. Januar 1756 sprechen von der „elegance of the room" und der „brillant and numerous company".
Mr. Broderip war wohl der an der St. James's Church in Bristol tätige Robert Broderip, Sohn von William Broderip, dem Organisten an der Kathedrale von Wells und Bruder von John Broderip.

25. Dezember 1755
William Mason an Thomas Gray

Chiswick Dec. 25th–55
… There is a sweet Song in Demofoonte called Ogni Amante sung by Riccarelli. Pray look at it. Tis almost $\frac{\text{Notatim}}{\text{verbatim}}$ the Air in Ariadne, but I think better. I am told tis a very old one of Scarlattis wch if true Handel is almost a musical Lauder.
(Gray Correspondence, I, 451)

– Mason (vgl. 8. März 1749 und 16. März 1750), der Freund und spätere Biograph von Gray (vgl. 11. Juni 1736 und 25. Februar 1752), wohnte bei Lord Holderness in Chiswick.
Demofoonte war eine Pasticcio-Oper auf einen Text von Metastasio (1732), die am 9. Dezember 1755 am Haymarket Theatre aufgeführt wurde. Bald danach veröffentlichte Walsh eine Ausgabe der Favourite Songs, darunter auch die hier genannte, von Ricciarelli gesungene Arie.
Es bestehen Ähnlichkeiten zwischen dem Duett „Mira adesso" in Händels Arianna und dem Terzett „Ecco il ciel di luce" in Domenico Scarlattis Narciso, beide jedoch zeigen keine Beziehungen zu der Arie „Ogni amante" aus Demofoonte.
William Lauder hatte, gestützt auf Fälschungen, Milton als Plagiator angegriffen und wurde 1756 entlarvt. Händel war auch von Mattheson des Plagiats beschuldigt worden (vgl. Juli 1722).
1778 schrieb Mason in abschätziger Weise über Händel an Horace Walpole (Walpole Letters 1891, VII, 26, Anmerkung).

1755 (I)
John Walsh veröffentlicht um 1755 Handel's Sixty Overtures from all his Operas and Oratorios Set for the Harpsicord or Organ. viz. Admetus N°. VI … Xerxes XXXVII.
(Smith 1960, 286 und 286f.)

1755 (II)
In London wurden 1755 Textbücher zu Joshua (vielleicht für eine private oder Benefizveranstaltung) und Acis and Galatea („A Serenata. As performed at the Castle Society at Haberdashers' Hall") gedruckt; Aufführungen der beiden Oratorien sind nicht belegt.
(Dean 1959, 509 und 637, 188 und 630)

1755 (III)
A New Song

The Words by a Gentleman on hearing a little Miss perform on the Harpsicord and German Flute. Set to Musick by Mr. Richard Davies (London um 1755)

> …
> In Handel's works she does rejoyce
> Tho' ass in Chaplet was by Choice
> Design'd to make us jolly.
>
> She said, A Song I never like
> But when both words and Musick strike
> So answer'd pritty Polly.   [Vers 3]

– Das Gedicht, das sich wahrscheinlich auf Marianne Davies bezieht (Richard Davies könnte ein Verwandter gewesen sein), wurde als Einzeldruck veröffentlicht. Der erste seiner vier Verse beginnt „Ye sacred muses now attend".
Unklar sind die Anspielungen auf The Chaplet von William Boyce (vgl. 2. Dezember 1749) und auf eines der zahlreichen „Pretty Polly"-Lieder.
Vgl. 30. April 1751, 19. März 1753 und 28. April 1756

1755 (IV)
Friedrich Wilhelm Marpurg, Historisch-Kritische
Beyträge zur Aufnahme der Musik, I. Band, Drit-
tes Stück, Berlin 1755

Herrn Johann Joachim Quantzens Lebenslauf, von
ihm selbst entworfen.
...

Senesino hatte eine durchdringende, helle, egale,
und angenehme tiefe Sopranstimme, (mezzo Soprano) eine reine Intonation, und schönen Trillo.
In der Höhe überstieg er selten das zweygestri-
chene f. Seine Art zu singen war meisterhaft, und
sein Vortrag vollständig. Das Adagio überhäufte
er eben nicht zu viel mit willkührlichen Auszierungen: Dagegen brachte er die wesentlichen Manieren mit der größten Feinigkeit heraus. Das Allegro sang er mit vielem Feuer, und wußte er die
laufenden Passagien, mit der Brust, in einer ziem-
lichen Geschwindigkeit, auf eine angenehme Art
heraus zu stoßen. Seine Gestalt war für das Theater sehr vortheilhaft, und die Action natürlich.
Die Rolle eines Helden kleidete ihn besser, als die
von einem Liebhaber.
Berselli hatte eine angenehme, doch etwas dünne,
hohe Sopranstimme, deren Umfang sich vom eingestrichenen c, bis ins dreygestrichene f, mit der
größten Leichtigkeit erstreckte. Hierdurch setzte
er die Zuhörer mehr in Verwunderung, als durch
die Kunst des Singens. Im Adagio zeigte er wenig
Affect, und im Allegro ließ er sich nicht viel in
Passagien ein. Seine Gestalt war nicht widrig, die
Action aber auch nicht feurig.   [S. 213]

... Die besten unter den Sängern [1725 in Flo-
renz] waren die beyden Tenoristen Pinacci, und
Annibali Pio Fabris. Der erstere war ein feuriger,
der andere ein angenehmer und brillanter Sänger.
Die größte Stärke des erstern bestand in der Action ...   [S. 230]

[Venedig, 1726] ... Nicolino, mit dem rechten Namen Grimaldi, und die Romanina, (deren rechter
Name Marianna Benti Bulgarelli hieß,) waren
beyde mittelmäßig im Singen, aber vortrefliche
Acteurs.   [S. 231]

Farinello hatte eine durchdringende, völlige,
dicke, helle und egale Sopranstimme, deren Umfang sich damals vom ungestrichenen a bis ins
dreygestrichene d erstreckte: wenige Jahre hernach aber sich in der Tiefe noch mit einigen Tönen, doch ohne Verlust der hohen vermehret hat:
dergestalt, daß in vielen Opern, eine Arie, mei-
stens ein Adagio, in dem Umfange des Contralts,
und die übrigen im Umfange des Soprans für ihn
geschrieben worden. Seine Intonation war rein,
sein Trillo schön, seine Brust, im Aushalten des
Athems, außerordentlich stark, und seine Kehle
sehr geläufig; so daß er die weit entlegensten Intervalle, geschwind, und mit der größten Leichtig-

keit und Gewißheit, heraus brachte. Durchbro-
chene Passagien, machten ihm, so wie alle andere
Läufe, gar keine Mühe. In den willkührlichen Auszierungen des Adagio war er sehr fruchtbar. Das
Feuer der Jugend, sein großes Talent, der allgemeine Beyfall, und die fertige Kehle, machten,
daß er dann und wann zu verschwenderisch damit
umgieng. Seine Gestalt war für das Theater vortheilhaft: die Action aber gieng ihm nicht sehr von
Herzen. ...
Carestini hatte damals eine starke und völlige Sopranstimme, welche sich in den folgenden Zeiten,
nach und nach, in einen der schönsten, stärksten,
und tiefsten Contralte verwandelt hat. Damals
[1726 in Parma] erstreckte sich ihr Umfang ohngefehr vom ungestrichenen b bis ins dreygestrichene c, aufs höchste. Er hatte eine große Fertigkeit in den Passagien, die er, der guten Schule des
Bernacchi gemäß, so wie Farinello, mit der Brust
stieß. Er unternahm in willkührlichen Veränderungen sehr vieles, meistentheils mit gutem Erfolg, doch auch bisweilen bis zur Ausschweifung.
Seine Action war sehr gut, und so wie sein Singen,
feurig. Nach der Zeit hat er im Adagio noch sehr
zugenommen.   [S. 233 ff.]

Im Anfange des 1727 Jahres erhielt ich von Dresden Befehl, meine Rückreise zu beschleunigen.
Ich trauete mir also nicht, um eine neue Erlaubniß, nach England zu gehen, Ansuchung zu thun.
Indessen war die Begierde auch dieses Land zu sehen, bey mir so groß, daß ich es wagte, ohne weitere Anfrage bey Hofe, eine Reise dahin zu unternehmen. Am 10 März reisete ich von Paris ab; und
kam, über Calais, am 20ten desselben Monats
glücklich in London an. ...
Die italiänischen Opern waren damals in London,
im größten Flor. Admetus, von Händels Composition war die neueste, und hatte eine prächtige Musik. Die Faustina, die Cuzzoni und Senesino, die
drey Virtuosen vom ersten Range, waren die
Hauptacteurs darinn, die übrigen waren mittelmäßig.
Die Cuzzoni hatte eine sehr angenehme und helle
Sopranstimme, eine reine Intonationn und schönen Trillo. Der Umfang ihrer Stimme erstreckte
sich vom eingestrichenen c bis ins dreygestrichene c. Ihre Art zu singen war unschuldig und
rührend. Ihre Auszierungen schienen wegen ihres
netten, angenehmen und leichten Vortrags nicht
künstlich zu seyn: indessen nahm sie durch die
Zärtlichkeit desselben doch alle Zuhörer ein. Im
Allegro, hatte sie bey den Passagien, eben nicht
die größte Fertigkeit; doch sang sie solche sehr
rund, nett, und gefällig. In der Action war sie etwas kaltsinnig; und ihre Figur war für das Theater
nicht allzuvortheilhaft.
Die Faustina hatte eine zwar nicht allzuhelle,
doch aber durchdringende Mezzosopranstimme,

deren Umfang sich damals vom ungestrichenen b nicht viel über das zwey gestrichene g erstreckte, nach der Zeit aber, sich noch mit ein paar Tönen in der Tiefe vermehret hat. Ihre Art zu singen war ausdrückend und brillant, (un cantar granito). Sie hatte eine geläufige Zunge, Worte geschwind hintereinander und doch deutlich auszusprechen, eine sehr geschickte Kehle, und einen schönen und sehr fertigen Trillo, welchen sie, mit der größten Leichtigkeit, wie und wo sie wolte, anbringen konte. Die Passagien mochten laufend oder springend gesetzt seyn, oder aus vielen geschwinden Noten auf einem Tone nacheinander, bestehen, so wußte sie solche, in der möglichsten Geschwindigkeit, so geschickt heraus zu stossen, als sie immer auf einem Instrumente vorgetragen werden können. Sie ist unstreitig die erste, welche die gedachten, aus vielen Noten auf einem Tone bestehenden Passagien, im Singen, und zwar mit dem besten Erfolge, angebracht hat. Das Adagio sang sie mit vielem Affect und Ausdrucke; nur mußte keine allzutraurige Leidenschaft, die nur durch schleiffende Noten oder ein beständiges Tragen der Stimme ausgedrücket werden kann, darinne herrschen. Sie hatte ein gut Gedächtniß in den willkührlichen Veränderungen, und eine scharfe Beurtheilungskraft, den Worten, welche sie mit der grösten Deutlichkeit vortrug, ihren gehörigen Nachdruck zu geben. In der Action war sie besonders stark; und weil sie der Vorstellungskunst, oder, mit Herrn Mattheson zu reden, der Hypokritik, in einem hohen Grade mächtig war, und nach Gefallen, was für Minen sie nur wolte, annehmen konte, kleideten sie so wohl die ernsthaften, als verliebten und zärtlichen Rollen gleich gut: Mit einem Worte, sie ist zum Singen und zur Action gebohren.

Das Orchester bestand gröstentheils aus Deutschen, aus einigen Italienern, und ein paar Engelländern. Castrucci, ein italienischer Violinist, war der Anführer. Alle zusammen machten, unter Händels Direction, eine überaus gute Wirkung.

Die zweyte Oper welche ich in London hörete, war vom Bononcini; sie fand aber nicht so großen Beyfall als die erste. Händels Grundstimme überwog Bononcinis Oberstimme ...

Von Instrumentisten, Solo zu spielen, waren nur wenige da. Z.E. Händel, wie bekannt, auf dem Claviere und der Orgel; Geminiani ein großer Meister auf der Violine; Debur ein Engländer, und Scholar des Geminiani, ein sehr gefälliger Violinist. Die beyden Brüder Castrucci waren leidliche Solospieler. Mauro d'Alaia welcher in Gesellschaft der Faustina nach England gekommen war, war ein guter Violinist, und braver Anführer. Sein Spielen war sehr brillant und deutlich: in außerordentliche Schwierigkeiten aber, ließ er sich nicht ein. Die Flötenisten waren Wiedemann ein Deutscher, und Festin ein Engländer.

Ich hatte das Glück die Bekanntschaft vieler vornehmer Familien zu erhalten. Man suchte mich zu bereden, gar in England zu bleiben. Händel selbst rieth dazu, und ich war nicht abgeneigt, seinem Rathe zu folgen ...
Ich reisete am 1. Junius des 1727. Jahres aus England ab.   [S. 239 ff.]

Hr. Christoph Nichelmann ist zu Treuenbriezen im Jahr 1717. am 13ten Aug. gebohren ... Einer seiner Anverwandten, Hr. Joh. Christian Krüger ... rieth daher seinen Eltern, diese Neigung ihres Sohnes auf keine weise zu unterdrücken. Er brachte es ... dahin, daß sie ihn im Jahr 1730. zu dem Ende nach Leipzig auf die Thomasschule schickten, um ihn so wohl in den nöthigen Schulwissenschaften als auch besonders in der Musik, mit desto glücklicherem Erfolge, unterrichten lassen zu können ... Nachdem er drey Jahre lang mit diesen Uebungen [Unterricht bei Johann Sebastian Bach, Klavierspiel bei Wilhelm Friedemann Bach und erste Kompositionsversuche] zugebracht hatte, begunte sich ein Trieb, die theatralische Musik näher kennen zu lernen, bey ihm zu äussern. Nun war die musikalische Schaubühne zu Leipzig schon seit langer Zeit verschlossen. Er entschloß sich also, nebst noch einem seiner Mitschüler, Joh. Gottfried Böhmen, nach Hamburg zu gehen, um so wohl durch Anhörung guter Opern, als durch mündlichen Unterricht geschickter theatralischer Setzer, diesem Triebe genugsame Nahrung verschaffen zu können.
Ob wohl die Oper in Hamburg von ihrem ehemaligen Glanze, schon zu der Zeit, vieles verlohren hatte, so war sie dennoch so wohl in Betracht der Musik als wegen der Execution, den übrigen musikalischen Schauspielen in Deutschland nicht eben alzusehr nachzusetzen. Die Composition der Opern, die daselbst aufgeführt wurden, war gröstentheils von Kaisern, Händeln und Telemann.
[S. 433]
(„Lebensläuffe verschiedener lebenden Tonkünstler")

– Christoph Nichelmann (1717–1762), seit 1730 Alumne der Leipziger Thomasschule, verließ diese im Oktober 1733 heimlich, um nach Hamburg zu gehen.
(Bach-Dok., III, 106 f.)

Hrn. Joh. Peter Kellners Cantoris zu Gräfenrode, Lebenslauf, von ihm selbst entworfen.

Ich hatte sehr viel von einem grossen Meister der Musik ehemahls theils gesehen, theils gehöret. Ich fand einen ausnehmenden Gefallen an dessen Arbeit. Ich meine den nunmehro seligen Herrn Capellmeister Bach in Leipzig. Mich verlangte nach der Bekanntschaft dieses vortreflichen Mannes. Ich wurde auch so glücklich, dieselbe zu geniesen. Ausser diesem, habe ich auch den berühmten

Herrn Händel, zu hören, und ihm, nebst noch andern lebenden Meistern in der Musik bekannt zu
werden, das Vergnügen gehabt.   [S. 444]

– Nachgedruckt in: Johann Georg Brückner,
*Sammlung verschiedener Nachrichten zu einer Beschrei-
bung des Kirchen- und Schulenstaats im Herzogthum Gotha. II. Theil Eilftes Stück,* Gotha 1760, 85.
Johann Peter Kellner (1705–1772), seit 1727 Sub-
stitut, seit 1732 Kantor in Gräfenroda, könnte
1729 mit Händel zusammengetroffen sein.
(Bach-Dok., III, 77)

Marchand hat sich nicht weniger durch seine son-
derliche Aufführung als durch seine Geschicklichkeit, bey uns in Deutschland aber besonders durch
seine Catastrophe in Dresden bekannt gemacht. Es
war der seel. Capellmeister Bach, der ihm den Preiß
daselbst abspielte, nachdem Marchand denselben
in ganz Italien und sonsten überall, wo er gewesen
war, erhalten hatte. Wer aus dieser Niederlage des
Marchand in Dresden schliessen wollte, es müsse
ein schlechter Tonkünstler gewesen seyn, würde
schlecht schliessen. Hat nicht ein grosser Händel
alle Gelegenheiten vermieden, sich mit dem seel.
Bach, diesem Phönix in dem Satze und der Ausführung aus dem Stegereif, zusammen zu finden,
und sich mit ihm einzulassen? Pompejus war deswegen kein schlechter General, ob er gleich die
Pharsalische Schlacht wider den Cäsar verlohr,
und ist jedermann hernach ein Bach? Ich habe
selbsten von dem seel. Capellmeister die Geschicklichkeit des Marchand sehr rühmen hören, und es
würde übrigens dem erstern wenig Ehre gemacht
haben, einen Menschen von einer sehr gemeinen
Fähigkeit zu besiegen. Dazu hätte man ihn nicht
dürfen mit der Extrapost von Weymar kommen
lassen. Es hätten sich ja wohl in der Nähe dazu
Leute gefunden.   [S. 450 f.]
(„Lebensläuffe verschiedener lebenden Tonkünstler")

– Louis Marchand (1669–1732), 1708–1714 Hof-
organist in Paris, verließ 1717 Dresden, um einen
Wettstreit mit Bach zu vermeiden.
(Bach-Dok., III, 107 f.)
Vgl. 1756 (VI)

1756

14. Januar 1756
Messiah wird in Bristol aufgeführt.
Vgl. 20. Dezember 1755

24. Januar 1756
Jackson's Oxford Journal

Oxford, January 24, 1756.
The Subscribers are desired to take Notice, that,
on Monday, February 2, the Choral Music will be

the Oratorio of Esther. This Performance is postponed a Week longer than was intended, with the
Hopes of making the Boys tolerably perfect in
their Parts; being all very young and inexperi-
enced, and upon that Account hope favourable Al-
lowances will be made.

31. Januar 1756
Mary Delany an ihre Schwester Ann Dewes

New Street, Spring Gardens, 31st Jan., 1756.
My brother is very happy: he has made a purchase
of an organ that proves excellent, I have not yet
seen it.
(Delany, III, 405)

– Mit Händels Unterstützung und Beratung
kaufte Bernard Granville eine Orgel von „Father
Smith" (Bernard Smith), der auch die Orgel in der
St. Paul's Cathedral gebaut hatte, die 1718/19 von
besonderer Anziehungskraft für Händel gewesen
war (vgl. 22. Oktober 1720). Eine anonyme Notiz
in der zweiten Serie von Delanys Autobiographie
(I [IV], 568), wahrscheinlich von Händel an Bernard Granville gerichtet, lautet: „Father Smith's
chamberorgans generally consist of a stop diapason of all wood. Sometimes there is an open diapason of wood. Down to Cesaut, an open flute of
wood, a fifteenth of wood, a bass mixture of
wood; that is to the middle C. of two ranks, the
cornet of wood of two ranks to meet the mixture
in the middle. Sometimes the mixture is of mettle,
as is the cornet. N. B. – If it is stil'd 'a furniture' it
is not one of his, that is, if the mixture is stil'd so
it is not. Remark that the wooden pipes are all
clean yallow deal."

11. Februar 1756
John Christopher Smith' Oper *The Tempest* (der
Text wiederum nach Shakespeare) wird im Drury
Lane Theatre uraufgeführt.
(Odell, 362)

17. Februar 1756
Protokollbuch des Board of Ordnance

17th February 1756. Mr. Frederick Smith signified
by letter of yesterday that Mr. Handel desired the
Board to indulge him with the use of the large
Kettledrums for the use of his Oratorios. The
Board granted his request on his indenting for the
same and making good all Damages.
(Public Record Office, W. O. 47/59. Farmer 1950
II)

– Die Oratoriensaison begann am 5. März, die
Kesselpauken wurden aber wahrscheinlich erst für
die Aufführung des *Judas Maccabaeus* am 26. März
gebraucht.
Ein Eintrag vom 11. März 1762 nennt sogar noch

Händel anstelle seines Nachfolgers John Christopher Smith als Entleiher der Kesselpauken.
(Farmer 1950 II, 92f.)

21. Februar 1756
Jackson's Oxford Journal

Notice is hereby given, That the next Choral Music will be on Monday, the First of March; and that the Performance will be the First and Second Acts of the Oratorio of Samson.
Vgl. 13. März 1756

28. Februar 1756
The Norwich Mercury

Cambridge, February 26.
On Thursday [26. Februar] Night the Mask of Acis and Galatea was perform'd at Trinity College Hall, before a very numerous Audience, and was conducted by Dr. Randall, Professor of Musick in this University.
(Deutsch 1942 II)

– John Randall, der als Knabe am 23. Februar 1732 die Partie der Esther gesungen und am 17. Dezember 1737 bei der ersten Aufführung des *Funeral Anthem* für Händel die Noten gewendet hatte, wurde 1743 Organist am King's College in Cambridge und 1755 als Nachfolger von Maurice Greene Professor of Music an der Universität Cambridge und erhielt 1756 den Doktorgrad. Er war auch Organist an den Colleges von Trinity, St. John und Pembroke.

5. März 1756
The Public Advertiser

At the Theatre Royal in Covent-Garden, This Day ... will be presented an Oratorio call'd Athalia. ... To begin exactly at Six o'Clock.

– Mit dieser Aufführung, die am 10. und 12. März wiederholt wurde, begann die neue Oratoriensaison. Die Besetzung ist nicht vollständig bekannt; vermutlich wurde Josabeth von Giulia Frasi gesungen, Mathan von John Beard, Abner von Mr. Wass, Joad von Isabella Young.
Am 1. März 1756 zeigte John Watts ein neues Textbuch an.
(Dean 1959, 261f., 263f., 633)

8. März 1756
The New York Mercury

On Thursday the 18th instant, will be open'd at the City Hall in the City of New York, a New Organ, made by Gilbert Ash, where will be performed, a Concert of Vocal and Instrumental Musick. In which, among a variety of other selected pieces, will be introduced a song, in praise of musick, particularly of an organ; and another favour-

ite song, called 'The Sword that's drawn in Virtue's cause', both compos'd by Mr. Handel.
(Sonneck 1907, 162)

– Die erste der beiden Arien könnte die für *Alexander's Feast* nachkomponierte Arie „Your voices tune and raise them high" gewesen sein, die zweite ist aus dem *Occasional Oratorio*.

13. März 1756
Jackson's Oxford Journal

Oxon, March 10, 1756.
Those Gentlemen who are inclin'd to favour the Musical Society with their Subscriptions for the ensuing year, are desired to take Notice, That the Performances of that Society will be continued from Lady-Day next, to Lady-Day 1757, in the same Manner, and upon the same Conditions, as are contain'd in the printed Articles for this present Year.
H. B. Steward.
N. B. The next Choral Music will be on Monday the 22d Inst. and the Performance, Mr. Handel's Te Deum compos'd for the Victory at Dettingen, and the last Act of Samson.
Vgl. 21. Februar 1756

17. März 1756
The Public Advertiser

At the Theatre Royal in Covent-Garden, This Day will be performed an Oratorio call'd Israel in Egypt. ... To begin exactly at Half an Hour after Six o'Clock.
Wiederholung am 24. März 1756.

– Für diese Wiederaufnahme des Oratoriums stellte Händel einen neuen ersten Akt zusammen, für den er (anstelle des *Funeral Anthem*) auf *Solomon* und das *Occasional Oratorio* zurückgriff.
(Schoelcher 1857, 211; Macfarren, 43; Herbage 1954, 92)

19. März 1756
The Public Advertiser

At the Theatre Royal in Covent-Garden, This Day, will be performed an Oratorio call'd Deborah. ... To begin exactly at Half an Hour after Six o'Clock.
Vermutliche Besetzung:
Deborah – Giulia Frasi, Sopran
Barak – Isabella Young, Mezzosopran
Abinoam – Samuel Champness, Baß
Sisera – John Beard, Tenor
Oberpriester des Baal und
der Israeliten – Samuel Champness, Baß
(Dean 1959, 238, 245, 633)
Vgl. 8. März 1754

26. März 1756
The Public Advertiser

At the Theatre Royal in Covent-Garden, This Day
will be performed an Oratorio call'd Judas Macchabaeus.... To begin exactly at Half an Hour after Six
o'Clock.
Wiederholung am 31. März 1756.
(Dean 1959, 472, 478, 636)

27. März 1756
Mary Delany an ihre Schwester Ann Dewes

Spring Gardens, 27th March 1756.
Mary is now practising the clavichord, which I
have got in the dining-room that I may hear her
practise at my leisure moments.... Her uncle Granville has given her a guinea to go to the oratorio; it
is diverting to hear all her projects for laying it
out. I think it will end in two plays instead of one
oratorio.
We are both invited to go to Lady Cowper's next
Wednesday [31. März] to a concert; I shall carry
her there, and give up the oratorio. ...
Wednesday, I spent with Mrs. Donnellan instead
of going to Israel in Egypt; and how provoking!
she had Mrs. Montagu, Mrs. Gosling, and two or
three fiddle faddles, so that I might as well have
been at the oratorio.
I was last night at "Judas Maccabeus", it was
charming and full. "Israel in Egypt" did not take, it
is too solemn for common ears.
(Delany, III, 415 und 417)

– Mary ist die damals etwa zehn Jahre alte Toch-
ter von Ann Dewes, die Nichte von Mary Delany
und Bernard Granville. Das Konzert fand bei
Georgina Countess Cowper statt. Anne Donellans
Gäste waren Elizabeth Montagu und Mrs. Gosling,
die Frau eines Bankiers.
(Chrysander, III, 102)
Vgl. 17. und 26. März 1756

2. April 1756
The Public Advertiser

At the Theatre Royal in Covent-Garden, This Day
will be performed an Oratorio call'd Jephtha.... To
begin exactly at Half an Hour after Six o'Clock.

– Es fand nur diese eine Aufführung statt.
(Dean 1959, 619, 621, 638)
Vgl. 16. März 1753

3. April 1756
Mary Delany an ihre Schwester Ann Dewes

Spring Gardens, 1st April, 1756.
The oratorio last night was "Jephtha"; I never
heard it before; I think it a very fine one, but very
different from any of his others.
(Delany, III, 419)

– Der Brief kann erst am 3. April geschrieben worden sein, da Jephtha am 2. April aufgeführt wurde.
Händels Name wird in dem Brief nicht erwähnt.

7. April 1756 (I)
The Public Advertiser

At the Theatre Royal in Covent-Garden, This Day
will be performed a Sacred Oratorio, call'd Messiah. ... To begin exactly at Half an Hour after Six
o'Clock.

– Die Wiederholung der Aufführung am 9. April
wurde mit dem Hinweis „Being the Last this Season" angekündigt. Wie im Vorjahr endete die Saison also wieder mit dem Messiah (vgl. 19. März
1755).

7. April 1756 (II)
Protokolle des General Committee des Foundling
Hospital

Mr. Handel having renewed his charitable offer of
performing the Oratorio 'Messiah' at the Chapel
of this Hospital,
Resolved – That the said performance be on
Wednesday, the 19th of next Month, and that the
Secretary do write a letter to Mr. Handel to return
him Thanks and acquaint him with the Day fix'd
upon, and to desire that he will please to give people Directions to Mr. Smith the Organist of this
Hospital, in relation thereto.
(Edwards 1902 I)

– John Christopher Smith war jetzt Händels Stellvertreter.

10. April 1756
The Public Advertiser

The Rehearsal of the Music for the Feast of the
Sons of the Clergy, will be at St. Paul's on Tuesday
the 4th, and the Feast at Merchant Taylors-Hall,
on Thursday the 6th Day of May next. ...
Mr. Handels' Overture in Esther, Grand Te Deum,
Jubilate and Coronation Anthem, with a new Anthem by Dr. Boyce, will be Vocally and Instrumentally performed.
Note, In order that the Choir may be kept as warm
as possible, the West Doors only will be
opened.

13. April 1756
Catherine Talbot an Elizabeth Carter

St. Paul's, April 13, 1756.
The only public place I have been to this winter,
was last Friday [9. April], to hear the Messiah, nor
can there be a nobler entertainment. I think it is
impossible for the most trifling not to be the better for it. I was wishing all the Jews, Heathens, and

Infidels in the world (a pretty full house you'll say) to be present. The Morocco Ambassador was there, and if his interpreter could do justice to the divine words (the music any one that has a heart must feel) how must he be affected, when in the grand choruses the whole audience solemnly rose up in joint acknowledgment that He who for our sakes had been despised and rejected of men, was their Creator, Redeemer, King of kings, Lord of lords! To be sure the playhouse is an unfit place for such a solemn performance, but I fear I shall be in Oxfordshire before it is to be heard at the Foundling Hospital, where the benevolent design and the attendance of the little boys and girls adds a peculiar beauty even unto this noblest composition. But Handel who could suit such music to such words deserves to be maintained, and these two nights [7. und 9. April], I am told, have made amends for the solitude of his other oratorios. How long even this may be fashionable I know not, for next winter there will be (if the French come) two operas; and the opera and oratorio taste are, I believe, totally incompatible. Well they may!
(Carter/Talbot, II, 226f.; Streatfeild 1909, 177)

– Sollte wirklich noch einmal eine Saison der französischen komischen Oper am New Theatre in the Haymarket geplant gewesen sein, dürfte dieses Vorhaben nicht zustande gekommen sein. Am Haymarket Theatre ging Francesco Vanneschi bankrott, und Regina Mingotti und Felice de Giardini übernahmen für ein Jahr die Leitung.
(Burney, II, 855)
Vgl. 3. März 1755

20. April 1756
The Dublin Journal

Mrs. Cecilia Arne kündigt im *Dublin Journal* für den 4. Mai ein Benefizkonzert in der Music Hall in der Fishamble Street mit Stücken aus Thomas Augustine Arnes *Alfred* und Händels *Samson* an.

– Das Konzert wurde auf den 15. Mai verschoben und schließlich abgesagt.
(*Musical Antiquary,* Juli 1910, 230)

24. April 1756
Jackson's Oxford Journal

Oxford, April 23, 1756.
Choral Music To be perform'd on Monday next [26. April] is, The Third Part of Messiah, and two Coronation Anthems, viz. My Heart is inditing, &c., The King shall rejoice, &c.

28. April 1756
Marianne Davies gibt ein Konzert im Great Room in Dean Street, Soho (*The Public Advertiser*).
Vgl. 30. April 1751 und 19. März 1753

8. Mai 1756
The Public Advertiser

Hospital for the Maintenance and Education of exposed and deserted young Children.
This is to give Notice, that towards the Support of this Charity, the Sacred Oratorio called Messiah, will be performed in the Chapel of this Hospital on Wednesday the 19th instant, at Twelve o'Clock at Noon precisely. ...
By Order of the General Committee.
S. Morgan, Sec.

– Wie im Vorjahr wird Händels Name nicht erwähnt. Die Aufführung wurde von Smith geleitet.

20 May 1756.
Anthony Ashley Cooper, 4. Earl of Shaftesbury, an seinen Vetter James Harris

20. May 1756.
With regard to Dr. Hayes' request, the first part – the letting them have Judas and the Messiah Oratorios; as these have already been frequently perform'd, can see no material objection to doing this. As to Joshua, I believe Mr. Handel will not chuse to have it perform'd at Oxford, or anywhere but by himself. However, I will speak to Smyth about it, tho' very well satisfied now of Mr. Handel's desire to keep it for himself.
(Sammlung Malmesbury. Matthews 1961, 129)

– Der Earl of Shaftesbury besaß eine ansehnliche Sammlung von Partituren Händelscher Werke, die möglicherweise nicht vollständig erhalten ist.
Vgl. 27. Mai 1756

22. Mai 1756
Jackson's Oxford Journal

On Monday the 24th Instant, Will be performed, The Mask of Acis and Galatea: being The Choral Musick for the present Month.
Oxford, May 21, 1756.
(Smith 1948, 239)
Vgl. 21. Juni 1755

27. Mai 1756
Anthony Ashley Cooper, 4. Earl of Shaftesbury, an seinen Vetter James Harris

London, 27 May 1756.
I did not write last post having waited for an answer from Mr. Handel. Smyth has been with me just now to say, there is no objection to my lending the score of Joshua to Dr. Hayes, yet this is done under a confidence of Dr. Hayes' honour, that he will not suffer any copy to be taken or to get about from his having been in possession of the score. For otherwise both Handel and Smyth

(his copiest) will be injur'd. Pray desire too, care may be taken not to spoil the Book. I only mention this particular as a caution, because very often books and especially manuscripts are much dirted [?] by being thumb'd about.
(Matthews 1961, 129)

– William Hayes, ein häufiger Besucher der Cäcilienfeiern in Salisbury, der James Harris um Vermittlung gebeten hatte, erhielt Lord Shaftesburys Partituren und konnte sie für die Aufführungen in Oxford am 6., 7. und 8. Juli 1756 verwenden.
Vgl. 19. Juni und 10. Juli 1756

19. Juni 1756
Jackson's Oxford Journal

Oxford, June 19.
On Tuesday the 6th of July (being the day appointed for commemorating the Benefactors to the University) will be performed in the Theatre, the Oratorio of Judas Maccabaeus; on Wednesday the 7th, Joshua; and on Thursday the 8th, the Messiah. The principal Parts to be sung by Signora Frasi, Miss Young, Mr. Beard, Mr. Thomas Hayes, and Others. The Choruses will be supported by a great Number of Voices and Instruments of every Kind requisite, and no Expense will be spared to make the whole as grand as possible.

– Die Ankündigung wurde am 3. Juli wiederholt. Mit den Solisten kamen auch Orchestermusiker aus London.
Vgl. 10. Juli 1756

23. Juni 1756
Händel kauft für 1000 £ reduzierte dreiprozentige Annuitäten.

10. Juli 1756
Jackson's Oxford Journal

Oxford, July 10.
... During these three Days [6.–8. Juli] the Oratorio's (conducted by Dr. Hayes) were attended with crowded Audiences, viz. on Tuesday Evening, Judas Maccabaeus; on Wednesday, Joshua; on Thursday, the Messiah; all composed by Mr. Handel.

– Bleistifteintragungen in dem Exemplar des Textbuches zu *Joshua* in der Bodleian Library, Oxford, belegen folgende Besetzung für die Aufführung dieses Oratoriums:
Joshua – John Beard, Tenor
Caleb – Thomas Hayes, Baß
Othniel – Isabella Young, Mezzosopran
Achsah – Giulia Frasi, Sopran
Engel – William Hayes, Baß
(Dean 1959, 472f., 480, 507f., 509f., 636f.)
Vgl. 19. Juni 1756

13. Juli 1756
George Montagu an Horace Walpole

Lady Pomfret had a sort of box made up for her and her girls near the Vice-chancellor in the theatre. She was violently clapped as she came in, appeared sulky and ill-dressed and her attendants frightful. A parson played on the kettledrum in the oratorio. Parson Fletcher – you may remember him at Eton – had a beam from one of the windows fall on his head but he was brute enough to sit with a vast beaver on which preserved his brains. There were above three thousand people there.
(Walpole Correspondence, IX, 1941, 193f.)

– Mit Lady Pomfret war Henrietta Louisa Jeffreys gemeint, deren zweiter Gatte, Baron Leominster, 1721 Earl of Pomfret geworden war. Ihre literarischen Ambitionen wurden mehrfach von Walpole verspottet. „Her girls" waren ihre Tochter Lady Louise Fermor und ihre Nichte Lady Sophia Carteret. Vizekanzler der Universität war George Huddesford (ca. 1699–1776). In einer der Veranstaltungen der Gedächtnisfeiern für die Förderer der Universität wurden die von Lady Pomfret gestifteten Marmortafeln überreicht. Das Sheldonian Theatre, in dem die Zeremonie stattfand, faßte 1000 Personen.
William Fletcher, Eton-Schüler, 1736 „fellow of King's", war später Pfarrer in Demton (Essex) und Leire (Leics).
(Dean 1959, 105)

6. August 1756
Erstes Kodizill zu Händels Testament

I George Frideric Handel make this Codicil to my Will.
I give unto my Servant Peter le Blond Two Hundred Pounds additional to the Legacy already given him in my Will.
I give to M.ʳ Christopher Smith Fifteen Hundred Pounds additional to the Legacy already given him in my Will.
I give to my Cousin Christian Gottlieb Handel of Coppenhagen Two Hundred Pounds additional to the Legacy given him in my Will. My Cousin Magister Christian August Rotth being dead I give to his Widow Two Hundred Pounds and if she shall die before me, I give the said Two Hundred Pounds to her Children.
The Widow of George Taust and one of her Children being dead I give to her Five remaining Children Three Hundred Pounds apiece instead of the Legacy given to them by my Will.
I give to Doctor Morell of Turnham Green Two Hundred Pounds. I give to M.ʳ Newburgh Hamilton of Old Bond Street who has assisted me in adjusting words for some of my Compositions One Hundred Pounds.

I make George Amyand Esquire of Lawrence Pountney Hill London Merchant Coexecutor with my Niece mention'd in my Will, and I give him Two Hundred Pounds which I desire him to Accept for the Care and Trouble he shall take in my Affairs. In Witness whereof I Have hereunto set my Hand this Sixth day of August One Thousand Seven Hundred and Fifty Six.
George Frideric Handel.
On the day and year above written this Codicil was read over to the said George Frideric Handel and was by him Sign'd and Publish'd in our Presence.
Tho: Harris.
John Hetherington.
(Schoelcher 1857, 325 und 341)

– Beide Fassungen des Kodizills sind von John Hetherington geschrieben und von Händel unterzeichnet. Christian August Rotth war 1752 gestorben. George Amyand, wahrscheinlich ein aus Hamburg stammender jüdischer Kaufmann, wurde später Parlamentsmitglied für Barnstaple und 1764 als Baronet geadelt (Young 1947, 77). Thomas Harris war einer der drei Brüder aus Salisbury. John Hetherington wohnte im Stadtteil Middle Temple.
Vgl. 1. Juni 1750 und 22. März 1757

August 1756

Im *London Magazine* wird als „A new Song" die Arie „Ye verdant hills, ye balmy vales" aus *Susanna* (1749) abgedruckt.

4. September 1756
Jackson's Oxford Journal

The Meeting of the Three Choirs of Worcester, Glocester, and Hereford, For the Benefit of the Widows and Orphans of the Poor Clergy of the Three Dioceses, Will be held at Hereford On Wednesday and Thursday the 15th and 16th of September. ... On Wednesday will be performed, at the Cathedral, in the Morning, Mr. Purcel's Te Deum and Jubilate, with Dr. Boyce's Additions; an Anthem of Dr. Boyce's, and Mr. Handel's celebrated Coronation-Anthem; and at the College-Hall, in the Evening, the Oratorio of Samson, in which will be introduced the Dead March in Saul. On Thursday will be performed, at the Cathedral, in the Morning, Mr. Handel's New Te Deum and Jubilate, a New Anthem of Dr. Boyce's, and the same Coronation-Anthem; and at the College-Hall, in the Evening, Dr. Boyce's Solomon, with several Instrumental Pieces of Musick. And on Friday Evening, at the College-Hall will be performed L'Allegro, Il Penseroso, and Dryden's Ode, set to Musick by Mr. Handel. The Vocal Parts by the Gentlemen of the Three Choirs, Signora Frasi, Mr. Wass, and Others. The Instrumental Parts by Signor Arrigoni, Mr. Thompson, Mr. Millar, Mr. Adcock, Mr. Messinge. There will be a Ball each Night in the College-Hall, gratis, for the Gentlemen and Ladies who favour the Concerts with their Company; to which no Person will be admitted without a Concert Ticket. Tickets ... Price 5s. ... The Performers are desired to meet on Monday, the 13th, in the Morning, in order to rehearse, and to dine with the Stewards the Day following. There will be an Ordinary for the Subscribers and Others, on Wednesday at the Green-Dragon, and on Thursday at the Swan and Falcon.

– Konzertmeister in Hereford war vielleicht ein Geiger namens Arrizoni. Der Lautenist und Komponist Carlo Arrigoni soll bereits um 1743 gestorben sein. (Robert?) Thompson spielte Kontrabaß, (John?) Miller (oder Millar) Fagott, Abraham Adcock Trompete und (Frederick?) Messing Horn. William Boyce dirigierte.
(Lysons/Amott, 32 ff.)

11. Oktober 1756
Salisbury and Winchester Journal

On Wednesday and Thursday [6. und 7. Oktober] was celebrated our Musical Festival of St. Cecilia. There was each Morning a grand Performance in our Cathedral Church, by a large Band of Instruments and voices: the musick opened the first Day with a Concerto of Geminiani, and the second with a Concerto of Corelli; after each of which, were perform'd in the Proper Parts of the Service, a Te Deum of Mr. Handel, and two of his Anthems. On the same Days, in the Evening, were perform'd at the Assembly-Room, the Musical Drama of Hercules, and the Oratorio of Esther, both compos'd by the incomparable Genius Mr. Handel. The Musick went off with great Spirit and Exactness, and was attentively heard by a very brilliant and polite Audience.

– In dem Textbuch zu *Esther* wird das Theater als Aufführungsort genannt („As performed at the Theatre.").
(Dean 1959, 222, 431, 632, 635)

23. Oktober 1756
Jackson's Oxford Journal

Musick Room, On Monday Evening, the 25th Instant, will be performed, Handel's Te Deum, and Dryden's Ode on St. Cecilia's Day; with an additional Bass Song.

– Nach Mee wurde *Alexander's Feast* aufgeführt.
Vgl. 22. November 1755

15. November 1756
Boddely's Bath Journal

Signor and Signora Passerini Will perform the

Two Oratorios of Judas Maccabeus and Messiah.

With an able Band of Vocal and Instrumental Performers, from London, Salisbury, and other Cathedrals; the first Performance being Judas Maccabeus, will be at Mr. Wiltshire's Great Room, on Saturday next, the 20th Instant; And that of the Messiah, at Mr. Simpson's Great Room, on Wednesday the 24th.

The Subscription is One Guinea, for which every Subscriber is to receive four Tickets, and a Book of each Oratorio. Tickets to Non-Subscribers, at Half-a-Guinea each for the Front-Seats; and Five Shillings for the Back Places. Signor and Signora Passerini having experienced that the ordinary Price will not defray the Expence, as, with all the Success which they had here before, they received little or no Profit thereby, is the Reason of raising the Price of the single Tickets. They hope the Honour of a general Encouragement, and they will endeavour to give all the Satisfaction in their Power.

25. November 1756
The Public Advertiser

For the Benefit of the City of London Lying-In Hospital, in Aldersgate Street.
The Oratorio of Sampson will be performed at Haberdashers Hall in Maiden Lane, on Thursday the 2d of December next, at Six o'Clock in the Evening.
(Schoelcher 1857, 337)

– Die Aufführung fand erst am 9. Dezember statt, das gedruckte Textbuch trägt aber das ursprünglich vorgesehene Aufführungsdatum des 2. Dezember.
(Dean 1959, 361 und 634)
Vgl. 2. Dezember 1756

2. Dezember 1756
The Public Advertiser

The Oratorio of Sampson, which was to have been performed This Day … is obliged to be postponed till Thursday the 9th, on Account of the Indisposition of Signora Frasi.
Vgl. 25. November 1756

4. Dezember 1756
Jackson's Oxford Journal

Oxford, Dec. 4th, 1756.
The Choral Music on Monday next, the 6th Instant, will be the Oratorio of Esther; in which are included, Two of the Coronation Anthems, viz. My Heart is inditing, and, God save the King.
N. B. Mr. Price is expected from Glocester, and Mr. Bidlecomb from Salisbury.

– Price war Sänger, Bidlecomb Trompeter.

11. Dezember 1756
The Dublin Journal

By Appointment of a Committee of the Charitable Musical Society, for the Relief and Enlargement of Poor Prisoners confined for Debt in the several Marshalseas in the City and Liberties of Dublin.
At the Great Musick-Hall in Fishamble Street, on Thursday the 16th of December 1756, will be performed the Grand Sacred Oratorio called the Messiah: Composed by Mr. Handel. The Whole is Conducted by Mr. Lee.

– Probe am 13. Dezember. Samuel Lee, ein Schüler von Dubourg, war Master of the City Music und besaß eine Musikalienhandlung auf dem Little Green. 1742 soll er als Kopist für Händel gearbeitet haben.
(Flood 1912/13, 40)

1756 (I)
Thomas Sheridan, British Education: or, The Source of the Disorders in Great Britain, London 1756

… What then must it [die gewaltige Ausdruckskraft der Sprache] be, when conveyed to the heart with all the superadded powers and charms of musick? No person of sensibility, who has had the good fortune to hear Mrs. Cibber sing in the oratorio of the Messiah, will find it very difficult to give credit to accounts of the most wonderful effects produced from so powerful an union. And yet it was not to any extraordinary powers of voice (whereof she has but a very moderate share) nor to a greater degree of skill in musick (wherein many of the Italians must be allowed to exceed her) that she owed her excellence, but to expression only; her acknowledged superiority in which could proceed from nothing but skill in her profession.   [S. 417]
(Myers 1948, 100)
Vgl. 13. April 1742

1756 (II)
Joseph Warton, Essay on the Genius and Writings of Pope, London 1756

… I have dwelt chiefly on this ode [Miltons On the Morning of Christ's Nativity] as much less celebrated than L'Allegro and Il Penseroso, which are now universally known; but which by a strange fatality lay in a sort of obscurity, the private enjoyment of a few curious readers, till they were set to admirable music by Mr. Handel. …
It is to be regretted, that Mr. Handel has not set to music the former [Popes Ode for Music], as well as the latter [Drydens Alexander's Feast], of these celebrated odes, in which he has displayed the combined powers of verse and voice, to a wonder-

ful degree. No poem indeed, affords so much various matter for a composer to work upon; as Dryden has here introduced and expressed all the greater passions, and as the transitions from one to the other are sudden and impetuous. Of which we feel the effects, in the pathetic description of the fall of Darius, that immediately succeeds the joyous praises of Bacchus. The symphony, and air particularly, that accompanies the four words, "fallen, fallen, fallen, fallen", is strangely moving, and consists of a few simple and touching notes, without any of those intricate variations, and affected divisions, into which, in compliance with a vicious and vulgar taste, this great master hath sometimes descended. Even this piece of Handel, so excellent on the whole, is not free from one or two blemishes of this sort, particularly in the air, "With ravished ears, &c".

– Wartons Essay erschien in allen Ausgaben (hier zitiert nach der dritten, 1772, 39 und 61 ff.) anonym. Popes *Ode for Music,* ein weiteres Gedicht auf die hl. Cäcilie (1713), wurde gekürzt und geändert für die Vertonung von Maurice Greene für seinen Cambridger Doktorgrad im Jahre 1730.
In seiner Ausgabe von Miltons *Poems upon several Occasions* (1785, X) schreibt Thomas Warton: „L'Allegro and Il Penseroso were set to music by Handel; and his expressive harmonies here received the honour which they have so seldom found, but which they so justly deserve, of being 'married to immortal verse'."
Vgl. 2. Mai 1745

1756 (III)
Händel subskribiert auf Elizabeth Turners *Collection of Songs With Symphonies and a Thorough Bass, With Six Lessons for the Harpsichord,* die 1756 auf Kosten der Komponistin gedruckt und im College of Physicians in der Warwick Lane verkauft wurden.

– Eine Vignette auf der Titelseite der Ausgabe, gestochen von A. Green nach S. Wale, zeigt Apollo vor einer Dame am Cembalo, auf deren auf dem Boden liegenden Noten die Namen von Corelli, Purcell, Händel und Boyce zu lesen sind.

1756 (IV)
Die Musical Society in der Castle Tavern in der Paternoster Row führt 1756 Händels *L'Allegro, Il Penseroso, ed il Moderato* auf.

– Die Aufführung ist durch ein gedrucktes Textbuch belegt, von dem ein Exemplar im Oktober 1950 von B. F. Stevens & Brown, London, zum Verkauf angeboten wurde (Katalog 11, Nr. 292).

1756 (V)
1756 erschienen zwei Textbücher von *Acis and Galatea,* das eine in London, das andere wahrscheinlich in der Provinz *(Acis and Galatea. A Serenata. The music by Mr. Handel. London: Printed in the Year MDCCLVI.* und *The words of the Pastoral: or, the Masque of Acis and Galatea. Printed in the Year MDCCLVI).*
– Aufführungen sind nicht belegt.
(Smith 1948, 240 f.; Dean 1959, 189 und 630)

1756 (VI)
Jacob Wilhelm Lustig, Samenspraaken over Muzikaale Beginselen, Amsterdam 1756

Hendel geeft altoos doorslaande blyken van een groot verstand en van een diep overleg; ja, alle zyne muziekstukken doen klaarlyk bemerken, hoe zuiver en fyn zyn smaak in de fraaye weetenschappen weezen moet. Hy schynt Telemann in 't bevallige te overtreffen; gelyk dan zyne italiaansche zangstukken, in Italien overlang tot verwondering strekkende, als mede zyne onvergelyklyke clavierstukken, voor Kenners bykans niet te ontbeeren zyn.
[4. Stück: Voor de maand April 1756, S. 159]

Namen van de leden deezer Societeyt, naar de orde van hunne inschryving.
...
11. Georg Friedrich Hendel, zyner Koninglyke Majesteit in Groot-Britannien enz. enz. enz. Kapelmeester; door de gezamentlyke leden, uit eige beweeging, om de hoogste eerplaats te bekleeden, verkooren.
[4. Stück: Voor de maand April 1756, S. 203 f.]
Vgl. 1746 (III)

In onze voorige samenspraak heb ik vergeeten U te zeggen, dat het oordeel van den Auteur des critischen Musici [Johann Adolf Scheibe], ten opzigt van de preferentie der Kapélmeesteren Hasse en Graun (pag. 160) boven alle andere tot nog toe bekende Componisten, enkelyk hier op steunt, dat zylieden met dusdanige vocaal-stukken uitneemend fraay weeten om te gaan; als waar van hy, in 't voornoemde geschrift pag. 776–794, uit hunne Opera's: La clemenza di Tito, Rodelinda en Cleopatra, redeneerender wyze, zonder nooten, onwederspreekelyke bewyzen levert; schoon daar uit geezins volgt, dat men in die van Hendel en eenige andere groote Componisten, geene soortgelyke voorbeelden ontmoete.
[5. Stück: Voor de maand Mai 1756, S. 234]

– Die genannten Opern sind *Tito Vespasiano ovvero La clemenza di Tito* (1735) von Johann Adolf Hasse und *Rodelinda, Regina de' Langobardi* (1741) und *Cesare e Cleopatra* (1742) von Carl Heinrich Graun.

Ook wierd'er eëndragtig besloten, ter gedagtenis van de opregting der Societeyt, door den vermaarden Andreas Vestner, Raad en Medailleur te Nurenberg, eenen gedenkpenning, in goud, zilver en Koper, te laaten graveeren. Italien had namelyk aan Hasse – Engeland aan Hendel – en Frankryk aan Teleman genoegzaam bevonden, dat duitsche Componisten, zelfs in den gewoonen nationaalen styl, hun overtreffen konnen, en men zag nu weder eene nieuwe muzikaale periode (4de Samenspraak, pag. 160) beginnen.

[6. Stück: Voor de maand Juny 1756, S. 287]

– Der zitierte Absatz bezieht sich auf Mizlers Societät. Vestner starb 1754.
Vgl. 1746 (III)

De billykheid vereischt, dat men over ieder Muziekstuk volgens het oogmerk zyner vervaardiging oordeele: by voorbeeld, clavierfugen van Hendel; J. S. Bach en Hurlebusch zullen niet, gelyk Opera-Arien, allen toehoorderen, ten eersten, behaagen; maar, zyn enkelyk toegesteld voor liefhebbers, die de moeite neemen, van ze dikwyls te hooren, te speelen, ja, te studeeren. Dan konnenze naderhand iets vertoonen, 't welk geen één menschen werk schynt; en 't is merkwaardig, dat groote Muziekkenners eene ligte Aria, menigmaal herhaald, reeds moede worden, wanneer een dapper doorgewerkt stuk hun eerst regt te gevallen begint.

[8. Stück: Voor de maand Augustus 1756, S. 392]
(Bach-Dok., III, 112)

Zyn voorige onderwyzer Marchand, heeft zig niet minder door een zonderling gedrag, als door bekwaamheid, en by ons in Duitschland, door zyn vertrek met de noorder-zon uit Dresden, bekend gemaakt. Het was de overleedene Kapélmeester Bach, die 't hem aldaar uit de hand nam, naa dat Marchand in geheel Italien, en elders allenthalve, grooten lof had behaald. Wie uit deeze nederlage van Marchand in Dresden, besluiten wilde, hy moest een slegt toonkonstenaar geweest zyn, die zoude zig waarlyk vergissen. Heeft tog Hen…zelf, alle gelegenheden, met Bach, dien Phenix in de Compositie en uitvoering voor de vuist, in geselschap te geraaken en zig met hem in te laaten, getragt te vermyden! Pompejus was daarom geen slegt Generaal, al verloor hy den Pharsalischen slag tegen Caesar; en is ieder juist een Bach?…Menig Organist, die echter voor een braaf Musicus door gaat, staat gelyk in stoutheid, maar op verre na niet in bekwaamheid met Marchand.

[11. Stück: Voor de maand November 1756, S. 594]
(Bach-Dok., III, 107 f.)
Vgl. 1755 (IV)

Fevrier, Organist in 't Koninglyke Jesuiter-collegie; heeft twee werken Pieces de clavecin uitgegeeven, waar in fraaie Fugen, op den trant van Hendel, voorkoomen.

[11. Stück: Voor de maand November 1756, S. 598]

– Jacob Wilhelm Lustigs *Samenspraaken* sind als Dialoge von zwei imaginären Partnern, Aurelia und Musander, abgefaßt. Sie enthalten Informationen über Musik und Musikleben der Zeit.

1756 (VII)
Johann Friedrich Daube, General-Baß in drey Accorden, Leipzig 1756

Wenn der 4ten-Accord liegen bleibet, mit Ver-

In einer harten Tonart.

Bey einer weichen Tonart.

Bey der Erscheinung der ⁶₄ im zweyten Tackte, wird das Gehör durch die Auflösung des folgenden Accordes mehr getäuscht, als wie bey

wandelung der 5 in die 4 # und übriger Beybehaltung seiner Harmonie; so kann auch vorhergehende Auflösung statt finden. Bey einer weichen Tonart geht es sehr geschickt an; als:[d]

...

d) Bach und Hendel haben diesen Satz in ihren Claviersachen öfters angebracht: wie dieses in ihren gedruckten und geschriebenen Sachen zu ersehen ist. Man trifft diese und die folgende Sätze jetziger Zeit schier in allen Gattungen an.
[S.72f.]
(Bach-Dok., III, 110f.)
(Aus dem 7. Kapitel, „Von ungemeinen oder fremden Auflösungen". Vorbericht und Widmung sind datiert Stuttgart 28. Dezember 1754 bzw. 30. März 1756.)

– Daube war 1744–1765 Mitglied der Hofkapelle von Karl Eugen von Württemberg in Stuttgart.

1756 (VIII)
Friedrich Wilhelm Marpurg, Historisch-Kritische Beyträge zur Aufnahme der Musik, Band II, Berlin 1756

§. 22.
Laßet euch, auch nur alte Händ. Operarien vorspielen, so werdet ihr finden, (oder ihr müsset nicht wissen, daß wahrhaftig schöne Sachen nur deswegen so leicht scheinen, weil sie unter einer großen Menge schwerer Gedanken ausgesucht worden): daß H. Verdienste nicht dem Zufalle zu zuschreiben sind, daß sie ihm Mühe gekostet haben, und daß er des Beyfalls aller Völker mit Grunde würdig ist.   [S.193]
Wie schwer ist es also, in Singstücken, Fugen zu machen; weil man dabey so leicht den rhetorischen Sinn der Worte aus den Augen setzen kann. Und wenn folglich dadurch die Verständlichkeit wegfällt, wie kann man sich auf die Rührung Hofnung machen. Es ist nicht jedermann erlaubt, ein Händel, Telemann, Graun oder Bach zu seyn, und das Rührende mit der Kunst zu verbinden. [S. 212]

§ 51.
...

Die Poesie und die Musik haben mehr gemeine Regeln als man vielleicht glaubt. Ich merke dabey noch besonders an, daß in allen Oden eine leichte Anlage seyn soll, und glaube daß Händ. Stücke, deren Plan allemal so leicht zu übersehen ist, hauptsächlich mit deswegen so sehr gefallen.
[S.217]
(Aus: Vermischte Gedanken, welche dem Verfasser der Beyträge zugeschickt worden.)

Heißt das nach Empfindung componirt, und, ist ja darnach componirt, ist da die Harmonie, der Empfindung des Componisten gemäß, in dem Generalbasse angezeigt? Ich übergehe die garstigen Progressen, die wider die Regeln der harmonischen Fortschreitung öfters dadurch entstehen. So verfährt kein Graun, kein Telemann, kein Hasse, kein Bach, kein Händel. Doch muß man in Ansehung dieses letztern die von ihm in Paris gestochnen Werke nicht zu Mustern der Bezieferung nehmen, als welche nemlich daselbst von einem oder andern Johann Ballhorn schon bis zum Eckel verfälscht worden sind.   [S.358]
(Aus: Gedanken über Herrn Daubens Generalbaß in drey Accorden.)

1710 Agrippina, die Poesie von einem Unbekannten, die Musik von Georg Fr. Händel.   [S.500]
(Aus: Fortsetzung des Verzeichnisses der Opern in Venedig.)

1756 (IX)
Friedrich Wilhelm Zachariae, Die Tageszeiten, Rostock 1756

Jener Orpheus der Britten, in Vauxhall[1] und Ranelagh[1] bewundert,
Der in St. Paul entzückt, und auf dem Theater bezaubert;
Dieser gehört zu uns: der Marmor, der ihn erhebet,
Ist zu gleicher Zeit die Ehrensäule für Deutschland.
Und durch ihn ward Deutschland nicht arm ...

[1] wo die beyden berühmtesten Concerte in England gehalten werden.

– Das Vorwort ist vom 1. Mai 1755 datiert. Das Gedicht besteht aus vier Büchern, den vier Tageszeiten entsprechend. Die oben zitierten Zeilen wurden Buch 3 „Der Abend" entnommen. Eine zweite, verbesserte Ausgabe des Gedichtes erschien 1757 und eine neue, vollkommen revidierte 1767. In dieser wurden die Zeilen geändert und von Händel als einem Verstorbenen gesprochen: „... Der im Tempel entzückt, und auf dem Theater geherrscht hat: Dieser gehörte zu uns. Der Marmor, welchen die Ehrfurcht Ihm errichtet, ist auch ein Ehrengedächtniss für Deutschland ..."
(Lindner, 8f.)

1757

3. Februar 1757
Felix Farley's Bristol Journal

At the opening of the new organ in the great Musick-Room, on Wednesday, March 2d, will be perform'd the oratorio of Judas Macchabeus; and on Thursday the 3d of March, the oratorio of Messiah. The Band will be composed of the principal performers (vocal and instrumental) from Oxford, Salisbury, Gloucester, Wells, Bath, etc. etc. Each night will be perform'd a concerto on the organ by

Mr. Broderip, to begin at six o'clock precisely. Tickets ... Price five shillings each. The rehearsal of Judas Macchabeus will be on Tuesday March 1st, at ten o'clock in the morning, and that of Messiah at six in the evening; where gentlemen and ladies will be admitted paying five shillings (for each rehearsal) at the door.
(Latimer, 308; Myers 1948, 161)
Vgl. 20. Dezember 1755 und 31. Dezember 1757

5. Februar 1757
Jackson's Oxford Journal

Oxford, February 4, 1757.
On Monday next [7. Februar] will be performed, at the Musick Room, the First Act and Part of the Second of the Messiah, beginning at "Lift up your Heads, O ye Gates, &c".

– Die übrigen Teile des Oratoriums wurden am 28. März aufgeführt (vgl. 26. März 1757).

8. Februar 1757
Anthony Ashley Cooper, 4. Earl of Shaftesbury, an seinen Vetter James Harris

8 February 1756/7
Mr. Handel is better than he has been for some years and finds he can compose Chorus's as well as other music to his own (and consequently to the hearers) satisfaction. His memory is strengthened of late to an astonishing degree. This intelligence must give you pleasure.
(Im Besitz des Earl of Malmesbury. Matthews 1961, 130)

19. Februar 1757
Jackson's Oxford Journal

Oxford, 19th February, 1757.
On Monday next [21. Februar] will be perform'd, at the Musick-Room, The Masque of Acis and Galatea.
(Smith 1948, 239; Dean 1959, 630)

25. Februar 1757
The Public Advertiser

At the Theatre Royal in Covent-Garden, This Day will be presented an Oratorio call'd Esther. With new Additions ... to begin at Half an Hour after Six o'Clock.
Vgl. 15. März 1751

– Händel eröffnete mit dieser Aufführung, die am 2. März wiederholt wurde, seine Oratorien-Saison.
Vermutliche Besetzung:
Esther – Giulia Frasi, Sopran
Ahasverus – John Beard, Tenor
Mordecai – Isabella Young, Mezzosopran

Haman – Samuel Champness, Baß

Israeliten – { Christina Passerini, Sopran
{ Signora Beralta, Sopran

Signora Beralta gehörte 1756/57 zum Ensemble des Haymarket Theatre.
(Dean 1959, 213, 217 ff., 222 und 632)

4. März 1757
The Public Advertiser

At the Theatre Royal in Covent Garden, This Day will be presented an Oratorio call'd Israel in Egypt ... to begin at Half an Hour after Six o'Clock.
Vgl. 17. März 1756

9. März 1757
The Public Advertiser

At the Theatre Royal in Covent-Garden, This Day will be presented an Oratorio call'd Joseph and His Brethren ... to begin at Half an Hour after Six o'Clock.
Vgl. 28. Februar 1755
(Dean 1959, 408 ff., 412 und 635)

11. März 1757
The Public Advertiser

At the Theatre Royal in Covent-Garden, This Day will be presented an Oratorio call'd The Triumph of Time and Truth. Altered from the Italian, with several new Additions. ... To begin at Half an Hour after Six o'Clock.

– Die erste Fassung des Werkes war das 1707 in Rom entstandene Oratorium *Il Trionfo del Tempo e del Disinganno* (vgl. 14. Mai 1707). Die zweite Fassung, *Il Trionfo del Tempo e della Verità* (mit englischer Übersetzung von George Oldmixon), entstand im März 1737 und wurde am 23. März 1737 im Covent Garden Theatre uraufgeführt. Für die letzte Fassung des Werkes übersetzte und ergänzte Thomas Morell den Text von Pamphilj; Händel überarbeitete das Oratorium und fügte vor allem Chöre ein, die in der ersten Fassung fast völlig fehlen. Die neue Fassung fand großen Beifall (Mary Delany bezieht sich in einem verlorengegangenen Brief vom Januar 1757 – vgl. Delany, III, 458 – auf sie), so daß die Aufführung am 16., 18. und 23. März 1757 wiederholt und das Werk am 10. Februar 1758 erneut aufgeführt wurde.
Das Textbuch druckten 1757 John Watts und Benjamin Dod.
Besetzung:
Time – Samuel Champness, Baß
Counsel (oder Truth) – Isabella Young, Mezzosopran
Beauty – Giulia Frasi, Sopran

Pleasure – John Beard, Tenor
Deceit – Signora Beralta, Sopran
Vgl. 16. April 1757
(Händel-Hdb., II, HWV 71)

12. März 1757
Jackson's Oxford Journal

Oxford, March 11, 1757.
On Monday next [14. März] will be performed, at
the Musick Room, Alexander's Feast.
N.B. On the 22d Instant the new Subscription will
be open'd.

14. März 1757
The Public Advertiser

For the Benefit of Signora Frasi.
At the Great Room in Dean-street, Soho, This
Day … will be performed an Oratorio called Samson. By Mr. Handel. With a Concerto on the Organ
by Mr. Stanley.

– Giulia Frasi war von 1749 bis zu seinem Tode
Händels erste Sopranistin.
Vgl. 2. März 1753

22. März 1757
Zweites Kodizill zu Händels Testament

I George Frideric Handel do make this further
Codicil to my will.
My old servant, Peter le Blond, being lately dead, I
give to his nephew, John Duburk, the sum of five
hundred pounds.
I give to my servant, Thomas Bramwell, the sum of
thirty pounds, in case he shall be living with me at
the time of my death, and not otherways.
In witness whereof I have hereunto set my hand,
the twenty-second day of March, one thousand sev-
en hundred and fifty-seven.
George Frideric Handel.
On the day and year above written, this codicil
was read over to the said George Frideric Handel,
and was by him signed and published in our pres-
ence.
Tho: Harris.
John Hetherington.
(Schoelcher 1857, 325 und 342; Mueller von
Asow, 188f.)
Vgl. 1. Juni 1750 und 6. August 1756

– Händels Unterschrift unter dem von Hetherington geschriebenen Text läßt erkennen, daß er zu
diesem Zeitpunkt nicht völlig blind war. John Duburk, eigentlich Du Bourk, wurde als Nachfolger
seines Onkels Peter le Blond Händels Diener.
Nach Händels Tod erwarb er für 48 ₤ dessen Mö-
bel (vgl. 27. August 1759).

24. März 1757
The Public Advertiser

For the Benefit and Increase of a Fund establish'd
for the Support of Decay'd Musicians, or their
Families.
At the King's Theatre in the Haymarket, This
Day … will be a Concert of Vocal and Instrumental
Music.
…
Part III. … Song, Sig. Ricciarelli, Verdi prati, del
Sig. Handel. … Coronation Anthem, God save the
King.

– „Verdi prati" ist die berühmte Arie des Ruggiero aus Alcina, das Coronation Anthem war „Zadok the Priest" (Chrysander 1863 II, 291 f.).

25. März 1757
The Public Advertiser

At the Theatre Royal in Covent-Garden, This Day
will be presented an Oratorio call'd Judas Macchabaeus. … To begin at Half an Hour after Six
o'Clock.
Vgl. 26. März 1756
(Dean 1959, 478, 637)

26. März 1757
Jackson's Oxford Journal

Oxford, March 25.
At the Music-Room on Monday Evening the 28th
Instant (being the first Night of the New Sub-
scription) will be performed so much of the Mes-
siah as was omitted in a former Performance.
N.B. Mr. Price is expected from Glocester, and the
Trumpet from Salisbury.
Vgl. 5. Februar 1757

– Der Trompeter war Mr. Bidlecomb (vgl. 4. Dezember 1756).

30. März 1757
The Public Advertiser

At the Theatre Royal in Covent-Garden, This Day
will be presented a Sacred Oratorio call'd Messiah. … To begin at Half an Hour after Six.

– Mit der Wiederholung der Aufführung am
1. April schloß die Saison. 1756 hatte Händel seine
Oratorien-Saison ebenfalls mit dem Messiah beendet (vgl. 7. April 1756/I).

9. April 1757
Bath Advertiser

For the Benefit of Mr. Linley, Mr. Richards, and
Mr. Sullivan. At the Theatre in Orchard-Street, On
Monday, April 18, will be perform'd, in Manner of
an Oratorio, Acis and Galatea. The Music com-

posed by Mr. Handel. Between the Acts a Solo on the Violincello by Mr. Richards.
And on Wednesday, the 20th, Alexander's Feast. Wrote by Mr. Dryden. And set to Music by Mr. Handel. Between the Acts, A Concerto on the Harpsichord by Mr. Chilcot.
An additional Band of Performers is engaged from Gloucester, Salisbury and Bristol. ...
To begin each Night at half an Hour past Six o'Clock.

– Thomas Linley sen., Schüler von Thomas Chilcot, vielleicht auch von Domenico Paradies, war Komponist und Dirigent. Er lebte in Bath, später in London.
John Richards, Konzertmeister am Drury Lane Theatre, spielte auch bei *Messiah*-Aufführungen in Gloucester, Hereford und Bath mit.
Daniel Sullivan hatte in Händels ersten Aufführungen von *Semele* und *Joseph and his Brethren* mitgewirkt (vgl. 10. Februar und 2. März 1744).
Thomas Chilcot war von 1733 bis 1766 Organist in Bath (vgl. 1744/II und 28. April 1755).

16. April 1757
John Walsh zeigt in der *London Evening Post* die Partitur-Ausgabe von *The Triumph of Time and Truth* an.
(Smith 1960, 146)

19. April 1757
Händel zahlt 1200 £ auf sein Konto ein.

22. April 1757
The Public Advertiser

For the Benefit of Mr. Jonathan Snow.
At the New Theatre in the Haymarket, Monday next [25. April] will be performed a Masque, called Acis and Galatea. By Mr. Handel. ... Printed Books of the Masque may be had ... at Sixpence each.

– Am 23. April erschien die Ankündigung mit dem Zusatz „by particular desire". In dieser Aufführung, die auf den 2. Mai verschoben wurde, spielte Jonathan Snow (vgl. 23. April 1751) ein Konzert auf dem Cembalo.
(Smith 1948, 241 f.; Dean 1959, 189 und 630)

23. April 1757
Jackson's Oxford Journal

Oxford, April, 23.
On Monday next [25. April] will be performed, at the Musick Room, The two first Acts of Judas Maccabaeus.

– Der dritte Akt des Oratoriums wurde am 16. Mai aufgeführt (vgl. 14. Mai 1757).
(Dean 1959, 637)

28. April 1757
The Public Advertiser

Hospital for the Maintenance and Education of exposed and deserted young Children.
This is to give Notice, that under the Direction of G. F. Handel, Esq; the sacred Oratorio, called Messiah, will be performed in the Chapel of this Hospital, for the Benefit of this Charity, on Thursday May 5, 1757, at Twelve at Noon precisely. To prevent the Chapel being crouded, Gentlemen are desired to come without Swords, and Ladies without Hoops. ...
By Order of the General Committee,
S. Morgan, Sec.

7. Mai 1757
The London Chronicle

Yesterday was perform'd at the Foundling Hospital, under the Direction of George Frederick Handel, Esq; the sacred Oratorio called the Messiah, to a numerous and polite Audience, who expressed the greatest Satisfaction on that Occasion.

– Diese Nummer der dreimal wöchentlich erscheinenden neuen Zeitung ist datiert 5.–7. Mai. Mit „Yesterday" ist der 5. Mai gemeint. „Mr. Savage's celebrated Boy", der in dieser Aufführung Giulia Frasis Part sang (vgl. 2. Juli 1757), war vermutlich ein Sohn des Bassisten William Savage, der von 1735 bis Ende der 40er Jahre zu Händels Sängern gehört hatte (vgl. 1., 3. und 16. April 1735).

12. Mai 1757
Händel zahlt 250 £ auf sein Konto ein.

14. Mai 1757
Jackson's Oxford Journal

Oxford, May, 14.
On Monday next [16. Mai] will be performed, at the Musick Room, The Choice of Hercules, and the last Act of Judas Macabaeus.

– Die beiden ersten Akte von *Judas Maccabaeus* waren am 25. April aufgeführt worden (vgl. 23. April 1757).

16. Mai 1757

Die Domenico Paradies und Francesco Vanneschi am 17. Januar 1751 gewährte Lizenz zur Aufführung von italienischen Opern am Haymarket Theatre wird für Vanneschi für die Zeit vom 1. Juli 1757 bis zum 1. Juli 1758 erneuert.
(Public Record Office: L. C. 5/161, 343)

– Nach Burney soll Vanneschi 1756 Bankrott gemacht und Signora Mingotti und Signor Giardini

sollen das Theater geleitet haben. Ihre Nachfolger wurden 1757/58 die Sängerin Colomba Mattei und ihr Ehemann, der Theatermanager Trombetta. Thomas Pinto wurde Giardinis Nachfolger als Konzertmeister.
(Burney, II, 855 f.)

9. Juni 1757
The Public Advertiser

Ranelagh-House.
For the Benefit of the Marine Society, towards cloathing Men and Boys for the Sea to go on Board his Majesty's Ships, This Day will be performed Acis and Galatea. Compos'd by Mr. Handel; the Performance to be conducted by Mr. Stanley, in which he will play a Concerto on the Organ. Each Person to pay 5s. at the Door. Tea, Coffee, &c. included, as usual. To begin at Seven o'Clock. After the first Act, a Number of fine Boys, cloathed by the Society, will appear on the Walks at Ranelagh, in their Way to Portsmouth.
(Loewenberg, Sp. 171; Smith 1948, 242)

25. Juni 1757
Jackson's Oxford Journal

June 23d, 1757.
The Anniversary Commemoration of the Benefactors To the University of Oxford, will be held on Wednesday, the 6th of July next; on which, and the following Evening, will be performed, at the Music Room, an Oratorio by a considerable Number of Hands and Voices from London, and other Places.

Oxford, June 25.
On Monday next [27. Juni] will be performed, at the Music Room, The Epinicion, and third Act of Saul.

– Am 6. Juli wurde *Messiah,* am 7. Juli *Esther* aufgeführt (vgl. 2. Juli 1757).
Mit dem „Epinicion" beginnt der erste Akt von *Saul.*

2. Juli 1757
Jackson's Oxford Journal

Oxon, July 2, 1757.
On Wednesday, the 6th Instant, will be performed, in the Music-Room, Messiah, or the Sacred Oratorio; and on Thursday, the 7th, the Oratorio of Esther: By a considerable Number of Voices and Instruments, from London and other Places; particularly Mr. Savage's celebrated Boy, who supplied the Place of Signora Frasi in the last Performance of Messiah at the Foundling Hospital: Mr. Price, Mr. Miller, Mr Adcock, and several others.
Vgl. 7. Mai 1757

9. Juli 1757
Jackson's Oxford Journal

Oxford, July 9.
…In the Evening [6. Juli] the Oratorio of Messiah was performed, at the Music Room in Holiwell, to a very numerous Audience; as was that of Esther on Thursday [7. Juli] Evening.
Vgl. 2. Juli 1757

16. Juli 1757
Jackson's Oxford Journal

Glocester Music-Meeting.
This is to give Notice, That the Meeting of the Three Choirs of Glocester, Worcester, and Hereford, will be held at Glocester, on Tuesday the 13th of September next. On Wednesday the 14th will be performed, in the Cathedral Church, Mr. Henry Purcell's Te Deum, and two of Mr. Handell's Coronation-Anthems. On Thursday the 15th, Mr. Handell's Te Deum, composed for the Victory of Dettingen, and [the] two other of his Coronation Anthems. The Evening Entertainments as follow: On Wednesday will be performed the Oratorio of Judas Macchabeus; on Thursday, the Mask of Acis and Galatea; and on Friday, the 16th, the Messiah, or Sacred Oratorio; by a numerous Band of Vocal and Instrumental Performers from London, Salisbury, Bath, Oxford, and other Places; particularly Signora Frasi, Mr. Beard, Mr. Wass, and Mr. Hayes; Three Trumpets, a Pair of Kettle-drums, Four Hautboys, Four Bassoons, Two Double basses, Violins, Violincelloes, and Chorus Singers in Proportion. The Music to be conducted by Dr. Hayes.…The Steward Dinner will be at the Bell on Tuesday the 13th, and a Ball in the Evening. … The Musical Performance, and a Ball after each, will be at the Booth-Hall, properly fitted up for that Purpose. NB. The Performers are expected to be at Glocester on Monday the 12th, early enough to Rehearse One of the Pieces intended for the Evening Performance.
(Lysons/Amott, 34 ff.)

30. Juli 1757
Jackson's Oxford Journal

Oxford, July, 30.
The Choral Music on Monday next [1. August] will be L'Allegro Il Penseroso.

4. August 1757 (I)
Händel hebt 350 £ von seinem Konto ab.

4. August 1757 (II)
Drittes Kodizill zu Händels Testament

I George Frideric Handel do make this farther Codicil to my Will. My Cousin Christian Gottlieb

Handel being dead, I give to his Sister Christiana Susanna Handelin at Goslar Three hundred pounds, and to his Sister living at Pless near Teschen in Silesia Three hundred pounds.

I give to John Rich Esquire my Great Organ that stands at the Theatre Royal in Covent Garden.

I give to Charles Jennens Esquire two pictures the Old Man's head and the Old Woman's head done by Denner.

I give to [unleserlich] Granville Esquire of Holles Street the Landskip, a view of the Rhine, done by Rembrandt, & another Landskip said to be done by the same hand, which he made me a Present of some time ago.

I give a fair copy of the Score and all Parts of my Oratorio called The Messiah to the Foundling Hospital.

In witness whereof I have hereunto Set my hand this fourth day of August One thousand seven hund^d. & fifty seven.

George Frideric Handel. On the day & year above written this Codicil was read over to the said George Frideric Handel and was by him signed and published in our presence.

Tho: Harris
John Maxwell
(Sammlung Gerald Coke. Schoelcher 1857, 325 und 342 f.; Rockstro; Mueller von Asow, 189 f.)
Vgl. 1. Juni 1750, 6. August 1756 und 22. März 1757

– Das von fremder Hand geschriebene Kodizill ist von Händel unterzeichnet.

Rahel Sophia Händel war die jüngere Schwester von Christian Gottlieb Händel.

Rich war Direktor von Covent Garden. Wann Händels Orgel dort aufgestellt wurde, ist nicht bekannt. Sie wurde 1808 bei dem großen Brand zerstört.

Balthasar Denners Bildnisse eines alten Mannes und einer alten Frau waren berühmte Genrebilder. Von Denners vor 1740 gemalten Händel-Porträts befindet sich eines in der National Portrait Gallery, das andere im Besitz des Lord Sackville, Sevenoaks. Das Gemälde von Rembrandt, das Händel 1750 erworben hatte, sowie das in seiner Echtheit angezweifelte kleinere Gemälde sind nicht mehr nachzuweisen (vgl. 13. Februar 1750).

Die Worte „Landskip said to be done" fehlen in Schoelchers und in Rockstros Wiedergabe des Kodizills.

Eine Partiturabschrift des *Messiah* hatte Händel schon Mercer's Hospital in Dublin geschenkt (vgl. 1754/I).

Über John Maxwell, der offensichtlich an John Hetheringtons Stelle getreten war, ist nichts bekannt.

6. August 1757
Felix Farley's Bristol Journal

For the benefit of clergymens' widows and children, on Wednesday the 7th of September next, will be perform'd in the Cathedral church of Bristol, Mr. Handel's Te Deum, Jubilate, and Coronation Anthem, together with other choice pieces of church musick. A large band of the best vocal and instrumental performers will attend on this occasion, under the conduct of Dr. Hayes, Professor of Musick, in Oxford. – The rehearsal will be on Tuesday the 6th, at eleven o'clock in the morning, during divine service, to which none will be admitted without tickets, at five shillings each; and the same tickets will introduce the bearers of them into the choir the next day without any further expense. The oratorio of Sampson will be perform'd in the evening.
(Latimer, 327)

13. August 1757
Felix Farley's Bristol Journal

The oratorio of Sampson will be perform'd on the 7th in the evening; and there will be a rehearsal of the same on the evening of the 6th, to which any person may be admitted paying five shillings at the door.

27. August 1757
Felix Farley's Bristol Journal

The oratorio of Sampson will be perform'd at the New Assembly-Room. ... The publick may be assur'd that the undertaker has spared no expense to render the performance compleat.

1. September 1757
In das am 1. September in Paris durch die Comédiens italiens aufgeführte Pasticcio *Les ensorcelés, ou Jeanott et Jeanette,* ‚Parodie des Surprises de L'amour' (Text: Marie Justine Benoit Favart und Jean Nicolas Guerin de Frémicourt; Musik zusammengestellt von Harny de Guerville) wurde Händels Arie „Verdi prati" aus *Alcina* mit dem Text „Etant jeunette" aufgenommen.
In Jean Dubreuils *Dictionnaire lyrique portatif* (Paris 1764, I, 235) ist die Melodie dieser Arie mit folgendem Text abgedruckt:
Le badinage,
Les ris et les jeux
Sont faits pour votre age
Et vous pour eux.

3. September 1757
Felix Farley's Bristol Journal

The part of Dalilah [in *Samson*] to be perform'd by Signora Passerini, from London.

10. September 1757 (I)
Felix Farley's Bristol Journal

On Wednesday last [7. September] the Clergy and Sons of the Clergy held their annual feast at the Cooper's Hall in King-street, having first attended divine service at the Cathedral; where the solemn musical performances gave general satisfaction, and served greatly to advance the collection at the church door. In the evening was performed before a large genteel audience, and with universal applause, the oratorio of Sampson; and tho' we cannot as yet ascertain the exact sum, we are assured that the monies raised by these means for the benefit of widows and children, vastly exceed any former contributions. As this method will be continued yearly 'tis presumed nothing will be omitted to render the scheme as truly useful and extensively beneficial as possible.

10. September 1757 (II)
Jackson's Oxford Journal

Glocester, Sept. 9. From the Number of Lodgings already taken, and still taking, a great Deal of Company is expected here next Week on Account of our Musick-Meeting and Races.

– Vom 14. bis zum 16. September fand in Gloucester das Three Choirs Festival statt, die aufgeführten Werke waren vorwiegend von Händel.
Vgl. 16. Juli 1757

17. September 1757
Jackson's Oxford Journal

Glocester, Sept. 16. This Week was held here the annual Meeting of the Three Choirs of Glocester, Worcester, and Hereford, which was distinguished by the Presence of the Earl of Shrewsbury, the Lords Litchfield, Tracey, Moreton, and Chedworth, Sir Francis Dashwood, and many other Gentlemen and Ladies of Rank and Distinction. The Musical Performances were conducted by Dr. Hayes, and gave great satisfaction and Pleasure to every Body: And the Sermon was preached by the Right Reverend the Bishop of the Diocese, which seemed to have its proper Effect upon the Hearers, whose Contribution to the Charity amount to a much larger Sum than ever was given at either of the Choirs, 297l. being collected at the Church Doors; to which, 'tis said, is intended to be added what may remain of the Money taken at the Booth-Hall, after defraying Expences; – so amiable, so truly Christian, the Disposition of the Two Stewards.

– Bischof von Gloucester war James Johnson.

23. September 1757
Anthony Ashley Cooper, 4. Earl of Shaftesbury, an seinen Vetter James Harris

By the Bearer you receive the Dettingen Te Deum and Joshua.
(Sammlung Malmesbury. Matthews 1961, 130)

– Offensichtlich wurden für die Aufführung von *Joshua* am 28. September (mit Kitty Formantel von Ranelagh Gardens und William Hayes und seinem Sohn Thomas als wichtigsten Solisten) sowie des *Dettingen Te Deum,* das vermutlich in der „Music in the Cathedral" gesungen wurde, Abschriften ausgeliehen (Matthews).

29. Oktober 1757
Jackson's Oxford Journal

Oxford, October 28.
The Choral Music on Monday next [31. Oktober] will be The Choice of Hercules, and Dryden's Ode for St. Cecilia's Day.
N. B. A Trumpet from Salisbury.
(Mee, 19)

– Der Trompeter war vermutlich Mr. Bidlecomb (vgl. 4. Dezember 1756).

19. November 1757
Jackson's Oxford Journal

Oxford, Nov. 19, 1757.
For the Benefit of Mr. Orthman. On Thursday the 24th of November Inst. will be performed in the Music Room, A Miscellaneous Concert of Vocal and Instrumental Music; Particularly, several favourite Songs by Signiora Peralta, who performed last Winter in Mr. Handel's Oratorios, and at the Opera House.

– Signora Beralta (vgl. 25. Februar und 11. März 1757) kam nicht nach Oxford, und Mr. Orthman (vgl. 9. November 1754) entschuldigte sich für ihr Ausbleiben am 26. November 1757.

26. November 1757
Jackson's Oxford Journal

Oxon, November 25, 1757.
The Choral Music, On Monday next [28. November], will be Acis and Galatea.
(Smith 1948, 240)

3. Dezember 1757
The Dublin Journal

Thursday [1. Dezember] Mr. Handel's grand Te Deum Jubilate and two Anthems, were performed at St. Andrew's Church … for the Support of Mercer's Hospital; their Graces, the Duke and Duchess of Bedford honoured the Hospital with their Presence.

– John Russell, 4. Duke of Bedford, war 1756/57 Vizekönig von Irland.

24. Dezember 1757
Bath Advertiser

The First Subscription Oratorio of Mr. and Mrs. Passerini, Will be at Mr. Wiltshire's Great-Room, And on Thursday next [29. Dezember] will be performed Sampson, Composed by Mr. Handel. The Vocal Parts by Mrs. Passerini, and the Singers of several Cathedrals in England. The Instrumental by Mr. Passerini, all the best Performers of Bath, and some additional Hands from other Places of England. Mr. and Mrs. Passerini have spared no Expence or Labour to get a sufficient Number of Singers able to perform the two Oratorio's in as much perfection as possible out of London. To begin exactly at Six o'Clock. ... The Subscription is One Guinea, for which the Subscribers will receive six Tickets, three to be admitted in the first Performance, and three in the second. ... extraordinary Tickets at 5s. each, for the Front Seats; and Tickets at 2s. 6d. each for the second Seats: Also Books of the Oratorio's at 6d. each.

– Das Ehepaar Passerini scheint in der Zeit nach dem 15. November 1756 naturalisiert worden zu sein.
Offensichtlich wurden wie im Vorjahr zwei Oratorien aufgeführt; Titel und Aufführungsdaten des zweiten Oratoriums sind nicht bekannt.
(Dean 1959, 361 und 634)

31. Dezember 1757
Anthony Ashley Cooper, 4. Earl of Shaftesbury, an seinen Vetter James Harris

London, 31 December 1757.
I will give directions for sending the score of Joshua to you at Salisbury. But desire when you deliver it that Mr. B. ... [Broderip?] may be requested to take care not to dirty or hurt the book; and Farther, that on No account he suffer any copy to be taken of the Chorus's etc. lest it should be performed elsewhere. For this, in justice to Mr. Handel I ought to insist on. I saw Mr. Handel the other day, who is pretty well and has just finished the composing of several new songs for Frederica his new singer, from whom he has great expectations. She is the girl who was celebrated a few years since for playing on the Harpsichord at eight years old.
(Sammlung Malmesbury. Matthews 1961, 130)

– Vielleicht sollte *Joshua* von Edmund Broderip in Bristol aufgeführt werden, wo dieser seit 1746 Organist der St. James's Church war. Aufführungen des Oratoriums in diesem Jahr sind jedoch nicht nachgewiesen.
Vgl. 10. April 1749 und 22. Februar 1758 (I)

1757 (I)
Einziger Beleg für eine eventuelle Aufführung von *Esther* in Dublin ist ein heute nicht mehr nachweisbares 1757 in Dublin gedrucktes Textbuch, das sich in der Sammlung eines Mr. Ponder befunden haben soll (Dean 1959, 632).

1757 (II)
Friedrich Wilhelm Marpurg, Historisch-Kritische Beyträge zur Aufnahme der Musik, Band III, 1. Stück, Berlin 1757

Ein wahrer Musikliebhaber muß den Deutschen, den Franzosen und den Italiener, nicht als einen Deutschen, Franzosen oder Italiäner, sondern als einen Tonkünstler ansehen. Er braucht nicht zu fragen, ob ein musikalisches Stück diß oder jenseits der Alpen geschrieben ist. Er muß nicht festsetzen, daß die Deutschen nur zu arbeitsamen Sachen, die Franzosen nur zu Trinkliedern, und die Italiäner, nur zu Operarien geschickt sind. Gleich wie die Gelehrsamkeit und der Witz eines Landes nicht nach dessen Polushöhe abzumessen ist: also ist auch ein grosser musikalischer Geist weder ein Bachianer, noch Hendelianer, und hat weder H. noch G. allein geschworen.   [S. 41]

Ums Jahr 1735 that er eine Reise nach Braunschweig, hörte daselbst drey Opern: eine vom Hrn. Telemann, die andere von Hr. Händel und die dritte vom Hr. Graun componirt, und lernte den daselbst in Diensten stehenden Hrn. Capellmeister Schürmann, Herrn Vicecapellmeister Graun, die Herren Stolze und Oppermann kennen.   [S. 58]
(„Leben Johann Christian Hertels ehemaligen Concertmeisters am Sachs. Eisenachischen und Mecklenburg-Strelitzischen Hofe. Entworfen von desselben Sohne, Hrn. Johann Wilhelm Hertel, Hochfürstl. Mecklenburg-Schwerinischen Hofcomponisten.")

Da ich vielleicht der erste Poet bin, der seine Autorwuth in der Poesie nicht allein hat stillen können, sondern auch noch die Musik zu Hülfe nimmt, so will ich mich doch wenigstens mit einer neuen Erfindung berühmt machen, die meine Mitbrüder, die musikalischen Herrn Ausschreiber, sehr bey Ehren erhalten kann. Wir wollen nehmlich, wie ich schon den Anfang gemacht habe, aufrichtig seyn, und die Stellen, die wir aus andern ausgeschrieben, mit kleineren Noten unter unsre Stücke setzen lassen, und den Namen des Componisten, von dem wir sie gestohlen, darunter. Hierdurch werden wir erstlich allen nasenweisen Erinnerungen belesner Kunstrichter vorbeugen, wenn wir selbst die ersten sind, die den musikalischen Diebstahl angeben, und zweytens wird diese Erfindung unsren musikalischen Werken keine geringe Zierde geben, wenn die Liebhaber auf allen

Seiten die berühmten Namen Händel, Hasse, Graun, Telemann, Bach, – – Agricola, Benda, Quanz und so weiter antrifft; oder um noch gelehrter zu scheinen, die ausländischen Namen, Corelli, Lulli, Rameau, Galuppi, Bergholesi, Perez, Jomelli, Latilla und dergleichen angeführt sieht.

[S. 73]

(Friedrich Wilhelm Zachariä, „Brief vom musikalischen Ausschreiben; worinn zugleich eine neue Erfindung in der Musik bekannt gemacht wird.")

1758

31. Januar 1758
Im Haymarket Theatre wird das Pasticcio *Solimano* aufgeführt (Libretto: Giovanni Ambrogio Migliavacca [?]; Musik: Ferdinando Gasparo Bertoni, Händel und Davide Pérez).
(Burney, II, 856)

– Die von Händel enthaltenen Stücke waren das Duett „Cangia al fine" aus *Amadigi* sowie die Arien „Dov'è?" aus *Poro* und „Ombra cara" aus *Radamisto*. Sie wurden in den *Favourite Songs in the Opera Call'd Solimano* gedruckt, die Walsh am 25. Februar 1758 im *Public Advertiser* anzeigte, und später von ihm in den XI. Band seiner Sammlung *Le Delizie dell' Opere* übernommen. Die beiden Händel-Arien sang Signor Potenza, das Duett zusammen mit Signora Mattei. Migliavaccas *Solimano*-Libretto hatte Hasse 1753 für Dresden vertont, wo es im gleichen Jahr uraufgeführt wurde.
(Chrysander, I, 421; Smith 1960, 70).

4. Februar 1758
Jackson's Oxford Journal

Oxford, February 3, 1758.
On Monday the 6th Instant the Choral Music will be the first Part and the latter Half of the second Part of Messiah, beginning at, Lift up your Heads, &c.
N. B. Mr. Price is expected from Glocester, and Mr. Bidlecomb from Salisbury.
Vgl. 25. Februar 1758

10. Februar 1758
The Public Advertiser

At the Theatre Royal in Covent Garden, This Day will be presented an Oratorio called The Triumph of Time and Truth. With several New Additions. ... To begin at Half an Hour after Six o'Clock.
Vgl. 11. März 1757

– Mit dieser Aufführung begann Händel seine Oratorien-Saison (Wiederholung: 15. Februar). Das Textbuch druckten John Watts und Benjamin Dod (Sammlung Schoelcher; National Library of Scotland, Edinburgh). Die von Händel eingefügten Stücke sind in Walshs *A Grand Collection of Celebrated English Songs Introduced in the late Oratorios Compos'd by M^r. Handel* (vgl. 12. August 1758/I) enthalten. Die Partie der Deceit sang Christina Passerini.
(Smith 1960, 177)

11. Februar 1758
Mary Delany an ihre Schwester Ann Dewes

Spring Gardens, 11th Feb., 1758.
D. D. [Dr. Delany] treated Sally [Sarah Chapon] with the "Triumph of Time and Truth" last night, and we went together, but it did not please me as usual; I believe the fault was in my own foolish spirits, that have been of late a good deal harrassed, for the performers are the same as last year, only there is a new woman instead of Passarini, who was so frightened that I cannot say whether she sings well, or ill.
(Delany, III, 480 f.)

– Sarah Chapon war Mrs. Delanys Patenkind. Die Briefschreiberin muß Signora Beralta und Christina Passerini verwechselt haben; Signora Beralta sang die Partie der Deceit im Vorjahr. Die neue Sängerin könnte auch Cassandra Frederick gewesen sein, deren Name in Walshs Ausgabe (vgl. 10. Februar und 12. August 1758/I) bei allen Ergänzungen für *The Triumph of Time and Truth* genannt ist.

18. Februar 1758
Walsh zeigt im *Public Advertiser* als „Just publish'd" an: *Handel's Songs Selected from His Oratorios, For The Harpsicord, Voice, Hoboy, or German Flute. Vol. IV.*
Vgl. 20. Dezember 1748 und 21. Juni 1758

22. Februar 1758 (I)
The Public Advertiser

At the Theatre Royal in Covent Garden, This Day will be presented an Oratorio called Belshazzar. With new Additions and Alterations. ... To begin at Half an Hour after Six o'Clock.
Vgl. 22. Februar 1751
Besetzung:
Belshazzar – John Beard, Tenor
Nitocris – Giulia Frasi, Sopran
Cyrus – Isabella Young, Mezzosopran
Daniel – Cassandra Frederick, Alt
Gobrias – Samuel Champness, Baß

– Cassandra Frederick (vgl. 10. April 1749, 29. März und 14. April 1750) sang nur 1758 bei Händel. Champness sang seit 1754 Händel-Partien und wirkte noch 1784 bei den Zentenarfeierlichkeiten mit.
(Dean 1959, 455, 458 635 und 655)

22. Februar 1758 (II)
John Walsh zeigt im *Public Advertiser* „Handel's Oratorios of Time and Truth and Belshazzar in Score" an.
– Die Partitur von *Belshazzar* war zuletzt 1750 erschienen (vgl. 18. Mai 1745), *The Triumph of Time and Truth* 1757 (vgl. 16. April).
(Smith 1960, 99 und 146)
In der gleichen Zeitung wird das 1757 von John Watts und Benjamin Dod gedruckte Textbuch zu *Belshazzar* („As it is to be performed this Evening at the Theatre in Covent Garden") angezeigt.
(Dean 1959, 458 und 636)

24. Februar 1758
The Public Advertiser

At the Theatre Royal in Covent Garden, This Day will be presented an Oratorio called Israel in Egypt. With new Additions and Alterations.... To begin at Half an Hour after Six o'Clock.
Vgl. 4. März 1757

– Auf diese Aufführung von *Israel in Egypt* oder eine der Aufführungen dieses Oratoriums in den beiden vorangegangenen Jahren (17., 24. März 1756 und 4. März 1757) bezieht sich folgender Bericht, den der Organist und Komponist Richard John Samuel Stevens (1757–1837) nach der Erzählung seines Schwiegervaters, Mr. Jeffery aus Streatham (geb. 1743), in seinen handschriftlich überlieferten Anekdoten (Pendlebury Music Library, Cambridge) verzeichnete:
The Oratorio of Israel in Egypt composed by Handel was first performed at the Academy of Ancient Music, and was then called the Song of Moses. Afterwards Handel called it the Oratorio of Israel in Egypt. It was too sublime a composition to please those hearers who are ignorant of the science of music, and of course when performed in the oratorio season (Lent) it never brought a numerous auditory. Samson, the Messiah, Judas Maccabaeus, Alexander's Feast, L'Allegro, &c. &c. were sure to bring hearers to the theatre, but Theodora, and Israel in Egypt, failed in attracting them. – One season, Handel was determined to exhibit Israel in Egypt, and gave out to the world by various friends, "that if he had not an audience worthy of the composition, he would burn the score" !!! This declaration of Handel's was mentioned to Mr. Jeffery's family by Mr. Savage, and by that family, to various persons of consequence in the city. On the night of performance, the Pit was full, as was both Galleries, and Boxes: there was a crowded house. All the performers were dressed in black, as were the gentlemen in the Pit and Boxes (in full dress), and the ladies likewise were in mourning. The price for admission was 10/6 Pit & Boxes, the two galleries 5/- and 3/6. Perhaps this full attendance

at the Theatre, saved the Oratorio of Israel in Egypt from being destroyed by its venerable author. Mr. Jeffery at the time, was a very young man: he attended the Theatre with his family on the Evening of Performance, and from him I had this Anecdote in the year 1820.
(Stevens/Cudworth, 50)

25. Februar 1758
Jackson's Oxford Journal

Oxon, February 24, 1758.
The Subscribers to the Musical Society are desired to take Notice, that the Choral Music is deferred 'till Monday the 13th of March, when the remaining Part of Messiah will be perform'd.
Vgl. 4. Februar 1758

1. März 1758
The Public Advertiser

At the Theatre Royal in Covent Garden, This Day will be presented an Oratorio called Jephtha. With new Additions and Alterations.... To begin at Half an Hour after Six o'Clock.
Vgl. 2. April 1756
Besetzung:
Jephtha – John Beard, Tenor
Storgè – Cassandra Frederick, Alt
Iphis – Giulia Frasi, Sopran
Hamor – Isabella Scott-Young, Mezzosopran
Zebul – Samuel Champness, Baß

– Das Textbuch für diese Aufführung enthält gegenüber der 1753 aufgeführten Fassung keine „new Additions", dagegen sind das Rezitativ „O let me fold thee" und die Arie „Sweet as sight to the blind" überklebt.
(Dean 1959, 458, 619, 621 und 638)

2. März 1758
John Baker, Diary

Mr. Banister and I in his chariot to Handel's, Lower Brook Street, where heard rehearsed the Oratorio of 'Judas Maccabaeus', by Frasi, Miss Young als [alias] Miss Scott, Cassandra Frederica, Beard, Champness, Baildon, etc.
(Baker/Yorke, 106)

– John Baker war Rechtsanwalt, John Banister der Patenonkel von dessen Tochter Mary. Das Tagebuch ist einziger Beleg für die Besetzung dieser Aufführung (vgl. 3. März 1758).

3. März 1758
The Public Advertiser

At the Theatre Royal in Covent Garden, This Day will be presented an Oratorio called Judas Maccabaeus. With New Additions and Alterations. ... To begin at Half an Hour after Six o'Clock.

– Zu dieser Aufführung (Wiederholung am 8. März) wurde das 1757 gedruckte Textbuch erneut angeboten.
Vermutliche Besetzung:
Judas Maccabaeus – John Beard, Tenor
Simon – Samuel Champness, Baß
Erste Israelitin – Giulia Frasi, Sopran
Zweite Israelitin – Isabella Young (Mrs. Scott), Mezzosopran
Israelit – Cassandra Frederick, Alt
Eupolemus – Joseph Baildon, Tenor
(Dean 1959, 472, 478 und 637)

6. März 1758
The Public Advertiser

For the Benefit of Signora Frasi.
At the King's Theatre in the Haymarket, This Day … will be performed an Oratorio call'd Samson. By Mr. Handel. With a Concerto on the Organ by Mr. Stanley. …
This is the only Opportunity the Public will have of hearing this favourite Oratorio, Mr. Handel being determined not to perform it this Season.
Vgl. 14. März 1757

– Händel führte das Oratorium in diesem Jahr selbst nicht auf, gab aber offenbar seine Zustimmung zu dieser Aufführung. Baker besuchte sie zusammen mit seiner zweiten Frau, Mary, geb. Ryan (Baker/Yorke, 106).

10. März 1758 (I)
The Public Advertiser

At the Theatre Royal in Covent Garden, This Day will be presented a sacred Oratorio called Messiah. … To begin at Half an Hour after Six o'Clock.

Wiederholungen: 15. und 17. März 1758.

– Wie im Vorjahr (vgl. 30. März 1757) beendete Händel mit den *Messiah*-Aufführungen seine Oratorien-Saison. Das Textbuch erschien bei John Watts und Benjamin Dod (Rowe Music Library, Cambridge; Sammlung Schoelcher; Sammlung Gerald Coke; St. Michael's College, Tenbury).
(Shaw 1959 I)

10. März 1758 (II)
John Baker, Diary

Went après midi con Uxor in chariot to 'Messiah', could not get seat in Upper Gallery, sat in lower.
(Baker/Yorke, 106; Myers 1948, 155)

18. März 1758
Jackson's Oxford Journal

The First Choral Performance in the New Subscription, will be Part of Judas Maccabaeus, On Monday the 27th Day of this Instant March.

21. März 1758
Händel zahlt 900 £ auf sein Konto ein.

31. März 1758
The Public Advertiser

For the Benefit of Mrs. Abegg.
At the Great Room in Dean-street, Soho, This Day will be perform'd the Oratorio of Acis and Galatea. Compos'd by Mr. Handel.

– Die ursprünglich für den 27. März angekündigte Aufführung war wegen der Erkrankung von Mrs. Abegg verschoben wurden. Wahrscheinlich wurde die Aufführung am 1. April wiederholt.

1. April 1758
The Public Advertiser

For the Benefit of A Widow Gentlewoman in great Distress.

At the Great Room in Dean-street, Soho, This Day … will be perform'd Acis and Galatea. A Serenata. Compos'd by Mr. Handel.
The Vocal Parts by Mr. Beard, Mr. Champness, Master Soaper, Miss Young, &c. First Violin by Mr. Brown; Second Violin by Mr. Froud; First Violoncello by Mr. Gordon; Harpsichord by Mr. Cooke. … Books of the Serenata will be sold at the Place of Performance.

– Die „Widow Gentlewoman" ist wahrscheinlich identisch mit Mrs. Abegg.
Eine Eintrittskarte kostete 5 Schilling.
Vermutliche Besetzung:
Acis – John Beard, Tenor
Galatea – Isabella Scott-Young, Mezzosopran
Polyphemus – Samuel Champness, Baß
Damon – „Master" So(a)per, Knabensopran
(Dean 1959, 179 und 631)
Vgl. 12. August 1758

4. April 1758 (I)
The Public Advertiser

For the Benefit and Increase of a Fund establish'd for the Support of Decay'd Musicians, or their Families.
At the King's Theatre in the Hay-market, Thursday, April 6, will be a Concert of Vocal and Instrumental Musick.
Part I. … Song, Signor Pazzagli, Why does the God of Israel sleep, by Mr. Handel, in the Oratorio of Sampson. Song, Signora Frasi, Wise Mens Flattery, … in the Oratorio of Belshazzar. …
Part II. … Song, Signora Frasi, He shall feed his

Flock, ... in the Messiah. ... Song, Signor Pazzagli, He was despised, ... in the Messiah. ...
Part III. ... Song, Signora Frasi, Ye sacred Priests, ... in Jephtha. ... Coronation Anthem, God save the King, by Mr. Handel.
Vgl. 23. April 1738

– Signor Pazzagli gehörte wahrscheinlich zum Ensemble des Haymarket Theatre. Das Coronation Anthem „God save the King" war „Zadok the Priest".

4. April 1758 (II)
The Public Advertiser

Hospital for Smallpox and Inoculation,
March 18, 1758.
The Anniversary Feast of the Governors of this Charity will be held at Drapers Hall in Throgmorton-street, on Wednesday the 12th of April next, after a Sermon preached ... at St. Andrew's Church, Holborn. ...
There will be a full Band of Vocal and Instrumental Music to perform the Te Deum, and an Anthem composed by G. F. Handel, Esq; not used on any other Occasion but this, will be vocally and instrumentally performed, under the Direction of Mr. Stanley.

– John Stanley (vgl. 7. Mai 1738) leitete in Händels letzten Lebensjahren des öfteren Konzerte mit Händelschen Kompositionen.

5. April 1758
The Public Advertiser

The Trustees of the Westminster-Hospital of Public Infirmary in James-street, Westminster, are desired to meet together at the said Hospital on Friday the 7th of April, at Ten o'Clock in the Forenoon in order to proceed to St. Margaret's Church, to hear the Anniversary Sermon. ...
Mr. Handel's New Te Deum; a new Anthem by Dr. Boyce; Grand Chorus from the Messiah, for the Lord God Omnipotent reigneth; and the Coronation Anthem, God save the King, will be performed under the Direction of Dr. Boyce.

– Händels „New Te Deum" kann nur das *Dettingen Te Deum* gewesen sein; das Coronation Anthem „God save the King" war „Zadok the Priest".

11. April 1758
The Public Advertiser

The Rehearsal of the Music for the Feast of the Sons of the Clergy, will be held at St. Paul's Cathedral, on Tuesday the 18th, and the Feast at Merchant-Taylors Hall on Thursday the 20th of April. ...

The Overture of Esther, Mr. Handel's New Te Deum and Jubilate, the Grand Chorus from the Messiah, with an Anthem particularly composed for this Charity, by Dr. Boyce, will be vocally and instrumentally performed. To conclude with Mr. Handel's Coronation Anthem. ...
Two Rehearsal and two Choir Tickets for the Music, are given with every Feast Ticket.

15. April 1758
Eine Gedenkmünze im Foundling Hospital trägt den Namen „Maria Augusta Handel" und das Geburtsdatum des Mädchens, den 15. April 1758.
(Edwards 1902 I, 310)

– Dieses Findelkind erhielt seinen Namen nach Händel als einem der Gouverneure des Hospitals.
(1825 wurde ein George Frederick Handel Cubitt Mitglied der Royal Society of Musicians.)

19. April 1758
The Public Advertiser

To the Lovers of Music, particularly those who admire the Compositions of Geo. Frederick Handel, Esq; F. Bull, at the White House on Ludgate Hill, London, having at a great Expence procured a fine Model of a Busto of Mr. Handel, proposes to sell by Subscription, thirty Casts in Plaister of Paris. The Subscription Money, which is to be paid at the Time of subscribing, and for which a Receipt will be given, is one Guinea; and the Cast, in the Order in which they are finished, will be deliver'd in the Order in which the Subscriptions are made. The Busto, which will make a rich and elegant Piece of Furniture, is to be twenty-three Inches and a half high, and eighteen Inches broad. The Model may be viewed till Monday next [24. April], at the Place abovementioned.
(Schoelcher 1857, 354 f.)

– Wahrscheinlich war die Büste von Roubiliac. Eine Marmorbüste von Händel ist in Windsor Castle, das Gipsmodell dieser Büste ist im Foundling Hospital. Über den Erfolg von Mr. Bulls Subskription und über die von ihm vertriebenen Gipskopien ist nichts bekannt.
In der zitierten Anzeige wurde auch ein Mezzotinto-Porträt von Daniel Waterland, Doktor der Theologie und Lehrer am Magdalen College, Cambridge, für 1s. 6d. angeboten.
(Coopersmith 1932, 12; Nichols/Wray, 264 und Abb. gegenüber 233)

24. April 1758
Boddely's Bath Journal

For the Benefit of the General Hospital, On Wednesday next, the 26th and 27th Inst. On the Morning of each Day, will be vocally and Instrumentally performed in the Abbey Church, A Grand Te Deum and Two Anthems, of Mr. Handel's, A Concerto on the Organ by Mr. Chilcot, and a Concerto on the Violin by Signor Passerini. ...

On Wednesday Evening, at Mr. Wiltshire's, will be performed The Oratorio of Sampson, And on Thursday, at Mr. Simpsons, L'Allegro Il Penseroso.

The principal Vocal Parts by Signora Passerini and Mr. Linley; with the additional Assistance of the Singers from the several Cathedrals of Oxford, Salisbury, Gloucester, Bristol, &c. – The Instrumental by the best Hands. ...

... Books of the Oratorio's are sold, and a Scheme of the Music for the Church, in which are printed the Words of the Anthems. – Oratoria Books 6d. each; Books of the Church Performance 3d. each.

Vgl. 24. Dezember 1757

– In *Samson* sang Christina Passerini wahrscheinlich die Partie der Dalila, der Bassist Thomas Linley die Partien von Manoa und Harapha; in *L'Allegro* sangen sie die Sopran- und Baß-Partien.

26. April 1758
The Public Advertiser

Middlesex-Hospital
For Sick and Lame, and for Lying-in Married Women, in Marylebone-Fields, Oxford-Road.
The Anniversary Sermon of this Charity will be preached at the Parish Church of St. Ann, Westminster, on Wednesday May 10. ...
Mr. Handel's Te Deum and Coronation Anthem, with an Anthem compos'd by Dr. Boyce, and the Chorus, For the Lord God Omnipotent reigneth, from the Messiah, will be performed by Mr. Beard, Mr. Baildon, Mr. Wass, and others.

– In diesem Monat wurden sechs Aufführungen Händelscher Werke zum Besten von Londoner Wohltätigkeitseinrichtungen veranstaltet.
Vgl. 2. Mai 1758

27. April 1758
In der Kapelle des Foundling Hospital wird Händels *Messiah* aufgeführt.

1. Mai 1758
Boddely's Bath Journal

On Wednesday and Thursday last [26. und 27. April], Mr. Handel's Grand Te Deum and Two Coronation Anthems were performed at the Abbey Church; and on the Evenings of the same Days the Oratorio's of Sampson, and the Allegro il Penseroso were performed at the Rooms, which gave general Satisfaction. There was a Collection each Day at the Church Door for the Benefit of the General Hospital, which amounted to 180 l. – It is with great Pleasure we hear that these Entertainments are to be continued once every Season; which at the same Time they contribute to the Amusement of the Company which resort to this Place, will greatly forward this noble and extensive Charity, which is highly deserving the Attention of the Public.
Vgl. 24. April 1758

2. Mai 1758
A List of the Performers and Singers at the Performance of the Oratorio Messiah on Thursday April the 27th 1758 at the Foundling Hospital

		£		
Mess[rs]	Brown	£ 1	1	–
	Collet	„ –	15	–
	Freeks	„ –	15	–
	Frowd	„ –	15	–
	Claudio	„ –	10	–
Violins	Wood	„ –	10	–
	Wood Jun[r]	„ –	10	–
	Denner	„ –	10	–
	Abbington	„ –	10	–
	Grosman	„ –	10	–
	Jackson	„ –	10	–
	Nicholson	„ –	10	–
	Rash [Reich?]	„ –	8	–
Tenners	Warner	„ –	8	–
	Stockton	„ –	8	–
	Eyferd	„ –	10	6
Hautbois	Teede	„ –	10	6
	Vincent	„ –	10	–
	Weichsel	„ –	8	–
	Miller	„ –	10	6
Bassoons	Baumgarden	„ –	10	6
	Goodman	„ –	8	–
	Owen	„ –	8	–
		£12	6	–
	Gillier	£ –	10	6
Violoncellos	Haron	„ –	10	6
	Hebden	„ –	10	6
Double Basses	Dietrich	„ –	15	–
	Sworms	„ –	10	–
Trumpets	Adcock	„ –	10	6
	Willis	„ –	10	6
Horns	Trowa	„ –	10	6
	Miller	„ –	10	6
Kettle Drums	Fr: Smith	„ –	10	6
		£ 5	9	–
	brought over	„ 12	6	–
	in all	£17	15	–

Sig^ra Frasi	£ 6	6	–
Miss Frederick	„ 4	4	–
Miss Young [Mrs. Scott]	„ 3	3	–
Mr Beard	„ –	–	–
Mr Champness	„ 1	11	6
Mr Wass	„ 1	1	–
6 Boy's	„ 4	14	6
Bailden	„ 1	1	–
Barrow	„ 1	1	–
Champness	„ –	10	6
Bailden Junr	„ –	10	6
Ladd	„ –	10	6
Cox	„ –	10	6
Munck [Monk]	„ –	10	6
Reinhold	„ –	10	6
Walz	„ –	10	6
Courtney	„ –	10	6
Kurz	„ –	10	6
	£27	16	6

Servants			
John Duburg Mr Handels Man	£ 1	1	–
Evens	„ –	10	6
Condel	„ –	10	6
Green	„ –	10	6
Mason	„ –	10	6
Musick porters	„ 1	11	6
	£4	14	6

Singers	£27	16	6
Orchestra	„17	15	–
	£50	6	–
Mr Smith	„ 5	5	6
May 2 1758	£55	11	6

Received of Lan' Wilkinson, the sum of Fifty Five
Pounds Eleven Shillings for the Performance of
the Oratorio 27 April 1758 in full of all Demands
by me

Christopher Smith	£55	11	0
For the Constable for their Attend-ance		3	3	–
	£58	14	–

(Archiv der Thomas Coram Foundation. Larsen
1957, Faksimile: Tafeln 1 und 2)

– „Tenners" bedeutet „tenor violins".
Die identifizierten Instrumentalisten sind: Abra-
ham Brown(e), John Collet(t), John George Freake
(Freek), Thomas Wood, Joseph Ab(b)ington, John
[Joseph?] Grosman, William Jackson, Thomas
Stockton, Philip Eyford (Eiffert), William Teede
(Teide), Richard [Thomas?] Vincent, Carl Weich-
sel, [John?] Miller, Samuel Baumgarden, Adam
Goodman, John [Thomas?] Owen, Peter Gillier,
Claudius Heron, John Hebden, Christian Dietrich,

John Adam Schworm [?], Abraham Adcock, Justice Willis und Joseph Trova.
Die Solisten gehörten zu Händels Ensemble.
Cassandra Frederick sang nur 1758 bei Händel,
der Messiah war ihre letzte Aufführung bei ihm.
John Beard nahm für sein Mitwirken im Found-
ling Hospital wie immer kein Honorar.
Die Chorsänger waren Gentlemen der Chapel
Royal oder Chormitglieder anderer großer Londo-
ner Kirchen; außerdem sangen der Sohn von Hän-
dels verstorbenem Bassisten Thomas Reinhold,
Frederick Charles Reinhold, sowie Händels ehe-
maliger Solobassist Gustavus Waltz im Chor mit.
Bailden jr. könnte der Sohn Joseph von Thomas
Baildon, einem Gentleman der Chapel Royal, sein.
Der unter den Chorsängern verzeichnete Champ-
ness kann Thomas oder auch Weldon Champness
gewesen sein.
Der Organist war John Christopher Smith jun.
„Lan'" Wilkinson war Lancelot Wilkinson (vgl.
10. Mai 1759).
Vgl. 29. Mai 1754 und 10. Mai 1759
(Burrows 1981, II, 157)

11. Mai 1758
Die Academy of Ancient Music führt Händels
Messiah auf.

– Die Aufführung ist durch ein gedrucktes Text-
buch belegt (British Library; National Library of
Scotland, Edinburgh; Sammlung Schoelcher).
Vgl. 16. Februar 1744 und 30. April 1747

13. Mai 1758
Jackson's Oxford Journal

Music Room, May 12.
On Monday se'nnight, the 22d Inst. there will be
an extraordinary Instrumental Concert: – The
Gentlemen of the Musical Society being under a
Necessity of postponing, on Account of the Ab-
sence of the Choristers, the Choral Musick, viz.
Acis and Galatea, which was intended for this
Month, till the 12th of June.
N. B. Mr. Eiffort, the Hautboy from London, and
Mr. Price from Glocester are expected here on the
22d.

19. Mai 1758
Händel hebt sein Konto mit £ 2 169:18:0 auf und
kauft für 2 500 £ dreiprozentige Aktienpapiere.

10. Juni 1758
Jackson's Oxford Journal

Oxford, June 10.
On Monday the 12th Instant, will be performed at
the Music Room, Acis and Galatea.
The Part of Galatea by Miss Thomas.
(Smith 1948, 240)

21. Juni 1758
John Walsh kündigt im *Public Advertiser* „The Instrumental Parts to Handel's 4th Volume of Selected Songs from his Oratorios for Concerts …" an.

– Die Partitur-Ausgabe hatte Walsh am 18. Februar 1758 angezeigt.
(Smith 1960, 197f.)

Jahresmitte 1758
Vorschläge des Reverend William Hanbury für eine Charitable Foundation in Church-Langton, Leicestershire

… That on the day of their meeting, not only a sermon be preached, but, that God in all things may be glorified, Handel's or Purcel's Te Deum be performed. – This will give spirit to the congregation, and excite an holy emulation in all Christian duties.
(Hanbury, 12)

– Die Versammlungen sollten jährlich Ende September stattfinden. Zur ersten Generalversammlung trafen sich die Kuratoren am 26. September 1758. Als sie am 11. Juni 1759 in Lutterworth im Gasthaus zur Hindin erneut zusammenkamen, unterbreitete Hanbury erweiterte Vorschläge.
Die ersten Aufführungen fanden unter der Leitung von William Hayes aus Oxford am 26. und 27. September 1759 statt.
Vgl. 27. September 1759

1. Juli 1758
Jackson's Oxford Journal

Oxford, July 1, 1758.
On Tuesday the 4th of this Instant, will be performed at the Music Room A Concert of Vocal and Instrumental Music. In which will be introduced a Concerto on the Bassoon and Hautboy by Messrs. Miller and Eiffort from London. Each Act to conclude with a Coronation Anthem.

5. August 1758
Felix Farley's Bristol Journal

On Thursday, the 17th instant August, will be held the annual meeting of the Clergy and Sons of the Clergy, on which day, and the preceeding one, in the morning will be performed at the Cathedral, Mr. Handel's Te Deum, and the Jubilate, with two Coronation anthems, And in the evening of the 17th, the Messiah, for the benefit of clergymen's widows and orphans. … The same band will perform, the Allegro and Penseroso, set to musick by Mr. Handel, on Wednesday evening the 16th at the Assembly Room, in Princess street, for the benefit of Mr. Combe, organist of the Cathedral.
(Latimer, 327)

– Der „Assembly Room, in Princess street" war identisch mit dem Music Room in Prince's Street. George Combe war seit 1756 Organist an der Kathedrale von Bristol.

8. August 1758
Mary Delany an ihre Schwester Ann Dewes
Mount Panther, 8th August, 1758.
On Saturday we dined at Mr. Baily's. … I was surprised there at meeting Mrs. Arne (Miss Young that was); they have her in the house to teach Miss Bayly to sing … she sings well, and was well taught by Geminiani and Handel.
(Delany, III, 502)

– „Mr. Baily" war vermutlich der Altist Anselm Bayly, seit 1740 Gentleman und seit 1764 Sub Dean der Chapel Royal. Mrs. Arne, geb. Young, ist die Sopranistin Cecilia Arne-Young, die viele Händel-Partien sowohl unter Händels Leitung als auch später in Dublin gesungen hat. Ihr Ehemann, Thomas Augustine Arne, soll sie schlecht behandelt haben, und ihre Stimme wie ihr Gesicht hatten ihren Liebreiz verloren.
(Burrows 1981, II, 160r und 168v)

12. August 1758 (I)
The London Evening Post

This Day were publish'd, … A Grand Collection of new English Songs Composed by Mr. Handel. Introduced in the Oratorios this Year. Price 5s. Printed for J. Walsh.

– Die Ausgabe war am 13. Juli im *Public Advertiser* und am 20. Juli in der *Whitehall Evening Post* angekündigt worden. Sie enthält neun nachkomponierte Stücke für *Judas Maccabaeus*, *The Triumph of Time and Truth* und *The Choice of Hercules*.
1763 erschien *A 2d Grand Collection of Celebrated English Songs Introduced in the late Oratorios*, angekündigt im *Public Advertiser* vom 29. März 1763 als „A Second Set of Handel's Grand Songs in Score, introduced in his Oratorios not printed before".
(Smith 1960, 177)

12. August 1758 (II)
Jackson's Oxford Journal

Glocester, Aug. 12. On Sunday last [6. August] was held at Painswick, about six Miles from this City, a grand Meeting of the Parishes of Painswick, Stroud, and Chalford, where were performed Mr. Handel's Te Deum and the Jubilate, with two Anthems. The Parts, both Vocal and Instrumental, were executed in a masterly Manner, and gave great Satisfaction to, at a moderate Computation, near 5000 People.

– Die drei Orte liegen südlich von Gloucester.

12. August 1758 (III)
Felix Farley's Bristol Journal

For the benefit of clergymen's widows and children. On Wednesday and Thursday the 16th and 17th inst. August, will be perform'd in the Cathedral-Church of Bristol, in the morning, Mr. Handel's Te Deum, the Jubilate, and two Coronation anthems. With other select pieces of church-musick. ... And in the evening of the 17th will be perform'd also in the Cathedral, The Sacred Oratorio: a large band of vocal and instrumental performers will attend on this occasion, viz. – Dr. Hayes from Oxford; Signor Pinto, and Mr. Vincent, from London; Mr. Wass, Master Soper, and another boy from the King's Chapel; together with others from Wells, Gloucester, Worcester, and Salisbury, the same band will likewise perform on Wednesday the 16th in the evening, at the New Assembly-Room in Princess street, the Allegro, Il Penseroso, Ed Moderato ... for the benefit of Mr. Combe, organist of the Cathedral.

– Thomas Pinto war Geiger und Mr. Vincent Oboist, Robert Wass war Bassist und „Master Soper" ein Knabensopranist der Chapel Royal.

17. August 1758
John Wesley, Tagebuch

Thur. 17. – I went to the cathedral [in Bristol] to hear Mr. Handel's Messiah. I doubt if that congregation was ever so serious at a sermon as they were during this performance. In many parts, especially several of the choruses, it exceeded my expectation.
(Wesley Journal, IV, 282; Myers 1947 I, 36f.)

– Wesley predigte am gleichen Tage in Bristol.

19. August 1758
Felix Farley's Bristol Journal

On Thursday last [17. August] was held the annual meeting of the Clergy and Sons of the Clergy: when a numerous company of gentlemen, viz. The Right Worshipful the Mayor ... attended divine service at the Cathedral ... and afterwards went in procession ... to the Cooper's Hall to dinner. – The several collections amounted to 203 l. 16s., a much larger sum than hath been collected in any preceeding year. This extraordinary advance of the Charity was greatly owing to the admirable performances of the compleatest band of musick, that ever was in Bristol; as the best judges allow it to be, and the splendid appearance of company at the Oratorio on Thursday evening unanimously testify.
(Dean 1959, 304 und 633)

24. August 1758
The London Chronicle

On the Recovery of the Sight of the Celebrated Mr. Handel, by the Chevalier Taylor

From the hill of Parnassus adjourning in state,
On its rival, Mount Pleasant, the Muses were sate;
When Euterpe, soft pity inciting her breast,
Ere the Concert begun, thus Apollo address'd:

"Great Father of Music and every Science,
In all our distresses, on thee our reliance;
Know then in yon villa, from pleasures confin'd
Lies our favourite, Handel, afflicted and blind.

"For him who hath travers'd the cycle of sound,
And spread thy harmonious strains the world
round,
Thy son Aesculapius' art we implore,
The blessing of sight with a touch to restore."

Strait Apollo replied: "He already is there;
By mortal's call'd, Taylor, and dubb'd Chevalier:
Who to Handel (and thousands beside him) shall
give
All the blessings that sight in old age can receive.

"By day the sweet landscape shall play in the eye,
And night her gay splendors reflect from the sky;
Or behold a more brilliant Galaxy near,
Where H–n, B–y, and P–t appear.

"But far greater transports their moments beguile,
Who now catch their infants reciprocal smile:
While S–pe, for sweetness of temper ador'd,
Partakes in the joy of each patient restor'd.

"Hence the barking of Envy shall now be soon
o'er,
And Jealousy raise her false cavils no more;
For the Wise will think facts, the most stubborn of
things,
When testify'd too, by dukes, princes, and kings.

"And could he from one (far the best) meet re-
gard,
To experience his art and his merit reward;
He again my sons altars with incense would
crown,
And to his own realms fix immortal renown."

This said: They their instruments tun'd; and be-
gun
A Cantata in praise of their president's son:
Then with Handel's Concerto concluding the day,
To Parnassus they took their aerial way.

Tunbridge Wells, Aug. 15.
(Smith 1950 I, 128f.)

– Händels Aufenthalt im Sommer 1758 in Tunbridge Wells, wo er bereits 1734 und 1735 gewesen war, bezeugen John Bakers Tagebuchaufzeichnungen vom 26. August und 2. September 1758.

Das offensichtlich mehr zum Preis des Augenspe-
zialisten Taylor als des Komponisten Händel geschriebene Gedicht läßt darauf schließen, daß letzterer sich seit Anfang August in dem Badeort aufhielt. John Taylor sen., bekannt als der „Chevalier", praktizierte manchmal den Sommer über in
Tunbridge Wells, und Händel mag tatsächlich
dorthin gereist sein, um sich von ihm behandeln
zu lassen. Wirklichen Erfolg hat die Behandlung
nicht gezeitigt. Taylor hatte im Frühling 1750
Bach zweimal operiert, und auch bei diesem Patienten war der Erfolg ausgeblieben. „Mount Pleasant" ist einer der Hügel, auf denen der Ort liegt.
Zu Händels Zeit stand darauf die beste Pension
von Tunbridge Wells (das Haus gehörte ursprünglich Lord Egmont). Mit den chiffrierten Namen
im Gedicht sind wahrscheinlich andere Patienten
von Taylor gemeint. – Ein anderes Lobgedicht auf
Taylor, „On Dr. Taylor, who came to Tunbridge
Wells in the year 1758", hat Melville in sein Tun-
bridge-Wells-Buch aufgenommen. Über seine Begegnung mit Taylor in Tunbridge Wells im Jahre
1748 berichtet Dr. William King (wiedergegeben
bei Coats).
(Melville, 106f.; Coats; Zeraschi, 63)

26. August 1758 (I)
Berrow's Worcester Journal

Upon Wednesday, August the 30th at the Cathe-
dral ... Purcell's Te Deum and Jubilate, with
Dr. Boyce's Alterations: An Anthem of Dr. Boyce's,
„O be joyful", &c.: and Mr. Handel's Coronation
Anthem.
Upon Thursday, August the 31st, at the Cathe-
dral ... Mr. Handel's New Te Deum and Jubilate:
An Anthem of Dr. Boyce's, „Lord, thou hast been
our Refuge", &c.: And the Coronation Anthem.
Upon Wednesday, Thursday and Friday evenings,
at the College-Hall – the Oratorios of Judas Macca-
baeus, Alexander's Feast, and the Messiah.
Care has been taken to engage the best Performers
from London, and other Places; amongst whom
are, – Signiora Frasi, Messrs. Beard, Wass, Pinto,
Millar, Thompson, Adcock, Vincent, &c.

– Die Mitwirkenden waren Giulia Frasi (Sopran),
John Beard (Tenor), Robert Wass (Bass), Thomas
Pinto (Violine), John Miller (Fagott), Mr. Thomp-
son (Kontrabaß), Abraham Adcock (Trompete),
Richard Vincent (Oboe).
(Lysons/Amott, 36)

26. August 1758 (II)
John Baker, Diary

Left horse and took post chaise ... to River Head
12 miles – thence fresh chaise 14 to Tunbridge
Wells. ... At Wells then and after Handel and his
Dr. Murrell, Taylor the occulist.
(Baker/Yorke, 114)

– Mit „Dr. Murrell" meinte Baker wahrscheinlich
Händels Librettisten Dr. Thomas Morell.

2. September 1758 (I)
Jackson's Oxford Journal

Glocester, September 1.
This Week was held at Worcester the Annual Meeting of the Three Choirs ... at which were present
the Right Rev. the Lord Bishop of Worcester,
Lord Coventry and his Lady, and the Countess
Dowager, Lord Sandys and his Lady, the Lords
Littleton, Plymouth, and Archer, and a numerous
Appearance of Gentlemen and Ladies of Rank and
Distinction ... the Charity Collection, 'tis said, exceeds any before at either of the Choirs. In regard
to the Performances, they met with general Approbation, being skillfully conducted, and masterly executed.

2. September 1758 (II)
John Baker, Diary

I walked up by Handel's lodging about 2 miles
about (quarrel with hay makers as went along).
(Baker/Yorke, 116)

– Der Schauspieler David Garrick kam zusammen
mit seiner Frau Eva, einer Tänzerin, im September 1758 nach Tunbridge Wells. Falls Händel sich
zu der Zeit noch dort aufhielt, könnten sie mit
ihm zusammengetroffen sein.

15. September 1758

John Walsh kündigt im *Public Advertiser Warlike
Musick, ... Being a Choice Collection of Marches &
Trumpet Tunes for a German Flute, Violin or Harpsi-
cord. By Mr Handel, St Martini and the most eminent
Masters* an, „In Four Books. Each 1s. 6d."

– Die Bände I–III waren zuvor einzeln veröffent-
licht worden.
Die Sammlung enthält Stücke aus Händels *Water
Music* sowie aus Händelschen Opern und Orato-
rien.
(Smith 1960, 279f.)

21. Oktober 1758
The Public Advertiser

This Day is published. For Concerts.
An eleventh Set of Mr. Handel's Overtures for Vio-
lins, 8 Parts, viz. Jephtha, Theodora, Time and
Truth, with an Index to the Whole. Price 6s. ...
Printed for J. Walsh.
(Smith 1960, 297 und 286)

28. Oktober 1758
Jackson's Oxford Journal

Oxford, October 26th.
On Monday the 30th Instant, will be performed at

the Music Room, L'Allegro, il Penseroso. Mr. Savage's Boy is expected from London, and Mr. Price from Glocester.

– William Savages Sohn sang den Sopranpart; Mr. Price war vermutlich ein Tenor.

18. November 1758
Protokolle von Mercer's Hospital, Dublin

Agreed that the Oratorio of Esther be perform'd at Mr Neils great Room in Fishamble Street this year for the Benefit of this Hospital.

– Mit „Mr Neils [eigentlich Neale's] great Room in Fishamble Street" ist die New Music Hall in der Fishamble Street gemeint (vgl. 29. Dezember 1741), mit „this year" die Saison.
Vgl. 2. Dezember 1758

25. November 1758
William Shenstone an Rev. Richard Graves

The Leasowes, Nov. 25, 1758.
... My principal excursions have been ... and to the Worcester Music-meeting. I need not mention what an appearance there was of company at Worcester; dazzling enough, you may suppose, to a person who, like me, has not seen a public place these ten years. Yet I made a shift to enjoy the splendor, as well as the music that was prepared for us. I presume, nothing in the way of harmony can possibly go further than the Oratorio of The Messiah. It seems the best composer's best composition. Yet I fancied I could observe some parts in it, wherein Handel's judgment failed him; where the music was not equal, or was even opposite, to what the words required.
(Assay Office Library, Birmingham. Shenstone/Williams, 494; Shenstone/Mallam, 356; Myers 1948, 166 f.)

– Das Three Choirs Festival hatte 1758 in Worcester stattgefunden (vgl. 26. August/I und 2. September 1758).
Vgl. 30. März 1755

28. November 1758
The Dublin Journal

At the Great Musick-Hall in Fishamble Street, on Thursday the 14th of December, 1758, will be performed the Grand Sacred Oratorio, called the Messiah; composed by Mr. Handel, the whole to be conducted by Mr. Lee.

– Wie zwei Jahre zuvor (vgl. 11. Dezember 1756) wurde die Aufführung zum Besten der Schuldgefangenen veranstaltet.

2. Dezember 1758
Protokolle von Mercer's Hospital, Dublin

Agreed ... That instead of the oratorio Esther mentioned at the last board the masque of Acis & Galatea be performed at the great room in Fishamble Street this year for the benefit of this Hospital.
Agreed That Messrs Brownlow Hutchison & the Lord Mornington be requested to manage at the Performance of the Musick on Thursday the 6th of Feb^{ry} next.
Vgl. 18. November 1758

– Garrett Colley Wesley, seit 1760 Earl of Mornington, Vater des Duke of Wellington, war Komponist und wurde später Professor of Music. Als Lord Mornington leitete er das Orchester der New Music Hall in der Fishamble Street.
Der Right Hon. William Brownlow spielte im gleichen Orchester das Cembalo; Francis Hutcheson aus Glasgow komponierte unter dem Pseudonym Francis Ireland.

18. Dezember 1758
Aberdeen Journal

For the Benefit of Mr. Rocke A Concert To be held in the Concert-Hall, To-morrow the 20th, To begin precisely at 6 o'Clock. Act I. Overture in Ariadne. ... Act III. The 5th of Handel's Grand Concertos.
(Farmer 1950 I, 61)

– Rocke, ein deutscher Geiger, war im August 1758 als Konzertmeister der 1749 gegründeten Aberdeen Musical Society von London nach Aberdeen gegangen. Nach Farmer hat diese Society bereits in ihrem Gründungsjahr folgende Händelsche Werke für ihr Noteninventar angeschafft: Ouvertüren, Triosonaten, die *Music for the Royal Fireworks*, die erste Sammlung von Oratoriengesängen sowie ausgewählte Arien; das Noteninventarverzeichnis der Jahre 1752–1755 enthält die Stimmen der Orgelkonzerte sowie der *Twelve Grand Concertos* (Farmer 1950 I, 115 f.).

1758 (I)
Die Castle Society in der Paternoster Row in London führt Händels *Samson* auf.
(Dean 1959, 361 und 635)

1758 (II)
Ein 1758 von Samuel Farley gedrucktes (nur in einem unvollständig erhaltenen Exemplar überliefertes) Textbuch von *Saul* ist der einzige Beleg für eine mögliche Aufführung des Oratoriums in diesem Jahr in Bristol.
(Dean 1959, 304 und 633)

1758 (III)

John Walsh veröffentlicht um 1758 (eventuell auch etwas früher) *A Second Set of XXIV Overtures for Violins &c. in Eight Parts from the Operas and Oratorios of Samson, Messiah, Saul, Deidamia, Hymen, Pernasso in Festa, Xerxes, Pharamond, Alexander Severus, Alexander's Feast, Berenice, Orestes, Flavius, Richard the 1st, Ptolomy, Ariadne, Pastor Fido 2d, Atalanta, Justin, Arminius, Alcina, Ariodante, Orlando, Sosarmes.*

– Die Ausgabe bestand aus vier früher einzeln veröffentlichten Sammlungen Händelscher Ouvertüren.
(Smith 1960, 292 ff. und 300)

1758 (IV)

John Walsh veröffentlicht um 1758 *Handel's Sixty Overtures From all his Operas & Oratorios for Violins in 8 Parts. Alexander Balus … Water Musick … Printed for & Sold by J. Walsh*.
(Smith 1960, 300)

1758 (V)

Zu dem Pasticcio *Les Amans trompés* (Bearbeiter: Louis Anseaume und Pierre Augustine de Marcouville), das die Arie „Lorsque deux coeurs d'un tendre feu" von Händel enthält, sind in Den Haag ein auf 1758 datiertes handschriftliches Aufführungsmaterial (Partitur und Stimmen) sowie ein gedrucktes Textbuch erhalten.

– Die erste nachgewiesene Aufführung fand 1762 in Den Haag statt. Die Arie „Lorsque deux coeurs" ist abgedruckt im *Dictionnaire lyrique portatif* von Jean Dubreuil (Paris 1764, Bd. I, 267).
(Smith 1960, 181)

1758 (VI)

William Hughes, Remarks upon Musick, to which are added Several Observations upon some of Mr. Handel's Oratorio's, and other Parts of his Works, Worcester 1758

…What the great Master of Tragedy has said upon another Occasion, may with a little seasonable Alteration be said of many Composers (and that without any singular Reflection) when compar'd with Mr. Handel;
Why Man! He does bestride the Musick World Like a Colossus; and We poor, petty Composers, Walk under his huge Legs, and pick up a Crotchet to deck our humble Thoughts.

– Mit diesen Zeilen (zitiert nach der 2. Ausgabe von 1763, S. 45 f.) endet die Schrift, die 1758 von einem „Lover of Harmony" anonym veröffentlicht worden war, vermutlich nach dem Besuch des Three Choirs Meeting (vgl. 2. September 1758/I).
Die Verse parodieren *Julius Caesar* (I, 3).

1758 (VII)

Vincenzio Martinelli, Lettere familiari e critiche, London 1758

Ma sciocchi e ignoranti veramente costoro! perchè la massima difficoltà consiste nello imitare con grazia e facilità la natura, di modo che l'uditore si scordi che lo spettacolo è una burla, che è quello che sí dice rapire. Bene intese questa verità Bononcini, e medesimamente Handel e Gemigniani, a i quali deve l'Inghilterra lo avere adottato questo finissimo gusto, nel quale sta tutto il sublime e tutto il bello di qualunque Arte, ma della Musica massimamente. Ma la corruttela Musicale è proceduta tant'oltre, che i Compositori sono stati obbligati di cedere in gran parte il loro magistrato di direzione a i Musici esecutori. Anno questi voluto imitare nel canto gli uccelli, anno voluto cantare a scacchi, come se pensassero di descrivere colle note un'abito d'Arlecchino? i poveri Compositori sono stati obbligati a uniformarsi a i loro capricci, anzi è questo uno de gli articoli principali del presente buon gusto.   [S. 371]

– Der Abschnitt ist dem 55. Brief der Sammlung entnommen, einem der drei an den „Conte di Buckinghamshire" gerichteten Briefe über Musik. Die Sammlung umfaßt 59 undatierte Briefe, und vermutlich wurde der 55. Brief nicht lange vor der Veröffentlichung der Sammlung geschrieben.
Martinelli schrieb in seinen Briefen mehrfach ausführlich über die Oper. Aus dem wiedergegebenen Auszug geht hervor, daß Gesangsimprovisationen in der Oper noch um 1750 eine große Rolle spielten. Das gilt auch für Händels letzte Opernwerke. Daß die Komponisten wegen der Sängerwillkür zu bedauern waren, wie Martinelli behauptet, mag bezweifelt werden. Von Händel weiß man, daß er sich gegen solche Willkür zu behaupten wußte. In dem 55. Brief kritisiert Martinelli außerdem das Übermaß an instrumentalen Begleitungen und Zwischenspielen in der Oper, was Pollaroli eingeführt habe und wodurch der reine Gesang behindert werde.

1758 (VIII)

Jakob Adlung, Anleitung zu der musikalischen Gelahrtheit, Erfurt 1758

Mitzler nennt sich den Sekretair der Societät der musikalischen Wissenschaften. Es ist dieselbige 1738 nach Mitzlers Vorschlage angefangen worden …
m) Die Theorie der Musik ist das vornehmste Augenmerk dieser Gesellschaft, deswegen auch blosse Praktici keine Mitglieder derselben seyn dörfen; aber sie componiren auch, verfertigen Jahrgänge, und was gegen eine billige Erkenntlichkeit von ihnen verlanget wird. Der Gesetze sind 32. Von den damaligen zwölf Gliedern sind der

Graf de Lucchesini, wie auch Bümler und Mitzler schon erwähnet worden; das 4te Glied war Christoph Gottlieb Schröter, Componist und Organist an der Hauptkirche in Nordhausen; das 5te Heinrich Bokemeyer, Cantor zu Wolfenbüttel; das 6te Georg Philip Telemann; das 7te Gottfried Heinrich Stölzel; das 8te Georg Friedrich Lingke; das 9te P. Meinhard Spieß; das 10te Georg Venzky; das 11te Georg Fr. Händel; das 12te P. Udalric. Weiß, Professor im Benedictinerkloster zu Irrsee. Weiter unten werden die mehresten besser bekannt gemacht.   [S.9]

Vgl. 1745 (III)

Hendel oder Händel, (Georg Fr.) aus Halle im Magdeburgischen, so ietzo in sein 71stes Jahr gehet, soll zwar keine gewisse Bestallung oder Bedienung bey Hofe haben in London; aber doch sehr viel gewinnen durch die Opern, Concerten und ausserordentliche Musiken. 1753 den 1sten Maji führte er in der Kapelle des Hospitals ein Oratorium auf, der Meßias, 2 Stunden lang. Man zehlte mehr als 800 Karossen; die Billets brachten ein 995 Guineen, die thun beynahe 9000 Fl. (b).

b) Er ist einer der grössesten Meister im Setzen und Clavierspielen. Sein Leben hat Walther, wie auch die Ehrenpforte, ob er schon es nicht selbst eingeschickt; in dieser wird vor ungewis gehalten ob er Doctor sey in der Musik. Die hallische Zeitung 1753 auf dem 65sten Blate, berichtete aus London, daß dieser großbrittannische Lulli nach Verlierung des Gesichts seine Muse doch nicht lasse ungeschäftig bleiben. Es werde vielleicht das Stück, so er ietzo schmiede, seine letzte Opera seyn, welches nach seinem Tode in dem Hause der Findelkinder als sein Echo abgesungen werden solle, welchem Hause der Gewinn davon zugedacht worden. Daß er ein Mitglied der Societät sey, ist §.2. gesagt.   [S.95f.]

– 1758 war Händel 73 Jahre alt.
Die Einnahmen aus der *Messiah*-Aufführung 1753 im Foundling Hospital betrugen 925 Guineen (vgl. Mai 1753).
Vgl. Frühjahr 1753

Hendels Claviersachen gehören unter die besten; s. oben von ihm §. 26. 1720 wurden zu London 8 Sviten vor das Claveßin von seiner Arbeit gestochen in längl. 4.   [S.713]

1758 (IX)
Friedrich Wilhelm Marpurg, Historisch-Kritische Beyträge zur Aufnahme der Musik, Band IV, 1. Stück, Berlin 1758

II. Historisch-kritische Nachrichten von den geistlichen und weltlichen Opern in Engeland, aus der Bibliotheque Britannique Tom. XV. Part. I, übersetzt von Herrn Friedrich Christian Rackemann,

Sekretär bey Sr. Königlichen Hoheit dem Marggrafen und Prinzen Heinrich.

Allein, vielleicht war die Musik und die Ausführung derselben den Schönheiten der Poesie nicht proportionirt, oder die Zuschauer waren noch zu sehr von den italienischen Opern eingenommen; kurz, diese englische Opern hatten nicht den Fortgang, den man sich von ihnen versprach: ausgenommen die Acis und Galatee, denn diese wurde mit allgemeinem Beyfall aufgenommen und bey jeder Aufführung derselben ihr Beyfall erneuert.
[S.20f.]

Man setzte Stücke in Musik, die an und für sich selbst vortreflich waren: man brachte sie alsdenn aufs Theater, und hier fanden sie den Beyfall, den sie verdienten. Dergleichen Stück ist z.E. das Fest Alexanders: und hernach die Oper Comus…
[S.22]

Vgl. 4. März 1738

Man hat mir gesagt, daß die Oper Hydaspe die erste gewesen, die man von dieser Art hier gespielet hat. Ich habe sie nicht selbst gesehen und auch nicht die eigentliche Zeit erfahren können, in welcher man mit dieser neuen Oper beehret wurde. Allein der Herr Addison gedenkt ihrer in dem Stück, vom 15 Merz, des vorhingedachten Jahres, als einer Oper, die schon, wenn ich ihn recht verstanden habe, ohngefehr seit einem Jahre verschiedene mahle aufgeführt ist. Er redet auch in dem Blatt vom 6ten, desselben Monaths, von der Oper Rinaldo und Armide, und hält sie neuer als jene. Dies sind alle diejenigen Erläuterungen, die ich gegenwärtig, von dem, was die Einführung der italienischen Oper betrift, zu geben, im Stande bin.   [S.38]

Vgl. 2. Juni 1711

Fünfte Anmerkung. Dasjenige was uns der Herr Lockmann von einem gewissen englischen Stück, unter dem Titul: Acis und Galatee, sagt, ist hinreichend genug, sich hievon einige nähere Nachricht zu wünschen. Es ist ein heroisches Schäferspiel; ich finde es zwar unter dem Nahmen einer Maskerade angeführt, allein in der Edition, die ich davon besitze, führt es doch den Titul eines Schäferspiels. Ich habe es von guter Hand, daß dieses Stück eigentlich zum Vergnügen des berühmten Herzogs von Chandos, und zwar in dessen Hause von Canons, sowohl componirt, als auch im Jahr 1716 daselbst aufgeführt sey; folglich lange Zeit vorher, ehe man es auf das öffentliche Theater gebracht hat. Ich weiß nicht, auf welche Art der Nahme des Verfassers, viele Jahre ein Räthsel geblieben ist, das man so verschiedentlich erkläret hat. Das poetische Register, welches im Jahr 1723 herausgekommen, eignet es ausdrücklich dem Herrn le Motteux zu: doch anjetzo hält man mit mehrerer Gewißheit den verstorbenen Herrn Jo-

hann Gay, den guten Freund des berühmten Herrn Pope, für den Verfasser davon. Dieser Herr Gay, ist eben derselbe, dessen ich in meiner vorhergehenden Anmerkung erwehnte; einer der angenehmsten englischen Dichter, der nebst andern Poesien auch einige für das Theater, und besonders, einige Opern gemacht hat...   [S. 40 f.]
Vgl. 4. Januar 1740

Sechste Anmerkung. Herr Lockmann sagt: wenn etwas der italienischen Oper nachtheilig zu seyn schien; so war es die Vorstellung einer Oper, unter dem Titel: der Bettler, die sowohl als die Acis und Galatee, von dem Herrn Gay ist...   [S. 41]

Siebente Anmerkung. Der Hr. Lockmann sagt nicht, wenn die Oper Acis und Galatee zum ersten mahle öffentlich gespielet sey: bis hieher habe ich es aufgeschoben, zu sagen, um alle Verwirrung in den wenigen Datis zu verhüten, die ich der Deutlichkeit halber von Zeit zu Zeit, bemerken werde. Herr Händel, der diese Oper componirt hatte, ließ sie erst im Jahr 1732 aufführen, wenn man anders nach dem Dato der Edition urtheilen muß, die man vermuthlich bey der ersten Vorstellung derselben herausgegeben hat.
Uebrigens ist sie auf verschiedene Art aufgeführt worden. In den vorhergehenden Opern hatte man, wie ich angeführt habe, eine Vermischung vom Italienischen und Englischen gesehen, die sich nur auf die Nothwendigkeit gründete, in welche man sich setzte, daß man die Rollen einer und eben derselben Oper, unter Acteurs von zweyerley Nationen austheilte; wovon einige als Italiener nur in ihrer Sprache gut singen konnten, eben so wie es die andern als Engelländer, nur in der ihrigen gleichfals im Stande waren. Diese Nothwendigkeit hatte es dahin gebracht, daß man in die italienische Opern auch englische Worte einführen muste. In der Oper Acis und Galatee, die im Jahr 1736 aufgeführt wurde, verursachte dieses (so wie mich verschiedene, die sie gesehen, versichert haben) einen gar besondern Mischmasch. Man führte in Engelland in einer englischen Oper, italienische Worte, ganze übersetzte und in italienischer Sprache gesungene Rollen, ein.
Achte Anmerkung. Nach der Oper Acis und Galatee führt der Hr. Lockmann, das Fest Alexanders, an. Man bilde sich aber nicht ein, daß dies eine Oper, oder ein neues Stück sey. Es ist eine Ode, oder vielmehr eine Cantate vom Hrn. Dryden, die er zu dem Endzweck gemacht hat, daß sie am Tage der heil. Cäcilia, der Patronin der Musik, könne gesungen werden. Hr. Händel hat zu dieser lyrischen Poesie, eine neue Musik gemacht, und anstatt, daß sonst dergleichen Stücke in einer Kirche aufgeführt wurden: so hat er diese auf dem Theater aufführen lassen. Und wenn dies gleich kein dramatisches Werk ist: so rechtfertigt doch

ihre gute Aufnahme, dasjenige was Herr Lockmann behaupten wollte, nehmlich eine vortrefliche Poesie könne sich mit einer vortreflichen Musik sehr wohl vertragen.
Wenn ich nicht irre, so wurde das Fest Alexanders im Jahr 1736 zum erstenmal öffentlich aufgeführet.   [S. 42 ff.]

Das allerälteste Stück was man in Engelland unter der Benennung eines Oratorii kennet, ist das unter dem Nahmen Esther; es ist, wie man sagt, von den Hrn. Pope und Arbuthnot verfertiget, vom Hrn. Händel in Musik gesetzet, und gegen das Jahr 1720 in der Kapelle des Herzogs von Chandos zu Canons, aufgeführt worden; welcher Ort ohngefehr 10 Meilen von London liegt, und woselbst dieser Herr ein schönes Haus hat, in welchem er vordem eine Anzahl geschickter Tonkünstler unterhielt. Herr Pebusch, Doctor in der Musik, und ein sehr gelehrter Doctor, war einer davon. Nachdem Herr Händel durch den Hrn. Humphreys den Text von diesem Oratorio, (Esther) hatte verlängern lassen und in Musik gesetzet, so brachte er es auf das Theater: doch dies geschahe nur erst im Jahr 1731 oder 1732: und das Publicum hatte meines Wissens, vor dieser Zeit noch kein Oratorium gesehen. Bald nachher kriegte man noch mehrere von dieser Art, die, unter den Titeln, Athalia, Deborah und Judith bekannt, und im Jahr 1733. aufgeführt sind.   [S. 47 f.]

Das Klaglied Davids über den Tod Sauls und Jonathans, führt den Nahmen eines Oratorii, ohne daß man etwas dawieder einzuwenden habe: unterdessen ist es doch weder dramatisch noch dialogisch...

Nur in den übrigen Editionen hat man ihm den Namen eines Oratorii beygelegt; und ob man übrigens gleichwohl das Recht hat, diesen Nahmen einer Poesie zu geben, die nicht dramatisch ist: so gebühret er doch, der ersten Einrichtung nach, nur Werken von dieser Art. Wenigstens ist dies durch den Titul des Oratorii, Esther, bestimmet worden, welches ich noch immer als das erste Stück ansehe, welches die Engelländer unter dem Nahmen eines Oratorii gehabt haben. Der ganze Titul davon ist dieser: Esther: ein Oratorium, oder geistliches Drama.   [S. 49 f.]

Vgl. 16. April 1736

Rosalinde ist ein Stück von einem Act und enthält nur 168 Verse. Vielleicht würde dies für eine förmliche Oper zu wenig seyn. Allein, obgleich hier nur die Rede von einem Stücke ist, welches unter dem unbestimmten Titel: dramatisches Gedicht, angekündiget worden; so besteht doch die Acis und Galatee, welche den Nahmen einer Oper führt, und drey Actus hat, gewiß nicht aus zweyhundert Versen, und überdem sind sie auch von

allen Seiten betrachtet, viel kürzer als die von der Rosalinde.   [S.54]
Vgl. 4. Januar 1740

1759

6. Januar 1759
Protokolle des Mercer's Hospital

Ordered that the following Advertisement be printed in the usual newspapers, viz: – Faulkners [Dublin Journal], the [Dublin] Gazette, and the Universal Advertiser: –
The Governors of Mercer's Hospital give Notice that the Masque of Acis & Galatea will be performed by Gentlemen & others for the Benefit of said Hospital at the great Musick Hall in Fishamble Street on Tuesday the 6th of February at Seven O'Clock in the Evening. There will be a publick Rehearsal on Saturday the 3d of February at 12 O'Cl. at Noon. Tickets for said Performance to be had at said Hospital at Half-a-Guinea each, with the Tickets for the Rehearsal as usual.
Vgl. 13. Januar 1759

12. Januar 1759
Prinzessin Anne, Witwe von Prinz Wilhelm IV. von Oranien, Erbstatthalter von Holland, stirbt.

– Prinzessin Anne war Händels Lieblingsschülerin und blieb ihm auch freundschaftlich verbunden, nachdem sie England verlassen hatte (vgl. 14. März und 29. Juni 1734).
Wahrscheinlich war Händel 1724 „Musick Master" der Prinzessinnen geworden (vgl. 29. August 1724), und nach dem Regierungsantritt von König Georg II. 1727 wurde diese Ernennung erneuert.
Nach dem Tod von Prinzessin Caroline 1757 war Händel noch (nominell) Musiklehrer der Prinzessin Amelia (Cardanus Rider, *British Merlin*, 1759).
(Marpurg, Kritische Briefe, II, 463; Mann 1978, 19; Burrows 1981, II, 191^v)

13. Januar 1759
Protokolle des Mercer's Hospital

Ordered: That the following Words be added to the Advertisement etc.,
The Governors request that no Ladys will have any Drum that night, the Benefit arising from this Performance being a principal Support of the Hospital.
Vgl. 6. Januar 1759

– „Drum" war eine große Abendgesellschaft in einem Privathaus.

10. Februar 1759
The Dublin Journal

On Tuesday last [6. Februar] the celebrated Masque of Acis and Galatea, was performed.
(Dean 1959, 631)

22. Februar 1759
Die Edinburgh Musical Society an den Londoner Musikverleger James Oswald

22 February 1759
to Mr. Jas. Oswald, London.
Sir, The Musical Society at Edinr. has for some time been performing Handell's Oratorios, and find they want a right Bread Chorister, a man that has a good voice and can sing a song readily at sight and can Teach Church Musick for which there is at present great encouragement in this place. He might have a Sallary of ten pounds certain and if he has the Qualifications above he can with great ease make from 100 to 150 pounds a year by Teaching. If he plays on any Instrument so much the Better. If you'l be so good as enquire for such a man and advertise in your papers you'l very much oblige us.
(Hamilton, 22)

1. März 1759
The Public Advertiser

For the Benefit of Signora Frasi.
At the Great Room in Dean-street, Soho, This Day, will be performed L'Allegro il Penseroso ed il Moderato. By Mr. Handel. With a Concerto on the Organ by Mr. Stanley. The principal Vocal Parts by Signora Frasi, Mr. Beard, Mr. Wass, &c. ...
To begin exactly at Half after Six.
Vgl. 6. März 1758

– Die Aufführung war vermutlich von Händel autorisiert, wurde aber nicht von ihm geleitet.
(Hall 1969, 67)

2. März 1759
The Public Advertiser

At the Theatre Royal in Covent-Garden, This Day will be perform'd an Oratorio call'd Solomon. With new Additions and Alterations... to begin at Half an Hour after Six.

– Diese Aufführung (Wiederholung am 7. März) ist die einzige, die für Händels Lebenszeit seit der Uraufführung (17. März 1749) nachgewiesen ist. Mit ihr begann Händel seine diesjährige Oratorien-Saison. Die Direktionspartitur und das gedruckte Textbuch enthalten die von Händel vorgenommenen Änderungen und Ergänzungen. Die fünf ergänzten Arien nahm Walsh in den im November 1759 veröffentlichten Band *Handel's Songs Selected from His Oratorios. For the Harpsicord, Voice,*

Hoboy, or German Flute. Vol. V. und in die am 29. März 1763 angekündigte Ausgabe *A 2ᵈ Grand Collection of Celebrated English Songs Introduced in the Late Oratorios Compos'd by Mʳ. Handel* auf.

Vermutliche Besetzung:
Solomon – Isabella Scott-Young, Mezzosopran
First Harlot ⎫
⎬ Giulia Frasi, Sopran
Queen of Sheba ⎭
Zadok – John Beard, Tenor
Levite – Robert Wass, Baß
Second Harlot – Charlotte Brent, Sopran
Miss Brent, eine Schülerin von Arne, trat seit 1758 in London auf und sang seit 1759 viele Händel-Partien in London und in der Provinz.
(Dean 1959, 527 f., 530, 638 und 652 f.; Smith 1960, 198 und 143)

9. März 1759
The Public Advertiser

At the Theatre Royal in Covent-Garden, This Day will be perform'd an Oratorio call'd Susanna. With new Additions and Alterations ... to begin exactly at Half an Hour after Six.

– Diese Wiederaufführung war die erste seit der Uraufführung des Oratoriums (10. Februar 1749).
Vermutliche Besetzung:
Susanna – Giulia Frasi, Sopran
Joacim – Isabella Scott-Young, Mezzosopran
First Elder – John Beard, Tenor
Chelsias ⎫
⎬ – Robert Wass, Baß
Second Elder ⎭
(Dean 1959, 547, 549 und 638)

14. März 1759
The Public Advertiser

At the Theatre Royal in Covent-Garden, This Day will be perform'd an Oratorio call'd Samson ... to begin exactly at Half an Hour after Six.
Vgl. 26. Februar 1755

Wiederholungen: 16. und 21. März 1759.

– Jacob und Richard Tonson druckten 1759 zwei unterschiedliche Ausgaben des Textbuches. Die veränderte Ausgabe, in der acht Stücke nicht mehr enthalten sind, zeigten sie bereits am 14. März im *Public Advertiser* an.

Vermutliche Besetzung:
Samson – John Beard, Tenor
Dalila – Giulia Frasi, Sopran
Micah – Isabella Scott-Young, Mezzosopran
Manoa ⎫
⎬ – Samuel Champness, Baß
Harapha ⎭
Philisterin und ⎫ Angiola Calori oder
Israelitin ⎭ Charlotte Brent, Sopran
(Dean 1959, 352 f., 360 und 635)

17. März 1759
Jackson's Oxford Journal

Music Room, March 16th, 1759.
On Monday next [19. März], being the last Choral Night upon the present Subscription, will be perform'd, Alexander's Feast. A Voice is expected from London, Mr. Price from Glocester, and Mr. Biddlecombe from Salisbury, with a Boy from that Choir.

– Der Knabe war vermutlich Thomas Norris.

23. März 1759
The Public Advertiser

At the Theatre Royal in Covent-Garden, This Day will be presented an Oratorio call'd Judas Maccabaeus ... to begin at Half an Hour after Six.

– Die Besetzung dieser Aufführung (Wiederholung am 28. März) war vermutlich die gleiche wie im Vorjahr (vgl. 2. und 3. März 1758).
Judas Maccabaeus war eines der erfolgreichsten Oratorien Händels. Mit Ausnahme von 1749 wurde es seit der Uraufführung (1. April 1747) jährlich zum Teil mehrfach aufgeführt.
(Dean 1959, 478 und 637)
Über *Judas Maccabaeus* und seine Zusammenarbeit mit Händel reflektiert der Librettist Thomas Morell in einem um 1770 an einen unbekannten Adressaten gerichteten Brief:
... And now as to Oratorio's: – "There was a time (says Mr Addison), when it was laid down as a maxim, that nothing was capable of being well set to musick, that was not nonsense." And this I think, though it might be wrote before Oratorio's were in fashion, supplies an Oratorio-writer (if he may be called a writer) with some sort of apology; especially if it be considered, what alterations he must submit to, if the Composer be of an haughty disposition, and has but an imperfect acquaintance with the English language. As to myself, great a lover as I am of music, I should never have thought of such an undertaking (in which for the reasons above, little or no credit is to be gained), had not Mr Handell applied to me, when at Kew, in 1746, and added to his request the honour of a recommendation from Prince Frederic. Upon this I thought I could do as well as some that had gone before me, and within 2 or 3 days carried him the first Act of Judas Maccabaeus, which he approved of. "Well," says he, "and how are you to go on?" "Why, we are to suppose an engagement, and that the Israelites have conquered, and so begin with a chorus as
Fallen is the Foe
or, something like it." "No, I will have this," and began working it, as it is, upon the Harpsichord. "Well, go on", "I will bring you more tomorrow." "No, something now,"

"So fall thy Foes, O Lord"
"that will do," and immediately carried on the composition as we have it in that most admirable chorus.
That incomparable Air, Wise men flattering, may deceive us (which was the last he composed, as Sion now his head shall raise, was his last chorus) was designed for Belshazzar but that not being perform'd he happily flung it into Judas Maccabaeus. N.B. The plan of Judas Maccabaeus was designed as a compliment to the Duke of Cumberland, upon his returning victorious from Scotland. I had introduced several incidents more apropos, but it was thought they would make it too long and were therefore omitted. The Duke however made me a handsome present by the hands of Mr Poyntz. The success of this Oratorio was very great. And I have often wished, that at first I had ask'd in jest, for the benefit of the 30th Night instead of a 3d. I am sure he would have given it me: on which night the[re] was above 400l. in the House. He left me a legacy however of 200l.
(Hodgkin, 91)

30. März 1759
The Public Advertiser

At the Theatre Royal in Covent-Garden, This Day will be presented a Sacred Oratorio call'd The Messiah ... to begin at Half an Hour after Six.

– Mit dieser Aufführung (Wiederholungen: 4. und 6. April) beendete Händel diese Oratorien-Saison.

6. April 1759

Im *Public Advertiser* wird die letzte Aufführung des *Messiah* angekündigt, „Being the last Time of Performing It this Season".
(Schoelcher 1857, 332)

– Anscheinend hat Händel die drei *Messiah*-Aufführungen trotz seines schlechten Gesundheitszustandes selbst geleitet. Es war sein letztes öffentliches Auftreten.

7. April 1759 (I)
The Whitehall Evening-Post

Last Night ended the celebrated Mr. Handel's Oratorios for this Season, and the great Encouragement they have received is a sufficient Proof of their superior Merit. He began with Solomon, which was exhibited twice; Susanna once; Sampson three Times; Judas Maccabaeus twice; and the Messiah three Times.
And this Day Mr. Handel proposed setting out for Bath, to try the Benefit of the Waters, having been for some Time past in a bad State of Health.

– Händel konnte eine möglicherweise beabsichtigte Badereise nicht mehr antreten (vgl. 12. April 1759/II)
Der erste Abschnitt wurde am 14. April vom *Norwich Mercury* nachgedruckt.

7. April 1759 (II)
The Public Advertiser

Hospital, For the Maintenance and Education of Exposed and Deserted Young Children,
This is to give Notice, That towards the Support of this Charity the sacred Oratorio Messiah Will be performed in the Chapel of this Hospital, under the Direction of George-Frederick Handel, Esq; on Thursday the Third Day of May next, at Twelve o'Clock at Noon precisely. ...
T. Collingwood, Secretary.
(Schoelcher 1857, 332; Rockstro, 361)

– Die Aufführung leitete John Christopher Smith.

Frühjahr 1759 (?)
Selina, Countess of Huntingdon

I have had a most pleasing interview with Handel – an interview which I shall not soon forget. He is now old, and at the close of his long career; yet he is not dismayed at the prospect before him. Blessed be God for the comforts and consolations which the Gospel affords in every situation, and in every time of our need! Mr. Madan has been with him often, and he seems much attached to him.
(Seymour, I, 229)

– Nach Seymour besuchte die Gräfin Händel „at his particular request" kurz vor seinem Tod. Über den Beginn der Bekanntschaft der auch „Queen of the Methodists" genannten Gräfin mit Händel gibt Seymour keine Belege.
Martin Madan war einer der Gründer des Lock Hospital und dort als Kaplan tätig.

11. April 1759
Viertes Kodizill zu Händels Testament

I George Friderick Handel make this further Codicil.
I Give to the Governours or Trustees of the Society for the support of decayed Musicians and their Families One Thousand pounds to be disposed of in the most beneficiall manner for the Objects of that Charity.
I Give to George Amyand Esquire One of my Executors Two Hundred pounds aditional to what I have before given him.
I Give to Thomas Harris Esquire of Lincolns Inn Fields Three Hundred Pounds.
I Give to Mr. John Hetherington of the First Fruits Office in the Middle Temple One Hundred pounds.

I Give to M.r James Smyth of Bond Street Perfumer Five Hundred Pounds.

I Give to M.r Matthew Dubourg Musician One Hundred pounds.

I Give to my Servant Thomas Bremwell Seventy Pounds aditional to what I have before given him.

I Give to Benjamin Martyn Esquire of New Bond Street Fifty Guineas.

I Give to M.r John Belchier of Sun Court Thread-needle Street Surgeon Fifty Guineas.

I Give all my wearing apparel to my servant John de Bourk.

I Give to M.r John Gowland of New Bond Street Apothecary Fifty Pounds.

I hope to have the permission of the Dean and Chapter of Westminster to be buried in Westminster Abbey in a private manner at the discretion of my Executor M.r Amyand and I desire that my said Executor may have leave to erect a Monument for me there and that any Sum not Exceeding Six Hundred Pounds be expended for that purpose at the discretion of my said Executor.

I Give to Mr.s Palmer of Chelsea Widow of M.r Palmer formerly of Chappel Street One Hundred Pounds.

I Give to my two Maid Servants each one years Wages over and above what shall be due to them at the time of my death.

I Give to Mr.s Mayne of Kensington Widow Sister of the late M.r Batt Fifty Guineas.

I Give to Mr.s Donnalan of Charles Street Berkley Square Fifty Guineas.

I Give to M.r Reiche Secretary for the affairs of Hanover Two Hundred Pounds.

In Witness whereof I have hereunto set my hand and Seal this Eleventh day of April 1759.

G. F. Handel.

This Codicil was read over to the said George Friderick Handel and by him Signed and Sealed in the presence, on the day and year above written, of us

A. S. Rudd.

J. Christopher Smith.

(Mueller von Asow, 190 f.)

Vgl. 1. Juni 1750, 6. August 1756, 22. März und 4. August 1757 (II)

– Das Kodizill wurde von John Hetherington geschrieben und von Händel in zittriger Schrift unterzeichnet.

Händel gehörte zu den Gründungsmitgliedern der von ihm bedachten Society (vgl. 23. April und 7. Mai 1738).

George Amyand als Testamentsvollstrecker war im ersten Kodizill mit 200 £ bedacht worden (vgl. 6. August 1756).

Thomas Harris hatte zusammen mit dem Juristen John Hetherington das erste und zweite Kodizill

als Zeuge unterzeichnet. James Smyth war ein enger Vertrauter in Händels letzten Lebensjahren (vgl. 17. April 1759/IV). Der Geiger Matthew Dubourg war seit den Anfängen seiner Londoner Jahre mit Händel befreundet. Der Wundarzt John Belcher hatte Händel vorgeschlagen, Popes *Cäcilien-Ode* zu vertonen (vgl. 5. Mai 1737). Händels Diener John Duburk wird bereits im zweiten Kodizill (vgl. 22. März 1757) von Händel bedacht. Mrs. Anne Donellan war seit etwa 1735 mit Händel befreundet (vgl. 12. April 1734). Eine Beziehung zwischen Mr. Reiche und Christian Reich (vgl. 17. Juni 1759) konnte nicht festgestellt werden.

Über die anderen erwähnten Personen ist nichts bekannt.

Dem in der Sammlung Gerald Coke befindlichen Exemplar des Testaments und den vier Kodizillen sind noch weitere Dokumente beigefügt: eine auf den 14. April 1759 datierte eidesstattliche Erklärung des in Händels erstem Kodizill (vgl. 6. August 1756) benannten Testamentsvollstreckers, George Amyand, die die Gültigkeit des Testaments und der verschiedenen Kodizille bestätigt, mit „power reserved to Johanna Frederica Floercken … the Executrix named in the will". Dieser Erklärung ist der Vermerk angefügt: „The testator died this Day and was of the Parish of St. George Hanover Square in the County of Middlesex." Damit ist Händels tatsächlicher Todestag amtlich bestätigt.

Eine mit 26. April 1759 datierte Notiz bestätigt die Prüfung des Testaments und der Kodizille.

In einer weiteren eidesstattlichen Erklärung, datiert mit 23. April 1759, bestätigen William Brinck und Edward Cavendish, daß das Testament vom 1. Juni 1750 in Händels Handschrift vorliegt. In einer auf den 24. April 1759 datierten eidesstattlichen Erklärung bestätigt Händels Diener John Du Burk, daß Testament und Kodizille zusammen versiegelt in Händels Arbeitszimmer gefunden wurden und daß der James Hunter betreffende Absatz im Testament getilgt worden war, da Hunter noch zu Händels Lebzeiten verstarb.

12. April 1759 (I)
The Public Advertiser

The trustees of the Westminster Hospital or Infirmary in James-street, Westminster, are desired … on Thursday the 26th Day of April, at Ten in the Forenoon … to proceed to St. Margaret's Church to hear the Anniversary Sermon. …

Mr. Handell's New Te Deum, the Grand Chorus, for the Lord God Omnipotent reigneth, from the Messiah, a new Anthem composed by Dr. Boyce, and Mr. Handell's Coronation Anthem (God save the King) will be performed under the Direction of Dr. Boyce. …

The public Rehearsal will be at St. Margaret's Church on Monday the 23d instant, at Ten.
(Schoelcher 1857, 332f.)

– Im Vorjahr waren dieselben Kompositionen aufgeführt worden (vgl. 5. April 1758).

12. April 1759 (II)
The Whitehall Evening Post

Mr. Handel, who was in Hopes to have set out for Bath last Saturday [7. April], has continued so ill, that he could not undertake the Journey.
Vgl. 7. April 1759 (I)

– Die Notiz erschien am 14. April im Norwich Mercury.
Nach Burney wurde Händel während seiner letzten Krankheit von einem Dr. Warren behandelt (Burney 1785, 31; Burney/Eschenburg, XL).

13. April 1759
The Gazetteer and London Daily Advertiser

Yesterday morning died George-Frederick Handel, Esq.
(Schoelcher 1857, 333; Rockstro, 361; Edwards 1909, 242)

– Die Notiz erschien am gleichen Tag auch im Public Advertiser. The London Chronicle bezeichnete Händel als „the great Musician", The London Evening Post (14. April) als „the famous Musician". The Universal Chronicle meldete ebenfalls, daß Händel am 12. April 1759 verstorben sei. Tatsächlich aber lebte er noch, als diese Zeitungen (The London Evening Post ausgenommen) gedruckt wurden.

14. April 1759 (I)
Händel stirbt am Sonnabend, dem 14. April 1759, 8 Uhr morgens im Alter von 74 Jahren.

– Nach Burney soll Händels behandelnder Arzt, Dr. Warren, ausdrücklich betont haben, Händel sei am Karfreitag, dem 13. April, vor Mitternacht gestorben (Burney/Eschenburg, XLf.).

14. April 1759 (II)
The Whitehall Evening Post

This Morning, a little before Eight o'Clock, died (between 70 und 80 Years of Age) the deservedly celebrated George Frederick Handell, Esq; When he went home from the Messiah Yesterday Se'nnight [6. April], he took to his Bed, and has never rose from it since; and it was with great Difficulty he attended his Oratorios at all, having been in a very bad State of Health for some Time before they began.
(Flower 1947, 354)

– Beim Abdruck dieser Nachricht im Gazetteer vom 16. April wurde „This Morning" in „Saturday Morning" und „Yesterday" in „Friday" geändert. Die Nachricht vom Tode Händels erschien auch im Norwich Mercury vom 21. April und im Dublin Journal vom 24. April.

14. April 1759 (III)
John Baker, Diary

Handel died.
(Baker/Yorke, 123)

14. April 1759 (IV)
Im Public Advertiser erscheint die Ankündigung der traditionellen Messiah-Aufführung im Foundling Hospital noch mit dem Vermerk „under the direction of George Frederick Handel, Esq.".
(Edwards 1902 I)

16. April 1759 (I)
The Public Advertiser

Last Saturday [14. April] and not before died at his House in Brook street, Grosvenor square, that eminent Master of Musick George Frederick Handel, Esq;
(Schoelcher 1857, 333; Rockstro, 362; Edwards 1909, 242)

– Der Public Advertiser hatte Händels Tod zwei Tage zu früh gemeldet (vgl. 13. April 1759). Die Brook Street verläuft zwischen Hanover Square und Grosvenor Square.

16. April 1759 (II)
On the Death of Mr. Handel.

Nec tantum Phoebo gaudet Parnassia rupes:
Nec tantum Rhodope mirantur & Ismarus Orphea.
Virgil.

How frail is life! how vain is human pride!
Judges, philosophers and kings have dy'd:
Ev'n they, who could by musick's magic art
To the rapt soul coelestial Joys impart.
The Destinies have cut the fatal thread,
And Handel now is number'd with the dead.
The weeping Muses round his sacred urn,
With heads reclin'd, in solemn silence mourn.
They wept not more, when the fierce Thracian crew,
At Bacchus' orgies, their lov'd Orpheus slew:
When o'er the plains his mangled limbs were strew'd,
And in his blood the dames their hands embru'd.
Who cou'd like Handel with such art controul
The various passions of the warring soul?
With sounds each intellectual storm assuage,
Fire us with holy rapture, or with rage?
Hark! with what majesty the organs blow,
While numbers faithful to his fancy flow:
Triumphant fly in echoing fugues the notes,
And on the air the swelling music floats.

With mingl'd sounds harmoniously it roars,
And in the soul seraphic pleasures pours.
Sometimes soft strains and melting numbers rise,
And set calm, rural scenes before my eyes;
I seem with joy to wander, not unseen,[1]
Thro' meadows, hedge-row elms, and hillocks
green.
Where the industrious ploughman, near at hand,
Sings in rude measures o'er the furrow'd land:
Sometimes in brisker notes the bells ring round,
And fancy thinks the jocund Rebecks sound.
But when Urania does her son inspire,
And bids him to coelestial sounds aspire,
Then all the soul is seiz'd with holy love
Preludious to the rapt'rous joys above.
The pious Saint in bliss extatic dies,
And sees all Heav'n before his longing eyes.
When Orpheus (as the poets sing) was slain,
His Harp was wafted to th' aetherial plain,
Himself, chang'd to a Swan, sail'd down the
stream,
Moving, majestic 'midst the wat'ry gleam.
But Thou, superior in th' harmonious art,
Thyself in Heav'nly songs must bear a part:
Thy Soul is now transported to the sky,
To join in Choirs divine to all Eternity.
16th of April, 1759.

[1] Alluding to the Allegro of Milton, set to music
by Mr. Handel.
(Miscellaneous Correspondence, 1759, Nr. 4)

– In der 1764 veröffentlichten Buchausgabe der
von Benjamin Martin herausgegebenen Monatsschrift (vgl. Januar 1755) erschien dieses Gedicht,
dessen Verfasser unbekannt ist, in Bd. III.
Die Anspielung auf *L'Allegro* bezieht sich auf die
Arie „Let me wander not unseen".

17. April 1759 (I)
The London Chronicle

By the death of Mr. Handel, who died at his house
in Brook-street, Grosvenor-square, on Saturday
last (and not before) a considerable pension re-
verts to the crown. We hear he will be buried in
the burial-ground at the Foundling Hospital near
to Capt. Coram.
(Schoelcher 1857, 346)

– Die „considerable pension", die Händel bis zu
seinem Tode bekam, betrug 600 £ jährlich. Sie bestand aus 200 £, die Königin Anna am 28. Dezember 1713 als „pension… per annum" verfügt hatte,
und aus weiteren 200 £, die er seit dem 25. März
1723 als „annual Pension" erhielt, als ihn Georg I.
zum „Composer of Musick for his … Chapel
Royal" ernannt hatte, sowie aus 200 £ für seine Tätigkeit als „Musick Master" der drei ältesten Prinzessinnen (vgl. 30. September 1727).

Auch wenn Händel jemals den Wunsch geäußert
haben sollte, auf dem Gelände des Foundling Hospital, in der Nähe von dessen Gründer, Thomas
Coram, begraben zu werden, zeigt das letzte Kodi-
zill zu seinem Testament (vgl. 11. April 1759), daß
er kurz vor seinem Tod hoffte, in der Westminster
Abbey beigesetzt zu werden.
Ähnliche Meldungen erschienen am gleichen
Tage in der *London Evening Post* (ohne die Wen-
dung „and not before") und in der *Whitehall Eve-
ning Post*. Die Wochenzeitung *The Universal Chro-
nicle* druckte die Notiz am 21. April ab.
Den ersten Satz der Notiz druckten *Boddely's Bath
Journal* am 23. April und der *Hamburger Relations-
Courier* am 26. April ab.
(Burrows 1981, I, 153 und 255 ff.; Becker, 38)

17. April 1759 (II)
The Gazetteer

On George Frederick Handel, Esq.
who performed in his celebrated Oratorio of
Messiah, on the 6th, and dyed the 14th Instant.

To melt the soul, to captivate the ear,
(Angels his melody might deign to hear)
T' anticipate on Earth the joys of Heaven,
Was Handel's task; to him the pow'r was given!

Ah! when he late attun'd Messiah's praise,
With sounds celestial, with melodious lays;
A last farewell his languid looks exprest,
And thus methinks th' enraptur'd crowd addrest:

"Adieu, my dearest friends! and also you,
"Joint sons of sacred harmony, adieu!
"Apollo, whisp'ring, prompts me to retire,
"And bids me join the bright seraphic choir!
"O for Elijah's car," great Handel cry'd;
Messiah heard his voice – and Handel dy'd.
Lincoln's Inn, April 16, 1759.   H-y.
(Edwards 1909)

– Das Gedicht erschien mit geringfügigen Abweichungen am gleichen Tage auch in der *London Evening Post* und in der *Whitehall Evening Post,* außerdem im *Universal Magazine* für April 1759 und
(anonym) in *The Scots Magazine* für Mai 1759.
Abschriften des Gedichts enthalten ein Exemplar
von Mainwarings *Memoirs of the Life of the late
G. F. Handel* (University Library, Cambridge) und
der Band Add. MSS. 33 351 (Bl. 24) in der British
Library. Dieser nach dem *Scots Magazine* kopierten Abschrift ist folgende Anmerkung beigefügt:
„Mr Handel Perform'd the Messiah at Covent Gd
Apr 6th 1759 – Played a Concerto, upon the Harp-
secord, and Dy'd, on the 14th of the said April, in
the 75th Year of His Age – Quite sensible to the
Last –"
Der Verfasser des Gedichts konnte nicht identifi-
ziert werden (vgl. 21. April 1759/II).

Die *Whitehall Evening Post* vom 14. April und der *Gazetteer* vom 16. April behaupten, Händel sei zum letzten Mal bei der *Messiah*-Aufführung am 30. März in der Öffentlichkeit aufgetreten. Diesem Gedicht zufolge hätte aber Händel noch alle drei *Messiah*-Aufführungen (30. März, 4. und 6. April) geleitet. Dafür sprechen auch andere Dokumente (vgl. 7. April 1759/I). Händels Anwesenheit bei der letzten Aufführung erwähnt auch *An Account of the Life of George Frederic Handel, Esq.* (im *Annual Register for the Year 1760*, 2. Abt., 9 ff.)

17. April 1759 (III)
The Public Advertiser

An Acrostic.
He's gone, the Soul of Harmony is fled!
And warbling Angels hover round him dead.
Never, no, never since the Tide of Time,
Did Music know a Genius so sublime!
Each mighty Harmonist that's gone before,
Lessen'd to Mites when we his Works explore.
(Schoelcher 1857, 334)

– Schoelcher datiert das Akrostichon irrtümlich auf den 17. Mai 1759.

17. April 1759 (IV)
James Smyth an Bernard Granville

London, April 17th, 1759.
Dear Sir,
According to your request to me when you left London, that I would let you know when our good friend departed this life, on Saturday last at 8 o'clock in the morn died the great and good Mr. Handel. He was sensible to the last moment; made a codicil to his will on Tuesday, ordered to be buried privately in Westminster Abbey, and a monument not to exceed £ 600 for him. I had the pleasure to reconcile him to his old friends; he saw them and forgave them, and let all their legacies stand! In the codicil he left many legacies to his friends, and among the rest he left me £ 500, and has left to you the two pictures you formerly gave him. He took leave of all his friends on Friday morning, and desired to see nobody but the Doctor and Apothecary and myself. At 7 o'clock in the evening he took leave of me, and told me we "should meet again"; as soon as I was gone he told his servant "not to let me come to him any more, for that he had now done with the world". He died as he lived – a good Christian, with a true sense of his duty to God and man, and in perfect charity with all the world. If there is anything that I can be of further service to you please to let me know. I was to have set out for the Bath to-morrow, but must attend the funeral, and shall then go next week.

I am, dear Sir,
Your most obedient humble servant,
James Smyth.
He has left the Messiah to the Foundling Hospital, and one thousand pounds to the decayed musicians and their children, and the residue of his fortune to his niece and relations in Germany. He has died worth £ 20,000, and left legacies with his charities to nearly £ 6000. He has got by his Oratorios this year £ 1952 12s. 8d.
(Delany, III, 549 f.; Rockstro, 363)
Vgl. 4. August 1757(II) und 11. April 1759

– Smyth, ein Parfümeriehändler in der Bond Street, genoß offensichtlich in Händels letzten Lebenstagen dessen besonderes Vertrauen. Vielleicht hatten beide gemeinsam noch nach Bath reisen wollen (vgl. 7. April 1759/I und 12. April 1759/II).
Der 11. April, an dem Händel sein letztes Kodizill unterzeichnete, war ein Mittwoch und kein Dienstag, wie Smyth meint.
Zu den „old friends", die Händel entfremdet gewesen waren und mit denen er sich kurz vor seinem Tode aussöhnte, gehörte auch John Christopher Smith sen., sein alter Vertrauter und Mitarbeiter, der Händels gesamten musikalischen Nachlaß sowie 2000 £ erbte.
Der von Smyth erwähnte „Doctor" könnte der bei Burney genannte Dr. Richard Warren (vgl. 12. April 1759/II), vielleicht auch der im letzten Kodizill erwähnte „surgeon" John Belcher gewesen sein, der „Apothecary" der ebenfalls im letzten Kodizill bedachte John Gowland. Der Diener war Duburk.
Händels Guthaben bei der Bank of England betrug bei seinem Ableben 17500 £. Seine Legate machten mehr als 9000 £ aus.
Ob die für Händels Einnahme aus den elf Aufführungen seiner letzten Oratorien-Saison genannte Summe zutrifft, ist nicht nachprüfbar, da Händel entgegen seiner bisherigen Gewohnheit die Beträge nicht mehr nach den Aufführungen auf sein Konto einzahlte. Wahrscheinlich hat er aber genau über seine Einnahmen Buch geführt.

18. April 1759
The Public Advertiser

To the Nobility and Gentry who are curious in Music.
There are now to be sold at Mrs. Dunoyer's, Bookseller, in Lisle-street, Leicester-fields.
Four Volumes of Anthems, and the following Oratorios, Composed by the late celebrated George Frederic Handel; containing the Overtures, Choruses, Songs and Recitatives very fairly written in Score, on a fine large Paper, very richly and elegantly bound in red Morocco, gilt Leaves, &c. in excellent Conditions.

Israel in Egypt,	Joseph,
Athaliah,	Judas Machabaeus,
Saul,	Joshua,
Balshazza [sic],	Deborah,
Samson,	Alexander Balus.

There is also the Opera of Otho, with the Recitatives, his Parnasso in Festa, and a Volume of Cantatas, neatly bound; and the two famous Operas of Orlando and Arminio compleat, by Stefani.

– Es ist nicht bekannt, wem diese Partitur-Abschriften gehörten und warum sie zum Verkauf angeboten wurden. Eine ähnliche Sammlung, die in der Hauptsache aus Abschriften derselben Werke besteht, die von 1765 an von „R. S." [Robert Smith] kopiert wurden, befindet sich in der King's Music Library (British Library). Die Musikaliensammlung von Robert Smith („deceased, late of, S! Paul's Church Yard") wurde am 18. Mai 1813 versteigert.

19. April 1759 (I)

Die Vorsteher des Foundling Hospital kündigen im *Public Advertiser* erneut die *Messiah*-Aufführung an, die am 3. Mai „under the Direction of Mr. Smith" stattfinden soll.
(Schoelcher 1857, 333; Edwards 1902 I)
Vgl. 7. April 1759 (II)

19. April 1759 (II)
The Whitehall Evening Post

We hear that Mr. Handel is to be bury'd in Westminster-Abbey, by his own Direction, in as private a Manner as possible; that he has left all his Music to Mr. Smith; a Thousand Pounds to the Society of Decay'd Musicians; and some other Legacies; but the Bulk of his Fortune, which is about 20,000l. to a near Relation or two abroad.

– Die Notiz erschien auch in der *London Evening Post*, dem *Norwich Mercury* sowie in *Jackson's Oxford Journal* vom 21. April.

20. April 1759 (I)
The Public Advertiser

This Evening the Remains of Mr. Handel will be buried in Westminster Abbey. The Gentlemen of his Majesty's Chapels Royal, as well as the Choirs of St. Paul's and St. Peter's, will attend the Solemnity, and sing Dr. Croft's Funeral Anthem.
(Edwards 1909; Flower 1947, 355 f.)

– „St. Peter's" ist die Westminster Abbey.

20. April 1759 (II)
Burial Register der Westminster Abbey

George Frederick Handel Esq' was buried April 20th 1759 in the South Cross of the Abbey.
(Edwards 1909, 242)

20. April 1759 (III)
Funeral Book der Westminster Abbey

No. 14. George Frederick Handel Esq' Died April 14. 1759 in the 76th year of his Age; and was Buried by the Dean on ye 20; in the South Cross; 8 feet from the Duke of Argyle's Iron Railes; 7 feet from his Coffin; which is Lead: N. B. There may be made very good graves on his Right and Left by Diging up a Foundation of an old Staircase; Room at the feet: Mr. Gordin. U. T.
(Edwards 1909, 242)

– Das Funeral Book der Westminster Abbey wurde vom Leiter der öffentlichen Bauten geführt. Für den Herzog von Argyll (vgl. 13. Januar 1739/II), der 1743 starb, war ein kunstvolles, von Roubiliac geschaffenes Marmorgrabmal in Westminster Abbey errichtet worden. An dem „Room at the feet" wurde 110 Jahre später Charles Dickens beigesetzt. Als man Händels Grab 1870 öffnete, wurde der rote Samt seines Sarges sichtbar.
Händel starb nicht im 76., sondern im 75. Lebensjahr.
„U. T." bedeutet Undertaker (Leichenbestatter).

21. April 1759 (I)
The Whitehall Evening Post

Last night about Eight o'clock the remains of the late great Mr. Handel were deposited at the foot of the Duke of Argyll's Monument in Westminster Abbey; and though he had mention'd being privately interr'd, yet from the Respect due to so celebrated a Man, the Bishop, Prebends, and the whole Choir attended to pay the last Honours due to his Memory; the Bishop himself performed the Service. A Monument is also to be erected for him, which there is no doubt but his Works will even outlive. There was almost the greatest Concourse of People of all Ranks ever seen upon such, or indeed upon any other Occasion.
(Flower 1947, 354)

– Mit „the Bishop" ist der Bischof von Rochester, Dr. Zachary Pearce, gemeint, der gleichzeitig Dekan der Westminster Abbey war. Ähnlich lautende Nachrichten über Händels Leichenbegängnis veröffentlichten die *London Evening Post* am 24. April, die *Universal Chronicle* am 28. April.

21. April 1759 (II)
The Universal Chronicle

An Attempt towards an Epitaph.

Beneath this Place
Are reposited the Remains of
George Frederick Handel.
The most excellent Musician
Any Age ever produced:

Whose Compositions were a
Sentimental Language
Rather than mere Sounds;
And surpassed the Power of Words
In expressing the various Passions
Of the Human Heart.
He was born in Germany Anno 1685, and having,
with universal Applause, spent upwards of fifty
Years in England, he died on the 14th Day of April
1759.   H.

– Der unbekannte Autor dieser Grabinschrift ist
möglicherweise identisch mit dem Verfasser des
am 17. April im *Gazetteer* veröffentlichten Gedichts auf Händel, das mit „H–y" gezeichnet ist.
Die Zeilen erschienen am gleichen Tag auch im
Norwich Mercury, und zwar mit dem Hinweis, daß
sie aus *Lloyd's Evening Post and British Chronicle*
vom 19. April übernommen worden seien. (Ein
Exemplar dieser Zeitung ist nicht nachweisbar.)
Vgl. 1759 (II)

24. April 1759
The London Evening Post

On Friday Night [20. April] the Remains of the
late Mr. Handel were deposited at the Foot of the
Duke of Argyle's Monument in Westminster-Ab-
bey; the Bishop, Prebendaries, and the whole
Choir attended, to pay the last Honours due to his
Memory; and it is computed there were not fewer
than 3 000 Persons present on this Occasion.
(Edwards 1909)

– Die Notiz erschien am 28. April auch in *Jackson's
Oxford Journal*, am 30. April in *Boddely's Bath Jour-
nal* sowie in den April-Ausgaben von *Gentleman's
Magazine* und *Scots Magazine*.
Vgl. 28. April 1759 (I)

25. April 1759
Hollsteinischer unpartheyischer Correspondent

Den 14ten dieses starb der weltberühmte Musicus, Herr Georg Friedrich Händel, im 74. Jahre seines Alters. Er hat seinen Verwandten in Deutschland ein Vermächtniß von 2 000 Pf. St. hinterlassen.
(Becker, 38)

– Händel war im 75. Lebensjahr verstorben.
Vgl. 1. Juni 1750, 6. August 1756, 22. März und
4. August 1757(II) sowie 11. April 1759

26. April 1759
Hamburger Relations-Courier

London 17. April 1759
Der große Thonkünstler, Hr. Georg Friedrich
Händel, ist mit dem Tode abgegangen. Es fällt da-

durch eine sehr ansehnliche Pension an die Krone
zurück.
(Becker, 38)
Vgl. 17. April 1759 (I)

26.–30. April 1759
Memorandum zu Händels Testament

Memorandum that George Frideric Handel of
Brooke Street Hanover Square, Esq. in the Probate
Late of the Parish of St. George Hanover Square In
the County of Middx. Esq. died possessed of
Seventeen Thousand Five Hundred Pounds Re-
duced Annuities at £3 per cent & by his last Will
& Testament datet 1st. June 1750 appointed Johanna Friderica Floerken Sole Executrix with four
Codicils respectively dated the 6th. Aug. 1756,
22nd. March 1757, 4th. Aug. 1757 & 11th. April
1759 wherein he appoints George Amyand Esq.
Co Executor making no mention of the said Anns.
they are at the disposal of the said George Amy-
and Esq. he only having proved the Will.
Power reserved to make the like grant to Johanna
Friderica Floerken Wife of [Johann Ernst] Floer-
ken the Neice of the said decd. & Executrix
named in the said Will when she shall apply for
the same.
Probate dated at Doctrs. Comm. 26 April 1759
Regd. 30th. April 1759
(Archiv der Bank of England, Register Office
Book A–K 1 348. Young 1947, 63, 230)
Vgl. 11. Oktober 1759

28. April 1759 (I)
The Universal Chronicle

Friday night, about eight o'clock, the remains of
the late Mr. Handel were deposited … in Westminster Abbey; and though he had mentioned being
privately interred, yet, from the respect due to so
celebrated a man, the Bishop, Prebends, and the
whole Choir attended. … A monument is also to
be erected for him, which there is no doubt but
his works will even outlive. There was also a vast
concourse of people of all ranks.
(Schoelcher 1857, 347)

– Die beiden hier ausgelassenen Textstellen haben den gleichen Wortlaut wie die entsprechenden Stellen der Notiz in der *London Evening Post*
vom 24. April.
Vgl. 21. April 1759 (I)

28. April 1759 (II)
Laut Ankündigung vom 23. April in *Boddely's Bath
Journal* wird in Mr. Simpson's Room Händels *Acis
and Galatea* „after the Manner of an Oratorio" zum
Besten von John Richards, dem Konzertmeister
des Orchesters, aufgeführt.

– In den Chören wirkten Sänger verschiedener Kirchen mit, u. a. der Kathedralen von Salisbury und Bristol.
Besetzung:
Acis – Daniel Sullivan, Kontratenor
Galatea – Miss Rosco, Sopran
Damon – Mr. Offield, Tenor
Polyphemus – Thomas Linley, Baß
(Young 1950)
Sullivan hatte 1744 in Händels Ensemble gesungen, allerdings nicht zu dessen Zufriedenheit (vgl. 25. Februar 1744). Thomas Linley war der Sohn des Organisten und Komponisten Thomas Linley (vgl. 9. April 1757). Über Miss Rosco und Mr. Offield ist nichts bekannt.

April 1759
The Scots Magazine

Deaths. April 12. At London, George Frederic Handel. ... "He was perhaps as great a genius in music, as Mr Pope was in poetry; the musical composition of the one being as expressive of the passions, as the happy versification of the other excelled in harmony. Gr. Mag."
(Flower 1947, 354)

– Die Edinburger Monatsschrift zitierte diese Notiz (mit dem falschen Todestag) vermutlich nach dem *Grand Magazine of Universal Intelligence*.

1. Mai 1759
Abgaben-Buch der Gemeinde von St. George, Hanover Square

Geo. Frederick Handall, Rent £ 40. Three Ratings £ 2 10s 0d.
(Smith 1950, 125)

– Händels Diener John Duburk wurde der neue Mieter des von Händel von 1723 bis zu seinem Tode bewohnten Hauses in Brook Street, Hanover Square (vgl. 11. Juni 1724 und April 1725).

2. Mai 1759 (I)
George Amyand, Händels Testamentsvollstrecker (vgl. 6. August 1756), läßt von Händels Annuitäten-Guthaben bei der Bank of England 2 470 £ auf [John] Christopher Smith, Dean Street, Soho, sowie 600 £ auf John Du Burk [Duburk], Hanover Square, überschreiben.
(Bank of England, Reg. 1348, George Amyand, Esq, Actg. Exʳ, fo. D. 2646, M. 2583)

– Händel hatte seinem Jugendfreund und Sekretär testamentarisch 2 000 £ (vgl. 1. Juni 1750 und 6. August 1756) und seinem Diener John Duburk 500 £ (vgl. 22. März 1757) vermacht.

2. Mai 1759 (II)
In der Marktkirche zu Halle wird nach Bekannt-

werden seines Todes öffentlich für Händel gebetet.
(Förstemann, 3; Schoelcher 1857, 334)

3. Mai 1759
In der Kapelle des Foundling Hospital findet die Aufführung des *Messiah* zum Besten des Hospitals unter Leitung von John Christopher Smith jun. statt.
Vgl. 10. Mai 1759

4. Mai 1759
In dem von Giardini veranstalteten „Concerto spirituale" im Covent Garden Theatre erklingen die Ouvertüre zu *Saul* und das *Funeral Anthem for Queen Caroline*; John Beard singt eine Arie von Händel (*The Public Advertiser*).
(Schoelcher 1857, 337)

5. Mai 1759
Mary Delany an ihre Schwester Ann Dewes

Delville, 5th May, 1759.
I was very much pleased with Court's lines on Mr. Handel; they are very pretty and very just. D. D. [Dr. Patrick Delany] likes them extremely. I could not help feeling a damp on my spirits, when I heard that great master of music was no more, and I shall now be less able to bear any other music than I used to be. I hear he has shewed his gratitude and his regard to my brother by leaving him some of his pictures; he had very good ones. I believe when my brother wrote last to me, which was from Calwich, he had not had an account of his legacy; it was from Mrs. Donnellan I had it, to whom Handel has left 50 pounds. I want to know what the pictures are? I am sure you were pleased with the honours done him by the Chapter at Westminster.
(Delany, III, 550 f.)

– Court ist möglicherweise der Autor des am 17. April 1759 im *Public Advertiser* anonym veröffentlichten Gedichts.
Über eine Gesellschaft der 84jährigen Mary Delany, bei der Musik Händels gespielt wurde, berichtet Mary Hamilton unter dem 15. März 1784 in ihrem Tagebuch: „The Musick consisted of some of Handel's finest Songs wᶜʰ my Uncle [Sir William Hamilton] had got set in Italy by an Italian [Lorenz Moser], for Trios. ... He brought an excellent Tenor player – one Broggio, an Italian, & [James] Cervetto, yᵉ fine Violoncello performer. ... My Uncle played the second Tenor. ... I was so enchanted with the song of 'I know that my Redeemer liveth', that I was going to desire Sir Wᵐ to play it again, but looking towards dear Mrs. Delany I forbore ... the tears were trickling down her venerable cheeks."
Robert Birchall hatte um diese Zeit unter dem Ti-

tel *Handel's Posthumous Trios for a Violin, Tenor &
Violoncello* Instrumentalbearbeitungen von Händel-
schen Gesängen veröffentlicht, die ca. 1790 von
John Bland nachgedruckt wurden.
(Anson, 172)

8. Mai 1759

Im *Public Advertiser* wird für diesen Tag die Probe
für das Feast of the Sons of the Clergy angekündigt: „… at St. Paul's – Overture of Esther,
Mr. Handel's new Te Deum, and Jubilate. The
grand chorus from The Messiah will be vocally
and instrumentally performed. To conclude with
Mr. Handel's Coronation Anthem."
(Schoelcher 1857, 337)

– Das Festival fand am 10. Mai statt. Die aufgeführten Werke sind mit Ausnahme des Anthems
von Boyce die gleichen wie 1758 (vgl. 11. April
1758).

10. Mai 1759

Aufstellung der Mitwirkenden bei der *Messiah*-Aufführung vom 3. Mai 1759 im Foundling
Hospital (Auszug)

Singers.			
Sig.ra Frasi	£ 6	6	–
Sig.r Ricciarelli	„ 5	5	–
M.rs Scott	„ 3	3	–
M.r Beard	„ –	–	–
M.r Champness	„ 1	11	6
6 Boys	„ 4	14	6
Bailden	„ 1	1	–
Barrow	„ 1	1	–
Champness	„ –	10	6
Bailden Jun.r	„ –	10	6
Ladd	„ –	10	6
Cox	„ –	10	6
Munck	„ –	10	6
Wass	„ 1	1	–
Walz	„ –	10	6
Kurz	„ –	10	6
Courtney	„ –	10	6
Reinhold	„ –	10	6
	£ 28	17	6
Servants.			
Evens	£ –	10	6
Condell	„ –	10	6
Mason	„ –	10	6
Green	„ –	10	6
Thomas M.r Handels man	„ –	10	6
John Duburgh	„ 1	1	–
The Musick porters	„ 1	11	6
	£ 5	5	–
Singers	„ 28	17	6
Orchestra	„ 17	15	–
in all	£ 51	17	6

Th.s Mr. Handels man absent	£ –	10	6
	£ 51	7	–
Mr. Smith	„ 5	5	–
	£ 56	12	–
J. C. Smith org.st Howard }	–	–	–

May 10th 1759 Rec.d of Mr Lancelet Wilkinson the
Sum of Fifty Six pounds twelve Shill.s in full of all
Demands.
by me
Christopher Smith
(Edwards 1902 I)

– Die Aufstellung der „Performers" ist nahezu
identisch mit der vom Vorjahr, und wird hier
nicht wiedergegeben (vgl. 2. Mai 1758). Nach
Clark (1852) beliefen sich die Einnahmen aus den
Aufführungen des *Messiah* zum Besten des
Foundling Hospital in der Zeit von 1751 bis 1777
auf 10 299 £. Die Aufführungen von 1759 bis 1768
leitete John Christopher Smith jun., Organist der
Kapelle des Foundling Hospital, der im Mai 1770
von diesem Amt zurücktrat und zu einem der Governors des Hospitals gewählt wurde.
(Nichols/Wray, 210 f.)

14. Mai 1759
The Public Advertiser

Hospital for the Maintenance and Education of
exposed and deserted young Children, May 9,
1759.
In gratefuly Memory of George Frederick Handell,
Esq.; On Thursday the 24th Day of May, at the
Chapel of this Hospital, under the Direction of
John Christopher Smith, will be a Performance of
Sacred Music, which will begin exactly at Twelve
o'Clock at Noon.
(Schoelcher 1857, 334)

– Bei der Wiederholung der Ankündigung am
17. Mai wurde hinzugefügt: „Mr. Stanley, for the
Benefit of this Charity, will on this Occasion perform a Concerto on the Organ."
Das für das Konzert gedruckte Textbuch (Exemplare in der British Library und in der Sammlung
Schoelcher) trägt auf der Titelseite den Hinweis:
„In grateful memory of his many noble Benefac-
tions to that Charity." Die *Whitehall Evening Post*
vom 17. Mai bemerkte in der Ankündigung dieses
Konzerts: „… but we don't apprehend it is the
Dirge that has been so much talked of." (Vgl.
11. April 1753/II)
Auf dem Programm dieses Händel-Gedenkkon-
zertes standen das *Foundling Hospital Anthem* und
die vier Coronation Anthems.

16. Mai 1759 (I)

George Amyand (vgl. 6. August 1756) läßt von Händels Annuitäten-Guthaben bei der Bank of England 1254 £ auf Peter Gillier sen., Christian Reich, Westminster, und Thomas Wood, St. Giles in the Fields, überschreiben.
(Bank of England, Reg. 1348, George Amyand, Esq. Actg. Ex^r, fo. D. 2646, M. 2583)

– Laut viertem Kodizill zu Händels Testament (vgl. 11. April 1759) sollte die Society for the Support of Decayed Musicians 1000 £ erben, und die Governors sollten den Betrag „in the most beneficial manner" verwenden. Offensichtlich hatten sie entschieden, die Summe diesen drei Herren zukommen zu lassen (vgl. 17. Juni 1759).

16. Mai 1759 (II)

Die Gouverneure des Lying-In Hospital for Married Women, Aldersgate Street, begehen in der Drapers Hall ihr Jahresfest. Aus diesem Anlaß werden in der St. Andrew's Church, Holborn, die Chöre „Worthy is the Lamb" und „The Lord God Omnipotent reigneth" aus dem *Messiah* sowie Händels „Grand Coronation Anthem" aufgeführt.
John Beard und die „Gentlemen of St. Paul's" sangen, John Stanley spielte die Orgel.
(*The Public Advertiser*, 12. Mai 1759)

16. und 17. Mai 1759

In Bath werden an diesen beiden Tagen unter der Leitung von William Hayes vormittags in der Abbey-Church Händels „Grand Te Deum" und verschiedene Anthems, abends in der Assembly Hall *Judas Maccabaeus* und *Messiah* aufgeführt (*Boddely's Bath Journal*, 14. und 21. Mai 1759).
(Myers 1948, 161 f.)

17. Mai 1759

Im Senate House der Universität Cambridge wird unter Leitung von John Randall Händels *Messiah* aufgeführt.
Vgl. 28. Februar 1756
(Deutsch 1942 II, 261)

25. Mai 1759

George Amyand (vgl. 6. August 1756) läßt von Händels Annuitäten-Guthaben 400 £ auf William Delacreuze, Castle Street, und 100 £ auf Henry Monk, Dublin, überschreiben.
(Bank of England, Reg. 1348, George Amyand, Esq. Actg. Ex^r, fo. D. 2646, M. 2583)

– Delacreuze und Monk waren vermutlich Gläubiger von Händel.

28. Mai 1759

In Oxford werden im Music Room Händels Coro-nation Anthems „The King shall rejoice" und „Zadok the Priest" aufgeführt.

8. Juni 1759

George Amyand (vgl. 6. August 1756) läßt von Händels Annuitäten-Guthaben bei der Bank of England 500 £ auf William Prevost jun., Shadwell an der Themse, überschreiben.
(Bank of England, Reg. 1348, George Amyand, Esq. Actg. Ex^r, fo. D. 2646, M. 2583)

– Prevost war vermutlich auch ein Gläubiger von Händel.

13. Juni 1759 (I)

Protokolle des General Committee des Foundling Hospital

Mr. Smith attended the Committee and delivered to them a copy of the score of the music for the oratorio called Messiah left to this hospital by George Frederick Handel Esq.
(Tobin 1965, 12)

– Händel hatte im dritten Kodizill zu seinem Testament (vgl. 4. August 1757) dem Foundling Hospital eine Partitur und die Stimmen des *Messiah* zugesagt. Dieser Passus aus dem Kodizill wurde in jeden der drei Bände eingetragen, aus denen die Partiturabschrift besteht. Die Überreichung der Vokal- und Instrumentalstimmen, die sich wie die Partitur-Kopie im Besitz der Thomas Coram Foundation, London (ehemals Archiv des Foundling Hospital) befinden, ist nicht dokumentarisch belegt. Geschrieben ist die Partitur nach Larsen von einem Kopisten des Smith-Kreises.
(Clark 1852; Larsen 1957, 207 und 296; Tobin 1965, 11 ff.)

13. Juni 1759 (II)

Zum Besten von Händels langjährigem Tenor John Beard wird in Ranelagh House Händels *L'Allegro ed il Penseroso* aufgeführt.
John Stanley spielte ein Orgelkonzert. Das Textbuch druckten Jacob und Richard Tonson (Exemplar in der Sammlung Schoelcher).

17. Juni 1759

Protokolle der Society for the Support of Decayed Musicians and their Families

June 17, 1759.
Dr. Buswell, late Gentleman of the Chapel-Royal, and one of the committee of the Society accounts, reported, that Twelve Hundred and Fifty-four pounds stock, of the reduced Bank Annuities, now standing in the names of Mr. Thomas Wood, Mr. Peter Gillier, and Mr. Christian Reich, in the books of the company of the Bank of England, had been transferred to them by George Amyand, esq. one of the executors of the last Will and Testa-

ment of George Frederic Handel, esq. deceased, in full satisfaction and discharge of the Legacy of One Thousand, Pounds, given and bequeathed by the said George Frederic Handel, in and by one of the Codicils to his last Will, to the Society, by the name of The Society for the Support of Decayed Musicians and their Families; to be disposed of in the most beneficial manner for the support of that Charity.

Vgl. 16. Mai 1759

– John Buswell war Chorknabe, seit 1754 Gentleman der Chapel Royal. 1762 wurde er Lay Vicar an der Westminster Abbey; seit 1756 gehörte er der St. George's Chapel, Windsor, an. 1759 promovierte er in Oxford zum Doktor der Musik.
Händels Vermächtnis für die Society war das größte, das diese jemals erhalten hat.
Thomas Wood war Geiger, Peter Gillier Violoncellist (vgl. 29. Mai 1754 und 2. Mai 1758).
Christian Reich ist möglicherweise identisch mit dem Bratschisten „Rash", der in der *Messiah*-Abrechnung für 1758 genannt wird (vgl. 2. Mai 1758).
(Burney/Eschenburg, XLVI und 97 f.)

27. Juni 1759

George Amyand (vgl. 6. August 1756) läßt von Händels Annuitäten-Guthaben bei der Bank of England 500 £ auf Edward Shewell, Lombard Street, überschreiben.
(Bank of England, Reg. 1348, George Amyand, Esq. Actg. Ex^r, fo. D. 2646, M. 2583)

– Der Goldschmied Shewell war vermutlich ein Gläubiger von Händel (vgl. 31. Oktober 1759).

28. Juni 1759

George Amyand (vgl. 6. August 1756) läßt von Händels Annuitäten-Guthaben bei der Bank of England 700 £ auf James Smyth, New Bond Street, überschreiben.
(Bank of England, Reg. 1348, George Amyand, Esq. Actg. Ex^r, fo. D. 2646, M. 2583)

– Händel hatte James Smyth im letzten Kodizill zu seinem Testament (vgl. 11. April 1759) 500 £ vermacht.
Vgl. 17. April 1759

3.–5. Juli 1759

Anläßlich der Gedenkfeiern und des Public Act in Oxford werden *Samson, Esther* und *Messiah* im Sheldonian Theatre unter der Leitung von William Hayes aufgeführt.
(Schoelcher 1857, 337)

– Der *Public Advertiser* berichtete am 5. Juli aus Oxford: „The University is quite full of Nobility and Gentry; so much Company not having been seen here since the last Public Act in 1733." Im

Sommer 1733 hatte Händel in Oxford seine Oratorien *Acis and Galatea, Esther, Deborah* und *Athalia*, das *Utrecht Te Deum* und *Jubilate*, verschiedene Anthems und eines seiner Orgelkonzerte aufgeführt.
In diesem Jahr wurde der Komponist Thomas Augustine Arne zum Doctor of Music promoviert.

23. Juli 1759
Charles Burney an Philip Case

Lynn, July 23rd, 1759.
Sir,
I fear I shall not be able to propose any useful hints as to the Furniture of the Barrel Organ you mentioned to me, unless I was informed what Stops it contained, what is its Compass, together with the Size & Number of its Barrels. However I will suppose it capable of performing the following Pieces, wch in the serious Way w^d if well adapted to the Instrument afford great pleasure to the admirers of such Compositions.

1. Corelli's 8th Concerto (or the favourite movem^t of it).
2. He was despised & rejected – in Handel's Messiah.
3. Powerful Guardians – set by D^o
4. Return O God of Hosts – in Samson.
5. Tis Liberty alone – in Judas Maccabeus.
6. Handel's Second Organ Concerto, or Part of it.
7. Geminiani's 1st Concerto op 2da, or Do.
8. King of Prussia's March.
9. March of the 3^d Regiment of Guards.
10. Hasse's 1st Concerto.
11. Rende me il Figlio mio, del Sig^r Cocchi, nel Ciro riconosciuto.
12. The Simphony & last Movem^t of Handel's Coronation Anthem.

If these Compositions or any Part of them should be approved & practicable, it will be necessary to have them judiciously suited & adjusted to the Genius of the Organ & filled up with such Simphonies & accompanym^{ts} as will best compensate for the Want of a Voice in the Songs or a Number of Instruments in the other Pieces.
I am, Sir,
Your Most Obed^t & Most Humble Servant
Chas. Burney.
(Townshend MSS., 395 f.; Deutsch 1949 I)

– Burney war zu der Zeit noch Organist in King's Lynn, Norfolk. Über Philip Case ist nichts bekannt; ob er eine Drehorgelwalze mit den von Burney vorgesehenen Stücken bestiftete, war nicht zu ermitteln. Corellis Concerto ist wahrscheinlich das „Weihnachtskonzert" op. 6 Nr. 8; „Powerful Guardians" ist eine Arie aus Händels *Alexander Balus*, sein „zweites" Orgelkonzert vermutlich das B-Dur-Konzert aus Opus 4. Geminianis erstes Concerto ist aus seinen Concerti grossi op. 2; der Komponist des Marsches des Königs von Preußen (Friedrich II.) ist Gualtiero Nicolini; der Marsch des dritten Garde-Regiments war offenbar nicht der aus Händels *Scipione*, obwohl Burney (II, 734) sagt, daß dieser seit etwa 1750 von der Leibgarde gespielt wurde, sondern der auch als „The Captain Reed's March" bekannte (der „Royal Guards March" stammte aus Händels *Rinaldo*). Hasses Concerto gehört vermutlich zu den sechs Concerti op. 4; Gioacchino Cocchis Oper *Ciro riconosciuto* war 1759 entstanden. Mit der „Simphony & last Movem^t of Handel's Coronation Anthem" meinte Burney vermutlich den langsamen Einleitungsteil sowie den Schlußteil mit dem Text „God save the King" aus „Zadok the Priest".

13. August 1759
In der Londoner Vorstadt Hampstead findet im Long-Room als „Mr. Beard's Night" eine Aufführung von Händels *Acis and Galatea* statt *(The Public Advertiser)*.
(Schoelcher 1857, 337; Smith 1948, 242)

– John Beard, der die Partie des Acis seit dem 13. Dezember 1739 gesungen hatte, sang sie auch an diesem Abend; Giulia Frasi sang die Galatea, Isabella Scott-Young wahrscheinlich den Damon und Samuel Champness den Polyphemus. John Stanley spielte ein Cembalokonzert.

27. August 1759
An Inventory of the Household Goods of George Frederick Handel Esqr Deceased taken at his Late Dwelling House in Great Brook Street St Georges Hanover Square & By Order of the Executor Sold to Mr Jno Du Bourk this twenty Seventh of Augt 1759 by the Appraisement of us whose names are Underwritten.

In the Garretts

4 Old Chairs 3 Old Trunks a Wainscot Oval table a Bedsted wth Lincey Fun^e: a Feather bed bolster and 1 Pillow 3 blanketts & a Quilt an Old Sadle a Window Curtain & an Old Grate – 2 p^r Stairs Closset 2 Old Globes & Frames & Chimney board

2 p^r Stairs foreward
a Bed Stead wth whole teaster Crimson haritteen furniture a feather bed bolster & 2 pillows a White Mattress three blankets & a Quilt 3 p^r of Red Window Curtains & Rods a Stove tongs & Poker. 6 Old Matted Chairs a Round Close Stool & white pann a Wicker Fire Screen a Glass in Wall^e Frame –

2 p^r Stairs Backwards
An Old bedsted wth Red half teaster furniture a feather bed a Bolster 2 Blanketts & an Old Quilt

an Oval Wains^t table & 3 Old Chairs – – –

Dineing Room
An Iron Hearth wth Dogs Brass Mounted tongs & Shovell, 2 Wall^e Round Card tables 7 Wall^e Matted Chairs & a Leather Stool, 2 Sconces in Gilt Frames a Chimney Glass in d^o & Broke – – –

In the one p^r of Stairs Backwards
A Stove Compleat bellows & Brush. 4 Matted Chairs a Wall^e Card table a p^r of Old Green Silk window Curtains & a Window Seat a Chimney Glass in a Gilt Frame & a Pier Glass in Ditto – – –
In the Closet a Lincey Curtain an Old Stove & a Small Cupboard

On the Stairs & in ye Passage
an Eight Day Clock in a Wall^e frame & a Sq^{re} Lanthorn –

In the Fore Parlor
A Sq^{re} Stove Poker Shovel Fender bellows & Brush a Wainscot Oval table a Square black table 6 Old Matted Chairs a Sconce in a Gilt frame a Chimney Glass in d^o an Old Wall^e Desk 2 p^r of Harritten Window Curtains Vallsents & Rods 5 Couler'd China Coffee Cups & 6 Saucers a Blue & white Spoon boat – – –

In the Back Parlor
an Easy Chair & Cushion an Old Stove Comp^t a Wallnuttren Desk a dressing Swing Glass in a black frame an Old Bason Stand a Wicker fire Screen a deal Chest & Bracketts & a Square deal box a Large Linnen Press a Small Deal bookcase 2 Wig block fixt – – –
In the Clossett a Large Nest of drawers & a Wind^w Curtain

In the Kitchin
A Large Rainge with Cheeks Keeper & Iron Back a Crain & Pott Hooks a Fender Shovel Tongs & Poker & Bellows a Salamander a Chaffing Dish 2 hanging Irons 3 flat Irons a Jack Compleat & Lead Weight 2 Standing Spitt racks and three Spitts a Gridiron & 2 Trivetts. a Flesh Fork & Iron Scure an Iron Plate warmer 8 Brass Candelsticks 2 Coffee Pots a Drudger & 2 Pepper Boxes a Slice a Ladle & a Scimmer & a Basting Ladle a Copper Grater a Warming Pann a Copper Drinking Pott a tin driping Pann & Iron Stand a boyling Pot & Cover a Dish Kittle a Fish Kittle Compleat 2 Stue panns & Covers 2 Frying Panns 5 Sausepanns & 3 Covers a Copper watter Candlestick 12 Pewter Dishes & 26 Plates a tea Kittle a Coffee Mill 2 Wains^t tables 5 Old Chairs an Arm Easy Cheir a plate Rack a Choping board a Spice Drawer a Pewter Shaveing basson about 30 pss of Earthen

& Stone Ware & a Towel Rowl a box w[th]
12 Knives & 12 Forks   4 Glass Salts & Mustard
Glass 2 Coal boxes a Meat Screen & a
Clever   a p[r] of Stepts &c. – –

In Back Kitchin
An Old Stove & Shovell   a Copper Fixed & Iron
work 2 Formes & 5 Washing tubbs   a Cloaths
horse & a Horse to dust Cloaths on   2 Old Chears
& a Wig block   a bedstead & Curtains   a feather
bed bolster & 1 Pillow one blankett & a
Rugg   an Old Chair –

In the Area & Vault
a Large Lead Cistern & Brass Cock & beer Styl-
ion –
All the Before written Goods &c. is Appraised &
Valued to the Sum of Forty Eight Pounds the
Day and Year beforementioned.

£48 0 0

By us   {James Gordon
        {William Askew

(British Library: Eg. 3009. E., Bll. 1–18. Schoelcher 1857, 344f.)

– Das Original ist mit dem von Chrysander aufge-
stellten Stammbaum von Händel zusammengebunden.
Fun[e] = Furniture; Comp[t] = complete; Stue =
Stew; Stepts = Steps; Vallsents = Valence.
Der „lead cistern" (Kühleimer aus Blei) mag derselbe gewesen sein, den W. H. Cummings 1893
noch im Hause gesehen hat und so beschreibt: "a
fine cast-lead cistern, on the front of which in
bold relief I read '1721. G. F. H.'"
Nach William Snoxell (Verkauf 1879) besaß Cummings nicht nur Händels Exemplare seines Testaments und der vier Kodizillen, sondern auch das
hier abgedruckte Haushaltinventar.
Händels Diener John Duburk kaufte den gesamten Hausrat zum geschätzten Preis von 48 £ und
wurde der neue Mieter des Hauses. (Händel erwähnte das Haus in seinem Testament nicht, da er
nicht Besitzer, sondern nur Mieter war – vgl.
11. Juni 1724, April 1725 und 1. Mai 1759).
(Smith 1948, 49f.; Smith 1950, 125)

August 1759
The London Magazine

To the Manes of Mr. Handel.
By Mr. Lockman.

To mourn o'er thee, I call not on the nine,
Nor wait for influence at Apollo's shrine;
Vain fictions! O for David's sacred string!
Who but a muse divine of thee should sing? –

Fall'n thy slow wasting tenement of clay,
Back to the stars thy spirit wing'd her way;
For heav'n indulgent only lent thee here,

Our pangs to soften, and our griefs to chear;
Our jarring passions sweetly to controul,
And lift to exstasy th' aspiring soul.

O wondrous sounds, thine from yon region
                                          came,
And hence, thus strongly, they each breast in-
                                          flame!
Such strains thou heard'st at thy return to skies,
When the Messiah bless'd thy ravish'd eyes.
Cherubs, in his high praise, thy anthems sung,
And heav'n with thy great hallelujahs rung.
(Myers 1948, 158f.)

– Erstmals soll dieses Gedicht von John Lockman
am 30. April 1759 im *Salisbury Journal* veröffentlicht worden sein. In *The Scots Magazine* von September 1759 wurde es nochmals abgedruckt.

6. September 1759
The Public Advertiser

Select Minuets by Mr. Handel, Hasse &c. for the
Harpsichord German Flute or Violin &c. 3 vols. …
Printed for J. Walsh, &c.
(Smith 1960, 273f.)

– Hier wird zum erstenmal der dritte Band dieser
Sammlung (vgl. 31. Oktober 1739 und 11. März
1745) erwähnt, von dem kein Exemplar nachweisbar ist.

12.–14. September 1759
Während des Three Choirs Festival werden vom
12. bis 14. September in Hereford in der Kathedrale am Vormittag des ersten Tages Händels „celebrated Coronation Anthem", am Vormittag des
zweiten sein „New Te Deum and Jubilate" sowie
noch einmal dasselbe Coronation Anthem, am
Vormittag des dritten Tages der *Messiah* aufgeführt. Am Abend des ersten Tages wird in der
College Hall Händels *Joshua* aufgeführt (*Berrow's
Worcester Journal*, 6. September 1759).

– Die Konzerte leitete Rev. Richard Clack, Chor-
vikar und Organist an der Hereford Cathedral.
Von den Mitwirkenden werden in der Zeitungs-
Ankündigung genannt: Giulia Frasi (Sopran),
Benjamin Mence (Alt), Robert Wass (Baß), Abra-
ham Adcock (Trompete), Fr. Smith (Pauken und
Trommeln), Vincent sen. und jun. (Oboe und Fa-
gott?) sowie Stefano Storace (Kontrabaß).
Die Aufführung des *Messiah* war die erste eines
vollständigen Oratoriums, von der bekannt ist,
daß sie in einer Kirche stattfand.
(Lysons/Amott, 36f.)

27. September 1759 (I)
Händels *Messiah* wird unter der Leitung von William Hayes in Church-Langton, Leicestershire,
aufgeführt.
(Hanbury, 54; Myers 1948, 162ff.)

– Es war die erste Oratorien-Aufführung der 1758 gegründeten Charitable Foundation of Church-Langton (vgl. Jahresmitte 1758). Hanbury nennt in seiner Beschreibung der Aufführung die Namen der Mitwirkenden. William Hayes veröffentlichte 1768 *Anecdotes of the Five Music Meetings At Church-Langton*.

Für diese nahezu gleichzeitig in verschiedenen Orten der Provinz stattfindenden *Messiah*-Aufführungen müssen verschiedene handschriftliche Aufführungsmateriale zur Verfügung gestanden haben, da zu dieser Zeit weder die Partitur noch die Stimmen gedruckt waren.
(Smith 1960, 116 ff.)

27. September 1759 (II)

John Walsh kündigt im *Public Advertiser* drei Teile seiner Sammlung *Handel's Songs Selected from the most Celebrated Operas for the Harpsicord, Voice, Hoboy, or German Flute* an.

– Die komplette Ausgabe mit 80 Arien (in vier Teilen) zeigt Walsh am 19. Dezember 1761 an.
(Smith 1960, 190)

September 1759

Händels *Samson* wird in der Kathedrale von Salisbury während des Annual Musical Festival aufgeführt.

– Beleg für diese Aufführung ist ein gedrucktes Textbuch (Exemplare im Royal College of Music und in der Sammlung Gerald Coke).

10. Oktober 1759

Der Londoner Notar Benjamin Bonnet protestiert öffentlich gegen George Amyand, weil dieser abgelehnt hatte, den fünf überlebenden Kindern des Pfarrers Georg Taust jun. die ihnen von Händel testamentarisch hinterlassene Summe von 1500 £ (vgl. 6. August 1756) zu überweisen. Amyand hatte ihnen nur 1200 £ überwiesen, wogegen der Rechtsberater der „Demoiselle Taust", Charles Auguste Fritze, Protest erhob und die den Geschwistern zustehende Summe forderte.

Das Schriftstück des Notars befindet sich mit einer Kopie des Schreibens von Fritze, datiert Halle, den 19. September 1759, und den beglaubigten Unterschriften der fünf Erben im Royal College of Music (handschriftlicher Katalog der Musikautographe des Royal College of Music, 2190–2192).

11. Oktober 1759

George Amyand (vgl. 6. August 1756) läßt von Händels Annuitäten-Guthaben bei der Bank of England 9000 £ auf „Johanna Friderica Floerken. Wife of Johan Ernst Floerken. Director of the University of Halle in Saxony" überschreiben.

(Bank of England, Reg. 1348, George Amyand, Esq. Actg. Ex^r, fo. D. 2646, M. 2583)

– Händel hatte seine Patennichte (vgl. 23. November 1711, 17. August und 6. Dezember 1731) zur Haupterbin und Testamentsvollstreckerin eingesetzt (vgl. 1. Juni 1750 und 26.–30. April 1759). Ihr Ehemann, Prof. Dr. Johann Ernst Floerke (vgl. 17. August 1731/II und 6. Dezember 1731) war jetzt Direktor der Universität. (Halle gehörte seit 1680 zu Brandenburg-Preußen.)

29. Oktober 1759

Acis and Galatea wird in Oxford im Music Room aufgeführt.
(Smith 1948, 240)

31. Oktober 1759

George Amyand (vgl. 6. August 1756) läßt von Händels Annuitäten-Guthaben bei der Bank of England 500 £ auf James Sinclair aus Shadwell, 876 £ auf Lewis Morel, Fleet Street, und 600 £ auf Edward Shewell, Lombard Street, überschreiben.
(Bank of England, Reg. 1348, George Amyand, Esq. Actg. Ex^r, fo. D. 2646, M. 2583)

– Sinclair, Morel und Shewell waren vermutlich Gläubiger Händels. An den Goldschmied Shewell hatte Amyand bereits am 27. Juni 1759 500 £ überschreiben lassen. Mit diesen Überschreibungen war Händels Annuitäten-Guthaben erschöpft. Mit welchen Mitteln Amyand die weiteren testamentarischen Verfügungen aus dem Annuitäten-Konto erfüllte, ist ungeklärt. Eine genaue Abrechnung aller geleisteten Zahlungen ist nicht erhalten.

Ein Unbekannter, der nur mit H. signiert, schrieb dazu 1857 (*Notes and Queries*, 1857, II, Nr. 70, S. 348): „I was shown the other day a skin or parchment containing the original legal release of Handel's executor, with detailed statement of accounts … It came into the hands of the present possessor as packing with a parcel from London, and may be of no value beyond the 'vile use'…"

Es überrascht, daß Schoelcher, der sich um diese Zeit noch in London aufhielt, dieser Spur nicht nachging. Möglicherweise handelte es sich dabei aber auch um eine Fälschung.

12. November 1759

Alexander's Feast wird im „Half-Moon Concert" in der Cheapside aufgeführt (*Public Advertiser*, 10. November 1759).
(Schoelcher 1857, 337)

– Cheapside ist eine Straße in London. Diese Konzerte fanden für Subskribenten statt.
Nach Schoelcher (1857, 337) soll am 15. November *Samson* „for the St. Cecilia Society" *(Public Advertiser)* aufgeführt worden sein, wofür es aber kei-

nen Beleg gibt. Die Ouvertüre zu *Samson* wurde häufig in den „commemoration concerts" dieser Society gespielt.

17. November 1759
John Walsh kündigt in der *Whitehall Evening Post* den fünften Band seiner Ausgabe von *Handel's Songs Selected from His Oratorios. For the Harpsicord, Voice, Hoboy or German Flute* an.

– Der Band enthält ein Verzeichnis der in allen Bänden enthaltenen Gesänge.
(Smith 1960, 198)

10. Dezember 1759
L'Allegro ed il Penseroso wird in Oxford im Music Room aufgeführt.

1759 (I)
Die Castle Society führt *Esther* in der Haberdashers Hall auf.
(Dean 1959, 222 und 632)

1759 (II)
Johann Mattheson, Grabschrift auff den berühmten Capellmeister Hendel, so in Hamburg auff ihn verferttiget worden [1759]
(Musikbibliothek Dr. Werner Wolffheim, Berlin, Verkaufskatalog, Band II, 1. und 2. Juni 1929, Nr. 96)

– Die in Versen gehaltene Grabschrift ist bisher nicht wieder aufgefunden worden. Mattheson hat ihr offenbar keine besondere Bedeutung beigemessen, sonst hätte er sie vermutlich in seine 1761 veröffentlichte deutsche Übersetzung von Mainwarings Händel-Biographie aufgenommen.

1759 (III)
Friedrich Wilhelm Marpurg, Historisch-Kritische Beyträge zur Aufnahme der Musik, Band IV, Fünftes Stück, Berlin 1759

Eines mit obigem fast ähnlichen Vorfalls auf meinen Reisen erinnere ich mich hiebey. Ich ritt von Quedlinburg aus nach Grüningen, und traf daselbst in der bischöflich-halberstädtischen Schloßkirche ein überaus wolklingendes Orgelwerk an, dessen Pedal schwerlich jemals vorher mit Stiefeln und Sporen betreten war, so, daß man im eigentlichen Wortverstande hätte sagen mögen: ich spielte schon einen guten Stiefel. Der Organist des Orts machte, über das Werk meiner Hände und Füsse, grosse, was soll ich sagen? Augen, oder Ohren; ließ sich aber am Ende vernehmen: Ich müste entweder ein Schwarzkünstler, oder Händel selbst seyn, weil man ihm gesagt hätte, daß dieser auf den schönsten Orgeln lauter Hexerey triebe. Mattheson.   [S. 418 f.]
(Aus: Beytrag zu des Hrn. Profeß. Oelrichs historischen Nachricht von den academischen Würden in der Musik von dem Hrn. Legationsrath von Mattheson.)

– Marpurg vermerkt dazu: „Wir nehmen diesen Artikel von Wort zu Wort aus den beliebten Hamburgischen Nachrichten aus dem Reiche der Gelehrsamkeit."

1759 (IV)
Johann Philipp Kirnberger, Allegro, für das Clavier alleine, wie auch für die Violin mit dem Violoncell zu accompagniren, … componirt und vertheidiget, Berlin 1759

Da nun nirgends zu erweisen ist, daß der kleine Septimensprung verboten ist, und in beygefügtem Exempel von Joh. Seb. Bach so wohl auf- als unterwärts ist gesetzt worden, warum soll es denn bey mir ein Fehler seyn?

[S. 5]

Daß Tertien bey Sätzen, die nicht umgekehrt werden, eben so gut als die Sexten erlaubt seyn, zei-
gen folgende Exempel.   [S. 6 f.]

Und eben also im Contrapunct ad 8 als 12. angehet,
alwo im ersten in der Umkehrung die Terzien zu
Sexten, im zweiten zu Decimen werden. In welchem Contrapunct soll man denn wie hier vorge-
geben wird Sexten setzen und Terzien vermeiden? Werden die Sexten nicht ad 12. Septimen
und ad 10 Quinten, mithin, weil der Contrapunct
ad 8 allein übrig bleibet, in der Umkehrung doch
Terzien entstehen? Ob gleich hier nicht zur Umkehrung gesetzt worden, so möchte ich doch wissen, wenn der Tact 5 und 6 auch wäre umgekehrt
worden, was daran auszusetzen seyn würde? Daß
die Umkehrung nicht allemahl nothwendig sey,

haben die Exempel von Joh. Seb. Bach und Hendel
gezeiget, in welchen erstlich die Terzien und
nicht Sexten gesetzt sind, und wenn man sie um-
kehrte der $\frac{6}{4}$ Accord eben auch entstünde.   [S. 7]

Daß es in der Mitte willkührlich sey, es mag zu
Anfangs im Themate befindlich seyn oder nicht,
wenn es nur den Gesang verbessert, und der Tonart, in welcher die Veränderung geschiehet, ge-
mässer kommt, beweisen folgende Exempel von
Bach und Hendel, in welchen sich dieselben öfters
♯ statt ♭ und ♭ statt ♯ bedienet haben.

Dieses ais ist die grosse Terz von dem Fisaccorde, welcher zum Grunde liegt, wenn man sich genau an den
Hauptsatz binden will.

[S. 10]

Bach, Graun und Hendel haben ja in allen möglichen Arten, ohne allemal auf die Gleichheit der Grade, sowohl im Steigen als im Fallen zu sehen ♭ und ♯ vorgesetzt, wo sie es vor gut befunden. Was für Freyheiten hat man nicht noch mehr in motu contrario per augmentationem und diminutionem wie auch alla stretta wo man gar zuweilen die Geltung dieser oder jener Note verändert. Zu verwundern ist es, wie der Herr Criticus eine Nachahmung für einen Gefährten ansehen kann,

ich habe auch nichts weniger als einen Canon hier anzubringen die Absicht gehabt, sondern ich bediene mir der Freyheit, die sich Bach, beyde Graun, Hendel und Telemann in beygefügten Exempeln genommen, allwo sie Anfangs einen Canon zu intendiren scheinen, hernach aber von der Aehnlichkeit völlig abgehen. Wenn Nachahmungen zu Hans Wursten können gemacht werden, so frage ich meine Tadler, ob alle diese grosse Leute ihre Gefährten dazu gebrauchet haben.

[S. 11]

Ich habe nur einige Themata aufgezeichnet. In den Fugen wovon sie genommen sind, wird ein jeder, der welche davon besitzet, die Menge allerhand Gattungen von freyen Imitationen, gleichsam scheinender, und unterbrochener Canons finden: denn diejenigen alle aufzuschreiben, welche in der Mitte von der vollkommenen Aehnlichkeit des Führers oder Gefährten abgehen, könte einer seine ganze Lebenszeit damit zubringen.

[S. 11 f.]

– Verteidigungsschrift gegen eine in Marpurgs *Kritischen Briefen über die Tonkunst* im „VI. Brief an die Gesellschaft. Berlin den 28. Julius 1759." veröffentlichte Kritik an einer zweistimmigen Fuge Kirnbergers, deren „Vorbericht" auf den 29. Juli 1759, eine Anmerkung dazu auf den 22. Oktober 1759 datiert ist.

Kirnberger führt zu seiner Rechtfertigung vorwiegend Beispiele von Johann Sebastian Bach an, zitiert aber auch Händel, Carl Philipp Emanuel Bach, Graun, Telemann und Murschhauser.

(Bach-Dok., III, 128 ff.)

Anhang

Otto Erich Deutsch:
Vorwort zur Ausgabe 1955

This book is a companion to *Schubert, a Documentary Biography*, by the same compiler, published by J. M. Dent & Sons, London, in 1946 and, under the title *The Schubert Reader*, by W. W. Norton & Co., New York, in 1947.

The idea of a biography in documents was apparently initiated by the German edition of the same book, entitled *Franz Schubert, die Dokumente seines Lebens*, and published in 1914 by Georg Müller, Munich, which was, however, incomplete.

The present collection of all known and many hitherto unknown or overlooked documents referring to Handel's life was commenced in 1948, although some preliminary work had been done from 1941 onwards. It was inspired by Arthur Henry Mann's Handel collection of music, books, extracts and notes preserved in the Library of King's College, Cambridge, but nearly all the important Handel collections in the British Isles were visited.

In the collecting of Handel documents, including newspaper notices and advertisements, I have had several predecessors. I acknowledge my gratitude to the following:

Horace Townsend, who collected, with the help of George Finlayson, the documents of Handel's visit to Dublin (1852).

Michael Rophino Lacy (1795–1867), of Spanish origin, Schoelcher's collaborator in London.

Victor Schoelcher (1804–1893), the French author of an English biography (1857) and of a Handel catalogue (manuscript), who lived in London from 1851 till 1870.

Friedrich Chrysander (1826–1901), who published the great German Life of Handel (1856–1867, never completed), and who edited, for the *Deutsche Händel-Gesellschaft, Händel's Werke*, here called the Collected Works.

Julian Marshall (1836–1903), who wrote the first Handel article for Grove's *Dictionary of Music and Musicians* (1879).

Arthur Henry Mann (1850–1929), see above.

William C. Smith, of Chislehurst, Kent, who published in 1948 a book, *Concerning Handel*, and in 1954, in Gerald Abraham's *Handel Symposium*, a catalogue of Handel's works.

Jacob Maurice Coopersmith, of Norman, Oklahoma who compiled a thematic catalogue of Handel's works (manuscript).

Erich H. Mueller von Asow, of Berlin, who first collected Handel's letters (English edition 1935, German edition 1949).

Research during the last hundred years has brought to light a mass of documents referring to Handel's life but, as usual, the biographies, serious and popular, quote only selections of documents, and those in an arbitrary manner. The narrative of a master's life leads to such scraps of quotations, often without exact dates and, therefore, sometimes misleading to the reader. One of several examples, in the case of Handel, is the error mentioned here on page 336, where the year 1741 is given instead of 1733. More often the reader does not know to what exact year an author refers when he only gives the day and month of an event.

The collection of all available documents presents a very different picture of a life from that offered by such random selections. If the collection is properly annotated, and if the compiler in his commentary freely admits any lacunae, the result may be a biography more satisfactory to the true student than the narrative of the most expert essayist.

It is not only the comparative completeness of facts and documents that makes such records a reliable substitute for more entertaining historical representations; it is the cumulative truth that results from chronological documentation. "Truth is the daughter of Time", according to Aulus Gellius; and, by a coincidence, one of Handel's oratorios is entitled *The Triumph of Time and Truth*.

Wherever possible the original manuscripts of printed sources have been used; but articles or books on Handel in which such sources have first been quoted are mentioned at the beginning of each commentary, in a shortened version referring to the *Bibliography*. Where no such reference is given, the documents are probably new in Handel literature.

In Handel's time the number of newspapers and magazines in Britain, and especially in London, was greater than anywhere else in the world. Not all those periodicals have been preserved, and some papers which were still available in the nineteenth century are no longer traceable. The research of earlier Handelian scholars was of great assistance in finding a way through the maze of periodicals listed in the *Bibliography*, but many additional items have now been traced. The great experience of Mr. William C. Smith in the handling of newspapers of Handel's time enabled him, in his "Catalogue of Works", to quote, if only by date and not by name, advertisements originally not quoted in this book: these are mentioned in the *Addenda*. There are also some German sources added to the text, hitherto not used in Handel biographies and discovered by the compiler after his return to Austria.

Among the printed sources quoted in the book are some in which Handel is not mentioned at all: these are of secondary importance and chosen for their reference to Handel's circle or environment.

The chronological order of the documents is often self-explanatory, and therefore simplifies the necessary commentary.

The *Appendix* gives a selection of Handel documents written or published after his death and before the London Commemoration of 1784, covering the years 1760 till 1780.

The *Bibliography* contains, alphabetically arranged, the manuscript sources used, a list of the periodicals quoted, and the titles of all articles and books which have proved of practical value. It differs considerably from the bibliography in Schoelcher's life, probably collected by Lacy, and from that in Sir Newman Flower's popular biography, provided by William C. Smith, both of which are in chronological order and offer an unequal selection. Kurt Taut's German bibliography, published in book form, is too extensive and at the same time incomplete, especially in English literature. Robert Manson Myers's "Select Bibliography", in his book *Handel's Messiah*, has so far been the most reasonable and reliable.

My thanks are due to all archives, libraries and institutions named in the commentary, especially to the following: The Bank of England; the British Museum (Departments of Printed Books and of Manuscripts); the University Library, Cambridge; the Bodleian, Oxford; the National Libraries of Ireland and of Scotland; the Huntington Library, San Marino, California; the National Portrait Gallery, London; the Fitzwilliam Museum, Cambridge; the Public Record Office, London; the Library of King's College, Cambridge; the British Council, London; the Royal Society of Musicians of Great Britain, London; the Foundling Hospital, London; and Mercer's Hospital, Dublin.

The number of people who helped in the compilation of this book is very large, and the following list may not be quite complete. If any have been unwittingly omitted, the compiler offers his apologies and requests forgiveness.

The documents in foreign languages were translated by Maurice J. E. Brown (German); Marius Flothuis (Dutch); Henry Gilford (Latin); Leonardo Pettoello (Italian); and Alexis Vlasto (French).

The manuscript was revised by John Nowell. The galley proofs were read by Geoffrey Glaister, of the British Council (Vienna), who checked them with the compiler against the manuscript, and these proofs were revised by Winton Dean. The page proofs were read by C. L. Cudworth and again by Mr. Nowell.

Mr. Gerald Coke, of Bentley, Hants, the owner of the most precious Handel collection in private hands, assisted me in every possible way.

Of special service were: C. H. Collins Baker, R. Harry Beard, Mme Nanie Bridgman (of the Bibliothèque nationale, Paris), J. F. Burnet, Adam Carse, John V. Cockshoot, Dr. J. M. Coopersmith (of Norman, Oklahoma), Edward Croft-Murray (Department of Prints and Drawings, British Museum), Cyril A. Eland (British Council, Baghdad), Dr. Henry G. Farmer, Frank B. Greatwich, Lord Howe, the Earl of Ilchester, Gilbert S. Inglefield, Miss Cari Johansson (Kungl. Musikaliska Akademiens bibliotek, Stockholm), Dr. A. Kessen (Bibliotheek der Rijksuniversiteit, Leiden), Mrs. Cynthia Legh, Dr. Viktor Luithlen (Vienna), the late Deryck Lynham, G. E. Maby (University Library, Bristol), the late E. H. W. Meyerstein, Robert Manson Myers (New Orleans, Louisiana), Lady Kathleen Oldfield, Cecil B. Oldman, C. B. (Principal Keeper of Printed Books, British Museum), G. F. Osborn, F. L. A. (City of Westminster Libraries), Prof. Emma Pirani (Biblioteca Estense, Modena), Prof. Marco Primerano (Rome), Prof. Dr. Franz Stoessl (Vienna), Frank Walker, G. F. Winternitz (Bologna), Prof. Dr. Hellmuth Christian Wolff (Leipzig), Miss Avril Wood (British Council, London), and the late Alan Yorke-Long. Many of the newspaper extracts were traced and copied in the British Museum by Mr. George Berkovits.

Finally I wish to thank, most sincerely, my publishers for their advice and patience.

Vienna, Spring 1954   O. E. Deutsch

Händels Konten bei der Bank von England

Handel's Stock Account at the Bank of England, 1728–59

fo. 7/124
George Frederick Handell.
[später: „George Frederic Handel"]

South Sea Annuities 1751.

1728				1728			
31 Aug.	To Philip Hollingworth		50	4 June	By Maurice Birchfield		700
10 Dec.	„ John David		250	2 July	„ Leman Hutchins		200
	„ Elizabeth Hougham		800	„	„ Abel Castelfrank		50
1729				11 July	„ Elizabeth Eliot		100
8 July	„ Thomas Bunting		200	„	„ John Rodbard		50
10	„ Robert Harle		500				
15 Sep.	„ Christopher Whitmore		50	1729			
				23 Jany.	„ John Simpson		500
1730					„ John Rice		200
26 Jan.	„ do.		50	5 Aug.	„ Christopher Whitmore		400
				11 Dec.	„ John Hanbury		300
1731							
14 Aug.	„ Sʳ Philip Yorke		200	1730			
29 Sep.	„ Joint Stock S.S.A.		72	4 July	„ Joseph Goupy		100
				5 Aug.	„ Christopher Whitmore		150
				26 Nov.	„ William Whitmore		350
1732							
17 Feb.	„ William Adams		50	1731			
22 June	„ do.		1400	5 June	„ Edward Corbett & c. Ex- ors.		200
	„ Dʳ Melchior van Suste- ren		1000	25 Nov.	„ Henry Carington		472
				1732			
				22 Jan.	„ William Adams		150
				11 May	„ Benjamin Webb		700
			£ 4622				£ 4622

fo. 877
George Frideric Handel. Esq.
of Brooke Street. Hanover Square.

4% Annuities 1748.

1749				1748			
22 Jan.	To William Lateward. of Fenchurch Sᵗ. Gent.		1000	6 May	By Subscrip.		4500
	„ John Glessell. of Ex- change Alley. Gent.		1500	1749			
	„ John Castell. of London. Gent.		1500	7 Apr.	„ John Hale of London. Broker.		2000
	„ John Simons. of Jermyn Sᵗ. Vintner.		1600	7 Sep.	„ David Abarbanel of Lon- don. Gent.		1000
	„ John Bolders. of Lom- bard Sᵗ. Goldsmith		1000	9 Nov.	„ Joseph Jones jnr. of Lon- don. Broker.		250
	„ John Lucey. of Rother- hithe. Gent.		950				
	„ Edmund Jew. DD. of Boldon. Durham.		200				
			£ 7750				£ 7750

fo. 874
George Frideric Handel. Esq.
of Brooke Street Hanover Square.

4 % Annuities 1746.

1750			1749		
2 Aug.	To John Fleming. of Exchange Alley. Broker.	200	22 Feb.	By Subˢ	7700
	„ Thomas Barwick of Fryday Sᵗ. Mercer.	100	1750		
1753			19 Apr.	„ David Abarbanal. of Bevis Marks. Aldgate. Merchant.	1100
2 Jan.	„ Anns. Consᵈ	12000	9 Aug.	do.	150
			1751		
			28 Mar.	„ Rt. Hon Jacob Lord Visct Folkestone. Baron of Longford.	1350
			1752		
			2 May	„ Robert Chambers. of Hackney. Gent.	900
				„ Robert Wright. DD. of Hackney. and Jonathan Chambers of Bucklersbury. Merchant.	1100
		£ 12300			£ 12300

fo. D. 1468
George Frederic Handel. Esq.
of Sᵗ George. Westminster.

3 % Annuities 1743.

1748			1744		
6 May	To Gwyn Goldstone of Howard Sᵗ. Merchant.	2500	10 Apr.	By Certificates.	1300
„	„ Henry Carington of Hoxton. Gent.	500	1745		
			19 Mar.	„ Catherine Delaplace of Sᵗ Mary le Bow. Midsx. Widow.	200
			1747		
			19 Mar.	„ Thomas Holmes of Wevill. Co. Southampton Esq. & John Eames of Portsmouth. Gent.	1500
		£ 3000			£ 3000

fo. D. 2646
M. 2583
Reg. 1348.
George Amyand. Esq.
Actg. Ex^r
George Frideric Handell. Esq. [1]
of Brooke Street. Hanover Square.
Reduced 3 % Anns.

1759			1753		
2 May	To Christopher Smith of Dean St Soho. Gent.	2 470	2 Jan.	By Anns. 1746 Con'	12 000
„	„ John Du Burk of Hanover Sq. Gent	600	1754		
16 May	„ Peter Gillier senior Christian Reich. of Westminster. Gents. Thomas Wood. Gent. of St. Giles in the Fields.	1 254	19 July	„ Benjamin Jones. of Bow. Gent.	1 500
25 May	„ William Delacreuze. of Castle Street. Esq.	400	1755 14 May	„ Philip Hale. of Basing Lane. Sugar Refiner.	500
„	„ Henry Monk. of Dublin. Esq.	100	1756 23 June	„ Stephen Gardes of Rathbone Place. Gent.	1 000
8 June	„ William Prevost. jnr. of Shad. Thames. Gent.	500	1758		
27 „	„ Edward Shewell. of Lombard S^t. Goldsmith	500	19 May	„ John Jones. of St Anns. Soho. Gent.	2 500
28 „	„ James Smith, of New Bond S^t. Perfumer.	700			
11 Oct.	„ Johanna Friderica Floerken. Wife of Johan Ernst Floerken. Director of the University of Halle in Saxony.	9 000			
31 „	„ James Sinclair of Shadwell. Mariner	500			
„	„ Lewis Morel. of Fleet S^t. Goldsmith	876			
„	„ Edward Shewell of Lombard S^t. Goldsmith	600			
		£ 17 500			£ 17 500

1) Die Streichung bedeutet „Death in course of proof".

Handel's Drawing Account at the Bank of England, 1732–58

fo. 97/2674
George Fred^k Handel. Esq.

1734				1732		
June 26	To Cash Him		1 300	Aug. 2	By Cash	2 300
1735						
June 30	„	„	300			
Sep. 15	„	„	100			
Dec. 8	„	„	50			
1736						
Aug. 20	„	„	150			
Sep. 28	„	„	200			

1737										
Sep. 1	To Cash Him	150								
1739										
Mar. 28	„ „ ye balance.	50								
		£ 2 300							**£ 2 300**	

1743 [1744]					**1743 [1744]**					
Feb. 21	To Cash Chambers	650			Feb. 14	By Cash	650			
					Mar. 6	„ „	250			
1744										
Apr. 5	„ do.	226	5	6	**1744**					
17	„ Him.	23	14	6	Nov. 3	„ „	500			
					9	„ „	100			
[1745]					Dec. 11		50			
Jan. 19	„ do.	200								
May 4	„ Robinson	210			**[1745]**					
11	„ Francesina	400			Jan. 5		50			
13	„ Jordan	140			Feb. 1		150			
					1745					
					May 9		100			
		£ 1 850					**£ 1 850**			

1747					**1746 [1747]**					
Apr. 29	To Cash Him	1 000			Feb. 28	By Cash	400			
					Mar. 7	„ „	100			
					21	„ „	100			
					1747					
					Apr. 9	„ „	250			
					24	„ „	150			
		£ 1 000					**£ 1 000**			

1747 [1748]					**1747 [1748]**					
Mar. 19	To Cash Him	990			Feb. 27	By Cash	300			
					Mar. 3	„ „	200			
1748					5	„ „	100			
May 2	„ „	600			10	„ „	250			
					15	„ „	140			
1749					**1748**					
Apr. 7	„ „	2 012	10		Mar. 26	„ „	300			
Nov. 9	„ „	157	10		31	„ „	100			
					Apr. 5	„ „	200			
					Dec. 23	„ „	112	9	5	
					[1749]					
					Jan. 17	„ „	50			
					Feb. 9	„ „	75			
					11	„ „	235			
					17	„ „	227	10	7	
					22	„ „	115			
					25	„ „	185			
					Mar. 6	„ „	190			
					11	„ „	400			
					18	„ „	300			

			£	s					£	s
					1749					
					Mar. 30	„	„	280		
			£ 3 760					£ 3 760		
[1750]					[1750]					
Feb. 13	To Cash Receipt.		50		Jan. 22	By Cash		8 000		
22	„	„ Him.	7 926							
	„	„	24							
			£ 8 000					£ 8 000		
1750					[1750]					
Apr. 19	To Cash Him		950		Mar. 3	By Cash		200		
					9	„	„	200		
					12	„	„	100		
					15	„	„	200		
					17	„	„	100		
					1750					
					Mar. 29	„	„	150		
					[1751]					
					Feb. 23	„	„	445		
					Mar. 2	„	„	305	9	
					7	„	„	300		
					9	„	„	200		
1751					1751					
Mar. 28	To Cash Him		1 790	9	Mar. 14	By Cash		140		
June 13	„	„	250		21	„	„	400		
Aug. 29	„	„	50							
Sep. 5	„	„	25		1751					
Oct. 23	„	„	60		Apr. 4	„	„	200		
Dec. 20	„	„	20		„ „	„	„	50		
					Aug. 8	„	„	175		
1752										
May 12	„	„	2 140	2	1752					
					Feb. 27	„	„	600		
1757					Mar. 12	„	„	430		
Aug. 4	„	„	350		19	„	„	300		
					24	„	„	640		
[1758]					Apr. 2	„	„	320		
May 19	„	„ (Bal.)	2 169	18	1757					
					Apr. 19	„	„	1 200		
					May 12	„	„	250		
					1758					
					Mar. 21	„	„	900		
			£ 7 805	9				£ 7 805	9	

(Eintrag im Firm Book: "George Frideric Handel in Brooke Street Hanover Square")
(Bank of England. Young 1947, 228 ff.)

Sigel-Verzeichnis

Abert
Abert, Hermann: W. A. Mozart, 7. Aufl. Bd. I. – Leipzig 1955.
Abraham
Handel. A Symposium. Hrsg. von Gerald Abraham. – London u. a. (1954).
ADB
Allgemeine Deutsche Biographie. Bd. I–LVI. – München und Leipzig 1875–1912.
Ademollo
Ademollo, Alessandro: G. F. Haendel in Italia. – In: Gazetta Musicale di Milano, Bd. 44. – Mailand 1889.
AfMw
Archiv für Musikwissenschaft. – Leipzig 1918/19–1926; Trossingen 1952–1961; Wiesbaden 1962 ff.
Aitken
Aitken, George A.: Life und Works of John Arbuthnot. – Oxford 1892.
Allaci
Drammaturgia di Lione Allaci accresciuta e continuata fino all'anno MDCCLV ... – Venedig 1755.
Ameln
HHA I/1: Das Alexander-Fest oder Die Macht der Musik. Krit. Bericht von Konrad Ameln. – Kassel und Leipzig 1958.
AMl
Acta Musicologica. – Leipzig 1931–1935; Kopenhagen 1936–1953; Basel 1954 ff. (Forts. der Mitteilungen der Internationalen Musikgesellschaft. Bulletin de la Société Internationale de Musicologie. – Leipzig 1928/29).
AmZ
(Leipziger) Allgemeine musikalische Zeitung (seit 1868: Allgemeine musikalische Zeitung). – Leipzig und Winterthur 1866–1882 (Forts. von: Allgemeine Musikalische Zeitung. Neue Folge).
Anecdotes
anonym: Anecdotes of George Frederick Handel and John Christopher Smith. – London 1799 [irrtümlich William Coxe zugeschrieben].
Angelo
Reminiscenses of Henry Angelo ... Bd. I und II. – London 1828.
Anglia
Anglia. Zeitschrift für englische Philologie. – Halle 1878 ff.

Anson
Anson, Elizabeth und Florence: Mary Hamilton. – London 1925.
Arbuthnot 1751
Arbuthnot, John: The Miscellaneous Works of the late Dr. Arbuthnot. Bd. I und II. – Glasgow 1751.
Arbuthnot 1770
– The Miscellaneous Works of the late Dr. Arbuthnot. Bd. I und II. – London 1770.
Arnot
Arnot, Hugo: The History of Edinburgh. – Edinburgh 1779.
Arro
Arro, Elmar: Kaks tundmatut Händel kirja (= Zwei unbekannte Briefe Händels an Telemann). – In: Eesti Muusika Kuukiri 1, Nr. 2, Dorpat 1929, S. 48–50 [mit Faksimile des 2. Briefes].
Atto
Atto, Clayton: The Society for the Encouragement of Learning. – In: The Library (1938), S. 263–298.

Bach-Dok.
Bach-Dokumente, herausgegeben vom Bach-Archiv Leipzig unter Leitung von Werner Neumann, Supplement zu: Johann Sebastian Bach. Neue Ausgabe sämtlicher Werke (Bärenreiter und VEB Deutscher Verlag für Musik Leipzig)
Bd. I: Schriftstücke von der Hand Johann Sebastian Bachs. Vorgelegt und erläutert von Werner Neumann und Hans-Joachim Schulze. – Kassel etc. und Leipzig 1963.
Bd. II: Fremdschriftliche und gedruckte Dokumente zur Lebensgeschichte Johann Sebastian Bachs 1685–1750. Vorgelegt und erläutert von Werner Neumann und Hans-Joachim Schulze. – Ebd. 1969.
Bd. III: Dokumente zum Nachwirken Johann Sebastian Bachs 1750 bis 1800. Vorgelegt und erläutert von Hans-Joachim Schulze. – Ebd. 1972.
Baker
Baker, C. H. Collins und Muriel I.: The Life and Circumstances of James Brydges, First Duke of Chandos, Patron of the Liberal Arts. – Oxford 1949.
Baker/Yorke
Baker, John: Diary ... Hrsg. von Philip C. Yorke. – London (1931).
Baselt 1975
Baselt, Bernd: Händel und Bach: Zur Frage der Passionen. – In: Johann Sebastian Bach und Georg Friedrich Händel – zwei führende Repräsentanten der Aufklärungsepoche. Bericht über das wiss. Kolloquium der 24. Händelfestspiele der DDR. Halle (Saale) – 9./10. Juni 1976. – Hrsg. im Auftrag der Georg-Friedrich-Händel-Ges. von Walther Siegmund-Schultze. – (Halle 1976), S. 58–66.
Baselt 1978
– Händel auf dem Wege nach Italien. – In:

G. F. Händel und seine italienischen Zeitgenossen. Bericht über die wiss. Konferenz zu den 27. Händelfestspielen der DDR in Halle (Saale) am 5. und 6. Juni 1978. – Im Auftrag der Georg-Friedrich Händel-Ges. hrsg. von Walther Siegmund-Schultze. – Halle 1979 (= Martin-Luther-Universität Halle–Wittenberg. Wissenschaftliche Beiträge 1979/8 [G5]), S. 10–21.

Baselt 1979
Verzeichnis der Werke Georg Friedrich Händels (HWV). Zusammengestellt von Bernd Baselt. – In: Händel-Jb. 25 (1979), S. 9–139.

Baselt 1983
– Wiederentdeckung von Fragmenten aus Händels verschollenen Hamburger Opern. – In: Händel-Jb. 29 (1983), S. 7–24.

Baselt 1984
– Vorbemerkung zum Libretto von Händels verschollener Oper „Der beglückte Florindo". – In: Händel-Jb. 30 (1984), S. 21 f. (S. 23–72: Faksimile des Librettos).

Becker
Becker, Heinz: Die frühe hamburgische Tagespresse als musikgeschichtliche Quelle. – In: Beiträge zur hamburgischen Musikgeschichte. Hrsg. von Heinrich Husmann. – Hamburg 1956, S. 22 ff.

Beeks 1980
Beeks, Graydon F.: The Chandos Anthems and Te Deum of George Frideric Handel (1685–1759). – Diss. Univers. of California, Berkeley 1980 (maschinenschr.).

Beeks 1981
– Zur Chronologie von Händels Chandos Anthems und Te Deum B-Dur. – In: Händel-Jb. 27 (1981), S. 89–105.

Best 1977
Best, Terence: Händels Solosonaten. – In: Händel-Jb. 23 (1977), S. 21–43.

Best 1980
– Nachtrag zu dem Artikel „Händels Solosonaten" (Händel-Jahrbuch 1977). – In: Händel-Jb. 26 (1980), S. 121 f.

Best 1982
– When did Smith become Smith? The copyist question 1712–20. – Referat, gehalten während des zweiten Maryland Handel Festival, November 1982 (ungedruckt).

Bickham/Vincent
Bickham, George jun. (Kupferstecher): The Musical Entertainer. Hrsg. von Richard Vincent. Bd. I und II. – London (1738–1740).

Bielfeld 1763
Bielfeld, Jakob Friedrich, Freiherr von: Lettres familières et autres. Bd. I und II. – Den Haag 1763.

Bielfeld 1765
– Freundschaftliche Briefe. Bd. I und II. – Danzig 1765.

Bielfeld Letters
– Letters … Aus dem Deutschen ins Englische übersetzt von W. Hooper. Bd. I–IV. – London 1768–1770.

Bishop
Bishop, John: Brief Memoir of Handel. – London (1865). [= Abdruck des Vorworts aus Bishops Klavierauszug von Händels „Messiah".]

Bonlini
[Bonlini, Carlo:] Le glorie della poesia, e della musica. Contenute nell'esatta notitia de' teatri della città di Venezia, e nel catalogo purgatissimo de' drami musicali quivi sin hora rappresentati. Con gl'autori della poesia, e della musica. E con le annotationi a suoi luoghi proprij, in Venezia. – Venedig (1730).

Boyer
Boyer, Abel: The Political State of Great Britain. Bd. I–LX. – London 1711–1740.

Braun 1959 I
Braun, Werner: Zur Choralkantate „Ach Herr, mich armen Sünder". – In Händel-Jb. 5 (1959), S. 100–106.

Braun 1959 II
– Beiträge zu G. F. Händels Jugendzeit in Halle (1685–1703). – In: Wiss. Zs. der Martin-Luther-Universität Halle–Wittenberg, Gesellschafts- und Sprachwiss. Reihe 8 (1959), S. 851–862.

Braun 1970
– Drei deutsche Arien – ein Jugendwerk Händels? Eine Erwiderung. – In: Aml 42 (1970), S. 248–251.

Bredenförder
Bredenförder, Elisabeth: Die Texte der Händel-Oratorien. – Leipzig 1934 (= Kölner anglistische Arbeiten. Bd. 19).

Brenet
Brenet, Michel [Pseudonym für: Bobillier, Marie]: La librairie musicale en France de 1653 à 1790. – In: SIMG 8 (1906/07).

Brewster
Brewster, Dorothy: Aaron Hill. Poet, Dramatist, Projector. – New York 1913.

Bristol
Bristol, John Hervey, Earl of: Letter-Books of John Hervey, First [eigentlich Fourth] Earl of Bristol. Bd. I–III. – Wells 1894.

Brockpähler
Brockpähler, Renate: Handbuch zur Geschichte der Barockoper in Deutschland. – Emsdetten 1964.

Brooke
Brooke, W. T.: Elizabeth Tollet and Handel. – In: Musical Standard, London 29. Juni und 13. Juli 1912.

Brownlow 1847
Brownlow, John: Memoranda: or, Chronicles of the Foundling Hospital. – London 1847.

Brownlow 1858
– The History and Design of the Foundling Hospital – London 1858.
Buccleuch
Buccleuch and Queensbury, Duke of: The Manuscripts of the Duke of Buccleuch and Queensbury, preserved at Montague House, Whitehall. Bd. I und II. – London 1899 und 1903 (= Historical Manuscripts Commission). [Bd. I enthält die Montague Papers.]
Bumpus
Bumpus, John S.: A History of English Cathedral Music 1549–1889. Bd. I und II. – London 1917.
Burgh
Burgh, A.: Anecdotes of Music… Bd. I–III. – London 1814.
Burney
Burney, Charles: A General History of Music from the Earliest Ages to the Present Period. Bd. I, II, III und IV. – London 1776, 1782 und 1789 [Seitenangaben nach der Ausgabe New York 1957].
Burney 1771
– The Present State of Music in France and Italy. – London 1771.
Burney 1785
– An Account of the Musical Performances in Westminster Abbey and the Pantheon… in Commemoration of Handel. – London 1785 [S. 1–56: Sketch of the Life of Handel].
Burney 1819
– Handel. – In: The Cyclopaedia. Bd. 17, hrsg. von Abraham Rees. – London 1819. [Im wesentlichen identisch mit dem Sketch of the Life of Handel.]
Burney/Eschenburg
Dr. Karl Burney's Nachricht von Georg Friedrich Händel's Lebensumständen und der ihm zu London im Mai und Jun. 1784 angestellten Gedächtnisfeyer. Aus dem Englischen übersetzt von Johann Joachim Eschenburg. – Berlin und Stettin 1785.
Burrows 1973
Burrows, Donald: Handel's Peace Anthem. – In: MT 114 (1973), S. 1230–1232.
Burrows 1977
– Handel and the 1727 Coronation. – In: MT 118 (1977), S. 469–473.
Burrows 1981
– Handel and the English Chapel Royal during the reigns of Queen Anne and King George I. – Diss. (maschinenschr.) Bd. I und II. – Milton Keynes 1981, The Open University.
Byrom 1773
Byrom, John: Miscellaneous Poems. Bd. I und II. – Manchester 1773
Byrom Journal
– The Private Journal and Literary Remains. Hrsg. von Richard Parkinson. Bd. I–IV. – Manchester 1854–1857 (= Chetham Society, Bd. 32, 34, 40 und 44).

Byrom Poems
– The Poems. Hrsg. von Adolphus William Ward. Bd. I–IV. – Manchester 1894/95 (= Chetham Society, New Series, Bd. 29, 30, 34 und 35).
Byrom Selections
– Selections from the Journals and Papers. Hrsg. von Henri Talon. – London 1950.

Cannon
Cannon, Beekman C.: Johann Mattheson. Spectator in Music. – New Haven 1947.
Carlisle
Carlisle, Lord: Carlisle Manuscripts. – London 1897 (= Historical Manuscripts Commission, 15. Report, Appendix, Part VI).
Carter/Talbot
Carter, Elizabeth und Catherine Talbot: A Series of Letters between Mrs. Elizabeth Carter and Miss Catherine Talbot, from the Year 1741 to 1770. Bd. I–IV. – London 1809.
Cellesi 1930
Cellesi, Luigia: Un poeta Romano [Rolli] e un sopranista Senese [Senesino]. – In: Bolletino Senese di Storia Patria. Nuova Serie, Anno I, fasc. II. – Siena 1930.
Cellesi 1933
– Attorno a Haendel. Lettere inedite del poeta Paolo Rolli [an Senesino]. – In: Musica d'Oggi. – Mailand Jan. 1933.
Chamberlayne
Chamberlayne, John: Magnae Britanniae Notitia; or, the present State of Great-Britain. – London 1727–1755.
Cherbuliez
Cherbuliez, Anto.. E.: Georg Friedrich Händel. Leben und Werk. Olten 1949.
Chesterfield
Chesterfield, Ph.. Dormer Stanhope, 4th Earl of: Letters: Bd. I.. Hrsg. von Bonamy Dobrée. – (London) 19..
Christie
Autograph Letters of George Frideric Handel and Charles Jennens. The Property of the Earl Howe, C. B. E., which will be sold at Auction by Christie, Manson & Woods … – London, Wednesday, July 4, 1973.
Chrysander
Chrysander, Friedrich: G. F. Händel. Bd. I, II und III. – Leipzig (1858, 1860 und 1867).
Chrysander 1863 I
– Geschichte der Braunschweigisch-Wolfenbüttelschen Capelle und Oper vom sechzehnten bis zum achtzehnten Jahrhundert. – In: Jahrbücher für musikalische Wissenschaft I (1863), S. 147 bis 286.
Chrysander 1863 II
– Henry Carey und der Ursprung des Königsgesanges God save the King. – Ebd., S. 287–407.
Chrysander 1870

– Musikalisches aus dem Briefwechsel von Mary Granville. – In: AmZ 5 (1870), S. 298 f., 308 ff., 316 ff., 325 f., 333 ff., 340 und 347 ff.

Chrysander 1877
– Matthesons Verzeichnis Hamburgischer Opern von 1678 bis 1728, gedruckt im „Musikalischen Patrioten", mit seinen handschriftlichen Fortsetzungen bis 1751, nebst Zusätzen und Berichtigungen. – In: AmZ 12 (1877), Sp. 198 ff., 215 ff., 234 ff., 245 ff., 261 ff. und 280 ff.

Chrysander 1880 I
– Georg Friedrich Händel. – In: ADB Bd. XII. – München und Leipzig 1880, S. 777–793.

Chrysander 1880 II
– Geschichte der Hamburger Oper unter der Direktion von Reinhard Keiser (1703–1706). – In: AmZ 15 (1880), Sp. 17–25, 33–41, 49–55, 65–72 und 81–88.

Chrysander 1892
– Der Bestand der königlichen Privatmusik und Kirchenkapelle in London von 1710 bis 1755. – In: VfMw 8 (1892), S. 514–531.

Chrysander 1894
Kritik der Veröffentlichung von Taddeo Wiel, Catalogo delle Opere in Musica rappresentate nel secolo XVIII in Venezia (1710–1750). Venezia 1892. – In: VfMw 10 (1894), S. 111–113.

Chrysander 1896
– Die Originalstimmen zu Händels Messias. – In: JbP. 2 (1896), S. 9–19.

Cibber
Cibber, Colley: The Dramatic Works. Bd. I–V. – London 1777.

Clark 1836
Clark, Richard: Reminisce█████s of Handel, His Grace the Duke of Chandos██████wells the Harpers, the Harmonious Blacksmith █████ London 1836.

Clark 1852
– On the Sacred Oratorio of 'The Messiah', previous to the Death of G. F. Handel. – London 1852.

Clausen
Clausen, Hans Dieter: Händels Direktionspartituren („Handexemplare"). – Hamburg 1972 (= Hamburger Beiträge zur Musikwissenschaft, Hrsg. von Georg von Dadelsen. Bd. 7.)

Clemens
Clemens, J. R.: Handel and Carey. – In: The Sackbut 11 (London 1931), Nr. 6, S. 157–161.

Coats
Coats, George: The Chevalier Taylor. – In: Royal London Ophthalmic Hospital Reports 20 (Mai 1917).

Colles
[Colles, H. C.:] Handel's Letters. Faith in the English Language [Besprechung des Artikels von William C. Smith „Handel's Failure in 1745 ..." – vgl. Smith 1936]. – In: The Times, London 18. Juli 1936, S. 10.

Collins
Collins, A. S.: Some aspects of copyright from 1700 to 1780. – In: The Library (1927), S. 67–81.

Colman
Colman, George: Posthumous Letters from Various Celebrated Men. Adressed to Francis Colman and George Colman the Elder ... – London 1820.
Colman, Francis – siehe: Sasse 1959

Coopersmith 1932
Coopersmith, Jacob Maurice: A List of Portraits, Sculptures, etc., of Georg Friedrich Händel. – In: ML 13 (1932), S. 156–167.

Coopersmith 1935 I
– Handelian Lacunae: a Project. – In: MQ 21 (1935), S. 224–229.

Coopersmith 1935 II
– An unpublished Drawing of Georg Friedrich Händel. – In: ML 16 (1935), S. 172 f.

Coopersmith 1936
– The Libretto of Handel's 'Jupiter in Argos'. – In: ML 17 (1936), S. 289–296.

Coopersmith 1937
– Some adventures in Handel research. – In: Papers of the American Musicological Society, 1937, S. 11–23.

Coopersmith 1943
– Four unpublished Letters of Georg Friedrich Händel. – In: A Birthday Offering to Carl Engel. Hrsg. von G. Reese. – New York 1943, S. 60–66.

Coxe siehe Anecdotes

Crescimbeni
Crescimbeni, Giovanni Maria: Storia dell'Accademia degli Arcadi istituita in Roma l'anno 1690 ... pubblicata l'anno 1712. – Hrsg. von Lariso Salaminio, London 1804.

Croft-Murray
Croft-Murray, Edward: John Devoto. A Baroque Scene Painter. – London 1953 (= The Society of Theatre Research. Pamphlet Series 2, 1952).

Cudworth
Cudworth, Charles: Artikel „Kelway" in MGG VII (1958), Sp. 825 f.

Cummings 1885
Cummings, William Hayman: Handel Myths. – In: MT 26 (1885), S. 7 f., 69–71 und 99.

Cummings 1902
– God save the King. The Origin and History of the Musick and Words of the National Anthem. – London 1902.

Cummings 1904
– Handel. – London und New York 1904.

Cummings 1911
– ‚Muzio Scevola'. – In: MT 52 (1911), S. 18 f.

Cummings 1912
– Dr. Arne and 'Rule Britannia' – London 1912.

Cummings 1914
– The Lord Chamberlain and Opera in London, 1700–1740. – In: P(R)MA 1913/14.

Cummings 1915
– Handel, the Duke of Chandos, and the Harmonious Blacksmith. – London 1915.
Cummings-Versteigerung 1917
Catalogue of the W. Hayman Cummings Collection. Versteigert von Sotheby in London vom 17.–24. Mai 1917.

Dacier 1907
Dacier, Emile: Une danseuse française [Mlle. Sallé] à Londres. – In: Mercure Musicale et Bulletin français de la S. I. M., Mai–Juli 1907.
Dacier 1909
– Une danseuse de l'opera sous Louis XV. Mlle. Sallé. – Paris 1909.
Darenberg 1952
Darenberg, Karlheinz: Mimesis – Die Aristotelische Nachahmungslehre im Wandel der Auffassungen und Interpretationen englischer Musikästhetiker des 18. Jahrhunderts. – Phil. Diss. Mainz 1952 (maschinenschr.).
Darenberg 1960
– Studien zur englischen Musikästhetik des 18. Jahrhunderts – Hamburg 1960 (= Britannica et Americana. 6).
Darenberg 1961/62
– Georg Friedrich Händel im Spiegel englischer Stimmen des 18. Jahrhunderts. – In: Händel-Jb. 7/8 (1961/62), S. 137–187.
Dean 1955
Dean, Winton: Handel Performances in Newcastle before 1760 ... – 1955.
Dean 1959
– Handel's Dramatic Oratorios and Masques. – London 1959.
Dean 1970
– Handel and the Opera seria. – (2. Aufl.) London 1970.
Dean 1972
– Charles Jennens's Marginalia to Mainwaring's Life of Handel. – In: ML 53 (1972), S. 160–163.
Dean 1974
– A French Traveller's View of Handel's Operas. – In: ML 55 (1974), S. 172–178.
Defoe
Defoe, Daniel: Tour thro' the Whole Island of Great Britain – By a Gentleman. Bd. I, II und III. – London 1724, 1725 und 1727. Neuausg., hrsg. von G. D. Cole, in 2 Bänden. – London 1927.
Degrada
Degrada, Francesco: Giuseppe Riva e il suo „Avviso ai compositori ed ai cantanti". – In: Analecta Musicologica. Studien zur italienisch-deutschen Musikgeschichte. Hrsg. von Friedrich Lippmann. Bd. IV. – Köln und Graz 1967, S. 112–123 (= Veröffentlichungen der Musikabteilung des Deutschen Historischen Instituts in Rom. 4).

Delany
Delany, Mary: Autobiography and Correspondence of Mary Granville, Mrs. Delany. Hrsg. von Lady Llanover. Bd. I–VI. – London 1861, 1862.
Denbigh
Denbigh, Earl of: The Manuscripts of the Earl of Denbigh. Teil V. – London 1911 (= Historical Manuscripts Commmission).
Deutsch 1942 I
Deutsch, Otto Erich: Handel's Will. – In: The Antique Collector. – London Jan./Febr. 1942.
Deutsch 1942 II
– Handel and Cambridge. – In: The Cambridge Review. – Cambridge 25. April 1942.
Deutsch 1942 III
– Handel's Hunting Song. – In: MT 83 (1942).
Deutsch 1942 IV
– Purcell and Handel in Bickham's Entertainer. – In: The Harrow Replicas Nr. 2. – Cambridge 1942.
Deutsch 1948
– Poetry preserved in Music. Bibliographical Notes on Smollett and Oswald, Handel and Haydn. – In: Modern Language Notes 63 (1948), S. 73–88.
Deutsch 1949 I
– Burney, Handel and the Barrel Organ. – In: MT 90 (1949), S. 227 f.
Deutsch 1949 II
– Besprechung des Buches „Concerning Handel" von William C. Smith. – In: ML 30 (1949).
Deutsch 1952
– Ink-Pot and Squirt-Gun. – In: MT 93 (1952), S. 401.
Döring
Döring, Gottfried: Die Musik in Preußen im XVIII. Jahrhundert. – In: MfM 1 (1869), S. 147–155.
Drawcansir/Jensen
Drawcansir, Sir Alexander [Pseudonym für Henry Fielding]: The Covent-Garden Journal. Hrsg. von Gerard Edward Jensen. Bd. I und II. – New Haven 1915.
Dreyhaupt
[Dreyhaupt, Johann Christoph von:] Pagus Neletici et Nudzici, oder Ausführliche diplomatisch-historische Beschreibung des zum ehemaligen Primat und Ertz-Stifft, nunmehr aber ... secularisirten Herzogthum Magdeburg gehörigen Saal-Creyses, Und aller darinnen befindlichen Städte ... Aemter ... und Dörffer, Insonderheit der Städte Halle, Neumarckt, Glaucha ... mit Fleiß zusammengetragen ... von Johann Christoph von Dreyhaupt ... T. I und II. – Halle 1749 und 1750.

Eckstein
Eckstein, Friedrich August: Die Prediger an der St. Moritzkirche von 1740 bis auf unsere Zeit. Ein

Beitrag zur Litteratur- und Kirchengeschichte von Halle. – Halle 1843.

Edwards 1902 I
[Edwards, Frederick George:] Handel's Coronation Anthems. – In: MT 43 (1902), S. 153–155.

Edwards 1902 II
– The Foundling Hospital and its Music. – Ebd., S. 304–310 und 377–379.

Edwards 1902 III
Handel's Messiah. Some Notes on its History and first Performance. – Ebd., S. 713–718.

Edwards 1903
– Dublin Handeliana and a Hospital [Mercer's]. – In: MT 44 (1903).

Edwards 1904
– Dr. Charles Burney (1726–1814). A biographical Sketch. – In: MT 45 (1904), S. 435–439, 513–515, 575–580 und 790–793.

Edwards 1909
– Handel's last Days. – In: MT 50 (1909), S. 242 f.

Egmont MSS.
Egmont, John Earl of: Manuscripts of the Earl of Egmont. Diary of Viscount Percival ... Bd. I–III. – London 1920–1923 (= Historical Manuscripts Commission).

Einstein 1906/07
Einstein, Alfred: Ein Beitrag zur Lebensbeschreibung Händels. – In: ZIMG 8 (1906/07), S. 277 f.

Einstein 1907/08
– Italienische Musiker am Hofe der Neuburger Wittelsbacher, 1614–1716. – In: SIMG 9 (1907/08), S. 336–424.

Eisenschmidt
Eisenschmidt, Joachim: Die szenische Darstellung der Opern Georg Friedrich Händels auf der Londoner Bühne seiner Zeit. Bd. I und II. – Wolfenbüttel und Berlin 1940 und 1941 (Schriftenreihe des Händelhauses. Heft 5 und 6).

Eland
Eland, Cyril A.: Handel's Visit to Oxford, A. D. 1733. Compiled from the Authorities with additional Notes. – (Oxford 1935, Ms.) – In: Sammlung Gerald Coke.

Ellis
Ellis [Messrs.; Buchhändler in der Londoner Bond Street]: Catalogue VII/I. – 1905.

Engel
Engel, Carl: Musical Myths and Facts. Bd. I und II. – London (1876).

Engelke
Engelke, Bernhard: Johann Friedrich Fasch. Sein Leben und seine Tätigkeit als Vokalkomponist. – Phil. Diss. Leipzig 1908 (ungedruckt) [darin als Anh. II, S. 54 ff.: Inhaltsverzeichnis der Concert-Stube des Zerbster Schlosses].

Euterpe
Euterpe. Ein musikalisches Monatsblatt für Deutschlands Volksschullehrer. – Erfurt 1841–1850; Leipzig 1851–1884.

Ewerhart 1960 I
Ewerhart, Rudolf: New sources for Handel's La Resurrezione. – In: ML 41 (1960), S. 127–135.

Ewerhart 1960 II
– Die Händel-Handschriften der Santini-Bibliothek in Münster. – In: Händel-Jb. 6 (1960), S. 111–150.

Fabbri 1961
Fabbri, Mario: Alessandro Scarlatti e il Principe Ferdinando de'Medici. – Florenz 1961 (= Historiae Musicae Cultores Biblioteca. XVI).

Fabbri 1964
– Nuova luce sull'attività fiorentina di G. A. Perti, Bartolomeo Cristofori, e Giorgio F. Haendel. – In: Chigiana. Rassegna annuale di studi musicologici 21 (Florenz 1964), S. 143–190.

Farmer 1950 I
Farmer, Henry George: Music Making in the Olden Days. The Story of the Aberdeen Concerts 1748–1801. – London 1950.

Farmer 1950 II
– Handel's Kettledrums and other Papers on Military Music. – London 1950.

Fassini 1912 I
Fassini, Sesto: Gli albori del melodramma italiano a Londra. – In: Giornale Storico 60. – Turin 1912.

Fassini 1912 II
– Il melodramma italiano a Londra ai tempi del Rolli. – In: RMI 19 (1912), T. I: S. 35–74; T. II: S. 575–636.

Fassini 1914
– Il melodramma italiano a Londra nella prima metà del Settecento. – Turin 1914.

Fielding 1749
Fielding, Henry: The History of Tom Jones. Bd. I–III. – London 1749.

Fielding 1751
– [The History of] Amelia. – London 1751.

Fielding – siehe auch unter Drawcansir/Jensen

Fiquet du Bocage 1762/1764
Fiquet du Bocage (de Boccage), Anne-Marie, née Lepage: Recueil des oeuvres de Madame du Bocage des Académies de Padoue, de Bologne, de Rome et de Lyon. Tome III: Lettres sur L'Angleterre, La Hollande, et L'Italie, A Lyon 1762 (Ches les Frèves Perisse, de l'imprimerie de J. M. Barret 1764).

Fiquet du Bocage/Myers
Dgl. in engl. Übersetzung von Robert Manson Myers. – In: Myers 1948.

Flood 1904
Flood, W. H. Grattan: Occasional Notes [eine biographische Notiz über Castrucci]. – In: MT 45 (1904), S. 640.

Flood 1909/10
– Dublin "City Music" from 1456 to 1768. – In: SIMG 11 (1909/10), S. 33–43.

Flood 1912/13
– Fishamble St. Music Hall, Dublin from 1741 to 1777. – In: SIMG 14 (1912/13), S. 51–57.
Flood 1924
– Handel and the Earl of Egmont. – In: MT 65 (1924), S. 1016f., Spalte „Letters to the Editor".
Flower 1921
Flower, Sir Newman: Catalogue of a Handel Collection formed by Newman Flower. – (Sevenoaks 1921).
Flower 1923
– George Frideric Handel: His Personality & His Times. – London u. a. 1923.
Flower 1935
– A Handel First Night. First world performance of Handel's Mystery Opera Perseus and Andromeda [Jupiter in Argos]. – In: Radio Times, 4. Oktober 1935.
Flower 1947
– George Frideric Handel: His Personality and His Times. Revidierte Ausg. [Bibliographie von William C. Smith]. – (London 1947).
Förstemann
Förstemann, Karl Eduard: Georg Friedrich Händel's Stammbaum nach Original-Quellen und authentischen Nachrichten aufgestellt und erläutert. – Leipzig (1844).
Forkel 1778
Forkel, Johann Nikolaus: Musikalisch-Kritische Bibliothek. Bd. I und II: Gotha 1778, Bd. III: ebd. 1779.
Forkel 1802
– Ueber Johann Sebastian Bachs Leben, Kunst und Kunstwerke. – Leipzig 1802 (Reprint Berlin 1966).
Francke
[Francke, Johann Georg:] Die Wohlthaten, welche Gott, durch seinen seligen Todt, an seinen Gläubigen thut ... Wurden ... Frau Dorotheen Taustin, Des Weiland ... Herrn George Händels, ... Hinterlassenen Frau Witwe, ... Am Tage Ihrer, ... geschehenen Beerdigung / war der 2.Jan. 1731. Gehaltenen Leichen-Sermon Vorgestelt von Johann George Francken ... – Nachdruck unter dem Titel: „Grabrede auf Dorothea Händel geb. Taust ...". Hrsg. von der Bartholomäusgemeinde und vom Giebichensteiner Heimatbund ... Mit Beiträgen von Rolf Hünicken und Walter Serauky. – (Halle 1939).
Franco
Franco, Johan: The Count of St. Germain. – In: MQ 36 (1950), S. 540–550.
Freund/Reinking
Freund, Hans und Wilhelm Reinking: Musikalisches Theater in Hamburg. – Hamburg 1938.
Friedländer 1866
Friedländer, [Gottlieb]: Händels Geburtsstätte. – In: Zs. f. Preußische Geschichte und Landeskunde, Bd. III. – Berlin 1866. S. 753–760.

Friedländer 1902
Friedländer, Ernst: Einige archivalische Nachrichten über Georg Friedr. Händel und seine Familie. – In: Mitteilungen für die Mozart-Gemeinde in Berlin. Hrsg. von Rudolph Genée, H.13 (Febr. 1902), Berlin 1902 (die Hefte 11–22 außerdem zusammengefaßt als Bd. II der Mitteilungen. – Berlin 1906).
Fürstenau 1860
Füstenau, Moritz: Georg Friedrich Händel in Dresden. – In: Dresdner Journal, 16. Febr. 1860; und in: Echo 10, Berlin 1860, S. 107–109.
Fürstenau 1861
Fürstenau 1862
– Zur Geschichte der Musik und des Theaters am Hofe zu Dresden. T. I und II. – Dresden 1861 und ebd. 1862.

Gabriel
Gabriel, Martin: Die reformierte Gemeinde am Dom zu Halle von ihren Anfängen bis zur Mitte des achtzehnten Jahrhunderts (1688–1750). Ein Beitrag zur Geschichte der reformierten Gemeinden in Mitteldeutschland. – Theol. Diss. (maschinenschr.), Halle 1957.
Galvani
I teatri musicali di Venezia nel secolo XVII (1637–1700). Memorie storiche e bibliografiche raccolte et ordinate da Livio Niso Galvani. – Mailand u. a. (1878).
Gerber ATL
Gerber, Ernst Ludwig: Historisch-Biographisches Lexikon der Tonkünstler ... Bd. I und II. – Leipzig 1790 und 1792.
Goddard
Goddard, Scott: Artikel „Handel". – In: Grove, 3. Aufl., Bd. II, S. 504–515.
Godman
Godman, Stanley: – In: The Listener. – London, 6. September 1951.
Gottsched 1729
Gottsched, Johann Christoph: Der Biedermann, Zweyter Theil ... – Leipzig 1729.
Gray Works
Gray, Thomas: The Works. Hrsg. von John Mitford. Bd. I und II. – London 1816.
Gray Correspondence
– Correspondence. Hrsg. von Paget Toynbee und Leonard Whibley. Bd. I.–III. – Oxford 1935.
Gress
Gress, Johannes: Händel in Dresden (1719). – In: Händel-Jb. 9 (1963), S. 135–151.
Grove
Grove, Sir George: Dictionary of Music and Musicians. Bd. I–IV. – London und New York 1879–1889. – Supplement-Bd., hrsg. von J.A. Fuller-Maitland, ebd. 1889. – Index, hrsg. von E.R. Woodhouse, ebd. 1890.

2. Aufl., bearb. von J. A. Fuller-Maitland.
Bd. I–V. – Ebd. 1904–1910.
3. Aufl., bearb. von H. C. Colles. Bd. I–V. – ebd.
1927/28.
4. Aufl., bearb. von H. C. Colles, Bd. I–V + Supplement-Bd. – Ebd. 1940.
5. Aufl., hrsg. von Eric Blom. Bd. I–IX. – Ebd.
1954. – Supplement-Bd. ebd. 1961.
6. Aufl.: The New Grove, hrsg. von Stanley Sadie.
Bd. I–XX. – London 1980.

Gruber
Gruber, Roman I.: Händel und die russische Musik. – In: Händel-Jb. 5 (1959), S. 132–160.

Händel 1935
Georg Friedrich Händel. Abstammung und Ju-
gendwelt. Festschrift zur 250. Wiederkehr des Ge-
burtstages Georg Friedrich Händels. Hrsg. vom
Stadtarchiv Halle [mit Beiträgen von Richard
Bräutigam, Rolf Hünicken und Walter Serauky]. –
Halle 1935.

Händel-Hdb.
Händel-Handbuch. Hrsg. vom Kuratorium der
Georg-Friedrich-Händel-Stiftung von Dr. Walter
Eisen und Dr. Margret Eisen. In fünf Bänden.
Gleichzeitig Supplement zu: Hallische Händel-
Ausgabe.
Bd. I: Lebens- und Schaffensdaten. Zus. gestellt
von Siegfried Flesch, und Thematisch-systema-
tisches Verzeichnis: Bühnenwerke von Bernd Ba-
selt – Kassel etc. und Leipzig (1978).
Bd. II: Oratorische Werke, Vokale Kammermusik,
Kirchenmusik. – Kassel etc. und Leipzig (1984).

Händel-Jb.
Händel-Jahrbuch. – Leipzig 1928–1933; ebd.
1955 ff.

Hall 1955
Hall, James S.: Handel in Bath. – In: MT 96 (März
1955), S. 133.

Hall 1959 I.
– The Problem of Handel's Latin Church Music.
In: MT 100 (1959), S. 197–200.

Hall 1959 II
– Handel among the carmelits. – In: Dublin Review 233, No. 470, Juni 1959, S. 121–131.

Hall 1964/65
– John Christopher Smith (1712–1795). – In:
Händel-Jb. 10/11 (1964/65), S. 59–69.

Hall 1969
HHA I/16: L'Allegro, il Penseroso ed il Moderato.
Krit. Bericht von James S. Hall und Martin Hall. –
Kassel etc. und Leipzig 1969.

Hamilton
Hamilton, Phyllis: Handel in the Papers of the Edinburgh Musical Society (1728–1798). – In: Brio.
Journal of the United Kingdom Branch of the International Association of Music Libraries 1 (Edinburgh 1964), Nr. 2, S. 19–22.

Hanbury
Hanbury, William: The History of the Rise and
Progress of the Charitable Foundations at Church-
Langton. – London 1767.

Hare MSS
Hare, Francis: Hare Manuscripts. – London 1895
(= Historical Manuscripts Commission, 14th Re-
port, Appendix, Part IX).

Harland
Harland, John: Manchester Concerts in 1744 [and
1745]. – In: Collectanea relating to Manchester ... – Manchester 1867 (= Publications of the
Chetham Society. Bd. 72).

Harris 1744
Harris, James: Three Treatises. The first concerning Art. The second concerning Music, Painting,
and Poetry. The third concerning Happiness. –
London 1744; zweite, verbesserte Aufl. ebd. 1765
(weitere Auflagen: 1772, 1783 und 1792).

Harris 1911
Harris, David Fraser: Saint Cecilia's Hall in the
Niddry Wynd. A Chapter in the History of Music
of the Past in Edinburgh. – 2. Aufl. Edinburgh
1911.

Harris 1981
Harris, Ellen T.: Händel in Florenz. – In: Händel-
Jb. 27 (1981), S. 41–61.

Hawkins
Hawkins, Sir John: A General History of the
Science and Practice of Music. Bd. I–VI. – London
(1776).

Hawkins 1770
– An Account of the Institutions and Progress of
the Academy of Ancient Music ... By a Member. –
London (1770).

Hawkins 1822
Hawkins, Laetitia Matilda: Anecdotes, Biographical Sketches and Memoirs. Bd. I. – London 1822
[kein weiterer Band erschienen].

Hearne Reliquiae
Hearne, Thomas: Reliquiae Hearnianae: The Re-
mains of Thomas Hearne. Gesammelt von Philip
Bliss. Bd. I und II. – Oxford 1857.

Hearne Remarks
– Remarks and Collections. Hrsg. von C. E. Doble
und H. E. Salter. Bd. I–XI. – Oxford 1885–1921
(= Oxford Historical Society. Vol. 2, 7, 13, 34, 42,
43, 48, 50, 65, 67 und 72).

Herbage 1948
Herbage, Julian: Messiah. – London 1948 (= The
World of Music. I).

Herbage 1954
– The Oratorios. – In: Abraham, S. 66–131.

Hertford
Hertford, Lady Francis: The Gentle Hertford: Her
Life and Letters. Hrsg. von Helen Sard Hughes. –
New York 1940.

Hervey/Croker
Hervey, Lord John: Memoirs of the Reign of

George the Second. Hrsg. von John Wilson Croker. Bd. I und II. – London 1848.

Hervey/Ilchester
– Lord Hervey and his Friends. 1726–38. Hrsg. vom Earl of Ilchester. – London 1950.

Hervey/Sedgwick
– Some Materials towards Memoirs of the Reign of George the Second. Hrsg. von Romney Sedgwick. Bd. I–III. – London 1931.

HHA
Hallische Händel-Ausgabe (Kritische Gesamtausgabe). Hrsg. von der Georg-Friedrich-Händel-Gesellschaft. – Kassel etc. und Leipzig 1955 ff.

Hicks 1973
Hicks, Anthony: An Auction of Handeliana. – In: MT 114 (1973), S. 892 f.

Hicks 1976
– Handel's Music for 'Comus'. – In: MT 117 (1976), S. 28 ff.

Hicks 1976/77
– Handel's Early Musical Development. – In: PRMA 103 (1976/77), S. 80–89.

Hill 1753
Hill, Aaron: The Works of the late Aaron Hill. Bd. I–IV. – London 1753.

Hill 1760
– The Dramatic Works of Aaron Hill. Bd. I und II. – London 1760.

Hodgkin
Hodgkin, John Eliot: The Manuscripts of J. Eliot Hodgkin, F. S. A., of Richmond, Surrey. – London 1897 (= Historical Manuscripts Commission, 15th Report, Appendix, Part II).

Hopkinson
Hopkinson, Cecil: Handel in France. Editions published there during his lifetime. – In: Edinburgh Bibliographical Society Transactions, Bd. III, T. 4, S. 223–248. – Edinburgh 1957.

Horsley
Horsley, William: Vorwort zu seinem 1842 in London erschienenen Klavierauszug von Händels „Messiah".

Hughes 1735
Hughes, John: Poems on several Occasions. Hrsg. von William Duncombe. Bd. I und II. – London 1735.

Hughes 1772
– Letters by several eminent Persons deceased, including the Correspondence of John Hughes. Bd. I und II. – London 1772.

Humphries/Smith
Humphries, Charles und William C. Smith: Music Publishing in the British Isles. – London 1954.

Huntingdon – siehe: Seymour

Husk
Husk, William Henry: An Account of the Musical Celebrations on St. Cecilia's Day in the Sixteenth, Seventeenth, and Eighteenth Centuries. – London 1857.

James
James, Robert Rutson: Handel's Blindness. – In: ML 13 (1932), S. 168.

JAMS
Journal of the American Musicological Society. – Hrsg.: American Musicological Society. – Boston 1948 ff.

JbP
Jahrbuch der Musikbibliothek Peters. – Leipzig 1895–1941 (Forts.: Deutsches Jahrbuch der Musikwissenschaft. – Leipzig 1956 ff.).

Jephtha Faksimile-Ausgabe
– Das Autograph des Oratoriums „Jephtha" von G. F. Händel. ... Hrsg.: Friedrich Chrysander. – (Bergedorf bei Hamburg 1885).

Kelly
Kelly, Michael: Reminiscences ... of the King's Theatre ... – 2. Aufl. Bd. I und II. – London 1826.

Ketton
Ketton, R. W.: Manuscripts of R. W. Ketton, Esq. – London 1891 (= Historical Manuscripts Commission, 12th Report, Appendix, Part 9).

Kimbell 1963
Kimbell, David R.: The Libretto of Handel's 'Teseo'. – In: ML 44 (1963), S. 371–379.

Kimbell 1964
– 'Thésée' and 'Teseo'. – In: ML 45 (1964), S. 102.

Kimbell 1981 I
– A Critical Study of Handel's early Operas. Bd. I und II. – Diss. Oxford 1968 (maschinenschr.).

Kimbell 1968 II
– The 'Amadis' Operas of Destouches and Handel. – In: ML 49 (1968), S. 329–346.

King
King, A(lexander) Hyatt: Handel and his Autographs. – London 1967.

Kingdon-Ward
Kingdon-Ward, M.: Charles Avison. – In: MT 92 (1951), S. 398–401.

Kinsky
Kinsky, Georg: Manuskripte, Briefe, Dokumente von Scarlatti bis Stravinsky. Katalog der Musikautographensammlung Louis Koch. – Stuttgart 1953.

Kirkendale 1966
Kirkendale Ursula: Antonio Caldara. Sein Leben und seine venezianisch-römischen Oratorien. – Graz und Köln 1966.

Kirkendale 1967
– The Ruspoli Documents on Handel. – In: JAMS 20 (1967), S. 222–273 und 518

Kitzig
Kitzig, Berthold: Zwei Briefe Händels an Telemann. – In: ZfMw 9 (1927), S. 543 f.

Knapp 1959
Knapp, J. Merrill: Handel, the Royal Academy of Music, and its First Opera Season in London. – In: MQ 45 (1959), S. 145–167.

Knapp 1968
Handel's 'Giulio Cesare in Egitto'. – In: Studies in Music History. Essays for Oliver Strunk. Hrsg. von H. Powers. – Princeton 1968, S. 389–403.

Knapp 1969
– The Libretto of Handel's 'Silla'. – In: ML 50 (1969), S. 68–75.

Knight
Knight, Charles: London. Bd. I–VI. – 1841–1844.

Kniseley
Kniseley, S. Philip: Händels französische Kantate. – In: Händel-Jb. 20 (1974), S. 103–107.

Kolneder
Kolneder, Walter: Antonio Vivaldi. Leben und Werk. – Wiesbaden 1965.

La Mara
La Mara [Pseudonym für: Marie Lipsius]: Musikerbriefe aus fünf Jahrh. Bd. I. – Leipzig 1886.

Landau
Landau, Marcus: Rom, Wien, Neapel während des spanischen Erbfolgekrieges. – Leipzig 1885.

Lang 1966
Lang, Paul Henry: George Frideric Handel. – New York 1966.

Lappenberg
Selbstbiographie des Senators Barthold Heinrich Brockes. Mitgeteilt von J. M. Lappenberg. – In: Zs. des Vereins f. Hamb. Gesch. II (1847), S. 167–229.

Larsen 1954
Larsen, Jens Peter: The Text of Handel's Messiah. – In: MQ 40 (1954), S. 21–28.

Larsen 1957
– Handel's Messiah. Origins-Composition-Sources. – Copenhagen 1957.

Larsen 1981
Probleme der Händel-Überlieferung. – In Mf. 34 (1981), S. 137–161.

Latimer
Latimer, John: The Annals of Bristol in the Eighteenth Century. – (Frome) 1893.

Lawrence 1912
Lawrence, William John: Handeliana: Some Memorials of the Dublin Charitable Musical Society. – In: The Musical Antiquary 3 (1912), S. 107–109.

Lawrence 1921
– The early Years of the first English Opera House. – In: MQ 7 (1921), S. 104–117.

Lawrence 1922
– Early Irish Ballad Opera and Comic Opera. – In: MQ 8 (1922), S. 397–412.

Leux
Leux, Irmgard: Über die „verschollene" Händel-Oper „Hermann von Balcke". – In: AfMw 8 (1926), S. 441–451.

Lewis
Lewis, Lawrence: The Advertisements of The Spectator. – London 1909.

Lindner
Lindner, Ernst Otto: Geschichte des deutschen Liedes im 18. Jahrhundert. – Leipzig 1871.

Loder-Symonds
Loder-Symonds, F. C.: Manuscripts. – London 1892 (= Historical Manuscripts Commission, 13th Report, Appendix, Part IV).

Loewenberg
Loewenberg,   Alfred: Annals   of   Opera 1597–1940. – 2. Aufl. Genf 1955.

Lucas
Lucas, Charles: Esther. Ausgabe für die Handel Society. – London (1844/45).

Lustig 1751
Lustig, Jakob Wilhelm: Inleiding tot de Muziekkunde. – Groningen 1751.

Lustig 1756
– Samenspraaken over muzikaale beginselen. – Antwerpen 1756.

Luxborough
Luxborough, Lady: Letters written by the late Right Honourable Lady Luxborough to William Shenstone, Esq. – London 1775.

Lynham
Lynham, Deryck: Ballet then and now. – (London 1947)

Lysons/Amott
Lysons, Daniel: History of the Origin and Progress of the Meeting of the Three Choirs of Gloucester, Worcester, and Hereford ... – [Gloucester 1812] Durchgesehene und erweiterte Aufl. von John Amott 1865.

Macfarren
Macfarren, Sir George A.: A Sketch of the Life of Handel ... – London (1859).

Macky
Macky, John: A Journey through England, in Familiar Letters from A Gentleman Here to His Friend Abroad. 2. Aufl. Bd. I und II. – London 1722.

Maier
Maier, Johannes: Studien zur Geschichte der Marienantiphon „Salve Regina". – Regensburg 1939.

Maikov
Maikov, L. N.: Materialy dlja biografii kn. A. D. Kantemira (Materialien zur Biographie des Fürsten Kantemir). – St. Petersburg 1903.

Mainwaring
[anonym = Mainwaring, John:] Memoirs of the life of the late G. F. Handel. To which is added, A Catalogue of his Works, and Observations upon them. – London 1760.

Mainwaring/Mattheson
[anonym] Georg Friderich Händels Lebensbeschreibung ... übersetzt, auch mit einigen Anmerkungen ... vom Legations-Rath [Johann] Mattheson. – Hamburg 1761. [Reprint: Leipzig 1976]

Malcolm 1721
Malcolm, Alexander: A Treatise of Musick, Specu-
lative, Practical, and Historical. – Edinburgh 1721.
Malcolm 1808
Malcolm, James Peller: Anecdotes of the Manners
and Customs of London during the Eighteenth
Century. – London 1808.
Malmesbury 1870
Malmesbury, Earl of: A Series of Letters of the
first Earl of Malmesbury, his Family and Friends,
from 1745 to 1820. Hrsg. vom Earl of Malmesbury.
Bd. I und II. – London 1870.
Malmesbury 1902.
– Some Anecdotes of the Harris Family. – In: The
Ancestor, A quarterly Review of County and Fa-
mily History ... I (Westminster, April 1902),
S. 1–27.
Mann 1893
Mann, Arthur Henry: Manuscripts and Sketches
by G. F. Handel [im Fitzwilliam Museum, Cam-
bridge]. – In: J. A. Fuller-Maitland und A. H. Mann:
Catalogue of the Music in the Fitzwilliam Mu-
seum, Cambridge. – London 1893, S. 157–227.
Mann 1964/65
Mann, Alfred: Eine Kompositionslehre von Hän-
del. – In: Händel-Jb. 10/11 (1964/65), S. 35–57.
Mann 1978
– Georg Friedrich Händel. Aufzeichnungen zur
Kompositionslehre. Aus den Handschriften im
Fitzwilliam Museum Cambridge hrsg. von Alfred
Mann. – Kassel etc. und Leipzig 1978 (= HHA:
Supplement I).
March
March, Charles H. G. L., Earl of: A Duke and his
Friends; the Life and Letters of the second Duke
of Richmond. Bd. I und II. – London 1911.
Marpurg Abhandlung
Abhandlung von der Fuge, nach den Grundsätzen
und Exempeln der besten deutschen und auslän-
dischen Meister entworfen von Friedrich Wilhelm
Marpurg ... I. und II. Teil. – Berlin 1753 und 1754.
Marpurg Beiträge
Historisch-kritische Beyträge zur Aufnahme der
Musik von Friedrich Wilhelm Marpurg. I.–V. Bd.,
1.–6. Stück. – Berlin 1754–1778.
Marpurg Briefe
[anonym:] Kritische Briefe über die Tonkunst ...
I.–III. Bd., 1.–4. Teil. – Berlin 1759–1764.
Marx 1968
Marx, Hans Joachim: Die Musik am Hofe Pietro
Kardinal Ottobonis unter Arcangelo Corelli. – In:
Analecta Musicologica. Studien zur italienisch-
deutschen Musikgeschichte. Hrsg. von Friedrich
Lippmann. Bd. V. – Köln und Graz 1968,
S. 104–177 (= Veröffentlichungen der Musikab-
teilung des Deutschen Historischen Instituts in
Rom. 5).
Marx 1976
– Ein Beitrag Händels zur Accademia Ottoboni-

ana in Rom. – In: Hamburger Jb. für Musikwis-
senschaft, Bd. I (1976), S. 69–86.
Marx 1983
– Händel in Rom – seine Beziehung zu Benedet-
to Card. Pamphilj. – In: Händel-Jb. 29 (1983),
S. 107–118.
Matrikel MLU
Matrikel der Martin-Luther-Universität Halle–
Wittenberg 1 (1690–1730). – Unter Mitwirkung
von Dr. Franz Zimmermann bearb. von Fritz
Juntke. – Halle 1960.
Mattheson 1713
Mattheson, Johann: Das Neu-Eröffnete Orches-
tre ... – Hamburg 1713.
Mattheson 1717
– Das Beschützte Orchestre ... – Hamburg 1717.
Mattheson 1719
– Exemplarische Organisten-Probe. – Hamburg
1719.
Mattheson 1722/23
– Critica Musica. Bd. I. – Hamburg 1722/23.
Mattheson 1725
– Critica Musica. Bd. II. – Hamburg 1725.
Mattheson 1728
– Der Musicalische Patriot. – Hamburg 1728.
[Darin das Hamburger Opernverzeichnis.]
Mattheson 1737
– Kern melodischer Wissenschaft ... – Hamburg
1737.
Mattheson 1739
– Der Vollkommene Capellmeister ... – Hamburg
1739.
Mattheson 1740
Grundlage einer Ehrenpforte ... Zum fernern
Ausbau angegeben von Mattheson. – Hamburg
1740.
Mattheson 1744
– Die neueste Untersuchung der Singspiele, nebst
beygefügter musikalischer Geschmacksprobe. –
Hamburg 1744.
Mattheson/Schneider
Grundlage einer Ehrenpforte ... Zum fernern
Ausbau angegeben von Mattheson. Hamburg
1740. – Vollständiger, originalgetreuer Neudruck
mit gelegentlichen bibliographischen Hinweisen
und Matthesons Nachträgen hrsg. von Max
Schneider. – (Berlin 1910).
Matthews 1959
Matthews, Betty: Unpublished Letters concerning
Handel. – In: ML 40 (1959), S. 261–268.
Matthews 1961
– More unpublished Letters. – In: ML 42 (1961),
S. 127–131.
Mayo 1977
Mayo, John: Handel's Italian cantatas. – Diss. To-
ronto 1977.
Mayo 1981
– Einige Kantatenrevisionen Händels. – In: Hän-
del-Jb. 27 (1981), S. 63–78.

Mee

Mee, John Henry: The oldest Music-Room in Europe. A Record of Eighteenth-Century Enterprise at Oxford. – Oxford 1911.

Meikle

Meikle, Henry W.: New Smollett Letters – I. – In: The Times Literary Supplement, London 24. Juli 1943.

Melville

Melville, Lewis: Society at Royal Tunbridge Wells … – London 1912.

Merbach

Merbach, Paul Alfred: Das Repertoire der Hamburger Oper von 1718–1750. – In: AfMw 6 (1924), S. 354–372.

Messias Faksimile-Ausgabe

Das Autograph des Oratoriums „Messias" von G. F. Händel. Für die deutsche Händelgesellschaft hrsg. von Friedrich Chrysander. – Hamburg 1892.

Mf.

Die Musikforschung. – Kassel 1948 ff. (Forts. der Mitteilungen der Gesellschaft für Musikf.)

MfM

Monatshefte für Musik-Geschichte. – Berlin 1869–1883, Leipzig 1884–1905.

MGG

Die Musik in Geschichte und Gegenwart. Allgemeine Enzyklopädie der Musik. Unter Mitarbeit zahlreicher Musikforscher des In- und Auslandes hrsg. von Friedrich Blume. Bd. I–XVI. – Kassel u. a. 1949–1979.

Michael 1921

Michael, Wolfgang: Die Anfänge des Hauses Hannover. 2., um einen Anh. vermehrte Titel-Ausgabe. – Berlin und Leipzig 1921 (= Englische Geschichte im 18. Jahrhundert. Bd. I).

Michael 1922

– Die Entstehung der Wassermusik von Händel. – In: ZfMw 4 (1922), S. 581–585.

Milhous/Hume

Vice Chamberlain Coke's Theatrical Papers 1706–1715 … – Hrsg. von Judith Milhous und Robert D. Hume, Carbondale und Edwardsville, Ill. (1982).

Miller

Miller, Sanderson: An Eighteenth Century Correspondence. Hrsg. von Lilian Dickins und Mary Stanton. – London 1910.

Mizler

Mizler (von Kolof), Lorenz Christoph: Neu eröffnete musikalische Bibliothek oder Gründliche Nachricht nebst unpartheyischem Urteil von musikalischen Schriften und Büchern … Bd. I: Leipzig 1739 [enthält 1. T. 1736, 2. und 3. T. 1737, 4.–6. T. 1738]; Bd. II: ebd. 1743 [enthält: 1. und 2. T. 1740, 3. T. 1742, 4. T. 1743 + Anh.]; Bd. III: ebd. 1752 [enthält: 1. und 2. T. 1746, 3. T. 1747, 4. T. 1752]; Bd. IV: ebd. 1754 [enthält: 1. T. 1754, 2. T. ist nur angezeigt].

ML

Music and Letters. – London 1920 ff.

MMR

The Monthly Musical Record. – London 1871 bis 1960.

Montagu 1837

Montagu, Mary Pierrepont, Lady Wortley: Letters and Works. Hrsg. von Lord Wharncliffe. Bd. I bis III. – London 1837.

Montagu 1906

Montagu, Elizabeth (née Robinson): Elizabeth Montagu. The Queen of the Blue-Stockings. Her Correspondence from 1720 to 1761. Hrsg. von Emily J. Climenson. Bd. I und II. – London 1906.

Montague – siehe: Buccleuch.

Montalto

Montalto, Lina: Un mecenate in Roma barocca: Il Cardinale Benedetto Pamphilj (1653–1730). – Florenz 1955.

Motschmann

Motschmann, Dr.: G. F. Händel in Gotha. – In: Der Friedenstein. Monatsblätter des Deutschen Kulturbundes, Kreisleitung Gotha. Jg. 1959, S. 73–76.

MQ

The Musical Quarterly. – New York 1915 ff.

MR

The Music Review. – Cambridge 1940 ff.

MT

The Musical Times and Singing Class Circular (seit 1904: Musical Times). – London 1844 ff.

Mueller von Asow

Georg Friedrich Händel. Biographie von John Mainwaring – Briefe und Schriften. Hrsg. im Auftrage des Internationalen Musiker-Brief-Archivs von Hedwig und E. H. Mueller von Asow. – Lindau im Bodensee (1949).

Müller-Blattau 1933 I

Müller-Blattau, Joseph: Georg Friedrich Händel. – Potsdam 1933 (Die großen Meister der Musik).

Müller-Blattau 1933 II

– Händels Festkantate zur Fünfhundertjahrfeier der Stadt Elbing 1737. – In: Elbinger Jb. XI (1933), S. 239–253.

Müller-Blatau 1956

– Artikel „Händel". – In: MGG V (1956), Sp. 1 220–1 278.

Müller-Blattau 1956

– Georg Friedrich Händel. Der Wille zur Vollendung. – Mainz 1959 [Überarbeitete Fassung der 1933 erschienenen Biographie].

Müller-Blattau 1970

– Händels Festkantate zur Fünfhunderjahrfeier der Stadt Elbing 1737. – In: 50 Jahre Göttinger Händel-Festspiele. Festschrift. Hrsg. von Walter Meyerhoff, Göttingen 1970. – Kassel u. a. 1970, S. 120–132 [Abdruck des Aufsatzes im Elbinger Jb. 1933).

Musica
Musica. Monatsschrift (seit 1962: Zweimonats-schrift) für alle Gebiete des Musiklebens. – Kassel 1947 ff. (1951 vereinigt mit Neue Musikzeitschrift, 1962 mit Hausmusik).
Myers 1906
Myers, Clara L.: Opera in England from 1656 to 1728. – Cleveland, Ohio, 1906.
Myers 1947 I
Myers, Robert Manson: Early Moral Criticism of Handelian Oratorio. – Williamsburgh, Va., 1947.
Myers 1947 II
– Neo-Classical Criticism of the Ode for Music. – In: Publications of the Modern Language Association of America 62 (1947), S. 399–421.
Myers 1948
– Handel's Messiah. A Touchstone of Taste. – New York 1948.
Myers 1956
– Handel, Dryden and Milton. – London und Cambridge 1956.

Neuß 1949
Neuß, Erich: Zeittafel zur Geschichte des Händel-hauses. – In: Serauky 1949, S. 28–31.
Neuß 1952
– Welche Händel-Stätten gibt es in Halle? – In: Georg Friedrich Händel – sein Werk in unserer Zeit. – (Halle 1952), S. 11–16.
Neuß 1954
– Das Händelhaus in Halle. – In: Musica 8 (1954), H. 10, S. 456 f.
Nichols
Nichols, John: Literary Anecdotes. Bd. I–IX. – London 1812–1815.
Nichols/Wray
Nichols, Reginald Hugh und Francis Aslett Wray: The History of the Foundling Hospital. – London 1935.
Nicoll 1922
Nicoll, Allardyce: Italian Opera in England. The first five Years. – In: Anglia 46, Neue Folge 34 (1922), S. 257–281.
Nicoll 1925
– A History of early eighteenth Century Drama, 1700–1750. – Cambridge 1925.
Niedt/Mattheson
Niedt, Friedrich Erhard: Handleitung zur Varia-tion. Wie man ... aus einem schlechten General-bass Praeludia, Ciaconen ... und dergleichen ... verfertigen könne. Verbessert ... und mit ... An-merkungen und einem Anhang von mehr als 600 Orgelwerken versehen durch J. Mattheson. – Hamburg 1721.
North 1846
North, Roger: Memoirs of Musick [1728]. Hrsg. von Edward F. Rimbault. – London 1846.

North 1925
– The Musicall Gramarian [ca. 1728]. Hrsg. von Hilda Andrews. – Oxford (1925).
NRMI – siehe: RMI

Odell
Odell, G. C. D.: Shakespeare from Betterton to Ir-ving. Bd. I und II. – London 1921.
Opel 1880
Opel, Julius Otto: Die Vereinigung des Herzog-thums Magdeburg mit Kurbrandenburg. – Halle 1880.
Opel 1885
– Der Kammerdiener Georg Händel und sein Sohn Georg Friedrich. Zur zweihundertjährigen Geburtstagsfeier Georg Friedrich Händels. II. – In: Zeitschrift für allgemeine Geschichte. – Stutt-gart (1885), S. 66–80 und 147–164.
Opel 1889
– Mitteilungen zur Geschichte der Familie des Tonkünstlers Händel, nebst einigen sich auf den letzteren beziehenden Briefen. – 1. Die hallischen Häuser der Familie des Tondichters Händel. 2. Georg Händels Leichenpredigt. 3. Briefe. – In: Neue Mitt. aus dem Gebiet historisch-antiquari-scher Forschungen, Bd. XVII. – Halle (1889), S. 1–36.

Pearce
Pearce, Ernest Harold: The Sons of the Clergy, 1655–1904. – London 1904. 2. Aufl. ebd. 1928.
Pennington
Pennington, Montagu: Memoirs of the Life of Mrs. Elizabeth Carter. – London 1807.
Piechocki 1955
Piechocki, Werner: Das Geschlecht der Händels in Halle. Akten, Handschriften, Chroniken und Kirchenbücher bewahren die Daten. – In: Halle-sches Monatsheft 2 (1955), Nr. 6, S. 4–8.
Piechocki 1972
– Zum 350. Geburtstag des halleschen Chirurgen Georg Händel (1622–1697). – In: Mitteilungen der Deutschen Gesellschaft für die gesamte Hy-giene. Ges. für Geschichte der Medizin in der DDR, Nr. 6, Juni 1972. II.: Abhandlungen, S. 11–13.
Pilkington
Pilkington, M. Laetitia: Memoirs. Bd. I–III. – Dublin 1748–1754.
Pöllnitz 1734
Pöllnitz, Karl Ludwig, Freiherr von: Mémoires ... Contenant les Observations qu'il a faites dans ses Voyages ... Bd. I–III. – Lüttich 1734.
Pöllnitz 1737
– The Memoirs ... being the Observation he made in his late Travels from Prussia thro' ... England ... in Letters to his Friend ... Bd. I und II. – London 1737.

Pohl
Pohl, Carl Ferdinand: Mozart und Haydn in London. Bd. I und II. – Wien 1867.

Pope Correspondence
The Correspondence of Alexander Pope. Hrsg. von G. Sherburn. Bd. I–V. – Oxford 1956.

Pope Dunciad
Pope, Alexander: The Dunciad. Bd. I–IV. – London 1728–1742.

Pope Epistel
– Epistel to the Right Honourable Richard Earl of Burlington. – London 1731.

Pope Works/Elwin/Courthope
– Works. Hrsg. von W. Elwin und W. J. Courthope. Bd. I–X. – London 1871–1889.

Pope Works/Warton
– Works. Hrsg. von Joseph Warton. Bd. I–IX. – London 1797.

Pope Works Additions
– Additions to the Works of Alexander Pope … – London 1776.

Powers
Powers, Harold S.: Il „Serse" trasformato. – In: MQ 47 (1961), S. 481–492 und in MQ 48 (1962), S. 73–92.

Price 1796–1798
Price, Sir Uvedale: An Essay on the Picturesque … Neue Ausg. – London 1796–1798. Bd. II.

Price 1975
Price, C. A.: Handel and the Alchimist. – In MT 116 (1975), S. 787 f.

PRMA
Proceedings of the Royal Musical Association. – London 1874 ff. (von 1874–1944: Proceedings of the Musical Association).

Puliti
Puliti, Leto: Cenni Storici della Vita del Serenissimo Ferdinando de' Medici, Granprincipe di Toscana. – In: Atti dell'Accademia del R. Istituto Musicale di Firenze. – Florenz 1874.

Puttick
Puttick, J. F.: Remarks on Roubiliac's statue of Handel in the possession of the Sacred Harmonic Society. – (London 1855).

RaM
La Rassegna Musicale (Forts. von Il Piano Forte). – Turin (seit 1941: Rom) 1928–1943, 1947–1962 (Forts.: Quaderni della Rassegna Musicale).

Ranke 1869
Ranke, Leopold von: Briefwechsel Friedrichs des Grossen … In: Abhandlungen der Königlichen Akademie der Wissenschaften zu Berlin aus dem Jahre 1868. – Berlin 1869 (= Philosophische und historische Abhandlungen, zweite Abt.), S. 1 bis 92.

Ranke 1872
– Sämtliche Werke. Bd. V. – Leipzig 1872.

Raue 1953
Raue, Otto: Das Händel-Haus in Halle. – In: Händel-Fest 1953 Halle. Festschrift. – Halle (1953), S. 88–93.

Raue 1955
– Händels Geburtshaus – ein kultureller Mittelpunkt unserer Stadt. – In: Händelfestspiele 1955 Halle. Festschrift. – Leipzig 1955, S. 91–95.

Redington
Calendar of Treasury Papers. Bd. VI (1720–28). Hrsg. von J. Redington. – London 1889.

Rimbault 1850
The Messiah. Hrsg. von Edward F. Rimbault für die Handel Society, London. Bd. I und II. – London (1850).

Rimbault 1853
Samson. Hrsg. von Edward F. Rimbault für die Handel Society, London. – London (1853).

RMI
Rivista Musicale Italiana. – Turin u. a. 1894–1932, 1936–1943, 1946–1955 (Forts.: Nuova Rivista Musicale Italiana = NRMI).

Robinson 1893
Robinson, John R.: The Princely Chandos. A Memoir of James Brydges … afterwards the First Duke of Chandos. – London 1893.

Robinson 1908
Robinson, P(ercy): Handel and his orbit. – London (1908).

Robinson 1910
– Handel's Journeys. – In: The Musical Antiquary, Vol. I, July 1910, S. 193–202.

Robinson 1925
– Handel's early life and Mainwaring. – In: MT 66 (1925) S. 814–816 und 820.

Robinson 1928
– Handel's Music-Paper: with other notes. – In: MT 69 (1928), S. 509 f.

Robinson 1939 I
– Handel up to 1720. A new Chronology. – In: ML 20 (1939), S. 55–63.

Robinson 1939 II
– Was Handel a Plagiarist? – In: MT 80 (1939), S. 573–577.

Rockstro
Rockstro, William Smith: The Life of G. F. Handel. – London 1883.

Rößler
Biographisches Wörterbuch zur Deutschen Geschichte. Begründet von Hellmuth Rößler und Günther Franz. Zweite, völlig neubearb. und stark erweiterte Aufl. von Karl Bosl … Bd. I–III. – München 1973–1975.

Rogers 1943
Rogers, Francis: Handel and Five Primadonnas. – In: MQ 29 (1943), S. 214–224.

Rogers 1972
Rogers, Patrick: Dating Acis and Galatea. – In: MT 113 (1972), S. 792.

Rogers 1979
- Music and Musicians at Cannons. The Huntington Library Chandos Documents. - Mag. These University of California, Santa Barbara 1979 (maschinenschr.).
Rolland 1910 I
Rolland, Romain: Haendel. - In: La Revue de Paris XVII, Nr. 8, 15. April 1910.
Rolland 1910 II
- Haendel. - Paris 1910.
Rudhard
Rudhard, Franz Michael: Geschichte der Oper am Hofe zu München. - Freising 1865.
Runde
Rundes Chronik der Stadt Halle. 1750-1835. Hrsg. vom Thüringisch-Sächsischen Geschichtsverein, bearb. von Bernhard Weißenborn. - Halle 1933.
Rylands
The Book of the Fundamental Constitutions and Orders of the Philo Musicae et Architecturae Societas. Hrsg. von W. Harry Rylands. - London 1725-1727. (Quatuor Coronatorum Antigrapha. Masonic Reprints of the Quatuor Coronati Lodge. No. 2076. London, Bd. IX). - Margate 1900.

Sammlung Harris
Sammlung Augustus Harris: Sammlung von Zeitungsausschnitten, das Londoner Theater betreffend. - In: The British Library, State Papers Room.
Sammlung Latreille
Sammlung Frederick Latreille: Play-Bills of London Theatres, copied and compiled ... together with copies of documents and extracts relating to theatrical affairs, 1702-1752. [London, 19. Jahrhundert.] - The British Library: Add. MSS. 32 249-32 252 und 47 612-47 617.
Sammlung A. H. Mann
Mann Music Library, King's College, Cambridge: Mn. 21. 30-37: A chronological Life of Handel (8 Bände lose Blätter, ausschließlich mit Daten)
Mn. 24.: Auszüge aus den Protokollbüchern des Mercer's Hospital (Early Music in Dublin and Musical Performances for the Benefit of Mercer's Hospital in Dublin, 1737-1751) und aus Faulkner's Dublin Journal, März 1741-1744.
Sands
Sands, Mollie: English Singers of the Eighteenth Century. - In: MMR 70 (1940), S. 56-60.
Sasse 1958
Sasse, Konrad: Das Händel-Haus in Halle. Geburtshaus Georg Friedrich Händels. Geschichte und Führer durch die Ausstellungen. - Halle 1958.
Sasse 1959
- [Colman, Francis?] Opera Register from 1712 to 1734 (Colman-Register). Bearb. von Konrad Sasse. - In: Händel-Jb. 5 (1959), S. 199-223.

Sasse 1976
- Das Händelhaus in Halle. Erläuterungsheft zu der Imago-Farbdia-Reihe 0757-51 [mit 6 Farbdias]. - Radebeul 1976.
Saussure
Saussure, César de: Lettres et Voyages ... en Allemagne, en Hollande et en Angleterre, 1725-1729. - Lausanne 1903.
Saussure/van Muyden
- A foreign View of England in the Reigns of George I & George II. The Letters of Monsieur C. de S. to his Family. Übers. von Mad. van Muyden. - London 1902.
Scheibe 1745
Der Critische Musikus, herausgegeben von Johann Adolph Scheibe. I. und II. Teil. - Hamburg 1738-1740.
- Neue, vermehrte und verbesserte Auflage. I. bis IV. Teil. - Leipzig 1745.
Scheibe 1749
Thusnelda, ein Singspiel in vier Aufzügen. Mit einem Vorbericht von der Möglichkeit und Beschaffenheit guter Singspiele begleitet, von Johann Adolph Scheiben ... - Leipzig 1749.
Schmidt 1929
Schmidt, Gustav Friedrich: Neue Beiträge zur Geschichte der Musik und des Theaters in Braunschweig. - Wolfenbüttel 1929.
Schmidt 1933 und 1934
- Die frühdeutsche Oper und die musikdramatische Kunst Georg Caspar Schürmanns. Bd. I und II. - Regensburg 1933 und 1934.
Schnath 1927
Briefwechsel der Kurfürstin Sophie von Hannover mit dem Preußischen Königshause. Hrsg. von Georg Schnath. - Berlin und Leipzig 1927.
Schnath 1978
Schnath, Georg: Geschichte Hannovers im Zeitalter der neunten Kur und der englischen Sukzession 1674-1714. Bd. III: 1698-1714. - Hildesheim 1978.
Schoelcher 1857
Schoelcher, Victor: The Life of Handel [Übersetzung aus dem Französischen von James Lowe]. - London 1857.
Scholes
Scholes, Percy A.: God save the King! Its History and Romance. - London und New York 1942 [Neuausg. als: God save the Queen! The History and Romance of the World's First National Anthem. - London, New York und Toronto 1954].
Schrader
Schrader, Wilhelm: Geschichte der Friedrichs-Universität zu Halle, Bd. I und II. - Berlin 1894.
Schulze
Schulze, Walter: Die Quellen der Hamburger Oper 1678-1738. - Hamburg und Oldenburg 1938 (= Mitt. aus der Bibliothek der Hansestadt Hamburg, Bd. 4).

von Schultze-Galléra

Schultze-Galléra, Siegmar von: Topographie oder Häuser- und Straßengeschichte der Stadt Halle a. d. Saale. Beschreibung und Geschichte der Straßen, Plätze und Märkte, öffentlicher und privater Gebäude der Stadt von den ältesten Zeiten ab bis zum Jahre 1914. Bd. I. – Halle 1920.

Seiffert

Seiffert, Max: G. Ph. Telemanns „Musique de Table" als Quelle für Händel. – In: Bulletin de la Société „Union Musicologique" 4 (1924), S. 1–28; und in: Beihefte zu den Denkmälern deutscher Tonkunst. Bd. II. – Leipzig (1927).

Serauky 1935 I

Serauky, Walter: Die Familien Händel und Taust. – In: Händel 1935, S. 3–16.

Serauky 1935 II

– Das Händelhaus. – In: Händel 1935, S. 28–33.

Serauky 1935 III

– Musikgeschichte der Stadt Halle. Bd. I: Von den Anfängen bis zum Beginn des 17. Jahrhunderts. – Halle und Berlin 1935 (= Beiträge zur Musikforschung. Hrsg. von Max Schneider. 1).

Serauky 1939

– Musikgeschichte der Stadt Halle. Bd. II, 1. Halbbd.: Von Samuel Scheidt bis in die Zeit Georg Friedrich Händels und Johann Sebastian Bachs. – Halle und Berlin 1939 (= Beiträge zur Musikforschung, Hrsg. von Max Schneider. 6).

Serauky 1940

– Musikgeschichte der Stadt Halle. Musikbeilagen und Abhandlungen zum zweiten Band, erstem Halbband – Halle und Berlin 1940.

Serauky 1949

– Das Händelhaus in Halle an der Saale. – Halle 1949 (= Schriftenreihe der Bauhütte Roter Turm, H. 4).

Serauky 1955

– Bach – Händel – Telemann in ihrem musikalischen Verhältnis. – In: Händel-Jb. 1(7) (1955), S. 72–101.

Serwer

Serwer, Howard: Die Anfänge des Händelschen Oratoriums („Esther" 1718). – In: Anthem – Ode – Oratorium: ihre Ausprägung bei G. F. Händel. Bericht über die wissenschaftliche Konferenz zu den 29. Händelfestspielen der DDR am 16. und 17. Juni 1980 in Halle (Saale). – Halle 1981, S. 34–45.

Seymour

Seymour, A. C. H.: The Life and Times of Selina Countess of Huntingdon. Bd. I und II. – London 1839–1840.

Shaftesbury

Shaftesbury, Anthony Ashley Cooper, third Earl of: Soliloqui, or Advice to an Author. – London 1710 [in der von John M. Robertson hrsg. Ausgabe der Shaftesbury Works, Bd. I, 1900, S. 152 ff.].

Shaw 1897

Calendar of Treasury Books and Papers. Bd. I (1729–30). Hrsg. von W. A. Shaw. – London 1897.

Shaw 1898

Calendar of Treasury Books and Papers. Bd. II (1731–34). Hrsg. von W. A. Shaw. – London 1898.

Shaw 1900

Calendar of Treasury Books and Papers. Bd. III (1735–38). Hrsg. von W. A. Shaw. – London 1900.

Shaw 1903

Calendar of Treasury Books and Papers. Bd. V (1742–45). Hrsg. von W. A. Shaw. – London 1903.

Shaw 1954

Shaw, H. Watkins: The Three Choirs Festival ... The official History of the Meetings of the Three Choirs of Gloucester, Hereford and Worcester 1713–1953. – (Worcester 1954).

Shaw 1958

– A Handelian Team of "Messiah" Singers: 1749 or 1750? – In: MMR 88 (1958), S. 169–173.

Shaw 1959 I

– A first List of Word-Books of Handel's "Messiah", 1742–83. – Worcester 1959.

Shaw 1959 II

– Handel's Messiah: A Study of Selected Contemporary Word-Books. – In: MQ 45 (1959), S. 208–222.

Shaw 1963

– The Story of Handel's Messiah (1741–1784). – Erweiterte Neuaufl. London 1963.

Shenstone/Mallam

Shenstone, William: Letters. Hrsg. von Duncan Mallam. – Minneapolis 1939.

Shenstone/Williams

– Letters. Hrsg. von Marjorie Williams. – Oxford 1939.

Sherburn

Sherburn, George: Timon's Villa and Cannons. – In: The Huntington Library Bulletin 8 (Cambridge, Mass. 1935).

Siegmund-Schultze 1962

Siegmund-Schultze, Walther: Georg Friedrich Händel. – Leipzig 1962.

Siegmund-Schultze 1977

Georg Friedrich Händel. Beiträge zu seiner Biographie aus dem 18. Jahrhundert. Hrsg. von Walther Siegmund-Schultze unter Mitarbeit von Konrad Sasse. – Leipzig 1977.

SIMG

Sammelbände der Internationalen Musikgesellschaft. – Leipzig 1899/1900–1913/14 (seit 1903 auch mit engl. Titel: Quarterly Magazine of the International Musical Society).

Smith 1924

Smith, William C.: George III, Handel and Mainwaring. – In: MT 65 (1924), S. 789–795.

Smith 1925
– The earliest Editions of Handel's 'Messiah'. –
In: MT 66 (1925), S. 985–990 [siehe auch Smith
1948].
Smith 1935 I
– Handel's First Visit to England. – In: MT 76
(1935), S. 210–213.
Smith 1935 II
– Handel's 'Rinaldo'. An Outline of the Early Edi-
tions. – In: MT 76 (1935), S. 689–695.
Smith 1935 III
– Handel's First Song on the London Stage. – In:
ML 16 (1935), S. 286–292.
Smith 1936
– Handel's Failure in 1745. New Letters of the
Composer. – In: MT 77 (1936), S. 593–598.
Smith 1937
– Recently discovered Handel Manuscripts. – In:
MT 78 (1937), S. 312–315.
Smith 1938
– 'Samson': The Earliest Editions and Handel's
Use of the Dead March. – In: MT 79 (1938),
S. 581–584. – Wiederabdruck in: Händel-Jb. 3
(IX) (1958), S. 105–114 [dt. Übers. ebd.,
S. 172–180].
Smith 1939
– The Earliest Editions of Handel's "Water Mu-
sic". – In: MQ 25 (1939), S. 60–75.
Smith 1948
– Concerning Handel. His Life and Works. – Lon-
don (1948). – [Enthält außer den vom Verfasser
durchgesehenen Artikeln von 1925, 1936 und
1939 folgende neue Aufsätze: Handel the Man; Fi-
nance and Patronage in Handel's Life; Some Han-
del Portraits reconsidered; Gustavus Waltz: was
he Handel's Cook? Acis and Galatea in the Eight-
eenth Century.]
Smith 1950
– Handeliana. – In: ML 31 (1950), S. 125–132.
Smith 1953
– More Handeliana. – In: ML 34 (1953),
S. 11–24.
Smith 1954
– Catalogue of Works. – In: Abraham, S. 275–310.
[Eine vom Autor durchgesehene und erweiterte
Fassung erschien in deutscher Übersetzung von
Konrad Sasse im Händel-Jb. 2 (VIII) (1956),
S. 125–167.]
Smith 1959
– Händels Leben in England (Unter besonderer
Berücksichtigung seiner Blindheit). – In: Hän-
del-Ehrung der Deutschen Demokratischen Repu-
blik, Halle 11.–19. April 1959, Konferenzbe-
richt. – Leipzig 1961, S. 73–79.
Smith 1960
– Handel. A Descriptive Catalogue of the Early
Editions. – London (1960). [Eine 2. Aufl. mit
Supplement erschien 1970 in Oxford.]

Smith 1965
– A Handelian's Notebook. – London (1965).
Smollett Letters – siehe: Meikle
Sola
Sola, Ercole: Curiosità storico – artistico – lettera-
rie, tratte dal carteggio dell'inviato estense Giu-
seppe Riva con Lodovico Muratori. – Modena
1886 (= Atti e Memorie delle R. R. Deputazioni di
Storia patria per le provincie modenesi e parme-
nesi, Ser. 3, Bd. 4).
Sonneck 1907
Sonneck, Oskar G. T.: Early Concert-Life in Ame-
rica (1731–1800). – Leipzig 1907.
Sonneck 1914
– Library of Congress. Catalogue of Opera Librettos
printed before 1800. Bd. I und II. – Washington
1914.
Sorge
Vorgemach der musicalischen Composition, oder:
ausführliche … Anweisung zum General-Bass …
Eröffnet von Georgio Andrea Sorgio … I. bis
III. Teil. – Lobenstein 1745–1747.
Spitta 1869
Spitta [Philipp]: Händel's Vater als Leibchirurg
beim Herzoge Johann Adolph zu Sachsen-Wei-
ßenfels. – In: AmZ 4 (1869), Sp. 286.
Spitta 1894
– Musikgeschichtliche Aufsätze. – Berlin 1894.
Squire 1909
Squire, William Barclay: Handel in 1745. – In:
Gesammelte Studien, Hugo Riemann zum sech-
zigsten Geburtstage überreicht ..: Hrsg. von
C. Mennicke. – Leipzig (1909), S. 423–433.
Squire 1912/13
– Handel in contemporary Song-Books. – In: The
Musical Antiquary 4 (1912/13), S. 103–111.
Squire 1919
– Handel's Clock Music. – In: MQ 5 (1919),
S. 538–552.
Squire 1927
– Catalogue of the King's Music Library. Vol. I:
The Handel Manuscripts. – London 1927.
Steglich
Steglich, Rudolf: Händels Sprachengebrauch. In:
Händel-Ehrung der Deutschen Demokratischen
Republik Halle 11.–19. April 1959. Konferenzbe-
richt. – Leipzig 1961, S. 101–107.
Stevens/Cudworth
Cudworth, Charles: Two Handelian Anecdotes. –
In: Festschrift Otto Erich Deutsch zum 80. Ge-
burtstag… Hrsg. von Walter Gerstenberg, Jan La-
Rue und Wolfgang Rehm. – Kassel etc. 1963,
S. 49f.
Stompor
Stompor, Stephan: Die deutschen Aufführungen
von Opern Händels in der ersten Hälfte des
18. Jahrhunderts. – In: Händel-Jb. 24 (1978),
S. 31–89.

Stopford-Sackville
Stopford-Sackville, Mrs.: Report on the MSS. of
Mrs. Stopford-Sackville. Bd. I. – London 1904.
Streatfeild 1909
Streatfeild, Richard Alexander: Handel. – London
1909.
Streatfeild 1909/10
– Handel in Italy, 1706–10. – In: The Musical An-
tiquary 1 (1909/10), S. 1–14.
Streatfeild 1911
– Handel's Journey to Hanover in 1716. – In: The
Musical Antiquary 2 (1911), S. 119.
Streatfeild 1916
– Handel, Canons and the Duke of Chandos. –
London 1916.
Streatfeild 1917
– Handel, Rolli, and Italian Opera in London in
the Eighteenth Century. – In: MQ 3 (1917),
S. 428–445.
Strohm 1974 I
Strohm, Reinhard: Händel in Italia: Nuovi contri-
buti. – In: Rivista Italiana di Musicologia 9 (1974),
S. 152–174.
Strohm 1974 II
– Händels Pasticci. – In: Analecta Musicologica.
Studien zur italienisch-deutschen Musikge-
schichte. Hrsg. von Friedrich Lippmann.
Bd. XIV. – Köln 1974, S. 208–267 (= Veröffentli-
chungen der Musikabteilung des Deutschen Hi-
storischen Instituts in Rom. 14).
Strohm 1975/76
– Händel und seine italienischen Operntexte. –
In: Händel-Jb. 21/22 (1975/76), S. 101–159.
Stukeley
Stukeley, William: The Family Memories, and the
Antiquarian and other Correspondence of William
Stukeley, Roger and Samuel Gale ... Bd. I–III.
Hrsg. von W. C. Lukis. – Durham 1882–1887
(= Surtees Society. Bd. 73, 76 und 80).
Stukeley/Newton
– Memoirs of Sir Isaac Newton's Life. Hrsg. von
A. Hastings White. – London 1936.
Sundon
Sundon, Charlotte Clayton, Viscountess: Mem-
oirs ... including Letters ... Hrsg. von Katherine
Thomson. Bd. I und II. – London 1847.
Swift Correspondence
Swift, Jonathan: The Correspondence of Jonathan
Swift, D. D. Hrsg. von F. E. Ball. Bd. I–VI. – Lon-
don 1910–1914.
Swift Miscellanies
– Miscellanies in Prose and Verse. Bd. I–III. –
London 1728–1733.
Swift Poems
– Poems. Hrsg. von Harold Williams. – Oxford
1937.
Swift Works
– The Works ... Hrsg. von Walter Scott. Bd. I bis
XIX. – Edinburgh 1814.

Theatre Notebook – siehe: Theatrical Register
Theatrical Register
Burney, Charles: Theatrical Register. A Collection
of Notebooks, containing MS. material and Cut-
tings from Books and Newpapers, dealing with
the History of the Stage in England, 1660–1801.
Bd. I–LXXXIV. – British Library: 938, a–d.
[Hierin enthalten das Theatre-Notebook.]
Thomas
Thomas, Günter: Friedrich Wilhelm Zachow. –
Regensburg 1966 (= Kölner Beiträge zur Musik-
forschung. Hrsg. von Karl Gustav Fellerer.
Bd. 7).
Throckmorton MSS.
Throckmorton, Sir N. William: The Throckmorton
Manuscripts. – London 1872 (= Historical Man-
uscripts Commission, Third Report, Appendix).
Timms
Timms, Colin: Handel and Steffani. A new Handel
signature. – In: MT 114 (1973), S. 374–377.
Tobin 1950
Tobin, John: 'Messiah' Restored – An Apology. –
In: MT 91 (1950), S. 133 f.
Townsend 1852
Townsend, Horatio: An Account of the Visit of
Handel to Dublin: with incidental Notices of his
Life and Character. – Dublin 1852.
Townsend 1860
– The History of the Mercer's Charitable Hospital
in Dublin, to the End of the Year 1742. – Dublin
1860.
Townshend MSS
Townshend, Marquess: The Manuscripts of the
Marquess Townshend. – London 1887 (= Histori-
cal Manuscripts Commission, 11th Report, Appen-
dix, Part IV).

Vertue Anecdotes
Vertue, George: Anecdotes of Painting in Eng-
land. Hrsg. von Horace Walpole, mit Zusätzen
von James Dallaway. Bd. I–V. – London
1826–1828.
Vertue Note Books
– Note Books. Bd. III. – Oxford 1934 (= The Wal-
pole Society. Bd. 22).
VfMw
Vierteljahrsschrift für Musikwissenschaft. – Leip-
zig 1885–1894, Generalregister 1895.
Victor
Victor, Benjamin: Original Letters, Dramatic Pie-
ces, and Poems. Bd. I–III. – London 1776.

Walker 1951 I
Walker, Frank: A Chronology of the Life and
Works of Nicola Porpora. – In: Italian Studies. An
Annual Review. Bd. 6. – Cambridge 1951,
S. 29–62.

Walker 1951 II
– Some Notes on the Scarlattis. – In: MR 12
(1951), S. 185–203.
Walker 1972
George Frideric Handel: The Newman Flower
Collection in the Henry Watson Music Library. A
Catalogue compiled by Arthur D. Walker. – Man-
chester 1972.
Walpole Anecdotes – siehe: Vertue Anecdotes
Walpole Correspondence
Walpole, Hórace, fourth Earl of Orford: Corre-
spondence. Hrsg. von W. S. Lewis... – New Haven
und London 1937 ff.
Walpole Letters 1891
– Letters. Hrsg. von Peter Cunningham Bd. I bis
IX. – London 1891.
Walpole Letters 1903–1905
– Letters. Hrsg. von Paget Toynbee. Bd. I–XVI. –
Oxford 1903–1905.
Walpole Memoirs
– Memoirs of the Reign of King George the Sec-
ond. Hrsg. von Lord Holland. Bd. I–III. – London
1846.
Walpole/Gray
Walpole's Correspondence with Thomas Gray. –
New Haven 1948.
Walther
Walther, Johann Gottfried: Hendel, Georg Fried-
rich. – In: Musicalisches Lexicon oder Musicali-
sche Bibliothec, ... von Johann Gottfried Wal-
thern ... Leipzig ... 1732. – Faksimile-Nachdruck
hrsg. von Richard Schaal. – Kassel und Basel 1953
(= Documenta Musicologica. Erste Reihe: Druck-
schriften-Faksimiles. III), S. 309.
Weinstock
Weinstock, Herbert: Handel. – New York 1946.
Weißenborn 1922
Weißenborn, Bernhard: Halles Anteil an der deut-
schen Händelpflege. – In: Hallisches Händelfest
1922. Festschrift. – Halle (1922), S. 70–92.
Weißenborn 1938
– Das Händelhaus in Halle. Die Geburtsstätte Ge-
org Friedrich Händels. – Wolfenbüttel und Berlin
1938 (= Schriftenreihe des Händelhauses in
Halle. Veröffentlichungen aus dem Musikleben
Mitteldeutschlands. H. 3).
Wentworth Papers
Wentworth, Thomas, Earl of Strafford: The Went-
worth Papers. 1705–1739. Hrsg. von James J.
Cartwright. – London 1883.
Werner 1911
Werner, Arno: Städtische und fürstliche Musik-
pflege in Weissenfels bis zum Ende des 18. Jahr-
hunderts. – Leipzig 1911.
Werner 1935
Werner, Th[eodor] W.[ilhelm]: Ein Beitrag zur
Kenntnis der Familie Händel. – In: ZfMw 17
(1935), S. 74–77.

Wesener
[Wesener, Wolfgang Christoph:] Der Hällische
Messer-Schlucker/Samt Dessen Cur/Und Den
2. Augusi 1692. Erfolgte Erledigung/Von dem Am
3. Januarii 1691. Eingeschluckten Messer/Denen
Curiösen Liebhabern kürtzlich vorgestellet Von
D. Wolffgang Christoph Wesenern/Chur-Fürstl.
Brandenb. Land-Phys. – Halle o. J.
Wesley Journal
Wesley, John: The Journal of the Rev. John Wes-
ley, A. M. Maßgebende Ausg. von Nehemiah Cur-
nock. Bd. I–VIII. – New York 1909–1916.
Wesley Letters
– Letters. Hrsg. von John Telford. Bd. I–VIII. –
London 1931.
Whitley
Whitley, William T.: Artists and their Friends in
England. Bd. I und II. – London 1928.
Wiel
Wiel, Taddeo: I teatri musicali veneziani del Sette-
cento. Catalogo delle opere in musica rappresen-
tate nel secolo XVIII in Venezia. – Venedig 1897
(Estratto dal Archivio Veneto 1891/'97). [Reprint:
Leipzig 1979]
Wolff 1937
Wolff, Hellmuth Christian: Die Venezianische
Oper in der zweiten Hälfte des 17. Jahrhunderts. –
Berlin 1937.
Wolff 1943
– Agrippina. Eine italienische Jugendoper von
G. F. Händel. – Wolfenbüttel und Berlin 1943.
Wolff 1957 I und II
– Die Barockoper in Hamburg (1678–1738). Bd. I
und II. – Wolfenbüttel 1957.
Wolff 1957 III
– Die Händel-Oper auf der modernen Bühne. Ein
Beitrag zu Geschichte und Praxis der Opern-Bear-
beitung und -Inszenierung in der Zeit von 1920
bis 1956. – Leipzig 1957.
Wolff 1963
– G. Ph. Telemann und die Hamburger Oper. In:
Beiträge zu einem neuen Telemannbild. – Magde-
burg 1963, S. 46–49.
Wolff 1968
– Oper. Szene und Darstellung 1600–1900. – Leip-
zig 1968 (= Musikgeschichte in Bildern IV/1).
Wolff 1973
– L'opera comica nel XVII sec. a Venezia e
L'Agrippina di Haendel. – In: NRMI 7 (1973),
No. 1, S. 3(39)–14(50).
Wright
Wright, Reginald Wilberforce Mill: George Frede-
rick Handel. His Bath Associations. – In: Musical
Opinion 58 (London 1935), S. 846 f. und 926 f.
Wroth
Wroth, Warwick: The London Pleasure Gardens
of the Eighteenth Century. – London 1896.
Wyndham
Wyndham, Henry Saxe: The Annals of Covent

Garden Theatre from 1732 to 1897. Bd. I und II. – London 1906.

Yorke-Long
Yorke-Long, Alan: The Opera of the Nobility. – Oxford 1951 (maschinenschr. = Preisschrift, eingereicht zur Erlangung des Osgood Memorial Prize 1951).
Young 1945
Young, Percy M.: Friends of Handel. – In: MMR (1945), S. 199–202.
Young 1947
– Handel. – London (1947) (= The Master Musicians. Hrsg. von Eric Blom).
Young 1949
– The Oratorios of Handel. – London 1949.
Young 1950
– Rezension von ,Concerning Handel. His Life and Works. Essays by William C. Smith'. – In: MT 91 (1950), S. 51 f.
Young 1954
– Handel the Man. – In: Abraham, S. 1–11.
Young 1961
– Die Händel-Pflege in den englischen Provinzen. – In: Händel-Jb. 6 (1960), S. 31–49.

Zanetti 1959 I
Zanetti, Emilia: A proposito di tre sconosciute Cantate Inglesi [di Haendel]. – In: RaM 29 (1959), S. 129–142.
Zanetti 1959 II
– Roma città di Haendel. – In: Musica d'Oggi 24 (Mailand 1959), S. 434–441.
Zanetti 1960
– Haendel in Italia. – In: L'Approdo Musicale 3 (Turin 1960), Nr. 12, S. 3–40 und Anh. S. 41–46.
Zanetti 1968
– Artikel „G. F. Haendel" in der Enzyklopädie La Musica. – Turin 1968.
ZfMw
Zeitschrift für Musikwissenschaft. – Leipzig 1918/19–1935 (Forts.: Archiv für Musikforschung).
Zelm
Zelm, Klaus: Die Opern Reinhard Keisers. Studien zur Chronologie, Überlieferung und Stilentwicklung. – München und Salzburg 1975.
Zeraschi
Zeraschi, Helmut: Bach und der Okulist Taylor. – In: Bach-Jb. 43 (1956), S. 52–64.
Zimmerman 1963
Zimmerman, Franklin B.: Handel's Purcellian Borrowings in his later Operas and Oratorios. – In: Festschrift Otto Erich Deutsch zum 80. Geburtstag… Hrsg. von Walter Gerstenberg u. a. – Kassel u. a. 1963, S. 20–30.

Zimmerman 1974
– Georg Friedrich Händels neu entdeckte Musik aus Comus: ,There in blisful shade'. – In: Händel-Jb. 20 (1974), S. 109–117.
Zimmermann
Zimmermann, Franz: Materialien zur Herkunft der Studenten der Universität Halle in der Zeit von 1696–1730. – In: 450 Jahre Martin-Luther-Universität Halle–Wittenberg. Bd. II. – O. O. und o. J., S. 95–100.
ZIMG
Zeitschrift der Internationalen Musikgesellschaft. – Leipzig 1899/1900–1913/14 (seit 1903 auch mit engl. Titel: Monthly Journal of the International Musical Society).
Zobeley
Zobeley, Fritz: Werke Händels in der Gräfl. von Schönbornschen Musikbibliothek. – In: Händel-Jb. 4 (1931), S. 98–116.

NACHTRAG

Doebner
Doebner, Richard: Händel in Hannover. – In: Zeitschrift des Historischen Vereins für Niedersachsen, Jg. 1885, S. 297 f.

Högg
Högg, Margarete: Die Gesangskunst der Faustina Hasse und das Sängerinnenwesen ihrer Zeit in Deutschland. Diss. Berlin 1931. Gedruckt: Königsbrück i. Sa. 1931.

Hudson
HHA IV/11: Sechs Concerti grossi Opus 3. Kritischer Bericht von Frederick Hudson. – Kassel etc. und Leipzig 1963.

Portland MSS.
Portland, Duke of: Manuscripts. – Bd. VI (Harley Papers, Bd. IV), London 1901 (= Historical Manuscripts Commission).

Stillingfleet
Stillingfleet, Benjamin: Literary Life and Select Works. Hrsg. von William Coxe. Bd. I und II. – London 1811.

Tobin 1965
HHA I/17: Der Messias. Kritischer Bericht von John Tobin. – Kassel etc. und Leipzig 1965.

Weaver
Weaver, Lamar, und Norma Wright Weaver: A Chronology of Music in the Florentine Theatre 1550–1750. – Detroit 1978 (= Detroit Studies in Music Bibliography No. 38).

Williams
Williams, Basil: The Whig Supremacy, 1714 bis 1760. – Oxford 1939.

Ausgewertete Zeitungen und Zeitschriften des 18.Jahrhunderts

Aberdeen Journal: 1758.

Applebee's Original Weekly Journal: 1719, 1720, 1723, 1724, 1733.

Bath Advertiser: 1757.

The Bee; or, Universal Weekly Pamphlet: 1733, 1734, 1735.

Berrow's Worcester Journal: 1750, 1753, 1755, 1756, 1759.

Boddely's Bath Journal: 1749, 1752, 1755, 1756, 1758, 1759.

Brice's Weekly Journal (Exeter): 1729.

The British Apollo: 1710.

The British Journal (von 1728 an:) or, The Censor: 1722, 1723, 1724, 1727, 1728.

The Caledonian Mercury (Edinburgh): 1751, 1754.

Cambridge Chronicle: 1753.

Common Sense; or, The Englishman's Journal: 1738.

The Country Journal; or, The Craftsman (1726/27: The Craftsman): 1728, 1729, 1731–1738.

The Covent-Garden Journal (Hrsg.: Fielding): 1752.

The Craftsman – siehe: The Country Journal

Critica Musica (Verf.: Matheson): Bd. I: Hamburg 1722/23; Bd. II: ebd. 1725 (siehe Matheson 1722/23 und Matheson 1725).

The Daily Advertiser: 1737, 1743, 1744, 1745.

The Daily Courant: 1711, 1713–1726, 1728–1734.

The Daily Gazetteer: 1736, 1737, 1745.

The Daily Journal: 1725, 1728–1736.

The Daily Post: 1720, 1721, 1723–1727, 1729–1733, 1735–1738.

The Daily Post Boy – siehe: The Post Boy.

Dawk's News-Letter: 1713.

The Dublin Gazette: 1736, 1739, 1741.

The Dublin Journal: 1739–1759.

The Dublin News-Letter: 1742.

The Evening Post – siehe: The London Evening Post (so vom 12.12.1727 an).

Faulkner's Journal – siehe: The Dublin Journal.

Felix Farley's Bristol Journal: 1727, 1755–1758.

The Flying Post; or, The Post-Master: 1713, 1727.

Fog's Weekly Journal – siehe: Mist's Weekly Journal.

The Free Briton: 1733.

The Gazetteer and London Daily Advertiser: 1759.

The General Advertiser – siehe: The London Daily Post.

The General Evening Post: 1735, 1745.

The Gentleman's Magazine; or, Monthly Intelligencer (von 1736 an: The Gentleman's Magazine and Historical Chronicle): 1731–1733, 1735, 1736, 1740, 1742, 1747, 1749, 1751, 1752, 1755, 1759.

Gloucester Journal: 1736, 1738, 1739, 1740, 1742 bis 1745, 1748, 1751, 1754, 1757.

The Gray's Inn Journal: 1753, 1754.

The Grub-street Journal: 1733–1735, 1737, 1738.

The Guardian: 1713.

Hallische Zeitung: 1753.

Hamburger Relations-Courier: 1713–1715, 1719–1721, 1729, 1734, 1738, 1740, 1759.

Historisch-kritische Beyträge zur Aufnahme der Musik (Hrsg.: Marpurg), Berlin: 1754 (siehe auch unter Marpurg).

Holsteinischer Correspondent: 1724.

Hooker's Weekly Miscellany: 1733.

The Ipswich-Journal: 1734, 1743.

Jackson's Oxford Journal: 1753–1759.

Journals of the House of Commons: 1727.

Journals of the House of Lords: 1727.

Kritische Briefe über die Tonkunst – siehe: Marpurg Briefe.

Lloyd's Evening Post and British Chronicle: 1759.

The London (Daily) Advertiser (and Literary Gazette): 1751–1753, 1755 (am 18.4.1751 wurde in den Titel das Daily eingefügt, vom 25.11.1751 an fiel der zweite Teil des Titels weg).

The London Chronicle; or, Universal Evening Post: 1757–1759.

The London Daily Post, and General Advertiser (seit dem 12.3.1744: The General Advertiser; seit Dezember 1752: The Public Advertiser): 1734–1741, 1743, 1744–1752.

The (London) Evening Post: 1721, 1734, 1736, 1737, 1739, 1743, 1749, 1759.

The London Gazette: 1719–1721, 1726–1729.

The London Journal: 1722–1729.

The London Magazine; or, Gentleman's Monthly Intelligencer (von 1736 an: The London Magazine And Monthly Chronologer): 1732–1734, 1736–1738, 1744–1746, 1753, 1759.

Le Mercure de France, Paris: 1723.

Miscellaneous Correspondence, in Prose and Verse (Hrsg. Benjamin Martin): 1755, 1759 (siehe auch unter Martin).

Mist's (seit 1729: Fog's) Weekly Journal; or, Saturday's Post: 1718, 1720, 1724, 1728, 1733.

The Monthly Review; or, Literary Journal: 1754.

The Muses Mercury; or, The Monthly Miscellany: 1707.

Der Musicalische Patriot siehe Matheson 1728.

Neu eröffnete musikalische Bibliothek siehe Mizler.

The New York Mercury: 1756.

Norris's Taunton Journal: 1727.

The Norwich Gazette: 1727, 1729, 1733.

The Norwich Mercury: 1727, 1729, 1730, 1741, 1756, 1759.

The Old Whig; or, The Consistent Protestant: 1735–1738.

The Oratory Magazine: 1748.

The Original Weekly Journal – seit Juli 1720: Applebee's Original Weekly Journal (siehe dort).

Parker's Penny Post: 1725, 1727.

The Post Boy (von 1728 an: The Daily Post Boy): 1714, 1720–1724, 1731, 1733.

The Post-Man, and The Historical Account: 1711, 1717.

Le Pour et Le Contre. Ouvrage périodique d'un goût nouveau … (Hrsg.: Antoine-François Prévost d'Exiles), Paris: 1733–1735.

The Prompter: 1734.

The Public Advertiser (siehe: The London Daily Post): 1753–1759.

The Publick Register; or, Weekly Magazine: 1741.

Pue's Occurrences, Dublin: 1736, 1741, 1742.

Read's Weekly Journal; or, British Gazetteer: 1720, 1723, 1725, 1727, 1731, 1733, 1737.

St. James's Evening Post: 1733, 1734.

St. James's Journal: 1723.

The Salisbury and Winchester Journal, Salisbury: 1756.

Samenspraaken over musikaale beginselen (Hrsg.: Lustig), Antwerpen: 1756 (siehe auch unter Lustig).

The Scots Magazine, Edinburgh: 1739, 1759.

The Spectator: 1711, 1712.

The Student; or, Oxford Monthly Miscellany: 1750.

The Suffolk Mercury; or, St. Edmunds-Bury Post (Bury St. Edmunds): 1725, 1733, 1734.

The Theatre (Hrsg.: Steele): 1720.

The Universal Chronicle; or, Weekly Gazette: 1759.

The Universal Magazine of Knowledge and Pleasure: 1751, 1759.

The Universal Spectator, and Weekly Journal (Hrsg.: Baker): 1731, 1733, 1735, 1743.

The Weekly Journal – siehe: Applebee, Brice, Fog, Mist, Read und Universal Spectator.

The Weekly Journal; or, British Gazetteer – siehe: Read's Weekly Journal (seit 1731).

The Weekly Journal; or, Saturday's Post – siehe: Mist's Weekly Journal.

The Weekly Miscellany siehe Hooker's Weekly Miscellany.

The Weekly Oracle; or, Universal Library: 1734.

The Weekly Register; or, Universal Journal: 1733.

The Whitehall Evening Post; or, London Intelligencer: 1759.

The World: 1753.

NACHTRAG

Berington's Evening Post: 1733.

Dawk's News-Letter: 1713.

The Daily Post-Boy: 1733.

Holsteinischer unpartheyischer Correspondent: 1759.

The Newcastle Courant: 1749.

The Newcastle Journal: 1739, 1753.

The Salisbury Journal: 1752, 1759.

Staats- und Gelehrten Zeitung des Hamburgischen unpartheyischen Correspondenten: 1740.

Stockholmske Post-Tidningar: 1734.

The Universal Journal: 1724.

Wöchentliche Hallische Anzeigen: 1746.

Personenregister

Vorbemerkung zu den Registern

Der Registerabschnitt besteht aus drei Teilen: Personen-, Orts- und Sachregister sowie Register der Händelschen Werke, an dessen Schluß sich ein Verzeichnis der Textincipits erwähnter Einzelnummern befindet.

Im Personenregister sind Lebensdaten oder, wenn diese fehlten, Hauptwirkungszeiten (fl. = floruit) vermerkt, soweit sie erreichbar waren. Zusätzliche Hinweise zu Personen wurden nach Möglichkeit dann gegeben, wenn Vornamen fehlten oder aber ein Name mehrmals erscheint. Divergenzen zwischen Hauptteil und Register sind in Einzelfällen möglich. Sie resultieren daraus, daß für das Register einige neuere Nachschlagewerke herangezogen werden konnten.

Im Orts- und Sachregister wurden bei den Länder- und Ortsangaben Großbritannien, England und London ausgespart. Werk-, Zeitschriften- und Buchtitel erscheinen in kursiver Schrift; anstelle eines Titels stehende Textanfänge sind durch Anführungsstriche gekennzeichnet.

Das Werkregister erhielt seine systematische Ordnung nach den im Werkeverzeichnis des Händel-Handbuchs (HWV) eingeführten Gruppen. Innerhalb dieser Gruppen wurde – ausgenommen die nach HWV-Nummern geordnete Instrumentalmusik – die alphabetische Anlage gewählt. Titel erscheinen in kursiver Schrift, Textanfänge in Grundschrift.

Orts- und Sachregister

Register der Händelschen Werke

Bühnenwerke–OratorischeWerke–
Vokale Kammermusik–Kirchenmusik–
Orchesterwerke – Instrumentale Kammermusik –
Musik für Tasteninstrumente –
Pasticci und Opernfragmente
Textanfänge von Einzelnummern

BÜHNENWERKE

Opern

Schauspielmusiken

ORATORISCHE WERKE

Oratorien

Serenaden

Oden

VOKALE KAMMERMUSIK

Kantaten

Inhalt